Dicionário Mulheres *do* Brasil

Dicionário **Mulheres** *do* **Brasil**

de 1500 até a atualidade

com 270 ilustrações

organizado por
Schuma Schumaher
Érico Vital Brazil

2ª edição

Jorge Zahar Editor
Rio de Janeiro

Jorge Zahar Editor Ltda.
rua México 31 sobreloja
20031-144 Rio de Janeiro, RJ
tel.: (21) 240-0226/fax: (21) 262-5123
e-mail: jze@zahar.com.br
site: www.zahar.com.br

Projeto Mulher – 500 anos atrás dos panos
Rede de Desenvolvimento Humano (Redeh)
rua Álvaro Alvim 21/16º andar
20031-010 Rio de Janeiro, RJ
tel.: (21) 262-1704/fax: (21) 262-6454
e-mail: redeh@redeh.org.br

Capa: Carol Sá e Sérgio Campante

Edição anterior: 2000

CIP-Brasil. Catalogação-na-fonte
Sindicato Nacional dos Editores de Livros, RJ.

D542 Dicionário mulheres do Brasil: de 1500 até a atualidade biográfico e ilustrado/organizado por Schuma Schumaher, Érico Vital Brazil. – Rio de Janeiro: Jorge Zahar Ed., 2000

Inclui bibliografia
ISBN 85-7110-573-1

1. Mulheres – Brasil – História – Dicionários. I. Schumaher, Schuma. II. Brazil, Érico Vital.

CDD 305.420981
00-1355 CDU 316.346.2-055.2

O ***Dicionário Mulheres do Brasil*** é fruto do *Projeto Mulher — 500 anos atrás dos panos*, que nasceu com a proposta de resgatar e divulgar a participação das mulheres na formação e no desenvolvimento do Brasil. Esse amplo projeto pretende dar visibilidade à atuação, ao saber, à fala e ao olhar feminino na história do país, através da realização de seus desdobramentos nas áreas de eventos, audiovisual e editorial. É uma iniciativa que, desde 1997, celebra a parceria da Redeh (Rede de Desenvolvimento Humano) com a Arte Sem Fronteiras e cujo ponto de partida foi o apoio da Fundação Ford para uma vasta pesquisa. O compromisso é com a tentativa de recuperar a trajetória das brasileiras que, como muitas outras mundo afora, ainda estão escondidas atrás dos panos.

Coordenação geral
Schuma Schumaher

Coordenação executiva
Érico Vital Brazil

Coordenações setoriais
Maria Clara Rodriges Moraes
Rita Veiga

Comitê consultivo

Albertina de Oliveira Costa *(socióloga e pesquisadora da Fundação Carlos Chagas/SP)*; Bruna Franchetto *(antropóloga e lingüista do Museu Nacional/UFRJ)*; Carlos Lessa *(doutor em economia e decano da UFRJ)*; Eliane Potiguara *(coordenadora do Grupo Mulher Educação Indígena/RJ)*; Elizabeth Vargas *(socióloga e coordenadora do Programa Universidade Solidária)*; Francisco Carlos Teixeira Silva *(historiador e professor da UFRJ)*; Helena Theodoro *(historiadora e professora da Universidade Gama Filho/RJ)*; Hildete Pereira de Melo *(doutora em economia e professora da UFF)*; Ivete Sacramento *(professora e reitora da Universidade do Estado da Bahia)*; Luciano Figueiredo *(historiador e professor da UFF)*; Maria Betânia de Melo Ávila *(socióloga e coordenadora do SOS Corpo/PE)*; Maria Cristina Vignoli *(jornalista e pesquisadora do Cedoc da Rede Globo/RJ)*; Maria Rita Kehl *(doutora em psicanálise e escritora, SP)*; Ronaldo Vainfas (*doutor em história e professor da UFF)*; Solange Dacah *(socióloga e coordenadora da Redeh/RJ)*; Sueli Carneiro *(filósofa e integrante do Gelédes – Instituto da Mulher Negra/SP)*; Thaís Corral *(jornalista e coordenadora do Cemina/RJ).*

Coordenação da pesquisa
Hildete Pereira de Melo
Teresa Cristina de Novaes Marques

Assistentes de pesquisa
Carmen Margarida Oliveira Alveal
Gisela de Araújo Moura

Auxiliares de pesquisa
Ana Cecília M. Kreter
Érika Bastos Arantes
Jovita Levi Grinja
Maria Eugenia Bertarelli
Mônica da Silva Araújo
Tânia Mittelman

Coordenação de redação
Hildete Pereira de Melo
Schuma Schumaher
Teresa Cristina de Novaes Marques

Colaboradoras (es)
Adélia Midglievich Ribeiro (RJ)
Albertina de Oliveira Costa (SP)
Ana Lúcia Uchoa Peixoto (BA)
Andréa Carvalho (SP)
Antônio Amauri Corrêa de Araújo (SP)
Antônio Carlos Marega (SC)
Cláudio Manuel Nabuco (RJ)
Comba Marques Porto (RJ)
Cristiane Lasmar (RJ)
Cristina Araújo Seixas (RJ)
Eduardo Monteiro (RJ)
Elizabeth Nasser (RN)
Etelvina de Castro Trindade (SP)
Fernanda Pompeu (SP)
Helena Theodoro (RJ)
João Lizardo Hermes de Araújo (RJ)
Junia Furtado (MG)
Leonarda Musumeci (RJ)
Luís Eduardo Lerina (RJ)
Luzia Alvares (PA)
Márcia Gama (RJ)
Marco Antônio Perruso (RJ)
Maria Clara Moraes (RJ)
Maria das Graças de Andrade Leal (BA)
Maria Luíza Vaz (SP)
Maria Júlia Alves de Souza (BA)
Miriam Martinho (SP)
Myriam Steffen Vieira (RS)
Nélia Ferraz Moreira Nunes (RJ)
Nadja Nicolaevsky (RJ)
Paulo Knauss (RJ)
Rachel Moreno (SP)
Regina Stella Moreira Pires (SP)
Renata Theresa Fagundes Cunha (PR)
Renato Pacheco (ES)
Rita Ribeiro (SP)
Rita Veiga (RJ)
Roberto Mansilla Amaral (RJ)
Solange Dacach (RJ)
Vera Soares (SP)

Editoria de texto
Ana Arruda Callado

Preparação de texto
Isabel Miranda
Maria Helena Lyra
Maria Ignez Duque Estrada
Vera Cristina Rodrigues

Coordenação da pesquisa iconográfica
Érico Vital Brazil

Pesquisa iconográfica
Rosângela Logatto
Sara Celeste Boechat

Reprodução de imagens
Cláudia Ferreira
Jorge Chaves
Rauf Tauile
Renata Cavalcanti

Arte das imagens
Flavia Rocha
Lena Benzecry
Simone Mello

Equipe de apoio
Márcia Lemos
Maria da Guia Felix
Maria Eugênia Ascher de Castilho
Osmar Correia Sobral
Regina Celi de Oliveira
Vânia Rohem

Sumário

AGRADECIMENTOS

Queremos registrar profunda gratidão às equipes que participaram incansavelmente deste projeto, ao Comitê Consultivo, às pessoas que nos incentivaram e às que nos deram inúmeras contribuições. Agradecemos especialmente a:

Adele Lynch (RJ); Adílson de Oliveira (RJ); Aila Pereira (RJ); Alaíde Lisboa de Oliveira (MG); Aldinha Vital Brazil (RJ); Alexandre Brito Couto (RJ); Alzira Rufino (SP); Amália Fischer (RJ); Amilton Carvalhal (SP); Ana Lúcia Nogueira França (PR); Ana Luiza Pijnappel (Holanda); Ana Maria Machado (RJ); Ana Montenegro (BA); Ana Paula Vieira Fernandes (RJ); André Severino Fernandes (RJ); Andréa Krammer (SP); Angela Arruda (RJ); Angela Freitas (RJ); Angelita Pereira Lima (GO); Anna Guerra Duval (RJ); Antônia Lúcia Cavalcanti (DF); Antonieta de Aguiar Nunes (BA); Antônio Barroso (CE); Augusta Juliana (SP); Auxiliadora Cabral (DF); Beatriz Canabrava (SP); Beatriz Kushnir (RJ); Behula Spencer (RJ); Beth Vargas (DF); Bila Sorj (RJ); Cacilda Fortes Cruz (RJ); Carla Lopes Vieira Martins (RJ); Célia Andrade (DF); Cely Vital Brazil (PR); Clara Kutner (RJ); Cláudia Beatriz Heynemann (RJ); Cláudia Loureiro (PE); Cléo Martins (BA); Cnéa Cimini Moreira de Oliveira (DF); Concita Maia (AC); Consuelo Lupion Cornelsen (PR); Cristina Novelli (RJ); Cristina Pierotti; Denise Viola (RJ); Dina Canço (Portugal); Dinah Moschel (RJ); Dionísia Brandão (RJ); Diva Ruas (MG); Dora Cunha (RJ); Dostoievsky Americano do Brasil (MG); Edith Vargas (RJ); Edla Eggert (RS); Edneide Arruda Pereira (RO); Edson Luiz Vieira (RJ); Eduardo Monteiro (RJ); Eleonora Zicari Brito (DF); Eli Diniz (RJ); Eli Rocha (RJ); Eliane Veiga (SC); Elizena Roffy (AP); Eulâmpia Reiler (BA); Eunice Gutman (RJ); Fábio Prado Pimentel (RJ); Fafu Schumaher (SP); Família de Mariana Coelho (PR); Família de Nuta Bartlet James (RJ); Feliciano Schumaher (SP); Fernanda Pompeu (SP); Flávio Marinho (RJ); Francisca Leite Ferreira (AC); Francisco Pinheiro (CE); Gilberta Soares (PB); Gleison Luís Nepomuceno (MG); Glória Regina N. Nogueira (RJ); Goyo Pessoa Garcia (RJ); Graziela Rodrigues (RJ); Helena Celestino (RJ); Hélio Viana (RJ); Hermínia Werneck de Castro (RJ); Iara Cedraz (AM); Icaro Vital Brazil (RJ); Ilda Marques Bogéa (MA); Iole Macedo Vani (BA); Isabel Tavares da Cunha (PA); Isabelle de Orléans e Bragança (França); Ísis Catarina Martins Brandão (MT); Ismênia James (RJ); Ivone Moraes de Pinho e irmãs (RJ); Izabel Novaes Feitosa (RJ); Jane Souto de Oliveira (RJ); João Batista Cascudo Rodrigues (DF); Kátia Regina Pereira da Silva (RJ); Laura Padilha (RJ); Leda Emery de Carvalho Batista (RJ); Leilah Borges (RJ); Leonor Nunes Paiva (RJ); Liege Rocha (SP); Lise Corrêa Rodrigues (RJ); Lizir Arcanjo (RJ); Luciana Galvão Borel (RJ); Luciano Raposo Figueiredo (RJ); Lucy Lúpia (RJ); Ludmila Mourão (RJ); Luís Carlos Gomes (RJ); Luís Felipe Monteiro (RJ); Luíza Paiva Boléo (Portugal); Lygia Costa Moog (RJ); Madalena Guilhon (RJ); Márcia Cláudia Figueiredo (RJ); Márcia Gama (RJ); Márcia Laranjeira (PE); Márcia Medeiros (RJ); Márcio Pinto (RJ); Maria Amélia Leite (CE); Maria Angelina James (RJ); Maria Aparecida Taborda França (PR); Maria Bethânia de Melo Ávila (PE); Maria Cecília Magalhães Gomes (MG); Maria de Lourdes Dinepi (RJ); Maria de Sousa (Portugal); Maria do Carmo Pagan Forti (SP); Maria do Carmo Teixeira Rainho (RJ); Maria Evangelina Ferreira Fonseca (RJ); Maria Helena Alvim (Portugal); Maria Helena Silva (BA); Maria José Duque de Novaes Marques (PR); Maria José Pereira Rocha (GO); Maria Lígia Madureira Pina (RJ); Maria Lúcia Cerutti (RJ); Maria Luíza Heilborn (RJ); Maria Tereza de Barros Camargo (RJ); Mariana Várzea (RJ); Mariana Pierotti (RJ); Marieta de Moraes Ferreira (RJ); Mariinha França (PR); Marilúcia da Silva (RJ); Mariska Ribeiro (RJ); Marta Capistrano (SP); Maya Devi de Oliveira (RJ); Miriam Cafu (RJ); Mirian Juvino (RJ); Monica Horta (RJ); Mosquito (RJ); Myriam Carvalho (RJ); Naíra Vasconcelos (RS); Nalu Faria (SP); Nathalie Bernardo da Câmara (RN); Neide Barros Rego (RJ); Nilcéia da Silva Baroncelli (SP); Oswaldo Barroso (CE); Otília de Castro (SP); Paulo de Tarso Fernandes (RJ); Paulo Rezende (RJ); Pedro Tortima (RJ); Raimundo Soares de Brito (RN); Raul Lody (RJ); Reinaldo Ramsés Damião (RJ); Renata Affonso (RJ); Renato Archer de Castilho (RJ); Ricardo Telles (RJ); Rita Andréa (AP); Roberto Burnstin (SP); Rosa M. Goto (RJ); Rosali Scalabrin (AC); Rosane Reis Lavigne (RJ); Rurany Ester Silva (GO); Sandra Carvalho (DF); Sandra Infurna (RJ); Sandra Moreira (RJ); Sátiro Nunes (RJ); Saulo Pereira (RJ); Sérgio Kuhner de Oliveira (RJ); Sibele Pedral (SP); Silvana Bonfim (RJ); Silvia Regina Bezerra (DF); Sônia Harumi Ota (RJ); Stella van Weerelt (RJ); Stelizabel Bezerra de Souza (PB); Tainá Dias de Moraes Barreto (DF); Taís Ladeira (RJ); Télia Negrão (RS); Teresa Cristiana Tesser (SP); Thaís Corral (RJ); Thays Vital Brazil (RJ); Valéria Morse (RJ); Vanda Lacerda (RJ); Vanda Menezes (AL); Vânia Santana (RJ); Vera Cristina de Oliveira Carvalho (PE); Vera Rocha (BA); Vilma Lima N. Oliveira (BA); Vitória Grabois (RJ); Wladimir Magalhães (RJ); Yara Pinheiro de Vasconcelos (RJ); Yeda Villas Boas (SP); Yolanda Pinheiro de Vasconcelos Gladulich (RJ).

Ver lista de instituições à p.558.

Apresentação

O ***Dicionário Mulheres do Brasil*** representou para nós, que participamos deste trabalho, uma curiosa e provocativa viagem. Um percurso singular, iniciado há três anos, com nossa atenção voltada para a carta do dia 26 de abril de 1500, na qual Pero Vaz de Caminha mencionava: "quatro ou cinco mulheres moças que não pareciam mal". Nessa espécie de certidão de nascimento do Brasil, ao lado de sua incontestável beleza, já nos fora possível constatar a ótica com que eram vistas as mulheres que aqui estavam – aquelas cujo destino foi alterado por um suposto acaso histórico, um desvio inesperado que, por uma extraordinária combinação de ondas e ventos, fez dos portugueses os "achadores" destas terras. A partir daí, imergimos nas muitas águas que rolaram do passado, de olhos sempre bem abertos para as tantas outras moças que por aqui chegaram, ficaram ou nasceram.

Alimentamo-nos de reflexões infindáveis sobre quem foram e como viveram as mulheres nestes 500 anos de história brasileira. Onde estavam elas no longo período de colonização, no breve império e na vida republicana? Que palavras não foram escritas? Que vozes não foram ouvidas? Quem são as mulheres cuja vida pode nos mostrar o que existe atrás dos panos?

Estes e outros questionamentos nos levaram a embarcar definitivamente nesta viagem, capitaneada pela Redeh (Rede de Desenvolvimento Humano) e Arte Sem Fronteiras Produções. Contando desde o início com o apoio da Fundação Ford, traçamos o roteiro e reunimos uma equipe de pesquisadoras que, impregnadas de paixão, mergulharam no tema, buscando, onde poucos haviam garimpado, informações sobre mulheres que pulsavam ocultas em nossa história.

Para o levantamento de dados biográficos, esmiuçamos os arquivos públicos e bibliotecas de várias capitais do Brasil: Belém, Belo Horizonte, Brasília, Curitiba, Fortaleza, Florianópolis, Goiânia, João Pessoa, Natal, Porto Alegre, Porto Velho, Recife, Salvador, São Paulo e, sobretudo, o Rio de Janeiro, que ainda concentra grande parte dos acervos documentais do país. Estendemo-nos também a Portugal, tendo havido, ainda, consultas na França e Holanda.

Para o enriquecimento do material que fomos colhendo durante o trajeto, tivemos a sorte de contar com numerosas colaborações: pessoas que nos permitiram o acesso a arquivos privados e generosamente nos enviaram documentos inéditos, preciosas fontes até então desconhecidas.

Nessa incursão foi preciso levantar incansavelmente o véu do sistemático esquecimento que paira sobre a vida e o cotidiano das brasileiras ao longo da história. As muitas facetas reveladas pela investigação nos serviram de estímulo para enfrentar os limites e desafios que, como era de se esperar, a caminhada nos impôs.

Deparamo-nos freqüentemente com informações contraditórias e fragmentadas pela parcialidade, a vulnerabilidade do tempo, os condicionamentos culturais e especialmente as distorções dos testemunhos, oficiais ou não, daqueles que registraram os fatos. Mesmo assim, descortinou-se um universo com mais de 1.600 nomes, um céu estrelado que inevitavelmente passaria por um difícil processo de seleção. A fim de estabelecer os critérios de escolha, contamos, desde o princípio, com a cooperação e a boa vontade de um comitê consultivo composto por pessoas ligadas a diferentes instituições acadêmicas e organizações da sociedade civil.

Constatamos, enfim, que a história das mulheres é uma história recente e que se ressente de um passado mal contado. Além disso, permaneceu um sabor de itinerário inacabado que só reforçou a nossa convicção de que cultivar a memória das mulheres é sobretudo fazer justiça. Afinal, não se pode esquecer ou banalizar o esforço individual e coletivo de milhares e milhares de brasileiras que, inconformadas com sua condição, se rebelaram contra a situação estabelecida: foram índias contra a violência dos colonizadores, negras contra a escravidão, brancas contra os valores patriarcais vigentes, todas lutando pela transformação das regras impostas ao feminino. Em um contexto de opressão, mas tomadas de coragem, foram elas as principais responsáveis pelos avanços no campo social e pela conquista dos direitos civis, hoje desfrutados pela grande maioria. Assumiram a vanguarda e há 120 anos alcançaram o acesso à educação formal, há 66 anos o direito ao voto e há 12 anos a igualdade plena na Constituição brasileira.

O ***Dicionário Mulheres do Brasil*** reúne, em cerca de 900 verbetes biográficos e temáticos, dados pessoais, fatos e processos sociais relativos às mulheres, muitos ainda inéditos na historiografia. Agrupa em um só volume informações que estavam esparsas em livros, teses, periódicos ou guardados em arquivos de difícil acesso, ou ainda na lembrança das pessoas.

Quanto à redação, procuramos utilizar uma linguagem simples e acessível. Talvez, o maior dos desafios tenha sido a necessidade de transcrever sinteticamente o essencial de todas essas existências. E tal como turistas, não poderíamos desprezar o registro iconográfico de várias dessas mulheres tão peculiares. O resultado são as cerca de 270 reproduções que ilustram esta publicação. O saldo de nosso empenho representa sobretudo um incentivo para a realização de novas pesquisas e novos desdobramentos que, somados a este, possam servir de referência para gerações futuras.

Este Dicionário é uma obra aberta e viva – incompleta porque ainda faltaram muitas mulheres. Estão aqui pioneiras no que fizeram e outras tantas que, de alguma maneira, foram primordiais com seu jeito de inventar jeitos de fazer história. Que seja esta apenas a primeira edição. Outras se seguirão, sempre aprimoradas com a inclusão de novas fontes, críticas e correções das leitoras e leitores.

SCHUMA SCHUMAHER
coordenadora da Rede de Desenvolvimento Humano

ÉRICO VITAL BRAZIL
coordenador da Arte Sem Fronteiras

Considerações sobre a pesquisa

O convite para coordenar a pesquisa histórica do *Projeto Mulher 500 anos – atrás dos panos* foi um desafio enfrentado com entusiasmo e disposição por nós e toda a equipe da pesquisa, que lutou contra as dificuldades inerentes a um projeto tão ambicioso, cujo objetivo é, nada mais nada menos, revelar o lado oculto da história oficial e contribuir para a construção da memória das mulheres brasileiras. Não se pretende ter esgotado o assunto, mas apenas ter feito uma pesquisa referencial sobre o tema. Na verdade, esperamos que outras pessoas dêem continuidade ao trabalho aqui iniciado, porque certamente muitas mulheres permanecem ainda anônimas e ignoradas pela história.

No que diz respeito à pesquisa histórica que sustenta a estrutura deste Dicionário, três importantes aspectos nortearam os levantamentos biográficos: o primeiro foi a consciência de que só um pequeno número de mulheres teve seu lugar reconhecido no palco da história. O segundo é que partimos de um mosaico difuso de informações, algumas consagradas nas páginas escritas por historiadores, outras perdidas nas entrelinhas da produção histórica, outras ainda preservadas nas lembranças das pessoas. Identificar os caminhos disponíveis constituiu, por si só, uma tarefa difícil, mas representou apenas o início do processo de pesquisa. O terceiro aspecto, e o mais delicado, foi a seleção dos fragmentos da memória que fazem sentido para cumprir os propósitos desta obra. Assim, além dos pré-requisitos estabelecidos pelo projeto, contou-se com a colaboração de um comitê consultivo na definição dos nomes que iriam formar o corpo do Dicionário.

O critério mais geral utilizado, válido para todos os casos aqui contemplados, diz respeito à relevância da trajetória de vida da biografada para a história do Brasil, ou seja, a personagem em tela deveria ter contribuído de alguma forma para a transformação social. No entanto, este critério não prevaleceu sobre o princípio de relevância para a história das próprias mulheres, e sim a capacidade da personagem de representar a condição feminina típica em seu tempo e meio social. Aí defrontamo-nos com os problemas que surgem da diversidade das condições de vida das mulheres no meio social brasileiro em muitos períodos históricos. Foi necessário encontrar critérios pertinentes às mulheres brancas, negras e índias, uma vez que, em uma sociedade marcada pela tragédia da escravidão e da exclusão social, não há como reunir numa mesma história todas as etnias, sob pena de desconsideramos a riqueza das várias formas de luta adotadas por mulheres de diferentes condições sociais.

Outro critério geral de seleção de nomes refere-se ao recorte temporal mais amplo compreendido por esta obra. Mesmo admitindo que a questão da cronologia da história das mulheres no Brasil permanece em aberto, optou-se por tratar as personagens femininas que atuaram antes da década de 1890 de forma diferente daquelas que viveram nas décadas seguintes até o ano-limite de 1975. O marco dos anos 1890 define o início do século XX para as mulheres brasileiras, uma vez que a ruptura institucional promovida pela República, ao excluir as mulheres da cidadania plena retirando-lhes a possibilidade de votar, levou-as a buscar novas formas de intervenções na vida pública. Neste sentido, deu-se ênfase às trajetórias de vida que extrapolaram os limites da esfera privada. Deste modo, procurou-se contemplar as mais representativas mulheres que emergiram em cena pública, nas diversas esferas de atuação, até o ano de 1975.

A escolha do ano-limite de 1975, por sua vez, resultou de ampla discussão entre todas as pessoas envolvidas com o projeto e seus colaboradores mais próximos. A decisão tomada justifica-se em função de, no início daquele ano, inaugurar-se uma nova fase do movimento feminista no Brasil, o qual se estende até nossos dias. Foi, por certo, a Conferência Mundial promovida pelas Nações Unidas (ONU) em 1975 que impulsionou a reorganização do movimento feminista nacional.

1500 a 1890

A mulher indígena De fato, o marco inicial da história das mulheres no Brasil deveria recuar até a sociedade indígena antes da chegada dos portugueses; com isso desvendaríamos a condição da mulher índia no seio de sua própria cultura. Como essa operação esbarra em dificuldades intransponíveis quanto a fontes, restam-nos os relatos produzidos pelos conquistadores sobre as mulheres índias. O encontro entre os conquistadores europeus e as populações que habitavam o litoral já anunciava o destino trágico que teriam milhares de mulheres indígenas, tragadas que foram pela violência do processo de colonização. Vítimas da exploração sexual dos colonizadores e mão-de-obra escrava que os portugueses empregaram à exaustão – muito além da abolição legal da escravidão indígena, decretada pelo marquês de Pombal em meados do século XVIII —, as índias representam o elemento oculto, anônimo, que participou, involuntariamente, da construção do Brasil. A maioria dos contemporâneos omitiu seus nomes, ignorou sua história e tratou-as como seres não-humanos.

Assim, foram adotados os seguintes critérios para a seleção de nomes de mulheres indígenas: inicialmente, o de terem representado o elo de ligação entre os interesses dos colonizadores brancos e o seu povo; depois, o de terem sido apropriadas, em termos simbólicos, pela cultura branca européia. Por fim, em virtude da escassez de fontes, levamos em conta índias que expressam a condição de mulheres nativas em meio à sociedade luso-brasileira. Em outros termos, elegeram-se alguns casos comprovados de mulheres submetidas ao cativeiro, sob formas explícitas e outras, disfarçadas, a fim de resgatar a condição das mulheres indígenas no Brasil no período anterior ao século XX.

A mulher negra Mulheres, homens e crianças foram, sistematicamente, arrancados da África e trazidos para a América por cerca de 300 anos. Embora reconheçamos que a questão da mulher escrava negra ainda requer atenção especial por parte de pesquisadoras e pesquisadores, baseamo-nos na produção acadêmica disponível para levantar nomes de mulheres que representavam as ocupações sociais típicas entre as mulheres negras: escravas do eito e domésticas, amas-de-leite, quituteiras, escravas prostitutas, escravas de ganho, para mencionar as atividades mais usualmente exercidas pelas africanas.

O critério seguinte para inclusão de nomes contemplou as mulheres que transgrediram a ordem social e participaram de movimentos em nome da liberdade e da dignidade. Incluem-se aqui mulheres negras escravas ou forras que participaram de levantes, rebeliões e quilombos. Da mesma forma, foram incorporados os casos documentados de escravas que atingiram o limite de tolerância com a sua condição e cometeram atos desesperados, como assassinatos ou suicídio.

A seguir foram consideradas as representações sociais elaboradas em torno de algumas figuras femininas africanas e que perduraram no âmago da cultura brasileira, como mães-de-santo e benzedeiras. Um exemplo desse caso é a Escrava Anastácia, cuja existência real é contestada por muitos mas cuja simbologia transcende querelas historiográficas, daí sua inclusão como verbete.

Por último registrou-se a trajetória das afro-brasileiras que conseguiram, à custa de muito esforço, superar esses dois estigmas: o da cor da pele e o da exclusão do mundo das letras. Essas poucas mulheres – que superaram a opressão do domínio masculino e o preconceito racial, para se firmaram como poetisas, compositoras e escritoras – foram incorporadas ao Dicionário.

A mulher branca A cor da pele representava, por si só, um sinal de distinção social, demarcando nitidamente o universo dos senhores e dos escravos na sociedade luso-brasileira. A despeito disso, as mulheres brancas foram examinadas sob várias categorias sociais. O critério geral de inclusão baseou-se numa seleção de nomes que representassem a condição feminina típica da população branca. Como critérios específicos, levamos em consideração: ocupação – seja de donatárias, sesmeiras ou senhoras-de-engenho; acesso à educação; capacidade de transgredir a ordem masculina e assumir papéis outros que não os habitualmente relegados às mulheres brancas. Como exemplo dos ofícios tolerados pela sociedade, mas marcados pelo estigma do desprezo, destacam-se as muitas lavadeiras, quituteiras, tecelãs e prostitutas.

Resta comentar o critério de inclusão concernente à questão da religiosidade na Colônia e aos aspectos simbólicos que envolvem algumas figuras femininas. Levando em conta que, por um lado, foi a religião o principal instrumento de expressão de sua visão de mundo, como no caso das beatas e das religiosas clericais, selecionamos os nomes daquelas mais representativas dessa condição feminina. Por outro lado, sendo a religião o estigma que muitas vezes lhes pesou sobre os ombros e lhes causou sofrimento e perseguições, como no caso das mulheres envolvidas em processos pela Inquisição, recuperamos a memória de alguns nomes mais expressivos.

Alguns nomes de mulheres, porém, foram incorporados não porque tivessem assumido papel ativo na transformação do mundo, ou porque sua trajetória de vida representasse exemplarmente sua condição social, mas em função de terem sido objeto de representações sociais que deram origem a toda uma simbologia em torno de suas figuras. É o caso, por exemplo, de Marília de Itamaracá, cuja vida foi objeto da primeira ópera escrita e encenada no Brasil. (cf. Lilia Schwarcz, *As barbas do imperador.*)

1890 a 1975

Considerando-se que o século XX foi, sem dúvida, o século das conquistas femininas — obtidas pelo esforço de inúmeras mulheres que se engajaram em movimentos de afirmação de direitos —, foram definidos critérios específicos que refletissem as transformações que se descortinaram a partir do momento em que as mulheres conquistaram espaços públicos. O movimento pelo acesso à educação, pelo voto, a luta por ideais políticos, a afirmação do valor da mulher pelas letras e pelas artes, a conquista do poder político, todas essas lutas foram contempladas no processo de seleção de nomes do século XX.

Do ponto de vista da diversidade social, desapareceu no recorte temporal entre 1890 e 1975 a rígida separação entre etnias, necessária no período anterior. Estabeleceu-se a primazia no rompimento de barreiras sociais impostas pelo domínio masculino, ou seja, buscou-se registrar as pioneiras em diversos campos de atuação. Na vida cultural, por exemplo, devido ao grande número de mulheres que participaram de manifestações culturais – música, literatura, artes plásticas e cênicas, cinema —, optou-se por aquelas cujo talento, pioneirismo e reconhecimento público houvessem marcado uma determinada época.

Assim, os critérios de seleção de nomes nessa fase foram definidos da seguinte forma: primeiro, mulheres que participaram dos grandes movimentos que revolucionaram a condição feminina no país; segundo, mulheres que ascenderam ao poder, incluindo todas as precursoras em cargos públicos eletivos e executivos; terceiro, mulheres que deixaram uma marca na luta política (das revoltas populares à luta armada), lideranças sociais, vítimas da violência e, por último, as transgressoras.

A varredura nas fontes do passado colonial e imperial foi, como esperado, uma tarefa difícil, mas os desafios no garimpo dos documentos do século XX também foram muitos: as informações sobre as mulheres que participaram do processo político ao longo do século são fragmentadas e de acesso problemático, como é o caso das mulheres que foram, pioneiramente, eleitas prefeitas pelas diversas unidades da federação; da mesma maneira os dados sobre as lideranças das trabalhadoras urbanas e rurais é ainda uma pesquisa embrionária.

Metodologia adotada

A metodologia empregada durante a pesquisa consistiu nos seguintes passos: de início, realizou-se o levantamento da bibliografia brasileira sobre história de gênero e mapeamento do estado das artes no campo teórico da literatura internacional e nacional. Este foi o ponto de partida para a pesquisa empírica propriamente dita, levada a termo em numerosas instituições culturais em vários estados brasileiros e no exterior. A seguir listamos os passos seguidos:

- Levantamento de obras biográficas já publicadas. As informações biográficas contidas nas obras de J. Norberto, Sacramento Blake, Inês Sabino, Adalzira Bittencourt, Henrique Capitolino Pereira de Melo, Américo Lopes de Oliveira & Mário Gonçalves Viana, Joel Serrão foram cruzadas com outras fontes, principalmente o material documental do Instituto Histórico e Geográfico Brasileiro (IHGB).

- Levantamento de autores consagrados da historiografia tradicional no Brasil: Francisco Varnhagen, Affonso Taunay, Pedro Calmon, Malheiro Dias, Jorge Couto, Capistrano de Abreu, bem como de testemunhos de época, como os de Hans Staden, Jean Lery, Gabriel Soares, Fernão Cardim, Frei Gaspar da Madre de Deus, Pedro Taques, Auguste de Saint-Hilaire, John Luccock, James W. Wells, B. Spix e C.F.P. Martius.

• Foram revisitadas as fontes documentais mais importantes, indicadas pela historiografia. Sobre o século XX, realizou-se uma busca específica no Arquivo Nacional em publicações regionais ali depositadas, bem como em material documental primário.

• Examinou-se a produção acadêmica da história social brasileira recente, que nas últimas décadas abriu novas fronteiras temáticas e vasculhou novas fontes documentais para o estudo da sociedade brasileira.

• Pesquisa nas fontes documentais dos séculos XIX e XX: periódicos femininos, coleções de jornais e revistas de época e o arquivo do Centro Pagu (Cemina/Redeh).

• Realização de entrevistas (não gravadas) com as próprias mulheres biografadas ou membros de sua família.

Estas foram as premissas que orientaram a pesquisa histórica. Seu resultado, alcançado com dedicação, são as muitas Anas e Marias que enriquecem este dicionário. Espera-se ter contribuído, ainda que modestamente, para a construção da memória das mulheres brasileiras.

HILDETE PEREIRA DE MELO
Doutora em economia
Professora do Depto. de Economia, UFF

TERESA NOVAES MARQUES
Doutoranda em história, UnB

NOTA

I. Ordem alfabética por prenome Optamos por inserir as biografias pelos prenomes das mulheres, ao invés de colocá-las pelo nome de família. Esta decisão, embora rompa as regras de elaboração de dicionários biográficos, é perfeitamente coerente com o propósito desta obra no que diz respeito à recuperação do papel das mulheres do povo, sem família ou linhagem, na história do país.

II. Remissões com asterisco (*) O uso do asterisco após um nome indica que este faz parte do Dicionário.

A ESSAS E TANTAS OUTRAS...

Essas que se embrenharam mata adentro e se negaram aos colonizadores
e as que colaboraram e casaram com eles,
Essas que embarcaram ainda crianças
e as que ultrapassaram os limites da chegada,
Essas que levaram chibatadas e marcas de ferro quente
e as que se revoltaram e fundaram quilombos,
Essas que vieram embaladas por sonhos
e as que atravessaram nos porões da escuridão,
Essas que geraram filhas e filhos
e as que nunca pariram,
Essas que acenderam todas as espécies de velas
e as que arderam nas fogueiras,
Essas que lutaram com armas
e as que combateram sem elas,
Essas que cantaram, dançaram, pintaram e bordaram
e as que só criaram empecilhos,
Essas que escreveram e traduziram seus sentimentos
e as que nem mesmo assinavam o nome,
Essas que clamaram por conhecimento e escolas
e as que derrubaram os muros com os dedos,
Essas que trabalharam nos escritórios e fábricas
e as que empunharam as enxadas no campo,
Essas que ocuparam ruas e praças
e as que ficaram em casa,
Essas que quiseram se tornar cidadãs
e as que imaginaram todas votando,
Essas que assumiram os lugares até então proibidos
e as que elegeram as outras,
Essas que cuidaram e trataram dos diferentes males
e as que adoeceram por eles,
Essas que alimentaram e aplacaram os vários tipos de fome
e aquelas que arrumaram a mesa,
Essas que atenderam, datilografaram e secretariaram
e aquelas que lavaram e passaram sem conseguir atenção,
Essas que se doutoraram e ensinaram
e as que aprenderam com a vida,
Essas que nadaram, correram e pularam
e as que sustentaram a partida,
Essas que não se comportaram bem e amaram de todas as maneiras
e as que fizeram sem pedir licença,
Essas que desafinaram o coro do destino
e as que com isso abriram as alas e as asas,
Essas que ficaram de fora
e aquelas que ainda virão,
Essas e tantas outras que existiram dentro da gente
e as que viveram por nós.

A

Abigail Andrade (1864-?)

Artista plástica.

Nasceu no Rio de Janeiro, então capital do Império. Viveu em uma época em que as mulheres eram estimuladas a procurar a pintura e o desenho apenas por passatempo. Abigail não se resignou a esse destino e lutou pelo reconhecimento de seu talento no cenário artístico nacional. Participou intensamente dos principais movimentos acadêmicos das artes plásticas do final do século XIX. Soube aproveitar o clima de renovação cultural implantado na Academia de Belas-Artes desde 1854 por Manuel de Araújo Porto Alegre, quinto diretor da instituição. Produziu muitos trabalhos, buscando expressar sua sensibilidade fora do contexto doméstico.

Apresentou obras no Salão de Belas-Artes em 1884 e 1888. Sua pintura, que retrata sobretudo naturezas-mortas e flores, recebeu grandes elogios da crítica de então.

Fonte: Carlos Cavalcanti (org.), *Dicionário brasileiro de artistas plásticos.*

Abigail Isquierdo Ferreira

ver BIBI FERREIRA

Abigail Soares de Sousa (c.1890-?)

Educadora e jornalista.

Nasceu no município de Leopoldina (MG). Filha de Helena Constança Botelho Reis e de Olímpio de Souza Reis, fez seus estudos no Colégio Sion. Abigail Botelho Reis casou-se, em 1912, com o jornalista Belisário Augusto Soares de Sousa. Foi professora do Grupo Escolar de Leopoldina por nomeação do presidente da República, Venceslau Brás. Mais tarde, assumiu a cadeira de francês da Escola Normal da mesma cidade.

Desde os 15 anos colaborava ativamente com os jornais do interior mineiro, entre eles o periódico de sua cidade, *Gazeta de Leopoldina.* A qualidade de seus artigos acabou estendendo sua colaboração para jornais de circulação mais ampla, editados na capital da República, como *O País* e o *Jornal do Brasil.* Ganhou um prêmio da revista *La Mode Illustrée*, de Paris, em concurso sobre o folclore brasileiro.

Abigail promoveu obras de assistência social, voltadas para a população carente. Participou da associação Damas da Cruz Verde* e, junto com outras mulheres fluminenses, fundou a maternidade Pró-Matre, entidade da qual foi diretora. Preocupada com a questão da lepra, integrou o conselho deliberativo da Sociedade dos Lázaros, fazendo parte também da Ação Católica, grupo ligado à Igreja dedicado à caridade.

Publicou o livro *Dias de sol e de sombras.*

Fonte: Adalzira Bittencourt, *Dicionário biobibliográfico de mulheres ilustres, notáveis e intelectuais do Brasil.*

Acácia Brazil de Mello (1921-)

Harpista.

Nasceu em Niterói (RJ) no dia 24 de maio de 1921, filha de Dinah Carneiro Vianna e do cientista Vital Brazil Mineiro da Campanha.

Acácia iniciou seus estudos musicais ainda muito menina. Em 1930, com a chegada ao Brasil da harpista espanhola Lea Bach, pôde começar o aprendizado do instrumento que viria a consagrá-la. Estreou aos 10 anos, em 23 de agosto de 1931, no Teatro Cassino (RJ), acompanhando sua professora. Formou-se na Escola Nacional de Música da então Universidade do Brasil em 1939. Em dezembro desse mesmo ano casou-se com Ernesto Imbassahy de Mello, com quem teve três filhos: Lívia, Raul e Luiz Ernesto.

Sua longa carreira de musicista confunde-se com a história da harpa no Brasil. No campo da educação musical, Acácia foi uma das principais responsáveis pela formação de gerações de harpistas no país.

Integrou a Orquestra Sinfônica Brasileira e a Orquestra Sinfônica Nacional da Rádio MEC como primeira harpista. Formou diversos duos, trios, quartetos e conjuntos, atuando com importantes instrumentistas como Maria Célia Machado e Wanda Eichbauer, entre outros. Na década de 60 fundou a Camerata do Rio, junto com a flautista Odette Ernest Dias*, a celista Ana Devos e os violinistas Vera Astrakan e Marcelo Pompeu Filho. Foi fundadora, diretora e é consultora da American Harp Society, da Corporation of World Harp Congress (EUA) e da Sociedade Ludovico (Espanha). Implantou no Brasil, em 1977, a seção brasileira da American Harp Society, instituição da qual foi presidente por três períodos consecutivos. Apresentou-se como camerista e recitalista na Europa, Ásia e Américas do Norte e do Sul, sempre obtendo reconhecimento do público e da crítica. Foi jurada dos mais importantes concursos internacionais de harpa e conferencista nos congressos mundiais desse instrumento realizados na Holanda, Israel e Áustria. Publicou trabalhos e artigos como "A harpa na orquestra", "Origem da música brasileira" e "Uma música nascida das vozes da floresta".

Acácia Brazil de Mello é uma das maiores expressões brasileiras da harpa, instrumento símbolo dos anjos e comumente associado ao toque feminino.

Fontes: *Fon-fon*, ago 1931; Entrevista concedida à equipe de pesquisa em fevereiro de 2000.

Ada Rogato (1920-86)

Aviadora, volovelista e pára-quedista.

Nasceu em 2 de dezembro de 1920, em São Paulo (SP), filha de Maria Rosa Grecco Rogato e Guilherme Rogato. Realizou quatro cursos de aviação, todos oficializados pela Diretoria de Aeronáutica Civil do Ministério da Aeronáutica, sendo habilitada em 1936. Em 1950, Ada Leda Rogato percorreu quatro países da América do Sul — Paraguai, Chile, Argentina e Uruguai — e sobrevoou, por duas vezes, a cordilheira dos Andes, pilotando um avião de pequena potência fabricado no Brasil; em 15 de abril, saltou de pára-quedas no aeroporto de Santiago do Chile. Por tais feitos, foi a primeira aviadora brasileira a receber a Comenda Nacional de Mérito Aeronáutico, no grau de Cavaleiro.

Em 1951, voou sozinha pelas três Américas, façanha que a inscreveu na história como a primeira aviadora do mundo a percorrer quilometragem tão vasta em vôo solitário. Recebeu do governo chileno a condecoração Bernardo O'Higgins, no grau de oficial e, do governo colombiano, a medalha Asas da Força Aérea Colombiana. Em seu retorno ao Brasil, recebeu do então ministro da Aeronáutica, brigadeiro Nero Moura, a comenda Asas da Força Aérea Brasileira e, da FAB, o título de Piloto *Honoris Causa*.

Em 1952, pilotando seu avião *Brasil*, partiu de São Paulo e atingiu o aeroporto de La Paz, o mais alto do mundo, a 4.071m de altura. Entre outras homenagens, recebeu do governo boliviano a condecoração Condor dos Andes, no grau de Cavaleiro. Segundo documento da Aeronáutica nunca outro piloto tentara pousar naquela altitude com um avião de potência tão baixa. Foi também a primeira aviadora a receber a condecoração Asas da Força Aérea Boliviana.

No dia 15 de junho de 1956, em missão oficial do governo do estado de São Paulo, fez, sozinha, no mesmo avião — o *Brasil* —, uma visita a todas as capitais dos estados e territórios, sobrevoando, inclusive, a Amazônia. Foi o primeiro piloto — entre homens e mulheres — a sobrevoar a selva amazônica em avião de pequeno porte, sem rádio e em vôo solitário. Em 1960, o Aero Clube Argentino homenageou-a com o diploma de sócia honorária. Na mesma ocasião, ganhou um troféu por ter sido a primeira aviadora a aterrissar na cidade de Ushuaia, na Terra do Fogo.

Durante sua carreira de aviadora foi condecorada com 35 medalhas, de várias instituições e países. Obteve seis taças em competições aéreas e de pára-quedismo, além de 14 troféus em bronze. Como pára-quedista, foi a primeira brasileira a saltar de um helicóptero, durante a festa da Aviação na cidade de Barretos (SP), e a primeira a saltar no exterior. Ada fez muitas façanhas no céu e realizou vários vôos pioneiros.

Faleceu em 1986.

Fontes: Arquivo da Fundação Santos Dumont, Arquivo pessoal de Paulo Resende; *Curriculum Vitae* de Ada Rogato; *La Nación,* 16.4.1950; Luci Lúpia P. Balthazar, *Vôo proibido*; Maria Lígia Madureira Pina, *A mulher na história*; *Revista do IHG/SP,* vol. LVI, 1959.

Adalgisa Néry (1905-80)

Escritora, jornalista e política.

Adalgisa Maria Feliciana Noel Cancela Ferreira nasceu em 29 de outubro de 1905, no Rio de Janeiro; filha da portuguesa Rosa Noel Cancela Ferreira e do mato-grossense Gualter José Ferreira. Casou-se, aos 16 anos, com o pintor e poeta paraense Ismael Néry, que em sua casa reunia um importante grupo de intelectuais, entre os quais Murilo Mendes, Jorge de Lima, Aníbal Machado, Manuel Bandeira e o padre Leonel Franca. Ismael morreu de tuberculose em 1934.

Viúva, Adalgisa iniciou a carreira literária, publicando seu primeiro trabalho em 1935 na *Revista Acadêmica*; no mesmo ano sai o livro *Poemas,* aplaudido pela crítica. Colaborando com poesias e crônicas em diversos periódicos, como *O Jornal*, *Dom Casmurro* e *Revista da Semana*, publicou ainda os livros *A mulher ausente* e *Ar do deserto,* além de fazer traduções para a sua editora, a José Olympio.

Em 1940, Adalgisa casou-se com Lourival Fontes, diretor-geral do Departamento de Imprensa e Propaganda (DIP), o órgão do Estado Novo responsável pela censura. Adalgisa colaborou com as atividades do DIP, atuando como diretora social desse Departamento, promovendo festas e realizando o trabalho de relações públicas. Com Lourival nomeado embaixador do Brasil no México, Adalgisa circulou com desenvoltura na elite intelectual daquele país, tornando-se amiga dos pintores Diego Rivera (que pintou seu retrato) e Frida Kahlo. O casamento terminou em 1953, quando Lourival era chefe da Casa Civil do presidente Getúlio Vargas.

Separada, Adalgisa iniciou a carreira de articulista política, tendo escrito de 1954 a 1966 no jornal *Última Hora* uma coluna diária, "Retrato sem retoque". Defendendo teses nacionalistas e socialistas, Adalgisa atacou destemidamente personalidades e interesses poderosos. O sucesso da coluna levou-a a se candidatar pelo Partido Socialista Brasileiro (PSB), sendo eleita para a Assembléia Constituinte do recém-criado estado da Guanabara, em 1960; foi reeleita por mais dois mandatos em 62 e 66. Adalgisa distinguiu-se no Parlamento Estadual por sua postura ética irrepreensível e por seu combate ao governo de Carlos Lacerda. Em 1969, foi cassada pela Junta Militar que governava o país.

Embora fosse basicamente poetisa, Adalgisa alcançou seu maior sucesso literário com o romance *A imaginária*, publicado em 1959. De cunho nitidamente autobiográfico, teve edições sucessivas. Publicou ainda um livro de contos, *Og*, outro romance, *Neblina,* e os volumes de poesia *As fronteiras da quarta dimensão*, *Cantos de angústia* e *Mundos oscilantes*; uma seleção de poemas seus foi publicada na França com o título de *Au delà de toi.*

Adalgisa viveu os anos após a cassação política em grande depressão e faleceu em um abrigo para idosos, no Rio de Janeiro, a 7 de junho de 1980.

Fontes: Adalzira Bittencourt, *Dicionário biobibliográfico de mulheres ilustres, notáveis e intelectuais do Brasil*; Alzira Abreu e Israel Beloch, *Dicionário histórico biográfico brasileiro*; Ana Arruda Callado, *Adalgisa Nery.*

Adalgisa Rodrigues Cavalcanti (1907-98)

Primeira deputada estadual de Pernambuco.

Nasceu em 28 de julho de 1907, em Glicério (PE). Filha de pequenos proprietários de terra, perdeu a mãe aos 11 meses e foi adotada pelos tios. Adolescente, mudou-se para o Recife, onde foi trabalhar como doméstica e, depois, como vendedora e representante comercial.

Adalgisa apoiou o movimento da Aliança Liberal, em 1930, e passou a se interessar pela política, sobretudo pela figura carismática do capitão Luís Carlos Prestes. Participou da comissão de solidariedade aos presos políticos após o levante comunista de 1935. No ano seguinte, foi presa e permaneceu quatro meses na Colônia Penal do Bom Pastor. Com o fim do Estado Novo e a legalização do Partido Comunista Brasileiro (PCB) em 1945, filiou-se a esse partido, integrando a Célula 13 de Maio. Por ter apenas o curso primário, recebeu educação complementar como parte das obrigações de entrada no PCB.

Candidatou-se à Assembléia Legislativa do Estado na eleição de 2 de dezembro de 1945. Foi eleita deputada estadual, tornando-se a primeira mulher da história de Pernambuco a ocupar uma cadeira no Parlamento Estadual. Adalgisa propôs que a Assembléia autorizasse o Estado a conceder abono familiar às mães que exerciam cargo público —, único projeto naquele período do Legislativo pernambucano que visava a atender a população feminina.

Sua promissora carreira política foi interrompida em maio de 1947, quando o Supremo Tribunal Federal decidiu cassar o registro do PCB. Em janeiro de 1948, o Congresso Nacional determinou a perda dos mandatos de deputados, senadores e vereadores eleitos pelo Partido, levando-o à clandestinidade. Nos anos que se seguiram à cassação, Adalgisa participou do amplo movimento social contra a carestia e pela paz, iniciado pelos comunistas. Ao longo de sua vida esteve detida 20 vezes.

Nos seus últimos decênios, retirou-se da luta política partidária. Faleceu em 26 de abril de 1998, em Recife. Seu corpo foi velado na Assembléia Legislativa, onde foi homenageada por figuras femininas da política nacional, como a ex-prefeita de São Paulo, Luísa Erundina, e a de Maceió, Kátia Born.

Fontes: Álvaro Gonçalves da Costa Lima, Armando Hermes Ribeiro Samico e Francisco de Assis Lima, *Aspectos da atividade do comunismo em Pernambuco*; Boris Fausto, *História do Brasil*; *Diário Oficial do Estado de Pernambuco*, 16.9.1997 e 28.4.1998; TSE, *Dados estatísticos*.

Adalzira Bittencourt (1904-76)

Advogada, escritora e feminista.

Nasceu em 2 de novembro de 1904, em Bragança Paulista (SP), e formou-se pela Faculdade de Direito de São Paulo. Ainda adolescente, fundou e dirigiu o jornal *Miosótis*, em Piracicaba (SP). Ao longo de sua intensa vida como escritora, colaborou com diversos periódicos paulistas e mineiros. Fez cursos de aperfeiçoamento na Europa e foi professora universitária em Buenos Aires.

Em 1946, Adalzira Cavalcanti de Albuquerque Bittencourt organizou, no Rio de Janeiro, a Primeira Exposição do Livro Feminino, evento que voltou a realizar, em São Paulo, em 1949. Foi membro da Academia de Letras das Três Fronteiras, da Academia Guanabarina de Letras, do Pen Club do Brasil, da União Brasileira de Escritores, bem como de outras entidades culturais, nacionais e estrangeiras.

A atuação literária de Adalzira, enfatizando a construção da memória feminina brasileira, revestiu-se de cunho político, muito embora não haja indício de que ela se relacionasse com o movimento organizado de mulheres da década de 1930, engajado na luta sufragista, ou de que houvesse, no pós-1945, participado dos embates pela afirmação da cidadania feminina.

De sua importante produção literária sobre a mulher brasileira, destacam-se *Mulheres e livros*, publicado em 1948; *A mulher paulista na história*, de 1954; *Ana Pimentel — a governadora; Antologia de letras femininas*. Seu projeto de maior fôlego, o *Dicionário biobibliográfico de mulheres ilustres, notáveis e intelectuais do Brasil*, ficou inacabado, com apenas três volumes publicados, mas é fonte preciosa para os estudos sobre a mulher no país.

Adalzira faleceu em 28 de outubro de 1976.

Fontes: Adalzira Bittencourt, *Dicionário biobibliográfico de mulheres ilustres, notáveis e intelectuais do Brasil*; Heloísa Buarque de Holanda e Lúcia Nascimento Araújo, *Ensaístas brasileiras*.

Adelaide Câmara (1874-1944)

Líder espiritual e escritora.

Adelaide Augusta Câmara nasceu em 11 de janeiro de 1874, em Natal (RN). Mudou-se para o Rio de Janeiro no ano de 1896, com a ajuda de amigos protestantes, sua primeira religião. Lecionou no colégio Ram Williams e mais tarde organizou um curso primário em sua própria casa.

Dois anos depois de chegar ao Rio, sentiu as primeiras manifestações mediúnicas. Sob a orientação do mestre espírita Bezerra de Meneses, iniciou sua formação como psicógrafa, no centro espírita Ismael, revelando extraordinário dom de médium auditiva. Em pouco tempo, Adelaide já trabalhava na propagação da doutrina do espiritismo cristão, fazendo conferências e dando conselhos com tal acerto e exatidão, que seu nome se tornou conhecido em todo o país. Com a morte de Bezerra de Meneses, Adelaide se aproximou de Inácio Bittencourt, outro mestre espírita de renome na época, e passou a freqüentar as sessões do círculo espírita Cáritas.

Casou-se em 1906 e teve dois filhos. As exigências da vida familiar a afastaram um pouco das atividades espíritas. Nesse período, entretanto, escreveu dois livros com o pseudônimo de Aura Celeste: *Do além*, em 21 fascículos, e *Orvalho do céu*. Colaborava com diversas revistas e jornais espíritas e escreveu ainda *Vozes d'alma*, *Sentimentais*, *Aspectos da alma*, *Palavras espíritas*, *Rumo à verdade* e *Luzes do alto*.

Em 1920, voltou aos trabalhos de médium. Além do dom da audição, desenvolveu sua mediunidade de incorporação, de vidência, de psicografia como também de cura através de operações. A partir de 1924, dedicou-se também à assistência às crianças órfãs e à velhice desamparada. No dia 13 de março de 1927, fundou, com o auxílio de outros membros da comunidade espírita, o asilo espírita João Evangelista, no bairro carioca de Botafogo. Dedicou-se a essa instituição até falecer, no dia 24 de outubro de 1944.

Fontes: Afrânio Coutinho, *Enciclopédia de literatura brasileira*; Zeus Wantuil (org.), *Grandes espíritas do Brasil*.

Adelheid Rosskamp (1809-?)

Imigrante alemã.

Natural de Oldenburg, Alemanha, aos 42 anos chegou ao Brasil com sua família, em 9 de março de 1851, a bordo do navio *Colón*, que aportou na baía de Babitonga, no litoral catarinense, com cerca de 117 imigrantes. A situação financeira dos recém-chegados não era fácil. Ainda endividados com a companhia que os havia transportado, precisavam pagar os lotes onde iriam construir suas casas e comprar as ferramentas para lavrar a terra. Adelheid era casada com o tecelão Johann Heinrich, com quem teve sete filhos: Anna Maria, Hermann Heinrich, Johanna Carolina, os gêmeos Heinrich Rudolf e Heinrich Wilhem, Friedrich Carl e Heinrich Carl que, ainda bebê, faleceu a bordo do *Colón*.

As agitações políticas que nas décadas de 1840 e 1850 provocavam na Europa, particularmente na Alemanha, perseguições e miséria foram um dos fatores socioeconômicos que trouxeram Adelheid e outras tantas pessoas para o Brasil. A Revolução de 1848 também havia banido da França a família real. O príncipe de Joinville, filho do destronado rei Luís Felipe e casado com a princesa Francisca, irmã de D. Pedro II, estava com problemas financeiros. Assim, decidiu empreender a colonização das terras que D. Francisca havia recebido de dote, no sul do Brasil. Para isso, associou-se ao senador alemão Mathias Schroeder, proprietário de navios e de escritórios em várias partes do mundo, inclusive no Rio de Janeiro.

Em 1849, Schroeder fundou a Sociedade Colonizadora Hamburguesa e fez um contrato com o príncipe, que lhe vendeu oito léguas quadradas de terras; seus transatlânticos trouxeram colonos para o Brasil, levando de volta café, fumo, canela e outros produtos brasileiros. O governo imperial brasileiro apoiava o projeto, oferecendo aos imigrantes vantagens como naturalização rápida, o gozo de direitos civis e quase todos os direitos políticos dos brasileiros natos.

Além de Adelheid, vieram no navio *Colón*, dentre outras, as mulheres: Anna Gilgen; Anna, Barbara, Verena, Elisabeth e Ursula Mueller; Anna Maria Marchler; Anna Maria,

Maria e Wilhemina Boehmann; Anna e Barbara Weber; Augusta Sophia Knorring; Barbara Schelling; Maria Catharina Schneider; Magdalena Moerikofer; Elisabeth Schmidli; Elisabeth Tanner; Margarethe Dorothea Freudenberg; Henriette Aulfes; Helena Catharina Bockelmann.

Os bons ares e as terras férteis que os imigrantes esperavam encontrar na Colônia Dona Francisca, depois Joinville, revelaram-se terras úmidas e inadequadas, infestadas de doenças parasitárias. Heroicamente, os alemães resistiram ao calor, às chuvas e às doenças. Adelheid não viveu o bastante para festejar o cinqüentenário de Joinville, mas seu marido e alguns de seus filhos o fizeram, no dia 9 de março de 1901.

Fontes: Arquivo Histórico de Joinville; Carlos Ficker, *História de Joinville*; *Kolonie-Zeitung*, 7.3.1901; Maria Teresa Böbel, *Lista de imigrantes*.

Adélia de Oliveira Rosa (1908-?)

Jornalista.

Nasceu em 21 de julho de 1908, em Uberaba (MG), filha de Maria Josefina de Oliveira Rosa e de Américo de Oliveira Rosa. Casada, passou a viver em Campo Grande (MT), onde iniciou a sua carreira profissional no *Jornal do Commercio*.

Durante a Revolução Constitucionalista de 1932, tomou partido da causa paulista doando suas jóias pessoais ao movimento, usando seu espaço nos jornais para defender a constitucionalização do país e chefiando a seção de costuras de uniformes para os soldados revolucionários. Ainda em 1932, freqüentou um curso de enfermeira de emergência. Seu empenho durante o movimento revolucionário foi reconhecido por seus contemporâneos, que lhe concederam um diploma de honra ao mérito. A partir de 1937 passou a residir no Rio de Janeiro (RJ) onde se registrou como jornalista e entrou para a Associação Brasileira de Imprensa (ABI).

Fonte: Adalzira Bittencourt, *Dicionário biobibliográfico de mulheres ilustres, notáveis e intelectuais do Brasil.*

Adélia Josefina de Castro Fonseca (1827-1920)

Poetisa.

Nasceu em 24 de novembro de 1827, em Salvador (BA). Seu pai, Justiniano de Castro Rebelo, era inspetor do Consulado da Alfândega. Casou-se com o oficial da Marinha brasileira Inácio Joaquim da Fonseca, com quem teve dois filhos. Sua educação foi esmerada, de acordo com os padrões estabelecidos no século XIX: aprendeu a falar francês, tocar piano, declamar e pintar. Muito cedo, Adélia Josefina, que vivia em um ambiente intelectualizado, começou a escrever poesias; glosava qualquer mote, o que encantava seus contemporâneos. Seus poemas eram publicados em periódicos, e seu talento, louvado por diversos escritores, como Francisco Moniz Barreto, Gonçalves Dias e Machado de Assis. Quando da publicação de seu primeiro livro de poemas, Machado escreveu um longo e elogioso artigo.

Um dos primeiros sonetos de Adélia inspirou-se na tragédia de Júlia Fetal*, assassinada pelo noivo aos 20 anos, crime que comoveu a sociedade baiana. O poema está gravado na lápide de Júlia — que tinha a mesma idade de Adélia — na Igreja da Graça, em Salvador.

Adélia escreveu ainda *Echos da minh'alma*, que dedicou à imperatriz Teresa Cristina*. Colaborou com o *Almanaque de Lembranças Luso-Brasileiro*; com a *Gazeta de Notícias*, a *Semana Ilustrada* e *O Domingo*, do Rio de Janeiro; *A Época Literária*, de Salvador; e com o periódico *Correio de Vitória*, do Espírito Santo.

No final de sua vida, ingressou no Convento de Santa Teresa, no Rio de Janeiro, tomando o nome de madre Maria José de Jesus. Faleceu em 9 de dezembro de 1920.

Fontes: Lizir Arcanjo Alves (org.), *Mulheres escritoras na Bahia, as poetisas*; Maria T.C. Crescenti Bernardes, *Mulheres de ontem?*; *A Tarde*, 24.10.1960; Zahidé L. Muzart, *Escritoras brasileiras do século XIX* • Colaboração especial de Maria Júlia Alves de Sousa.

Adélia Prado (1935-)

Poetisa.

Adélia Luiza Prado de Freitas nasceu em 13 de dezembro de 1935, em Divinopólis (MG). Começou a escrever versos desde menina, na época em que estudava com os padres franciscanos, diplomando-se mais tarde em filosofia. Casou-se em 1958 e tem cinco filhos, sentindo-se realizada, segundo afirma, na sua vocação de mulher e mãe. Em 1978 recebeu o Prêmio Jabuti de Poesia. Reconhecida como poetisa do cotidiano, Adélia, que prefere ficar distante do circuito das grandes cidades, é uma esteta da vida das mulheres, expressando magistralmente as alegrias e tristezas do mundo feminino, a poesia que se esconde no cuidar da casa, no choro das crianças.

Publicou, entre outros, *A lapinha de Jesus*, 1971; *Bagagem*, 1976; *O coração disparado*, 1978; *Laços para um vitral*, 1980; *Terra de Santa Cruz*, 1984; *Os componentes da banda*, 1985; *Manuscrito de Felipa* (prosa), 1999; *Oráculos de maio*, 1999.

Fontes: Afrânio Coutinho, *Enciclopédia da literatura brasileira*; Elódia Xavier, *O declínio do patriarcado*; *Jornal do Brasil*, 4.7.1999.

Adélia Sigaud (c.1840-?)

Educadora cega.

Considerada a primeira brasileira a ler pelo método Braille, nasceu no Rio de Janeiro (RJ) e era filha de um dos médicos da família imperial. Cega desde criança, aprendeu o método Braille com o escritor José Álvares de Azevedo, que, por sua vez, aprendera-o no Instituto Nacional dos Jovens Cegos, de Paris. Em 1851, o pai encantou-se ao ver a filha lendo com as mãos e relatou o fato ao imperador D. Pedro II, que manifestou interesse em conhecê-la. Do encontro resultou, em 1854, a fundação do Instituto Benjamin Constant, destinado ao ensino de crianças e jovens cegos. A própria Adélia foi aluna do Instituto e acabou se tornando a primeira professora dessa escola.

Fontes: Brasil Silvado, *Os cegos no Brasil*; Relatório do Congresso sobre o Instituto Benjamim Constant, 1902.

Adelina – a charuteira (séc.XIX)

Escrava e abolicionista.

Nasceu em São Luís do Maranhão, filha de uma escrava conhecida como Boca da Noite e de um rico senhor. Ela e a mãe recebiam, por parte dos senhores, tratamento diferenciado dos demais escravos. Adelina, que sabia ler e escrever, ao completar 17 anos não viu cumprida a promessa de libertação feita pelo pai.

Era adolescente quando seu pai e senhor sofreu um revés financeiro, empobreceu e passou a fabricar charutos. Adelina era a encarregada das vendas: duas vezes ao dia, ia pela cidade entregando tabuleiros de charutos de botequim em botequim, e vendendo avulso para os transeuntes. Em sua peregrinação por São Luís, procurava parar sempre no Largo do Carmo, onde estudantes do Liceu eram seus fregueses. Aí teve a oportunidade de assistir a numerosos comícios abolicionistas promovidos pelos estudantes nas escadarias da escola. Apaixonou-se pela causa e passou a freqüentar manifestações e passeatas em prol da abolição da escravidão.

O ofício de vendedora levou Adelina não só a formar uma vasta rede de relações mas também a conhecer todos os meandros da cidade. Sua facilidade em circular pelas ruas tornou-se seu maior trunfo na luta contra a escravatura, pois possibilitava que os ativistas do movimento se antecipassem às ações da polícia e articulassem fugas de escravos. Ajudou diretamente alguns a escaparem, como foi o caso de uma escrava chamada Esperança, que fugiu para a província do Ceará com o comerciante português de quem estava grávida.

Fontes: Dunshee de Abranches, *O cativeiro: documentos maranhenses*; Maria Lúcia de Barros Mott, *Submissão e resistência — a mulher na luta contra a escravidão*; Alzira Rufino, Nilza Iraci e Maria Rosa Pereira, *A mulher negra tem história*.

Ademilde Fonseca (1921-)

Cantora.

Ademilde Fonseca Delfim nasceu em 4 de março de 1921, em Vitória de Santo Antão (PE). Foi criada em Natal (RN), para onde a família se mudou quando tinha quatro anos. Muito jovem, ligou-se a um grupo seresteiro local, do qual fazia parte Laudimar Gedão Delfim, com quem veio a se casar, mudando-se com ele para o Rio de Janeiro (RJ).

O sucesso de Ademilde está ligado à música "Tico-tico no fubá", gravada pela primeira vez por Zequinha de Abreu, que a compôs; seu lançamento em julho de 1942 teve grande repercussão junto ao público e às emissoras de rádio. Especializou-se em cantar choros; a gravação de "Rato, rato", de Claudino da Costa, consagrou-a como a maior intérprete do choro cantado, que exige grande habilidade vocal. Outra música que a levou às paradas de sucesso, em 1950, foi "Brasileirinho", de Waldir Azevedo. Na primeira metade da década de 1950, gravou inúmeras músicas pela Todamérica, realizando muitas excursões. Em 1964, ao lado do cantor Jamelão, exibiu-se durante seis meses em Lisboa, Portugal, quando se afastou do mercado fonográfico brasileiro. Participou do II Festival Internacional da Canção, em 1967, com a música "Fala baixinho", de Pixinguinha, com letra de Hermínio Belo de Carvalho. Seus shows no Teatro Opinião, no Rio de Janeiro, na década de 1970, levaram ao relançamento de suas principais interpretações em LP lançado em 1975.

Sem gravadora desde então, voltou aos palcos 10 anos depois, participando do Projeto Pixingão na sala da Funarte, onde se apresentou acompanhada pelo conjunto Época de Ouro.

Nos últimos tempos vêm tentando reeditar *A rainha do choro*, lançado pela primeira vez em 1950. Em 1999 recebeu o Troféu Eletrobrás e o Troféu da Gafieira Elite, por ter popularizado o chorinho com letra.

Fontes: *Enciclopédia da música brasileira: popular, erudita e folclórica; Folha de São Paulo*, 26.2.1998; *Jornal do Brasil* 27.5.1999.

Adiléia da Silva Rocha

ver DOLORES DURAN

Adília de Albuquerque Moraes (1874-1942)

Educadora e escritora.

Nasceu em 12 de dezembro de 1874, em Icó (CE), filha de Maria Leontina Coelho de Albuquerque e de José Pinto Coelho de Albuquerque, deputado e presidente da Assembléia Legislativa do Ceará.

Quando solteira, publicou na imprensa textos literários sob os nomes de Adília Coelho de Albuquerque e Adília Pinto Coelho de Albuquerque. Após casar-se com José Adelino de Lima Freire, adotou o nome Adília de Lima Freire. Casou-se pela segunda vez, com o escritor e advogado Tancredo de Moraes, quando então passou a assinar-se Adília de Albuquerque Moraes.

Formada pela Escola Normal de Fortaleza, aí ocupou, por concurso, a cadeira de português, tendo desempenhado, mais tarde, a função de inspetora federal do ensino.

Defensora das idéias pautadas pelo feminismo, utilizou os jornais como um canal para divulgar, através de artigos, a campanha pela conquista dos direitos políticos e sociais da mulher. Representou o Ceará no I Congresso Internacional Feminista, realizado em 1922 no Rio de Janeiro pela Federação Brasileira pelo Progresso Feminino*.

Participou de várias associações culturais do estado e, segundo o memorialista cearense Nirez, foi a partir de uma campanha de Adília, no início da década de 1930, que a principal praia de Fortaleza recebeu o nome de Iracema.

Faleceu no Rio de Janeiro em 2 de novembro de 1942.

Fontes: Adalzira Bittencourt, *Dicionário biobibliográfico de mulheres ilustres, notáveis e intelectuais do Brasil*; *Ceará Ilustrado*; Entrevista com Nirez em março de 1999.

Adriana de Holanda (c.1540-1640?)

Colonizadora de Pernambuco.

Matriarca de uma das mais importantes famílias da capitania de Pernambuco, era filha de Brites Mendes de Vasconcelos* e de Arnal de Holanda.

Casou-se com o oficial alemão Cristóvão Linz, que conquistou as terras de Porto Calvo, expulsando os índios que ali habitavam. O casal se estabeleceu nesta região, hoje Alagoas, e fundou sete engenhos ao longo do litoral até o cabo de Santo Agostinho, expandindo a fronteira canavieira. Seus filhos, netos e bisnetos mantiveram a tradição, gerando laços através de casamentos com as mais influentes famílias açucareiras da região.

Adriana de Holanda teve vida longa; em 1640, tinha perto de 100 anos e vivia cercada por seus descendentes.

Fontes: Evaldo Cabral de Melo, *O nome e o sangue*; Francisco A. Varnhagen, *História do Brasil*; J. Capistrano de Abreu, *Caminhos antigos e povoamento do Brasil.*

Adriana de Oliveira Ledo (séc.XVII)
Colonizadora do sertão paraibano.

Filha de Isabel Pais e do capitão-mor Teodósio de Oliveira Ledo. Sua família participou de um dos momentos mais importantes da história da ocupação definitiva das terras nordestinas. Sua trajetória se inicia na capitania da Bahia, de onde partiram em direção às terras do sertão paraibano. Colaboraram, assim, para a realização do projeto colonizador português de expansão das fronteiras e do domínio sobre as regiões habitadas até então por nações indígenas. Este é um dos períodos mais conturbados da história do Brasil colonial. Durante todo o século XVII travaram-se lutas ferozes para expulsar os indígenas que ocupavam as terras do interior nordestino. Os poucos índios que sobreviveram foram obrigados a se refugiar na aridez do sertão.

Adriana Ledo casou-se com Agostinho Pereira Pinto, um pernambucano do Cabo. Viveram na Paraíba e juntos criaram e mantiveram 15 fazendas, entre as quais a memorável Santa Rosa, onde viviam. O casal teve três filhos: Agostinho Pereira Pinto Filho, Isabel Pereira de Almeida e Cecília de Jesus Maria. A neta de Adriana, Teresa, filha de Agostinho, casou-se com o português Paulo de Araújo Soares, e deles descendem gerações de povoadores da cidade de Campina Grande.

Fonte: Elpídio de Almeida, *História de Campina Grande.*

Adriana Janacopoulos (1897-?)
Escultora.

Nasceu em Petrópolis (RJ), em 1897, filha de Lucília Calógeras Janacopoulos e de Jorge Janacopoulos. Morou por longos anos de sua juventude em Paris, onde entrou em contato com as artes plásticas, tendo participado, na década de 1920, dos salões parisienses das Tulherias e do Outono. Casou-se com um escultor russo, com quem teve dois filhos.

Regressou ao Brasil em 1935; expôs no Palace Hotel, então prestigiosa galeria do Rio de Janeiro, e participou da primeira Bienal de São Paulo, em 1951, com uma escultura de cimento com o título *Retrato de Madame A.* É autora da escultura em granito *Moça brasileira*, um dos monumentos dos jardins do Palácio Capanema, antiga sede do Ministério da Educação e Cultura, no centro do Rio de Janeiro. Assinou também bustos de Villa-Lobos e de Capistrano de Abreu, além dos túmulos do poeta Felipe de Oliveira e de Serafim Valandro. É autora do monumento ao estudante morto na Revolução Constitucionalista de 1932, que pertence ao acervo da Faculdade de Medicina da USP, São Paulo.

Fontes: Adalzira Bittencourt, *Dicionário biobibliográfico de mulheres ilustres, notáveis e intelectuais do Brasil*; Carlos Cavalcanti (org.), *Dicionário brasileiro de artistas plásticos.*

Afra Joaquina Vieira Muniz (séc.XIX)
Ex-escrava.

Afra Joaquina, de origem africana, vivia em Salvador (BA) na condição de senhora, pois se casara com seu próprio senhor, Sabino Francisco Muniz, também de origem africana, que, uma vez liberto, tornara-se proprietário de escravos. Ao morrer, entre 1870 e 1872, Sabino deixou todos os seus bens para a mulher, inclusive escravos que, por sua determinação, deveriam acompanhá-la até a morte.

Em 1872, duas escravas suas, as negras, Severina e Maria do Carmo, entraram com ação de liberdade e pedido de depósito, o que significava ficarem recolhidas até o fim do processo num lugar seguro indicado pelo juiz, que poderia ser a cadeia ou a casa de particulares. Comprometiam-se a acompanhar, na condição de libertas — ou seja, sem estarem submetidas a determinados castigos — a mulher do seu ex-senhor. Contudo, perderam a ação e ficaram obrigadas a permanecer como escravas de Afra até que ela morresse.

Fonte: Cecília Moreira Soares, "Mulher negra na Bahia no século XIX".

Aída de Medeiros Pullin (1922-)
Cientista e engenheira.

Nasceu em 11 de agosto de 1922, em São Paulo (SP), filha de Arina de Medeiros Pullin e de João Pullin Júnior. Depois de terminar o curso de humanidades no Colégio Sant'Ana, na capital paulista, ingressou na Escola Politécnica, da Universidade de São Paulo (USP) onde cursou Engenharia. Trabalhou no Instituto de Pesquisas Tecnológicas, foi assistente da cadeira de bioquímica da Escola Politécnica e sócia do Instituto de Engenharia. Escreveu trabalhos sobre bioquímica e química nuclear. Merecem especial destaque as publicações *O uso do 2-4-D para a obtenção de tomates sem sementes*, em co-autoria com Armando Ruso, e *Celulose de subfrações de sabugo de milho*, em co-autoria com Júlio Buschenelli e Kimiki Kohatsu.

Fonte: Adalzira Bittencourt, *Dicionário biobibliográfico de mulheres ilustres, notáveis e intelectuais do Brasil.*

Aída dos Santos (1937-)

Atleta olímpica.

Nasceu em 1º de janeiro de 1937, em Niterói (RJ). Filha da lavadeira Adalgisa Vicentes Alves e do padeiro Praxedes dos Santos, moradores da favela do morro do Arroz, em Niterói.

Foi estudar na escola Aurelino Leal, em regime semi-interno, onde teve seus primeiros contatos com o mundo do esporte. Organizou vários times e incentivava a participação das meninas nos jogos. O atletismo entrou na sua vida por acaso, quando entusiasmou-se ao acompanhar uma amiga que treinava no estádio Caio Martins. Começou a treinar também e, mesmo sem qualquer domínio da técnica do salto em altura, obteve a marca de 1m50. A façanha chamou a atenção dos dirigentes esportistas e Aída foi convidada para participar das competições.

Sua iniciação no esporte foi difícil, pois, logo de início, teve de enfrentar a resistência de seu pai, para quem "esporte era coisa para vagabundo e ao pobre restava o trabalho e, sendo mulher, lavar roupa e cozinhar". Aída não desistiu: treinava escondida da família e sua primeira competição oficial foi no Rio de Janeiro, no Clube Fluminense. Bateu o recorde estadual em salto em altura e, em 1959, conseguiu o recorde sul-americano nos Jogos da Primavera. Transferiu-se então do Fluminense para o Vasco da Gama, onde ficou até 1964, quando passou para o Botafogo, seu time de coração.

Nas Olimpíadas de 1964, no Japão, Aída alcançou o quarto lugar no salto em altura. As mulheres esportistas sofriam, naqueles anos, forte discriminação, principalmente as negras. Só passou pelo Comitê Olímpico brasileiro por ser a única mulher atleta com índice olímpico. Tinha consciência do preconceito racial que enfrentava, além de ser a única mulher de uma delegação de 69 componentes. Não tinha técnico, médico, massagista nem roupeiro. Estava sempre só, para treinar, para competir; sequer recebera o uniforme da delegação. Não tinha sapato de prego para saltar, tendo recebido uma sapatilha para corrida de 100 metros. Salvou-a a solidariedade de atletas estrangeiros, particularmente o peruano Roberto Abugatas, que a ajudava nos treinos, e o cubano Enrique Figueirola, que providenciou médico e massagista quando ela torceu o pé entre uma sessão e outra.

Apesar de todas as dificuldades, Aída disputou a final do salto em altura com "11 atletas de várias partes do mundo, todas brancas, bem nutridas e de boa aparência", como relatou o escritor Maurício Cardoso. A quarta colocação foi a melhor até então conseguida por uma brasileira em Olimpíadas, em qualquer esporte.

No início dos anos 60, ingressou na Universidade Federal Fluminense (UFF), formando-se em geografia. Continuou a estudar e, em 1970, diplomou-se em educação física; concluiu, ainda, o curso de pedagogia. Em 1967, foi medalha de bronze no Pan-Americano do Canadá e, em 1971, disputou o Pan-Americano de Cáli, na Colômbia. Nesse mesmo ano, casou-se com Miguel Freire de Meneses Filho. Em 1973, ano em que nasceu seu primeiro filho, Sérgio, deixou de competir. Logo em seguida nasceram Valeska e Patrícia. A essa altura, Aída era professora de educação física da UFF. Em 1987, os filhos já crescidos, voltou ao esporte, competindo em campeonatos de veteranos.

Fontes: Ludmila Mourão, *A representação social da mulher brasileira na atividade físico-desportiva: da segregação à democratização*; Entrevista concedida a Erica Arantes em 15.7.1999.

Alaíde Borba (séc.XX)
Ativista política.

Nasceu no Rio de Janeiro (RJ). Alaíde Pinheiro Borba, filha de Alfredo Matos Pinheiro, morou desde os dois meses de idade em São Paulo (SP), onde cresceu e fez seus estudos.

Participou ativamente da reorganização do Partido Republicano Paulista (PPR), percorrendo o interior do estado e discursando nos comícios que realizavam. A vitória dos revolucionários em outubro de 1930 e a subida de Getúlio Vargas ao poder geraram, no povo paulista, uma profunda insatisfação, que culminou com a Revolução Constitucionalista de 1932. Alaíde engajou-se nesta luta com entusiasmo, atuando no movimento Miragaia, Martins, Dráuzio e Camargo (MMDC), criado em homenagem aos quatro estudantes mortos em maio de 1932, e fazendo parte da organização e da assistência aos revoltosos.

Candidata pelo PRP à Assembléia Legislativa de São Paulo nas eleições suplementares de 1936, não conseguiu se eleger. Durante longos anos foi vice-presidente da Liga das Senhoras Católicas e representante social dessa entidade. Tomou parte ativa em todas as iniciativas da Liga, como a criação da Cidade dos Meninos e do Educandário Dom Duarte. Foi uma das líderes da campanha contra a mendicância na capital paulista, o que lhe valeu ser homenageada com uma placa de bronze na vila Mascote.

Fontes: Adalzira Bittencourt, *Dicionário biobibliográfico de mulheres ilustres, notáveis e intelectuais do Brasil*; J. Rodrigues, *A mulher paulista no movimento pró-constituinte*; Margarida C. Gordinho, *Assembléia Legislativa de São Paulo: um exercício de democracia*.

Alaíde Lisboa de Oliveira (1905-)
Política, professora e escritora.

Nasceu em 22 de abril de 1905, em Lambari (MG). Filha de Maria Rita Vilhena Lisboa e do conselheiro João de Almeida Lisboa, fez o curso normal em Belo Horizonte, na Escola de Aperfeiçoamento Pedagógico de Minas Gerais. Ainda na Escola, conviveu com a educadora Helena Antipoff*, trazida para o Brasil graças ao empenho do professor José Lourenço de Oliveira, com quem Alaíde veio a casar-se, sendo Helena Antipoff madrinha do casamento.

Doutorou-se em didática pela Universidade Federal de Minas Gerais (UFMG), da qual se tornou catedrática por concurso público. Exerceu diversos cargos de direção na Universidade, sendo durante 13 anos diretora do Colégio de Aplicação da UFMG, vice-diretora da Faculdade de Educação, primeira coordenadora do mestrado de educação e, finalmente, professora emérita. Paralelamente à bem-sucedida vida universitária, teve intensa atuação política. Após a redemocratização do país, foi eleita vereadora em 1950, sendo a primeira mulher a ocupar este cargo em Belo Horizonte.

Reconhecida como importante personalidade da educação brasileira, Alaíde é membro da Academia Mineira de Letras, recebeu inúmeros prêmios e homenagens e publicou dezenas de livros. Sua obra, especialmente a *Nova didática*, foi qualificada por Carlos Drummond de Andrade como "inovadora e criativa (...) um trabalho feito de experiência, reflexão e amor à tarefa, com apoio em um grande talento". Escreveu, entre outros livros, *Ensino de língua e literatura, Poesia na escola, Meu coração, Comunicação em prosa e verso, Educação e língua, Bonequinha preta, Gato que te quero gato*, além de artigos para revistas e jornais.

Fontes: Câmara de Vereadores de Belo Horizonte; Entrevista concedida a Jovita Levi Grinja em 27.10.1999.

Alba Cánizares do Nascimento
(1893-1944)
Educadora.

Nasceu em 11 de maio de 1893, no Rio de Janeiro (RJ), filha de Emília Cánizares do Nascimento e de Nicanor Queirós do Nascimento, político carioca. Diplomou-se em filosofia pela Faculdade de Filosofia do Rio de Janeiro, foi professora da Escola Normal, em 1914, e do Instituto de Educação, onde lecionou psicologia. Também ensinou essa disciplina na Escola Normal Venceslau Brás e na Universidade Livre da Prefeitura do antigo Distrito Federal.

Alba ocupou a cadeira nº 12 da Academia Brasileira Feminina de Letras, patrocinada por Carmem Freire, a baronesa de Mamanguape*. Foi da Academia de Ciências e Educação, da Sociedade Brasileira de Filosofia, do Conselho Arquidiocesano de Ensino Religioso e da Academia Carioca de Letras. Mereceu destaque o estudo literário feito por ela sobre Capistrano de Abreu.

Colaborou em quase todos os jornais do Rio de Janeiro e fez inúmeras conferências sobre assuntos pedagógicos e educacionais. Escreveu, entre outras obras, *Introdução à Bíblia Sagrada para terceiro e quarto anos do ensino religioso*, *Formação ética do professor*, *Prática de pedagogia social* e *Capistrano de Abreu — o homem e sua obra*.

Faleceu em 15 de março de 1944.

Fontes: Adalzira Bittencourt, *Dicionário biobibliográfico de mulheres ilustres, notáveis e intelectuais do Brasil*; J.F. Sobrinho, *Dicionário biobibliográfico brasileiro*.

Albertina A. Diniz (séc.XIX)

Jornalista e educadora.

Nasceu em São João del Rei (MG). Filha de Francisca Senhorinha da Mota Diniz*, com a morte do pai, José Joaquim da Silva Diniz, começou a trabalhar no jornal *O Sexo Feminino*, fundado e dirigido pela mãe. Mais tarde, quando a família mudou-se para o Rio de Janeiro, Francisca Senhorinha fundou o Colégio Santa Isabel, e ali Albertina iniciou sua carreira de educadora. Logo começou a traduzir textos do francês para a revista *Estação*.

Pregou a abolição dos escravos na imprensa e em comícios. Escrevia poesias para a publicação lisboeta *Almanaque das Senhoras*, e traduzia versos franceses para *O Sexo Feminino*. Em co-autoria com a mãe, escreveu *A judia Rachel*. Faleceu prematuramente de tuberculose.

Fontes: Adalzira Bittencourt, *Dicionário biobibliográfico de mulheres ilustres, notáveis e intelectuais do Brasil*; Sacramento Blake, *Dicionário bibliográfico brasileiro*.

Albertina Correia Lima (1889-?)

Sufragista, advogada e jornalista.

Nasceu em 25 de dezembro de 1889, em João Pessoa (PB). Filha de Maria Correia Lima e de Lindolfo Correia, formou-se professora pela Escola Normal da Paraíba e posteriormente, diplomou-se bacharel em direito pela Faculdade de Direito do Recife. Começou a carreira de jornalista no ano de 1912, colaborando com os periódicos cariocas *O Correio da Manhã* e *O Jornal*, ambos de circulação nacional, com jornais do Recife e de outras capitais nordestinas. Como advogada em João Pessoa, Albertina lutou pelo voto feminino e pelo acesso das mulheres à Câmara Legislativa de seu estado. Pertenceu à Associação Paraibana pelo Progresso Feminino e à Associação Paraibana da Imprensa. Também foi membro do Instituto Histórico e Geográfico da Paraíba e da comissão fundadora do Orfanato Dom Ulrico, de João Pessoa.

Em junho de 1922 publicou *Georgina, estrutura da Terra* e, em 1933 escreveu o estudo filosófico-jurídico e sociológico, *A mulher e seus direitos em face da nossa legislação*. Além dessas obras, publicou *Através da vida* e uma conferência sobre a escritora Júlia Lopes de Almeida*, intitulada *Justa homenagem*.

Fonte: Adalzira Bittencourt, *Dicionário biobibliográfico de mulheres ilustres, notáveis e intelectuais do Brasil*; Arquivo da FBPF, cx.06.

Alceri Maria Gomes da Silva (c.1943-70)

Operária e ativista política, vítima da ditadura militar.

Nasceu em 25 de maio de 1943, em Porto Alegre (RS). Ainda criança, mudou-se para Canoas, onde fez o segundo grau. Lá trabalhou no escritório da Fábrica Michelleto, onde começou a participar do movimento operário. Era sócia do Sindicato dos Metalúrgicos de Canoas e, através de um advogado do sindicato, entrou em contato com a Vanguarda Popular Revolucionária (VPR), ingressando na organização. Foi vítima da repressão militar quando, no dia 10 de maio de 1970, teve sua casa invadida por agentes dos órgãos de segurança e foi sumariamente metralhada, juntamente com outro militante de esquerda que ali se encontrava no momento, Antônio dos Três Reis de Oliveira. A morte de Alceri foi uma das que se sucederam ao Ato Institucional nº 5 (AI-5), de 13 de dezembro de 1968, no qual a face mais violenta dos chamados anos de chumbo do Brasil se expressou.

Fontes: Maria Amélia A. Teles, *Breve história do feminismo no Brasil*; Maria do Amparo Almeida Araújo (org.), *Dossiê dos mortos e desaparecidos políticos a partir de 1964.*

Alcina Leite Pindahyba (1864-1934)
Poetisa.

Nasceu em 30 de julho de 1864, na cidade de Atalaia (AL). Alcina foi professora pública estadual por vários anos, passando depois a trabalhar como agente dos Correios. Viveu boa parte dos seus anos em Coqueiro Seco, em Alagoas, onde morreu aos 70 anos.

Desde os tempos em que estudava na Escola Normal até o fim da vida, Alcina escreveu versos, deixando muitos poemas e sonetos esparsos pela imprensa. Em 1888, publicou um livro de poesias intitulado *Campesinas*, com prefácio de Martins Júnior. Os seis outros volumes que preparou não foram publicados. Mais que pela qualidade de seus versos, Alcina mereceu reconhecimento como mulher que lutou para ganhar seu sustento e demonstrar sua capacidade profissional e literária, numa época em que o mundo era extremamente hostil ao trabalho feminino fora do lar.

Fonte: Adalzira Bittencourt, *Dicionário biobibliográfico de mulheres ilustres, notáveis e intelectuais do Brasil.*

Alda Garrido (1896-1970)
Atriz.

Nasceu em 18 de agosto de 1896, em São Paulo, capital, mas foi criada na cidade de Taubaté (SP). Aos 19 anos, casou-se com Américo Garrido, com quem se mudou para o Rio de Janeiro em 1920. Estreou nesta cidade, no antigo Teatro Brasil, em 1923, na comédia de Manuel do Campo *A entrevista*. Do teatro de variedades, passou a fazer o teatro de revista. Criou, com o irmão, a Companhia Irmãos Garrido e, com ela, percorreu diversos estados brasileiros encabeçando o elenco da peça *Dona Xepa*, encenada 400 vezes. O papel de D. Xepa no cinema consagrou seu talento.

Em 2 de janeiro de 1928, sua Companhia de Teatro Zig-Zag lançou a *revuette* de Freire Junior *Teia de aranha*. A peça foi um sucesso e a engraçadíssima interpretação de Alda fez com que o Teatro São José, onde foi encenada, prolongasse a temporada. Tinha uma forte inclinação para a comédia de apelo popular, no que era auxiliada pelo carisma junto ao público. A crítica teatral era-lhe bastante favorável, distingüindo Alda como uma das precursoras das comediantes brasileiras.

Com o advento da televisão, passou a atuar também no teleteatro de comédia, no programa *Imperatriz da Sedas*, na TV Tupi. Trabalhou até o final da década de 60. Suas atuações memoráveis no palco foram nas peças *Luar de Paquetá*, 1926, *Quem paga é o coronel*, 1927, *Ilha dos Amores*, 1928. Também atuou em *Da favela ao Catete* e *Madame sans gêne,* ambas de 1954. Faleceu em 8 de dezembro de 1970.

Fontes: Adalzira Bittencourt, *A mulher paulista na história*; Enciclopédia *Nosso Século*; *Jornal do Brasil*, 9.12.70; Maria Lígia Madureira Pina, *A mulher na história*; Salviano Cavalcanti de Paiva, *Viva o rebolado*; *Última Hora,* 10.12.1970.

Alda Pereira da Fonseca (1882-?)
Cientista e escritora.

Nasceu em 3 de junho de 1882, na cidade do Rio de Janeiro, filha de Emília Elisa Pereira da Fonseca e de Antônio Augusto Pereira da Fonseca. Formou-se pela Escola Normal em 1917, dedicando-se ao estudo de botânica. Participou em 1922 do Terceiro Congresso de Agricultura e Pecuária, onde apresentou duas teses: "A cultura da baunilha" e "A cultura da mangueira". Também apresentou trabalhos na Primeira Conferência de Proteção à Natureza e no Primeiro Congresso Nacional de Pesca.

Escreveu *Reflorestamento dos morros e subúrbios*, *Parques nacionais*; *Pesca por amadores* e *A laranjeira — cultura e expansão comercial*. Mais tarde, publicou ainda uma obra ilustrada, o *Tratado de pomicultura*. Àquela época, vale lembrar, a área de estudos em pesquisa botânica era ainda um espaço eminentemente masculino.

Em 1923, foi designada pelo então ministro da Agricultura, Miguel Calmon, para representar o Ministério numa Comissão de Estudos na Bahia. Depois, ainda em viagem de estudos, foi enviada a vários países estrangeiros.

A produção literária de Alda não se ateve às suas realizações no campo da botânica, que a colocaram num lugar de destaque entre as mulheres brasileiras. Publicou, em 1931, um livro de poesias, intitulado *Museu escolar*; em 1933, trouxe a público *Ler e aprender*, obra ilustrada por Acquarone; e, em 1935, *O caminho da vida* e *Contos de outrora e de hoje*. Escreveu também *Uma aventura infantil*, a novela *A cruz de pedra* e o romance *Eterno segredo*.

Fonte: Adalzira Bittencourt, *Dicionário biobibliográfico de mulheres ilustres, notáveis e intelectuais do Brasil.*

Alice Afra de Carvalho (1898-1968)

Professora e escritora.

Nasceu em 24 de maio de 1898, em Maceió (AL), filha de Maria dos Anjos de Carvalho e de João Virgílio de Carvalho. No Rio de Janeiro, cursou do primário à escola normal. Além de professora, tornou-se filósofa e poetisa, e depois de aposentada estudou sociologia.

Alice era membro de várias associações: Sociedade Brasileira de Filosofia, Sociedade Brasileira de Geografia, Sociedade Teosófica, Sociedade de Homens de Letras do Brasil e Associação Brasileira de Imprensa.

Escreveu para muitos jornais de seu estado natal e do Rio de Janeiro, especialmente para revistas técnicas de educação e ensino. Seu pensamento religioso e filosófico está registrado no livro *Deus e as religiões*. Em 1947, publicou *O divórcio*, estudo extremamente polêmico sobre a separação conjugal, trazendo à baila um dos tabus da sociedade brasileira de então, e no ano seguinte lançou *Bordejos*: bem recebido, esgotou mais de uma edição.

Fonte: Adalzira Bittencourt, *Dicionário biobibliográfico de mulheres ilustres, notáveis e intelectuais do Brasil.*

Alice Dayrell Caldeira Brant

ver HELENA MORLEY

Alice Lins de Azevedo (1894-1940)

Educadora e feminista.

Nasceu em 23 de fevereiro de 1894, em João Pessoa (PB), filha de Luzia Leopoldina Lins de Azevedo e do militar Norbertino Pereira de Azevedo. Fez o curso primário e diplomou-se como professora na Escola Normal Pinto Júnior, em Recife (PE). Regressando à Paraíba, abriu um pequeno externato e ingressando no magistério público em 1918, passou a dirigir a Escola Noturna Feminina João Tavares. Em 1921, recebeu do governador Solon de Lucena a incumbência de estudar, no Rio de Janeiro, a proposta sobre os jardins de infância.

Quando Alice fundou, em 1932, o primeiro jardim de infância do estado da Paraíba, o interventor federal, Antenor Navarro, interessou-se pelo desenvolvimento desse trabalho, que poderia trazer novas diretrizes para o seu governo na área da educação. Ofereceu-lhe, então, um prédio público onde sua escola passou a funcionar.

Em 1934, o governo do estado criou o primeiro jardim de infância da Paraíba, que funcionava no Grupo Escolar Dr. Tomaz Mindelo, e Alice foi nomeada diretora.

Logo após a conquista do voto pelas mulheres em 1932, Alice, Albertina Correia Lima* e outras companheiras fundaram, em 1933, a Associação Paraibana pelo Progresso Feminino, filiada à Federação Brasileira pelo Progresso Feminino* (FBPF).

Membro da Associação Paraibana de Imprensa, Alice era colaboradora assídua de diversos periódicos, sobretudo do Recife. Em 1935, fundou e tornou-se diretora da agremiação Ilustração Artística do Brasil — Seção da Paraíba, destinada a difundir a produção artística, especialmente aos jovens. Nesse mesmo ano, foi-lhe confiada a responsabilidade pela Campanha Nacional do Bom Cinema no Estado, e ingressou no Instituto Histórico e Geográfico da Paraíba.

Como muitas mulheres de seu tempo, engajou-se em trabalhos de assistência social e, preocupada com a disseminação da tuberculose, fundou em 1923 a Liga Paraibana contra a Tuberculose, que por muitos anos funcionou apoiada no trabalho voluntário de senhoras da sociedade local. Em 1936, foi aclamada presidente da Sociedade de Assistência aos Lázaros, tendo sido reeleita várias vezes para sua diretoria. No ano de 1939, participou, como secretária, da Semana da Criança, evento em que apresentou projeto para a criação de uma instituição de amparo à maternidade e à infância. Desse projeto surgiu a Obra do Berço, para cuja organização Alice colaborou ativamente. Até hoje essa entidade continua prestando serviços e assistência às mães carentes.

Faleceu em sua cidade natal, no dia 29 de novembro de 1940.

Fonte: Adalzira Bittencourt, *Dicionário biobibliográfico de mulheres ilustres, notáveis e intelectuais do Brasil.*

Alice Piffer Canabrava (1911-)

Historiadora.

Nasceu em 22 de outubro de 1911, em Araras (SP). Filha de Otília Piffer e do fazendeiro Clementino Canabrava. Dessa relação nasceram Alice e Tina, que Clementino só reconheceu como filhas quando viúvo, embora nunca tenha oficializado sua união com Otília.

Alice fez os estudos primários na cidade natal e se formou na Escola Normal Caetano de Campos, na capital paulista; foi então lecionar no interior do estado. Em 1935, ingressou na recém-fundada Faculdade de Filosofia, Ciências e Letras da Universidade de São Paulo (USP), diplomando-se em 1937. Permaneceu na Faculdade como professora de história da civilização americana. Em 1944, num esforço pioneiro, concluiu o doutorado em história e, em 1951, alcançou a cátedra de história econômica geral do Brasil, na Faculdade de Ciências Econômicas e Administrativas da mesma Universidade, defendendo a tese "O desenvolvimento da cultura do algodão na província de S. Paulo: 1861/1875."

Alice pertence à Associação Paulista de Estudos Históricos, ao Instituto Histórico e Geográfico de São Paulo e ao Instituto Histórico e Geográfico do Brasil. Sua contribuição científica para a história econômica do Brasil foi atestada através de muitas homenagens e convites para participar de eventos relacionados a sua área de estudos.

Fez parte da equipe que elaborou a *História geral da civilização brasileira*, sob a direção de Sérgio Buarque de Holanda. Entre outros livros, publicou *História da civilização americana: o comércio português no Rio da Prata (1580/1640)*; *Bibliografia das bandeiras, São Paulo — tendências da bibliografia sobre a história administrativa do município*; *Fontes primárias para o estudo da moeda e crédito em S. Paulo no século XVI*; *Estudo das posturas municipais de Parnaíba.*

Fontes: Vicente Tapajós, *Dicionário de historiadores e geógrafos brasileiros*; Entrevista com Beatriz Canabrava, em 24.8.1999.

Alice Tibiriçá (1886-1950)

Ativista social e feminista.

Nasceu em 9 de janeiro de 1886 em Ouro Preto (MG), onde passou a infância. Alice Toledo Ribas Tibiriçá era filha de Maria Augusta Ribas e do general José Florêncio de Toledo Ribas, que lutou na Guerra do Paraguai. Por não se adaptar à disciplina escolar, sua mãe contratou um professor particular para iniciá-la nos estudos. Em 1898, a família foi morar na cidade do Rio de Janeiro, no bairro das Laranjeiras. No ano seguinte, em fevereiro, a mãe morreu de uma cirurgia mal sucedida; o pai faleceu em dezembro. Alice ficou morando com a irmã e, quando já estava com 14 anos, com as tias na capital paulista, onde, em 1912, se casou com João Tibiriçá Neto, filho do senador e ex-presidente do estado de São Paulo, Jorge Tibiriçá. Quando o marido foi encarregado da construção de uma estrada de ferro no Maranhão, passou dois anos nesse estado, retornando em 1915 ao Rio de Janeiro, onde o casal, que já tinha um filho, se fixou. Ali nasceu sua filha Maria Augusta Tibiriçá Miranda*.

No Maranhão, Alice ficara chocada com a situação dos leprosos e deu início a uma intensa campanha de combate à lepra que se expandiu por todo o país. Para combater o preconceito que agravava mais a situação dos doentes, foi uma pioneira na mudança do nome da doença para hanseníase. Em 1925, na capital paulista, participou de uma quermesse com o propósito de arrecadar fundos para ajudar os doentes e seus familiares. No ano seguinte, criou a Sociedade de Assistência às Crianças Lázaras, que depois se tornou Sociedade de Assistência aos Lázaros e Defesa contra a Lepra (SALDCL). Sempre assinalando tratar-se de uma obra de solidariedade e não de caridade, lançou perto de uma centena de agremiações filiadas por todo o país.

Assim, seu trabalho foi ganhando repercussão e produzindo resultados, que se concretizaram na fundação, em 1929, da Federação das Sociedades, da qual foi eleita presidente, e nas diversas campanhas para arrecadação de recursos que se espalharam por todos os estados. Graças a seu empenho, em 1933 realizou-se no Rio de Janeiro (então Distrito Federal) a Conferência para a Uniformização da Campanha contra a Lepra, que reuniu representantes das sociedades de assistência estaduais e municipais, médicos especialistas de todo o país e cerca de 100 associações privadas. Da conferência resultou um Plano Geral de Combate à Hanseníase.

Entretanto, o grande prestígio que Alice conquistou nesses anos provocou ciúmes. Em 1932, o diretor da Inspetoria de Moléstias Infecciosas, F. Sales Gomes, desencadeou intensa campanha contra a Sociedade e sua presidente. Alice processou seus detratores, que não sustentaram os ataques diante do tribunal, alegando "deturpação jornalística". Contudo, todo o trabalho de humanização no tratamento da hanseníase foi substituído por medidas drásticas, como o isolamento dos doentes, separação de pais e filhos. Nessa ocasião, Alice escreveu o livro *Como eu vejo o problema da lepra,* editado em 1934, denunciando o regime de opressão imposto aos doentes, que durou 13 anos, só se modificando em 1945, com a redemocratização do país e o afastamento do diretor Sales Gomes.

Uma prova do reconhecimento internacional do trabalho de Alice Tibiriçá é a carta que lhe foi dirigida pelo professor Bernardo Nocht, do Comitê de Higiene da Liga das Nações Unidas (a futura ONU). Na carta, ele dizia: "Fiquei satisfeito de verificar que essa Sociedade trabalha em bases completamente modernas, estando de acordo com as que foram adotadas pela Comissão de Lepra da Liga das Nações." Em 1935, Alice transferiu a sede da Federação de São Paulo para o Rio de Janeiro, e propôs que se adotasse o critério rotativo para a eleição das Diretorias. Assim, contrariando a opinião de ilustres hansenologistas, deixa o cargo de presidente que desde a fundação até aquela data ocupara. Volta sua atenção para a SALDCL de São Paulo que, após sua morte, passou a denominar-se Instituição Alice Tibiriçá de Civismo e Sociedade. Ainda na área da medicina social, conseguiu a unificação das entidades de combate à tuberculose, criando, a pedido dos médicos psiquiatras, a Sociedade de Amparo aos Psicopatas, e uma entidade de apoio aos cegos.

Sua atividade estendeu-se também ao campo cultural. Formada em 1926 pelo Conservatório Dramático e Musical de São Paulo, ali lecionou piano. Em 1927 fundou, também em São Paulo, o Instituto de Ciências e Artes Santa Augusta, onde, além do ensino tradicional, tentou promover cursos profissionalizantes para moças que viviam no interior e desejassem se instruir nos processos agrícolas modernos. Teve o apoio do secretário de Agricultura do estado de São Paulo, Fernando Costa, da Sociedade Nacional de Agricultura e da Sociedade Rural Brasileira.

Outro evento ligado a Alice é o Dia das Mães. Sua mãe havia morrido cedo, aos 39 anos, quando ela tinha apenas 13, fato que marcou muito sua personalidade. O segundo domingo de maio havia sido consagrado em 1906, nos Estados Unidos, como um dia dedicado às mães. No Brasil, coube à Associação Cristã de Moços de Porto Alegre instituir esta comemoração, em 12 de maio de 1918, tendo a escritora Júlia Lopes de Almeida* como oradora oficial. Em 1931, a Associação Cristã de Moços de São Paulo convidou Alice para fazer uma conferência sobre o tema em sua sede. Nessa solenidade, no segundo domingo de maio, ela prometeu que se esforçaria para tornar a data oficial no país. Em julho do mesmo ano, quando se realizava no Rio de Janeiro o II Congresso Internacional Feminista, redigiu mensagem ao presidente Getúlio Vargas nesse sentido. Em 6 de maio de 1932, decreto presidencial tornava oficial a homenagem.

Alice também se destacou na luta pelos direitos das mulheres. Representou a seção paulista da Federação Brasileira pelo Progresso Feminino no II Congresso Internacional Feminista, realizado no Rio de Janeiro em 1931, sob a presidência de Bertha Lutz*, e foi um dos nomes mais votados em São Paulo, no ano de 1933, no plebiscito promovido pelo jornal *Diário da Noite*, para escolher as mulheres que melhor representariam o estado na Assembléia Constituinte

Em 1945, separada do marido, Alice lançou-se a novos combates. A efervescência política causada pelo fim da guerra na Europa e pela redemocratização do Brasil levaram as mulheres a uma intensa mobilização em torno de campanhas contra a carestia de vida, causada pelo processo inflacionário em curso e a escassez de alguns gêneros alimentícios, ainda por causa da guerra. Com o apoio do Partido Comunista Brasileiro (PCB), surgiram as Uniões Femininas contra a Carestia. Alice não era comunista mas, sensível aos problemas do povo e com a paixão que a caracterizava, entrou no movimento. Ao mesmo tempo, em 1946, dirigiu o Instituto Feminino de Serviço Construtivo e fez realizar, pela primeira vez no Brasil, a 8 de março de 1947, as comemorações do Dia Internacional da Mulher, em solenidade presidida por Nuta Bartlet James*. Nesse mesmo ano, representou as mulheres brasileiras no Conselho da Federação Democrática Internacional de Mulheres, em Praga.

Em 1948, quando se aproximava o dia 8 de março, algumas senhoras programaram uma visita à Câmara Municipal, como parte das comemorações. O jornal *O Globo* publicou nota, no dia 2 de março, com o títutlo "Impedida passeata de mulheres". Alice escreveu uma carta ao diretor do jornal, afirmando que nenhuma passeata havia sido programada e contestando a afirmação de que era militante comunista. "Desde quando sou militante" comunista", se nunca me filiei a partido político algum?"

Foi a primeira presidente da Federação de Mulheres do Brasil*, entidade fundada em 1949 que centralizava as atividades das diversas organizações de mulheres do país, exercendo o cargo até a sua morte, no ano seguinte. Foi substituída por Branca Fialho*.

Nos últimos anos de vida, ainda participou ativamente da campanha "O petróleo é nosso", ocupando a vice-presidência do Centro Nacional de Estudos e Defesa do Petróleo. Destacou-se como grande oradora e conhecedora do problema, em comícios e outros atos públicos no Rio de Janeiro e nos estados, e chegou a ser presa em agosto de 1949, junto com algumas senhoras, numa passeata promovida pela Associação de Mulheres de São Paulo para anunciar o Congresso da Paz. Foi levada para São Roque e, enquanto esteve presa, desenvolveu-se intensa campanha "Onde está Alice?". O último ato público de que participou foi a comemoração do Dia Internacional da Mulher, em 8 de março de 1950, aos 64 anos. Faleceu, vítima de câncer, em 8 de junho do mesmo ano.

Fontes: Adalzira Bittencourt, *Dicionário biobibliográfico de mulheres ilustres, notáveis e intelectuais do Brasil*; Angélica Monteiro e Guaraciara Barros Leal, *Mulher: da luta e dos direitos*; *Momento Feminino*; Maria Amélia A. Teles, *Breve história do feminismo no Brasil*; Maria Augusta Tibiriçá de Miranda, *Alice Tibiriçá: lutas e idéias.*

Alina de Brito (1863-?)

Educadora e difusora do método Braille.

Nasceu em 29 de novembro de 1863, no Rio de Janeiro (RJ). Alina fez o curso normal, diplomando-se em 1889. Em 1897 foi indicada para dirigir o Grupo Escolar Benjamin Constant e, no ano seguinte, foi transferida para a direção da Escola José de Alencar. Em decorrência de problemas de saúde, Alina ficou cega e depois surda. Defendeu o acesso das mulheres ao ensino normal no Brasil e foi precursora como professora profissional tendo papel destacado na difusão do ensino de cegos pelo método Braille, a exemplo de Adélia Sigaud*.

Fonte: Valentim Benício da Silva, "A mulher na evolução do Brasil."

Almerinda Farias Gama (1899-?)

Advogada, feminista e líder sindical.

Uma das primeiras mulheres negras na política no Brasil. Nasceu em 16 de maio de 1899, em Maceió (AL). Filha de José Antônio Gama, Almerinda, aos oito anos, ficou órfã e foi viver com uma tia no Pará, onde foi educada. Muito jovem, e enfrentando as barreiras da cor, começou a publicar crônicas no jornal *A Provín-*

cia, de Belém. Tornou-se datilógrafa profissional e casou-se com um poeta paraense. Com ele teve um filho, que morreu ainda pequeno, vitimado por doença desconhecida na época e, logo a seguir, perdeu o marido, vítima de tuberculose.

Almerinda saiu pela cidade de Belém em busca de emprego e encontrou um que oferecia a remuneração de 300 réis para o cargo de datilógrafo. Descobriu, no entanto, que o salário destinado a uma mulher no mesmo cargo era apenas de 200 réis, um terço menor do que receberia um homem, desempenhando as mesmas atividades. Indignada, decidiu, em fevereiro de 1929, mudar-se para a cidade do Rio de Janeiro, onde logo se inseriu no mercado de trabalho. Como líder sindical — foi presidente do Sindicato dos Datilógrafos e Taquígrafos —, apoiou as iniciativas de Bertha Lutz*, presidente da Federação Brasileira pelo Progresso Feminino*.

Apesar de viver há apenas quatro anos no Rio de Janeiro, já tinha consolidado sua reputação de ativista feminista e sindical. Foi a única mulher a votar como delegada na eleição dos representantes classistas para a Assembléia Nacional Constituinte, realizada em 20 de julho de 1933. A eleição direta para os representantes do povo à Assembléia Nacional Constituinte fora realizada no dia 3 de maio de 1933, tendo sido eleita apenas uma mulher, Carlota Pereira de Queirós*, por São Paulo.

Empolgada com a política, Almerinda candidatou-se pelo Distrito Federal nas eleições regulares para a Câmara Federal e o Senado, no pleito de 14 de outubro de 1934. Como representante dos trabalhadores, seu panfleto assim a apresentava: "Advogada consciente dos direitos das classes trabalhadoras, jornalista combativa e feminista de ação. Lutando pela independência econômica da mulher, pela garantia legal do trabalhador e pelo ensino obrigatório e gratuito de todos os brasileiros em todos os graus." Almerinda não conseguiu se eleger, mas marcou com sua tenacidade um lugar na história da construção da cidadania feminina, abrindo espaço para a mulher negra participar do cenário político nacional.

Em 1935, uniu-se a um engenheiro carioca com quem teve o seu segundo filho. Ambos morreram, porém, algum tempo depois. Almerinda ainda tentou atuar como jornalista, mas acabou desistindo e também se retirando da política partidária. Em 1943 ainda participava da vida sindical como advogada e era membro da Associação dos Escreventes da Justiça do Distrito Federal.

Em 1991, foi entrevistada por Joel Zito, que posteriormente produziu, em parceria com o SOS Corpo de Pernambuco, um vídeo sobre sua vida e suas lutas; e em 1992, já doente, gravou uma pequena entrevista para a organização feminista ComMulher, de São Paulo. Almerinda morava, então, numa casa no subúrbio da cidade do Rio de Janeiro.

Fontes: Ângela Freitas, vídeo *Almerinda Gama*; Pasta Almerinda Farias Gama, CPDOC/FGV; ComMulher, vídeo *Memória de mulheres*; C. Sarmento, *Palácio Tiradentes: 70 anos de história*; *A Província do Pará*, 14.12.1975; *Jornal do Commercio* (PE), 8.3.1991.

Altamira Rodrigues *ver* MARIA PRESTES

Alzira Alves Campos (1911- 2000)

Atriz.

Nasceu em 18 de janeiro de 1911, filha de Maria Alves de Oliveira e Manoel Alves de Oliveira. Foi descoberta pelo cineasta Mário Peixoto no Café Globo, no Rio de Janeiro (RJ), onde trabalhava vendendo chocolates. Adotou o nome Olga Breno, atuando em *Limite*, primeiro longa metragem brasileiro, dirigido por Mário Peixoto em 1930.

Alzira, por um ano, dividiu seu tempo entre as gravações em Mangaratiba e o balcão do café, cujo dono era tio do diretor do filme. Pelo trabalho de atriz, não recebeu salário extra, apenas presentes. Não se queixava disso; dizia que atuara por prazer. Sua participação em *Limite*, seu único filme, foi muito elogiada. Aos 22 anos, se casou com o jornalista José Picher Campos, deixando para sempre o estrelato.

Faleceu em 11 de outubro de 2000.

Fonte: *O Globo*, 18.5.1996; Entrevista com Maria José Picher Leal em dezembro de 2000.

Alzira Grabois (1917-99)

Ativista política.

Alzira da Costa Reis nasceu em 4 de fevereiro de 1917, no distrito de Quissamã, município de Macaé (RJ). Filha de Lavínia Dias da Costa Reis, professora primária, e de Francisco da Costa Reis, alfaiate. Com a morte da mãe, Alzira, que ainda não completara dois anos e era a caçula de oito irmãos, foi morar com seu padrinho, usineiro em Campos (RJ). Ali viveu até os 12 anos e recebeu educação privilegiada. Quando seu pai melhorou de vida, reuniu os filhos e mudou-se para a cidade do Rio de Janeiro. Por ter feito um bom curso primário, Alzira conseguiu aprovação no tradicional Colégio Pedro II.

No colégio, ficou amiga de Dinorá, irmã de Amarílio Vasconcelos, militante do Partido Comunista Brasileiro (PCB). Em meio à efervescência política da década de 1930, o ideário comunista conquistou Alzira. Na casa dos Vasconcelos, conheceu Maurício Grabois, por quem se apaixonou. Como ambos eram anticlericais e adeptos da liberdade, decidiram viver uma união livre, enfrentando o preconceito do Partido e da família. Alzira não contou ao pai que estava vivendo com Maurício, no Leblon, no apartamento de zelador do prédio. Quando ele descobriu que ela não morava na casa da tia, como pensava, conseguiu o endereço da filha e foi ao seu encontro, tendo sido surpreendido com a gravidez avançada e o estado precário em que estavam vivendo na clandestinidade.

Já com dois filhos — nascidos em 1943 e 1946 — concluiu o curso de direito em Niterói, na atual Universidade Federal Fluminense (UFF). Assistente jurídica do Jardim Botânico do Rio de Janeiro, foi uma das fundadoras da Associação de Mulheres da Gávea, célebre organização de mulheres do Rio de Janeiro que no final da década de 1940 chegou a ter 3.000 filiadas. Ativa participante da campanha pela Constituinte de 1946, sua militância foi exercida nas organizações de base comunista. Na década de 1950, participou da diretoria da Federação de Mulheres do Brasil* e, como advogada do Sindicato da Construção Civil de Itaboraí e Rio Bonito, foi eleita, em 1958, para o comitê regional do PCB no Rio de Janeiro.

Por ocasião da luta interna no Partido, após a denúncia do stalinismo feita na ex-URSS, Alzira foi expulsa do comitê e do PCB, antes mesmo da exclusão de Maurício Grabois dos quadros partidários, em 1961. Maurício tornou-se dirigente da corrente comunista Partido Comunista do Brasil (PC do B). A vida de Alzira mudou com a dolorosa divisão entre os comunistas, que colocou antigos amigos em campos opostos. Quando os militares assumiram o poder em 1964, novamente enfrentou a clandestinidade. Foi para São Paulo com Maurício, com a tarefa de organizar o PC do B naquele estado, seguindo-se 16 anos de muitas lutas e sofrimento.

A opção do PC do B pela luta armada levou seus militantes a criarem um foco guerrilheiro na região do Araguaia, entre 1971 e 74. Para lá foram Maurício e seu filho; nunca mais voltaram. Alzira dedicou o resto da vida a lutar para que o governo reconhecesse que a guerrilha havia existido e que uma parte de sua família lá tinha ficado para sempre. Foi uma das fundadoras do movimento de mulheres pela anistia. Depois da vitória desse movimento, com a Lei da Anistia de agosto de 1979, foi uma das criadoras do grupo Tortura Nunca Mais, que continuou a luta para que o Estado apurasse os muitos casos de militantes desaparecidos e entregasse seus restos mortais às famílias.

Durante os anos de clandestinidade, Alzira deixara de pagar as anuidades da Ordem dos Advogados do Brasil (OAB) e seu registro havia sido cassado. Com a anistia, requereu novo registro e, graças a parecer do advogado Hélio Saboia, foi reintegrada em 1981. Finalmente, em 1995, foi anistiada e incorporada como assistente jurídica ao ministério da Agricultura e logo em seguida aposentada. Faleceu no Rio de Janeiro (RJ), em 29 de outubro de 1999.

Fontes: *O Globo*, 5.11.1999; Entrevista de sua filha, Vitória Grabois, concedida a Hildete Pereira de Melo em 8.9.1999.

Alzira Soriano (1897-1963)

Primeira prefeita da América Latina.

Nasceu em 29 de abril de 1897, em Jardim de Angicos (RN). Luisa Alzira Teixeira de Vasconcelos era filha de Margarida de Vasconcelos e do coronel da Guarda Nacional, líder político local e comerciante, Miguel Teixeira de Vasconcelos. Tinha seis irmãs e um irmão. Jardim de Angicos era, na época, o centro comercial da região e lugar de passagem para os viajantes do sertão.

No dia 29 de abril de 1914, aos 17 anos, casou-se com Tomaz Soriano de Sousa Filho, de tradicional família pernambucana. O casal foi morar na cidade de Ceará-Mirim (RN), para onde Tomaz foi designado promotor. Em janeiro de 1919, ele faleceu, vítima da gripe espanhola. Tinham tido três filhas: Sônia, Ismênia e Maria do Céu, e Alzira estava grávida de Ivonilde. Viúva aos 22 anos, foi viver com as filhas na fazenda Primavera, próxima à casa de seus pais. Pouco tempo depois aceitou o convite para viver na casa do sogro, no Recife, onde não se demorou; em menos de um ano estava de volta a Jardim de Angicos, onde assumiu a administração da propriedade.

A situação de sua cidade natal já não era a mesma; a próspera Jardim de Angicos perdera a autonomia política e passara a ser um distrito de Lages. O traçado da estrada de ferro, passando ao largo de Jardim, sepultou suas possibilidades de progresso. Neste ambiente conturbado, Alzira foi amadurecendo sua visão sobre a política, procurando tomar parte das iniciativas do pai, que continuava a ser um influente líder na região.

Fatos novos criavam, no estado, um quadro diferente do das décadas anteriores. A campanha de 1927 pela concessão do direito de voto às mulheres no Rio Grande do Norte, promovida pelas sufragistas com apoio total do governador Juvenal Lamartine e seus aliados, ganhou a força de plataforma política. Tão logo foi permitido o alistamento eleitoral de mulheres, as potiguares acorreram em massa para tirar o título, o que fez surgir o interesse em promover uma candidatura feminina. As articulações em torno da escolha da representante envolveram o governador Lamartine e a líder das feministas brasileiras, Bertha Lutz*. Na busca pelo nome ideal, promoveu-se o encontro entre Lamartine, Bertha Lutz, Alzira Soriano e seu pai na fazenda Primavera. Como resultado, em 1928, Alzira Soriano foi escolhida para ser candidata à prefeitura de Lages pelo Partido Republicano.

A campanha transcorreu com conflitos, como se previra. Os adversários não pouparam ofensas pessoais a Alzira. Alguns apregoavam, às claras e sem rodeios, que mulher pública é prostituta; outros procuravam seus familiares para dizer que não ficava bem uma senhora de família entrar para a política. A despeito da oposição cerrada e das ofensas pessoais, a candidatura de Alzira foi um enorme sucesso: obteve 60% dos votos válidos do município. O adversário, sentindo-se humilhado por perder para uma mulher, deixou a cidade e até o estado.

A eleição de Alzira teve repercussão no exterior: o jornal norte-americano *The New York Times* publicou uma nota no dia 8 de setembro de 1928, atribuindo a eleição da primeira mulher a um cargo eletivo no Brasil e na América Latina à influência do movimento sufragista americano no nosso país.

A posse na prefeitura de Lages, no dia 1º de janeiro de 1929, foi amplamente noticiada pela imprensa. No discurso de posse, demonstrou habilidade política para contemporizar com os adversários, e, sobretudo, a percepção de que o papel da mulher estava mudando de forma definitiva.

Governou por quase dois anos, conseguindo realizar obras de infra-estrutura e melhoria das condições de vida da população com os próprios recursos do município. Com a vitória da Revolução de 1930, porém, Alzira deixou a prefeitura. Embora tivessem-lhe oferecido o cargo de interventora municipal, decidiu fazer oposição ao novo governo que, a seu ver, afrontava a democracia. No último dia de sua gestão, levou as filhas para fazer visitas a correligionários com o propósito de agradecer o apoio recebido durante a sua curta administração. Pretendeu visitar, também, os adversários para dialogar. Muitos deles, porém, recusaram-se a recebê-las. Quando se viu insultada por um dos seus mais aguerridos adversários, Miguel da Silveira, reagiu "cobrindo-o de tapas", segundo relato de suas filhas.

De volta à vida privada, Alzira decidiu mudar-se para Natal, onde as filhas poderiam estudar em melhores escolas. Permaneceu na capital até 1939, quando a última filha solteira se casou. Resolveu, então, retornar para a fazenda Primavera, onde refez o seu prestígio pessoal, participando das articulações com os líderes locais. De tal forma o seu nome permaneceu ligado ao mundo da política que, após a redemocratização do país em 1945, Alzira Soriano se candidatou à Câmara Municipal, pela União Democrática Nacional (UDN), tornando-se líder da sua bancada. Reelegeu-se vereadora em sucessivas eleições, mantendo-se como referência de seu partido no Legislativo local.

Sua forte liderança encontrava adversários políticos até mesmo dentro da família: o irmão mais novo, Paulo — que se elegeu prefeito pelo Partido Social Democrata (PSD) —, a irmã e o cunhado, ligados à família dos Rosado, líderes do PSD no estado. Embora as divergências provocassem acaloradas discussões — em boa medida, em função do temperamento autoritário de Alzira —, os laços de solidariedade dentro da família, o socorro mútuo nos momentos difíceis eram cultivados.

No final do ano de 1961, Alzira se viu com câncer no útero em estágio avançado. Passou o último ano de vida entre Natal, a fazenda Primavera e o Rio de Janeiro, alternando internações em hospitais e o repouso na sua casa ou na de parentes. Alzira quis morrer em sua terra; já em estado grave, foi levada para Natal, onde faleceu no dia 28 de maio de 1963.

Fontes: Adalzira Bittencourt, *Dicionário biobibliográfico de mulheres ilustres, notáveis e intelectuais do Brasil*; Heloísa M.G. Pinheiro de Sousa, *Luisa Alzira Teixeira de Vasconcelos, a primeira mulher prefeita na América do Sul*; João Batista Cascudo Rodrigues, *A mulher brasileira: direitos políticos e civis*; Maria Lúcia de Barros Mott, *Submissão e resistência — a mulher na luta contra a escravidão.*

Alzira Vargas (1914-92)

Política e advogada.

Nasceu em 22 de novembro de 1914, em São Borja (RS), filha de Darci Sarmanho Vargas* e de Getúlio Vargas. Com a vitória da Revolução de outubro de 1930, liderada por seu pai, e com a posse deste como presidente da República, Alzira, ainda adolescente, veio morar na então capital federal, onde concluiu o curso ginasial no Colégio Aldridge, em 1932. No ano seguinte, ingressou na Faculdade de Direito do Rio de Janeiro, diplomando-se no final de 1937.

Ainda estudante, iniciou-se na vida política, trabalhando como bibliotecária e arquivista do pai. Depois de temporada nos Estados Unidos, entre meados de 1935 e maio de 1936, retornou ao Rio de Janeiro e ampliou suas atribuições como auxiliar direta do presidente. Assumiu a tarefa de intérprete e responsável pela correspondência de Vargas com o governo norte-americano. Finalmente, em 1937, foi oficialmente nomeada por ele auxiliar do Gabinete Civil da Presidência da República.

A decretação do Estado Novo, em novembro de 1937, fortaleceu a posição de Alzirinha — como era conhecida — que, segundo depoimento prestado ao CPDOC da Fundação Getulio Vargas (FGV), agregou às suas tarefas as funções de interlocutora informal do governo com a sociedade. No dia 11 de maio de 1938, durante o ataque dos integralistas ao Palácio Guanabara, residência presidencial, Alzira participou da resistência. Nas memórias que escreveu sobre esse episódio, pôs em dúvida a lealdade de algumas autoridades no auxílio ao palácio assediado.

Em 1939, casou-se com o comandante Ernani do Amaral Peixoto, responsável por pilotar o avião que levava o presidente a Caxambu e Poços de Caldas, em suas temporadas de verão, e que também já despontava como liderança política dentro do Partido Autonomista. Por ocasião do casamento, Ernani havia sido nomeado interventor federal no estado do Rio de Janeiro. A recusa de Alzira em vestir um tradicional vestido de noiva na cerimônia nupcial pode ser lida como um atitude de inconformismo com o papel feminino. Deste casamento nasceu a filha Celina.

Durante a II Guerra atuou, juntamente com o marido, como mensageira de Vargas para Roosevelt, presidente norte-americano. Por conta disso, realizou várias viagens aos Estados Unidos. Ainda como mulher do interventor federal no estado, criou na capital, Niterói, a Fundação Anchieta, as Escolas de Enfermagem e de Serviço Social, atualmente integradas à Universidade Federal Fluminense. Também fundou, em Petrópolis, a Maternidade Divina Providência.

O processo de redemocratização do país, em curso ao longo do ano de 1945, possibilitou-lhe exercer uma intensa vida política, pois coube a ela a articulação para formar o Partido Trabalhista Brasileiro (PTB), destinado a concorrer com o Partido Comunista Brasileiro (PCB), que fora legalizado no mesmo ano de 1945 e desenvolvia intensa atividade no meio sindical. No dia 15 de maio deste ano o PTB foi criado, mas Alzira não integrou seus quadros. Na realidade, nunca se filiou a nenhum partido político. Com a queda de Vargas em 29 de outubro de 1945 e seu exílio em São Borja, Alzira permaneceu no Rio de Janeiro, mantendo intensa ligação com seu pai e os meios políticos. Fazia o que gostava, mesmo atuando discretamente.

Vargas retornou, triunfalmente, à presidência da República nas eleições de 1950, e Alzira passou novamente a desempenhar funções públicas. Entre 1952 e 1953 participou das delegações brasileiras às Conferências Internacionais do Trabalho, promovidas pela Organização Internacional do Trabalho (OIT), órgão das Nações Unidas, em Genebra, Suíça. Fez parte da comissão de colaboradores de Josué de Castro, presidente da recém-criada Comissão Nacional do Bem-Estar Social. As atividades que desenvolvia estavam de acordo com o que a sociedade brasileira entendia que deveria ser o papel das mulheres da elite. O talento político de Alzira ficou restrito ao trabalho nas obras assistencialistas do governo e aos bastidores da política. Tornou-se, porém, de fato, a principal auxiliar de Vargas.

Nos episódios que culminaram com a crise de agosto de 1954, Alzira revelou-se uma habilidosa articuladora política. O assassinato do major Rubens Vaz, no dia 5 de agosto de 1954, desencadeou uma enorme reação nos meios político-militares. O inquérito policial realizado no Galeão implicava membros da guarda pessoal do presidente e fez crescer a pressão para que Vargas renunciasse. A alta cúpula da Aeronáutica e do Exército conspirava abertamente. O marechal Mascarenhas de Morais e o general Zenóbio da Costa, ministro da Guerra, procuraram Getúlio tentando arrancar sua renúncia ou um pedido de licença. Diante de tanta pressão, Vargas convocou uma reunião do ministério para discutir a questão, e Alzira foi chamada às pressas. Naquele momento seu marido era o governador eleito do estado do Rio de Janeiro.

Durante a reunião, ao ouvir o relato do ministro Zenóbio da Costa sobre o manifesto que 80 generais haviam assinado, Alzira pediu a palavra e contestou firmemente esse relato, afirmando que eram apenas 13 assinaturas e que, dentre os que haviam assinado, só o general Henrique Lott tinha posto de comando. Acrescentou que a Vila Militar não aderira até então ao movimento, mostrando-se muito bem informada sobre a movimentação dos golpistas nas Forças Armadas. Alzira concluiu dizendo que a crise não passava de uma conspiração de gabinete. O ministro da Guerra retrucou que sua intenção era apenas de alertar quanto à extensão da crise e preservar a integridade do governo. Alzira pediu desculpas ao seu pai e retirou-se da reunião. O chefe do Gabinete Militar da Presidência da República, Aguinaldo Caiado de Castro, favorável à resistência ao golpe, e o general Zenóbio, ministro da Guerra, com a posição de que era inútil resistir, colocaram um impasse na reunião. Vargas encerrou-a afirmando que a sua licença era condicionada à manutenção da ordem pelos militares.

Mais tarde, Alzira e seu tio Benjamim Vargas foram encontrar Getúlio em seus aposentos do Palácio do Catete, onde houvera a reunião ministerial. Na presença de ambos, Getúlio mostrou a chave de um cofre e pediu que retirassem alguns valores e papéis importantes caso alguma coisa lhe acontecesse. Às seis horas da manhã do dia 24 de agosto de 1954, Alzira voltou ao quarto do pai para pedir autorização, em nome de alguns oficiais do Exército, para deter, em seu nome, os líderes do movimento, os militares Juarez Távora e Eduardo Gomes. Vargas respondeu-lhe que era inútil, porque o vice-presidente Café Filho já iniciara os contatos para formar o seu ministério. Alzira retirou-se do quarto do pai e, ainda no palácio, recebeu um telefonema do general Ciro do Espírito Santo Cardoso comunicando que os generais reunidos com Zenóbio da Costa haviam decidido que a licença de Vargas da presidência não seria de dois meses, como havia sido acertado na reunião, mas definitiva. Essa conversa telefônica foi interrompida por alguém que comunicava a Alzira que Vargas havia dado um tiro no peito.

Na mesma manhã, Alzira abriu o cofre, como prometera ao pai, e retirou os papéis, entre os quais havia duas cópias da famosa Carta-Testamento. O documento foi distribuído para a imprensa e emocionou o Brasil de norte a sul. Horas depois, as ruas da capital receberam uma multidão triste e indignada que atacou os prédios reconhecidos como pertencentes aos inimigos de Vargas, como a embaixada americana, e fez uma fila de alguns quilômetros para ver o esquife do presidente. Calcula-se que mais de um milhão de pessoas acompanharam o corpo de Vargas até o Aeroporto Santos Dumont, de onde foi levado para São Borja (RS) para ser enterrado.

Em 1955, Amaral Peixoto deixou o governo do estado do Rio de Janeiro e foi nomeado embaixador do Brasil em Washington, nos Estados Unidos. Alzira acompanhou-o, e permaneceram lá até 1959. Voltando ao Brasil, publicou, em 1960, uma biografia, *Getúlio Vargas, meu pai*. Com a morte da mãe, em 1968, assumiu seu lugar na presidência da obra assistencial criada por Dona Darci, a Casa do Pequeno Jornaleiro, no Rio de Janeiro. Durante todos esses anos participou da vida política nacional através do marido, que foi presidente do Partido Social Democrático (PSD), de 1952 até sua extinção pelo regime político-militar, em 1965.

Como vinha organizando os arquivos do pai desde 1930, nos anos 70 doou os papéis particulares que havia conservado ao CPDOC da Fundação Getulio Vargas (FGV), instituição criada por sua filha Celina Vargas do Amaral Peixoto, que exerceu por longo tempo a direção deste centro de documentação e memória política. Fiel, à sua maneira, à tradição de que o mundo da política era um espaço masculino, Alzira, apesar do enorme talento para o exercício da vida pública, ficou sempre em posição de auxiliar do pai e do marido. Faleceu no Rio de Janeiro, no dia 26 de janeiro de 1992.

Fontes: Alzira Abreu e Israel Beloch, *Dicionário histórico-biográfico brasileiro*; Alzira Vargas do Amaral Peixoto, *Getúlio Vargas, meu pai*; Ângela de Castro Gomes, "A guardiã da memória"

Amália Schkolnik (?-1932)

Imigrante polonesa.

Viveu na zona do meretrício do Mangue carioca. Não se conhece a data da chegada de Amália ao Brasil. Todavia, sabe-se que nas últimas décadas do século XIX, sobretudo depois de 1870, chegaram à Corte inúmeros judeus russos, alemães e austríacos que promoveram a imigração de mulheres pobres das comunidades judaicas da Europa para o Brasil e passaram a controlar a prostituição nas cidades do Rio de Janeiro e de São Paulo. Em troca de uma pretensa proteção, os *caftens* organizaram um sistema de exploração das mulheres, obrigando-as a transferir-lhes parte substantiva de seus rendimentos.

Na doença, elas não contavam com assistência médica e, quando grávidas, eram forçadas a tentar o aborto e deixadas à própria sorte. As "polacas" — como ficaram conhecidas essas prostitutas — tinham ainda que enfrentar o preconceito da comunidade judaica local, que lhes restringia o direito de participar das práticas religiosas. Esse fato representava um grande sofrimento para as prostitutas, sobretudo em caso de morte, quando não tinham acesso aos ritos judaicos.

Amália veio para o Brasil nesse contexto. A comunidade das polacas dominava a prostituição no Rio de Janeiro e, enfrentando as conseqüências da sua "escolha" de vida, formaram uma associação para tratar desse problema: a Associação Beneficente Funerária e Religiosa Israelita* (ABFRI). Amália foi uma ativa participante desta associação. Sucedeu a Regina Hirsch* no cargo de sócia benemérita da ABFRI. Atuava sobretudo no sentido de angariar fundos para a criação do cemitério de Inhaúma, na cidade do Rio de Janeiro.

Fontes: Beatriz Kushnir, *Baile de máscaras*; L.C. Soares, *Rameiras, ilhoas, polacas — a prostituição no Rio de Janeiro do século XIX*.

Amazonas

Tribo lendária de mulheres guerreiras.

Consta dos compêndios de folclore brasileiro tratar-se de uma tribo indígena, composta exclusivamente por mulheres guerreiras de longos cabelos soltos ao vento, que mutilavam o seio direito para melhor empunhar a lança (ou o arco) e atacar os inimigos. A tribo das Amazonas é um mito arraigado na cultura brasileira, que, na verdade, percorre o imaginário dos homens ibéricos há séculos, desde a época das conquistas ultramarinas.

São constantes as indagações sobre a origem desse mito, sobre a espécie de fascínio que sempre exerce, sobre as razões que teriam levado tantas gerações de cronistas a recuperar, de tempos em tempos, a memória da lenda das Amazonas, acrescentando-lhe detalhes coloridos e novos significados, ou mesmo omitindo particularidades.

Nos anos 20, o mito das Amazonas recebeu versão de um jornalista carioca, Heitor Moniz, do *Correio da Manhã.* Moniz descreveu as Amazonas na forma habitual, com a imprecisa localização da tribo para além da foz do rio Nhamundá, à margem esquerda do rio Amazonas. Descreveu as mulheres guerreiras empunhando a lança com destreza, sem omitir seu estranho instinto materno, que preservava apenas as crianças nascidas mulheres, admitindo o infanticídio dos meninos. O cronista revelava também que as Amazonas somente praticavam o sexo para a conservação da espécie, exercendo papel ativo na escolha dos parceiros, o que faziam poucas vezes ao ano, quando homens de outras tribos indígenas ousavam se aproximar de seus domínios.

A fonte da qual beberam todos os comentadores da tribo das Amazonas é o relato do navegador Francisco Orellana que, em 1539, a serviço da Coroa de Espanha, percorreu os rios do norte do Brasil dando o nome de rio das Amazonas ao grande rio que explorou, fascinado que estava com a idéia de ter encontrado ali a tribo das mulheres guerreiras a que os romances de cavalaria europeus já faziam menção. Segundo esta crônica espanhola, as mulheres andavam vestidas de lã e tinham as roupas cobertas de muito ouro, como de ouro e prata seriam os objetos das casas das mais importantes da tribo. Eram caracterizadas como mulheres que viviam sem marido.

Também Cristóvão Colombo, na sua primeira viagem à América julgou que a ilha antilhana Matininó (Martinica) ocultava uma sociedade de mulheres, à semelhança daquela descrita por Marco Polo no seu diário de viagem. O desencanto de Colombo com a ilha Matininó teria contribuído para deslocar o mito das Amazonas das ilhas para o continente.

Até mesmo o cético e pragmático padre Manuel da Nóbrega relatou aos seus superiores ter ouvido falar de uma tribo de mulheres guerreiras que guardavam o segredo da localização de fabulosas minas de ouro. Mas foi só em 1774, quando o território já parecia suficientemente conhecido em suas potencialidades, que a persistência do mito levou o ouvidor e intendente-geral da capitania de São José do Rio Negro, Francisco Xavier Ribeiro Sampaio, a inquirir os gentios acerca da existência da tal tribo de mulheres.

O naturalista francês Charles de La Condamine, que seguiu os passos do navegador espanhol Orellana, percorrendo a bacia amazônica em busca de riquezas e das afamadas Amazonas, relatou, no ano de 1778, à Real Academia de Ciências de Paris, ter encontrado fortes indícios que comprovavam a versão de Orellana sobre a tribo de mulheres guerreiras.

No século XIX, o viajante inglês Southey não descartou, nos seus relatos de viagem, a possibilidade de que as Amazonas existissem de fato. O historiador Sérgio Buarque de Holanda, por sua vez, na sua fundamental obra *Visões do paraíso,* apura o caminho percorrido pelo mito na cultura brasileira, com todas as releituras e reelaborações sofridas ao longo do tempo. Segundo ele, no mito das Amazonas, a existência de uma sociedade constituída exclusivamente por mulheres seria acidental diante do fato mais relevante de que as Amazonas poderiam conduzir os europeus ao grande Eldorado. Para Buarque, os conquistadores ibéricos, particularmente os espanhóis, foram fortemente movidos pela cobiça por metais preciosos. Assim, os espanhóis estariam bem menos atraídos pelas possibilidades eróticas de um eventual encontro com as Amazonas, do que pela perspectiva de encontrar uma fonte inesgotável de riqueza fácil.

No século XX, a idéia de recuperar o mito das Amazonas com o propósito de insinuar a existência de riquezas ocultas em terras

1

2

3

4

5

6

1 • *Ana Amélia Carneiro de Mendonça*
Poetisa, feminista e uma das criadoras da Pró-Matre, da Casa do Estudante do Brasil e da Associação Brasileira de Estudantes.

2 • *Anésia Pinheiro Machado*
Pioneira da aviação e primeira mulher no Brasil a realizar um vôo transcontinental, a transportar passageiros e a fazer reportagens e acrobacias aéreas.

3 • *Alice Tibiriçá*
Fundadora da Sociedade de Assistência aos Lázaros em 1926, responsável pela instituição do Dia das Mães em 1932 e presidente da Federação de Mulheres do Brasil.

4 • *Anita Garibaldi*
Considerada a heroína de dois mundos: Brasil e Itália.

5 • *Alaíde Lisboa*
Primeira vereadora de Belo Horizonte e uma das mais importantes personalidades da educação brasileira.
À direira, Maria Sabina.

6 • *Ana Néry*
Uma das heroínas da Guerra do Paraguai e precursora da enfermagem no Brasil.

7

8

9

10

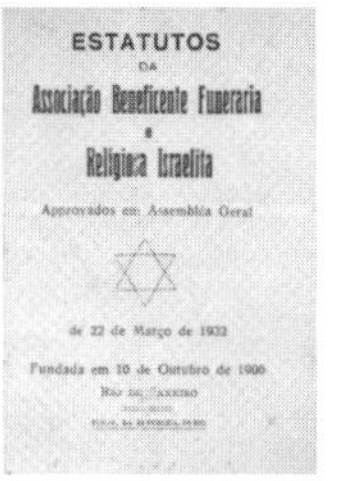

ESTATUTOS
DA
Associação Beneficente Funeraria
e
Religiosa Israelita

Approvados em Assembléa Geral

de 22 de Março de 1932

Fundada em 10 de Outubro de 1900

11

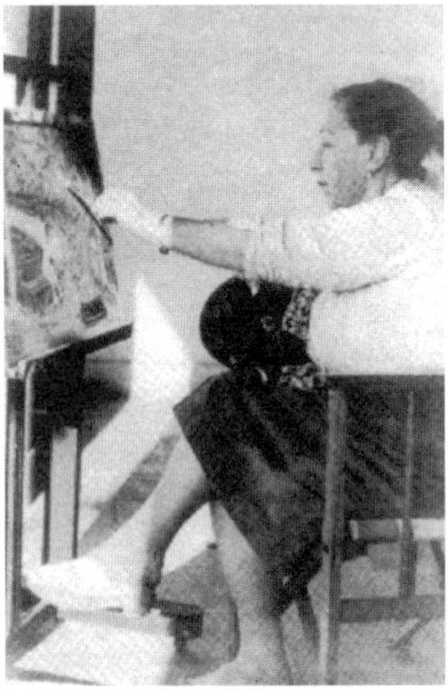

12

13

7 • *Andradina América de Oliveira*
Jornalista e fundadora da revista gaúcha *Escrínio,* em 1898. Na foto, sentada à esquerda de sua filha.

8 • *Augusta Candiani*
Cantora lírica que conquistou o público brasileiro na segunda metade do séc.XIX, em libreto da ópera *Norma*, de Bellini

9 • *Amália Schkolnik*
Imigrante polonesa e uma das fundadoras da Associação Beneficente Funerária e Religiosa Israelita.

10 • *Associação Beneficente Funerária e Religiosa Israelita*
Capa dos Estatutos da ABFRI, associação criada no início do séc.XX e administrada unicamente por mulheres.

11 • *Anita Malfati*
Artista plástica, precursora do modernismo no Brasil e uma das idealizadoras da Semana de Arte Moderna de 1922.

12 • *Alzira Soriano*
Prefeita de Lages (RN), eleita em 1928. Foi a primeira mulher a ocupar este cargo no Brasil e na América Latina.

13 • *Almerinda Farias Gama*
Primeira mulher negra eleita para um cargo público no Brasil, em 1934.

longínquas não mais se sustentava. Restava recuperar a outra face do mito: mulheres sem temor e sem maridos. Assim foi que, no ano de 1928, bem no momento em que as mulheres brasileiras ensaiavam os primeiros passos em direção à conquista da cidadania plena, o cronista Heitor Moniz brindou seus leitores no *Correio da Manhã* com a citada crônica sobre o mito das Amazonas, habitantes de um lugar longínquo e inacessível, senhoras do seu desejo.

Fontes: Charles de La Condamine, *Relation abrégée d'un voyage de l'Amérique méridionale, depuis la côte de la mer du Sud, jusqu'aux côtes du Brésil & de la Guyane*; Francisco Bernardino de Sousa, *Lembranças e curiosidades do vale do Amazonas*; Heitor Moniz, *O Brasil de ontem*; Sérgio Buarque de Holanda, *Visões do paraíso*; *Os motivos edênicos no descobrimento e colonização do Brasil.* • Elaborado por Teresa Cristina Novaes Marques.

Amazonenses Libertadoras

ver ELISA DE FARIA SOUTO

Ambrosina Corrêa do Lago (c.1850-?)

Cantora lírica.

Nasceu em Campinas (SP), filha de Emílio Corrêa do Lago, importante fazendeiro da região de Mogi Mirim. Sua família cultivava a música, e Ambrosina, junto com suas irmãs, cantou na estréia da primeira ópera encenada de Carlos Gomes, *A noite do castelo*. Segundo Adalzira Bittencourt, Carlos Gomes se apaixonou por Ambrosina antes de embarcar para Itália, para aperfeiçoar-se nos centros musicais europeus. Ao retornar ao Brasil, teria buscado encontrar-se com a amada, mas teve suas pretensões frustradas: o pai da moça proibiu o encontro, pois Ambrosina já estava casada com outro homem. Consta ter sido nesse contexto que Carlos Gomes escreveu a modinha "Quem sabe", dedicada a Ambrosina.

Fonte: Adalzira Bittencourt, *Dicionário biobibliográfico de mulheres ilustres, notáveis e intelectuais do Brasil.*

Amélia Augusta Eugênia Napoleão de Beauharnais (1811-73)

Segunda imperatriz do Brasil.

Nasceu em 31 de julho de 1811, na cidade de Roma, Itália. Filha da princesa Augusta Amélia, da Baviera, e de Eugênio de Beauharnais, vice-rei da Itália, duque de Leuchtenberg e príncipe de Eischstoedt. Foi a segunda esposa de D. Pedro I, que ficara viúvo de D. Leopoldina*, a primeira imperatriz do Brasil. Amélia Augusta casou-se aos 17 anos, no Rio de Janeiro, em 17 de outubro de 1829, dia seguinte à sua chegada ao Brasil.

Do seu casamento com o imperador Pedro I, teve uma filha, Maria Amélia, que nasceu em Paris no dia 14 de dezembro de 1831, quando o casal se encontrava na França após a abdicação do trono brasileiro.

Com a vitória sobre as forças miguelistas que comandavam Portugal na época, D. Pedro assumiu a coroa portuguesa, porém não governou por muito tempo. Dona Amélia ficou viúva em 1834 e permaneceu em Lisboa, onde dedicou-se a obras sociais. Faleceu na capital portuguesa no dia 26 de janeiro de 1873.

Fontes: Nuto Sant'Anna, *Documentário histórico*; *Portugal/Brasil — Catálogo D. Pedro d'Alcântara de Bragança 1798-1834.*

Amélia Brandão (1897-1983)

Pianista e compositora.

Nasceu em 25 de maio de 1897 em Jaboatão (PE). Aos quatro anos começou a tocar piano sem que lhe ensinassem. Era de família abastada e, dedicada aos estudos de música erudita, aos 12 anos compôs sua primeira obra, a valsa "Gratidão". Casou-se aos 17 anos, teve três filhos e, até a morte do marido aos 25 anos, concentrou-se nas atividades domésticas. Amélia Brandão Néri, depois de viúva, foi trabalhar para o sustento dos filhos na Rádio Clube de Recife, o que era novidade entre as mulheres da elite cultural de Pernambuco.

Viajou para o Rio de Janeiro em 1929, com o objetivo de lutar pelos seus direitos autorais junto à gravadora Odeon. Nesta cidade, apresentou-se em um concerto no Teatro Lírico, com grande sucesso, sendo considerada pela imprensa a "coqueluche dos cariocas". Sua consagração artística fez com que a gravadora resolvesse a seu favor a questão dos direitos autorais e a convidasse a gravar um disco. Tocou ainda em várias emissoras de rádio do Rio de Janeiro e voltou para o Recife, para a Rádio Clube. Ali retomou suas pesquisas sobre o folclore, iniciadas ainda nos seus tempos de casada.

Em 1931, esteve novamente no Rio de Janeiro para gravar as músicas que compunha e as que adaptava do folclore. Em excursão a Teresina (PI), tocou para Getúlio Vargas. O presidente da República, encantado com seu talento, sugeriu-lhe uma *tournée* pelas Américas, para divulgar a música brasileira. Nessa *tournée* fez-se acompanhar por sua filha Silene de Andrade, que cantava. Foi um enorme sucesso, com apresentação em 364 cidades do continente americano.

De volta ao Brasil em 1939, continuaram as duas a se apresentar em concertos pelo país inteiro. Na década de 40, Amélia despediu-se dos palcos com um grande recital no Teatro Municipal do Rio de Janeiro e foi morar em Goiânia com Silene, que havia se casado. Em 1957 estava de volta à vida artística, pelas mãos de Carmélia Alves*. A essa altura era carinhosamente chamada de Tia Amélia e admirada em todo o país pelo seu talento de pianista e compositora. Na TV Rio fez durante 14 meses um programa de música chamado *Velhas Estampas*, título de uma coletânea de músicas suas gravada pela Odeon; apaixonada pelo chorinho, fez um programa especial para a TV Tupi do Rio de Janeiro com uma retrospectiva da época de ouro do choro.

Amélia foi uma artista respeitada por grandes compositores brasileiros, como Ari Barroso e Lamartine Babo. O poeta chileno Pablo Neruda também a conheceu e admirava não só seu talento musical como a seriedade de sua pesquisa folclórica. Morou nos seus últimos anos de vida em Goiânia, onde apresentou programas em emissoras de rádio e TV.

Suas principais obras são: *Bordões ao luar*; *Batuque pra meus netos*; *As valsas, Carmélia*; *Dulce*; *Silene*; *Maria Alice*; *Medalha G*; *Meu poeta* (dedicada a Vinícius de Moraes); *Obrigada, Goiás*; *Quilombo dos Palmares*; *Revoltado*; *Recordando Patápio*; *Os choros*; *Chora, coração*; *Choro serenata*; *Cochilos na penunbra*; *Coco de Alagoas*; *Cavalo-marinho*; *Preta Sinhá*; *Dois namorados*; *Mosquita*; *Ouvindo a Gaya*; *Os frevos, Sorriso de Bueno*.

Fontes: Maria José Pereira Rocha e Elisabete Bicalho, *Luta e resistência de mulheres em Goiás (1930-1993)*; Nilcéia da Silva Baroncelli, *Mulheres compositoras*.

Amélia Carolina da Silva Couto

(séc.XIX)

Jornalista e feminista.

Em 1879, Amélia Carolina fundou o jornal *Eco das Damas*, que circulou no Rio de Janeiro durante oito anos. O tempo de vida consideravelmente longo para esse tipo de periódico se deve ao seu tino empresarial, que as mulheres desse tempo raramente podiam demonstrar. Nada tinha de amadora; emprestou à sua firma comercial seu próprio nome — no expediente lia-se que a direção técnica era de Amélia Carolina da Silva Couto & Cia — e cuidava da saúde financeira de seu empreendimento, através da venda de espaço para anúncios comerciais. Foi uma precursora das idéias feministas, uma vez que os artigos publicados em seu jornal eram dedicados aos interesses das mulheres.

Fontes: June E. Hanner, *A mulher brasileira e suas lutas sociais e políticas: 1850-1937*; Maria T.C. Crescenti Bernardes, *Mulheres de ontem?*.

Amélia de Freitas Beviláqua

(1863-1946)

Escritora.

Nasceu em 6 de agosto de 1863, em Jerumenha (PI), filha de Teresa Carolina da Silva Freitas e do desembargador José Manoel de Freitas.

Ainda criança, deixou o Piauí e foi morar em São Luís do Maranhão, onde seu pai era juiz de Direito. Ali passou a maior parte da infância e iniciou sua educação, terminando seus estudos em Recife (PE). Em São Luís casou-se, em 5 de maio de 1883, com Clóvis Beviláqua — que mais tarde viria a elaborar o Código Civil Brasileiro. Para casar, tiveram que vencer barreiras, pois, segundo o costume da época, o pai de Amélia queria que Clóvis se casasse com sua filha mais velha. Amélia e Clóvis chegaram a completar 63 anos de casados.

Incentivada pelo marido e pelo irmão, em 1898 começou a publicar artigos em jornais do Recife. Entusiasmada com o trabalho, mas ainda temerosa da sua repercussão, enviou artigos, assinados com pseudônimo, para a *Revista do Brasil*, de São Paulo. Depois do sucesso dessas publicações, lançou *Alcione*, seu primeiro livro de contos, em 1902.

Amélia e outras intelectuais do Recife organizaram em 1902 uma revista literária exclusivamente feminina, dirigida por ela — *O Lyrio* —, que defendia a educação das mulheres e a igualdade de direitos e circulou por três anos. Eram colaboradoras da revista Ana Nogueira Batista*, Cândida Duarte Barros, Maria Augusta Meira de Vasconcelos Freire* e Lúcia Ramalho, entre outras. Amélia ainda editou, em colaboração com seu marido, a revista *Ciências e Letras,* dedicada à divulgação do pensamento jurídico e literário. Publicou vários outros livros, como *Angústia*, *Jornada pela vida* e *Açucena.* Pertenceu à Academia Piauiense de Letras.

Amélia Carolina de Freitas Beviláqua foi a primeira mulher a tentar ingressar na Academia Brasileira de Letras. Sua candidatura foi rejeitada pelos acadêmicos, depois de intensa polêmica a respeito do regimento, tendo prevalecido a interpretação de que este só permitia a candidatura de escritores homens. Faleceu em 17 de novembro de 1946, no Rio de Janeiro.

Fontes: Heloisa Buarque de Holanda e Lúcia Nascimento Araújo, *Ensaístas brasileiras*; Miridan Konx Falci, "Mulheres no Sertão Nordestino", in Mary Del Priore, *História das mulheres no Brasil*; Raimundo de Meneses, *Dicionário literário brasileiro ilustrado.*

Amélia de Mesquita (1866-1954)

Compositora, professora e pianista.

Nasceu em 27 de abril de 1866, no Rio de Janeiro (RJ). Irmã do compositor Carlos de Mesquita, seu primeiro professor, foi para Europa em 1877 e, em Paris, aperfeiçoou-se em piano com Antoine-François Marmontel, em harmonia com Émile Durand e em órgão com César Franck. De volta ao Brasil em 1886, iniciou carreira como solista das principais orquestras da época, apresentando-se em diversas salas de concerto no Rio de Janeiro, sob a regência de maestros como Alberto Nepomuceno.

Foi catedrática de órgão no Instituto Benjamim Constant por mais de 25 anos. De 1875 até 1930 foi professora de piano, só abandonando o magistério por motivo de doença. Aposentou-se em 1936, mas continuou a dar aulas particulares. Escreveu composições religiosas, como uma Missa a duas vozes, três Salutaris, um Padre-Nosso, motetes e seis Ave-Marias. Foi a primeira musicista a compor uma missa completa. Também compôs peças profanas, como trechos para canto e violino. Colaborou na revista musical *Le Ménestrel*, de Paris. Aos 81 anos, doente, ainda compôs, para piano, *Lágrimas*, que foi a sua última obra. Faleceu no Rio de Janeiro, em 27 de agosto de 1954.

Fontes: Eli Maria Rocha, *Nós, as mulheres*; *Enciclopédia da música brasileira: popular, erudita e folclórica.*

Amélia de Resende Martins

(1877-1948)

Escritora e educadora.

Nasceu em 23 de março de 1877, em Campinas (SP). Em 1919 trouxe a público *Reflexões sobre o movimento social*, a primeira de uma série de publicações, incluindo livros didáticos de história (*História da música*), geografia e literatura, além de conferências e ensaios. A repercussão de seu primeiro livro provocou a criação da Ação Social Brasileira, da qual foi fundadora. Colaborou regularmente com o *Jornal do Commercio* e dirigiu as revistas *Cultura Artística*, *Intercâmbio* e *Educação*. Além de *Curiosidades musicais,* publicou, entre outros, *A moda* (1920); *Os problemas sociais e o feminismo* (1924); *A mulher e a política* (1933); *A quinzena anchietana* (1934); *Um idealista realizador* (1939). Em 1938, na primeira Convenção Cinematográfica Mundial, proferiu a palestra "O cinema no plano educativo".

Faleceu no dia 3 de fevereiro de 1948.

Fontes: Afrânio Coutinho, *Enciclopédia de literatura brasileira*; Heloísa Buarque de Holanda e Lúcia Nascimento Araújo, *Ensaístas brasileiras.*

Amélia Molina Bastos (séc.XX)

Ativista política.

No dia 12 de junho de 1962, deu início, em sua própria residência, em Ipanema, zona sul da cidade do Rio de Janeiro, à Campanha da Mulher pela Democracia (CAMDE*), organização de orientação ideológica de direita, difundida por todo o país com o propósito de promover ações em defesa da família, da religião e de princípios políticos anticomunistas. Definia-se como neta, sobrinha e irmã de militares. Seu irmão, Antônio Mendonça Molina, ligado ao serviço de inteligência do Exército, participou desde o princípio das atividades promovidas pela CAMDE. De outubro de 1965 a outubro de 1967, Amélia exerceu a presidência dessa organização.

Fontes: CAMDE, *Anais do I Congresso Sul-Americano da Mulher em Defesa da Democracia*; Maria Amélia A. Teles, *Breve história do feminismo no Brasil*; Movimento Feminino pela Anistia, *Participação político-social da mulher no Brasil (A experiência de 1964).*

Amélia Pedroso Benebien (1860-?)

Médica.

Amélia Pedroso Bembem nasceu em 6 de janeiro de 1860, na cidade de Crato (CE), filha de Joaquim Pedroso Bembem. Formada pela Faculdade de Medicina da Bahia, em 1889, foi a primeira médica cearense e a terceira mulher a se formar em medicina no Brasil. Rita Lobato Lopes*, a primeira, se formara dois anos antes, na mesma escola. Depois de concluir o curso, Amélia decidiu adotar como sobrenome Benebien, pois julgava o Bembem de seu pai pouco sonoro.

A Faculdade de Medicina da Bahia foi fundada em 18 de fevereiro de 1808 pelo príncipe Regente D. João, recém-chegado ao Brasil e somente 77 anos após sua abertura aceitou a presença de alunas em seu quadro discente. Amélia corajosamente desafiou o destino reservado às mulheres de seu tempo e concluiu o curso, voltando à sua terra natal para o exercício da profissão.

Fontes: Adalzira Bittencourt, *Dicionário biobibliográfico de mulheres ilustres, notáveis e intelectuais do Brasil*; G. Studart, *Dicionário biobibliográfico cearense*; Sacramento Blake, *Dicionário bibliográfico brasileiro.*

Amélia Rodrigues (1861-1926)

Escritora, jornalista e educadora.

Nasceu em 26 de maio de 1861, na freguesia de Oliveira dos Campinhos, na cidade de Santo Amaro (BA). Mesmo sem disporem de recursos, seus pais, Maria Roquelina e Félix Rodrigues, a encaminharam para os estudos primários com o padre Alexandrino do Prado. Com 12 anos, escreveu os primeiros poemas e, aos 18, já os publicava em periódicos na Bahia. Classificou-se em primeiro lugar em concurso público para professora primária, começando a lecionar em Arraial da Lapa. Em 1883, transferiu-se para sua cidade natal e, nesse mesmo ano, foi publicado "Filenila", seu primeiro grande poema. Começava assim, aos 22 anos, sua intensa atividade literária, escrevendo vários poemas, peças teatrais, romances, ensaios e artigos. Em 1891, foi nomeada para uma cadeira no magistério público de Salvador. Na capital baiana, criou o Instituto Maternal, que gozaria de excelente reputação na época. Publicou a obra poética *Bem-me-queres* em 1906, além de textos infantis. Aposentada, continuou colaborando ativamente na imprensa baiana. Fundou, com uma editoria só de mulheres, a revista *A Paladina* e o periódico *A Voz*, da Liga das Senhoras Católicas, de circulação nacional. Escreveu ainda para diversas revistas, como *O Pantheon*, *O Álbum*, *A Renascença* e *O Livro*. Também colaborou para jornais, sob o pseudônimo de Juca Fidelis. Amélia viveu alguns anos em Niterói (RJ), retornando a Salvador meses antes de sua morte, em 22 de agosto de 1926, aos 65 anos de idade.

Fontes: Lizir Arcanjo Alves (org.), *Mulheres escritoras na Bahia. As poetisas (1822-1918)*; *Nova Era*, 6.5.1934; *A Tarde*, 27.51961, 28.5.1961, 11.8.1998 e 28.11.1998 • Colaboração especial de Maria Júlia Alves de Souza.

Ana (séc.XIX)

Escrava, líder de rebelião.

Liderou uma revolta de escravos ocorrida em uma fazenda no interior do Ceará, no ano de 1835, e que levou à fuga de todos os cativos, à morte dos escravos da casa, dos feitores e do proprietário, o fazendeiro português Francisco Antônio de Carvalho, conhecido como Marinheiro Chico.

A propriedade estava situada na serra do Ibiapaba (CE), próxima ao município de Viçosa e a meio caminho de Parnaíba, no Piauí. Neste local, o fazendeiro criava gado e mantinha plantações de subsistência. Conhecido por seus modos violentos e autoritários, era temido na região, onde, de comum acordo com o juiz de Viçosa, teria mandado prender um sitiante, cujo nome era Jerônimo Cabaceira, o qual havia se recusado a vender a ele uma pequena propriedade nas fraldas da serra do Ibiapaba.

A revolta teve início com a indignação dos escravos da senzala pelos violentos castigos impostos a uma escrava velha, benquista por cuidar dos enfermos. Uma viagem de Francisco Carvalho propiciou a oportunidade para o levante dos escravos, liderados por Tia Ana — como todos a chamavam —, que tratou de dissimular para os capangas do fazendeiro os planos dos revoltosos. Tia Ana fingiu submissão e obediência, fez as pazes com os perseguidores e os servia com desusado zelo e grande dedicação.

Uma noite, quando os capangas dormiam no alpendre da casa-grande e os escravos da casa no seu interior, os da senzala tomaram de assalto a residência, matando todos os que encontraram e ateando fogo à propriedade. Alguns revoltosos fugiram em direção a Pernambuco, levando consigo os bens de valor que encontraram na casa, enquanto o grupo de Tia Ana libertava Jerônimo Cabaceira da cadeia do lugarejo.

Francisco Carvalho foi alertado dos acontecimentos que se passavam na sua propriedade e tratou de retornar para dar conta da situação, mas, acossado por Jerônimo Cabaceira e seus irmãos, acabou por enforcar-se em uma mangueira que havia em sua fazenda.

O episódio da revolta de escravos liderada por Tia Ana não foi, certamente, o único que ocorreu durante os 300 anos da escravidão no Brasil, mas revela o papel de destaque exercido pelas mulheres escravas no seio das comunidades africanas, diante das barbáries a que foram submetidas.

Fonte: Padre Assis Memória, *A tragédia da Serra Verde — dos anais da escravatura.*

Ana Alexandrina Cavalcanti de Albuquerque (1860-?)

Escritora.

Nasceu em 1860, no engenho Tamataúpe de Flores, em Nazaré da Mata (PE). Filha de Alexandrina Cavalcanti de Albuquerque e do tenente-coronel Joaquim Cavalcanti de Albuquerque, pertencia a uma família da elite açucareira. Diferentemente da maioria das moças da sua época, Ana Alexandrina teve uma educação privilegiada, tornando-se leitora inclusive de Goethe e Balzac, além de se interessar por história. Sentia as limitações impostas pela sociedade à mulher, com a rígida divisão de papéis sexuais — o masculino na esfera pública; o feminino no espaço privado —, e reagia contra isso através da literatura. Escreveu seu primeiro poema "Que mais queres", aos 15 anos. Entusiasmada com a poesia, passou a enviar seus escritos para jornais do Recife e de outras capitais. Publicou ainda um romance, *O escravo*.

Fontes: Henrique C.P. de Melo, *Pernambucanas ilustres*; Luzilá Gonçalves Ferreira, *Em busca de Thargélia*; Zahidé L. Muzart, *Escritoras brasileiras do século XIX*.

Ana Amélia Queirós Carneiro de Mendonça (1896-1971)

Poetisa, tradutora e feminista.

Nasceu no Rio de Janeiro (RJ) no dia 17 de agosto de 1896. Ana Amélia era filha de Laura Machado de Queirós e do engenheiro José Joaquim Queirós Júnior. Foi criada no interior de Minas Gerais, onde o pai era proprietário da siderúrgica Usina Esperança.

Ana Amélia, assim como sua irmã, Maria José, foi educada por preceptoras estrangeiras, com as quais aprendeu inglês, francês e alemão. Teve uma infância livre. Sua filha, a crítica teatral Bárbara Heliodora, conta que a avó Laura prendia os cabelos de Ana Amélia sob um faixa para evitar falatórios quando ela ia jogar futebol. A paixão por esse esporte levou-a a freqüentar clubes de futebol tão logo a família voltou a viver no Rio de Janeiro. No campo do América conheceu o goleiro do time, e depois do Fluminense, Marcos Carneiro de Mendonça, com quem se casou em 1917 e teve três filhos: José Joaquim, Bárbara Heliodora e Márcia.

Aos 15 anos, iniciou com o livro de poesias *Esperanças* uma fértil produção literária: *Alma*, 1922; *Ansiedade*, 1926; *A harmonia das coisas e dos seres*, 1936; *Mal de amor,*

1939; *Poemas*, 1951; *Cinqüenta poemas de Ana Amélia*, 1957; *Todo mundo*, 1959. Escreveu também o ensaio *Castro Alves: um estudante apenas*, de 1950. Seus poemas e crônicas, divulgados nos mais importantes jornais do país e nas revistas *Fon-Fon* e *Careta*, ganharam rasgados elogios e repercussão nacional.

Amiga pessoal de importantes feministas, como Maria Eugênia Celso*, Ana Amélia aproximou-se do grupo de Bertha Lutz*, tendo atuação destacada na defesa pelos direitos das mulheres e nas iniciativas promovidas pela Federação Brasileira pelo Progresso Feminino*, da qual foi vice-presidente. Em 28 de setembro de 1928, proferiu uma palestra no Instituto Histórico e Geográfico Brasileiro (IHGB) sobre mulher e literatura, dentro de um ciclo intitulado *Tardes no Instituto*, promovido pelo então presidente da entidade, conde de Afonso Celso, a pedido de sua filha Maria Eugênia.

Foi a primeira mulher membro de um Tribunal Eleitoral no país, fazendo parte da mesa apuradora nas eleições de 1934 e, durante três anos, delegada do Brasil na Comissão Interamericana de Mulheres, em Washington, Estados Unidos. Em 1935, foi nomeada delegada oficial do Brasil para um congresso de mulheres em Istambul, Turquia.

Participou também da associação Damas da Cruz Verde*, que criou a Pró-Matre, bem como de todas as campanhas promovidas pelo movimento de mulheres em prol da melhoria da maternidade. No ano de 1939, ajudou a criar a Casa do Estudante do Brasil e a Associação Brasileira de Estudantes, com o propósito de auxiliar os alunos menos favorecidos economicamente.

Não abandonou seu veio poético, continuando a produzir versos e traduzindo obras inéditas para o português. A mais importante, *Hamlet*, de Shakespeare, foi publicada em 1968. Em reconhecimento ao seu excelente trabalho, teve alguns de seus poemas traduzidos para o inglês. Foi colaboradora, na década de 1960, da revista *O Cruzeiro* e do jornal *O Globo*, entre outros.

Ana Amélia inscreve-se meritoriamente no rol das grandes escritoras do século XX, tornando-se referência obrigatória aos interessados em resgatar a contribuição feminina para a literatura brasileira.

Faleceu no Rio de Janeiro em 31 de março de 1971.

Fontes: Afrânio Coutinho, *Enciclopédia de literatura brasileira*; *O Globo*, 23.11.1996; Heloisa Buarque de Holanda e Lúcia Nascimento Araújo, *Ensaístas brasileiras*; *Revista do IHGB*, vol.158, 1928; Raimundo de Meneses, *Dicionário literário brasileiro ilustrado.*

Ana Aurora de Jesus Ribeiro
(c.1779-?)

Heroína da Revolução Praieira.

A difusão no meio intelectual pernambucano das idéias socialistas de Proudhon, Fourier e Owen, aliada ao inconformismo das elites liberais com a perda do controle da província para os conservadores, deu origem à Revolução Praieira, a última das rebeliões populares ocorridas na cidade de Recife (PE). Além de ser eco das revoluções européias do ano de 1848, a revolta teve forte apelo popular na luta contra o controle do comércio do varejo, majoritariamente mantido em mãos de comerciantes portugueses.

Ana Aurora se recusou a entregar às tropas do comandante Figueira de Melo as chaves da Capela de Belém, onde os revolucionários haviam ocultado o cadáver de um dos líderes do movimento, Joaquim Nunes Machado. Nessa ocasião, já era uma senhora de 70 anos e vivia na cama, acometida de paralisia. Seu marido, Inácio Ribeiro de Mendonça, era o zelador da capela. No dia 2 de fevereiro de 1849, as tropas invadiram sua casa e ordenaram que ela entregasse as chaves da capela. Diante de sua corajosa recusa, foi arrastada pelos soldados até o quartel do corpo de polícia do Recife.

Sem pegar em armas ou se engajar nas milícias que construíram barricadas nas ruas de Recife, Ana Aurora tornou-se heroína do movimento ao resistir com os meios de que dispunha, a despeito de suas limitações físicas, à arrogância das tropas enviadas pelo governo central para aplacar a revolta.

Fontes: Boris Fausto, *História do Brasil;* Henrique C.P. de Melo, *Pernambucanas ilustres.*

Ana Barroso (séc.XVI)
Colonizadora do Rio de Janeiro.

Quando o governador-geral Mem de Sá conseguiu, em 1564, expulsar os franceses da baía do Rio de Janeiro e consolidar o domínio português na região, distribuiu sesmarias entre os colonos que se deslocaram de São Vicente para ajudar na luta.

A localização das terras de Ana Barroso junto à marina da cidade, em baixo do morro do Castelo, no perímetro de maior valorização na época, indica que ela foi uma colona de prestígio. Nessa localidade foram construídos a praça, a igreja, a casa do governador e armazéns reais.

Fontes: Elysio de Oliveira Belchior, *Conquistadores e povoadores do Rio de Janeiro*; Fania Fridman, *Donos do Rio em nome do rei.*

Ana Bastarda (séc.XVII)
Índia.

Deixou um testamento, datado de 1676, em que se declarava filha da índia Simoa e de Eliador Eanes, "pobre, solteira forra e liberta"; dizia ser mãe solteira — condição típica da mulher pobre nos tempos coloniais — e implorava em nome de Deus ao vigário que acolhesse a filha, Mariana, em sua casa "para ensinar e doutrinar no amor e serviço de Deus". Declara também ser mãe de Mateus, filho de Inácio do Prado, que o levara para viver com ele.

Todo o esforço de Ana, ao ditar seu testamento, para afirmar a sua condição de mulher livre, embora vivendo na miséria, explica-se porque havia quem quisesse fazê-la escrava. Na sociedade colonial do século XVII, os descendentes de índios tinham sua liberdade extremamente ameaçada.

Fonte: John Manuel Monteiro, *Negros da terra: índios e bandeirantes nas origens de São Paulo.*

Ana Benedita Rosa (sécs.XVIII/XIX)
Lutou pelo direito de herança.

Viveu no Rio de Janeiro no início do século XIX. Era filha de Vitória Maria Andrade e de Manuel da Rosa Andrade. Com a morte de sua mãe, Ana Benedita continuou na casa paterna. Pelas Ordenações Filipinas, a lei portuguesa de então, quando a mãe morria, o juiz deixava os bens dos menores em poder do pai. Ana Benedita tinha 35 anos quando entrou com um pedido na Justiça para ter acesso à herança da mãe. Solicitou emancipação ao imperador, alegando ter idade e capacidade suficiente para reger os seus bens.

O estatuto jurídico da mulher solteira era extremamente frágil, sujeitando-a a favores e interpretações das autoridades da Justiça no caso de acesso a heranças e propriedades. Mesmo quando a mulher tinha muito mais idade do que estabelecia a lei civil para a maioridade, como no caso de Ana Benedita, era preciso recorrer aos meios legais para garantir a independência econômica, poder deixar o lar paterno e levar uma existência autônoma. Os historiadores são unânimes em afirmar que o melhor estatuto jurídico de uma mulher, do ponto de vista da sua liberdade, era a viuvez. O pior era, sem dúvida, o da mulher solteira. Ana Benedita Rosa foi uma pioneira na luta pelo direito à emancipação feminina.

Fontes: Charles Boxer, *A mulher na expansão ultramarina ibérica*; Maria Beatriz Nizza da Silva, *A documentação do desembargo do Paço.*

Ana Campista (séc.XVIII)
Interna, acusada de adultério.

O Recolhimento de Nossa Senhora do Parto fora fundado no Rio de Janeiro, em 1754, pela escrava Rosa Maria Egipcíaca da Vera Cruz*, para abrigar prostitutas em busca de recuperação espiritual. Com o tempo, os propósitos da entidade foram alterados e o Recolhimento passou a abrigar mulheres abandonadas pelos maridos ou pelos pais, ocupando um lugar de terror na vida delas, sempre ameaçadas, a qualquer desavença, de para lá serem enviadas.

Era o caso de Ana Campista, que fora internada pelo marido, Lourenço Taques, sob a acusação de adultério.

Na madrugada do dia 23 de agosto de 1789, o prédio do Recolhimento ardeu em chamas em um incêndio que levou à morte uma centena de mulheres, chocando os moradores da cidade. No dia seguinte, o vice-rei Luís de Vasconcelos determinou que fossem apuradas as responsabilidades pela tragédia.

Ana Campista e sua companheira Matilde* foram acusadas de atear fogo aos móveis para, em meio ao tumulto, conseguirem fugir, no que foram bem-sucedidas.

Ainda hoje, no local onde se erguia o famigerado Recolhimento, próximo à atual rua da Assembléia, existe a Igreja de Nossa Senhora do Bom Parto.

Fonte: Joaquim Manoel de Macedo, *Um passeio pela cidade do Rio de Janeiro.*

Ana Cristina César (1952-83)

Poetisa e tradutora.

Ana Cristina Cruz César nasceu em 2 de junho de 1952, no Rio de Janeiro, filha de Maria Luísa César, professora do Colégio Bennett, e Waldo César, personagem destacado do movimento ecumênico protestante progressista, um dos criadores do Instituto Superior de Estudos da Religião (ISER). O escritor Italo Moriconi, ao traçar o perfil de Ana Cristina, conta que ela se apaixonou pela palavra muito cedo, ainda não alfabetizada, e ditava seus poemas para a mãe. Suas primeiras poesias foram publicadas no Suplemento Literário do jornal *Tribuna da Imprensa*, quando Ana tinha apenas sete anos.

Formou-se em letras na Pontifícia Universidade Católica (PUC) do Rio de Janeiro em 1975, foi professora de português e de inglês em colégios de segundo grau. Iniciou-se no jornalismo no semanário *Opinião*, respeitado órgão da imprensa alternativa nos anos 1970 no Rio de Janeiro. Crítica literária, tradutora e ensaísta, no ano de sua formatura publicou seus poemas na edição de estréia de *Malasartes*, revista de arte lançada em dezembro de 1975, que divulgava a chamada poesia marginal. Em 1976, participou da coletânea *Antologia 26 poetas hoje*, organizada por Heloísa Buarque de Holanda, professora de grande importância em sua formação intelectual.

Foi co-editora do jornal *Beijo*, produzido por jovens intelectuais cariocas, colaboradora do *Correio Brasiliense* e do suplemento Livro do *Jornal do Brasil*. Traduziu as poetisas Silvia Plath e Emily Dickinson; concluiu, em 1978, o mestrado em comunicação na Universidade Federal do Rio de Janeiro (UFRJ) e foi no ano seguinte para a Inglaterra, onde obteve, com distinção, o título de Master of Arts em teoria e prática da tradução literária pela Universidade de Essex. Retornou ao Brasil em 1981 e foi contratada pela Rede Globo de Televisão como analista de textos.

Típica representante da geração 1970, que cresceu sob o regime militar, sua obra mereceu sucessivas edições após sua morte. Deixou, entre outras, *Cenas de abril* (1979, poesia), *Correspondência completa* (1979, prosa), *Luvas de pelica* (1980, poesia), *A teus pés* (1982, poesia), *Inéditos e dispersos* (1985), *Literatura não é documento* (ensaios, 1980), *Escritos da Inglaterra* (1988), *Escritos no Rio* (1993).

Suicidou-se em 29 de outubro de 1983, no Rio de Janeiro.

Fontes: Afrânio Coutinho, *Enciclopédia de literatura brasileira*; Ítalo Moriconi, *Ana Cristina César*; Heloisa Buarque de Holanda e Lúcia Nascimento Araújo, *Ensaístas brasileiras.*

Ana de Alencar Araripe (1789-1874)

Participante das Revoltas Liberais.

Nasceu em 16 de fevereiro de 1789, na cidade do Crato (CE), filha de Desidéria Maria do Espírito Santo e de Joaquim Ferreira Lima Verde. Casou-se em 11 de julho de 1810 com Tristão Gonçalves Pereira de Alencar, filho de Bárbara Pereira de Alencar*, ambos ativistas da causa republicana. Tiveram sete filhos: Xilderico Cícero, Neutel Nordtson, Aderaldo Aurélio, Tristão, Delacardiense Drumond, Carolina Clarense e Maria Dorgival.

Ana participou da Revolução de 1817, insurreição que começou em Pernambuco e logo chegou a outras províncias nordestinas. O movimento foi resultado de longo processo de agitação política que envolveu os mais diversos setores da sociedade — comerciantes, proprietários de terra, religiosos, militares — insatisfeitos com a situação econômica do Nordeste. Em março de 1817, os revoltosos reagiram à prisão de vários liberais, formando um governo revolucionário que enviou às câmaras das comarcas uma nova lei orgânica, abolindo os impostos recém-instituídos por D. João VI e implantando novos costumes, próprios ao sistema republicano. Com a repressão aos rebeldes, Ana de Alencar Araripe foi levada presa para Fortaleza, juntamente com seu marido. Ao ser libertada acompanhou Tristão, que foi transferido para a cadeia da Bahia. Retornaram juntos ao Ceará quando ele foi anistiado pelo governo pós-Independência.

Em 1824, eclodiu em Pernambuco, estendendo-se até a Paraíba, o Rio Grande do Norte e o Ceará, a Confederação do Equador, segunda tentativa de insurreição regional visando a autonomia e a instalação de um regime republicano no Nordeste. Depois de Pernambuco, o Ceará foi a província que mais contribuiu com a revolta. Mais uma vez esteve Tristão à frente do movimento, contando sempre com o apoio de Ana. Ela o seguia por onde aconteciam os combates, ora instalando-se nos acampamentos de guerra, ora refugiando-se em casas de amigos e parentes próximas aos cenários dos conflitos. Levava consigo os filhos pequenos e, quando necessário, deixava-os aos cuidados de gente amiga e cumpria missões secretas para os revoltosos. Nessas ocasiões, Ana servia de emissária entre os rebeldes entrincheirados no sertão e os articuladores políticos do movimento nas cidades.

Com a morte de Tristão em combate, na cidade da Icó (CE), a 31 de outubro de 1824, Ana teve que reprimir a sua dor, evitar chorar em público e vestir o luto, pois as forças da repressão corriam a região à procura de colaboradores dos revolucionários. Permaneceu refugiada em uma fazenda por mais de um ano, até que um irmão foi ao seu encontro e a levou para Messejana. Quando o cerco aos rebeldes já se abrandara, Ana mergulhou na sua dor, cortou os cabelos como os de um homem e vestiu luto cerrado até o fim de sua vida. A família Araripe conta que, na casa de Ana, até mesmo os bichos eram pretos: gatos, cachorros, graúnas e galinhas. Passou a se identificar como Ana Triste.

Em 1833, o governo regencial concedeu a ela, como viúva do benemérito Tristão Gonçalves de Alencar Araripe — como se lê no documento — uma pensão vitalícia no valor de 400 mil réis anuais, em consideração aos relevantes serviços prestados por seu marido para a causa de liberdade e da independência do Império.

Faleceu no dia 15 de outubro de 1874, aos 85 anos, em Fortaleza.

Fontes: Carlos Augusto de Campos, *As heroínas do Brasil*; G. Studart, *Dicionário biobibliográfico cearense;* Valentim Benício da Silva, *A mulher na evolução do Brasil.*

Ana de Assis (1871-1951)

Pivô de crime passional.

Ana Emília da Cunha casou-se com o escritor de *Os sertões*, Euclides da Cunha, com quem teve três filhos: Solon, Euclides Filho e Manoel Afonso. Euclides da Cunha ausentava-se com freqüência de casa, a trabalho; Ana, que tinha 38 anos, se envolveu amorosamente com o oficial do exército Dilermando, de 21. No dia 15 de agosto de 1909, Euclides descobriu o romance e surpreendeu os dois numa casa no bairro de Piedade, no Rio de Janeiro. Há versões diferentes para o que ocorreu depois. A aceita no tribunal foi a de que Euclides atirou primeiro em Dilermando, mas foi atingido mortalmente pelo militar. Os familiares de Euclides asseguram que, ao ser morto, ele estava sendo segurado pelo irmão de Dilermando.

Em julho de 1916, o filho do casal, Euclides da Cunha Filho, então com 22 anos, repetiu o gesto do pai, no intuito de vingá-lo. Numa sala do antigo Fórum do Rio, Euclides Filho atirou em Dilermando, que, mesmo ferido, conseguiu matá-lo. Dilermando foi absolvido das duas mortes, sob a alegação de legítima defesa. Manoel Afonso, o filho caçula, passou a viver com a irmã de Ana, Alquimena. Solon, o mais velho, era policial e foi assassinado numa investigação no Acre.

Ana, casada então com Dilermando, teve com ele seis filhos. O romance acabou 20 anos depois, quando Ana descobriu que Dilermando tinha uma amante, Marieta, com a qual se casou após a separação. Ana mudou-se para a ilha de Paquetá, na baía de Guanabara.

A minissérie *Desejo*, da TV Globo, contou a história de Ana de Assis, personagem interpretada por Vera Fischer.

Fonte: *Jornal do Brasil*, 7.2.1999.

Ana de Faria (1778-?)

Índia, bisavó de Padre Cícero.

Nasceu na tribo dos Jucás, no Ceará, no dia 23 de agosto de 1778, e recebeu o batismo cristão com o mesmo nome de sua mãe, Ana de Faria, no dia 20 de setembro do mesmo ano. Era filha de um casal de índios também catequizados, que viviam na vila de Cococi, na região do rio Jucá, integrados aos costumes cristãos. Seu pai se chamava João Ferreira da Mota. Casou-se com José Gomes de Melo e tiveram uma filha, Vicência Gomes. Esta casou-se com José Ferreira Gastão e dessa união nasceu Joaquina Vicência Romana, conhecida como Dona Quinô, mãe do famoso padre Cícero de Juazeiro do Norte, que era, portanto, bisneto da índia Ana de Faria.

Fonte: Gomes de Freitas, "Índia Jucá, bisavó de Padre Cícero", *Revista do Instituto do Ceará,* 1968.

Ana de Faria e Sousa (?-c.1711)

Figura mítica, vítima de assassinato por acusação de adultério.

Filha do sargento-mor Nicolau Coelho dos Reis, Ana era casada com um poderoso senhor de engenho de Pernambuco, André Vieira de Melo, filho de Bernardo Vieira de Melo.

A tragédia de Ana teria começado com a intriga de uma escrava, que contou a Catarina Leitão, segunda mulher de Bernardo Vieira de Melo, sogro de Ana, que ela estava tendo um caso de amor com João Paes Barreto, também senhor de terras. A sogra, estimulando as acusações do suposto adultério, convenceu André que ele deveria "lavar" sua honra e, assim, ele mandou assassinar o presumido amante.

Quanto a Ana, a primeira idéia da família — rechaçada sobretudo pela sogra, que a considerou demasiado benevolente — era interná-la no Recolhimento da Conceição, em Olinda. Como Ana estava grávida, ficou decidido que seria morta tão logo a criança nascesse. O fato de sua execução ter sido adiada para poupar a vida de uma criança, que poderia ser fruto do adultério, reforçou para muitos a tese de que, na verdade, João Paes Barreto havia sido assassinado por questões de terra. André afinal cedeu aos argumentos de sua mãe, Catarina Leitão, de que era preciso também liquidar Ana para limpar sua honra. Nascida a criança, tratou-se de envenenar a adúltera, mas a peçonha utilizada não fez efeito. O marido, então, mandou que lhe abrissem as veias, mas o sangue estancava rapidamente. Catarina, decidida a matar a nora de qualquer jeito, estrangulou-a com uma toalha.

O crime teve enorme repercussão em Pernambuco e serviu de tema aos poetas locais, um dos quais escreveu a *Xácara funesta à morte de D. Ana de Faria e Sousa.* Anos depois, abriu-se por duas vezes seu túmulo na igreja do Convento de São Francisco de Ipojuca e seu corpo continuava intacto, o que foi entendido pela população como sinal de sua inocência.

Fontes: Domingos do Loreto Couto, *Desagravos do Brasil e glórias de Pernambuco*; Evaldo Cabral de Melo, *O nome e o sangue*; Luís Edmundo, *O Rio de Janeiro no tempo dos vice-reis*; Manuel dos Santos, *Calamidades de Pernambuco.*

Ana de Jesus (séc.XVIII)

Escrava forra.

Desconhece-se não só como Ana conseguiu sua alforria, mas também como ganhava a vida. Sabe-se que era abastada a ponto de ter seus próprios escravos. Viveu em Vila Rica e se casou, no dia 9 de janeiro de 1745, com Tomás de Freitas, que era seu escravo, casamento que atesta a ocorrência de uniões estáveis entre a população negra da época.

Fonte: Laura de Melo e Sousa, *Os desclassificados do ouro.*

Ana de Moraes Burchard (séc.XX)

Feminista.

Foi a primeira tesoureira da Liga Paulista pelo Progresso Feminino, fundada em São Paulo no ano de 1922, como uma seção da Federação Brasileira pelo Progresso Feminino*. Evelina Arruda Pereira*, presidente da Liga paulista, elogiou em carta enviada a Bertha Lutz* as qualidades intelectuais de Ana Burchard, que havia sabido defender com brilho os propósitos do feminismo em face das críticas de que o movimento negligenciava a religião católica. Ana Burchard teria argumentado a favor dos elevados e relevantes objetivos do movimento na ampliação da cidadania feminina no Brasil.

Fontes: Arquivo da FBPF, cx.2; *Renascença*, fev/1923.

Ana de Oliveira (séc.XVII)

Colonizadora da Paraíba.

Era irmã do capitão-mor Teodósio de Oliveira Ledo, colonizador dos sertões da Paraíba e fundador de Campina Grande. A família Oliveira Ledo veio da Bahia, das margens do rio São Francisco. Um dos filhos de Ana, Manuel da Cruz de Oliveira, declarou em seu testamento serem naturais do rio São Francisco, da freguesia de Vila Nova (BA), que atualmente fica em território sergipano, cidade de Neópolis.

Ana, já casada com Antão da Cruz Porto Carreiro, veio com os irmãos Teodósio e Constantino para a aventura de conquistar o sertão paraibano, formando, com auxílio do governo, duas bandeiras. Ela foi o único membro da família a perpetuar o nome em uma data de terra, pois ainda hoje, nos arredores de Soledade (PB), há uma vivenda conhecida como a fazenda Ana de Oliveira. Dois de seus descendentes têm seus nomes perpetuados como fundadores de municípios paraibanos: Brejo do Cruz (Manuel da Cruz Oliveira, seu filho) e Catolé do Rocha (Francisco da Rocha Oliveira, seu neto).

Fonte: Elpídio de Almeida, *História de Campina Grande*.

Ana de Paiva (séc.XVI)

Órfã da Rainha*.

Pouco se sabe da vida de Ana. Veio para o Brasil, juntamente com outras seis órfãs, na armada do primeiro governador-geral, Mem de Sá, no ano de 1558. Ana casou-se com Salvador da Fonseca, que se tornou escrivão da Provedoria da Fazenda após o casamento. Com a morte do marido, Ana de Paiva retornou para Portugal.

Fontes: Afonso Costa, *As Órfãs da Rainha;* Timothy J. Coates, *Degredados e órfãs: colonização dirigida pela Coroa no império português. 1550-1755.*

Ana de Pernambuco (séc.XVII)

Índia escrava, prisioneira de guerra.

Vendida na região paulista na década de 1670, Ana teria sido capturada na Guerra dos Bárbaros, como ficou conhecida a luta das tribos indígenas nordestinas.

No final do século XVII, no interior das capitanias do Nordeste, a questão da terra tinha se tornado dramática para os colonos, que enfrentavam os índios, tidos para os luso-brasileiros como povos bárbaros destruidores de fazendas e povoamentos. A resistência indígena na defesa de seu território levou a Coroa portuguesa a chamar os paulistas para combatê-los.

O registro da vida da escrava Ana de Pernambuco apareceu em um inventário paulista. Presa de guerra, ela teria custado 300 e tantas oitavas de ouro.

Vários cativos apanhados na região da Bahia apareceram mais tarde nos inventários e testamentos dos paulistas. Este traço da vida de Ana demonstra a existência do cativeiro indígena, sobretudo daqueles aprisionados em guerras. Na realidade, o combate aos índios foi uma forma de produzir escravos no Brasil colonial.

Fonte: John Manuel Monteiro, *Negros da terra: índios e bandeirantes nas origens de São Paulo.*

Ana de Sande (séc.XVII)

Donatária de Porto Seguro.

O primeiro donatário da capitania de Porto Seguro, Pero do Campo Tourinho, teve sérias desavenças com alguns moradores da região. Foi preso e submetido a processo no Tribunal da Inquisição em Lisboa, em 1546. Em 1559, Leonor de Campos, herdeira da capitania, foi autorizada pela Coroa a transferir a posse da mesma ao duque de Aveiro, D. João d'Alencastre, com a cláusula de que, depois de sua morte, as terras passariam para seu segundo filho. Provavelmente, Ana de Sande descende dessa família, pois, no ano de 1627, tornou-se a herdeira da capitania.

O historiador Varnhagen relata que no dia 18 de abril daquele ano foi criado um marquesado em seu favor. Ana de Sande era então dama da rainha, no reinado de D. Felipe IV de

Castela, portanto uma nobre com prestígio. Porém, a capitania continuou pobre e decadente. Quase nada se sabe de Ana de Sande além do fato de ter sido marquesa e senhora de terras no Brasil.

Fontes: Francisco A. Varnhagen, *História geral do Brasil*; Jorge Couto, *A construção do Brasil*.

Ana Emília da Cunha *ver* ANA DE ASSIS

Ana Eurídice Eufrosina de Barrandas (1806-?)

Escritora.

Ana Belmira da Fonseca Barrandas nasceu em 8 de setembro de 1806, em Porto Alegre (RS), filha de Ana Felícia do Nascimento e de Joaquim da Fonseca Barrandas. Passou a infância no Sítio Belmont, na periferia de Porto Alegre. Em 1822, aos 16 anos, casou-se com o advogado português José Joaquim Pena Penalta. No ano seguinte, o casal teve a primeira filha, Aurora e, em 1831, nasceu Eurídice. A partir de 1833, passaram a residir na cidade do Rio de Janeiro, de onde Ana, politizada e contrária aos revolucionários de sua terra, passou a escrever crônicas combatendo a Revolução Farroupilha.

Em 1841, Ana retornou a Porto Alegre e se separou do marido. Depois de quase 20 anos de casados, Ana e Penalta compareceram perante o juiz para afirmar que haviam optado pela separação total e perpétua. A separação foi provocada por adultério cometido por José Joaquim. Era, na realidade, uma separação de corpos e de bens que não dissolvia o vínculo matrimonial, o que impedia novo casamento dos cônjuges. Ana assumiu sozinha a custódia das filhas. Em 1845, já sem necessitar do consentimento do marido para fazer qualquer publicação, trouxe a público *O Ramalhete, ou flores esquecidas no jardim da imaginação*. Seus poemas, crônicas e novelas versavam sobre o amor e o desamor, ciúmes e a dor da separação. Em sua crônica "Diálogos", fez contundente denúncia da situação de subordinação feminina, desvelando a prepotência dos pais, maridos e irmãos. Ana Eurídice é considerada o primeiro nome feminino na crônica brasileira. Sua obra representa um posicionamento em defesa da cidadania das mulheres e introduz idéias do iluminismo europeu em nossa literatura.

Fontes: Hilda Agnes Hübner, "Flores", in Ana Eurídice Eufrosina de Barrandas, *O ramalhete*; Zahidé L. Muzart, *Escritoras brasileiras do século XIX*.

Ana Felipe (séc.XVIII)

Mascate.

Viveu em Goiás, na localidade de São Romão, e exerceu o comércio itinerante, uma atividade tipicamente masculina e, durante o período colonial e mesmo durante o século XIX, da maior importância para o precário sistema de distribuição e de circulação de mercadorias e abastecimento de gêneros no interior brasileiro. Registro encontrado em um livro de impostos, feito em Goiás no ano de 1795, revela que Ana Felipe tirava o seu sustento da venda de sal em pequenas quantidades pelo interior goiano, percorrendo estradas, arraiais e vilas com sua mercadoria.

Fonte: Maria Odila S. Dias, *Quotidiano e poder em São Paulo no século XIX*.

Ana Floriano (séc.XIX)

Ativista política.

Ana Rodrigues Braga vivia em Mossoró (RN) e ficou conhecida como Ana Floriano por ser casada com Floriano da Rocha Nogueira, maçom. Em setembro de 1875, na cidade de Mossoró (RN), liderou um motim de cerca de 300 mulheres contra a lei de alistamento militar. Todas as participantes eram mães de família respeitáveis, e a cidade ficou chocada com suas ações. Invadiram a casa do escrivão do Juízo de Paz, destruindo livros e papéis e, no caminho, rasgaram editais pregados nas portas das igrejas. Chegaram a entrar em confronto com a polícia, mas os moradores impediram uma tragédia maior. Juntamente com Ana, mais duas mulheres, Maria Filgueira, casada com um capitão, e Joaquina de Sousa ajudavam a organizar o movimento. À exceção de Maria Filgueira, todas as mulheres aparecem nos relatos como Ana de Tal ou Joaquina de Tal. Após o episódio, todas voltaram para suas casas.

Anteriormente tinham se registrado incidentes de protestos femininos violentos nas cidades de Limoeiro, Acarape, Quixadá, Boa Viagem e Conceição de Baturité, todas no Ceará. A rebelião das mulheres de Mossoró foi apresentada pelos historiadores da época como sendo uma continuação do movimento Quebra-quilos, que eclodiu em 1874 em várias regiões, contra o sistema métrico decimal regulamentado em 1872. Iniciado na Paraíba, o Quebra-quilos não só expandiu-se por vários estados do Nordeste como passou a ser uma revolta contra o aumento dos impostos.

Outros historiadores, contudo, consideram um fato isolado o que aconteceu em Mossoró.

Fonte: Vingt-un Rosado, *O motim das mulheres — um episódio do Quebra-quilos.*

Ana Gurte *ver* ASSOCIAÇÃO BENEFICENTE FUNERÁRIA E RELIGIOSA ISRAELITA

Ana Jacinta de São José *ver* BEJA

Ana Jansen (1787-1869)

Senhora de terras e de escravos e líder política.

Ficou conhecida como a "Rainha do Maranhão". Descendente da nobreza européia dos Moller e Praet, Ana Joaquina Jansen Pereira nasceu em 1787, filha de Rosa Maria Jansen de Castro e do capitão Vicente Gomes de Albuquerque. A família Jansen instalou-se no Maranhão quando D. João V, a pedido de Pedro Jansen, holandês casado com a nobre Teresa Margarida da Silva e Orta*, enviou Cornélio Jansen Moller, sobrinho de Pedro, para explorar madeira no Brasil. Cornélio aqui aportou em 1740 e fundou a serraria Jansen e Manon, na qual empenhou toda sua fortuna.

Os negócios com Portugal eram difíceis, principalmente porque os pagamentos, efetuados através de letras de câmbio, quando chegavam ao destinatário, de navio, já haviam sofrido forte desvalorização. Os prejuízos do avô de Ana levaram-no à falência e à morte, e ela e sua mãe, Rosa, já então viúva, amargaram a decadência da pobreza material, que era também desonra.

Ainda adolescente, Ana Jansen apaixonou-se por alguém cujo nome nunca revelou, e teve seu primeiro filho, Manoel Jansen. Para esconder o bastardo, Rosa o enviou para a casa da madrinha de Ana no interior. Mas Ana o trouxe de volta após seis meses e assumiu sua condição de mãe solteira.

Pobre e marginalizada pela sociedade provinciana do Maranhão, Ana Jansen, apesar de muito bonita e de sua ascendência nobre, tinha como destino traçado ser sustentada por algum senhor rico, a quem deveria servir. Tornou-se amante do coronel Isidoro Rodrigues Pereira, filho de Manoel Rodrigues Milró e Ângela Baptista Carreira, a família mais rica do Maranhão numa época em que essa província era a quarta maior da colônia.

Casado com Vicência Teodora Rosa, o coronel Isidoro não tinha filhos que dessem continuidade a seu império formado de fazendas e latifúndios. A riqueza dos Pereira havia sido construída através de transações com letras portuguesas, especulações financeiras, as mesmas atividades que levaram à falência comerciantes como Cornélio Jansen Moller. A maioria de suas terras foi adquirida na época pombalina, quando os jesuítas, expulsos do Brasil, leiloaram seus latifúndios por preços abaixo do mercado. De Ana Jansen nasceu o primeiro filho do coronel, que, além de assumir a paternidade, deu ao menino seu próprio nome, Isidoro Jansen Pereira. A este seguiram-se Joaquim, Bruno, Anastácio e Ângela. Após a morte de Vicência, Ana e Isidoro se casaram. Ana Jansen Pereira reingressou, então, na sociedade maranhense com a oficialização de sua relação com o homem mais rico da província, abençoada pela Igreja e reconhecida pelo Estado. O casal teve ainda uma filha, que recebeu o mesmo nome da mãe.

Aos 38 anos, por volta de 1825, ficou viúva e assumiu sozinha o comando de seu império e de sua família, constituída de sete filhos e de sua mãe, Rosa. De latifundiária, Ana Joaquina Jansen Pereira passou a ser a maior produtora do Maranhão e uma das maiores de todo o norte do Brasil Império. Vendeu todas as terras improdutivas herdadas dos Rodrigues Pereira e concentrou seu trabalho nas fazendas de gado, algodão, arroz e cana-de-açúcar, sendo a fazenda Santo Antônio a maior delas. Com o dinheiro da venda das terras, Donana, como era também chamada, comprou vários imóveis na cidade de São Luís, capital da província onde nasceu e sempre viveu, investindo também no seu contingente de escravos. Tornou-se a maior proprietária de negros do Maranhão. Seu tino comercial era inigualável; com audácia e astúcia, em pouco tempo triplicou a fortuna que recebera.

Ana Jansen foi musa de românticos e poetas, como o maranhense Gonçalves Dias. Depois de viúva, foi amante do desembargador Francisco Vieira de Melo e com ele teve mais quatro filhos: Francisco Higino, Joaquina Honorata, Maria Ludgera e Luís Venâncio. Aos 60 anos, casou-se em segundas núpcias com o rico comerciante paraense Antônio Xavier da Silva Leite.

O domínio que Ana Jansen já exercia na sociedade maranhense desde o início do século, a partir de seu casamento com o coronel Isidoro, expandiu-se após a revolta da Balaiada, quando um exército de revoltosos tomou de assalto quase todo o interior da província do Maranhão. Eram egressos da Guerra da Independência, unidos aos seguidores do boiadeiro Raimundo Gomes Vieira e de Manoel dos Anjos, o Balaio, apoiados pelo quilombo de Dom Cosme, negro forro cuja alcunha era Imperador das Liberdades Bem-te-vis. O imperador D. Pedro II nomeou o coronel das Forças Imperiais, Luís Alves de Lima e Silva, presidente da província do Maranhão, com a finalidade de sufocar a Balaiada. Sem dinheiro para aumentar seu contingente e seu arsenal de armas e munição, o futuro duque de Caxias recorreu à matriarca maranhense. Ana Jansen aceitou colaborar, com a condição de que seu primogênito fosse feito coronel e comandante do Batalhão da Guarda Nacional.

Vitoriosa a campanha de Luís Alves de Lima e Silva, que contou com a definitiva força do Batalhão da Guarda Nacional, sob o comando do coronel Isidoro Jansen Pereira, o domínio político dos Jansen consolidou-se em toda a província, com tentáculos na corte de D. Pedro II. Convidada para recompor o Partido Liberal Maranhense, que ficara completamente esfacelado com a Balaiada, Ana Jansen assumiu a liderança dos liberais, os bem-te-vis, e fundou o periódico *O Guajajara*. Na primeira edição, datada de 1º de abril de 1840, Ana convocava para uma reunião dos adeptos às causas liberais em seu casarão. A partir de então, inicia-se uma oposição aberta a ela, partindo dos cabanos do Partido Conservador Português, cujo fundador e mentor era o comendador português Antônio José Meireles, o mais rico comerciante maranhense, contrabandista, que recebeu a alcunha de Comendador Pirata. Outros líderes conservadores eram Sotero dos Reis, fundador do Liceu Maranhense, e Cândido Mendes, jornalista. A oposição aos Jansen valia-se de artigos agressivos, que denegriam a imagem pública e privada de Ana, publicados nos jornais *A Revista* e *O Observador*. Apelidaram-na de M.M.M. — Mulher Mandona do Maranhão.

O poder na província do Maranhão alternava-se entre liberais e conservadores. A batalha final deu-se em guerra campal no interior e na capital da província, quando o exército de Ana, então com um contigente maior que o do governo conservador, enfrentou as tropas imperiais no interior e avançou sobre o Palácio dos Leões tomando o poder a baionetas e fuzis. Destruído o Partido Conservador dos cabanos, Ana Jansen providenciou para que seu arquiinimigo, Antônio José Meireles, fosse deportado. Sotero dos Reis, Cândido Mendes e outros líderes recolheram-se a seus casarões.

A presidência da província e a Assembléia Provincial passaram alguns anos sob total domínio dos jansenistas e liberais bem-te-vis, até que o novo presidente apontado por D. Pedro II, Franco de Sá, com o apoio de Manoel Jansen, senador do Império, e Jansen do Paço, deputado geral, assumiu o comando. Franco de Sá traiu os Jansen, fundando a Liga Liberal Maranhense, nova facção de oposição a Ana Jansen, que sofreu sua primeira grande perda quando seu fiel aliado e sobrinho, Jansen do Paço, foi assassinado.

Ana Jansen sempre sonhou em recuperar o título de nobreza dos Moller e Praet e encaminhou várias petições ao imperador, comprovando sua ascendência nobre. Porém o tão almejado título de baronesa de Santo Antônio lhe foi negado. O *Observador* de Cândido Mendes referiu-se a essa outra derrota com a manchete jocosa "A Rainha que não chegou a Baronesa".

Entre suas atividades comerciais, além de fornecer carne e leite para a província do Maranhão, de exportar algodão e cana-de-açúcar para o Sul e para a Europa, Ana Jansen detinha o monopólio de distribuição da água potável, que era feita num grande contingente de carroças puxadas por muares e conduzidas por seus escravos. Ficou na história a polêmica que criou ao impedir que a Companhia de Águas do Rio Anil, de iniciativa do jovem engenheiro Teixeira Mendes, fosse bem-sucedida. Seu negócio não teve concorrente enquanto ela viveu, e a província do Maranhão não teve água encanada.

Ao falecer, em 11 de abril de 1869, seus bens móveis e imóveis — fazendas, terras, prédios, jóias, escravos — ultrapassavam 25.000$000 (vinte e cinco mil contos de réis).

Ana Jansen, enquanto vivia, exerceu seu poder, enfrentando a sociedade conservadora e machista. Mas os inimigos não lhe deram trégua mesmo depois de sua morte. No século XX é lembrada, em sua terra, como a bruxa maldita, assassina, exterminadora de negros, cuja alma penada percorre, nas madrugadas, as ruas de São Luís, em sua rica carruagem, arrastando um cortejo de escravos mutilados que, amarrados por uma mesma corrente, emitem gemidos de dor.

Fontes: Maria de Lourdes M. Janottl, *Três mulheres da elite maranhense*; Rita Ribeiro, *Ana Jansen, desconstrução da lenda e reconstrução da personagem* • Colaboração especial de Rita Ribeiro.

Ana Joaquina Perpétuo (séc.XVIII)

Proprietária de imóveis.

Vivia na região aurífera de Minas Gerais, era viúva e possuía várias casas. Em 1732, a administração colonial, visando controlar a produção de ouro e diamantes da região das Gerais, decretou a Demarcação, instrumento legal que expulsava da zona demarcada todas as mulheres libertas, negras ou mulatas. Só podiam ficar algumas mulheres brancas da elite local e umas poucas escravas. Ana Joaquina, embora fosse considerada senhora de reputação ilibada da elite local, com filhos menores, sofreu as arbitrariedades do fiscal da Demarcação, que a expulsou sumariamente da região, deixando-a ao relento com seus filhos. O caso ilustra bem a concentração de poderes das autoridades coloniais e a liberdade com que os exerciam.

Fonte: Luciano Figueiredo, *O avesso da memória — cotidiano e trabalho da mulher em Minas Gerais no século XVIII.*

Ana Lins (séc.XIX)

Senhora de engenho.

Moradora de Alagoas, juntamente com o marido, aderiu à causa liberal e foi ardorosa propagandista da revolução pernambucana de 1817. A situação econômica do Nordeste, que já declinara no século XVIII e se agravara com a chegada da família real portuguesa ao Brasil em 1808, recebeu novos impactos negativos com a criação de impostos para a manutenção de tropas na campanha da Guiana, em 1812, e para a seca de 1816. Em março de 1817, em reação à prisão de vários liberais, os revoltosos se reuniram na cidade do Recife em um governo revolucionário, criando uma lei orgânica que abolia os impostos recém-instituídos e implantando novos costumes próprios do sistema republicano. Quando o movimento foi sufocado, seu marido e seu irmão foram presos e enviados para o Recife. Ana Lins conseguiu resgatar seus familiares e amigos da prisão com a ajuda dos filhos. Em 1824, durante a Confederação do Equador — outra revolta nordestina contra os desmandos absolutistas do agora imperador D. Pedro I —, Ana Lins foi presa pelas forças monárquicas e seu marido recebeu a pena de degredo perpétuo na Amazônia. Quando libertada, Ana Lins encontrou a sua antiga propriedade destruída.

Fontes: Carlos Augusto de Campos, *As heroínas do Brasil*; Maria Eugênia Celso, *O espírito e o heroísmo da mulher brasileira*; Maria Lúcia de Barros Mott, *Submissão e resistência — a mulher na luta contra a escravidão.*

Ana Lopes (séc.XIX)

Mascate.

Moradora dos arredores de Vila Bela (GO), exercia o comércio itinerante. Esta era uma atividade tipicamente masculina e da maior importância, no período colonial e mesmo durante o século XIX, devido ao precário sistema de distribuição e circulação de mercadorias no interior brasileiro. Os documentos históricos não trazem com freqüência casos como o de Ana Lopes. O registro feito em Goiás, em

1795, encontrado em um livro de impostos, revela que ela tirava seus sustento da venda de carne-seca pelo interior goiano, percorrendo estradas, arraiais e vilas com sua mercadoria.

Fonte: Maria Odila S. Dias, *Quotidiano e poder em São Paulo no século XIX*.

Ana Lossio Seiblitz (1830-77)

Escritora.

Nasceu em 6 de novembro de 1830, no Rio de Janeiro. Ana Barbosa de Lossio e Seiblitz era filha de Ana Correa de Araújo e de Nuno Lossio Seiblitz. Tornou-se escritora elogiada, principalmente depois que traduziu o *Polyncto* de Corneille, texto do século XVII. Muitos de seus escritos eram sobre religião. Em 1863, publicou o poema *História da vida de Jesus Cristo desde seu nascimento até sua ressureição*. Em 1876, trouxe a público *O passado e o presente*. Seu romance *D. Narciso de Villar* é um registro de época dos costumes sertanejos. Escrevia — às vezes utilizando pseudônimos — para jornais e revistas como *Marmota Fluminense*, *Brasil Histórico* e *Correio Mercantil*.

Fontes: Afrânio Coutinho, *Enciclopédia de literatura brasileira*; Inês Sabino, *Mulheres ilustres do Brasil*; Maria T.C. Crescenti Bernardes, *Mulheres de ontem?*.

Ana Machado de Lima (séc.XVII)

Senhora de escravos índios.

Vivia na capitania de São Paulo. Como as fugas dos cativos indígenas eram muito freqüentes — os motivos iam de maus-tratos ao desejo de se reunir com os outros parentes —, muitas vezes o paradeiro deles era em outras fazendas, onde viviam familiares. Geralmente, os senhores integravam às suas posses escravos fugidos de outras localidades com o propósito de expandir a sua força de trabalho. Em seu testamento, Ana declara que, dos 10 índios que possuía, seis pertenciam a outros senhores.

Fonte: John Manuel Monteiro, *Negros da terra: índios e bandeirantes nas origens de São Paulo*.

Ana Maria Couto (1925-71)

Política.

Ana Maria, conhecida carinhosamente por May, fez seus estudos em Cuiabá, na Escola Modelo Barão de Melgaço e no Liceu Cuiabano. Trabalhou, a partir de 1945, como professora de educação física no Colégio Estadual de Mato Grosso e, depois, na Escola Normal Pedro Celestino. Foi nomeada em 1949 para lecionar história do Brasil no mesmo colégio, devido aos seus conhecimentos nessa área.

Em seguida, aprofundou sua formação em história no Rio de Janeiro, onde, em 1951, recebeu o diploma do Curso de Extensão Universitária. No mesmo ano, concluía contabilidade pela Escola Técnica de Comércio de Cuiabá. Em 1959, foi nomeada diretora do Colégio Estadual de Mato Grosso.

Com a abertura da Faculdade de Direito de Cuiabá, embrião do que é hoje a Universidade Federal de Mato Grosso, graduou-se em ciências jurídicas no ano de 1963. Nesta época, já reconhecida por sua atuação na área educacional, candidatou-se a vereadora no pleito de 1962, sendo eleita pelo Partido Trabalhista Brasileiro (PTB). Um ano depois, assumiu a liderança do partido na Câmara e fez parte da comissão organizadora do Regimento Interno do Legislativo Municipal, sendo eleita pelos seus pares presidente da Câmara Municipal de Cuiabá em 1965, tornando-se a única mulher, até hoje, a ocupar tal função nessa casa legislativa.

Sua formação como advogada abriu-lhe um novo campo de trabalho; inscreveu-se no concurso para Promotoria da Auditoria da Polícia Militar, até então entidade exclusivamente masculina, sendo aprovada para aquela alta missão.

Em 1966, foi nomeada para exercer as funções de Promotora de Justiça Militar do estado, sendo efetivada no ano seguinte, passando a exercer o cargo de assistente de diretor da Legião Brasileira de Assistência. Seu último trabalho foi como diretora da Escola Normal Pedro Celestino, exonerando-se por motivo de saúde em 1969.

Passou a colaborar com a TV Centro América de Cuiabá, primeira do estado, hoje retransmissora da TV Globo, com o programa *Galeria de vultos ilustres*, registrando-se como jornalista autônoma. Porém, faleceu no ano seguinte, em 1971.

Fontes: Instituto Memória do Poder Legislativo do Mato Grosso; Anais da Câmara Municipal de Cuiabá.

Ana Maria da Silveira (séc.XVII)

Herdeira de juizado.

Moradora da capitania de São Vicente, era filha de Antônio Raposo da Silveira, Cavaleiro de São Tiago, membro da pequena nobreza colonial. Ana Maria recebeu de dote de seu pai as rendas do cargo de Juiz de Direito de Órfãos. Ao se casar com Salvador Cardoso de Almeida, cumpriu as disposições do testamento deixado por seu pai, e fez do seu marido o Juiz de Órfãos da freguesia em que moravam.

Fontes: Adalzira Bittencourt, *Dicionário biobibliográfico de mulheres ilustres, notáveis e intelectuais do Brasil* e *A mulher paulista na história*.

Ana Maria de Athayde (?-1764).

Índia.

Era catequizada e moradora de Lama-Longa, na região do Rio Negro, no Amazonas, antiga aldeia de Dary, pertencente aos missionários carmelitas. No período de transição da tutela missionária para a administração da Colônia, o nome dessa índia — considerada, pelos portugueses, aliada dos empreendimentos pombalinos — aparece quatro vezes na correspondência colonial. A primeira quando denunciou um levante dos índios, apontando o próprio marido; a segunda, na ocasião em que exigiu um vigário para sua povoação e a devolução de uma filha que se encontrava na casa de um compadre; a terceira, ao arregimentar um "descimento" de 77 índios, processo extremamente oneroso, que consistia no deslocamento de um grupo para outra povoação e que exigia forte liderança; a quarta, por ocasião do censo realizado por Simão José Garcia, diretor de Lama-Longa, em 1771. Ana Maria de Athayde liderava então um grupo composto de duas famílias, constituído de casais, filhos e mais três jovens órfãos.

Tais registros afirmam o poder de Ana junto às autoridades das vilas, o que lhe permitia ser tutora de famílias, função esta destinada a homens.

Fontes: Arquivo Público do Pará, Série *Diversos com o governo*; Nírvia Ravena e Jucinelma da Silva Costa, *As raízes do mando na Amazônia* • Colaboração especial de Luzia Álvares.

Ana Maria de Siqueira *ver* MARIA DO SACRAMENTO

Ana Maria Nacinovic Corrêa

(1947-72)

Ativista política e vítima da ditadura militar.

Nasceu em 25 de março de 1947 no Rio de Janeiro (RJ), filha de Anadir de Carvalho Nacinovic e de Mário Henrique Nacinovic. Casou-se com o tenente do Exército Carlos Augusto Albernaz Corrêa, no dia 7 de agosto de 1965, ocasião em que interrompeu seus estudos na Faculdade de Belas-Artes.

O engajamento de Ana na política ficou incompatível com seu casamento, e sua separação ocorreu em 1968. Ana Maria retomou os estudos e passou a participar ativamente do movimento estudantil. Em março de 1969, já perseguida pela polícia, Ana foi viver na clandestinidade. Integrante da Ação Libertadora Nacional (ALN) — a organização de maior expressão no período mais conturbado da ditadura militar —, participou de diversas ações armadas no Rio de Janeiro naquele mesmo ano. Em 1970, mudou-se para São Paulo, onde continuou a tomar parte ativa na guerrilha urbana. Seu rosto estava estampado em todos os cartazes de "terroristas procurados".

Em 14 de junho de 1972, estava almoçando no restaurante Varella, na Moóca, na capital paulista, com Iúri, Marcos Nonato e Antônio Carlos Bicalho Lana, quando o proprietário do estabelecimento telefonou para o DOI/CODI-SP, avisando sobre a presença de pessoas que tinham suas fotos afixadas em cartazes. Os agentes montaram, então, uma emboscada em torno do restaurante, mobilizando um grande contingente de policiais. De imediato, foram fuzilados Iúri e Marcos Nonato. Ana Maria foi ferida, mas ainda estava viva quando um policial, ouvindo seus gritos e protestos de dor, aproximou-se desferindo-lhe à queima-roupa uma rajada de fuzil. Em seguida, policiais pegaram o corpo de Ana Maria e o jogavam de um lado para o outro, desfechando-lhe ainda coronhadas com suas armas.

Tal cena repetiu-se com o corpo de Iúri e de Marcos Nonato, sendo entretanto Ana Maria o alvo preferido. Da emboscada, conseguiu escapar, ferido, Antônio Carlos Bicalho Lana (morto em 30 de novembro de 1973), testemunha dos três assassinatos.

A população, dias depois, chocada com a cena de violência e desrespeito com os mortos, esboçou uma reação de protesto, tentando elaborar um abaixo-assinado que seria encaminhado ao governador do estado. Mas, devido ao clima de terror existente no país naquela época, a iniciativa foi abandonada; as ameaças feitas pelos policiais, na hora do crime, também intimidaram os populares. A memória da cena trágica, porém, permaneceu e, em 1992, populares da Moóca sugeriram o nome de Ana Maria para uma creche municipal. A então prefeita da capital paulista, Luísa Erundina*, aceitou a sugestão popular.

Mesmo morta, Ana foi condenada à revelia, a 12 anos de prisão, em 16 de outubro de 1973.

Fontes: Ana Maria Colling, *A resistência da mulher à ditadura militar no Brasil*; Luís Maklouf Carvalho, *Mulheres que foram à luta armada*; Maria do Amparo Almeida Araújo et al., *Dossiê dos mortos e desaparecidos políticos a partir de 1964.*

Ana Montenegro (1915-)

Feminista, advogada, escritora e ativista política.

Nasceu em 13 de abril de 1915, em Quixeramobim (CE). Era filha de Sila Vaughness Correia Lima e de Paul Elpídio Vaughness. Bem cedo mudou-se para o Rio de Janeiro (RJ), onde estudou direito e letras na Universidade Federal. Casou-se com Alberto Carmo, com quem teve dois filhos, Sônia e Miguel, adotando o nome de Ana Lima Carmo. Participou de várias iniciativas promovidas pelos movimentos de esquerda desde a redemocratização do país em 1945. Filiou-se ao Partido Comunista Brasileiro (PCB) em julho desse mesmo ano, e sua ficha de filiação foi assinada pelo dirigente Carlos Marighella.

Entre os anos de 1944 e 1947 trabalhou nos periódicos *O Momento* e *Seiva*, ambos editados em Salvador (BA), para onde havia se mudado. Grande ativista do movimento de mulheres, foi fundadora da União Democrática de Mulheres da Bahia, em 1945, onde atuou até 1964, quando se exilou. Também participou da fundação da Federação de Mulheres do Brasil* — organização ligada ao PCB; da Liga Feminina do Estado da Guanabara, criada em 1959; e do Comitê Feminino Pró-Democracia. Teve papel ativo na criação do jornal *Momento Feminino*, editado por cerca de 10 anos, a partir de 1947, pelo movimento de mulheres comunistas. Colaborava então com jornais cariocas como *Correio da Manhã* e *Imprensa Popular*. Participou ativamente da Comissão Feminina de Intercâmbio e Amizade e da Liga de Defesa Nacional Contra o Fascismo. De 1959 a 1963, foi cronista das revistas *Problemas* e *Estudos Sociais* e da Rádio Mayrink Veiga. No ano seguinte, assumiu o cargo de redatora da revista *Mulheres do Mundo Inteiro*, editada em francês, alemão, espanhol, árabe, inglês e russo. Assinava seus artigos com o pseudônimo de Ana Montenegro, nome que adotou depois definitivamente.

Dentro do PCB, participou da Frente Nacionalista Feminista desde meados dos anos 50 até o golpe militar de 1964. Com a ascensão dos militares ao poder, foi a primeira mulher a ser exilada, passando a residir no México, de onde seguiu para a Europa. De 1964 a 1979, foi membro da Comissão da América Latina pela Federação Democrática Internacional das Mulheres.

Com a redemocratização do país em 1979, Ana Montenegro voltou do exílio, indo morar em Salvador. Reintegrou-se à luta feminista e, como ativa militante, foi convidada a participar do Conselho Nacional dos Direitos da Mulher, gestão 1985/1989, através da indicação feita por suas companheiras do movimento comunista brasileiro. Atualmente é assessora da Ordem dos Advogados do Brasil, na seção baiana, onde atua na defesa dos direitos humanos, e do Fórum de Mulheres de Salvador.

Na década de 80, Ana escreveu *Ser ou não ser feminista*, *Mulheres — participação nas lutas populares* e *Uma história de lutas*; em 1998, publicou *Tempo de exílio*.

Fontes: Curriculum vitae de Ana Montenegro; *Família Cristã*, nº 704, agosto de 1994; Maria Amélia A. Teles, *Breve história do feminismo no Brasil*; *A Tarde*, 24.5.1990; Entrevista concedida a Carmen Alveal em 16.7.1999.

Ana Néri (1814-80)

Heroína, precursora da enfermagem na Guerra do Paraguai.

Ana Justina Ferreira Néri nasceu em 13 de dezembro de 1814 na então Vila da Cachoeira do Paraguassu ou Vila de Nossa Senhora do Rosário de Cachoeira (BA), na antiga rua da Matriz, atualmente rua Ana Néri. Era filha de Luísa Maria das Virgens e de José Ferreira de Jesus. Casou-se com o oficial de marinha capitão-de-fragata Isidoro Antônio Néri, que faleceu em 1844 a bordo do brigue *Três de Maio*, no Maranhão.

Quando irrompeu a Guerra do Paraguai, em dezembro de 1864, Ana morava em Salvador com os filhos Isidoro Antônio, Antônio Pedro e Justiniano. Em 8 de agosto de 1865, enviou ofício ao presidente da província solicitando trabalho como enfermeira na guerra. Alegava dois motivos: atenuar o sofrimento dos que lutavam pela defesa da pátria e estar junto aos filhos, que já se achavam na frente de batalha.

Ana não esperou a resposta de seu pedido e embarcou junto com o exército de voluntários no dia 13 de agosto de 1865. A resposta do presidente da província chegou mais tarde, definindo a sua contratação como enfermeira para servir com as tropas no Paraguai. É considerada a primeira enfermeira voluntária no Brasil, embora a paulista Felisbina Rosa* seja mencionada como a primeira a partir para o *front* paraguaio.

Ana Néri ficou por quase cinco anos com o exército. Perdeu um filho e um sobrinho na guerra e teve extraordinária atuação como enfermeira. Em sua passagem pelo Rio de Janeiro, quando regressava da guerra, recebeu várias homenagens. Foi presenteada, em 6 de maio de 1870, por uma comissão de senhoras baianas residentes na capital, com uma coroa de ouro onde estava gravado "À heroína da caridade, as baianas agradecidas". Hoje, essa coroa faz parte do acervo do Museu do Estado da Bahia. Recebeu também um álbum com a dedicatória "Tributo de admiração à caridosa baiana por damas patriotas". Vitor Meireles pintou seu retrato em tamanho natural, que foi exposto na sede da Cruz Vermelha Brasileira.

No dia 5 de julho de 1870, chegava à Bahia, no vapor *Arino,* a "mãe dos brasileiros", como foi denominada pelo Exército na campanha do Paraguai. Posteriormente voltou ao Rio de Janeiro, onde faleceu em 20 de maio de 1880, aos 66 anos. Está sepultada no cemitério de São Francisco Xavier.

Fontes: Bernardino José de Sousa, *Heroínas baianas*; Carlos Augusto de Campos, *As heroínas do Brasil*; Edith Mendes da Gama Abreu, "Ana Nery", *Revista do IHGB/BA*; Valentim Benício da Silva, *A mulher na evolução do Brasil.*

Ana Nogueira Batista (1870-1967)

Poetisa.

Nasceu em 22 de outubro de 1870, na fazenda Santo Antônio, em Icó (CE), onde viveu toda a sua infância e adolescência. Era a caçula dos nove filhos do casal Teresa de Albuquerque Melo Nogueira Rabelo e João Nogueira Rabelo. Aos dois anos de idade perdeu a mãe. Passou a ser criada por uma ex-escrava, Mãe Maria. Seu pai era deputado provincial e foi também presidente da Sociedade Libertadora dos Escravos em Icó, sendo sua segunda esposa, Joaquina Nogueira Rabelo, a presidente do setor feminino da associação.

O movimento contra a escravatura no Ceará já era antigo e cresceu na década de 1880. Em 1883, Icó foi uma das primeiras cidades no Brasil a libertar-se do trabalho escravo. Toda a família Nogueira Rabelo se viu empenhada na causa da abolição, e as mulheres tiveram participação ativa. Nos festejos comemorativos da campanha abolicionista, Ana recitou versos seus num espetáculo teatral.

Joaquina, a madrasta de Ana, foi uma rigorosa orientadora da menina, ensinado-lhe inclusive o francês. Aos nove anos, Ana já lera no original *L'histoire des girondins* e era solicitada como intérprete para os poucos viajantes estrangeiros que aportavam naquela região.

Em 1883 o pai faleceu, e Ana passou a dividir sua vida entre temporadas na fazenda Santo Antônio e em Fortaleza, cidade onde residia sua madrasta. No final da década de 1880, morava definitivamente em Fortaleza e freqüentava as rodas literárias da capital da província. Colaborava com as revistas *A Quinzena* e *Almanaque do Ceará*. Traduzia Verlaine, a condessa de Noailles e Sully Prudhomme, entre outros, tendo esses textos sido publicados em vários jornais do Ceará e de outros estados. Foi premiada pela tradução de um soneto de François Coppée. Seu poema "Ao amanhecer" foi musicado pelo compositor Alberto Nepomuceno.

No começo da década de 1890, Ana Nogueira conheceu os fundadores do movimento literário A Padaria Espiritual, associação que, de início, era boêmia e irreverente. Seus membros eram os "padeiros", e o jornal que fundaram, *O Pão*. Foram colaboradores da Padaria, entre outros, Olavo Bilac, Raimundo Correa e Pardal Mallet, sendo que estes dois últimos chegaram a visitar o grupo em Fortaleza.

Ana se tornou colaboradora ativa do jornal e freqüentadora das reuniões e dos saraus organizados pelo grupo. Foi lá que conheceu um dos fundadores do movimento, o poeta e jornalista paraibano Manuel Sabino Batista, com quem se casou em 1896, aos 26 anos, idade em que a maioria das mulheres de sua época já tinha tido vários filhos.

Ana Nogueira Batista ficou viúva com apenas três anos de casada, grávida de seis meses e com dois filhos pequenos para criar. A vida repentinamente se tornou difícil e complicada. Perdeu o bebê e deixou para sempre o Ceará, partindo para o Recife (PE). Lá se tornou professora e tentou retornar à vida aos poucos. Em 1902, fundou com outras escritoras do Recife a revista *O Lyrio*. Um artigo do primeiro número já deixava claro a que vinha a revista: "Sexo frágil, o nosso? Nós, que temos dado prova de fortaleza que tem assombrado o mundo! A história está cheia de exemplos, citá-los seria enfadonho."

Colaborou até o último número de *O Lyrio*, de novembro de 1903, e não mais escreveu. No final da década de 1920, aposentou-se como professora e passou a viver nas casas de seus filhos, ora em Recife, ora em Salvador e, por último, no Rio de Janeiro, onde chegou na década de 1940, sempre às voltas com os netos.

Em 1937, Ana Nogueira Batista foi lembrada em sua terra natal, no rol dos exilados ilustres. O jornal *O Povo* de Fortaleza, no dia 10 de março, publicou: "se procura tanto depreciar o que é nosso, pois veio lembrar e fazer reconhecidos, pondo-os em relevo, patrícios ilustres e dignos que se encontram distantes da terra natal, mas que a têm dignificado pelo espírito e pelo trabalho. Ressaltemos a poetisa e viúva do padeiro Sabino Batista, Ana Nogueira Batista ".

Ainda na década de 1930, o escritor Antônio Sales dizia dela: "Logo após, surgiu um astro delicado de um feitio artístico bem acentuado, Ana Nogueira, que há muitos longos anos emudeceu, tendo deixado, porém, alguns atestados eloqüentes de sua inspiração e do seu bom gosto."

Já na década de 1960, prestes a completar 94 anos de idade, vê por fim sua obra reunida em um livro, intitulado *Poesias*, onde estão também alguns poemas que Ana escreveu na velhice. A maior parte, porém, é da última década do século XIX, como o poema "Ao luar", de 1890.

Até pouco antes de falecer, manteve-se lúcida e interessada pela leitura, principalmente de seus poetas prediletos, como Jorge de Lima, Manuel Bandeira, Vigny e Verlaine. Faleceu na casa de seu filho Luís, em Niterói (RJ), no dia 22 de maio de 1967, aos 96 anos de idade.

Fontes: Antônio Sales, *Almanaque do Ceará*; G. Studart, *Dicionário biobibliográfico cearense*; J.F. Sobrinho, *Dicionário biobibliográfico brasileiro* • Colaboração especial de Luís Eduardo Nogueira Lerina.

Ana Paes d'Altro (1605-?)

Senhora de engenho.

Figura emblemática e controversa do domínio holandês em Pernambuco, conhecida também como Ana de Holanda. Nasceu em 1605, provavelmente na Bahia. Filha da portuguesa Isabel Fróes e do auditor baiano Tolentino Paes.

As fontes da época descrevem-na como uma mulher poderosa, bonita, sedutora e de comportamento muito avançado, diferenciado das outras luso-brasileiras. Casou-se com o senhor de engenho Pêro Garcia, ou Pedro Gonçalves da Silva, ou ainda Pedro Correia da Silva, em 8 de maio de 1624. Ficou viúva e se casou com Carlos de Tourlon, comandante da guarda do príncipe Maurício de Nassau. Nesse momento, crescia entre os luso-brasileiros residentes em Pernambuco o descontentamento com o governo holandês. As suspeitas de Nassau de que estava em curso uma conspiração recaíram sobre Carlos de Tourlon, que foi preso e enviado para a Holanda, deixando Ana Paes sem casa, nem dinheiro, segundo relatou ela em 27 de agosto de 1637 ao Conselho da Zelândia, tentando interceder pelo marido. O Conselho acabou permitindo que Tourlon retornasse a Pernambuco, a fim de que tratasse de seus negócios. Com o retorno do marido, Ana engravidou e deu à luz uma criança.

Apesar das desavenças que marcavam a relação de Tourlon com o príncipe Nassau, este fez uso de seus serviços militares para combater as forças luso-brasileiras. Não tardou a que Nassau voltasse a perseguir Tourlon, desta vez enviando-o definitivamente para o cárcere na Holanda, onde ele veio a morrer logo depois da sua chegada.

A figura de Ana Paes é ainda controvertida. Alguns historiadores afirmam que ela teve um envolvimento amoroso com o príncipe Maurício de Nassau, de quem teria tido um filho chamado Vicente, mais tarde líder messiânico. Esta seria uma explicação para a queda de Carlos de Tourlon. Outros historiadores apontam Vidal de Negreiros e Francisco Duchs como amantes de Ana.

Um dos combates mais violentos da guerra contra os holandeses ocorreu no engenho de Ana Paes, para onde foram enviadas as mulheres e filhas dos principais líderes da revolta pernambucana. Aconteceu no dia 17 de agosto de 1645 e resultou na vitória das forças luso-brasileiras à custa de muitas perdas de ambas as partes. Mulheres como Antônia de Bezerra, filha do capitão Antônio de Bezerra, Isabel Lopes, mulher de Francisco Berenguer de Andrade, Isabel de Góes, mulher de Antônio Bezerra e Luísa de Oliveira, mulher do capitão Amaro Lopes Madeira, estavam prisioneiras na casa-grande do engenho quando as tropas de Felipe Camarão, Vidal e Henrique Dias iniciaram o assalto à propriedade.

No correr da luta, afirmam alguns historiadores que os holandeses postaram as mulheres dos portugueses à varanda da casa-grande, de modo a deter o fogo da artilharia. A casa acabou se incendiando e o tumulto tomou conta das forças holandesas. O engenho de Ana Paes, por conta do episódio, acabou conhecido como a Casa Forte, que deu nome à batalha e ao bairro do Recife.

Ana Paes casou-se pela terceira vez com Gijsbert de With — um dos membros do conselho político da Companhia das Índias Ocidentais. De With teve um papel importante nas negociações do acordo de capitulação do Recife, quando a sorte da guerra estava, irreversivelmente, a favor dos luso-brasileiros. Também era um homem de expressivas ligações familiares com membros do governo holandês e ligações políticas estreitas com Maurício de Nassau. Gijsbert de With foi um dos artífices do acordo de rendição que incluiu a permissão para que membros da oficialidade holandesa pudessem vender seus bens no Recife antes de partir para a Europa. Como medida de exceção, também foi permitido que fossem vendidas todas as propriedades de Ana Paes, antes de que ela e o marido, Gijsbert de With, seguissem viagem para a Holanda, onde ele foi um dos negociadores do acordo com Portugal.

Nos anos 1970 o compositor Chico Buarque de Holanda escreveu, em parceria com Rui Guerra, o musical *Calabar*, onde o personagem Ana de Holanda é o pivô dos desentendimentos entre os protagonistas. A licença poética fez o autor misturar a meretriz com a senhora aliada dos holandeses.

Fontes: Adalzira Bittencourt, *Dicionário biobibliográfico das mulheres ilustres, notáveis e intelectuais do Brasil*; Assis Brasil, *Nassau, sangue e amor nos trópicos*; Evaldo Cabral de Melo; *O negócio do Brasil*; Francisco A. Varnhagen, *História geral do Brasil*; Henrique C.P. Melo, *Pernambucanas ilustres*; José Van den Besselaar, *Maurício de Nassau*; Virgílio Morethson, *Entre balas e treliças*.

Ana Pimentel (séc.XVI)

Donatária.

Procuradora do donatário da capitania de São Vicente, seu marido Martim Afonso de Sousa, nasceu de família nobre espanhola; segundo alguns autores, filha de Inês Pimentel, da casa de Benavente, e de Rui Dias Maldonado, comendador na Ordem de São Tiago; para outros, filha de Francisco Maldonado, senhor da casa das Conchas, em Salamanca, ou de Francisco Maldonado, comendador de Eliche na Ordem de Alcântara, e de Joana Pimentel. Para outros, ainda, era filha de Rui Dias Maldonado, comendador de Triana na Ordem de São Tiago, filho de Rodrigo Maldonado, natural de Talavera, doutor e grande letrado do Conselho de Estado dos reis católicos e seu embaixador em Portugal, Navarra e França.

Ana Pimentel casou-se com o nobre português Martim Afonso de Sousa. Deste casamento teve seis filhos. Em 1532, Martim Afonso de Souza recebeu a donataria de 100 léguas em São Vicente e veio para o Brasil, comandando uma armada real para tomar posse definitiva do território em nome do rei. Sua viagem ao Brasil durou cerca de três anos e, ao voltar a Portugal, por ter aceito o cargo de capitão-mor da armada da Índia, deixou como primeiro capitão e loco-tenente da capitania o vigário Gonçalo Monteiro. A incumbência de administrar a capitania foi passada a Ana Pimentel, através de uma procuração datada de 3 de março de 1534.

Em 1536, em cumprimento a seu mandato, Ana fez uma carta de doação de sesmaria para Brás Cubas, que só tomou posse efetiva das terras em 1540. Nomeou ainda, sucessivamente, como capitão-mor da capitania de São Vicente, Antônio de Oliveira e Cristóvão de Aguiar d'Altero. Em 1544, nomeou Brás Cubas capitão-mor e ouvidor da capitania e, contrariando ordens dadas por seu marido, autorizou, a pedido de Brás Cubas, o acesso dos colonos ao planalto paulista, onde se encontravam terras mais férteis e um clima mais ameno do que no litoral. Martim Afonso de Sousa, quando proibiu os colonos de subirem a serra, pretendia evitar que portugueses se instalassem nas terras dos índios aliados, provocando conflitos que colocassem em perigo o projeto colonizador. Em 1546, esse zelo não era mais necessário e Ana revogou a proibição. Ainda nesse ano a Câmara da vila de Santos fez uma petição para o donatário que Ana representava para construir uma cadeia na localidade.

Providenciou o cultivo de laranja na capitania, de modo a combater o escorbuto — doença provocada pela falta de vitamina C que atacava os embarcados durante a travessia do Atlântico. Para tanto fez vir mudas de laranjeiras de Portugal. É-lhe atribuída, também, a introdução do cultivo do arroz, do trigo e da criação de gado na região.

O papel de Ana Pimentel na administração da capitania não mereceu da história oficial o reconhecimento devido e os méritos recaem geralmente sobre seu marido, que é um dos primeiros nomes que os livros de história lembram como tendo grande importância na construção do Brasil colonial.

Mas seu papel administrativo, exercido por mais de uma década, foi reconhecido pelo sociólogo Gilberto Freire, que no seu discurso de posse na Academia Pernambucana de Letras, em 11 de novembro de 1986, assim o destacou: "Não é preciso desmerecer-se o desempenho, em São Vicente, de Martim Afonso de Sousa e da esposa ilustre para louvar-se rasgadamente o de Duarte Coelho e de Dona Brites em Pernambuco. Foram desempenhos, igualmente, pioneiros e consagradores dos casais que os praticaram com a melhor das bravuras, o maior dos destemores, o mais belo dos ânimos construtivos."

Fontes: Francisco A. Varnhagen, *História geral do Brasil*; Frei Gaspar Madre-Deus, *Memórias para a história da capitania de São Vicente, hoje chamada de S. Paulo, do estado do Brasil*; Gilberto Freire e Waldemar Lopes, *Pernambucanidade consagrada*; Luísa de Paiva Boléo, "Ana Pimentel, a primeira mulher à frente de uma capitania no Brasil", *Actas I, O Rosto Feminino da Expansão Portuguesa*; Maria Lúcia de Barros Mott, *Submissão e resistência — a mulher na luta contra a escravidão*; Torre do Tombo, Papéis do Brasil, códice 11, fls. 16/29.

Ana Ribeiro (1843-1930)

Escritora.

Nasceu em 31 de janeiro de 1843, em Vila de Itapicuru (BA), filha de Ana Maria da Anunciação Ribeiro, mulher instruída e religiosa, e de Matias de Araújo Góis. Aos dois anos mudou-se com a família para Catu, cidade do recôncavo baiano. A infância e a adolescência de Ana Ribeiro de Góis Bittencourt foram marcadas por uma conjuntivite mal diagnosticada, que só aos 20 anos foi curada. Sua educação não era sistemática, tendo sido alfabetizada por sua mãe. Aos 10 anos, começou seus estudos regulares com duas filhas de famílias amigas, aprendendo línguas, literatura e música, como convinha às moças de sua época.

A inflamação nos olhos fez com que Ana passasse longos períodos de isolamento no escuro de seu quarto. Vieram daí o gosto pela narração, a capacidade de memorizar histórias ouvidas e as longas conversas solitárias, experiências que despertaram naturalmente seu talento para a ficção.

Aos 22 anos, após sofrer a perda de seu primeiro noivo, vítima da tuberculose, casou-se com o estudante de medicina Sócrates de Araújo Bittencourt. O casal foi morar em Salvador, onde Ana completou seus estudos e pôde vivenciar a estimulante vida cultural na capital baiana da época do poeta Castro Alves. Em 1868, o agravamento do estado de saúde do pai de Ana fez com que voltassem a viver no engenho da família, em Catu.

Com seus três filhos já crescidos, e depois da morte de seu pai, começou sua fértil produção literária. Seus primeiros escritos datam de 1875 e, na década seguinte, encontram-se vários artigos seus publicados em periódicos regionais, como a *Gazeta de Notícias,* de Salvador, *A Verdade,* da cidade de Alagoinhas e o *Almanaque de Lembranças Luso-Brasileiro.* O primeiro livro de ficção, *A filha de Jephté,* foi editado em 1882 e, do mesmo período, *Anjo do perdão* sai publicado no formato de folhetim em jornais da Bahia.

Ao analisarem a vida e a obra de Ana Ribeiro, Nanci Fontes e Ívia Alves levantam a hipótese de que a rigidez do pai, homem acostumado a ser obedecido, foi mais determinante do que as obrigações domésticas para explicar o tardio ingresso de Ana na literatura. Mesmo considerando o relativo atraso para o início de sua atividade como autora, ela escreveu, até a década de 1920, sete romances, vários contos, artigos e poesias. Seus textos são impregnados de religiosidade e de modelos éticos destinados às jovens. Em revistas católicas, como *O Mensageiro da Fé,* publicou artigos sobre feminismo e cidadania, defendendo a educação para as mulheres como um valor universal. Nos seus últimos anos, escreveu seu livro de memórias, *Longos serões no campo,* título dado por sua bisneta Maria Clara Mariani e publicado em 1994. Esta obra foi escrita com o propósito de manter vivas as lembranças de seus antepassados, as histórias ouvidas de sua mãe e dos tios, o que resultou em um belíssimo retrato da vida cotidiana do interior baiano no século XIX, um testemunho equivalente aos livros de viagem dos estrangeiros e comerciantes, importantes documentos que registram referências fundamentais para o conhecimento de uma época da história brasileira.

Ana morreu em 1930, aos 87 anos de idade, em Salvador (BA).

Fontes: Maria Clara Mariani Bittencourt, "Introdução", in *Longos serões no campo;* Nanci Rita Vieira Fontes e Ívia Alves, "Ana Riberio", in Zahidé L. Muzart, *Escritoras brasileiras do século XIX.*

Ana Roiz (séc.XVI)

Morta pela Inquisição por judaísmo.

Cristã-nova de origem portuguesa, Ana Roiz ou Ana Rodrigues casou-se com Heitor Antunes, de descendência judia, senhor de engenho e negociante. Já era viúva quando foi presa e supliciada pelo Santo Ofício.

Teve seis filhos: Nuno Fernandes, Álvaro Lopes Antunes, Jorge Antunes, Leonor, Beatriz e Violante, todos também acusados pelo Tribunal, que não processou seus genros. Não se sabe o que aconteceu com seus filhos, havendo quem escrevesse que suas filhas Leonor e Beatriz foram "afogueadas" pelo Tribunal do Santo Ofício de Lisboa.

O escritor Humberto de Campos fez o seguinte comentário sobre sua condenação: "No confronto das confissões relativas às duas visitações, Capistrano de Abreu apurou, no entanto, que já em 1592 havia pessoas idas do Brasil que pagavam ao Santo Ofício, em Lisboa, o pesado imposto de vida. E uma destas foi a nonagenária Ana Roiz, denunciada e ouvida na Bahia, na visitação de Diogo Furtado de Mendonça, e que sofreu mais tarde sacrifício da fogueira. Levado por essa indicação, o livro das *Confissões da Bahia,* revela os depoimentos dessa senhora e o que era preciso para levar uma pessoa à morte pelo fogo.

Nascida e criada em Portugal, em uma época em que o judaísmo havia deixado os seus vestígios cotidianos, trouxera-os Ana Roiz quando moça para o Brasil sem saber o que eles significavam, sob a forma de superstição. E assim é que, aos 80 anos, interpelada pelo emissário do Santo Ofício, confessa ingenuamente que "de quatro a cinco anos a esta parte não come cação fresco porque lhe faz mal ao estômago, mas que o come salgado, assado e outrossim não come raia, mas que outros tempos atrás comia raia e cação e que de dois anos a esta parte costuma muitas vezes, quando lança a bênção a seus netos dizendo a bênção de Deus e minha te cubra, lhes põe a mão estendida sobre a cabeça depois que lhes acaba de lançar a bênção e que isso faz por desastre, inadvertidamente." Perguntada sobre outros pontos, confessa ainda que, quando lhe morreu o marido, mandara derramar a água dos potes mas que fizera essas cousas, sem saber que era de judia porque lh'as ensinou sua comadre, cristã-velha, Inês Roiz, parteira, viúva, que morava defronte à casa dela confessando em Sertam, Portugal, a qual lhe ensinou isso dizendo que era bom e por isso o fez e cuidando ela ser isso bom o ensinou também neste Brasil às suas filhas dona Leonor, mulher de Bastiam de Faria."

Apanhado o fio da meada, o Inquisidor não deixava mais a vítima. Perguntaram-lhe há quanto tempo era judia e há quantos anos deixara a fé de Nosso Senhor, desde quando ensinava as filhas a serem judias, e com tais habilidades e insistências que conseguiram enredá-la num cerco astucioso e desumano para finalmente declará-la judia, apesar de rogos e protestos da pobre senhora, que em vão clamou, pediu, chorou; mesmo assim foi levada a Lisboa, onde foi submetida ao auto-de-fé.

Fontes: Adalzira Bittencourt, *Dicionário biobibliográfico de mulheres ilustres, notáveis e inteletuais do Brasil*; Afonso Costa, *Genealogia baiana, Revista do IHGB*, (191), 1946; Livro de Denunciações, 1618.

Ana Romana Lopes do Nascimento (c.1781-?)

Ex-escrava, envolvida na Conjuração Baiana.

Forra, solteira, nasceu no início da década de 1780, na Bahia. Foi citada nos autos de devassa da Conjuração Baiana, movimento insurrecional reprimido pelas autoridades em 1798. Morava na rua direita de Nossa Senhora da Ajuda, na cidade de Salvador, na casa do padre João Lopes da Silva. Segundo afirmou ao desembargador que a inquiriu no dia 19 de setembro de 1798, tinha então 17 anos e trabalhava como costureira.

Foi implicada nas investigações que desarticularam a revolta por ter tido um caso de amor com um dos principais líderes do movimento, João de Deus, que estava preso. Durante o interrogatório, Ana repetiu a fala de tantos outros acusados que afirmaram que o réu João de Deus, e outros cabeças do movimento, estavam metidos em histórias de "francesia", sem que soubesse explicar precisamente o significado da acusação. Outros interrogados esclareceram melhor a expressão como o desejo de reduzir a Bahia ao estado em que se achava a França, revelando a infiltração dos ideais da Revolução Francesa nas classes populares no Brasil. Segundo declarou ao desembargador, Ana chegara a coabitar com João de Deus por alguns meses no ano anterior. João a teria retirado da casa do padre João Lopes da Silva e alugado uma casa no bairro da Saúde, mas como ele a espancava recorrentemente, preferiu voltar a viver na casa do padre. Ao final da sessão de perguntas, Ana teve que assinar o livro de atas com uma cruz, alegando, como a maioria dos implicados na mesma devassa, que era analfabeta.

O nome de Ana Romana consta de uma relação de cerca de 50 pessoas envolvidas no processo de devassa da Conjuração Baiana, que resultou na aplicação da pena de morte a quatro pessoas.

Fonte: *A Inconfidência da Bahia. Devassas e seqüestros*, 1º vol.

Ana Rosa Kucinski Silva (1942-74)

Ativista política e vítima da ditadura militar.

Nasceu em 12 de janeiro de 1942, em São Paulo (SP), filha de Ester e Majer Kucinski. Professora universitária no Instituto de Química da Universidade de São Paulo (USP), casou-se com Wilson Silva. Ambos desapareceram no dia 22 de abril de 1974. Era militante da Ação Libertadora Nacional (ALN), a organização de maior expressão no período mais conturbado da ditadura, que realizou várias ações de guerrilha urbana. Dissidência do Partido Comunista Brasileiro (PCB), a ALN foi fundada por Car-

14 • *Anália Franco*
Educadora, fundadora da Associação Feminina Beneficente e Instrutiva do Estado de São Paulo, em 1901, e diversas outras instituições educacionais e assistencialistas.

15 • *Ana Pimentel*
Donatária da capitania de São Vicente.

16 • *Ana Campista*
Incêndio do Recolhimento de Nossa Senhora do Parto (RJ), em 23 de agosto de 1789. Ana Campista foi uma das acusadas de atear fogo na instituição, onde as mulheres eram torturadas.

17 • *Adalzira Bittencourt*
Escritora feminista, fundadora do jornal *Miosótis*, na década de 1910 em Piracicaba (SP).

18 • *Antonieta Dias*
Formada pela Faculdade de Medicina do Rio de Janeiro em 1889, tornou-se uma das primeiras mulheres a exercer a profissão no país.

19 • *Alda Garrido*
Grande atriz paulista da década de 1920.

14

15

16

17

18

19

20

21

22

23

24

25

20 • Antonieta de Barros
Educadora catarinense e primeira mulher negra a ser eleita e exercer um cargo político no Brasil.

21 • Auta de Souza
Poetisa nordestina e colaboradora de diversos periódicos no final do séc.XIX.

22 • Ada Rogato
Pioneira da aviação e primeira mulher pára-quedista no Brasil.

23 • Anaíde Beiriz
Feminista paraibana envolvida no assassinato de João Pessoa.

24 • Amélia de Freitas Beviláqua
Escritora, defensora da educação feminina no séc.XIX e uma das primeiras mulheres a concorrer a uma vaga na Academia Brasileira de Letras.

25 • Aída dos Santos
Esportista, recordista sul-americana de salto em altura em 1959 e única mulher na delegação brasileira nas Olimpíadas de 1964 no Japão.

los Marighella, que promoveu a articulação de grupos armados visando à realização de operações nas cidades para angariar fundos e finalmente promover a guerrilha rural.

As famílias de Ana Rosa e Wilson impetraram vários *habeas-corpus*, objetivando localizá-los. Todos, porém, foram negados, visto que nunca foi admitida a prisão do casal. Nas pesquisas feitas pelos familiares aos arquivos do antigo DOPS/SP, apenas uma ficha foi encontrada onde se lê: "presa no dia 22 de abril de 1974 em SP". O relatório do Ministério da Marinha fez referências caluniosas a Ana Rosa. Acionado pelos familiares, o general Golberi do Couto e Silva chegou a reconhecer, em dezembro de 1974, que Ana Rosa se encontrava presa numa instituição da Aeronáutica. Na cruzada para encontrá-la, a família conseguiu que o governo norte-americano — por meio do Departamento de Estado — pedisse informações sobre o paradeiro do casal. Este encaminhou informações confirmando que Ana Rosa ainda estaria viva, presa em local desconhecido e que Wilson Silva provavelmente estaria morto. Contudo, Ana Rosa nunca apareceu, seus familiares não obtiveram seu corpo nem os militares reconheceram sua morte.

Fontes: Ana Maria Colling, *A resistência da mulher à ditadura militar no Brasil*; Maria do Amparo Almeida Araújo et al., *Dossiê dos mortos e desaparecidos políticos a partir de 1964.*

Ana Sutil (séc.XVIII)

Senhora de engenho.

Proprietária de um engenho açucareiro na região de Beira Mar, litoral baiano. À época em que viveu Ana Sutil, que ostentava o título de Dona — marca de distinção hierárquica na sociedade —, raras eram as mulheres que alcançavam a posição de proprietárias, obtida, via de regra, com a morte dos maridos.

Fonte: José Antônio Caldas, *Notícia geral de toda esta capitania da Bahia desde o seu descobrimento até o presente ano de 1759.*

Ana Tobajara (séc.XVII)

Índia.

Um dos poucos exemplos, registrados pela história, sobre índias que cuidavam de roças que serviam para alimentar os sertanistas na rota para a região de Minas Gerais.

Nesta época os colonos dependiam dos conhecimentos indígenas para sobreviver no mato. Era também comum se servirem de tribos do planalto da capitania de São Paulo para auxiliá-los no apresamento de outros indígenas no interior dos sertões.

O caminho para os sertões das Gerais no final do século XVII já era uma rota freqüente dos sertanistas paulistas, e alguns colonos iam formando roçados nas trilhas abertas. Segundo historiadores, à proporção que as expedições aumentavam, mais roças eram mantidas para alimentá-los no caminho.

O registro da roça com plantas do urucujá de Ana Tobajara foi feito por volta de 1680.

Fonte: John Manuel Monteiro, *Negros da terra: índios e bandeirantes nas origens de São Paulo.*

Anaíde Beiriz (1905-30)

Professora e simpatizante do feminismo.

Nasceu em 1905, na cidade de Paraíba, atualmente João Pessoa. Filha de Maria Augusta e José da Costa Beiriz, tipógrafo do jornal *A União*. Diplomou-se pela Escola Normal em 1922, com apenas 17 anos, destacando-se como a primeira aluna da turma. Passou a lecionar na escola de pescadores da colônia Z2, em Cabedelo, vila portuária do estado.

Anaíde gostava de literatura e seu ingresso nos meios intelectuais foi facilitado pelo fato de ter, em 1925, ganho um concurso de beleza promovido pelo jornal carioca *Correio da Manhã*. Começou a freqüentar as tertúlias literárias da casa do médico José Maciel, onde conviveu com outros jovens intelectuais paraibanos. Nessas reuniões, Anaíde se destacava como declamadora ao lado de Adamantina Neves, Amelinha Teorga e Odete Gaudêncio. Vanguardista, já se pronunciava publicamente em favor do feminismo, da liberdade e autonomia das mulheres, mas não se interessava pela política.

Em 1928 iniciou um romance com o advogado João Duarte Dantas, inimigo político de João Pessoa, presidente da Paraíba. João Dantas pertencia ao Partido Republicano Paraibano (PRP), adversário do presidente do Estado, que era da Aliança Liberal. Anaíde apoiou a luta dos perrepistas em solidariedade ao namorado, implacável adversário dos aliancistas na Paraíba.

Em 1930, com a explosão da revolta de Princesa, no sertão paraibano, contra a política tributária de João Pessoa, João Dantas, que vinha trocando farpas com o presidente do estado, através de artigos publicados no *Jornal do Commercio* de Recife, passara, por precaução, a residir na capital pernambucana. Na ausência do proprietário, o apartamento de João Dantas na capital paraibana foi vasculhado pela polícia que apreendeu uma série de documentos e algumas cartas amorosas escritas por Anaíde Beiriz. Na edição de 22 de julho de 1930, na primeira página, o jornal paraibano *A União* anunciou com grande destaque que iria, no dia seguinte, começar a publicar o material apreendido, "porquanto os mesmos contêm curiosas revelações sobre os miseráveis modos de agir dos inimigos da Paraíba, dos quais o tarado João Dantas era uma espécie de espião e cônsul-geral nesta cidade. (...) Com a divulgação desse manancial de cartas, telegramas, instruções reservadas e confidenciais da mais repugnante politicagem, esta folha realizará uma das mais sugestivas e impressionantes reportagens".

João Dantas indignou-se com o episódio e, ao tomar conhecimento pelos jornais do Recife que naquele dia, 26 de julho, João Pessoa estava na cidade, armou-se e saiu à procura do presidente, embora não o conhecesse pessoalmente. Acabou encontrando-o na confeitaria Glória, no centro do Recife; sacou do revólver e disse: "Sou o Dr. João Duarte Dantas, a quem tanto injuriastes e ofendestes". Deu-lhe três tiros e foi preso. Acabou morrendo de forma nunca explicada na cadeia pernambucana.

Este episódio teve uma enorme repercussão na vida nacional e representou o estopim da Revolução de 1930. A morte do governador chocou a Paraíba e o Brasil. João Pessoa havia concorrido às eleições presidenciais de março de 1930 como vice na chapa de Getúlio Vargas, pela Aliança Liberal. Sua morte e a força simbólica de seu cadáver, que foi trazido para ser sepultado no Rio de Janeiro, mobilizaram o país.

Em outubro foi deflagrado o movimento revolucionário que derrubou a República Velha. Anaíde foi perseguida pelos partidários de João Pessoa, que a consideravam culpada de sua morte. Isolada pela maldição pública, mudou-se para o Recife, mas, entre o final de julho e outubro de 1930, teve que mudar de casa inúmeras vezes; "era apontada na rua como a prostituta do bandido que matou o Presidente". Por último, as freiras Dorotéias não quiseram recebê-la no internato do colégio.

Acuada, Anaíde escolheu como saída a morte e, no dia 22 de outubro, ingeriu veneno e deu entrada com crises convulsivas de vômito no asilo Bom Pastor, instituição religiosa de mães solteiras e prostitutas, na época localizado na rua Benfica, 870, no bairro de Madalena, em Recife. Chegou agonizando no asilo às 11 horas da manhã e no início da tarde já estava morta. A madre superiora, Maria José de Nazaré Breves, chamou a polícia, que, discretamente, levou o cadáver e seus pertences, enterrando-a como indigente no cemitério de Santo Amaro, com a certidão de óbito nº 2585. A professora paraibana teve um funeral de mendigo desconhecido, sem pai, sem mãe, sem trabalho, ou domicílio. Sua memória foi apagada pelos paraibanos, gerações e gerações após os episódios ocorridos em 1930 que a envolveram. Os mais velhos, nos anos 1960, lembravam apenas da moça livre que namorava nas cercanias da lagoa, no centro da capital paraibana, outros como o pivô da Revolução de 1930.

A memória de Anaíde foi recuperada pelo movimento feminista pós-75, que colocou sua tragédia na conta dos preconceitos que tão duramente afligem a vida das mulheres.

O personagem histórico de Anaíde Beiriz foi vivido pela atriz Tânia Alves no filme *Paraíba mulher macho*, de Tizuka Yamazaki.

Fontes: Inês Caminha L. Rodrigues, *A Revolta de Princesa — poder privado x poder instituído*; José Joffily, *Anayde — paixão e morte na Revolução de 30*; Enciclopédia *Nosso Século*.

Anália Franco (1856-1919)

Escritora, assistencialista e líder espiritual.

Nasceu em 1º de fevereiro de 1856, em Resende (RJ). Filha de Teresa Franco e Antônio Maria Franco, aos cinco anos, mudou-se com a família para São Paulo (SP). Ingressou na Escola Normal Secundária, diplomando-se professora. Pouco depois, fundou, na cidade de São Carlos (SP), um colégio (internato e externato) de ensino primário e secundário, o Santa Cecília. Posteriormente foi residir na cidade de Taubaté (SP), onde iniciou-se na imprensa feminista, colaborando no jornal literário *A Família* e no *Eco das Damas*, periódicos dedicados à causa das mulheres, ambos do Rio de Janeiro.

Em 17 de novembro de 1901, Anália Emília Franco inaugurou, com estatutos então aprovados em assembléia geral, a Associação Feminina Beneficente e Instrutiva do Estado de São Paulo. Ao que tudo indica, nessa época, Anália já era espírita, mas sua obra não apresentava caráter confessional.

A associação, que presidiu até 1919, destinava-se, de início, a amparar, instruir e educar crianças pobres e carentes de São Paulo, mas logo Anália tomou para si a tarefa de erradicar o analfabetismo e combater a miséria e a ignorância. Em fins de 1903, o senador paulista Paulo Oliveira Carvalho pronunciava no Senado um discurso elogiando o alcance social da entidade e, no ano seguinte, solicitou maior consignação de verba para a mesma. Com apenas seis anos de criação, a instituição mantinha e orientava 22 escolas maternais e duas noturnas na capital paulista e cinco escolas maternais no interior. Suas professoras eram voluntárias e a associação ainda mantinha dois liceus femininos noturnos, um na capital e outro na cidade litorânea de Santos. A adesão de Anália ao espiritismo provocava uma dura campanha na imprensa católica contra a sua instituição. A imprensa laica, porém, elogiava seu trabalho assistencial.

Em meados de 1903, fundou um asilo para amparar viúvas, órfãos, mães abandonadas e seus filhos, criando pioneiramente creches para os filhos das mulheres que trabalhavam fora. Em seguida, montou oficinas de tipografia, costura, flores artificiais, chapéus, aulas de música, escrituração mercantil, enfermagem, ou seja, diversos ofícios para melhorar a qualificação da população carente. O exemplo espalhou-se e a repercussão do seu trabalho multiplicou-se por outros estados, e escolas, asilos e creches foram sendo fundados com a ajuda de diversas senhoras da sociedade que apoiavam Anália.

Ao lado de seu trabalho assistencial, dedicava-se ao jornalismo. Era preciso divulgar suas idéias. Assim, em 1º de março de 1903, saiu o primeiro número da *Revista da Associação Feminina*, órgão literário e educativo fundado e dirigido por Anália Franco. No mesmo ano, criou a revista *A Voz Maternal*, que iria dirigir por 15 anos. A revista era impressa por um grupo de internas de seus asilos e chegou a ter a tiragem mensal de 6.000 exemplares. Ainda havia outra publicação mensal, também redigida por Anália, intitulada *Manual Educativo*. A profusão dessas publicações devia-se ao fato de que eram material educativo para cada grupo de interesse específico.

Tantas atividades e recursos escassos levaram-na a abrir, em 1906, o Bazar da Caridade, para a venda dos produtos produzidos nas suas instituições. E acabou comprando de algum simpatizante, em suaves prestações, uma fazenda na Moóca, onde instalou a Colônia Regeneradora D. Romualdo, para mulheres. Dali se originou um grupo dramático musical e uma orquestra. Em 1914, criou a Liga Educativa Maria de Nazaré, destinada a auxiliar, no interior de São Paulo, as escolas maternais, creches, asilos e colônias fundadas por sua associação. Com a eclosão da Primeira Guerra Mundial em 1914, a organização de Anália Franco contava com quase 30 escolas maternais na capital de São Paulo, asilos, creches e escolas espalhadas em mais de 20 cidades do estado de São Paulo e de Minas Gerais, totalizando cerca de 70 instituições. A guerra interrompeu o fluxo de recursos e Anália quase fechou-as ou entregou-as à administração do Estado. Mas, junto com o corpo docente e seu marido Francisco Antônio Bastos, promoveu eventos na capital e no interior do estado de São Paulo para angariar fundos. Essa campanha foi bem-sucedida e salvou as instituições.

Pregando o espiritismo e a solidariedade, Anália Franco foi uma batalhadora da assistência social e planejava expandir suas escolas e creches quando a morte a surpreendeu em Uberaba (MG). Seus seguidores, no entanto, construíram as obras planejadas por ela, numa homenagem ao seu idealismo.

Deixou, entre outras publicações, *A égide materna*, *Leituras infantis*, *Manual para as creches*, *Noções de geografia elementar*, *Brevíssimo resumo de aritmética*, *Primeiras lições para as escolas maternais*, *As preleções de Jesus* e *Habilitação à existência das sessões de espiritismo*.

Faleceu em 20 de janeiro de 1919.

Fontes: Maria T.C. Crescenti Bernardes, *Mulheres de ontem?*; Raimundo de Meneses, *Dicionário literário brasileiro ilustrado*; Zahidé L. Muzart (org.), *Escritoras brasileiras do século XIX*; Zeus Wantuil (org.), *Grandes espíritas do Brasil*.

Anatália de Sousa Alves Melo (1945-73)

Ativista política, vítima da ditadura militar.

Nasceu em 9 de julho de 1945, em Mombassa, no município de Martins, atual Frutuoso Gomes (RN). Filha de Maria Pereira de Melo e Nicácio Loia de Melo, concluiu o curso científico no Colégio Estadual de Mossoró e participava de atividades comunitárias na cidade. Em 1969 casou-se com Luís Alves Neto. O casal mudou-se para Recife e integrou a organização armada de esquerda Partido Comunista Brasileiro Revolucionário (PCBR), dissidência do Partido Comunista Brasileiro (PCB), com força no Rio de Janeiro e Nordeste. A partir de abril de 1969, o PCBR começou a planejar operações armadas para implantar a revolução socialista. Com o aumento da repressão, o partido passou a funcionar na clandestinidade. A resistência armada ao governo militar tinha crescido e a Zona da Mata canavieira em Pernambuco era uma área conflagrada. Nesta região, desde a década de 1950, o movimento camponês tinha uma intensa mobilização a partir das Ligas Camponesas. Estas foram duramente reprimidas pelos militares após a instalação do regime político-militar em 1964. A estratégia do PCBR era reacender a luta no campo nordestino. Anatália e o marido foram para lá desenvolver um trabalho político.

No dia 17 de dezembro de 1972, foram presos e levados ao DOPS de Recife, onde foram barbaramente torturados. Seu corpo foi encontrado carbonizado, na cela, no dia 22 de janeiro de 1973. A versão oficial para a morte de Anatália foi suicídio.

Fontes: Ana Maria Colling, *A resistência da mulher à ditadura militar no Brasil*; Maria do Amparo Almeida Araújo et al., *Dossiê dos mortos e desaparecidos políticos a partir de 1964*.

Andradina de Oliveira (1864-1935)

Educadora, escritora e feminista.

Nasceu em 12 de junho de 1864, na cidade de Porto Alegre (RS), filha de Joaquina Pacheco de Andrade e Carlos Montezuma de Andrade. O pai era médico e morreu cedo, deixando Andradina órfã aos sete anos de idade. Recebeu esmerada educação; estudou na escola de Luciana de Abreu* e depois fez com brilhantismo o segundo grau na Escola Normal de Porto Alegre, atualmente Instituto de Educação General Flores da Cunha. Casou com um oficial do exército brasileiro, natural do estado da Paraíba, Augusto Martiniano de Oliveira, e teve dois filhos.

Andradina América Andrada de Oliveira exerceu o magistério público durante oito anos nas cidades gaúchas de Pelotas, Rio Grande, Santa Maria e Porto Alegre. Enviuvou muito cedo e teve que manter a família com seu talento e o magistério. Indo morar em Bagé, dedicou-se ao jornalismo e fundou, em 1898, o jornal *Escrínio*, cujo lema era "Pela Mulher". No editorial do primeiro número assim se apresentava: "surge também como um incitamento à mulher rio-grandense, convidando-a a romper o denso casulo de obscuridade e vir à tona do jornalismo trazer as pérolas de sua cultivada inteligência! O *Escrínio* aparece como um verdadeiro propagandista da instrução, do cultivo do espírito feminil. A mulher deve ser instruída, deve ser educada para melhor cumprir a sua divina missão na Terra — ser mãe."

O jornal foi editado durante nove anos, primeiro em Bagé e depois em Santa Maria; sua publicação foi interrompida pela morte de um filho de Andradina, que a deixou muito abalada. Em 1909, esta publicação reapareceu em Porto Alegre, sob a forma de uma revista ilustrada.

Andradina publicou sete livros e deixou outros inéditos, sendo os mais importantes:

Cruz de pérolas (contos), que em 1908 recebeu medalha de ouro na Exposição Nacional do Rio de Janeiro, e *O divórcio?*, de 1912, que provocou grande repercussão pelo fato de abordar um tema polêmico; defendia o direito à felicidade e o divórcio como uma forma de evitar tragédias nas famílias brasileiras. O livro foi escrito na forma epistolar, 26 cartas, cada uma com um argumento diferente, baseado em casos reais, denunciando a hipocrisia da sociedade quanto à indissolubilidade do matrimônio. Cada uma dessas cartas possuía em epígrafe o depoimento de um personagem ilustre sobre o tema do divórcio: Osório Duque Estrada, José do Patrocínio, Mirtes de Campos*, Carmen Dolores*, Julia Lopes de Almeida*, entre outros. Em duas cartas, Andradina faz elogio ao feminismo, que "abrirá os olhos de todas as mulheres. E elas hão de, em futuro que não está longe, conquistar a sua verdadeira posição na família, na sociedade, na pátria... a mulher deixará de ser a escrava, a serva, a besta de carga, o objeto de prazer do homem, o animal procriador, o bibelô das salas".

Foi em 1920 para São Paulo, onde continuou sua carreira literária, e lá faleceu em 1935.

Fontes: Academia Literária Feminina do Rio Grande do Sul, *50 anos de literatura — perfil das patronas*; Míriam S. Vieira, *Atuação literária de escritoras no Rio Grande do Sul: um estudo do periódico Corymbo, 1885-1925*; Pedro Maia Soares, *Feminismo no Rio Grande do Sul — primeiros apontamentos (1835-1945)*.

Andresa Dias (séc. XVI)

Colonizadora, personagem de profecia.

Era casada com o português Diogo d'Amorim ou Diogo de Amorim Soares. Viveu, primeiramente, em Salvador (BA), onde teve uma filha que nasceu prematura, em fins do século XVI. Na ocasião, o padre José de Anchieta profetizou que o casal não a perderia naquele momento, mas 11 anos depois, no dia de Nossa Senhora. De fato, quando já estabelecidos como proprietários de um engenho de açúcar na vila do Rio de Janeiro, Andresa e seu marido Diogo viveram a dor de perder a sua filha, de 11 anos, conforme a profecia de Anchieta.

Fonte: Elysio de Oliveira Belchior, *Conquistadores e povoadores do Rio de Janeiro*.

Anésia Pinheiro Machado (1904-99)

Aviadora e feminista.

Uma das pioneiras da aviação no Brasil. Nasceu em 5 de junho de 1904, em Itapetininga (SP). De influente família paulista, começou seu treinamento pilotando aeronaves no ano de 1921. No ano seguinte, em 9 de abril, recebeu o segundo brevê de piloto concedido a uma mulher no Brasil, de número 77, pela Federação Aeronáutica Internacional; o primeiro foi conquistado um dia antes por Teresa de Marzo*. Foi a primeira aviadora brasileira a transportar passageiros e a realizar vôos acrobáticos, além de ter atuado como repórter aeronáutica. Conseguiu todas as licenças que pediu — de piloto privado, comercial e instrutor. Foi a primeira mulher a realizar um vôo transcontinental, percorrendo mais de 17 mil quilômetros sobre o continente americano.

Quando das comemorações do Centenário da Independência, a 7 de setembro de 1922, Anésia realizou um vôo entre São Paulo e Rio de Janeiro e fez desse fato uma forma de divulgar o movimento feminista no Brasil, uma vez que era a primeira mulher a realizar tal façanha. Participou do principal evento promovido pelas mulheres naquele ano, o I Congresso Feminista Internacional, organizado pela Federação Brasileira pelo Progresso Feminino* (FBPF), realizado no Rio de Janeiro. Esteve nessa conferência na qualidade de delegada da Liga Paulista pelo Progresso Feminino.

Anésia recebeu ao longo de sua carreira numerosas homenagens, como o diploma Paul Tissandier, o título de Decana Mundial da Aviação Feminina, da Federação Aeronáutica Internacional, e a medalha Edward Warner, a mais alta distinção da Organização da Aviação Civil Internacional.

Faleceu no Rio de Janeiro, no dia 10 de junho de 1999, e foi velada no hospital da Força Aérea Brasileira, no Galeão, bairro da Ilha do Governador. Seu corpo foi cremado e suas cinzas depositadas no Museu de Santos Dumont, na fazenda Cabangú, situada no município de Santos Dumont (MG).

Fontes: Adalzira Bittencourt, *Dicionário biobibliográfico de mulheres ilustres, notáveis e intelectuais do Brasil*; Arquivo da FBPF, cx.6; *Jornal do Brasil*, 11.6.1999.

Anfrísia Santiago (1894-1970)

Educadora e historiadora.

Nasceu em 21 de setembro de 1894, na cidade de Salvador (BA). Diplomada pela Escola Normal da Bahia aos 16 anos de idade, dedicou-se durante 60 anos à educação. Exerceu o magistério na rede oficial de ensino de 1911 a 1925, quando se afastou prematuramente por motivo de doença grave. Após seu restabelecimento, lecionou língua vernácula na Escola Normal da Bahia. Foi diretora do Departamento de Educação a convite do então secretário de Educação do estado, Anísio Teixeira.

Como historiadora, deu importantes contribuições às pesquisas históricas e genealógicas, colaborando com diversos intelectuais de sua geração. Foi sócia do Instituto Histórico e Geográfico da Bahia e do Instituto Genealógico da Bahia, participando também da criação do Centro de Estudos Baianos. Foi condecorada com o grau de Cavaleiro da Ordem Nacional do Mérito Educativo pelo presidente da República; e com a medalha de prata da Ordem do Mérito Educacional da Bahia, concedido *post-mortem* pelo governo do estado.

Faleceu em 27 de abril de 1970.

Fontes: Jornal *A Tarde*, 17.9.1994, 20.9.1994, 22.9.1994 e 19.11.1994 • Colaboração especial de Maria Júlia Alves de Sousa.

Ângela Borba (1953-98)

Feminista e ativista política.

Nasceu em 4 de abril de 1953, no Rio de Janeiro (RJ), filha de Semíramis de Carvalho Borba e de Demóstenes de Sousa Borba. Formou-se em história pela Pontifícia Universidade Católica do Rio de Janeiro (PUC/RJ). Na juventude, Ângela integrou a organização Ação Popular, grupo de resistência à ditadura militar, no qual conheceu seu companheiro Jair de Sá, falecido em 1985. Deste casamento nasceu seu único filho, Miguel.

Na década de 1970, consciente dos preconceitos sofridos pelas mulheres, engajou-se no movimento feminista, integrando a equipe do jornal *Brasil Mulher* e lutando pela construção de uma sociedade mais justa. Foi uma das fundadoras do Partido dos Trabalhadores (PT), em 1979. Nesta mesma época, participou de uma proposta pioneira na construção de um modelo feminista no exercício de mandato eletivo, tendo como parceiras Lúcia Arruda e Fernanda Carneiro. Embora Lúcia Arruda fosse a titular do mandato de deputada estadual na Assembléia Legislativa do Rio de Janeiro (Alerj), as três partilhavam essa experiência, tomando decisões de forma conjunta e promovendo eventos públicos fora do âmbito da Assembléia, numa sintonia fina com o movimento de mulheres.

A pioneira parceria feminista de um mandato parlamentar acabou sendo abalada quando esta decidiu se candidatar novamente nas eleições de 1986, sem fazer o rodízio com as companheiras, como havia sido pactuado. Mesmo assim, após o pleito, reeleita Lúcia Arruda, Ângela permaneceu como sua assessora na Assembléia. O gabinete da deputada teve um papel fundamental na criação da Delegacia das Mulheres no estado do Rio de Janeiro. Ângela participou, ainda, do Conselho Comunitário de Saúde e colaborou ativamente na elaboração de leis voltadas para a garantia dos direitos das mulheres na Constituinte estadual.

Militante partidária, Ângela foi uma das criadoras do núcleo de mulheres intitulado "Muito Prazer Mulheres do PT", iniciativa que motivou a formação de outros grupos de mulheres petistas em vários estados e municípios. A multiplicação dessa experiência deu origem, mais tarde, à Secretaria de Mulheres do PT. O trabalho desenvolvido por Ângela não esteve apenas atrelado a uma ação política partidária. Foi, sobretudo, um exemplo na organização de instâncias autônomas de mulheres. Sua participação foi fundamental na criação do grupo Nós Mulheres, cujo objetivo era refletir sobre a condição feminina e, em especial, as questões de saúde, direitos sexuais e reprodutivos. A importância dessa entidade foi a divulgação e a multiplicação de uma metodologia de trabalho muito cara ao movimento feminista, "a linha da vida". Essa metodologia vem inspirando oficinas de trabalho e dinâmica de grupos que levam em conta as experiências e vivências de cada mulher.

Em 1986, em razão de sua liderança e empenho na luta pelos direitos humanos das mulheres, foi indicada para o Conselho Estadual dos Direitos da Mulher do estado do Rio de Janeiro, na gestão de Branca Moreira Alves. Tornou-se coordenadora da Secretaria Nacional de Mulheres do PT, onde desenvolveu uma articulação nacional do partido com os movimentos de mulheres. Integrou o Fórum Feminista do Rio de Janeiro, a Rede Nacional de Saúde e Direitos Reprodutivos e a organização não governamental Ser Mulher.

Foi suplente de vereador pelo PT/RJ por duas vezes nas legislaturas de 1989-92 e 1993-96; concorreu nas eleições de 1994 a uma vaga na Assembléia Legislativa do Rio de Janeiro, sem sucesso.

Ângela analisou os rumos do feminismo no Brasil, escrevendo artigos e boletins sobre a situação da mulher. Seu principal trabalho analítico, intitulado "Legislando para as Mulheres", foi publicado no livro *Mulher e política — gênero e feminismo no Partido dos Trabalhadores*, uma coletânea de artigos organizada por ela, em parceria com Nalu Faria e Tatau Godinho. Era uma profunda ativista no encaminhamento de políticas públicas voltadas para as mulheres e uma militante feminista nacionalmente reconhecida.

Casada com Paulo Roberto Guimarães, trabalhava como assessora da liderança do PT na Alerj e era membro do conselho da Fundação Perseu Abramo quando sofreu um aneurisma cerebral. Acabou falecendo em decorrência da doença, em 15 de julho de 1998.

Fontes: CFEMEA, *Boletim*, jul/1998; Secretaria Estadual de Mulheres do PT, *Mulheres*, jul/1999; Entrevista de Solange Dacach concedida a Hildete Pereira de Melo em 31.7.1998.

Ângela do Amaral Rangel (1725-?)

Poetisa.

Nasceu em 1725 no Rio de Janeiro, no tempo do governador Gomes Freire de Andrade, conde de Bobadela. Cega, filha de uma família de posses, ainda criança revelou grande inteligência.

Sob a proteção do governador Bobadela, sabe-se que Ângela, já em 1752, participava da Academia dos Seletos, um salão literário existente na cidade do Rio de Janeiro. Neste ambiente, escreveu dois sonetos em português, versando sobre a personalidade de Gomes Freire e dois poemas, chamados de "romances" no idioma espanhol. Os sonetos que escreveu em homenagem ao governador foram incluídos na coletânea *Júbilos da América*, impressa e oferecida a Gomes Freire em janeiro de 1752. Consagrada como poetisa, Ângela tornou-se conhecida como A Ceguinha.

Embora alguns estudiosos de literatura brasileira não reconheçam grandes méritos literários nos sonetos de Ângela do Amaral, é incontestável que ao tempo desta poetisa, as mulheres eram mantidas, via de regra, na ignorância absoluta. Portanto, a existência no século XVIII de uma mulher brasileira que buscava a poesia como forma de expressão é um feito notável, digno de registro.

Fontes: Eliane Vasconcelos, "Ângela do Amaral Rangel", in Zahidé L. Muzart, *Escritoras brasileiras do século XIX*; Inês Sabino, *Mulheres ilustres do Brasil*; Sílvia Paixão, *A fala-a-menos.*

Ângela do Vale de Mesquita (c.1688-?)

Condenada pela Inquisição por judaísmo.

Nasceu na cidade do Rio de Janeiro. Era casada com o senhor de engenho de açúcar Domingos Rodrigues Ramires, da poderosa família Vale, proprietários do engenho Columbandê, em São Gonçalo (RJ).

Ângela foi presa aos 21 anos pelo Tribunal do Santo Ofício, sob a acusação da prática de judaísmo. Enviada para Lisboa, assistiu a cerimônia do Auto de Fé no dia 26 de julho de 1711 e recebeu a pena de cárcere e do uso do hábito, ao arbítrio dos inquisidores. Participaram do mesmo Auto vários parentes seus, como seu pai, João Rodrigues do Vale, então com 56 anos, Helena do Vale, 71 anos, Ana do Vale, viúva de Duarte Rodrigues de Andrade, e Antônio do Vale de Mesquita, 56 anos.

Dos numerosos colonos brasileiros que foram vítimas da Inquisição, entre os anos de 1711 e 1767, muitos pertenciam à família Vale. A lista conta com 221 nomes de condenados por razões diversas que iam do judaísmo ao adultério e foi levantada em Portugal pelo historiador Varnhagen. Segundo estimou, foram objeto de perseguições pelo Tribunal da Inquisição, entre o ano de 1700 e 1767, cerca de 450 pessoas que viviam no Brasil, fossem elas nascidas aqui ou residentes.

Fontes: Francisco A. Varnhagen, *Excertos de várias listas de condenados pela Inquisição de Lisboa*; Lina Gorenstein Silva, *Heréticos e impuros.*

Ângela Maria (1928-)

Cantora.

Abelim Maria da Cunha nasceu em Macaé (RJ), em 13 de maio de 1928, filha de um pastor protestante. Passou a infância nas cidades da Baixada Fluminense e desde menina cantava em coro das igrejas, ao lado de seus irmãos. Pobre, muito cedo começou a trabalhar como operária tecelã, enquanto sonhava em ser cantora do rádio; mas a sua família, muito religiosa, opunha-se a que ela seguisse uma carreira artística.

No final dos anos 40 começou a freqüentar programas de calouros, que na época eram extremamente populares no Brasil. Usava o nome artístico de Ângela Maria para não ser descoberta pela família. Nesta época, participou de programas musicais — como *Pescando Estrela*, *Hora do Pato*, o de Jorge Curi e o de Ari Barroso — de diversas emissoras cariocas. A freqüência com que participou desses programas tornou sua voz conhecida do público. Deixou o emprego como operária de uma fábrica de lâmpadas e resolveu enfrentar a família e tentar a vida como cantora.

Em 1948, conseguiu o primeiro trabalho como *crooner* no Dancing Avenida, na avenida Rio Branco, centro do Rio de Janeiro. Sua atuação nesta casa de espetáculos foi observada pelos compositores Erasmo Silva e Jaime Moreira Filho que, impressionados com a sua voz, apresentaram-na a Gilberto Martins, diretor da Rádio Mayrink Veiga. Aceita nesta emissora, passou a interpretar músicas de Othan Russo e Ciro Monteiro, alcançando grande sucesso junto ao público. A importância de seu encontro com esses compositores está no fato de que ambos permitiram a Ângela criar um repertório pessoal.

No ano de 1951, já firmada como cantora, gravou seu primeiro disco, *Sou feliz*, título da principal canção. A partir de 1953, lançada pelo selo Copacabana, fez enorme sucesso nas emissoras de rádio, apresentando-se nos programas mais populares. Em 1954 foi eleita Rainha do Rádio e ganhou do presidente Getúlio Vargas o apelido de Sapoti, "por sua cor e voz, doces como sapoti". Nos anos 60, Ângela Maria gravou, com muita repercussão, a canção "Gente humilde" de Garoto e Vinícius de Moraes. Seus maiores sucessos, porém, são "Ave Maria do morro", de Herivelto Martins, e "Babalu", de Liro de Sousa e Correia da Silva.

O advento da televisão deslocou o interesse do grande público para o novo veículo, afastando as platéias dos programas de rádio, que foram desaparecendo, um a um. Desta forma, Ângela Maria, como tantas outras importantes cantoras do rádio, teve a sua carreira ofuscada pelos novos tempos da TV. Permanece, contudo, uma referência no cenário musical do país e mantém uma legião de fãs, que compram seus discos e assistem às suas apresentações.

Fontes: *Enciclopédia da música brasileira: popular, erudita e folclórica;* Teresa Cristina Tesser, *De passagem pelos estúdios: a presença feminina no início do rádio no Rio de Janeiro e São Paulo — 1923 a 1943.*

Ângela Rodrigues (séc. XVI)

Sesmeira, colonizadora do Rio de Janeiro.

Nasceu em meados do século XVI em Portugal. Solicitou, juntamente com seu companheiro Miguel Gonçalves, ao governador Salvador Corrêa de Sá a doação de uma sesmaria nos arredores da cidade de São Sebastião do Rio de Janeiro, "desta costa do Brasil", conforme diz o texto da carta de doação, datada de 9 de março de 1579. Este mesmo documento revela que Ângela e Miguel haviam passado primeiro pela capitania de São Vicente antes de buscarem se estabelecer no Rio de Janeiro. Em São Vicente, a exemplo de outros casos semelhantes, o casal encontrou dificuldades para ter acesso a um pedaço de terra que já não estivesse ocupado e onde pudessem fazer suas roças.

A terra obtida no Rio de Janeiro por meio de solicitação ao governador, com a dimensão de 2.000 braças de comprimento, por 1.000 braças de altura — algo correspondente a 2,42 quilômetros quadrados —, localizava-se em Tapacurá. Segundo o documento de doação, as terras estavam isentas de tributos, exceto o dízimo pago ao rei, o qual incidia sobre o tamanho da propriedade e sobre a produção.

Apesar de as petições apresentadas pelos moradores, com vistas a obter terras, geralmente mencionarem a necessidade de sustentar mulher e filhos, o nome de Ângela Rodrigues é o único nome feminino citado em um conjunto de 55 casos de doações de sesmarias no século XVI na capitania do Rio de Janeiro cujos documentos foram preservados. Essas sesmarias foram concedidas entre 1573 e 1579 pelos governadores Cristóvão de Barros, Antônio Salema e Salvador Corrêa de Sá, que nesses anos administraram a capitania.

Como contexto social maior onde o caso de Ângela Rodrigues se insere, lembremos que a luta para expulsar os franceses, que haviam se infiltrado no litoral de Cabo Frio e firmado aliança com os índios Tamoios, foi árdua. Assim, o governo português necessitou arregimentar maior contingente de homens e adotou como solução fazer com que os colonos da capitania de São Vicente se deslocassem para o Rio de Janeiro, oferecendo-lhes promessas de benefícios, principalmente terras. Portanto, as doações de sesmarias, como a de Ângela Rodrigues e Miguel Gonçalves, representam uma forma encontrada para recompensar os colonos que tomaram parte nas expedições militares portuguesas contra os franceses, assim como atendia ao interesse de consolidar a ocupação do território por súditos do rei de Portugal.

Fontes: Biblioteca Nacional, *Documentos históricos: tombo das cartas de sesmarias do Rio de Janeiro, 1573-1579*; Francisco A. Varnhagen, *História geral do Brasil*.

Angelina Gonçalves (?-1950)

Operária e vítima da repressão policial.

Foi assassinada em uma manifestação no dia do trabalho, em Porto Alegre (RS). Carregava um cartaz com os dizeres "O Petróleo é Nosso" quando foi baleada pela polícia, juntamente com mais três companheiros. Caiu ao chão enrolada com a bandeira do sindicato.

A campanha "O Petróleo é Nosso", de grande adesão popular, buscou promover o debate na sociedade brasileira em torno da indústria petrolífera, tomando como princípio que o petróleo era um produto de segurança nacional. No bojo da campanha, as correntes de pensamento nacionalista argumentavam que era preciso desenvolver a produção e o refino interno de petróleo para que o país se tornasse soberano neste campo. O movimento resultou na criação da Petrobrás.

A campanha pelo petróleo teve como uma das organizações promotoras a Federação de Mulheres do Brasil* e as palavras de ordem que motivavam os militantes ganharam a adesão do povo de norte a sul do país.

Naquele 1º de maio de 1950, as mulheres e os trabalhadores organizaram protestos nacionais contra a exploração do petróleo brasileiro por empresas estrangeiras e a morte trágica de Angelina Gonçalves marcou esse momento histórico.

Fontes: Ana Montenegro, *Ser ou não ser feminista*; Coleção Antonieta Campos da Paz.

Anísia Ferreira Campos (séc.XX)

Sufragista.

Pleiteou o seu alistamento como eleitora na Bahia, fato que foi noticiado pelo jornal *A Tarde* na edição de 9 de dezembro de 1919. Como centenas de outras mulheres de sua geração, procurou todos os meios legais para romper com o entendimento que a Justiça vinha tendo até então de que o voto feminino era inconstitucional. Decorreram mais treze anos de muitas lutas das brasileiras até que um decreto do presidente Vargas, em 1932, garantisse o exercício da cidadania feminina.

Fonte: Ana Alice A. Costa, *As donas no poder*.

Anita Garibaldi (1821-49)

Heroína.

Ana Maria de Jesus Ribeiro nasceu no dia 30 de agosto de 1821 em Laguna, na então província de Santa Catarina, numa das três localidades chamadas Morrinhos, nas quais, por coincidência, seus pais tiveram residência. Na época, pertenciam a Laguna: Fazenda Morrinhos, hoje município de Lages, Morrinhos do Mirim, atual município de Imbituba (a mais provável, segundo declarações de parentes e moradores da localidade e registros da história oral), e Morrinhos, que hoje pertence ao município de Tubarão.

Filha de Maria Antonieta de Jesus, natural de Lages (SC), e de Bento Ribeiro da Silva, natural de São José dos Pinhais (PR), tropeiro condutor de gado e lavrador.

Aos 12 anos, por motivo de desafeto com um membro de uma das famílias do lugarejo, mudou-se para a localidade de Carniça, no município de Laguna. Com a morte do pai e dos três irmãos, casou-se aos 14 anos, no dia 30 de agosto de 1835, com o sapateiro Manuel Duarte de Aguiar, que tinha o dobro de sua idade. Mas aos 17 anos rompeu com o casamento.

Os gaúchos, desde 1835, estavam em luta aberta contra o Império, chefiados por Bento Gonçalves. Este episódio é conhecido como Farroupilha ou Guerra dos Farrapos, e irrompeu nas terras do Rio Grande do Sul, se espalhando para o sul da província de Santa Catarina. Os revoltosos pretendiam proclamar a República no Brasil, e Bento Gonçalves era o presidente da República de Piratini, como era designado o governo farrapo. Como a saída para o mar estava bloqueada pela esquadra imperial no porto de Rio Grande, os rebelados, contando com a simpatia do povo de Laguna, dirigiram seus barcos para aquela vila. O problema era que o equipamento devia seguir por terra. A estratégia foi adotada e as tropas, sob o comando do italiano Giuseppe Maria Garibaldi, idealista das causas da liberdade que havia oferecido seus serviços aos revoltosos do Rio Grande do Sul, seguiu para esse porto. Garibaldi e seus homens, auxiliados por umas cem juntas de bois, haviam conseguido levar do riacho Capivari (próximo de Porto Alegre) até a lagoa do Tramandaí, sob rodados, dois lanchões, *Seival* e *Farroupilha*, os quais foram colocados a flutuar seguindo para o norte da província em busca do cabo de Santa Marta. Chegaram à enseada de Laguna e, ocultos, aguardaram a chegada das tropas farroupilhas chefiadas por David Canabarro e Joaquim Teixeira Nunes. Travaram-se alguns combates navais e em terra e, finalmente, no domingo, 22 de julho de 1839, Laguna foi tomada, depois da retirada das tropas legais comandadas por Vicente Paulo de Oliveira Vilas-Boas, e a República Juliana foi proclamada a 29 de julho do mesmo ano.

Garibaldi ficou a bordo da escuna *Itaparica*, ancorada em frente às poucas casas da Barra, lugar onde moravam parentes da mãe de Anita, e onde constantemente ela ia em visita. Anita conheceu Garibaldi quando este foi convidado a ali tomar café. Apaixonaram-se à primeira vista, e dias depois e acertaram o plano de fuga. Assim, a 20 de outubro de 1839, Anita decidiu seguir Garibaldi, subindo a bordo do navio *Rio Pardo*, para uma expedição até Cananéia. A lua-de-mel foi muito atribulada devido aos combates, nos quais Anita participou com muita energia. Garibaldi escreveu nas suas *Memórias*: "Durante aquela luta provei a mais viva e cruel emoção de minha vida, enquanto Anita, sobre a proa do barco, com o sabre na mão, encorajava nossos marinheiros, uma bala de canhão arremessou ao chão outros dois. Dei um salto para junto dela, pensando encontrar um cadáver; ao em vez, ela levantou-se rápido, sã e salva, enquanto os dois homens caídos entre ela estavam mortos. Dei-lhe ordem para descer para o interior do barco — Sim desço, me respondeu, — mas para trazer fora os covardes que ali se esconderam!"

Anita confirmou sua coragem e amor heróico a Garibaldi e à causa republicana na batalha naval de Laguna contra Frederico Mariath. Corajosamente fez uma travessia num pequeno escaler para transportar munições até a área de combate. Com o fim da efêmera República catarinense, chamada Juliana, as forças farroupilhas seguiram em retirada para o sul, subindo a serra. Anita combateu ao lado de Garibaldi em Santa Vitória, na batalha de Curitibanos. Foi feita prisioneira de Melo Albuquerque. Encontrado o poncho de Garibaldi, as forças legais o deram como morto. Anita conseguiu licença para procurar seu corpo no campo de batalha. Não o achando, supôs que ele tinha ido para o Rio Grande. Conseguiu um cavalo e fugiu embrenhando-se na mata; atravessou o rio Canoas grudada à crina do cavalo, estando grávida de quatro meses. Encontrou Garibaldi e foram para Mostarda, região da lagoa dos Patos, onde nasceu seu primeiro filho, Menotti. Tendo Garibaldi se ausentado, Pedro de Abreu, o comandante das forças imperiais, empreendeu um ataque noturno a sua casa. Anita estava com 12 dias do parto e foi obrigada a fugir a cavalo com seu filho recém-nascido. Reencontrou-se com Garibaldi e seguiram em retirada pelo rio das Antas. Em 1841, Garibaldi foi dispensado por Bento Gonçalves e recebeu como pagamento pelos serviços prestados cerca de 900 animais. A família Garibaldi seguiu pelos pampas gaúchos com destino ao Uruguai, chegando ao país vizinho após percorrer 120 léguas em 50 dias. Deram-se conta, então, de que do gado que haviam recebido quase nada sobrara. Garibaldi passou a lecionar matemática, história e caligrafia e Anita costurava para complementar o orçamento doméstico, enquanto aprendia a ler e escrever.

No dia 26 de março de 1842, Garibaldi e Anita, já viúva do primeiro marido, casaram-se na Igreja de São Bernardino, em Montevidéu, legalizando sua situação. Ela tinha 21 anos. Foi celebrante o padre D. Zenon Aspiazú e testemunhas Paulo Semidei e Dona Feliciana Garcia Billegas.

Em Montevidéu, Anita teve mais três filhos: Rosita, Teresita e Ricciotti. Nessa época, o general Juan Manuel Rosas ameaçava a independência do Uruguai e Garibaldi foi convidado a cooperar com o presidente Fructuoso Rivera, maior inimigo de Rosas. Garibaldi foi nomeado coronel do Exército e comandante da Esquadra Oriental. Criou a Legião Italiana, vestida de uniformes vermelhos, e obteve várias vitórias. Anita foi incorporada como enfermeira da Legião, logo depois da morte de sua filha Rosita, aos dois anos e meio.

Em dezembro de 1847, Garibaldi resolveu mandar sua família para a Itália. No dia 2 de março de 1848, Anita e os três filhos foram recebidos no porto de Gênova pela mãe e por amigos de Garibaldi. O jornal *La Lega Italiana* noticiou assim a chegada: "Ontem chegou a este porto a esposa do general Garibaldi com seus filhos. Nessa ocasião lhe foi oferecida uma bandeira tricolor italiana em homenagem." Numa carta ao amigo Stefano Antonini, Anita assim narrou os acontecimentos: "Estimado Senhor, tenho o prazer de lhe dar notícia da minha chegada feliz a Gênova. (...) Tenho sido festejada pelo povo genovês de modo extraordinário. Mais de três mil pessoas vieram gritar em frente à casa `Viva Garibaldi! Viva a família de nosso Garibaldi'."

Garibaldi voltou para a Itália e as lutas pela unificação e emancipação do território italiano absorveram-no inteiramente. Em meados de 1849, Anita, sabedora da situação difícil do marido, sitiado em Roma pelos franceses, deixou seus filhos aos cuidados da sogra e foi ao encontro dele, participando da célebre retirada de Roma. Brava lutadora, grávida de seis meses, já bastante adoentada, com febre, não aceitou ficar em San Marino, em casa de amigos, para acompanhar o marido, que resistia com poucos homens às tropas austríacas. Estas prometiam pena de morte para quem ajudasse Garibaldi. Depois de uma epopéia de fugas espetaculares, com a saúde de Anita já muito debilitada, o casal chegou à fazenda Guiccioli, em Mandriole, onde ela morreu no dia 4 de agosto de 1849.

Sobre a perda da mulher, Garibaldi escreveu em suas *Memórias*: "Eu chorei amargamente a perda de minha Anita. Aquela que foi companheira inseparável nas mais aventurosas circunstâncias de minha vida." Com a aproximação dos austríacos, o major Leggero insistiu que Garibaldi partisse imediatamente.

Stefano Ravaglia, feitor da fazenda Guiccioli providenciou o enterro de Anita num pasto próximo da casa Motte della Pastorara. Dias depois do enterro, uma menina que brincava no lugar descobriu uma mão aflorando na terra. Os camponeses chamaram a polícia, um juiz e um médico para examinar o cadáver, que foi, por fim, entregue para sepultamento ao pároco de Mandriole, D.Francesco Burzatti. O cuidadoso páraco providenciou o registro do sepultamento dos restos mortais daquela mulher, de modo que, posteriormente, ela pudesse ser identificada.

Quase 10 anos depois, às vésperas da Revolução de 1859, Francesco Manetti, que havia estado com Garibaldi, Leggero e o dr. Nannini, no dia da morte de Anita, temendo represálias, providenciou junto com o padre Burzatti e Pietro Fabbri a exumação dos restos mortais e colocou-os na sacristia, dentro da própria igreja de Mandriole. Dois meses depois Garibaldi, no seu giro triunfal, foi a Mandriole com os filhos Menotti e Teresita e levou os ossos de Anita, num cortejo solene por Ravena, Bolonha, Livorno e Gênova, para depositá-los em Nice (ainda italiana), no túmulo de sua mãe Rosa Raimond, falecida em 1852.

Em 1931, Nice já pertencia à França. O governo italiano, em acordo com o francês, exumou os restos mortais de Anita e os levou para Gênova, enterrando-os provisoriamente no cemitério de Staglieno. Finalmente, em 2 de junho de 1932, em solenidade oficial do governo italiano, na presença de Benito Mussolini, os restos mortais de Anita foram depositados à base do monumento eqüestre levantado em honra da heroína na Piazzale Anita Garibaldi, em Roma.

Em sua homenagem, foram construídos, além do monumento de Roma, um em Ravena e outro em Nice, França. No Brasil, em 1912, foi feito um primeiro movimento cívico para promover o traslado dos restos mortais de Anita Garibaldi. A 20 de setembro de 1913, inaugurou-se em Belo Horizonte um busto da heroína em bronze. Nos anos 1950, um segundo movimento de recuperação da memória de Anita Garibaldi teve lugar no Brasil e atingiu seu auge com a inauguração de um monumento na praça República Juliana, em Laguna (SC). Também foram erigidos monumentos em Porto Alegre e Florianópolis.

Em 1998, a cidade de Laguna tomou a iniciativa de repatriar os restos mortais de Anita e iniciar o processo de reconhecimento judicial do registro civil de Ana Maria de Jesus Ribeiro como natural de Laguna. Foram criados também um museu e uma fundação cultural em sua homenagem. Anita Garibaldi é conhecida como "a heroína de dois mundos".

Fontes: Adalzira Bittencourt, *Dicionário biobibliográfico de mulheres ilustres, notáveis e intelectuais do Brasil*; Anita Garibaldi (bisneta), *Anita Garibaldi: a mulher do general*; Carlos Augusto de Campos, *As heroínas do Brasil*; Chiquinha Neves Lobo, *Vultos célebres*; G. Garibaldi e Alexandre Dumas, pai, *Memórias*; Henrique Boiteux, *Anita Garibaldi...*; Jessie W. Mario, *Garibaldi i suoi tempi*; *Mulher*, 30.5.1982; Yvonne Capuano, *De sonhos e utopias... Giuseppe e Anita Garibaldi* • Colaboração especial de Antônio Carlos Marega.

Anita Malfati (1889-1963)

Artista plástica.

Nasceu em 2 de dezembro de 1889, em São Paulo (SP). Anita Catarina era filha de Elizabeth Krug Malfati, filha de imigrantes alemães estabelecidos em Campinas, e de Samuel Malfati, um engenheiro italiano. Seus familiares tinham deixado a Europa em decorrência das posições políticas republicanas que defendiam. Anita nasceu com uma má-formação na mão e no braço direito. Foi levada pelos pais para a Itália, onde foi operada. Contudo, jamais conseguiu se recuperar plenamente e, em razão disso, foi obrigada a dominar o uso da mão esquerda.

Com a morte do pai, mudou-se com a mãe para Campinas. Anita deixou o Colégio São José, na capital paulista, e ingressou na Escola Americana e no Mackenzie College. A ida para Campinas colocou-a sob a influência da cultura dos avós, protestantes e ligados aos Estados Unidos.

Iniciou seu aprendizado artístico com a mãe, Betti Malfati, que ministrava aulas particulares de pintura. Em 1907, formou-se pelo Mackenzie College e passou a lecionar artes plásticas para crianças, auxiliando no sustento da família.

No final de 1910, viajou para a Alemanha. Matriculou-se na Academia Real de Berlim, freqüentando aulas de desenho, perspectiva e história da arte, sob a orientação de Bischoff Cuim e Fritz Brugger, que a influenciou particularmente no que se refere ao uso das cores. Anita passou a explorá-las independentemente do modelo, segundo as novas teorias de percepção dos impressionistas e pós-impressionistas. No verão de 1912, visitou uma exposição na cidade de Colônia que a marcou profundamente, sobretudo pela utilização de cores primárias. No ano de 1913, freqüentou o ateliê do artista Lovis Corinth, regressando ao Brasil no ano seguinte.

Ao voltar, Anita realizou uma pequena exposição, que passou desapercebida pela crítica. Apoiada pelo tio, Georg Krug, seguiu pouco depois para os Estados Unidos, onde estudou no Art Students League e na Independent School of the Arts, de Nova York. Nessa escola, dirigida pelo filósofo e pintor Homer Boss, encontrou o ambiente de liberdade de criação que tanto desejara. A pintura que então produziu é dramática, colorida e expressionista. São exemplos dessa fase o quadro *Torso* e os retratos *A estudante* e *O japonês* (1915/1916).

Voltou ao Brasil e, em dezembro de 1917, realizou a memorável Exposição de Pintura Moderna — Anita Malfati. A mostra recebeu do escritor Monteiro Lobato uma crítica violenta, que teve reação correspondente; um grupo de intelectuais e artistas modernistas se uniu à pintora e, pouco depois, Oswald de Andrade, Menotti del Picchia e Mário de Andrade publicaram artigos em sua defesa.

Anita foi uma das participantes da histórica Semana de Arte Moderna de 1922, tendo, inclusive, elaborado o desenho de abertura do Catálogo da Exposição. Em 1923, seguiu para a França com bolsa de estudos do governo do estado de São Paulo. Fixou-se em Paris, onde freqüentou cursos livres de desenho, travando contato com Léger, Matisse e Fujita, além de participar dos salões de Outono, dos Independentes e das Tuilleries e realizar mostra individual em novembro de 1926.

Retornou ao Brasil em 1928, já reconhecida, e passou a lecionar desenho no Colégio Mackenzie e na Associação Cívica Feminina, em São Paulo. A mostra individual por ela realizada em fevereiro de 1929 recebeu, dessa vez, comentários favoráveis da crítica. Em 1930, participou da Exposição da Casa Modernista, ainda ligada ao grupo da Semana de 1922. Deixou o cargo de professora da Associação Cívica Feminina em 1933, dedicando-se ao ensino em seu próprio ateliê e no Colégio Mackenzie. Por volta de 1935, sua pintura ingressou em nova fase, menos contundente que a da juventude e distante das polêmicas da vanguarda. Ligou-se à Família Artística Paulista, expondo nas três coletivas do grupo (1937, 1939 e 1940). Presidiu o Sindicato dos Artistas Plásticos em 1941.

Durante a Segunda Guerra, promovia excursões com os alunos em Embu, nos arredores de São Paulo. O resultado foram telas que retratam a paisagem e os tipos humanos da região, como *Cambuquira* e *O poeta*. Nos anos 50, Anita foi gradualmente se afastando do meio artístico. Em 1952, deixou o ateliê que mantinha na rua Ceará e dedicou-se a pintar, de forma ingênua e primitiva, tipos, festas populares e temas religiosos. O título da mostra individual que fez em 1955 reflete o seu estado de espírito: "Tomei a liberdade de pintar a meu modo". Vivia ora numa chácara nos arredores de São Paulo, ora no apartamento da capital, e pintava cada vez menos. Realizou a última individual em 1963, ano em que foi homenageada com a Sala Especial na VII Bienal de São Paulo.

Faleceu na capital paulista, no dia 6 de novembro de 1963, e o acervo de seus documentos pessoais está preservado no Instituto de Estudos Brasileiros da Universidade de São Paulo (USP).

Fontes: Marta Rossetti Batista, *Anita Malfati e seu tempo*; Museu de Arte Contemporânea da USP, *Catálogo da Exposição Anita Malfati*; Walmir Ayala (org.), *Dicionário brasileiro de artistas plásticos*.

Antônia (séc.XVII)

Índia potiguara, líder de aldeia.

No início do século XVII, missionários católicos encontraram, numa aldeia próxima à lagoa dos Guarairás, no Rio Grande do Norte, uma forte liderança feminina que, segundo relatos, governava sua aldeia. Antônia converteu-se ao cristianismo e casou-se no ritual católico com um homem de sua tribo, com o qual já vivia havia muito tempo de acordo com a tradição indígena.

Fonte: Gustavo Geraldo de Almeida, *Heróis indígenas do Brasil — memórias sinceras de uma raça.*

Antônia Chaves (séc.XVIII)

Senhora de escravos índios.

O registro da vida de Antônia Chaves, moradora da capitania de São Paulo, nos chega através do seu inventário. Sabe-se que era proprietária de 15 escravas índias, 11 das quais faziam serviços domésticos, o que contrariava os padrões de uma época em que os indígenas capturados deviam servir aos senhores nas tarefas agrícolas de plantar e fiar algodão, bem como no cultivo de gêneros de subsistência.

Por volta da segunda metade do século XVIII, começava a se firmar a presença de escravos africanos na região paulista, como decorrência das restrições legais impostas pelo governo português à escravidão indígena.

Embora a maioria das índias permanecesse no trabalho agrícola — a maior parte dos homens era alocada pelos paulistas no transporte e no apresamento de índios no interior. O inventário de Antônia demonstra a preferência por mulheres índias no serviço doméstico.

Fonte: John Manuel Monteiro, *Negros da terra: índios e bandeirantes nas origens de São Paulo.*

Antônia de Meneses (séc.XVIII)

Senhora de engenho.

Vivia na região do Recôncavo baiano no século XVIII. Como era usual às mulheres do seu tempo, recebeu a responsabilidade de administrar a propriedade após a morte de seu marido, Bernadino Cavalcante de Albuquerque. Sabe-se que, no ano de 1757, Antônia de Meneses respondia pelo controle de um engenho onde viviam 130 pessoas, entre membros da família, agregados e escravos. Esse era um grande empreendimento mercantil e Antônia demonstrou que podia gerir seu patrimônio, rompendo com a frágil posição da mulher na época colonial.

Fonte: Susan Soeiro, *The Social and Economic Role of the Convent: Women and Nuns in Colonial Bahia, 1677-1800.*

Antônia Fernandes, a Nóbrega (séc.XVI)

Degredada e acusada de feitiçaria.

Portuguesa, foi condenada com a pena de degredo para o Brasil por prostituir a própria filha, Joana Nóbrega.

Consta dos documentos inquisitoriais da visita do Tribunal do Santo Ofício à Bahia entre 1591 e 1593, que Antônia ensinava e praticava atos de magia em Salvador. Denunciada por suas clientes, contou ao Inquisidor, Heitor Furtado de Mendonça, que era especialista em fazer poções e beberagens destinadas a trazer de volta o amor perdido. Uma das misturas descritas no livro da Primeira Visitação era composta por cabelos e pêlos de todo o corpo, pedaços de unhas dos pés e das mãos, raspadura da sola dos pés e um pedaço da unha do dedo mínimo do pé da própria bruxa. Cabia à interessada reunir tudo isso e engolir a mistura que, depois, transformada em fezes, deveria retornar à feiticeira para que ela as transformasse em pó. O pó deveria ser misturado em caldo de galinha que seria servido ao homem amado. O resultado, segundo Antônia, era a paixão reacendida. Contou também que ensinava às suas clientes palavras mágicas que, pronunciadas em dados momentos, faziam a pessoa que as escutava enlouquecer de amor por quem as dizia.

Sua filha, Joana Nóbrega, foi presa pelo Tribunal de Lisboa sob a acusação da prática de prostituição, e também degredada para o Brasil.

Fontes: Emanuel Araújo, "A arte da sedução: sexualidade feminina na Colônia", in Mary Del Priore (org.), *História das mulheres no Brasil;* Ronaldo Vainfas, *Trópico dos pecados.*

Antônia Rodrigues (séc.XVI)

Índia guaianá.

Filha do cacique Piqueroby, Antônia foi batizada e se casou com o sertanista Antônio Rodrigues, companheiro de João Ramalho, como relatou a Martim Afonso de Sousa, quando este desembarcou em Bertioga em 1532. Uma das formas tradicionais de selar alianças era através do casamento dos colonos lusos com as filhas dos chefes indígenas. Antônia foi um exemplo dessa estratégia dos colonizadores.

Nos anos 1930, o genealogista Amélio Porto encontrou indícios de que a família de Getúlio Vargas seria descendente da índia Antônia e de Antônio, na 13ª geração.

Fonte: Adalzira Bittencourt, *Dicionário biobibliográfico de mulheres ilustres, notáveis e intelectuais do Brasil.*

Antonieta de Barros (1901-52)

Primeira deputada negra do Brasil.

Nasceu em 11 de julho de 1901, em Florianópolis (SC). Era filha de Catarina e Rodolfo de Barros. Órfã de pai, foi criada pela mãe. Depois dos estudos primários, ingressou na Escola Normal Catarinense.

Antonieta teve que romper muitas barreiras para conquistar espaços que, em seu tempo, eram inusitados para as mulheres, e mais ainda para uma mulher negra. Nos anos 20, deu início às atividades de jornalista, criando e dirigindo em Florianópolis o jornal *A Semana*, mantido até 1927. Três anos depois, passou a dirigir o periódico *Vida Ilhôa*, na mesma cidade.

Como educadora, fundou, logo após ter se diplomado no magistério, o Curso Antonieta de Barros, que dirigiu até sua morte. Lecionou, ainda, em Florianópolis, no Colégio Coração de Jesus, na Escola Normal Catarinense e no Colégio Dias Velho, do qual foi diretora no período de 1937 a 1945.

Na década de 30, manteve intercâmbio com a Federação Brasileira pelo Progresso Feminino* (FBPF) como revela a correspondência trocada entre ela e Bertha Lutz*, hoje preservada no Arquivo Nacional.

Na primeira eleição em que as mulheres brasileiras puderam votar e serem votadas, filiou-se ao Partido Liberal Catarinense e elegeu-se deputada estadual (1934-37). Tornou-se, desse modo, a primeira mulher negra a assumir um mandato popular no Brasil. Foi também a primeira mulher a participar do Legislativo Estadual de Santa Catarina. Depois da redemocratização do país com a queda do Estado Novo, concorreu a deputada estadual nas eleições de 1945, obtendo a primeira suplência pela legenda do Partido Social Democrático (PSD). Assumiu a vaga na Assembléia Legislativa em 1947 e cumpriu seu mandato até 1951.

Usando o pseudônimo literário de Maria da Ilha, escreveu o livro *Farrapos de idéias*. Faleceu em Florianópolis no dia 28 de março de 1952.

Fontes: Arquivo da FBPF; Maria Lúcia de Barros Mott, "Escritoras negras resgatando nossa história", in *Papéis avulsos*; Regina I. Dittrich, *O deputado catarinense*; Teobaldo Costa Jamundá e Jali Meirinho, *Nomes que ajudaram a fazer Santa Catarina*; Walter F. Piazza (org.), *Dicionário político catarinense.*

Antonieta Dias (séc.XIX)

Médica.

Nasceu em Pelotas (RS). Antonieta era filha de A.J. Dias, redator e proprietário do jornal pelotense *Correio Mercantil*. Sua formatura pela Faculdade de Medicina do Rio de Janeiro, em 1889, foi noticiada com regozijo no jornal *A Família*, pela jornalista feminista e editora Josefina Álvares de Azevedo*. Foi, junto com Amélia Pedroso Benebian*, a terceira médica formada no país e a segunda no Rio de Janeiro.

As primeiras mulheres a cursarem escolas superiores no Brasil tiveram um papel fundamental na desmistificação da idéia de que os espaços universitários deveriam ser vedados à presença feminina. Foi à custa de muito esforço que pioneiras como Rita Lobato*, Antonieta Dias e Ermelinda Lopes* abriram os portões das faculdades às mulheres.

Fonte: *A Família*, 30.11.1889.

Antonieta Penteado da Silva Prado (séc.XX)

Liderança paulista.

Participou intensamente do movimento de mulheres de São Paulo que apoiou a Revolução Constitucionalista de 1932. Quando eclodiu o conflito, Antonieta Prado liderou um manifesto público em apoio às forças paulistas, assinado por cerca de 300 outras mulheres.

Fontes: Carolina Ribeiro, *A mulher paulista em 32;* J. Rodrigues, *A mulher paulista no movimento pró-Constituinte.*

Apolônia (?-1601)

Índia.

Foi escrava do colono paulista Martim Rodrigues Tenório, conforme registro de óbitos dos escravos desse senhor.

O registro da morte de Apolônia representa a lembrança de uma dentre milhares de filhas da terra, cujo cativeiro serviu ao projeto colonizador português para o Brasil. Apolônia faleceu, pelo que se depreende dos documentos, de morte natural. Em outros termos, morreu em decorrência do tratamento "naturalmente" desumano que os colonos brancos destinavam à população escrava, fosse ela índia ou negra.

Do ponto de vista econômico, afirma o historiador John Monteiro, a morte dos índios era uma preocupação constante na vida dos colonos, devido à falta de mão-de-obra para os trabalhos das fazendas ou engenhos. Essa alta taxa de mortalidade era ocasionada tanto pela fome quanto pelas epidemias que assolavam a Colônia.

Fonte: John Manuel Monteiro, *Negros da terra: índios e bandeirantes nas origens de São Paulo.*

Apolônia de Góis (séc.XVI)

Orfã da Rainha*.

Veio para o Brasil na armada do terceiro governador-geral, Mem de Sá, em 1558. Viveu na Bahia e casou-se com Damião Lopes Mesquita.

Fonte: Afonso Costa, *As Órfãs da Rainha.*

Aqualtune (séc.XVII)

Princesa negra, escrava quilombola.

Reza a tradição que Aqualtune era uma princesa africana, filha do importante rei do Congo. Participando de combates em uma das guerras entre os diversos reinos africanos, ela liderava um exército de 10 mil guerreiros, mas foi derrotada numa batalha e aprisionada. Transformada em escrava, foi vendida e trazida ao Brasil, para o porto de Recife, principal centro produtor de açúcar e entreposto comercial da América portuguesa.

Comprada com a finalidade de ser uma escrava reprodutora, foi vendida, grávida, para um engenho de açúcar na região de Porto Calvo, no sul das terras pernambucanas. Chegando ao engenho, ouviu as histórias da resistência negra à escravidão e da estratégia usada por eles de se embrenharem no mato para fugir dos senhores. Um dos focos dessa resistência no Nordeste era o quilombo dos Palmares, não muito distante de Porto Calvo, onde um grupamento de centenas de escravos viviam livres. Aqualtune, nos últimos meses de gravidez, organizou sua fuga e de outros escravos do engenho, partindo em busca do quilombo. Este tinha uma grande dimensão territorial, com inúmeros povoados fortificados, onde os ex-escravos preparavam a organização de um estado negro naquelas terras. Mantinham as tradições africanas e seus ritos originais; assim, o governo de cada localidade era dado aos que em sua terra tinham sido chefes. Aqualtune, sendo uma princesa, teve reconhecida sua ascendência e recebeu o governo de uma aldeia, onde cada mocambo organizava-se de acordo com suas próprias regras. A tradição afirma que o famoso líder negro Ganga Zumba seria da família de Aqualtune e uma filha dela teria gerado Zumbi, lendário herói da resistência do povo negro à escravidão.

A guerra comandada pelos paulistas para destruir o quilombo de Palmares é uma das páginas mais dolorosas da história do Brasil. Em 1677, a aldeia de Aqualtune, que já estava idosa, foi queimada pelas expedições coloniais. Não se sabe a data da morte de Aqualtune, mas os quilombolas permaneceram lutando até serem finalmente derrotados, em novembro de 1695, pela bandeira do paulista Domingos Jorge Velho.

Fontes: Alzira Rufino, Nilza Iraci e Maria Rosa Pereira, *A mulher negra tem História*; *Grandes personagens da nossa História*, vol.1.

Araci Cortes (1906-85)

Cantora e atriz.

Zilda de Carvalho Espíndola nasceu em 31 de março de 1906, no bairro do Estácio, cidade do Rio de Janeiro (RJ). Filha do chorão Carlos Espíndola, morou até os 12 anos no bairro Catumbi, onde foi vizinha do compositor Pixinguinha. Aos 16 anos fez sua primeira participação no teatro de revista e aos 17 anos começou a atuar em vários circos. Cantava e dançava maxixes no Circo Democrático, da praça da Bandeira, quando foi descoberta pelo compositor Luís Peixoto e levada para o teatro musical.

Com o pseudônimo de Araci Cortes, dado por um jornalista de *A Noite*, estreou em 1922 na revista *Nós pelas costas*, de J. Praxedes, no Teatro Recreio. Fez grande sucesso nas décadas de 1920 e 1930 e lançou diversos compositores nas revistas que estrelava na praça Tiradentes, entre eles Ari Barroso, Zé da Zilda, Benedito Lacerda. No ano de 1923 já era intérprete consagrada, com o sucesso do samba "Ai, madama", incluído na revista *Que pedaço!*. Em 1928 atuou em *Miss Brasil*, de Luís Peixoto e Marques Porto, cantando "Iaiá (Linda Flor)", lembrado e gravado até os dias de hoje. Outros sucessos do mesmo ano foram "Jura", de Sinhô, e "Vamos deixar de intimidade", de Ari Barroso. Quatro anos depois apresentou-se ao lado do cantor Sílvio Caldas na revista *Angu de caroço*, de Carlos Bittencourt, Luís Iglésias e Jardel Jércolis.

Apesar da intensa atividade artística e do sucesso como atriz e cantora, Araci deixou a cena em 1943, retornando 10 anos depois, para alguns espetáculos que, apesar de bem recebidos, não a fizeram permanecer no palco por muito tempo. Em 1965, o poeta e compositor Hermínio Belo de Carvalho promoveu sua volta ao palco no show *Rosa de Ouro*, apresentado no Teatro Jovem, no Rio de Janeiro, com Paulinho da Viola e Clementina de Jesus. Para comemorar 58 anos de carreira, apresentou em 2 de novembro de 1978 o espetáculo *A eterna Araci,* no Teatro Dulcina. Em 1984, a Sala Funarte encenou *Linda Flor*, homenagem aos 80 anos de Araci Cortes, e foi lançado o livro do mesmo nome, de Roberto Ruiz. Araci morreu pobre, num pequeno quarto alugado em uma casa de cômodos, em 8 de janeiro de 1985.

Fontes: *Enciclopédia da música brasileira: popular, erudita e folclórica*; *O Estado de São Paulo*, 6.10.1984; *Folha de São Paulo*, 30.5.1984; *O Globo*, 8.1.1985; *Jornal do Brasil*, 31.12.1984; *Última Hora*, 30.9.1978.

Araci de Almeida (1914-88)

Cantora.

Nasceu em 19 de agosto de 1914 no subúrbio de Encantado, no Rio de Janeiro (RJ), e ali foi criada. Seu pai, Baltasar Teles de Almeida, era chefe de trens da Central do Brasil.

Araci Teles de Almeida iniciou seu aprendizado musical cantando hinos religiosos na Igreja Batista, da qual seu irmão Alcides era pastor. Apresentada ao compositor Custódio Mesquita por um conhecido do bairro que apreciava sua voz, foi convidada para cantar na Rádio Educadora (depois Rádio Tamoio), em 1933. No estúdio situado na rua Senador Dantas, centro do Rio, conheceu Noel Rosa, que se encantou com seu jeito de cantar. Com o tempo, Araci e Noel tornaram-se grandes amigos. Freqüentavam juntos a Taberna da Glória, os botequins da Lapa e do Estácio. Atendendo a um pedido de Noel, Araci cantou para as prostitutas do Mangue.

Seu primeiro disco, com a música "Em plena folia", foi gravado para o Carnaval de 1934 e, no ano seguinte, assinou contrato com a Rádio Cruzeiro do Sul e gravou "Seu riso de criança", de Noel Rosa, de quem se tornaria uma das principais intérpretes. Este declarou em entrevista a Orestes Barbosa que Araci era quem melhor expressava suas composições. Em 1935, lançou diversas músicas e se tornou conhecida como cantora de sambas e músicas carnavalescas, o que levou o apresentador de rádio César Ladeira a chamá-la de "O samba em pessoa".

Em 1936, gravou com grande sucesso "Palpite infeliz" e "O x do problema", de Noel. Sua interpretação da música "Camisa amarela", de Ari Barroso, é considerada por muitos conhecedores, inclusive pelo próprio compositor, uma das melhores da música popular brasileira. A admiração de Ari por Araci era tanta que lhe ofereceu para gravar "Aquarela do Brasil", mas o diretor da RCA Victor não aceitou a indicação.

Trabalhou, entre 1948 e 1952, na boate Vogue, cantando o repertório de Noel Rosa, que morrera em 1937 e passara seus últimos anos no esquecimento. O sucesso do show e a procura das músicas nas lojas de discos garantiu a gravação de dois álbuns lançados pela Continental, em 1950 e 1951.

Ainda na década de 1950, mudou-se para São Paulo (SP), onde viveu durante 12 anos. Em 1955, trabalhou no filme *Carnaval em lá menor*, de Ademar Gonzaga, e lançou novo disco com músicas de Noel, acompanhada pela orquestra de Vadico. Lançou, em 1958, novo LP, chamado *O samba em pessoa.* Em 1964, apresentou-se com Sérgio Porto e Billy Blanco na boate Zum-Zum, no Rio de Janeiro, onde continuou fazendo shows no ano seguinte.

Em 1967, foi a vez do disco *Samba é Araci de Almeida*; em 1969, participou em São Paulo do show *Que maravilha!,* ao lado de Jorge

Ben, Toquinho e Paulinho da Viola. Por longos anos foi jurada do programa do Chacrinha na Rede Globo e do programa de calouros de Silvio Santos, na TVS. Araci gravou mais de 400 composições.

Faleceu no dia 20 de junho de 1988.

Fontes: *Enciclopédia da música brasileira: popular, erudita e folclórica;* J. Máximo e C. Didier, *Noel Rosa — uma biografia*; Sérgio Cabral, *No tempo de Ari Barroso.*

Arcelina Mochel (1918-74)

Política e feminista.

Nasceu em 27 de outubro de 1918, em São Luís (MA). Arcelina Mochel Goto era filha de Ercília Rodrigues Mochel e de José Augusto da Silva Mochel, oficial da Polícia Militar do Maranhão e descendente de alemães. Era uma família numerosa, de oito irmãos. O pai incentivava os filhos a estudarem e dizia: "Olha, vocês tratem de estudar porque somos muito pobres e cada um tem de ter a sua profissão". Cedo ficaram órfãos, mas seguiram as recomendações do pai e todos, homens e mulheres, fizeram faculdade, o que era raro para a época.

Arcelina estudou no Liceu maranhense, fez a Escola Normal e cursou a Faculdade de Direito do Maranhão. Ainda estudante, aos 19 anos, ocupou interinamente o cargo de promotora pública nas comarcas de São Bento e Coroatá, onde fundou uma revista jurídica. Era uma atitude audaciosa, já que as mulheres, sobretudo no interior do país, dificilmente exerciam profissões até então predominantemente masculinas. Bacharelou-se em direito em 1938 e inscreveu-se em um concurso público para promotor, na mesma cidade em que havia trabalhado. Tirou o primeiro lugar, mas por motivos políticos, seu nome foi preterido em favor do segundo colocado. Indignada, decidiu tentar a sorte no Rio de Janeiro em fins de 1943.

Chegando na capital, se aproximou da militância de esquerda e engajou-se na luta pela democracia. Dona de excelente oratória, Arcelina destacou-se tanto na vida profissional como nos meios políticos. Empolgou-se com as questões sociais e sobretudo pela causa da libertação feminina. Dirigiu a revista *Continental,* integrou o movimento de mulheres de esquerda e foi uma das fundadoras, em 24 de junho de 1947, do jornal *Momento Feminino,* que durante 10 anos circulou nacionalmente com grande sucesso. Sustentado basicamente pelas mulheres comunistas, este periódico estava voltado para a defesa da cidadania feminina, além de lutar contra a carestia e a defesa da paz. A importância de Arcelina no quadro político do Partido Comunista Brasileiro (PCB) foi consolidada ao se eleger, com a expressiva votação de 3.704 votos, para a Câmara Municipal do Distrito Federal, nas eleições de 19 de janeiro de 1947.

Foi líder da bancada comunista e presidente da Comissão de Administração e Assistência Social da Câmara dos Vereadores da cidade do Rio de Janeiro. A carreira política de Arcelina mudou, em maio de 1947, quando o Supremo Tribunal Federal decidiu cassar o registro do PCB, com base em denúncias apresentadas por dois obscuros deputados do Partido Trabalhista Brasileiro (PTB).

Em janeiro de 1948, completaram-se as medidas que levaram o partido à ilegalidade. Uma lei aprovada no Congresso Nacional determinou a cassação dos mandatos dos deputados, senadores e vereadores eleitos pela legenda do PCB. A repressão ao partido não impediu que seus militantes, embora na clandestinidade, continuassem na luta. Arcelina manteve uma intensa atividade política nos anos seguintes, tendo privilegiado a luta pelos direitos femininos, planejando e criando muitas organizações de mulheres nos bairros da então capital federal. Em artigo na revista *Momento Feminino*, de 1947, Arcelina reafirmava sua crença nestas organizações comunitárias, referindo-se à importância dos 43 núcleos já existentes. Estes comitês disseminaram-se por todo o país, mostrando a efervescência do movimento de mulheres daqueles tempos. Sob a liderança de Arcelina, um grupo de intelectuais aglutinou-se em torno da revista e acabaram por fundar, em 1949, a Federação de Mulheres do Brasil*, uma instituição nacional que congregou organizações de mulheres de 11 estados brasileiros. Eleita como primeira secretária-geral, viajou o Brasil inteiro difundindo a causa das mulheres e a democracia. Ainda como representante da Federação de

Mulheres do Brasil, participou de vários congressos na Europa. Seu empenho com a causa política era tão grande que, no início dos anos 50, chegou a viajar para um desses congressos internacionais, grávida de oito meses. Seus vibrantes discursos e suas teses foram sempre muito aplaudidos e defendidos por conter reivindicações justas desejadas pelas brasileiras e apreciadas pelas mulheres do mundo inteiro: "O caminho que temos que percorrer é ainda muito difícil e a nossa luta só cessará quando conquistarmos a nossa liberdade."

A luta das mulheres contra a alta dos preços foi tão eficaz que no início dos anos 50 o governo Vargas criou a Superintendência Nacional do Abastecimento (Sunab) para fiscalizar os aumentos abusivos. A fundação dessa agência governamental foi uma resposta à reivindicação encaminhada ao governo pela Federação de Mulheres do Brasil e pelos núcleos regionais, como solução para o problema inflacionário. Arcelina esteve à frente desses movimentos e foi um exemplo de coragem e vontade política para as militantes do PCB. Também atuou intensamente na campanha do petróleo, na campanha pela anistia aos presos políticos de 1945 e no movimento contra a Lei de Segurança Nacional. Apoiou a Força Expedicionária Brasileira que foi à Itália lutar contra o nazi-fascismo.

Depois do golpe militar em 1964, afastou-se da militância partidária. Dificuldades familiares e doenças fizeram-na recolher-se, mas mesmo assim, nesses anos de chumbo, abrigou amigos perseguidos e recebeu personalidades políticas e intelectuais em sua casa.

Foi casada com o cientista Masao Goto, da Fundação Oswaldo Cruz (Fiocruz), cassado pela ditadura militar no famoso episódio conhecido como Massacre de Manguinhos, quando vários cientistas da Fiocruz foram demitidos por motivos políticos. Juntos, tiveram seis filhos.

Faleceu no Rio de Janeiro, em agosto de 1974, vitimada por um aneurisma cerebral.

Fontes: Ana Maria Rocha, *Momento feminino — Arcelina Mochel*; Ana Montenegro, *Mulheres — participação nas lutas populares* e *Ser ou não ser feminista*; Coleção Antonieta Campos da Paz; Maria Amélia A. Teles, *Breve história do feminismo no Brasil*; *Presença da Mulher*, out-dez 1987; TSE, *Dados eleitorais*; Entrevista concedida por Rosa Mochel (filha) e Dinah Mochel (irmã) a Hildete Pereira de Melo em 16.7.1999.

Argentina Barbosa Viana Maciel
(1888-1970)
Compositora, pianista, professora.

Nasceu em 7 de março de 1888, em Recife (PE). De família culta, seu pai foi o escritor e poeta Antônio Joaquim Araújo Maciel. Fez estudos musicais com Teresinha Dinis, uma das mais reconhecidas professoras de piano de Recife, entre 1902 e 1908, apresentando-se, ainda estudante, no teatro Santa Isabel. Em 1910 casou com José do Rego Araújo Maciel, mudando-se para Pesqueira (PE), onde passou a incentivar o movimento artístico local. Foi organista da igreja matriz (depois Catedral de Santa Águeda), fundou uma escola de piano e encenou operetas.

Ensinou música e dedicou-se à composição, escrevendo valsas e *pas-de-quatre* (muito em voga na época), além de música sacra composta para festas religiosas locais. Sua primeira obra impressa, datada de 1915, era uma valsa chamada "Meu amor". Escreveu também "Bela hespéria", "Que saudade", "Pobre sertão", que foram apresentadas durante o I Ciclo de Música Pernambucana para Piano em Recife (1980). É autora de uma coletânea de valsas, *Pérolas do cinema*, cujos títulos eram nomes de artistas consagrados da cinematografia. Também pintava e escrevia poesias. Faleceu em Olinda (PE), em 12 de janeiro de 1970.

Fontes: Eli Maria Rocha, *Nós, as mulheres; Enciclopédia da música brasileira: popular, erudita e folclórica*.

Arlete Pinheiro Esteves da Silva *ver* FERNANDA MONTENEGRO

Armanda Álvaro Alberto (1892-1967)
Educadora e ativista política.

Nasceu em 10 de junho de 1892, no Rio de Janeiro (RJ). Era filha de Maria Teixeira da Mota e Silva e do cientista Álvaro Alberto da Silva.

Em 1919, o irmão, Álvaro Alberto da Mota e Silva, também cientista, foi transferido para Angra dos Reis (RJ) e Armanda decidiu acompanhá-lo. Nesta cidade, passou a lecionar para as crianças locais, ensinando-lhes a ler e escrever, numa tentativa de suprir a falta de escolas na cidade. No ano de 1921, usando a experiência que adquirira em Angra, Armanda resolveu fundar a Escola Proletária de Meriti, em Duque de Caxias (RJ). Em um prédio anexo à escola criou a Biblioteca Euclides da Cunha, aberta ao público, o que foi uma experiência pioneira na região.

Na sua luta pela melhoria da educação no Brasil, Armanda participou do movimento pela criação, em 1924, da Associação Brasileira de Educação (ABE). Em dezembro de 1927, na primeira Conferência Nacional de Educação, realizada em Curitiba, o Conselho Diretor dessa associação concedeu à Escola Regional de Meriti voto especial de aplauso pelo pioneirismo do projeto para o ensino no Brasil.

A efervescência política dos anos 1930 levou Armanda, em maio de 1935, a ser uma das criadoras e, depois, a primeira presidente da União Feminina do Brasil* (UFB), movimento político filiado à Aliança Nacional Libertadora (ANL), fechada meses depois do mesmo ano, juntamente com a ANL, pelo decreto nº 229. O objetivo maior da UFB era a defesa especialmente daquelas "submetidas às mais precárias condições de existência e trabalho". Seu programa propunha a luta pelos direitos econômicos, sociais, políticos e civis das mulheres, sem distinção de cor, religião e correntes filosóficas. O movimento pregava ainda a luta pela paz e contra os regimes políticos que restringiam os direitos femininos.

Após a derrota da Revolta Comunista de novembro de 1935, Armanda Álvaro Alberto e seu marido Edgar Sussekind de Mendonça foram acusados de envolvimento na preparação do levante. O inquérito da polícia do então Distrito Federal acusou a União Feminina do Brasil de ser um órgão auxiliar da propaganda revolucionária comunista e de atuar de acordo com o programa do VII Congresso da Internacional Comunista. Armanda, em seu depoimento, negou que a UFB tivesse mantido qualquer ligação com o Partido Comunista do Brasil (PCB). Foi julgada e absolvida em 28 de julho de 1937. A promulgação do Estado Novo em novembro de 1937 e a perseguição aos opositores do regime afastou Armanda das atividades políticas. Voltou-se exclusivamente para sua proposta pedagógica, publicando várias obras sobre educação infantil e livros didáticos. Seu campo de experimentação foi a Escola Regional de Meriti, orientada por métodos pedagógicos avançados e voltada para a população carente local. Não havia notas, prêmios ou castigos e seu objetivo geral resumia-se a quatro cartazes com os dizeres "Saúde, Alegria, Trabalho e Solidariedade". Dentre as novidades introduzidas na escola esteve a implementação da merenda escolar, que hoje é um programa oficial do ministério da Educação. Contando com a colaboração do marido, também educador, e do irmão, Álvaro Alberto, permaneceu à frente da escola até o ano de 1964, quando transferiu a sua direção para a fundação religiosa norte-americana Instituto Central do Povo. Mais tarde, este estabelecimento passou a se chamar Escola Dr. Álvaro Alberto, numa homenagem justa para com o cientista, mas injusta para com a memória de Armanda, quem, de fato, fundara a escola.

Armanda faleceu no dia 5 de fevereiro de 1967.

Fontes: Israel Beloch e Alzira Alves de Abreu, *Dicionário histórico-biográfico brasileiro (1930-1983)*; Fernando Moraes, *Olga*; Marli Vianna (org.), *Pão, terra e liberdade*.

Armelinda Bedin (séc.XX)

Operária têxtil e ativista política.

Foi uma das mais destacadas figuras do movimento social de Santo André, na grande São Paulo. Com a vitória dos aliados na Segunda Guerra Mundial e a redemocratização do país em 1945, as lutas sindicais e os movimentos de mulheres ressurgiram na cena política brasileira. Em vários estados foram criadas organizações femininas que se mobilizavam e reivindicavam a ampliação dos direitos das mulheres na agenda política. Armelinda, vinda do meio sindical, foi uma das mais antigas e ativas filiadas da União das Mulheres Democráticas de Santo André. Lutou pela implantação de creches e pela paz. Atuou, ainda, no combate à carestia que, nos anos após o final da guerra, penalizava a população pobre dos grandes centros urbanos pela especulação promovida com os gêneros alimentícios tabelados.

Fonte: *Momento Feminino*, 31.10.1947.

Associação Beneficente Funerária e Religiosa Israelita (ABFRI)

Organização beneficente.

Entidade de seguro mútuo, foi criada no Rio de Janeiro (RJ), no dia 10 de outubro de 1906, por prostitutas e cafetões de origem judaica, com a finalidade de prestar assistência a essa comunidade. Pobres e menosprezadas pelos próprios imigrantes judeus, as prostitutas européias que chegaram ao Rio desde finais do século XIX, em grande parte provenientes da Polônia — por isso a denominação "polacas" —, uniram-se a alguns homens, também imigrantes europeus, para constituir a associação, que foi administrada durante cerca de 80 anos por mulheres prostitutas.

Todos tinham em comum a origem, professavam a religião judaica e trabalhavam na zona do meretrício da praça Onze. A criação da ABFRI foi um marco na atividade de assistência a essa comunidade no Rio de Janeiro, a exemplo de outras organizações similares, fundadas na América do Norte e do Sul, para onde imigrantes da Europa oriental também se dirigiram, fugindo da pobreza de seus países de origem.

O ato de registro oficial da entidade foi realizado por sua primeira secretária, Matilde Hüberger. Os estatutos originais da Associação previam a prestação de assistência filantrópica e protetora aos membros da comunidade, a criação de uma sinagoga onde associados e associadas — repudiadas pelo restante da comunidade judaica — pudessem assistir a cerimônias religiosas. Esta atitude preconceituosa representava um grande sofrimento para as prostitutas, sobretudo no caso de morte, privando-as do acesso aos ritos judaicos próprios à ocasião. Como resposta a esse problema, a associação construiu um cemitério judaico no subúrbio de Inhaúma e esta foi uma grande realização para suas filiadas.

Se nem para os trabalhadores regulamentados a sociedade brasileira oferecia qualquer forma de aposentadoria, ou de assistência à velhice, a comunidade das prostitutas — que convivia com as doenças próprias do ofício e a repressão da polícia — estava fadada a total abandono, e a associação também tinha esta questão como um dos seus objetivos. Quatro mulheres tiveram papel destacado na vida da associação e eram, por isso, chamadas de irmãs superioras: Emmy Zusman, Amália Schkolnik*, Angelina Schaffran e Rebecca Freedman*.

Emmy e Amália não constam do rol da diretoria da associação; Angelina foi presidente a partir de 1939, reconduzida em 1941/44 e reassumiu a presidência outra vez em 1948, para deixar o cargo apenas em 1958. Rebecca, por sua vez, foi segunda-secretária, conselheira fiscal, procuradora e a última presidente da entidade.

A associação teve vida ativa durante 80 anos. No início dos anos 1970, contudo, as obras do metrô do Rio de Janeiro desapropriaram as casas onde viviam as prostitutas da área do Mangue, no centro da cidade. A sede da associação acabou sendo destruída. A reação das prostitutas à perda de seu espaço na cidade não encontrou eco na sociedade. Uma das poucas vozes que se levantou em sua defesa foi a do Centro da Mulher Brasileira, que redigiu um manifesto protestando contra as arbitrariedades praticadas pelo governo estadual. Chagas Freitas, então governador, não recebeu a delegação do Centro, e a carta de protesto foi deixada no palácio. Desativada a sede da associação, a ABFRI agonizou até os anos 80. O cemitério atualmente é mantido pela mesma entidade israelita responsável pelo Cemitério Comunal do Caju.

Dentre as dezenas de associadas foi possível recuperar os registros históricos das seguintes mulheres:

Ana Gurte (c.1915-?) Imigrante que veio para o Brasil em 1942. Nunca se casou. Desde que chegou ao Brasil, até meados dos anos 70, trabalhou na zona do Mangue carioca como meretriz, sempre na casa da rua Pereira Franco, nº 31. Era a sócia da ABFRI de número 273 e contribuiu com mensalidades até a extinção da associação;

Chaja Berliner (c.1882-1962) Imigrante polonesa. Nasceu por volta do ano de 1882 e fez a vida na zona do Mangue no Rio de Janeiro. Foi a sócia número 162 da ABFRI. Chaja foi internada em 1955 no hospital Colônia Curupaiti para tratamento de hanseníase (lepra). Para a feitura do seu prontuário hospitalar, declarou que era doméstica, biscateira e vendedora de bilhetes de loteria;

Dora Bran Chinquel (c.1895-?) Imigrante russa que veio para o Brasil em 1918, com cerca de 23 anos. No Brasil chegou a se casar, mas, após se separar de seu marido, foi trabalhar na zona do meretrício. Foi sócia número 151 da ABFRI. Fez parte do último conselho fiscal da entidade, eleito em 1966. Nas décadas de 1950 e 60, contribuiu com uma mensalidade de 200 cruzeiros para a associação;

Dvore Sosnowski Guimarães (1892-?) Também conhecida como Dora, nasceu na Polônia. No Brasil e já viúva, morava no Flamengo e era sócia remida de número 99 da ABFRI. Dora explorava um lupanar, em sociedade com Mindel Bierbair, situado na rua Júlio do Carmo, 360, o que lhe garantia uma melhor situação financeira do que a das suas conterrâneas polacas;

Estera Gladkowicer (1907-68) Imigrante russa. Chegou ao Brasil, solteira, em 1927. Foi a sócia de número 65 da ABFRI. Durante muitos anos namorou o sambista e compositor Moreira da Silva, que lhe dedicou o samba "Judia rara". Moreira da Silva, malandro carioca da zona do Mangue e da Lapa, afirmou que conheceu Estera em casa de amigos no Estácio e não na zona de meretrício. O *affair* Moreira & Estera durou cerca de 18 anos. O compositor relatou, certa vez, que o cemitério de Inhaúma era extremamente importante para a auto-estima das mulheres judias. Estera suicidou-se em 1968. Seu sepultamento foi um dos últimos a acontecer no cemitério de Inhaúma;

Fanny Nusman (?-1941) Era a presidente da ABFRI no ano de 1916, quando os associados conseguiram inaugurar o cemitério comunal de Inhaúma. Por sua atividade à frente da ABFRI, Fanny tornou-se sócia benemérita da entidade, uma espécie de degrau a mais na hierarquia das associadas;

Genendla Kulinska (1907-?) Também conhecida como Janete. Era natural de Varsóvia, Polônia. Solteira, foi dona de prostíbulos nas ruas Pinto de Azevedo, 23 e 30, na zona do Mangue. Sócia da ABFRI, deixou a entidade por um período, mas em 1955 foi readmitida, recebendo o número de sócia 206;

Ida Cienkonog (1927-) Imigrante que viveu no Rio de Janeiro. Exerceu o meretrício na região da Praça Onze, reduto de outras imigrantes européias. Era filha de Laja Cienkonog e de Jacob Josef Cienkonog, originários de Varsóvia, Polônia. Nasceu em Bahía Blanca, Argentina, em julho de 1927, durante a viagem de sua mãe para a América, em busca de melhores condições de vida. Sua mãe emigrara para o Brasil em 1929, mas Ida só chegou ao Rio de Janeiro em 1936, com 9 anos. A mãe logo se incorporou à comunidade de mulheres judias que sobreviviam da prostituição no Rio. Os registros da polícia informam que Ida também tomou o mesmo caminho, sendo autuada por prostituição, em 1956, na delegacia de costumes. Os mesmos registros indicam a freqüência com que Ida mudou de casa na zona do meretrício. Assim como sua mãe Laja, era sócia da ABFRI — de número 238. Ambas contribuíram, sistematicamente, com a entidade, pagando cerca de 100 cruzeiros cada uma, a preços de 1968, até o final de suas vidas;

Laja Cienkonog (1906-) Nasceu em 1906 em Varsóvia, Polônia. Casou-se aos 17 anos, em dezembro de 1923, com Jacob Josef Cienkonog, um trabalhador braçal de 27 anos, também de Varsóvia. Veio primeiro para a cidade de Bahía Blanca, Argentina, e em julho de 1927 nasceu sua filha Ida. Em 1929 Laja chegou no Rio de Janeiro e foi trabalhar na zona do meretrício. Tornou-se a sócia número 68 da ABFRI e, em 1936, sua filha Ida, então com nove anos, foi morar com ela. Ida acabou compartilhando o destino da mãe, adotando as ruas do Mangue carioca como seu local de trabalho;

Maria Frairman (1894-?) Imigrante russa. Saiu de sua terra em 1911, aos 17 anos, com destino a Buenos Aires, Argentina, onde trabalhou na zona do meretrício. Emigrou para

São Paulo e Rio de Janeiro, casou-se, mas, no final dos anos 20, com mais de 30 anos, ficou viúva e voltou a exercer o ofício de meretriz na zona do Mangue carioca. Foi a sócia número 258 da ABFRI; pelos documentos da associação, sabe-se que nos anos 1954 e 1959 freqüentou as casas de prostituição das ruas Júlio do Carmo, 382 e 360 (esta última era da polaca Dora), Pereira Franco, 21, e Pinto de Azevedo, 20 e 29. No ano de 1954, Maria contribuía com uma mensalidade de 50 cruzeiros para a associação;

Matilde Huberger Teve um papel decisivo na criação e administração da Associação. Como sua primeira-secretária desde a fundação, no dia 10 de outubro de 1906, foi a responsável legal pela entidade, conforme consta do documento de registro no cartório;

Mindel Bierbair (1893-?) Também conhecida como Emília, chegou ao Rio de Janeiro em 1915, aos 22 anos. Começou trabalhando como costureira, mas depois tornou-se dona de bordéis no Rio de Janeiro. Possuiu um na rua da Glória, 20, outro na rua do Catete, 26, e outro na rua Conde Lage, 22. Ainda foi sócia de Dora num outro prostíbulo no Mangue. Casou-se e enviuvou. Era sócia remida da ABFRI;

Norma Pargament Foi a procuradora da ABFRI que, em fevereiro de 1912, encaminhou ao prefeito da cidade do Rio de Janeiro o pedido para construção do cemitério para a sua comunidade: "(...) para que lhe fosse arrematado ou vendido um terreno junto ao cemitério de Inhaúma, para nele ser instalado o cemitério da mesma associação, a fim de ali serem enterradas [sic] todos os seus associados";

Sura Pesa Gdanska (1894-?) Imigrante polonesa. Sura, também chamada Paulina, e sua irmã Léa Gilkman eram prostitutas e viveram na zona do Mangue do Rio de Janeiro. Sura era a sócia número 72 da ABFRI. Viúva, possuía junto com outras companheiras o bordel que funcionava na casa de número 360 da rua Júlio do Carmo. Sura e sua irmã foram enterradas no cemitério de Inhaúma.

Em São Paulo também foi fundada uma associação similar à ABFRI, com o nome de Sociedade Feminina Religiosa e Beneficente Israelita, que existiu de 1924 a 1968.

A associação paulista teve as seguintes mulheres na sua direção: *Rosa Cypre Celmere*, primeira presidente e reconduzida ao cargo até o final da década de 20; *Paulina Lazerowitch*, segunda-presidente no ano de 1929 e membro do conselho fiscal até 1937; *Eva Amolsky*, terceira-presidente nos anos 1930-32; *Paulina Schlimer*, presidente de 1932 até janeiro de 1933; *Elisa Neumann*, presidente em 1933-35; *Hinda Romblalska*, presidente de 1942/43, tesoureira em 1949 e presidente em 1950-51; *Rosa Steinberg*, presidente em 1953-54; *Berta Dobieski*, presidente em 1960-62; *Hene Braw*, presidente em 1964-65 e 1967-68.

Fontes: Beatriz Kushnir, *Baile de máscaras — mulheres judias e prostituição: as polacas e suas associações de ajuda mútua* e *As polacas cariocas: mulheres judias prostitutas e suas associações de ajuda mútua*; Luís Carlos Soares, *Rameiras, ilhoas, polacas... A prostituição no Rio de Janeiro do século XIX*; Entrevista com Comba Marques Porto em 15.10.1998. • Elaborado por Hildete Pereira de Melo e Teresa Cristina Novaes Marques.

Augusta Candiani (1820-90)

Cantora e atriz.

Nasceu em 3 de abril de 1820 em Milão, na Itália, e é uma referência de destaque na história do teatro e da música no Brasil do século XIX.

Em dezembro de 1843, aos 23 anos, Carlotta Augusta Angeolina Candiani chegara ao Rio de Janeiro como a *prima-donna* da Companhia Italiana de Ópera. Era casada com o farmacêutico Gioacchino Candiani Figlio. Estreou em 17 de janeiro de 1844, no principal palco da cidade, o Teatro São Pedro de Alcântara, a primeira montagem no Brasil da ópera *Norma* de Vicenzo Bellini, com enorme sucesso. A partir de então, a ópera italiana assumiu um lugar de importância no cenário artístico da Corte. A ária "Casta Diva" tornou-se conhecida através da interpretação de Augusta Candiani, influenciando a composição de modinhas, gênero de música popular que a soprano italiana teve a primazia de levar ao palco dos teatros, nos entreatos das óperas. A primeira vez que isso ocorreu foi em 1845, quando ela cantou no Teatro São Pedro de Alcântara a modinha "A sepultura de Carolina", com letra de Lemos de Magalhães e música de M. Rafael.

A arte de Candiani foi louvada por escritores e poetas, desconhecidos e consagrados. Eram versos publicados em sua homenagem por anônimos ou por jovens românticos já afamados, como Machado de Assis que, em 1854, registrou em uma de suas primeiras poesias, *A Augusta*, o encantamento que se experimentava ao ouvi-la. Joaquim Manoel de Macedo, no romance *O moço loiro*, e Martins Pena, em seus *Folhetins*, também registraram a comoção que a cantora italiana provocava nas platéias. A corte e o jovem imperador D. Pedro II aplaudiram, embevecidos, sua voz.

Em março de 1844, nasceu sua primeira filha, Teresa Cristina Maria Candiani Figlio, batizada com o nome de sua madrinha, a imperatriz Teresa Cristina*, esposa de D. Pedro II, também padrinho da menina. Em 1846, já separada de seu marido, Augusta vivia com o compositor de modinhas José de Almeida Cabral, o que causava inúmeros constrangimentos, inclusive porque Gioacchino publicava cartas em jornais revelando publicamente as divergências com a ex-esposa. O divórcio retirou de Augusta todos os seus bens e a guarda da filha. Da união com José Almeida Cabral nasceu Maria Augusta.

Esses fatos da vida pessoal não afastaram sua platéia. Mesmo assim, ela resolveu se distanciar do centro da Corte e cantar em outros palcos, excursionando pelo interior fluminense, por São Paulo e Minas Gerais.

Empresariada pelo seu companheiro, formou a Companhia Dramática Cabral. Juntou-se a essa Companhia sua filha Maria Augusta, que seguiu a carreira da mãe. Atuando como atriz dramática, Candiani nunca deixou de cantar modinhas ou árias de seu repertório romântico, que incluía principalmente obras de Gaetano Donizetti e Vicenzo Bellini. Levava o teatro e a música da Corte para os mais diversos recantos do país, sendo sempre entusiasticamente aplaudida. No Rio Grande do Sul, onde fixou residência, trabalhou como professora de canto e seu nome é sempre citado na história do teatro do século XIX nas cidades de Rio Grande, Porto Alegre e Pelotas.

Voltando ao Rio de Janeiro em 1877, passou a atuar em pequenos papéis no teatro, trabalhando inclusive com o grande comediante da época, Francisco Corrêa Vasques. Machado de Assis, em crônica na *Ilustração Brasileira* de 15 de julho de 1877, registrou suas impressões: "A Candiani não cantava, punha o céu na boca e a boca no mundo. Quando ela suspirava a *Norma* era de pôr a gente fora de si. O público fluminense, que morre por melodia como macaco por banana, estava então nas auroras líricas. Ouvia a Candiani e perdia a noção da realidade. Qualquer badameco era um Píndaro. E hoje volta a Candiani, depois de tão longo silêncio, a acordar os ecos daqueles dias. Os velhos como eu irão recordar um pouco da mocidade: a melhor coisa da vida, e talvez a única."

Logo após esse breve período, sempre atuando em papéis secundários, Augusta Candiani retirou-se do teatro e passou a viver em Santa Cruz, em casa doada pelo imperador. Faleceu aos 69 anos, três meses após a proclamação da República, longe da fama e do prestígio que lhe dera o título de Diva.

Faleceu no Rio de Janeiro em 28 de fevereiro de 1890.

Fontes: Brício Abreu, "A precursora do sucesso popular" in *O Cruzeiro*, 1956; Elói Pontes, *A vida contraditória de Machado de Assis*; Escragnolle Doria, "O Álbum da Candiani", *Revista da Semana*, 9.12.1922; Laffayete Silva, "Augusta Candiani", in *Figuras do teatro*; Martins Pena, "Folhetins", *Jornal do Commercio*, 1847 e 1848; Pedro Calmon, "Luzes da Corte", in *História do Brasil*; Vicenzo Cernicchiaro, *Storia della musica nel Brasile* • Colaboração especial de Andréa Carvalho.

Áurea Elisa Pereira Valadão (1950-74)

Ativista política e vítima da ditadura militar.

Nasceu em 6 de abril de 1950, em Areado (MG), filha de Odila Mendes Pereira e de José Pereira. Sua família morava na fazenda da Lagoa, município de Monte Belo, de onde seu pai era administrador. Por isso, teve que ir muito cedo para o internato. Estudou, do primário ao ginasial, no Colégio Nossa Senhora das Graças, em Areado, onde exerceu forte liderança no meio estudantil.

Mudou-se, em 1964, para a cidade do Rio de Janeiro, a fim de cursar o 2º grau no Colégio Brasileiro, em São Cristóvão. Morava com sua irmã Iara. Em 1967, foi aprovada no vestibular para o Instituto de Física da Universidade Federal do Rio de Janeiro (UFRJ). Sua vontade era estudar física nuclear, mas seu ingresso na faculdade coincidiu com um período de intensa movimentação política, e ela se tornou uma participante ativa do movimento estudantil. De 1967 a 1970, foi membro do diretório acadêmico da sua escola, ao lado de Antônio de Pádua Costa e Arildo Valadão, com quem se casou em 6 de fevereiro de 1970 em um cartório do Rio e, no dia seguinte, na basílica de Aparecida do Norte (SP).

Ingressou no Partido Comunista do Brasil (PC do B), dissidência do PCB que, desde 1966, se dedicava à formação de guerrilheiros na região do Araguaia, ao sul do Pará. No segundo semestre de 1970, Áurea Elisa e o marido mudaram-se para o Araguaia, juntamente com o amigo Antônio de Pádua. Ela adotou o nome Elisa e foi morar na região de Caianos, onde trabalhava como professora. Nesse lugar ingressou no destacamento C, cujo comandante era Paulo Mendes Rodrigues.

No período em que viveu no Rio de Janeiro, correspondia-se regularmente com seus pais. Depois de 1973, eles não mais receberam notícias da filha. Supõe-se que Áurea Elisa tenha sido detida em Marabá, no Pará, no ano de 1973. Ainda no início do ano de 1974, foi vista presa no 23º Batalhão de Infantaria da Selva. Há testemunhas de que foi morta na delegacia da cidade de Xambioá (PA) e seu corpo enterrado no cemitério local. O relatório do Ministério da Marinha, contudo, diz que Áurea morreu no dia 13 de junho de 1974, sem acrescentar maiores detalhes sobre as circunstâncias da morte. Seus pais faleceram sem nenhuma notícia de seu paradeiro.

Fontes: Ana Maria Colling, *A resistência da mulher à ditadura militar no Brasil*; Maria do Amparo Almeida Araújo et al., *Dossiê dos mortos e desaparecidos políticos a partir de 1964.*

Aurora (c.1673-?)

Índia cativa, trocada por ouro.

Salvador Fernandes Furtado de Mendonça e Manuel Garcia Velho empreenderam uma expedição, em 1698, de Taubaté (SP) para a região do rio das Velhas (MG), com largo suprimento, inclusive de armas e índios já capturados em outras partes do sertão do Caetê e do rio Doce. Objetivavam encontrar veios de ouro ou, ao menos, apresar mais índios. Ao atingir as minas, a legião comandada por Salvador Fernandes encontrou outra expedição, liderada pelo também paulista Antônio Rodrigues de Arzão que, desde o ano de 1693, vinha percorrendo o rio das Velhas em busca de ouro, mas até então só encontrara doze oitavas do metal. Diante da penúria em que se achavam os seus homens, Antônio Arzão necessitou trocar o ouro que possuía por armas e alimentos fornecidos por Salvador Fernandes.

Foi então que o sertanista Manuel Garcia Velho, ambicionando ser o primeiro dono do ouro extraído daquelas minas, ofereceu a Salvador Fernandes, em troca das tais doze oitavas de ouro, duas mulheres índias. Salvador escolheria no seu lote as que julgasse mais formosas, e ele escolheu uma, de seus vinte e poucos anos, e sua filha, de cerca de dez. Procedeu-se ao batismo de ambas, que receberam, respectivamente, os nomes de Aurora e Célia. A menina Célia foi dada a uma filha de Salvador Fernandes, que viera morar na localidade de Pitangui (MG). Como sobre o destino de Aurora nada se sabe, pode-se inferir que tenha sido o mesmo de muitas índias, isto é, servir ao senhor, naquela expedição em que — como em todas as outras — as mulheres brancas não iam.

Fontes: Afonso Taunay, *Relatos sertanistas: descoberta do ouro, coleção documentos de época*; Francisco de Assis Carvalho Franco, *Dicionário de bandeirantes e sertanistas do Brasil.*

Aurora Maria do Nascimento Furtado (1946-72)

Ativista política, vítima da ditadura militar.

Nasceu em 13 de junho de 1946, em São Paulo (SP), filha de Maria Lady Nascimento Furtado e de Mauro Albuquerque Furtado. Estudante de psicologia da Universidade de São Paulo, no final da década de 1960, Aurora atuou no movimento estudantil, tendo sido responsável pelo setor de imprensa da União Estadual dos Estudantes de São Paulo.

Com o fechamento do Congresso Nacional e a publicação do AI-5, em 13 de dezembro de 1968, Aurora aderiu ao movimento de resistência que pregava a luta armada, liderado por Marighella, e passou a militar na Ação Libertadora Nacional (ALN). Foi presa no dia 9 de novembro de 1972, em Parada de Lucas, na cidade do Rio de Janeiro. Aurora resistiu e, após rápido tiroteio com os militares, um policial foi baleado e morreu. Aurora conseguiu fugir, escondeu-se em vários lugares, mas acabou prisioneira, dentro de um ônibus onde se refugiara.

Foi imobilizada e furiosamente espancada ali mesmo, no interior do ônibus, diante dos passageiros. Em seguida, foi levada para a Invernada de Olaria, onde foi entregue ao DOI/CODI e a integrantes do Esquadrão da Morte. Sofreu as mais brutais sevícias, morrendo no dia 10 de novembro de 1972. Seu corpo, marcado pela tortura e crivado de balas, deu entrada no IML/RJ com identidade desconhecida, após ter sido jogado na esquina das ruas Adriano e Magalhães Couto, no bairro carioca do Méier.

A versão oficial divulgada pelos órgãos de segurança conta que Aurora tentara fugir quando era transportada presa na rádio-patrulha e teria sido baleada e morta no ato.

Fontes: Ana Maria Colling, *A resistência da mulher à ditadura militar no Brasil*; Maria do Amparo Almeida Araújo et al., *Dossiê dos mortos e desaparecidos políticos a partir de 1964.*

Auta de Souza (1876-1901)

Poetisa.

Nasceu em 12 de setembro de 1876, na cidade de Macaíba, sertão do Seridó (RN). Negra, era a única menina dos quatro filhos de Henriqueta Leopoldina e Eloi Castriciano de Sousa. Seu pai era um próspero comerciante local e líder político do Partido Liberal.

Quando seus pais morreram, Auta ainda não havia completado seis anos. Foi criada por sua avó materna, Silvina de Paula Rodrigues, a Dindinha. Freqüentou o Colégio São Vicente de Paula, de freiras francesas, em Recife, onde se destacou como a primeira aluna da turma e recebeu todos os prêmios escolares. Culta, apreciava a leitura dos clássicos, como Bossuet, Fénelon, Chateaubriand, Victor Hugo e Lamartine.

Aos 14 anos contraiu tuberculose e retornou para a cidade natal, junto com sua avó e seus três irmãos, à procura de clima seco para curar a doença. A partir daí, a vida de Auta foi uma longa peregrinação pelo Nordeste, na busca de bons ares. Na adolescência, começou a escrever versos e, com o tempo, intensificou sua produção literária.

No ano de 1894, Auta iniciou a sua colaboração na revista *Oásis*, editada em Natal (RN), assinando seus versos com os pseudônimos de Ida Salúcio e Hilário das Neves. Dois anos depois, começou também a escrever na revista *A República*. Em 1897, colaborava assiduamente com o jornal *A Tribuna*, órgão do Congresso Literário e, no mesmo ano, reuniu os versos feitos de 1893 até aquela data, numa coletânea que intitulou *Dhálias,* mas não publicou.

Ainda em 1897, um agravamento da tuberculose fez Auta viajar para a serra da Raiz, na Paraíba, onde permaneceu por um ano. Durante esse tempo, aproveitou para escrever novas poesias. Em 1898, colaborou com as revistas *Oito de Setembro* e *Revista do Rio Grande do Norte*, ambas editadas em Natal. No ano seguinte, fez a seleção dos melhores poemas que escrevera desde 1893, inclusive alguns da coletânea *Dhálias*, para concluir o único livro que publicou na vida, intitulado *Horto*. Um de seus irmãos, Eloi, entregou a versão original do livro ao poeta Olavo Bilac, que escreveu o prefácio, sendo a obra finalmente publicada em 1900. No ano seguinte, a doença a venceu. Auta faleceu no dia 7 de fevereiro de 1901, com apenas 24 anos.

O livro de poemas *Horto* ganhou mais duas edições, uma em 1911 e outra, prefaciada por Alceu Amoroso Lima — o Tristão de Athaíde — em 1936. Em 12 de setembro de 1925, foi fundado o grêmio lítero-musical Auta de Souza, na Escola Doméstica de Natal.

Fontes: Afrânio Coutinho, *Enciclopédia de literatura brasileira*; Luís da Câmara Cascudo, *Vida breve de Auta de Souza, 1876-1901*; Maria Lúcia de Barros Mott, "Escritoras negras resgatando nossa história", *Papéis Avulsos* nº 13; Maria T.C. Crescenti Bernardes, *Mulheres de ontem?*; www.criola.ong.org

B

Balduína de Moreira Sayão *ver* BIDU SAYÃO

Bárbara Eliodora (c.1759-1819)
Poetisa e mártir da Conjuração Mineira.

Bárbara Eliodora Guilhermina Silveira nasceu em São João del Rei (MG). Filha de Maria Josefa Bueno da Cunha, descendente do paulista Bartolomeu Bueno, e de José da Silveira e Sousa, nascido em Portugal. Há controvérsias quanto à data de seu nascimento, pois alguns historiadores referem-se ao final do ano de 1758. Teve duas irmãs.

Casou-se em 1781 com Ignácio José de Alvarenga Peixoto, com quem teve quatro filhos. Além de ter sido a musa do seu marido, ela própria foi poetisa; com ele, participou ativamente do movimento político da Conjuração Mineira.

Conta o mineiro Américo Werneck um episódio ocorrido quando o visconde de Barbacena, governador da província de Minas Gerais, começava a perseguir os participantes da conspiração em Vila Rica. O cerco das autoridades se fechava dia a dia contra Alvarenga Peixoto, e o poeta hesitava entre permanecer em silêncio ou denunciar a conspiração, para preservar sua família da desgraça que se anunciava. Foi contido por Bárbara, que lhe implorou não cometesse essa indiscrição, comprometendo seus amigos e atraindo sobre si a nódoa da delação.

Sufocado o movimento em 1789, Alvarenga Peixoto foi preso e condenado ao degredo na África, em Ambaça, onde veio a morrer um ano após sua chegada. Bárbara suportou o confisco dos bens da família, o arrasamento da casa onde moravam e a dor de ver seus filhos declarados infames.

No pensamento de alguns estudiosos do movimento da Conjuração Mineira, Bárbara ocupa o papel de contraponto a Tiradentes. Segundo esses autores, foi ele quem colocou a conspiração a perder, anunciando os planos dos revoltosos a todos que encontrava. Ela representaria, então, a soberania da razão e a capacidade de resignar-se ao infortúnio do destino sem perder a dignidade e a altivez. Esta versão é também defendida por Werneck, que propôs a construção de um monumento em homenagem a Bárbara, em Belo Horizonte.

É versão corrente entre os autores que Bárbara terminou seus dias louca, sorrindo e cantando em voz baixa, simulando distribuir ouro em pó às pessoas que dela se aproximavam. A antologia *Escritoras brasileiras do século XIX*, porém, refere-se à demência do final de sua vida como sendo, para alguns historiadores, uma estratégia para escapar às perseguições e ao fisco português.

Como exemplo de sua obra, citamos um trecho de *Conselhos a meus filhos*, que teria sido escrito por Bárbara Eliodora quando ainda jovem: "Neste tormentoso mar/ De ondas de contradicções/ Ninguém soletre feições/ Que sempre se há de enganar,/ De caras e corações,/ Há muitas léguas que andar."

Faleceu a 24 de maio de 1819, em São Gonçalo do Sapucaí (MG).

Fontes: Américo Werneck, *A heroína da Inconfidência*; e *Mulheres brasileiras*; Ana Amélia Carneiro de Mendonça, *As poetisas e prosadoras brasileiras*; Aureliano Leite, *A figura feminina da Inconfidência Mineira;* Carlos Augusto de Campos, *As heroínas do Brasil*; Eliane Vasconcelos, "Bárbara Eliodora", in *Escritoras brasileiras do século XIX*; Maria Eugênia Celso C. Mendonça, *O espírito e o heroísmo da mulher brasileira*; Valentim Benício da Silva, *A mulher na evolução do Brasil.*

Bárbara Pereira de Alencar
(c.1767-1837?)

Revolucionária republicana.

Nasceu em Pernambuco e viveu na cidade do Crato (CE). Casada com o fazendeiro José Gonçalves dos Santos, teve três filhos: Tristão Pereira Gonçalves de Alencar e os padres José Carlos dos Santos e José Martiniano de Alencar (pai do escritor José de Alencar).

Envolveu-se, com dois de seus filhos e um irmão, na conspiração republicana deflagrada no Nordeste em março de 1817. Foram traídos pelo capitão-mor Filgueiras, compadre de Bárbara, que a fez prender na cadeia da vila de Fortaleza, em um cubículo minúsculo, onde não podia sequer levantar-se. Conta-se que gritava desesperada, dias e dias a fio, sendo ouvida na cidade. Até hoje, na Fortaleza Assunção, o poço onde ficou presa é visitado pela população, que relembra seu sofrimento ao ler a inscrição: "Aqui gemeu Bárbara Pereira de Alencar sob a tirania do Governador Sampaio". Diz uma lenda que, de madrugada, ainda se ouvem suas lamentações. Bárbara e seus filhos foram transferidos para a prisão de Pernambuco e depois para a de Salvador, Bahia.

No episódio de transferência de Bárbara para os cárceres de Recife e Salvador ela foi mais uma vez humilhada. Por decisão das autoridades, Bárbara foi vestida com um camisolão, traje igual ao da escrava que a acompanhava. Mas no momento em que subiu ao navio, uma negra na multidão, que olhava o embarque dos prisioneiros, jogou um xale para que se cobrisse, diminuindo seu constrangimento.

Em 1820, veio de Portugal a sentença que os libertou, concedendo anistia geral a todos os implicados na revolta.

Seu filho, o padre José Martiniano de Alencar, ganhou projeção política e foi eleito deputado pelo Brasil nas Cortes de Lisboa. Contribuiu para a elaboração da nova Constituição portuguesa em 1820, defendendo os interesses brasileiros. Com a Independência, foi eleito deputado à Assembléia Constituinte. Quando D. Pedro I dissolveu a Assembléia, em 1823, ele voltou ao Nordeste e participou das conspirações que eclodiram na Confederação do Equador, nova insurreição republicana no Nordeste, em 1824.

Houve severa repressão, com o sacrifício de alguns líderes ou fuga e refúgio em outros países. Seu filho Tristão Gonçalves, que fora nomeado presidente do Ceará no novo governo, morreu em combate na cidade de Icó.

Com a posterior anistia aos rebelados, o padre José Martiniano de Alencar integrou-se na política imperial e morreu senador do Império.

São descendentes de Bárbara Pereira de Alencar as escritoras Raquel de Queirós* e Heloneida Studart*.

Fontes: Henrique C.P. de Melo, *Pernambucanas ilustres*; Maria Lúcia de Barros Mott, *Submissão e resistência.*

Baronesa de Alagoinhas (1821-80)

Nobre, símbolo de educação feminina na Corte.

Cora Coutinho Sodré nasceu na Bahia, no ano de 1821. Seu pai foi José Lino Coutinho, médico formado em Coimbra, deputado constituinte em Lisboa em 1821 e conselheiro do Império. Cora casou-se com o barão de Alagoinhas, com quem teve três filhos: Francisco Maria Sodré Pereira, Jerônimo Sodré Pereira e o coronel José Lino Coutinho Sodré, todos ativos participantes da vida política do Império.

Ao longo de sua infância e mocidade, Cora Coutinho Sodré recebeu, sistematicamente, cartas escritas por seu pai contendo conselhos sobre educação, hábitos de higiene, puericultura e religião. O conjunto das 61 cartas foi reunido em um livro e constitui um precioso documento sobre a educação oferecida às mulheres da elite brasileira, bem como sobre o papel destinado às mulheres dentro da família patriarcal nordestina. Contrariando a orientação habitual da educação das mulheres no Brasil, mesmo aquelas nascidas em berço de ouro, Cora Coutinho recebeu uma formação cuidadosa, com ênfase em textos clássicos da literatura portuguesa. O propósito não era torná-la uma intelectual, ponderou o editor do livro, mas habilitá-la a escrever com elegância e a educar melhor seus filhos.

A educação intelectual da baronesa de Alagoinhas representou um projeto bem acabado de formação de mulheres aptas a cumprir novos papéis, tendo sido tomada como exemplo para sua geração.

O caso da baronesa revela que as transformações nos papéis atribuídos às mulheres tiveram início dentro da elite brasileira, especialmente na parcela dos salões aristocráticos e desejosa de adquirir hábitos europeus.

Cora faleceu no dia 25 de abril de 1880, no engenho Campinas, freguesia de Iguape (BA), e foi sepultada na capela do Convento de São Francisco de Paraguaçu, onde já estava o marido.

Fontes: José Lino Coutinho, *As cartas para a educação de Cora*; *Diário da Bahia*, 27.4.1880.

Baronesa de Mamanguape (1855-91)

Nobre e escritora.

Carmem Freire nasceu em 2 de março de 1855 no Rio de Janeiro (RJ). Aos 14 anos, casou-se com o barão de Mamanguape, Flávio Clementino da Silva Freire, senador do Império. O desenvolvimento da sociedade brasileira na metade do século XIX passou a exigir dos membros da corte um certo verniz cultural abrindo para as mulheres da elite a possibilidade de se educar.

Havia também o fato de que o governo imperial empenhava-se em promover as ciências, tendo criado o Museu Nacional em 1818 e favorecido ali os estudos antropológicos. Carmem dedicou-se aos estudos naturalistas, mas também à literatura, o que era mais aceito para uma mulher da corte. Escreveu o livro de poesias *Visões e sombras*; um soneto seu, "*A lágrima*", foi publicado no jornal *Gazeta de Notícias*, em 1888; e outra poesia sua foi publicada em Lisboa, no periódico *Dia*. Consta que sua obra foi admirada por vários escritores contemporâneos, tais como Francisco Otaviano, o visconde de Taunay e Guimarães Passos, com quem sua filha veio a se casar.

Chegou a abrir um salão literário, onde os saraus eram bem freqüentados, mas a crise econômica que atingiu a família obrigou-a a fechá-lo. Faleceu no ano de 1891, com apenas 36 anos.

Fontes: Maria T.C. Crescenti Bernardes, *Mulheres de ontem?*; Sacramento Blake, *Dicionário bibliográfico brasileiro*; Jornal do Brasil/Galeria Nacional, *Vultos proeminentes da história brasileira.*

Baronesa do Bonfim (1862-1953)

Nobre e assistencialista.

Maria José Vilas Boas de Siqueira Mesquita nasceu na fazenda da Glória, em Angustura (MG), no dia 28 de janeiro de 1862, filha de Josefina Vilas Boas de Siqueira, de uma família de fazendeiros, e do rico cafeicultor Antônio Antunes Siqueira. Estudou no Colégio de Mariana, uma das poucas instituições de ensino, na época, destinadas às filhas da elite brasileira.

Aos 18 anos casou-se com José Jerônimo de Mesquita, filho de um dos maiores comerciantes de pedras preciosas do Império, o marquês de Bonfim. Ao casar-se, José Jerônimo recebeu de seu pai a fazenda Paraíso, em Leopoldina (MG), onde passou a residir com Maria José.

Em 1886, às vésperas da Abolição, decidiram libertar 300 escravos de suas propriedades. Em reconhecimento, o imperador Pedro II concedeu-lhes os títulos de barão e baronesa. Assim, o casal ingressou na nobreza brasileira.

Viúva aos 34 anos, passou a dividir-se entre longas temporadas na Europa (França e Suíça) e suas propriedades no Brasil. Do casamento haviam nascido cinco filhos: Jerônima Mesquita*, Francisca de Paula Lynch, Jerônimo Mesquita, Maria José e Antônio José de Mesquita e Bonfim.

No Brasil, alternava seu tempo entre a fazenda da família e estadas na cidade do Rio de Janeiro, em sua residência no bairro do Flamengo. Quando estava no Rio, promovia um chá em sua casa todas as quintas-feiras. A estas reuniões compareciam membros destacados da elite carioca e personalidades estrangeiras em visita ao Brasil, como madame Chian Kai Chek e madame Curie. A pianista Guiomar Novaes*, sua amiga pessoal, costumava também hospedar-se em sua casa quando vinha ao Rio de Janeiro.

Renomada anfitriã, a baronesa aboliu as bebidas alcoólicas dos encontros que promovia. Também seus filhos, especialmente Jerônima, engajaram-se em campanhas contra o álcool, promovendo a formação de entidades de auxílio a dependentes de bebida.

Muito católica, combinava sua faceta de anfitriã com uma intensa atividade de assistência social. É versão corrente entre seus descendentes que teria vendido um valioso diamante cor-de-rosa, presente de seu sogro, para adquirir o terreno onde foi construído o sanatório São Miguel, em Correias, região serrana fluminense, destinado a crianças e mulheres tuberculosas. Além da fundação desse sanatório, a baronesa também usou seu prestígio junto aos membros da elite carioca a fim de levantar recursos para concluir a obra e sustentar seu funcionamento. Participou do grupo das Damas da Cruz Verde*, responsável pela criação da maternidade Pró-Matre, no Rio de Janeiro, e de outras obras de assistência social, como a Cruzada Nacional contra a Tuberculose e o Serviço de Obras Sociais (SOS). Também foi fundadora e membro ativo da Federação de Bandeirantes do Brasil.

De seus filhos, Jerônima foi a que participou mais intensamente das atividades da mãe, compartilhando seus princípios. Em contrapartida, a baronesa contribuiu com seu prestígio social e suas relações influentes para o sucesso das iniciativas de Jerônima e Bertha Lutz* no campo do movimento feminista. Comparecia aos grandes eventos promovidos pela Federação Brasileira pelo Progresso Feminino* (FBPF) ou recepcionava celebridades convidadas pela Federação a integrar os congressos feministas realizados no Rio de Janeiro (1922, 1931 e 1936).

Faleceu no Rio de Janeiro, em sua residência, a 18 de outubro de 1953.

Fontes: *Jornal do Commercio*, 20.10.1953; *Última Hora*, 19.10.1953; Entrevista com Adèle Lynch (neta da baronesa e sobrinha de Jerônima) concedida a Teresa Novaes em 13.1.1999.

Bartira (séc. XVI)

Índia tupiniquim, "Mãe do Povo Brasileiro".

Filha do cacique Tibiriçá, o mais importante líder indígena da capitania de São Vicente, foi batizada com o nome de Isabel Dias. Uniu-se ao português João Ramalho, que vivia entre os índios nessa capitania. O padre Manuel da Nóbrega assim se referiu a João Ramalho: "(...) toda sua vida e de seus filhos segue a dos índios (...) tem muitas mulheres ele e seus filhos". Bartira também é referida por historiadores dos tempos coloniais pelo nome de Mbcy, que é uma aproximação fonética de seu nome indígena.

A união conjugal de João Ramalho com a filha do principal chefe indígena do planalto de Piratininga foi reconhecida pelas autoridades coloniais como fundamental na viabilização do processo de colonização. Tibiriçá, ao oferecer uma de suas filhas para selar essa aliança, colaborou no estabelecimento do domínio europeu naquelas terras. O historiador John Monteiro realça que este gesto também pode ser interpretado sob a perspectiva da obediência à lógica e à dinâmica interna da organização social indígena, em disputas de território com outras etnias.

João Ramalho e Bartira tiveram muitos filhos e filhas. Algumas destas casaram-se com os mais influentes homens da capitania, dando origem a ilustres famílias paulistas. Joana Ramalho casou-se com o capitão-mor Jorge Ferreira, que governou a capitania de São Vicente de 1556 a 1558 e, depois, de 1567 a 1572. Foi ele um importante administrador colonial e reconstruiu, em 1557, a Fortaleza de São Felipe, em Bertioga, no litoral. Após 1572, Jorge Ferreira mudou-se para o Rio de Janeiro, ajudando na fixação dos colonos na capitania. Do casamento de Joana e Jorge nasceram, além de um filho homônimo, morto, segundo testemunho de Hans Staden, por tribos inimigas dos tupiniquins, a Marquesa Ferreira*, que se casou com Cristóvão Monteiro, e Joana Ferreira. Esta última se casou com Tristão de Oliveira e depois com Baltasar Ferreira.

O povoamento do planalto de Piratininga foi feito a partir do assentamento luso-tupi comandado por Bartira, João Ramalho e sua extensa prole, servindo de base para a instalação da futura vila de Santo André da Borda do Campo.

A bigamia de João Ramalho, porém, é assunto controverso entre os cronistas. Frei Gaspar de Madre-Deus afirmou que João Ramalho era casado em Portugal e que sua mulher provavelmente vivia, na época de sua união com Bartira, pois no seu testamento, datado de 1580, Bartira/Isabel era mencionada como sua "criada". Tampouco foram encontrados registros documentais do casamento legal de Ramalho com Bartira.

Parte da historiografia brasileira dos anos 1940 consagra Bartira, ao lado de Catarina Paraguaçu* e Maria do Espírito Santo Arco-Verde*, Mãe do Povo Brasileiro.

Fontes: Frei Gaspar da Madre de Deus, *Memórias para a história da capitania de São Vicente, hoje chamada de São Paulo;* Gustavo Geraldo de Almeida, *Heróis indígenas do Brasil — memórias sinceras de uma raça*; John Manuel Monteiro, *Negros da terra: índios e bandeirantes nas origens de São Paulo.*

Beata Maria do Egito *ver* MARIA ARAÚJO

Beatriz Bandeira Ryff (1909-)

Poetisa e ativista política.

Beatriz Vicência Bagueira Leal Bandeira nasceu no Rio de Janeiro (RJ) em 08 de novembro de 1909. Filha de Rosália Nanci Bagueira Leal Bandeira e do militar e poeta Alípio Abdulino Pinto Bandeira, estudioso da cultura indígena e colaborador do marechal Rondon.

"Alfabetizada com poesia e amamentada com música" é como ela própria descreve sua infância. A mãe tocava bandolim e o avô lhe dava poesias para ler. Adulta, foi aluna do Instituto Nacional de Música e fez concurso para o magistério no Rio Grande do Sul, para onde a família foi, em mais um castigo que Alípio Bandeira recebera devido a suas atitudes interpretadas no Exército como insubordinação.

De volta ao Rio, filiou-se à Juventude Comunista, e mais tarde integrou a Aliança Nacional Libertadora (ANL), que organizara o fracassado levante de 1935. Beatriz foi presa em janeiro de 1936 e levada para a Sala 4 da Detenção da rua Frei Caneca, onde ficaram também Nise da Silveira*, Olga Benário* e Maria Werneck de Castro*, entre outras. Libertada quatro meses depois, mudou-se para o Rio Grande do Sul, por ordem do Partido. Lá reiniciou suas atividades políticas, mas, vigiada pela polícia, fugiu para Montevidéu, Uruguai.

Neste primeiro exílio, casou-se com Raul Ryff, companheiro de partido. Voltaram para o Rio Grande do Sul em 1938 e Beatriz foi lecionar canto orfeônico em São Leopoldo. Publicou o livro *Ouro e sândalo*, de crônica poética, seguido por *Poemas de sempre* e também poemas esparsos e crônicas em jornais do Rio Grande do Sul, do Rio de Janeiro e até do exterior. Foi colaboradora da revista *Leitura* e do jornal *A Manhã.*

Em 1952, Beatriz e os três filhos mudaram-se para o Rio de Janeiro, quando Raul Ryff veio trabalhar com João Goulart, então ministro do Trabalho. Ela continuou a ensinar música e passou a atuar no movimento de mulheres, colaborando com a revista *Momento Feminino* e ingressando na Federação de Mulheres do Brasil*.

Teve que se exilar novamente em 1964, após o golpe militar, vivendo um tempo na Iugoslávia. Com a anistia, voltou a viver no Rio, mantendo sua postura política sempre em defesa da democracia e da justiça social. Publicou em 1990 um livro de memórias, *A resistência.*

Fonte: Maria Werneck de Castro, *Sala 4*; Entrevista concedida a Hildete Pereira de Melo em 22.1. 2000.

Beatriz Brandão (1779-1868)

Poetisa e compositora.

Beatriz Francisca de Assis Brandão nasceu em Ouro Preto (MG) em 29 de julho de 1779, filha de Isabel Feliciana Narcisa de Seixas e do sargento-mor Francisco Sanches Brandão. Era prima, em primeiro grau, de Maria Dorotéia de Seixas, a Marília de Dirceu*.

Foi iniciada muito cedo no estudo dos idiomas italiano e francês por intermédio de um amigo da família, apesar da oposição do pai. Cresceu em meio a leituras e ao estudo de música. Há divergências entre os autores quanto a seu casamento. Segundo Inês Sabino*, Beatriz casou-se com um fazendeiro por imposição de seus pais. Eliane Vasconcelos, citando um outro autor, afirma que seu marido foi o capitão Vicente Batista Rodrigues e que, em 23 de outubro de 1832, ela requereu a separação sob a alegação de sevícias. Já outros biógrafos, particularmente os historiadores do Instituto Histórico e Geográfico Brasileiro (IHGB), afirmam que ela nunca chegou a casar-se. Ainda em Ouro Preto, Beatriz Brandão iniciou uma carreira de educadora de moças.

Mudando-se para a Corte, Beatriz prosseguiu trabalhando como instrutora das filhas de famílias influentes. Produziu poesias, composições musicais e participou da vida política. Fez traduções do italiano e do francês e publicou vários livros de poesias, como *Contos da mocidade*, *Lágrimas do Brasil*, *Canções*, *Cantatas*. Há um registro de que Beatriz Brandão escreveu um drama, apresentado publicamente por ocasião da coroação de D. Pedro I.

Beatriz integrou-se na vida social da elite do Rio de Janeiro, participando ativamente dos salões da Corte e de diversas entidades literárias e científicas, onde recitava poesias e apresentava composições musicais.

Ao final do ano de 1850, um grupo de sócios do IHGB propôs seu nome como sócia honorária. A comissão que emitiria um parecer sobre este pedido, composta pelos escritores Joaquim Manoel de Macedo e Antônio Gonçalves Dias, opôs-se à admissão de Beatriz. Alegou que sua obra adequava-se melhor a uma academia literária, recomendando que a poetisa solicitasse ingresso na Academia Brasileira quando esta viesse a ser criada. A comissão julgava "concludente que a distinta poetisa fosse recebida como ornamento de uma sociedade literária, cujos fins não [estivessem] limitados à história e à geografia". O parecer foi lido na sala de sessões do Paço Imperial na presença do imperador D. Pedro II.

Faleceu no Rio de Janeiro, no dia 5 de fevereiro de 1868. Por sua vontade, seus manuscritos foram passados às mãos da imperatriz Teresa Cristina*, de quem era amiga pessoal.

Fontes: Eliane Vasconcelos (org.), "Beatriz Francisca de Assis Brandão", in Zahidé L. Muzart, *Escritoras brasileiras do século XIX*; Inês Sabino, *Mulheres ilustres do Brasil*; Maria T.C. Crescenti Bernardes, *Mulheres de ontem?*; *Revista do IHGB*, nºs 13, 104 e 107; Sacramento Blake, *Dicionário bibliográfico brasileiro*.

Beatriz Dias (séc.XVI)

Índia tupiniquim.

Foi este o nome adotado por uma das filhas do cacique Tibiriçá, do planalto paulista, irmã, portanto, de Bartira*. Casou-se com o português Lopo Dias.

Tibiriçá, importante chefe tupiniquim, aceitou a presença dos portugueses na capitania e sua ajuda na guerra intertribal. A aliança foi expressa através do casamento de suas filhas com os colonizadores. O comportamento do chefe Tibiriçá não foi uma exceção. Como a união marital foi sempre uma forma usual de se estabelecerem alianças entre povos, o casamento, a poligamia e o concubinato foram também formas eficientes de promover a dominação portuguesa na colônia, selando alianças entre brancos e índios. Ter uma mulher índia conferia prestígio ao colono dentro da comunidade indígena.

Fonte: Gustavo Geraldo de Almeida, *Heróis indígenas do Brasil — memórias sinceras de uma raça*.

Beatriz M. de Sousa Wahrlich (1915-)

Professora e administradora de empresas públicas.

Na década de 1950, raríssimas eram as mulheres que participavam de cargos de gerência na administração pública. Beatriz foi uma pioneira nesta área. Mestre em administração pública pela New York University em 1954, voltou ao Brasil, tornando-se professora na Escola Brasileira de Administração Pública da Fundação Getulio Vargas (FGV).

Entre vários cargos exercidos na esfera pública, foi diretora dos cursos de administração e da Divisão de Seleção e Aperfeiçoamento do DASP, chefe do Departamento Administrativo do BNDE e secretária executiva da Secretaria de Cooperação Econômica e Técnica Internacional do ministério do Planejamento.

Lecionou ainda na Escola do Comando e Estado-Maior do Exército, no Instituto de Administração e Gerência da PUC, no Instituto de Administração da Faculdade de Ciências Econômicas da Universidade Federal do Rio Grande do Sul, na Universidade Federal de Santa Catarina e na Universidade Federal do Paraná.

Possui também experiência internacional, tendo sido consultora do Programa das Nações Unidas para o Desenvolvimento. Participou de cerca de 20 congressos e conferências internacionais realizados na Europa, EUA, América Latina, África e Ásia, sob patrocínio do Instituto Internacional de Ciências Administrativas, da OEA, da ONU, da Fundação Ford e de outras instituições.

Publicou dois livros sobre administração: *Administração de pessoal, princípios e técnicas* e *Uma análise das teorias da organização*, ambos pela FGV. É autora de cerca de 40 artigos e ensaios em revistas técnicas no Brasil e no exterior.

De sua participação em associações profissionais e culturais, destaca-se a eleição, em 1977, para vice-presidente do Instituto Internacional de Ciências Administrativas (Bruxelas). Foi casada com Hugo Warlich.

Fonte: Beatriz Wahrlich, *Reforma administrativa na era de Vargas.*

Beatriz Maria de Jesus (séc.XVIII)

Religiosa.

Soror Beatriz Maria de Jesus foi madre superiora do Convento do Coração de Jesus da cidade da Bahia, que, como a maioria das instituições religiosas coloniais, fazia uma rigorosa seleção racial das mulheres admitidas às ordens, evitando o ingresso de mestiças e negras.

Com o objetivo de prevenir a falta de mulheres para o casamento, o Estado português estabeleceu a lei que restringiu a 50 o número de religiosas que poderiam habitar conventos ou recolhimentos.

Desde o século XVII, a sociedade colonial fazia pressão para que a metrópole permitisse a criação de instituições religiosas. A primeira foi o Convento de Santa Clara do Desterro, na cidade de Salvador, fundado em 1677. Esse convento foi o único no Brasil por 50 anos, até que, a partir de 1733, surgiram o Convento de Nossa Senhora da Soledade e o do Coração de Jesus, dentre outros. A resistência da Coroa à proliferação dessas instituições devia-se à idéia de que a reclusão de mulheres ameaçava o crescimento da população branca colonial.

A sociedade tinha na castidade um valor supremo. Assim, fora dos conventos, a mulher era submetida à rigidez da sociedade patriarcal e mantida longe dos olhares de estranhos. Se uma filha perdesse a virgindade, um pai menos severo tentaria primeiro casá-la a qualquer custo. Em último caso, trataria de expulsá-la de casa. Um pai mais rigoroso poderia matá-la, com o beneplácito do meio social. Assim, esposas caídas em desgraça, filhas desonradas e filhas com pouco dote compunham a população típica das mulheres recolhidas nos conventos da Colônia.

Viver num convento ou recolhimento tinha também suas compensações. Uma delas era a maior expectativa de vida das religiosas em comparação com a das outras mulheres da época. Susan Soeiro, pesquisando os conventos baianos, constatou que as freiras morriam, em sua maioria, com mais de 69 anos.

Fontes: Arquivo Histórico Ultramarino; Riolando Azzi, *A vida religiosa feminina no Brasil: síntese histórica*; Susan Soeiro, *The Social and Economic Role of the Convent: Women and Nuns in Colonial Bahia, 1677-1800.*

Becca *ver* REBECCA FREEDMAN

Beja (1800-80)

Mulher libertária, escandalizou sua época.

Ana Jacinta de São José, conhecida como Dona Beja, era filha de Maria Bernardo dos Santos, segundo J.G. Almeida, ou de Maria Alves de São José, segundo A. Vasconcelos. Acredita-se que tenha nascido no dia 2 de janeiro de 1800 no arraial de São Domingos, posteriormente elevado à condição de vila de São Domingos do Araxá. Quando tinha 12 anos, morreu sua mãe, e Beja foi entregue aos cuidados de seus tios.

Por sua beleza e vivacidade, desde muito cedo Beja despertava a atenção dos homens que chegavam à região, atraídos pelos garimpos de ouro e diamantes. Um desses homens foi o ouvidor Joaquim Inácio Silveira da Mota, que a conheceu em um baile quando ela tinha 15 anos. Ele, que era a maior autoridade da região, ordenou seu rapto e com Beja passou a viver em Paracatu do Príncipe.

Em pouco tempo, tornou-se senhora de grande riqueza e notável pelas roupas luxuosas. Contava-se que ela mantinha, em seus guardados, 10 litros de ouro em pó, 41 barras de ouro, uma sacola de jóias e uma jarra repleta de diamantes, além de dinheiro em espécie.

Em 1817, Silveira retornou à Corte e Beja, em vez de acompanhá-lo, preferiu voltar para Araxá, onde mandou erguer na rua principal um magnífico sobrado, no qual passou a viver. Desprezada por sua ligação amorosa com o ouvidor, Beja foi mal recebida pela elite local, particularmente as mulheres. Entretanto, os homens a cortejavam.

Nas imediações do arraial, ordenou que fosse erguida a Chácara do Jatobá, onde promovia grandes festas freqüentadas pelos homens influentes da cidade, fazendeiros e aventureiros enriquecidos nos garimpos. Em uma das reuniões no Jatobá, reencontrou Manoel Fernando Sampaio, um namorado de juventude, e reatou o antigo romance. Com ele teve uma filha chamada Teresa.

Com a Independência do Brasil (1822), o ouvidor Silveira foi alçado a um elevado cargo na administração portuguesa, o que Beja comemorou com alegria. Conta-se que, por ciúmes, Manoel Sampaio espancou-a brutalmente. Mas a Dama de Araxá, como era conhecida, tinha muitas amizades, e foi socorrida e cuidada pelo farmacêutico, o delegado, o juiz e por outras pessoas da localidade. Depois desse episódio, Beja iniciou um novo relacionamento amoroso com o advogado João Carneiro de Mendonça, com quem teve outra filha, Joana.

Em 1835, quando já havia se tornado uma pessoa respeitada pela sociedade local, promoveu o casamento das filhas com homens ricos da região. Teresa casou-se com Francisco Ribeiro da Silva, de uma abastada família, e Joana com Clementino Borges, fazendeiro de Diamantina. Beja vendeu a Chácara do Jatobá, passando a realizar festas "bem-comportadas" em seu sobrado na vila Araxá.

Em 1837, um crime abalou o lugar. Manoel Sampaio, o antigo amante de Beja, foi encontrado morto, vítima de disparo de arma de fogo. Prenderam o autor do tiro, um negro, que a acusou de mandante do crime, apresentando à polícia uma nota de pagamento como prova. Beja foi levada a julgamento no dia 4 de dezembro de 1837, conseguindo ser absolvida. O negro também, já que foi contratado um hábil advogado para defendê-lo. Na noite da comemoração pelo resultado do julgamento, ela conheceu aquele que seria o seu companheiro nos 25 anos seguintes, o garimpeiro Guimarães Bastos.

Mudaram-se para as cercanias do arraial da Bagagem de Diamantina, onde fizeram grande fortuna. Com a morte de Guimarães Bastos, em 1875, Beja vendeu o garimpo e recolheu-se em sua casa, aos cuidados da filha Joana, cercada dos netos. Faleceu cinco anos depois, em 1880.

Sua saga foi contada pela TV Manchete (1986), na novela *Dona Beja: a dama de Araxá*, sendo a personagem interpretada pela atriz Maitê Proença.

Fontes: Adalzira Bittencourt, *Dicionário biobibliográfico de mulheres ilustres*, notáveis e intelectuais do Brasil. Agripa Vasconcelos, *A vida em flor de Dona Beja*; J.G. Almeida, *O sertão dos Araxás e os amores de Dona Beja*; Ovídio de Abreu Filho, "Dona Beija: análise de um mito", in *Perspectivas antropológicas da mulher.*

Benedita Cipriano Gomes *ver* SANTA DICA

Benedita da Silva (1942-)

Primeira senadora negra do Brasil.

Política ativista do Movimento Negro e Feminista, Benedita Souza da Silva Santos nasceu no dia 11 de março de 1942 no Hospital Miguel Couto, na cidade do Rio de Janeiro. Era filha da lavadeira Maria da Conceição, conhecida como Dona Ovídia, e do pedreiro e lavador de carro José Tobias, na época moradores da favela da Praia do Pinto (Leblon), destruída nos anos 60 por um incêndio, para dar lugar ao condomínio residencial Selva de Pedra.

Ainda recém-nascida, foi morar no morro do Chapéu-Mangueira, no Leme (RJ), onde residiu daí por diante. Com uma família numerosa de 14 irmãos, todos tinham que trabalhar. Bené, como ficou conhecida, desde menina pegou no batente: vendeu limão e amendoim, foi operária fabril e entregava a roupa lavada e passada por sua mãe, que tinha, dentre seus clientes, a família do presidente da República Juscelino Kubitschek (1956-60).

Por ocasião das comemorações do IV Centenário da cidade do Rio de Janeiro, em 1965, foi indicada para representante do bairro de Copacabana no concurso de mulheres sambistas promovido pela Prefeitura, tendo sido eleita a Miss IV Centenário. Aos 26 anos de idade, converteu-se à Assembléia de Deus.

Foi nas décadas de 1960-70, tempos de agitação social e dureza do regime militar, que Bené, Dona Marcela e outras mulheres do morro do Chapéu-Mangueira — uma favela incrustada na zona sul carioca — começaram a se reunir para enfrentar a difícil situação dos favelados, resistir às investidas da polícia e melhorar as condições de vida. Fundou o Departamento Feminino da Associação de Moradores do Chapéu-Mangueira.

Logo depois do renascimento do movimento feminista carioca em 1975-76, essa pioneira associação de mulheres faveladas procurou o Centro da Mulher Brasileira (RJ) para articular um trabalho em conjunto, promovendo uma troca histórica de experiências entre estratos sociais diferentes: a classe média ilustrada e as mulheres do morro.

Benedita percebeu que sua saída era estudar; foi a única da família que conseguiu conciliar o trabalho com o estudo, diplomando-se em serviço social no ano de 1982. Viúva, em 1981, do seu primeiro marido Nilton Aldano da Silva, com quem teve dois filhos, casou-se, um ano depois, com Aguinaldo Bezerra dos Santos (o Bola), importante líder comunitário carioca, que morreu em 1988. Atualmente está casada com o ator e político Antônio Pitanga.

Sua atuação nos movimentos de favela, no movimento negro e de mulheres foi a ponta de lança para sua candidatura como vereadora nas eleições municipais de 1982 pela legenda do Partido dos Trabalhadores (PT). Eleita, sua trajetória política foi meteórica, tornando-se a primeira mulher negra a atingir os mais altos cargos da história do Brasil: vereadora, deputada federal constituinte, reeleita para um segundo mandato em 1990, senadora, em 1994, com mais de 2 milhões e 400 mil votos, e vice-governadora no pleito de 1998.

Seus mandatos foram marcados pela defesa das mulheres e dos negros. É de sua autoria o projeto que inscreveu Zumbi dos Palmares no panteão dos heróis nacionais; fez de 20 de novembro o "Dia nacional da consciência negra", além de outros projetos que propõem a inclusão de negros nas produções das emissoras de televisões, filmes e peças publicitárias; criação de delegacias especiais para apurar crimes raciais, cota mínima para setores etno-raciais em instituições de ensino superior; obrigatoriedade do quesito "cor" em documentos; lei contra o assédio sexual e direitos trabalhistas extensivos às empregadas domésticas.

Bené teve sua iniciação política no movimento comunitário da favela e afirmava: "A militância política do pobre começa no berço, no bairro, e não no partido. Foi na rua que aprendi que preciso lutar pela igualdade social para os homens e as mulheres."

Tornou-se um símbolo para a população carente de todo o Brasil. Sua popularidade e a imagem associada às bandeiras sociais transformaram Benedita num fenômeno internacional.

Fontes: *Jornal do Brasil*, 7.3.1999; Benedita da Silva, "A questão racial e a nova sociedade".

Benta Maria da Conceição Torres *ver* MÃE BENTA

Benevenuta Monteiro James *ver* NUTA BARTLET JAMES

Benta Pereira (c.1700-60)

Heroína na Revolta de Campos.

Nasceu provavelmente entre 1673 e 1700 e é figura mítica da origem da cidade de Campos dos Goitacases (RJ). Mulher instruída, era filha do padre Domingos Pereira de Serveira, de quem herdou muitas terras na planície campista. Casou-se com Pedro Manhães Barreto, teve vários filhos e, depois de viúva, assumiu a liderança do clã familiar.

Benta e sua filha Mariana Barreto são as principais figuras femininas da história campista na luta travada pelos habitantes da região contra o donatário, o visconde de Assecas. Em 1674, o governador Salvador Correa de Sá e

Benevides obteve para seu filho Martim Correa de Sá, primeiro visconde de Assecas, o cargo de donatário da recém-criada capitania de Paraíba do Sul, na planície do norte fluminense. Em 1677, foi criada a vila de São Salvador dos Campos dos Goitacases.

O domínio dos Assecas na região foi extremamente atribulado. Os colonos da região consideravam os novos proprietários como usurpadores de terras e, ao resistirem às cobranças abusivas de impostos e taxas, eram presos e degredados.

Em 1730 teve início uma disputa entre a Câmara Municipal e os herdeiros dos Assecas. Desavenças, punições, revolta da população; o rei ordenou então que os filhos do terceiro visconde de Assecas voltassem a Portugal. Mas, em 1740, sucedendo ao pai e confirmando o direito da família sobre a capitania, o herdeiro resolveu dela tomar posse. Desencadearam-se novos tumultos: a Câmara Municipal tentou impedir a posse do novo donatário, declarando a incorporação da capitania à Coroa. As tropas do visconde de Assecas prenderam os vereadores, que foram condenados a cinco anos de degredo em Angola. Foi realizada uma nova eleição com o objetivo de compor uma Câmara com amigos do visconde. A vila se revoltou.

Benta Pereira teve uma importante atuação nestes eventos. Fora ela quem enviara um extenso memorial ao governador do Rio de Janeiro, José Antônio Gomes Freire de Andrade, relatando os fatos. Esse memorial foi remetido dentro de um saco de farinha. Submetidos os habitantes da vila pelas tropas do donatário, Benta Pereira teve seus bens seqüestrados. Mas continuou na luta e, em 1748, sua casa transformou-se na sede da conspiração contra o donatário, o capitão-mor e os vereadores eleitos pelo visconde.

Em 21 de maio explodiu o levante, com mortos e feridos de ambos os lados. Os revoltosos cercaram a Câmara Municipal, ocupada pelas tropas do visconde, que resistiam entrincheiradas. Com a filha Mariana, liderou as mulheres de Campos. Consta que foram elas que comandaram a investida final, invadiram a Câmara e algemaram os usurpadores. No dia seguinte, foram empossados os legítimos representantes.

As forças a favor do donatário conseguiram retomar a luta e acabaram por derrotar os revoltosos. Benta tentou organizar a resistência, mas teve que abandonar a vila. Mariana Barreto permaneceu e acabou sendo presa e submetida ao Tribunal da Relação da Bahia, sendo condenada ao degredo.

Benta Pereira teve 11 pessoas de sua família participando do levante de 1748. Um dos seus filhos morreu e sua filha Mariana cumpriu uma parte da pena. Os campistas conseguiram, entretanto, que a capitania de Paraíba do Sul dos Campos dos Goitacases fosse incorporada à Coroa por ordem régia de 1º de junho de 1753.

Benta faleceu em 10 de dezembro de 1760. Foi sepultada na Fazenda do Colégio (solar dos Jesuítas que atualmente pertence à Universidade Estadual do Norte Fluminense — UENF). Mariana Barreto voltou do degredo e morreu no dia 22 de dezembro de 1765 na sua fazenda Columins, sendo sepultada na Igreja de São Sebastião.

Benta Pereira e sua filha Mariana Barreto são lembradas como heroínas pelos campistas, que reconhecem sua bravura e determinação nas lutas pelos direitos dos cidadãos. A força do mito Benta/Mariana está presente nas armas da cidade de Campos: "*Ipse Matronae Hic Pro Jure Pugnant*" [Aqui até as mulheres lutam pelos direitos]. A homenagem também deixa marcado que este não é um ato esperado das mulheres.

Fontes: Alberto Ribeiro Lamego, *A terra goitacá* e *O homem e o brejo*; Carlos Augusto de Campos, *As heroínas do Brasil*; Francisco A. Varnhagen, *História geral do Brasil*; Júlio Feydit, *Subsídios para a história dos Campos dos Goitacases*; Maria Eugênia Celso C. Mendonça, *O espírito e o heroísmo da mulher brasileira* • Colaboração especial de Neila Ferraz Moreira Nunes.

Beralda Iselinga Pereira (séc.XIX)

Tropeira.

Viveu nas cercanias de São Paulo e exerceu o ofício de condutora de tropas de burros.

Era uma atividade tipicamente masculina e da maior importância para a distribuição e circulação de mercadorias e gêneros no interior do Sudeste brasileiro, do período colonial ao século XIX. Os documentos históricos não trazem casos como o de Beralda com muita freqüência. Mas o registro encontrado em um "livro de barreira" — onde se anotavam os impostos pagos por condutores de tropas em passagem por estradas e caminhos — demonstra que esta atividade também era exercida por mulheres, na ausência temporária ou definitiva de seus companheiros. No "livro de barreira" de Caraguatatuba ficou registrado que, em abril de 1847, Beralda Pereira pagou ao poder público a quantia de 7$400 (sete mil e quatrocentos réis), referente ao transporte de 15 bestas.

Fonte: Maria Odila S. Dias, *Quotidiano e poder em São Paulo no século XIX.*

Bernarda de Sousa (séc.XVIII)

Ex-escrava, comprou sua alforria.

Filha de Marta de Sousa, vivia no Rio de Janeiro na primeira metade do século XVIII. Bernarda conseguiu comprar sua liberdade a Manoel de Moura Alves e casou-se com Francisco José Botelho. Além de comprar sua alforria, Bernarda também comprou uma escrava para servi-la. A vivência das relações escravocratas no Brasil foi bem mais complexa do que se imagina, pois Bernarda comprou como escrava sua própria mãe, Marta de Sousa, que permaneceu nesta condição durante muitos anos.

Em 1755, já viúva e doente, sem herdeiros e temendo morrer, Bernarda foi ao cartório para alforriar sua mãe. Bernarda sabia que, pelas leis vigentes na colônia, ao morrer sem testamento, seus bens reverteriam para o Estado. Sua escrava Marta seria, então, leiloada. Comparecendo ao cartório no dia 27 de setembro de 1755 Bernarda registrou que havia comprado sua mãe porque se sentia na obrigação de protegê-la e, se a mantivera no cativeiro, fora apenas para "conservá-la em sua companhia, tratando-a com a veneração devida". Este ato era para ela uma prova de amor.

Fonte: Nireu Cavalcanti, "Crônicas do Rio colonial", *Jornal do Brasil*, 28.6.1999.

Berta Leitchic (1912-)

Engenheira.

Filha de Elisabeth e Simão Chanaiderman, Berta Chanaiderman nasceu na Rússia em 25 de outubro de 1912 e veio para o Brasil ainda criança.

Sua família era quase toda de engenheiros, o que levou Berta a decidir-se por um futuro diferente das moças de seu tempo. Entrou para a Escola de Engenharia da Universidade do Brasil (atual UFRJ), onde colou grau em 1936. Entusiasmada com os novos rumos que a cidadania feminina tomava no Brasil, Berta, ao lado de Carmem Portinho*, Clara Perelberg Steinberg* e Lícia Prado Lopes*, fundou, em 1937, no Rio de Janeiro, a Associação Brasileira de Engenheiras e Arquitetas (ABEA).

Seu primeiro emprego foi no Serviço de Estudos e Projetos da Secretaria de Obras do Distrito Federal. Especializou-se em concreto e calculou mais de 50 pontes e viadutos, entre os quais o viaduto das Canoas e o túnel do Pasmado, na cidade do Rio de Janeiro (RJ). Em 1955 foi admitida como sócia do Clube de Engenharia.

Chefiou várias campanhas contra as enchentes, apontando soluções para enfrentá-las, e realizou estudos sobre as causas da mortandade de peixes na lagoa Rodrigo de Freitas, sendo suas conclusões coincidentes com os estudos feitos atualmente. Viajou para os Estados Unidos e a Europa, a serviço do governo do estado, para realizar pesquisas sobre mecânica de solos e orla marítima, e foi a única engenheira civil do grupo encarregado da urbanização do Aterro do Flamengo, cabendo a ela a parte técnica do trabalho.

Ocupou vários cargos técnicos importantes na administração do então estado da Guanabara. Em 1983, como diretora da empresa Servenpla, participou da criação do *shopping* Rio Design Center; desde sua inauguração, idealiza e supervisiona a realização, ali, de eventos culturais.

Fontes: *Almanaque de Sócios do Clube de Engenharia*; *Jornal do Clube de Engenharia;* Curriculum vitae.

Bertha Lutz (1894-1976)

Líder feminista e bióloga.

Pioneira das lutas feministas no Brasil, Bertha Maria Júlia Lutz nasceu em São Paulo (SP) no dia 2 de agosto de 1894, filha da enfermeira inglesa Amy Fowler e do cientista e pioneiro da medicina tropical Adolfo Lutz.

Adolescente, foi completar sua educação na Europa. Lá tomou contato com a explosiva campanha sufragista inglesa. Em 1918, em Paris, licenciou-se em ciências na Universidade de Sorbonne, voltando em seguida ao Brasil, onde ingressou, através de concurso público, como bióloga no Museu Nacional.

Desde seu regresso, aos 24 anos, Bertha tornou-se uma defensora incansável dos direitos da mulher no país. Suas idéias repercutiram na sociedade com a publicação de artigo que escreveu em resposta a um jornalista carioca. Ele havia afirmado que os progressos femininos nos Estados Unidos e na Inglaterra não teriam muita influência na vida das mulheres brasileiras. Indignada, Bertha redigiu uma matéria contundente, conclamando as mulheres a fundarem uma associação para lutar por seus direitos.

Com o título de "Somos filhos de tais mulheres" e assinado com o pseudônimo de Iracema, saiu publicado na *Revista da Semana* de 14 de dezembro de 1918:

> "Tudo quanto está sucedendo estava previsto. As democracias vão começar aprendendo a ser a expressão fiel, sincera de um regime social e político da igualdade humana. A mulher, que não pudera conseguir ser compreendida na declaração dos Direitos do Homem proclamados pela Revolução Francesa, a grande pária e dolorosa escrava, que usa braceletes de ouro em memória das algemas de ferro, foi libertada pela guerra e sentada ao lado do homem no trono da terra. As mulheres russas, finlandesas, dinamarquesas, norueguesas, suecas, alemães e inglesas — quer dizer, uns cento e vinte milhões de mulheres na velha Europa — já partilham ou brevemente partilharão do governo, não só contribuindo com o seu voto para a eleição dos legisladores, como podendo ser elas próprias eleitas para o exercício do poder legislativo. Essas mulheres libertadas na Europa são as mulheres louras, das raças anglo-saxônicas, germânica, escandinava e eslava. No nosso continente o mesmo vai suceder às mulheres louras nos EUA. Só as mulheres morenas continuam, não direi cativas, mas subalternas. (...) Todos os dias se lêem nos jornais e revistas do Rio apreciações deprimentes para a mulher. Não há, talvez, cidade no mundo onde se respeite a mulher. Existem, até, seções de jornais que se dedicam a corrompê-la ou a injuriá-la. O que deve consolar a brasileira é que os homens que essas coisas escrevem são piores do que a pior das mulheres. E são esses os seus mais severos juízes...!
>
> Que importa que alguns jornalistas satíricos nos continuem a considerar os 'animais de cabelos compridos e idéias curtas' quando o chefe da mais poderosa república do mundo (...) proclama que 'a contribuição das mulheres para o grande resultado da guerra está fora dos limites da gratidão', e lhes dirige estas belas palavras, como nunca haviam sido pronunciadas no mundo por lábios de um homem: 'A homenagem mínima que lhes podemos prestar é torná-las iguais aos homens no que respeita aos direitos políticos, pois que elas se mostraram em nada diferentes de nós, em todos os ramos do trabalho prático que exerceram em benefício próprio ou do país. (...) Os pormenores do trabalho das mulheres americanas temo-los em nossos corações e, graças a Deus, podemos dizer — 'Somos filhos de tais mulheres'.
>
> Quando ouviremos nós, as brasileiras, de um grande estadista nosso, palavras idênticas? Quando faremos por merecê-las e inspirá-las? Por quanto tempo ainda continuaremos a ser um assunto, apenas, de debique e de sátira?"

No ano seguinte, Bertha Lutz representou o Brasil, junto com a paulista Olga de Paiva Meira*, no Conselho Feminino Internacional, órgão da Organização Internacional do Trabalho (OIT), onde foram aprovados os princípios de salário igual para ambos os sexos e a inclusão da mulher no serviço de proteção aos trabalhadores. De volta ao Brasil, Bertha empenhou-se na luta pelo voto feminino e junto com outras mulheres, entre as quais Maria Lacerda de Moura*, criou, em 1919, a Liga para a Emancipação Intelectual da Mulher, que foi o embrião da Federação Brasileira pelo Progresso Feminino* (FBPF).

Em 1922, então com 28 anos, viajou para os Estados Unidos como delegada oficial do Brasil na I Conferência Pan-Americana de Mulheres. Após três meses de permanência, voltou para o Rio de Janeiro, trazendo consigo a sra. Carrie Chapman Catt, presidente da Associação Americana de Mulheres, Van Lennop, delegada norte-americana, e O'Manys, delegada da Aliança dos Sufrágios da Holanda, para participarem da Conferência pelo Progresso Feminino. Assim, em comemoração ao centenário da Independência, realizou-se no Syllogeu da Ordem do Advogados do Brasil, durante os dias 19 e 23 de dezembro, o I Congresso Internacional Feminista, que consolidou a criação da Federação Brasileira pelo Progresso Feminino. Participaram, além das sufragistas, como Jerônima Mesquita, Stella Guerra Duval, Maria Lacerda de Moura, os senadores Lauro Muller e Justo Chermont, que se solidarizavam com a causa das mulheres.

Nos anos 1920, as mais importantes batalhas da luta pelo direito ao voto foram travadas no Congresso Nacional. Dentre os parlamentares, as feministas encontraram como aliado o deputado — e posteriormente senador — Juvenal Lamartine, membro da Comissão de Constituição e Justiça da Câmara, onde estava em exame um projeto de lei que estendia o direito de voto às mulheres. Lamartine foi procurado no início de 1927 por uma comissão de feministas, composta por Bertha Lutz, Jerônima Mesquita*, Ana Amélia Carneiro de Mendonça* e Maria Eugênia Celso* — para que se manifestasse acerca da matéria sob a sua responsabilidade. Sensibilizado com os argumentos das feministas, ele elaborou um parecer favorável ao projeto.

O encontro de Bertha e suas aliadas com Lamartine marcou o início de uma parceria política duradoura. Pouco tempo depois da reunião das feministas com o parlamentar potiguar, Lamartine lançou-se candidato ao governo do seu estado e contou com pleno apoio da FBPF. Ao divulgar a sua plataforma política em abril de 1927, ele anunciou que pretendia governar contando com o apoio político das mulheres do Rio Grande do Norte, que teriam garantido o seu direito de votar e de serem votadas. Bertha e suas colaboradoras mais próximas, como Carmem Portinho*, mergulharam de corpo e alma na campanha de Lamartine para o governo daquele estado. Visitaram Natal, onde proferiram palestras, concederam entrevistas à imprensa local e lançaram panfletos sobre a cidade a bordo de um monomotor.

Em 12 de novembro daquele ano, a Comissão de Constituição e Justiça do Senado aprovou, por cinco votos contra dois, um substitutivo apresentado pelo senador Aristides Rocha, do Amazonas, que tratava do voto para a mulher. Bertha e um grupo de ativistas da FBPF compareceram ao ato de votação e se posicionaram frente a frente com os senadores durante a sessão. Levaram consigo um abaixo-assinado com cerca de duas mil assinaturas de mulheres, colhidas em todo o país. O documento foi amplamente divulgado na imprensa, como forma de pressionar os congressistas a aprovarem a matéria. Apesar dos esforços das feministas, o projeto em curso no Senado não foi transformado em lei.

Bertha participou da criação da União Universitária Feminina, em 1929, e ingressou no curso de Direito, de modo a poder participar plenamente da vida política, com autoridade; graduou-se advogada em 1933.

Finalmente, em 1930 tramitava no Senado um projeto que estendia às mulheres o direito de voto e que chegou a ser aprovado em segunda discussão naquela casa, mas com a Revolução de 1930 as atividades parlamentares foram suspensas. Vitorioso o movimento revolucionário, as forças políticas democráticas se articularam para pressionar pela realização de eleições. Chegado o momento de redigir o Código Eleitoral, o chefe do Governo Provisório nomeou uma comissão de juristas, encarregada de elaborá-lo, dentre eles, uma mulher, Bertha Lutz. Por pouco, o direito de voto às mulheres não foi incorporado ao texto legal, uma vez que os membros da comissão se dividiram a esse respeito. O jurista Assis Brasil — co-autor do anteprojeto do Código Eleitoral, apresentado ao exame da comissão em agosto de 1931 — e outros defendiam a tese de que a matéria deveria ser examinada pela

Assembléia Constituinte. Bertha e outros membros da comissão pleitearam a imediata inclusão da matéria no novo Código, e na defesa firme de suas posições, Bertha teve o apoio de centenas de mulheres por ela representadas naquele fórum. Finalmente, em fevereiro de 1932, Getúlio Vargas assinou o novo Código Eleitoral, onde estava previsto o direito de voto às mulheres.

Dando continuidade à ação política da FBPF, as participantes da entidade se articularam para ter voz na elaboração da nova Constituição. Em 30 de junho de 1932, o jornal carioca *A Noite* publicou um memorial redigido pela Federação Brasileira pelo Progresso Feminino, com cerca de cinco mil assinaturas, solicitando a nomeação de Bertha Lutz para a comissão de juristas encarregada de redigir o anteprojeto da Constituição. A lista de assinaturas trouxe feministas históricas, homens de prestígio e toda a sorte de simpatizantes da causa feminina. Uma comissão levou o documento às mãos de Getúlio Vargas, no Palácio do Catete.

Poucos dias depois, a 9 de julho de 1932, o país mergulhou em convulsão política, com o início da Revolução Constitucionalista paulista. Apesar do apoio à causa constitucionalista dado pela seção paulista da Federação pelo Progresso Feminino, a direção nacional da FBPF manteve boas relações com o governo de Getúlio Vargas. Bertha foi nomeada para a comissão que elaborou o anteprojeto de Constituição, reunida em Petrópolis durante aquele ano.

Ao final de 1932, havia sido fundada a Liga Eleitoral Independente do Distrito Federal (atual cidade do Rio de Janeiro), como o órgão encarregado de promover a campanha eleitoral das feministas no pleito realizado no início de 1933. Outras ligas eleitorais foram fundadas nos estados, sob a responsabilidade das seções estaduais da FBPF.

Concorrendo pelo Partido Autonomista, Bertha foi candidata à Assembléia Nacional Constituinte, enquanto Stella Guerra Duval* foi a candidata ao cargo de Intendente Municipal. O jogo político, porém, mostrou-se pesado. Bertha foi objeto de uma campanha de difamação divulgada na imprensa, sob acusação de participar de fraude eleitoral e de ter intervindo a favor do deputado eleito, conde Pereira Carneiro, por ocasião da cassação de seu mandato, porque mantinha relações pessoais com a família Pereira Carneiro. O conde Pereira Carneiro, proprietário do *Jornal do Brasil*, foi impedido de assumir o mandato, sob a alegação de que uma de suas empresas era beneficiária de contrato com entidade pública. A empresa, uma companhia de navegação, foi defendida pela advogada Maria Luíza Bittencourt*. Ao fim, demonstrou-se que as acusações lançadas contra o nome de Bertha eram infundadas, mas ela não se elegeu.

Em maio de 1933, foram convocadas eleições para deputados constituintes classistas e Bertha liderou a mobilização das feministas com o objetivo de indicar uma mulher como delegada eleitora para escolher a representação classista dos trabalhadores na Assembléia Nacional Constituinte. Apesar do curto espaço de tempo existente entre a convocação e a data prevista para a realização das eleições em 20 de julho, a campanha foi vitoriosa e Almerinda Gama* foi eleita delegada.

Como parte de suas atribuições, Bertha presidiu e coordenou os trabalhos dos congressos promovidos pelas feministas em 1931, 1934 e 1936. Além de encaminhar a discussão das teses apresentadas nesses encontros que compunham o conjunto das propostas de reforma social concebidas pelas mulheres, usava seu talento político para angariar aliados de peso, como a primeira-dama Darci Vargas*, convidada à presidência de honra do III Congresso Nacional Feminista, realizado no Rio de Janeiro em outubro de 1936.

A 14 de outubro de 1934, promoveram-se eleições gerais para o cargo de governador, vagas nas assembléias constituintes estaduais e na Câmara Federal, para a qual Bertha candidatou-se. Novamente não conseguiu ser eleita, alcançando a primeira suplência. No entanto, em todo o Brasil, nove mulheres foram eleitas deputadas estaduais, sendo algumas integrantes da FBPF. São elas: Antonieta de Barros* (SC), Lili Lages* (AL), Maria do Céu Pereira Fernandes* (RN), Maria Luísa Bittencourt (BA), Maria Teresa Nogueira de Azevedo* (SP), Maria Teresa Silveira de Barros Camar-

1

2

3

4

5

1 • Branca Fialho
Presidente da Federação de Mulheres do Brasil por mais de dez anos.

2 • Bartira
Representação do imaginário popular da índia considerada uma das mães do povo brasileiro.

3 • Berta Leitchic
Uma das fundadoras, em 1937, da Associação Brasileira de Engenheiras e Arquitetas (ABEA), no Rio de Janeiro.

4 • Bibi Ferreira
Considerada uma das maiores atrizes brasileiras, estreou ainda criança e foi protagonista de grandes espetáculos no país.

5 • Baronesa do Bonfim
Mulher de grande influência na sociedade, usou seu prestígio para a criação de várias instituições e campanhas na área da assistência social.

6

7

8

9

10

11

6 • *Benedita da Silva*
Primeira senadora negra do Brasil.

7 • *Bárbara Pereira de Alencar*
Cubículo na antiga cadeia da vila de Fortaleza (CE) onde Bárbara Pereira de Alencar ficou presa em 1817 por ter se envolvido na conspiração republicana.

8 • *Bertha Lutz*
Desde 1918, uma das princiais líderes na luta pelos direitos das mulheres no Brasil.

9 • Bertha Lutz assinando a ata final da XIII Assembléia da Comissão Interamericana de Mulheres, Washington (EUA), em 18 de junho de 1959.

10 • *Bidu Sayão*
Cantora lírica carioca que conquistou fama internacional, conhecida desde a década de 1920 como "Pequena Rouxinol".

11 • *Baronesa de Mamanguape*
Intelectual e promotora cultural do Segundo Império.

go* (SP), Quintina Diniz de Oliveira Ribeiro* (SE), Rosa Castro (MA) e Zuleide Bogéa (MA).

Bertha assumiu o mandato de deputada federal em 28 de julho de 1936, na vaga deixada pelo titular, Cândido Pessoa, que falecera. Para discutir os rumos da FBPF e elaborar as diretrizes da atuação parlamentar de sua líder, as feministas realizaram no Rio de Janeiro, entre 1º e 8 de outubro daquele ano, o III Congresso Nacional Feminista, nos salões do Automóvel Clube. Como legisladora, Bertha apresentou o projeto do Estatuto da Mulher, que propunha a reformulação da legislação brasileira quanto ao trabalho feminino; o projeto chegou a passar em primeira discussão na Câmara, em outubro de 1937. Propôs, também, a criação do Departamento Nacional da Mulher. Esse projeto encontrou resistência por parte de Carlota Pereira de Queirós*, deputada por São Paulo. As duas divergiam quanto à forma de encaminhar propostas específicas para as mulheres. Segundo a historiadora Maria Lúcia Mott, Carlota acreditava que as mulheres deveriam ser equiparadas aos homens em todos os planos, inclusive o político. Assim, uma proposta de assistência exclusiva ao público feminino e infantil feria o princípio da eqüidade que defendia. No fundo, Carlota temia a criação de um partido feminino, estratégia que a Federação cogitava incluir em sua agenda nessa nova fase após a conquista do voto.

De forma declarada, Carlota concebia o papel social do Estado como parte das tradicionais políticas assistencialistas já conhecidas. Queria que o Departamento fosse denominado Departamento de Amparo à Mulher e fosse incluído no ministério da Saúde. Bertha, em sessão realizada a 28 de julho, protestou veementemente contra a deturpação do espírito do seu projeto conferida pela proposta de Carlota Queirós, afirmando que "a necessidade de amparo não é inerente à condição da mulher. Concebera o Departamento para ser um espaço de atuação exclusivamente voltado para o atendimento das questões cotidianas das mulheres, como a saúde e a proteção à maternidade, e também como um órgão de defesa das condições de trabalho e de vida da população feminina."

A decretação do Estado Novo em novembro de 1937 encerrou a carreira de Bertha como parlamentar e arrefeceu a capacidade de mobilização da FBPF, de cuja direção ela foi gradualmente se afastando, até deixar definitivamente o cargo de presidente em 1942. Sucedeu-a a escritora Maria Sabina de Albuquerque*, sua antiga colaboradora. Manteve-se, nas décadas seguintes, fiel à luta das mulheres pela cidadania. Em 1944, representou o Brasil na Conferência Internacional do Trabalho, realizada na Filadélfia, EUA, como membro da Comissão de Assuntos Femininos.

Em fevereiro de 1945, com o fim do conflito mundial, no Rio de Janeiro, em uma mesa-redonda realizada no Itamarati para discutir a situação da cidadania feminina, Bertha apresentou-se como "orientadora" da Federação.

No mesmo ano, foi delegada plenipotenciária do Brasil junto à Conferência de São Francisco. Em 1946, obteve um prêmio de viagem aos Estados Unidos, colaborando com o Club Soroptimista e sendo considerada a Mulher do Ano. Em 1951, foi premiada com o título de Mulher das Américas e, em 1952, foi a representante do Brasil na Comissão de Estatutos da Mulher das Nações Unidas, criada por sua iniciativa. Em 1953, foi eleita delegada do Brasil junto à Comissão Interamericana de Mulheres da União Panamericana de Repúblicas. Quando a ONU estabeleceu o ano de 1975 como o Ano Internacional da Mulher, atendendo às pressões do movimento feminista internacional, já doente, foi convidada pelo governo brasileiro a integrar a delegação do país no primeiro Congresso Internacional da Mulher, realizado na capital do México. Foi este seu último ato em prol da melhoria da condição feminina.

Foi membro de várias entidades internacionais, tais como: Aliança Internacional pelo Sufrágio Feminino e Igualdade Política dos Sexos (Londres), Sociedade Internacional de Mulheres Geógrafas (Washington), Comissão Feminina Consultiva do Trabalho da Mulher, do Bureau Internacional do Trabalho, da Sociedade das Nações (Genebra), Bureau Internacional de Proteção à Natureza (Bruxelas) e Museu Americano de História Natural (Nova York).

Na qualidade de cientista, trabalhou durante 46 anos como docente e pesquisadora do Museu Nacional, na Quinta da Boa Vista, no Rio de Janeiro. Foi reconhecida internacionalmente por sua contribuição na pesquisa zoológica, especificamente de espécies anfíbias brasileiras. Descobriu, entre outras, a *Liolaremus Lutzae* (lagartixa de praia), várias *Hylas*, entre as quais *H.Squalirostris*, e *Perpusilla*.

Escreveu, dentre outros: *Estudos sobre a biologia floral da Mangífera Índica L.*, *Wildlife in Brazil*, *A nacionalidade da mulher casada*, *Homenagem das senhoras brasileiras à ilustre presidente da União Interamericana de Mulheres*, *Estatuto da Mulher*.

Faleceu no Rio de Janeiro a 16 de setembro de 1976.

Fontes: Alzira Abreu e Israel Beloch (coord.), *Dicionário histórico-biográfico brasileiro*; *A Noite*, 30.6.1932; Arquivo da FBPF; FBPF, Boletim, nov/34; Cedim, *Bertha Lutz — uma pioneira. Homenagem ao centenário de nascimento*; Fanny Tabak e Moema Toscano, *Mulher e política*; Heleieth Saffioti, *A mulher na sociedade de classes — mito e realidade*; J.B. Cascudo Rodrigues, *A mulher brasileira: direitos políticos e civis;* J.F. Assis Brasil, *Democracia representativa*; Maria Aparecida Franco Pereira (coord.), *História da mulher na história*; Maria Lúcia de Barros Mott, Pesquisa histórica para o calendário do Conselho Estadual da Condição Feminina; Rachel Soihet, *Bertha Lutz e a ascensão social da mulher, 1919-1937*; Susan Besse, *Restructuring Patriarchy* • Elaborado por Teresa Cristina Novaes Marques.

Beth Lobo (1943-91)

Socióloga e feminista.

Elisabeth de Sousa Lobo nasceu em Porto Alegre no dia 30 de agosto de 1943. Viveu nessa cidade até o primeiro exílio em 1967, quando foi estudar em Paris junto com Marco Aurélio Garcia, com quem havia se casado dois anos antes. Beth fez seu curso universitário em letras neolatinas, na Faculdade de Filosofia da Universidade Federal do Rio Grande do Sul. Seu amor pela literatura acompanhou-a por toda a vida, e foi seu interesse pelas questões sociais abordadas na literatura que a levou para a sociologia.

Quando eclodiram as manifestações de 68, estavam em Paris e ali viveram aqueles dias rebeldes. Voltaram no ano seguinte ao Brasil, para Porto Alegre, mas a permanência foi curta. Quando o regime militar brasileiro enrijeceu, foram viver no Chile. Neste segundo exílio nasceu, em 71, seu filho Leon. Com a morte de Allende e a tomada do poder pelos militares liderados por Pinochet, voltaram à França para mais um exílio. Beth, no Chile, já havia voltado suas atividades acadêmicas para a sociologia, e durante esta nova permanência na França fez sua tese de doutorado com o tema "Crise de domination et dictature militaire au Brésil", onde buscou uma racionalização dos eventos que marcaram sua vida privada e política.

Após a anistia, em 1979, Beth retornou ao Brasil, juntamente com Marco Aurélio e Leon, indo morar em São Paulo. Trazia na bagagem uma rica experiência de militância política. Voltou às aulas em universidades e aos estudos sobre os sujeitos sociais, realizando pesquisa sobre as trabalhadoras na indústria metalúrgica.

Beth Lobo participou de entidades do movimento feminista, como a Associação de Mulheres de São Paulo, e foi uma das incentivadoras para a formação do grupo Sexualidade e Política. Contribuiu com o processo de organização das mulheres sindicalistas, principalmente das filiadas à CUT — Central Única dos Trabalhadores.

No jornal *Mulherio* escreveu diversos artigos sobre a temática feminista. Participou da Comissão de Mulheres do Partido dos Trabalhadores lutando pela incorporação das questões relacionadas à mulher nas plataformas e programas desse partido.

Sua militância plural era capaz de construir as pontes necessárias para integrar diferentes frentes de trabalho e luta: partido, sindicato, vida universitária, movimentos sociais e feministas.

Em 15 de março de 1991, num acidente de carro, faleceu na Paraíba, onde fora participar de uma série de atividades. Nesse mesmo acidente faleceu, também, Maria da Penha do Nascimento*, líder sindicalista, trabalhadora rural de Alagoa Grande. A última palestra de Beth Lobo na Universidade Federal da Paraíba, em João Pessoa, denominava-se: "A classe trabalhadora no Brasil: experiências, estrutura e gênero". Estavam na sua agenda encontros com mulheres dos movimentos, como, por exemplo, Elizabeth Teixeira*, trabalhadora rural, e outras palestras em sindicatos rurais, discutindo o dia-a-dia das trabalhadoras.

Seus estudos e pesquisas iniciados no ABC paulista sobre os movimentos de mulheres, o feminismo e as trabalhadoras estão organizados no livro *A classe operária tem dois sexos: trabalho, dominação e resistência*. Beth era fascinada por Emma Goldman e foi sua excelente biógrafa com *A vida como revolução* (1983) e *Revolução e desencanto: do público ao privado* (1989).

Fontes: Elisabeth de Souza Lobo Garcia, *A classe operária tem dois sexos: trabalho, dominação e resistência*; Entrevista com Marco Aurélio Garcia, concedida em setembro de 1999 • Colaboração especial de Vera Soares.

Bibi Ferreira (1924-)

Atriz, cantora e diretora teatral.

Abigail Isquierdo Ferreira nasceu no Rio de Janeiro em 1º de junho de 1924, descendente de uma família de artistas e filha do célebre ator brasileiro Procópio Ferreira.

Aos três anos de idade já era estrela de uma companhia espanhola de teatro de revista. Aos 17 anos, estreou como atriz na peça *Inimigos do povo* e, em 1946, criou sua própria companhia de teatro, a Companhia Bibi Ferreira.

Morou cinco anos em Portugal e, de volta ao Brasil, montou vários espetáculos, entre os quais *My Fair Lady*, em 1963, ao lado de Paulo Autran, e *A gota d'água*, em 1975, de Chico Buarque e Paulo Pontes, com o qual viveu por oito anos.

Além de atriz, cantora e diretora, toca violino e piano. Dirigiu shows de grande sucesso com as cantoras Maria Betânia e Elizeth Cardoso. Interpretou, em 1983, a cantora francesa no espetáculo *Piaf*. Esta peça lhe valeu todos os prêmios da crítica naquele ano, além da Comenda da Ordem e do Mérito das Artes da França. Seu reconhecimento como atriz consagrada do público brasileiro pode ser exemplificado com o incidente ocorrido em São Paulo em 1995, quando precisou de ajuda policial para conter a multidão que foi assistir a seu espetáculo *Bibi in concert II*, em um teatro paulista.

Fonte: *Isto É*, edição especial 3, nº 1.539.

Bidu Sayão (1906-99)

Cantora lírica.

Balduína de Moreira Sayão nasceu no Rio de Janeiro (RJ) no dia 11 de maio de 1906, filha de Maria José da Costa e de Pedro de Oliveira Sayão.

Desde pequena desejava ser atriz, mas, diante da oposição da família, começou a dedicar-se à música. Aos 10 anos, declamava, tocava clássicos ao piano e cantava cançonetas. Incentivada por seu tio, o teatrólogo Alberto Costa, foi estudar canto e aos 15 anos, já com o apelido de "Pequeno Rouxinol", destacava-se entre as alunas da cantora Helena Theodorini. No ano seguinte, apresentou-se como soprano em curtos recitais no Teatro Trianon e no salão do *Jornal do Brasil*, no Rio de Janeiro. Em 1922, foi para Nice, França, estudar com Jean de Reszek, retornando três anos mais tarde.

Durante sua estada na Europa, foi convidada para cantar no Palácio Real de Bucareste, Romênia, numa recepção em homenagem ao príncipe herdeiro do Japão, o futuro imperador Hiroíto. De volta ao Brasil, apresentou-se no Teatro Municipal do Rio de Janeiro, sendo consagrada pelo público e pela crítica.

Estreou como cantora de ópera no Teatro Constanzi, em Roma, em 1926. Nesse mesmo ano, inaugurou a temporada lírica no Teatro Municipal do Rio de Janeiro, interpretando Rosina na ópera *O barbeiro de Sevilha*, de Rossini. No ano seguinte, casou-se com o empresário Walter Macchi.

Em 1928, apresentou-se com grande sucesso no Teatro Colón, em Buenos Aires. De volta à Itália, atuou no Teatro alla Scala de Milão, no teatro Regio de Turim e na Academia Santa Cecília, de Roma. Seguiu para Paris, onde foi muito aplaudida no Teatro Nacional de Ópera Cômica, do qual tornou-se cantora regular.

Em 1935, casou-se com o tenor italiano Giuseppe Danise.

Nesse ano, estreou nos Estados Unidos, no Town Hall de Nova York, cantando *Manon*, de Massenet. Vencedora de um concurso para solista, foi contratada por Arturo Toscanini e passou a integrar a Orquestra Filarmônica de Nova York. Consagrou-se definitivamente nos Estados Unidos em 1936, ano em que cantou na orquestra do Carnegie Hall, e dois anos depois estreou no Metropolitan Opera House, com espetáculo transmitido pelo rádio para o Rio de Janeiro, e desde então passou a integrar o elenco desse teatro. Em fevereiro de 1938, se apresentou na Casa Branca para o presidente Roosevelt.

Exibiu-se pela última vez no Brasil em 1950, no Teatro Municipal do Rio de Janeiro, em *La bohème*, de Puccini. Afastou-se da vida artística no auge da carreira — sua última apresentação foi no Carnegie Hall, em 1958, a pedido de Villa-Lobos. No ano seguinte, gravou, também a pedido do maestro, *Floresta amazônica*, uma das últimas sinfonias compostas por ele.

Em 1987, o Metropolitan Opera House comemorou com uma grande festa os 40 anos de sua estréia. No Carnaval de 1995, foi homenageada pela Escola de Samba Beija-Flor de Nilópolis (RJ) e participou do desfile vestida de baiana.

Membro vitalício da Academia Brasileira de Música, teve sua obra lançada em CD pelas gravadoras Sony e Naxos. Passou os últimos anos de sua vida no Maine (EUA). Faleceu no dia 12 de março de 1999.

Fontes: Afrânio Coutinho (dir.), *Brasil e brasileiros de hoje*; Dossiê Bidu Sayão; *Enciclopédia da música brasileira: popular, erudita e folclórica; Folha de S. Paulo,* 15.3.1999; *Jornal do Brasil,* 26.3.1977, 13.12.1986, 7.4.1994, 13.3.1999; *O Cruzeiro,* 5.12.1973; *O Estado de S. Paulo,* 10.1.1998; *O Globo,* 13.3.1999; *Veja* 30.11.1983.

Branca (séc.XVI)

Índia escrava.

Viveu no planalto de Piratininga, na capitania de São Vicente, onde se uniu ao índio Pedro com aprovação dos padres jesuítas, sem contudo ter recebido o sacramento do matrimônio. Pertencia, juntamente com seu companheiro, a Antônio Ribeiro Roxo, e foram mencionados como um casal no arrolamento preliminar dos bens do seu senhor. No entanto, quando da partilha dos bens pelos herdeiros, Branca foi separada de Pedro sob a alegação de que não eram casados.

O caso de Branca ilustra a violência do processo de aculturação, uma vez que ela fora retirada do seu meio social, destituída da condição de pessoa e tratada como um bem. Deixara de ser um membro de seu povo, e tampouco era-lhe possível viver sob os moldes da cultura cristã. A conquista européia criou um limbo cultural e nele lançou índias como Branca.

Fonte: John Manuel Monteiro, *Negros da terra: índios e bandeirantes nas origens de São Paulo.*

Branca (séc.XVI)

Índia temininó.

Nome adotado pela mulher do cacique temininó Maracajá-Guaçu. Estes índios viviam no litoral fluminense nas cercanias da Baia do Rio de Janeiro (atual Guanabara) e eram inimigos dos tamoios, que os dizimaram nas lutas intertribais.

No início de 1555, o chefe Maracajá-Guaçu viu-se forçado a solicitar refúgio a Vasco Fernandes Coutinho, donatário da capitania do Espírito Santo. Fixaram-se nas imediações de Vitória, onde edificaram diversas aldeias. Branca e seu marido comandavam a principal aldeia, a de Nossa Senhora da Conceição.

Cristianizada, Branca exerceu grande influência sobre a evangelização do Espírito Santo, atuando como intermediária entre os padres jesuítas e a população indígena. Sua colaboração foi louvada pelo padre Antônio de Sá, que descreveu suas qualidades morais e ação cristã no processo de colonização.

Fontes: Gustavo Geraldo de Almeida, *Heróis indígenas do Brasil — memórias sinceras de uma raça*; Jorge Couto, *A construção do Brasil.*

Branca Canto e Melo (séc.XX)

Feminista.

Foi membro ativo da Federação Paulista pelo Progresso Feminino e, na qualidade de delegada do estado de São Paulo, participou do I Congresso Internacional Feminista da Federação Brasileira pelo Progresso Feminino* (FBPF), em dezembro de 1922, no Rio de Janeiro. Nesse evento, integrou a comissão de

Instrução Pública, apresentando um trabalho sobre a situação da instrução feminina em São Paulo.

Nele informou que não havia disposição legal contrária ao ingresso de mulheres em qualquer estabelecimento oficial de ensino paulista. Devido às características da educação que as moças recebiam da família, poucas iam além dos cursos secundários. No entanto os mais procurados eram os cursos que garantiam um ingresso mais imediato no mundo do trabalho, como os de caixa, datilógrafa e estenógrafa. Os cursos normais eram também bastante requisitados, apesar das dificuldades encontradas no exercício do magistério: os salários aviltados e o não reconhecimento de diplomas de normalistas entre os estados, impedindo que professoras primárias que não fossem absorvidas pelo mercado de trabalho em São Paulo buscassem emprego em outros estados.

Entre as resoluções do congresso, foi aprovada uma indicação de que o governo possibilitasse o reconhecimento dos diplomas de cursos normais entre os estados da federação. A principal proposta foi a de se franquear às mulheres o acesso ao ensino oficial secundário da capital federal, o Colégio Pedro II, então vedado a mulheres.

Embora a presidente do congresso, Bertha Lutz*, tivesse encaminhado às autoridades públicas um documento formal nesse sentido, somente no ano de 1927 foi realizada a primeira matrícula feminina no colégio.

Fonte: Arquivo da FBPF.

Branca Dias (séc.XVI)

Cristã-nova perseguida pela Inquisição.

Muitas lendas e versões cercam a figura de Branca Dias. As informações históricas mais fidedignas disponíveis, porém, mencionam a existência de uma mulher chamada Branca Dias, natural de Viana no Minho em Portugal, que, no final dos anos 1520, casou-se com um cristão-novo chamado Diogo Fernandes. Ele, um comerciante de tecidos, fixou-se em Pernambuco, deixando a família em Portugal.

Por volta da década de 1540, Branca Dias foi denunciada por judaísmo por sua própria mãe e uma irmã, em face da pressão do Santo Ofício. Uma vez presa, Branca confessou praticar a religião judaica. Libertada no ano de 1545, Branca fugiu para o Brasil com seus filhos — três meninos e oito meninas — vindo a ter com o marido em Pernambuco. A família passou a viver em Olinda, ao mesmo tempo em que mantinha uma propriedade açucareira no interior da capitania.

No ano de 1588 ou 1589, Branca Dias morreu. Mesmo após a morte da mãe, os filhos do casal foram perseguidos pelo Santo Ofício, cujo inquisidor iniciou a visita a Pernambuco no ano de 1593. Denunciados por prática do judaísmo, alguns dos descendentes de Branca e Diogo foram presos e os restos mortais de Branca foram enviados para Lisboa a fim de serem queimados sob o ritual do Santo Ofício. A mão pesada da Inquisição caiu principalmente sobre uma filha do casal, de nome Beatriz Fernandes, que chegou a ser presa e nunca se casou.

Mas uma outra versão vinha sendo repetida por numerosos estudiosos do Pernambuco colonial, que tomaram Branca Dias como o símbolo da intolerância religiosa portuguesa. Para gerações e gerações de historiadores, Branca Dias foi denunciada ao Tribunal do Santo Ofício por crime de judaísmo, presa e enviada a Portugal para ser submetida a interrogatório e a punição criminal. O historiador pernambucano Francisco Pereira da Costa chegou a afirmar que Branca Dias acabou sendo queimada na fogueira em Portugal.

Há também um mito que persiste na memória do povo pernambucano. A Branca Dias lendária surgiu nos escritos de Joana Maria de Freitas Gamboa, autora pernambucana do drama *Branca Dias de Apipucos*. Seria Branca uma rica senhora de engenho que, ao ser denunciada ao Santo Ofício por judaísmo, lançou pela janela toda a sua baixela de prata e demais objetos de metais preciosos. O córrego que existia ao lado da casa passou a ser conhecido como o Riacho da Prata, porque lá ficaram depositados seus objetos. Assim, a figura de Branca Dias ficou para sempre associada à da mulher que, num gesto de ira e desespero, preferiu jogar a parte mais evidente de sua riqueza no fundo de um rio, a vê-la confiscada por mãos ávidas.

O historiador pernambucano Evaldo Melo realizou uma pesquisa aprofundada sobre Branca Dias e sua família e julga ter desfeito o equívoco. Segundo Melo, Branca Dias morreu antes de sua família ser alvo de perseguições. Quando em vida, porém, havia encaminhado seus filhos para casarem-se com membros de famílias cristãs-velhas da elite local.

Devido a esses casamentos com membros de tradicionais famílias pernambucanas, algumas linhagens notáveis foram "manchadas" pela impureza do sangue de Branca Dias e de seus filhos. Especialmente, segundo Melo, no caso da matriarca do Pernambuco seiscentista, Brites Mendes de Vasconcelos*. Essa mulher teve um de seus filhos casado com a neta de Branca Dias, além de se dizer comadre dela, razão suficiente para que a Inquisição suspeitasse de sua origem. Os genealogistas tiveram que promover verdadeiros malabarismos para esclarecer a origem de Brites de Vasconcelos, de modo a não comprometer a "pureza" de algumas linhagens pernambucanas.

Fontes: Evaldo Cabral de Melo, *O nome e o sangue: uma fraude genealógica no Pernambuco colonial*; Francisco Augusto Pereira da Costa, *Obras completas: mosaico pernambucano*; Henrique C.P. Melo, *Pernambucanas ilustres.*

Branca Fialho (1896-1965)

Ativista do movimento de mulheres.

Branca Osório de Almeida nasceu no dia 10 de março de 1896 em Petrópolis (RJ). Filha de família ilustre, recebeu uma educação primorosa com sólida base humanística. Casou-se com o desembargador Henrique Fialho, com quem teve três filhos. Destacada educadora, Branca foi membro fundador da Associação Brasileira de Educação e do Instituto Brasil-Estados Unidos. Seu trabalho como educadora foi reconhecido ao ser escolhida uma das presidentes de honra do Congresso Internacional de Educação em Paris, em 1937. Pela importância de seu trabalho, foi agraciada pelo governo brasileiro com a Medalha Rui Barbosa.

Simpatizante das causas democráticas, presidiu também a Associação Brasileira dos Amigos do Povo Espanhol, na década de 1930. Sua atuação junto às organizações de solidariedade às campanhas dos governos aliados durante a II Guerra Mundial valeram-lhe a condecoração da Cruz de Lorena. O governo francês ainda a distinguiu com os títulos de Chevalier de la Legion d'Honneur no grau de oficial de honra, e a medalha Au Service de la Pensée Française pelos serviços prestados na difusão da cultura francesa no Brasil.

Uma de suas maiores lutas foi em prol da ampliação dos direitos femininos. Participou de todas as campanhas promovidas pelo movimento de mulheres durante as décadas 1940-60. Sua liderança foi nacionalmente reconhecida quando sucedeu Alice Tibiriçá* como presidente da Federação de Mulheres do Brasil.

Assim que assumiu o cargo, em 1952, Branca Fialho foi convidada pelo Conselho Mundial da Paz a visitar a antiga União Soviética. Foi eleita vice-presidente da Federação Democrática Internacional de Mulheres, entidade de mulheres socialistas e comunistas organizadas em todos os países socialistas. Embora não fosse comunista, ocupou esse cargo e a presidência da Federação Brasileira até morrer.

Faleceu no Rio de Janeiro em janeiro de 1965.

Fontes: Arquivo do Movimento Operário do Rio de Janeiro do IFCS/UFRJ; Federação de Mulheres do Brasil, *Atravessando as fronteiras da URSS.*

Brandina (séc.XIX)

Abolicionista.

Negra, atuou no movimento abolicionista na cidade de Santos (SP), na segunda metade do século XIX. Era proprietária de uma pensão na antiga rua Setentrional, atual Praça da República.

Apesar de não ser uma mulher de posses, usava o dinheiro de seu trabalho para dar comida, fumo e remédios aos negros fugitivos que se refugiavam na baixada santista.

Colaborou com os cabos abolicionistas e com Santos Garrafão, líder de um dos maiores quilombos da região. Essa proteção e ajuda aos negros quilombolas tornaram-na uma figura querida na cidade.

Fontes: Alzira Rufino, Nilza Iraci, Maria Rosa Pereira; *A mulher negra tem história*; Maria T.C. Crescenti Bernardes, *Mulher e libertação dos escravos.*

Brasileiras na II Guerra Mundial

O Brasil tentou manter-se neutro no conflito que eclodiu na Europa após a invasão da Polônia pelas tropas alemãs em setembro de 1939. Numa posição ambígua, o presidente Vargas adotou a política de não confrontar os EUA nem a Alemanha. A ditadura do Estado Novo, implantada por Vargas, espelhava-se no nazi-fascismo em termos políticos e ideológicos.

É inegável, porém, que desde o início do século XX os EUA tinham ampliado sua influência econômica, política e cultural sobre a América Latina. No início da guerra, as opiniões se dividiam quanto a que lado apoiar. Entretanto, a ajuda financeira norte-americana para a construção da siderúrgica de Volta Redonda fez o governo brasileiro aproximar-se das forças aliadas. Os alemães reagiram a esta aliança, intensificando sua patrulha no Atlântico Sul e passando a torpedear navios brasileiros de carga e de passageiros. Depois do naufrágio de vários navios nacionais, a população, indignada, exigiu do governo uma resposta. Assim, em agosto de 1942, Vargas declarou guerra à Alemanha e à Itália.

Em acordo com o alto comando militar norte-americano, o Brasil comprometeu-se a enviar, em 1944, vários batalhões para lutar junto às forças aliadas na reconquista do território europeu. Este contingente, com cerca de 25.000 homens, ficou conhecido como Força Expedicionária Brasileira (FEB). Os pracinhas foram para a frente italiana e participaram de várias batalhas. Para apoiar as forças de terra, seguiram 400 pilotos brasileiros. Estes realizaram numerosas missões aéreas, destruindo alvos inimigos e contribuindo, assim, com o esforço de guerra das forças aliadas.

Ao ser confirmada a participação de soldados brasileiros na II Guerra Mundial, foi exigido pelos oficiais norte-americanos que o Brasil enviasse também enfermeiras, diante das dificuldades de comunicação em português e para atendimento aos possíveis feridos nos combates. O Decreto nº 6.097, de 15 de dezembro de 1943, criou o Quadro de Enfermeiras da Reserva do Exército no Serviço de Saúde. Em seguida, o Decreto nº 14.257 de mesma data aprovou seu regulamento, prevendo o acesso das enfermeiras até à 1ª classe.

O objetivo era a formação de enfermeiras militares, que constituiriam o Quadro da Reserva do Exército. Assim, enfermeiras civis preparadas por escolas de reconhecida idoneidade freqüentaram por seis semanas um curso de adaptação, realizado no Distrito Federal pela diretoria de Saúde do Exército, ou nas sedes das Regiões Militares, pelas respectivas chefias do Serviço de Saúde. O curso era administrado por professores de reconhecido valor na área de saúde. Muitas enfermeiras candidataram-se ao posto. Matérias teóricas da área de saúde, aulas práticas nos hospitais militares e serviços técnicos e noções de disciplina militar faziam parte de sua preparação.

Ao final do curso foram habilitadas 73 enfermeiras, nomeadas pelo ministro da Guerra para servir na FEB. Não lhes foi conferido diploma ou certificado de aprovação. Apenas constavam do boletim da Diretoria de Saúde as ocorrências durante o curso. Convocadas para o Serviço Ativo do Exército e aptas a ingressar no Serviço de Saúde da FEB, foram enviadas para o *front*. Como o ministério da Guerra tinha dificuldades em receber mulheres em suas fileiras, considerou-as apenas como enfermeiras de 3ª classe, com vencimentos de segundo-sargento. Um pequeno grupo de enfermeiras seguiu para Nápoles em julho de 1944 e já estavam lá instaladas quando chegou o primeiro grupo de soldados da FEB. As demais foram para a Itália por via aérea, sendo que o último contingente de 33 enfermeiras embarcou em outubro de 1944. Chefiava o grupo a enfermeira mais antiga, Olímpia de Araújo Camerino*.

Chegando à Itália, as enfermeiras brasileiras experimentaram duras provações por não possuírem posto ou graduação militar. As enfermeiras americanas eram oficiais do Exército, de segundo-tenente a coronel, e se orgulhavam das insígnias que portavam. Os americanos não compreendiam a presença de pessoas que não tivessem situação hierárquica definida. Sem uma situação militar definida, as brasileiras não podiam conviver no círculo de oficiais aliados, ao qual pertenciam suas colegas norte-americanas. Sentiam-se isoladas e um tanto constrangidas. Diante desta situação embaraçosa, o general João Batista Mascarenhas de Moraes, comandante da FEB, em comum acordo com o coronel Emmanuel Marques Porto, chefe do Serviço de Saúde, decidiu promover as enfermeiras brasileiras ao posto de segundo-tenente. Essa promoção referia-se apenas à hierarquia militar — podiam, agora, freqüentar o círculo dos oficiais aliados — mas seus vencimentos continuaram proporcionais ao posto de segundo-sargento. Esta situação perdurou até o final da guerra. Na Itália, foram distribuídas nos hospitais do V Exército norte-americano, sediados da cidade de Nápoles aos Apeninos italianos, e reportavam-se a uma enfermeira-chefe norte-americana da patente de major ou capitão.

As enfermeiras brasileiras foram distribuídas da seguinte forma:

(i) 32nd Field Hospital-Platoon B, em Valdiburra, o mais próximo da linha de frente. Um hospital montado em barracas, recebia os feridos com grandes lesões, vindos diretamente do *front*. Foram designadas as enfermeiras Altamira Pereira Valadares, Juraci França Xavier*, Carmem Bebiano, Jacira de Sousa Goes e Neusa de Melo Gonçalves;

(ii) 16th Evacuation Hospital, um hospital de capacidade média, instalado em Pistóia, 30 quilômetros para trás do Field; também instalado em barracas. Foram designadas as enfermeiras Berta de Moraes, Antonieta Ferreira, Elza Cansação Medeiros, Virgínia Maria de Niemeyer Porto Carreiro, Sílvia de Sousa Barros, Maria do Carmo Correia e Castro, Maria Belém Landi, Maria José Aguiar, Jurgleide Doris de Castro, Sílvia Pereira Marques, Novembrina Augusta Cavallero, Elita Marinho, Elza Miranda da Silva, Ondina Miranda de Souza, Helena Ramos, Wanda Sofia Magewski. Esse hospital deslocou-se para diversas cidades como Tarquínia, Sta. Luce, Pisa, Pistóia, Corvela, Marzaboto e Parola. As enfermeiras acompanhavam o hospital em sua peregrinação pelos campos de batalhas;

(iii) 7th Station Hospital, situado nas proximidades de Livorno, num edifício de uma colônia de férias do governo italiano. Era um conjunto de vários edifícios ligados por galerias, onde estavam instaladas as enfermarias e demais seções da administração do hospital. Para esse hospital foram designadas 24 enfermeiras brasileiras: Olímpia de Araújo Camerino, Maria Aparecida França, Inácia de Melo Braga, Fausta Nice Carvalhal, Lindaura Galvão, Haidée Rodrigues Costa, Acácia Cruz, Alice Neves, Araci Arnaud Sampaio, Amarina Franco Moura, Elza Ferreira Viana, Hilda Ribeiro, Ilza Meira Alkmin, Jaci Chaves, Lígia Fonseca, Nícia de Moraes Sampaio, Nilza Candida da Rocha e Virgínia Leite. Mais tarde chegaram Heloisa Cecília Vilar, Guilhermina Rodrigues Gomes, Matilde Alencar Guimarães e Jandira Bessa de Meireles;

(iv) Os hospitais 45th, 182th, 300th General Hospital estavam instalados em Nápoles. Neles trabalhavam ainda 11 enfermeiras brasileiras: Lúcia Osório, Nair Paulo de Melo, Maria Luísa Vilela Henry, Zilda Nogueira Rodrigues, Jandira Faria de Almeida, Carlota Melo, Edith Fanha, Isabel Novaes Feitosa, Maria da Conceição Suarez, Roselis Belém Teixeira e Maria Hilda de Melo;

(v) No serviço de Evacuação Aérea foram trabalhar as enfermeiras Maria José Vassimon de Freitas, Dirce Ribeiro da Costa Leite, Joana Simões de Araújo, Lenalda Lima Campos, Sara de Castro e Semíramis de Queirós Montenegro, que haviam feito um curso de especialização nesse serviço na Base Norte-Americana de Parnamirim, em Natal, Rio Grande do Norte.

Além destas, estiveram em outros postos na Itália as enfermeiras Graziela Afonso de Carvalho, Olga Mendes, Lilia Pereira da Silva, Maria de Lourdes Mercês, Maria Celeste Fernandes, Orminda Célia Barroso e Gema Imaculata Ottolograno; e as enfermeiras da Escola Ana Néri que serviram junto ao I Grupo de Caça Aéreo: Isaura Barbosa Lima, Judith Arêas*, Antonina de Holanda Martins, Ocimara Moura Ribeiro, Regina Cordeiro Bordalho e Maria Diva Campos.

Brasileiras e norte-americanas trabalhavam em igualdade de condições. As brasileiras assimilaram rapidamente as novas técnicas hospitalares desenvolvidas pelos EUA, o manuseio de novas aparelhagens, a utilização de novos remédios, tais como a penicilina. O trabalho era exaustivo, o número de pacientes chegou à cifra de 1.000 por dia, com a média diária de cerca de 600 a 700. Eram muitas entradas e saídas. A recuperação era em média 70% dos baixados mensalmente, o que pode atestar o bom funcionamento do serviço médico. Num relato de época foi assim definido o trabalho das nossas bravas enfermeiras: "A saudade, o sofrimento, as noites de vigília, o cansaço das longas horas de trabalho, o frio, a neve, também maltratavam as enfermeiras. Corajosas e eficientes continuavam as enfermeiras brasileiras em sua função como verdadeiras colaboradoras do Serviço de Saúde da FEB."

As enfermeiras brasileiras atuaram com eficiência na evacuação dos feridos e doentes, que saíam de Nápoles, na Itália, e eram transportados para Casablanca, no Marrocos, depois para Dacar, no Senegal, para então chegarem ao Brasil, por Natal (RN). O Serviço de Evacuação Aérea da FEB utilizava aviões da FAB para o transporte de Natal ao Rio, onde feridos e doentes eram apresentados diariamente ao Hospital Central do Exército. Em 8 de maio de 1945, a guerra na Europa terminou, com a rendição da Alemanha.

Foi finalmente organizado o regresso ao Brasil. Em 20 de setembro de 1945, embarcaram em Nápoles no navio *James Parker*, com o 5º Escalão. A missão na Itália terminara. No hospital de bordo, entretanto, a tarefa continuava: escala de serviço, rotina hospitalar. De toda a FEB, foram as enfermeiras brasileiras as primeiras a irem para a Itália e as últimas a voltarem. Chegaram ao Brasil no dia 3 de outubro, com o último escalão da força expedicionária.

Finda a guerra, o general Marques Porto, diretor-geral de Saúde do Exército, propôs a criação de um Quadro Especializado no Exército regular, composto pelas enfermeiras expedicionárias. Este foi aprovado pelo Estado-Maior do Exército e remetido à Diretoria-Geral de Saúde, para encaminhamento ao ministro da Guerra. Mas o quadro não foi criado. Depois de licenciadas, as enfermeiras pleitearam a materialização dos serviços prestados. Pela Lei nº 1.209, de 25 de outubro de 1950, as enfermeiras da FEB tiveram sua aspiração realizada. Estavam efetivadas no posto de segundo-tenente e, com o mesmo posto, incluídas na reserva de 2ª classe do Exército. As enfermeiras que tiveram seqüelas em conseqüência da guerra foram amparadas pelas leis da FEB. Como tinham sido efetivadas no posto de segundo-tenente, continuaram a lutar por sua ascensão. A Lei nº 3.160, de 1º de janeiro de 1957, convocava as enfermeiras para o Serviço Ativo do Exército, no posto de segundo-tenente, com acesso até primeiro-tenente, permanência assegurada, gozo dos direitos, vantagens e regalias inerentes aos oficiais da ativa. A convocação foi requerida por 46 enfermeiras; nove não se apresentaram e 12 já estavam reformadas, por incapacidade adquirida na guerra.

As que estão vivas hoje estão inativas, nos postos de major, capitão ou primeiro-tenente; umas por tempo de serviço, outras por limite de idade e outras ainda por incapacidade física.

Fontes: Altamira Pereira Valadares, *Álbum biográfico das febianas*; Olimpia de Araújo Camerino, *A mulher brasileira na II Guerra Mundial;* Entrevista da expedicionária Isabel Novaes Feitosa concedida a Carmen Alveal em 11.2.1999. • Elaborado por Carmen Margarida Oliveira Alveal e Hildete Pereira de Melo.

Brígida (séc.XVI)
Índia escrava.

Da nação dos Tamoio, Brígida viveu na região de Cabo Frio, litoral do Rio de Janeiro. Brígida ou Bu-y-syde foi uma das 26 índias e 10 índios escravizados pela tripulação da nau *Bretoa*, uma bem-sucedida expedição promovida por mercadores portugueses ao litoral brasileiro em 1511, com o propósito de extrair pau-brasil e outras mercadorias, como animais silvestres. O produto da expedição foi vendido com grande lucro na praça de Lisboa.

Sob o comando do piloto João Lopes Carvalho e com o escrivão Duarte Fernandes, que narrou toda a viagem, a nau aportou ao final do mês de maio em uma ilha nas cercanias de Cabo Frio, onde havia uma feitoria portuguesa, provavelmente aquela deixada por Américo Vespuccio em 1504.

Apesar das advertências dos promotores da expedição para que não fossem embarcados indígenas no navio, uma vez que eles pereciam na travessia do Atlântico e, com isso, a frágil aliança entre os portugueses e os nativos poderia ficar abalada, a tripulação não poupou esforços para capturar 26 mulheres. O propósito era revendê-las como escravas em Portugal e, principalmente, satisfazer seus desejos sexuais nos meses de viagem que ainda lhes aguardavam.

A *Bretoa* zarpou de volta para Portugal com a carga de cinco mil toras de pau-brasil, alguns animais, pássaros vivos e 36 índios cativos. Brígida foi uma dessas cativas levadas para Portugal, de encomenda, para um certo Francisco Gomes. Seu paradeiro na Europa é desconhecido.

Fontes: Eduardo Bueno, *Náufragos, traficantes e degredados*; Francisco A. Varnhagen, *História geral do Brasil*; Gustavo Geraldo de Almeida, *Heróis indígenas do Brasil — memórias sinceras de uma raça.*

Brites de Carvalho (séc.XVI)

Colonizadora de Sergipe.

Casada com Duarte Dias Carvalho, assumiu a sesmaria de Rio Real no norte da Bahia no ano de 1583, depois da morte de seu marido.

A primeira tentativa dos portugueses de conquistar dos índios suas terras deu-se em 1575, com uma expedição militar promovida pelo poderoso proprietário de terras da capitania da Bahia, Garcia d'Ávila. A conquista definitiva das terras do norte da Bahia — então extraordinariamente rica em pau-brasil — ocorreu com a chegada das tropas de Luís de Brito, que fora em apoio a Garcia d'Ávila. Os índios, chefiados por Surubi e Aperipé, resistiram com bravura. O chefe Surubi foi morto nos combates e sua gente escravizada, mas Aperipé conseguiu escapar.

Para consolidar a ocupação portuguesa, a Coroa distribuiu terras, através de sesmarias, àqueles que haviam participado do conflito, tão logo os índios foram expulsos. Brites de Carvalho, por herança do marido, acabou ocupando e explorando a terra, fruto de uma conquista sangrenta. Esta região atualmente faz parte do estado de Sergipe.

Fontes: Francisco A. Varnhagen, *História geral do Brasil*; Janina Z. Klave, *O papel da mulher nos descobrimentos e na expansão portuguesa.*

Brites de Lucena (séc.XVII)

Cristã-nova condenada pela Inquisição.

De família tradicional de senhores de engenho e advogados, era filha de Beatriz de Paredes e de Sebastião de Lucena Montarroio. Sua família estava radicada nas terras fluminenses desde o final do século XVI; Brites tinha uma avó que era índia carijó.

Casou-se com o advogado e senhor de engenho Antônio de Barros, como ela cristão-novo e de família da elite colonial do Rio de Janeiro. O casamento foi em 20 de janeiro de 1665 na Igreja de Nossa Senhora do Loreto, freguesia de Jacarepaguá, e Antônio e Brites foram morar no engenho Covanca, no mesmo bairro. Lá ficaram por mais de 30 anos, até aproximadamente 1700. Tiveram sete filhos: Sebastião, Antônia, Isabel, Guiomar, José, Miguel e Antônio. Depois de casarem as filhas, foram morar no Capão, em Irajá, mas sempre mantiveram residência no centro da cidade do Rio de Janeiro, onde Antônio realizava seus negócios — tinha um escritório de advocacia em sociedade com um filho e um genro.

Em 1703, o Tribunal do Santo Ofício começou a perseguição aos cristãos-novos do Rio de Janeiro. Seu objetivo era acabar com as heresias no império português, em especial com a heresia judaica. Em 1497, todos os judeus do reino português foram obrigados à conversão forçada ao catolicismo. Assim, criou-se uma nova categoria, os cristãos-novos. Mas os inquisidores desconfiavam de que eles secretamente continuassem a praticar o judaísmo.

Antônio de Barros faleceu em 1708 e, por temor à presença do Tribunal do Santo Ofício na região, seu enterro foi feito no mais puro estilo cristão. Esta foi seguramente uma estratégia da família Barros para esquecer sua origem e distanciar-se da comunidade de cristãos-novos que vivia no Rio.

Ao longo da primeira década do século XVIII, o Santo Ofício fez inúmeras prisões no Rio de Janeiro. Em 1711, um grande número de cristãos-novos estava na prisão, aguardando a frota que os levaria para Lisboa, quando a cidade foi invadida pelos franceses, que libertaram os prisioneiros da Inquisição.

Até então, nenhum membro da família de Antonio Barros havia sido preso. Como os libertados tinham perdido seus bens, a postura dos Barros irritou os demais membros da comunidade. Estes, então, combinaram denunciá-los caso fossem presos de novo. A historiadora Lina Gorenstein Ferreira da Silva chamou esta reação da comunidade de "conjuração" contra os Barros, embora não se possa provar se isto de fato aconteceu ou, como ela questiona, se somente existiu nos depoimentos dos Barros na barra do Tribunal.

Brites foi presa aos 64 anos, entre janeiro e março de 1714. Ficou três anos encarcerada até ser libertada no auto-de-fé, em 1717. Denunciou seus filhos como judaizantes, arrependeu-se e declarou que os havia denunciado falsamente. Foi torturada, mas persistiu na revogação. Os inquisidores, afirmando que ela estava possuída pelo demônio, colocaram-na novamente sob tortura. Brites não agüentou e confirmou a heresia dos filhos homens, já tendo as mulheres sido denunciadas. Todos os seus filhos sofreram as penas do Santo Ofício, com exceção de Antônia, que foi denunciada mas morreu antes de ouvir a sentença. Brites foi condenada a cárcere e hábito penitencial sem remissão. Esta sentença significava que o condenado deveria viver em local designado pelo Tribunal e era obrigado a usar o hábito penitencial, o "sambenito", espécie de capa com a cruz amarela de Santo André, e que esta pena não podia ser suspensa.

Fonte: Lina Gorenstein Ferreira da Silva, *Heréticos e impuros — a Inquisição e os cristãos-novos no Rio de Janeiro século XVIII.*

Brites Mendes de Albuquerque

(?-1584)

Colonizadora e donatária da capitania de Pernambuco.

Brites, ou Beatriz, como era também chamada, nasceu em Portugal, filha de Joana de Bulhão e de Lopo de Albuquerque, da poderosa família dos Albuquerqùe, arrolados entre os "barões assinalados" do poema *Os Lusíadas*.

Casou-se com Duarte Coelho Pereira, que recebeu a donataria da capitania de Pernambuco. Duarte era filho de Gonçalo Coelho, capitão-mor da armada que visitou o litoral brasileiro no ano de 1503 em missão de reconhecimento. Gonçalo Coelho fora, também, escrivão da fazenda real. Do mesmo modo, o filho esteve profundamente envolvido com a empresa ultramarina portuguesa, participando de expedições ao Oriente entre os anos de 1516 e 1517, pouco tempo antes de se casar com Brites de Albuquerque. Há uma outra versão para o casamento de Brites e Duarte Coelho. O historiador Evaldo Cabral de Melo coloca a alternativa de que este teria se realizado na capitania e não no reino. Cita ainda a possibilidade de que ela tenha vindo depois de seu marido, na hipótese de terem-se casado antes da partida dele.

Segundo a versão consagrada pela historiografia, Brites e Duarte Coelho chegaram ao Brasil no dia 9 de março de 1535. Seu propósito era tomar posse das 60 léguas de terra doadas pelo rei mediante estritas condições, dentre as quais destacava-se a obrigação de ocupar efetivamente o território. Desembarcaram no porto dos Marcos, ao sul do canal de Jussará, posteriormente denominado de rio de Santa Cruz, em frente à ilha de Itamaracá. Trouxeram consigo, na mesma armada, oficiais, parentes, amigos e uma grande quantidade de *gente miúda* para trabalhar na tarefa de colonizar o território, como soldados, marinheiros, artesãos, mercadores, além de instrumentos, armas e munição. Muitas destas pessoas vieram para Pernambuco trazendo mulher e filhos, que compuseram as primeiras famílias de reinóis a ocupar o território. Apesar disto, era freqüente, durante o governo de Duarte Coelho, os colonos portugueses tomarem para si mulheres indígenas, a exemplo do próprio irmão de Brites, Jerônimo de Albuquerque, que se uniu a Maria do Espírito Santo Arco-Verde*.

A ocupação produtiva do território, no entanto, não se apresentava como uma tarefa fácil para os donatários, que deviam contar com seus próprios meios para fazer uso econômico da propriedade. Isto significava instalar engenhos de açúcar e conter a resistência dos indígenas, que não se furtavam a atacar recorrentemente os povoados fundados pelos portugueses na colônia. Assim, nesses primeiros tempos, a ocupação portuguesa do Brasil caracterizou-se por ser um misto de empresa militar e mercantil, que requeria a atenção constante dos colonizadores.

A capitania de Duarte Coelho, chamada de Nova Lusitânia, situava-se entre o sul de Pernambuco e norte de Alagoas, tendo sido uma das poucas que prosperaram durante a experiência da instituição das capitanias hereditárias. O principal engenho da capitania chamava-se Nossa Senhora da Ajuda (muito depois passou a ser conhecido como Forno da Cal) e foi levantado por Duarte Coelho, Brites e seu irmão Jerônimo de Albuquerque.

Em agosto de 1554, Duarte Coelho, chamado a Portugal para prestar esclarecimentos sobre o andamento das coisas em sua capitania, acabou morrendo em Lisboa. No momento da morte do pai, os dois filhos homens do casal estavam também em Portugal como estudantes e não retornaram imediatamente ao Brasil. Coube a Brites assumir o governo da capitania a partir da morte do marido e por muitos anos ainda, pois seus filhos pouco exerceram, de fato, a administração da propriedade.

Os problemas se avolumavam, e o principal dentre eles era resistir às investidas dos indígenas sobre a capitania. Na ausência do governador, os índios hostis reuniram forças para deter o avanço dos portugueses. Com a explosão do conflito, os prejuízos materiais decorrentes da destruição de engenhos, além dos altos custos da guerra, fizeram com que os colonos da Nova Lusitânia recorressem ao rei de Portugal em busca de auxílio. Em carta ao rei, datada de 28 de agosto de 1555, Jerônimo de Albuquerque pintou um quadro sombrio da situação da donataria, afirmando que "o pouco que ela rendia nem bastava para minha irmã e seus filhos se manterem".

Contidos os índios, coube a Brites, com o auxílio do irmão, a responsabilidade de administrar uma imensa extensão de terras, colonos e escravos, embora sua vontade fosse dedicar-se inteiramente à vida religiosa, como testemunharam os jesuítas que visitaram sua capitania. Um deles, Rui Pereira, assim descreveu Brites em abril de 1561: "A senhora governadora (...) é grande devota da companhia e as suas esmolas foram contínuas em casa (...). Seus exercícios são ir à igreja e ouvir missa e encomendar-se, visitar quantos enfermos há na vila e consolá-los. Seu gosto é falar de Deus e ler por livros espirituais, e agora que vieram os filhos não cabe de alegria por ver que a descarregaram da governança e que tem tempo para se dar a Deus."

Formalmente, a sucessão da capitania coube ao filho mais velho do casal, Duarte Coelho de Albuquerque. Assumiu o governo em novembro de 1560, mas, segundo Abreu, só veio a receber a carta definitiva de confirmação de posse em fevereiro de 1570. Pouco valeu a confirmação da posse, uma vez que ele e o irmão, Jorge Coelho, rumaram para Portugal em 1572 e se incorporaram à armada do rei D. Sebastião que avançou sobre a África. Ambos pereceram na célebre batalha de Alcácer-Quibir, ocorrida a 4 de agosto de 1578.

Durante o governo de Brites, Pernambuco era a mais desenvolvida capitania do Brasil. Tinha mais de mil colonos e mais de mil escravos. Segundo o testemunho de Fernão Cardim, nos anos 1570 havia na capitania cerca de 66 engenhos, que produziam 200 mil arrobas de açúcar anuais. Olinda possuía uma bela igreja matriz, muitas capelas, um colégio da Companhia de Jesus. O Recife era um pequeno povoado, com uma ermida e alguns armazéns. Brites exerceu pessoalmente o governo das propriedades da família no Brasil até o momento de sua morte, que se deu entre junho e outubro do ano de 1584 em Pernambuco, segundo relatou o padre José de Anchieta aos seus superiores. Suas exéquias foram realizadas pomposamente no colégio de Olinda e o bispo D. Antônio Barreiras fez-lhe a oração fúnebre.

O papel administrativo de Brites de Albuquerque na capitania de Pernambuco foi reconhecido pelo sociólogo Gilberto Freire, que, em seu discurso de posse na Academia Pernambucana de Letras a 11 de novembro de 1986, assim o destacou: "Não é preciso desmerecer-se o desempenho, em São Vicente, de Martim Afonso de Sousa e da esposa ilustre, para louvar-se rasgadamente o de Duarte Coelho e de Dona Brites em Pernambuco. Foram desempenhos, igualmente, pioneiros e consagradores dos casais que os praticaram com a melhor das bravuras, o maior dos destemores, o mais belo dos ânimos construtivos."

Fontes: Célia Freire da Fonseca, *A economia européia e a colonização do Brasil*; Charles Boxer, *A mulher na expansão ultramarina ibérica*; Evaldo Cabral de Melo, *O nome e o sangue;* Fernão Cardim, *Tratados da terra e gente do Brasil*; Francisco A. Varnhagen, *História geral do Brasil*; Gilberto Freire, *Sobrados e mucambos*; Gilberto Freire e Waldemar Lopes, *Pernambucanidade consagrada*; Gileno de Carli, *O açúcar na formação econômica do Brasil;* Maria Lúcia de Barros Mott, *Submissão e resistência*; Torre do Tombo, Corpo cronológico I.

Brites Mendes de Vasconcelos

(c.1530-1620)
Colonizadora de Pernambuco.

Filha de Joana de Góis de Vasconcelos, aia da rainha Dona Catarina, e de Bartolomeu Rodrigues, camareiro-mor do infante D. Luís (filho do rei D. Manuel). A origem de Brites é nebulosa, sendo anômalo o fato de uma menina nobre e filha legítima vir para a colônia, separando-se da mãe. Conjetura-se que seria ilegítima e filha natural do próprio infante D. Luís, solteirão convicto. Como era usual que os servidores da casa adotassem os filhos naturais dos seus senhores, talvez seja essa sua origem.

Casou-se com o colono nobre Arnal de Holanda, natural de Utrecht, que chegou a Pernambuco junto com Duarte Coelho. Os donatários de Pernambuco dotaram Brites generosamente com sesmarias onde o casal viria a levantar muitos engenhos de açúcar. Segundo Evaldo Cabral de Melo, de concreto se conhece a concessão, em 1568, de uma sesmaria em Muribeca, onde o casal criou o engenho Santo André. Mas esse historiador não descarta a possibilidade de lhe terem sido doadas terras em Igaraçu, ao longo do rio Beberibe, nas várzeas onde se ergueram os primeiros engenhos de açúcar de cana da capitania.

Em 1577, já estava viúva. Vendeu o engenho Santo André e reservou uma data para si, onde erigiu o engenho Novo, vendido tempos depois. Assim como Brites, outras órfãs de linhagem nobre, sob a proteção do rei, foram enviadas ao Brasil para que aqui se casassem, com dotes e regalias.

Brites e Arnal tiveram oito filhos. De sua família originou-se a maior parte da elite dominante da capitania. Em 1601, depondo no processo de Catarina Favela, quando o Tribunal do Santo Ofício estava em visita a Pernambuco, Brites declarou que tinha 70 anos. Segundo a tradição, teve uma vida longa, chegando a quase 100 anos. Faleceu em Olinda, no dia 19 de dezembro de 1620, e lá foi sepultada na Igreja de Santo Antônio e São Gonçalo.

Fontes: Afonso Costa. *Genealogia baiana*; Evaldo Cabral de Melo, *O nome e o sangue*; *Revista do IHGB*, nº 191.

C

Cacilda Becker (1921-69)

Atriz e empresária teatral.

Nasceu em Piraçununga (SP) em 6 de abril de 1921, filha de Alzira Becker e Edmundo Yáconis, e atuou durante 29 anos no teatro e no cinema.

Estreou em 1940, vivendo a personagem Gertrude na peça *Hamlet*, de Shakespeare. A partir daí, envolveu-se completamente com o palco. Sua vida confunde-se com a história do teatro brasileiro, pois Cacilda participou das mais importantes montagens realizadas no Brasil nessa época.

Cacilda protagonizou o surgimento de um rico período do teatro nacional, sendo a primeira figura do Teatro Brasileiro de Comédia (TBC) no período que se seguiu a sua fundação. Teve atuações memoráveis nas peças *Maria Stuart*, de Schiller, com tradução de Manuel Bandeira, *Seis personagens à procura de um autor*, de Pirandello, *Anjo de pedra*, de Tennessee Williams, *Antígona*, de Anouilh, *Pega-fogo*, de Jules Renard, e *A visita da velha senhora*, de Dürrenmatt, entre outras. Os anos do TBC consolidaram seu talento e, a cada montagem, Cacilda imprimia vigorosamente seu dom e sua arte. Foi uma atriz cuja intensidade da emoção se fundia com a técnica, fazendo com que superasse quaisquer limitações físicas e estabelecesse um verdadeiro pacto com a platéia.

Em 1958, formou uma companhia própria, o Teatro Cacilda Becker (TCB), ao lado do marido Walmor Chagas, da irmã Cleide Yaconis e do diretor Ziembinski. Inaugurou a companhia com a montagem do texto *O santo e a porca*, de Ariano Suassuna. No TCB, se consagrou com a personagem da Mãe na peça *A longa jornada de um dia para dentro da noite*, de Eugene O´Neill. Em 1960, apresentou-se com *Pega-fogo* no Festival das Nações, em Paris. Em 1965, protagonizou *Quem tem medo de Virgínia Wolf?*, de Edward Albee.

No cinema, atuou nos filmes *A luz dos meus olhos*, (1947) e *Floradas na serra* (1954). Também participou de montagens de peças para a televisão.

Durante a primeira fase do regime militar implantado em 1964, a atriz talentosa deu lugar à líder da classe teatral, que assumiu a defesa da liberdade de expressão. Em 1969, foi eleita a personalidade Teatral do Ano, pela Associação Paulista de Críticos Teatrais, por seu desempenho como atriz e sua atuação política como presidente da Comissão Estadual de Teatro.

No dia 6 de maio de 1969, Cacilda e Walmor Chagas encenavam a peça *Esperando Godot*, de Beckett, quando ela sentiu-se mal. Ainda vestida como a personagem, levaram-na para o hospital, onde foi diagnosticado um aneurisma cerebral. Faleceu 38 dias depois, no dia 14 de junho de 1969, e sua morte comoveu o Brasil. O poeta Carlos Drummond de Andrade assim a comentou: "A morte emendou a gramática. Morreram Cacilda Becker. Não era uma só. Eram tantas."

Fontes: Carolina Ribeiro de Oliveira, *Biografias de personalidades célebres*; Isto É & The Times, *1000 que fizeram o século 20*; *Jornal do Brasil*, 14.6.1999.

Caetana Martini (séc.XX)

Operária e ativista do movimento social.

Nasceu na Itália, descendente de família operária que emigrou para São Paulo. Depois de terminar o curso primário, dedicou-se à profissão de costureira.

Caetana era sensível às causas populares e viveu a agitação política de 1930, envolvendo-se no movimento cívico paulista por nova Carta Constitucional, e na articulação dos trabalhadores por seus direitos, com a criação da Aliança Nacional Libertadora (ANL), em 1935.

A ANL era uma frente única dos partidos de esquerda, que agregava também sindicatos, uma ala tenentista e pessoas apartidárias. Esta fusão de uma parcela da classe média com o operariado sacudiu o Brasil naquele ano. Era uma nova forma de fazer política e, em poucos meses, havia mais de 1.600 núcleos espalhados pelo país. O programa político da ANL representava as aspirações de todas as classes sociais, dos partidos democráticos e dos nacionalistas. No tocante à condição feminina, formaram-se núcleos de mulheres intitulados "uniões" para lutarem por estas reivindicações. Com o crescimento e a organização da Aliança, recrudesceram os choques com o movimento integralista, e a ANL acabou sendo fechada pelo Estado, acusada de ser comunista e financiada por estrangeiros. Vivendo este ambiente efervescente até o golpe de 1937, que acabou com o estado de direito no Brasil, Caetana foi uma verdadeira liderança na defesa dos direitos das trabalhadoras e da volta à democracia. Foi membro ativo da Comissão de Organização da União das Mulheres Democráticas de Sorocaba.

Fontes: Maria Lígia Madureira Pina, *A mulher na história*; *Momento Feminino*, nº 15.

Campanha da Mulher pela Democracia (CAMDE)

Movimento político que, na década de 1960, mobilizou milhares de mulheres em várias cidades brasileiras. O lema principal desse movimento era "Deus é a Verdade. Democracia é Liberdade". A primeira reunião do grupo que criou a CAMDE deu-se na casa de Amélia Molina Bastos*, neta, sobrinha e irmã de generais do Exército.

Em depoimento posterior, Amélia contou:

> "A CAMDE foi fundada aqui nesta sala. Meu irmão, Antônio Mendonça Molina, vinha há muito trabalhando no Serviço Secreto do Exército contra os comunistas. Nesse dia 12 de junho de 1962, eu tinha reunido aqui (...) 22 famílias ao todo (...) parte de um trabalho meu para a Paróquia de Nossa Senhora da Paz. Nesse dia o vigário disse assim: 'Mas a coisa está muito preta. Isso tudo não adianta nada, porque a coisa está muito ruim e eu acho que se as mulheres não se meterem nós estamos perdidos...' Eu, como sou muito católica, pensei logo: comunismo é igual a ateísmo. Então eu tenho que defender a Igreja."

As reuniões evoluíram para uma intensa mobilização de mulheres, que foram para as ruas fazer campanha contra o comunismo. Surgiram, assim, as "marchadeiras", mulheres de elite, conservadoras, que promoveram manifestações contra o governo de João Goulart durante os dois anos que antecederam ao golpe militar de março de 1964.

A força da mobilização conservadora feminina fez surgir diversas organizações nos moldes da CAMDE, como o Movimento de Arregimentação Feminina (MAF) e a União Cívica Feminina (UCF). O ápice desse movimento foram as Marchas com Deus pela Família e pela Liberdade, que arrastaram multidões para as ruas, em várias capitais, ao longo do ano de 1964. Essas marchas deram suporte ao golpe militar que derrubou o presidente João Goulart.

A repercussão da participação feminina nos acontecimentos que culminaram com a vitória do golpe incentivou a mobilização política de muitas mulheres da classe média, sob o manto da Igreja católica. Fortalecidas pela vitória, essas mulheres ensaiaram um novo comportamento político e social, mostrando interesse por cursos de política e liderança. De uma posição passiva diante dos acontecimentos políticos passaram a uma postura ativa na defesa de suas opiniões sobre os problemas socioeconômicos do país.

Para que a nova posição feminina se consolidasse, era preciso organizar entidades pelo interior do país e, também, criar laços com organizações congêneres no continente sul-americano. A organização foi reconhecida oficialmente como de utilidade pública, pelo Decreto nº 58.763 de 28.6.1966. Nesse mesmo ano, as dirigentes da CAMDE começaram a organizar um congresso internacional de mulheres para debater os problemas que atingiam o movimento e ainda promover um maior intercâmbio entre as entidades cívicas femininas do Brasil e de outros países da América do Sul. A comissão executiva para a preparação do congresso foi constituída por: Clélia Aché de Araújo, Ester de Proença Lago, Eudóxia Ribeiro Dantas, Gilda de Paiva Côrtes, Lúcia Peixoto Jobim, Maria Helena da Gama Câmara, Mavy d'Aché Assumpção Harmon, Odete Bouças Siqueira e Wilma Poock Kanitz. Tal congresso realizou-se de 16 a 22 de abril de 1967, no centro de convenções do Hotel Glória, Rio de Janeiro. Foi solenemente aberto num domingo, com a presença de representantes da presidência da República, além de ministros de Estado e autoridades estaduais.

Vieram ao congresso representantes de entidades femininas da Argentina, Bolívia, Chile, Colômbia, Equador, Peru, Uruguai, Venezuela e República Dominicana, esta última como observadora. Do Brasil participaram as seguintes associações: Movimento Cívico da Mulher Cearense, Liga da Mulher Democrata (LIMDE), de Minas Gerais, União Cívica Feminina, do Paraná, Cruzada Democrática Feminina, de Pernambuco, Ação Democrática Feminina Gaúcha e Cruzada da Mulher Democrática, do Rio Grande do Sul, e o MAF, a UCF e a Liga Feminina Israelita, os três de São Paulo. Do então estado da Guanabara compareceram ao evento: a Associação Brasileira de Educação, a Associação Cristã Feminina, o Conselho Nacional de Educação, a Federação dos Círculos de Operários Católicos e o Departamento de Opinião Pública Leste Um — Fase.

A CAMDE participou do congresso com seções regionais da Guanabara, de Minas Gerais e de Santa Catarina. Uma das principais contribuições do congresso foi, segundo suas organizadoras, demonstrar a necessidade da criação de uma entidade cívico-feminina nacional que proporcionasse um maior entrosamento entre as diversas associações, evitando a dispersão de esforços e favorecendo uma ação conjunta mais eficaz.

Algumas conclusões do congresso foram:

> "1. (...) A constatação da guerra fria, sob as diferentes formas em que se apresenta, resultou na proposta de constituição de duas entidades: uma de âmbito nacional e outra continental. (...) [o] símbolo do Congresso, ou seja, as mulheres de mãos dadas, à volta da América do Sul, defendendo-a contra os perigos que ameaçam os países deste hemisfério (...).
>
> 2. a) Urge o diálogo entre pais e filhos, a fim de contrabalançar (...) pressões externas que visam o enfraquecimento da estrutura familiar.
>
> b) Que o sindicato se mantenha como uma sociedade humana, livre de injunções políticas, (...) relações operário-patronais em que a dignidade humana anteponha-se à infra-estrutura econômica.
>
> c) O capital e o trabalho são fatores interdependentes no processo econômico da produção.
>
> d) Cabe, pois, ao empresário assumir a plena responsabilidade social inerente a sua posição.
>
> e) (...) cabe ao operário dignificar seu trabalho, cumprindo as tarefas de sua responsabilidade e contribuindo para o progresso da nação.
>
> 3. (...) o problema prioritário, exigindo da mulher o melhor de sua capacidade é, sem dúvida, a educação, em todos os seus aspectos."

As delegadas e observadoras brasileiras presentes foram: Violeta Brasil Aguiar (Ceará); Aíla de Oliveira Gomes, Cordélia de Sá Lessa, Iolanda da Costa Teixeira, Lupércia de Andrade Carvalho, Maria de Lourdes Levy, Marília Mariani, Maria Luiza Larqué, Nerides Bonfim de Santana, Walkíria Beeg, Zuleika Teixeira Alves (Guanabara); Graziela de Carvalho Moura, Antonieta Horta Ludolf de Melo, Joan Margaret Mcguigan, Lydia Magon Villar e Virgínia Lima Santos (Minas Gerais); Luísa Bueno Gomm e Hellê Vellozo Fernandes (Paraná); Cristina Azevedo, Haélia Patrício de Carvalho, Maria José Barreto Campelo de Melo, Maria Luísa C. Campelo (Pernambuco); Íris Potthoff Corrêa Lopes, Giselda Escosteguy Castro, Lúcia de A.C. Alles, Juraci de Bragança Leonardo e Marina Sirangelo Castelo (Rio Grande do Sul); Yllah Corrêa Pinto da Luz (Santa Catarina); Grace de Ulhoa Cintra, Ivani de Almeida Bouças, Maria Paula Caetano da Silva, Maria Violeta Maciel de Castro, Judith Pereira (São Paulo).

O regime militar, após a promulgação do Ato Institucional nº 5 (AI-5), passou a prescindir de organizações de massa, fazendo com que a mobilização feminina fosse paulatinamente perdendo força e levando as mulheres da classe média de volta ao seu papel tradicional no mundo doméstico, longe do espaço público.

Fontes: CAMDE, *Anais do I Congresso Sul-Americano da Mulher em Defesa da Democracia*; Maria Amélia A. Teles, *Breve história do feminismo no Brasil*; Movimento Feminino pela Anistia — Núcleo do Rio de Janeiro, *Participação político-social da mulher no Brasil (a experiência de 1964)*. • Elaborado por Hildete Pereira de Melo e Teresa Cristina Novaes Marques.

Carlota Joaquina de Bourbon

(1775-1830)

Princesa do Brasil, rainha de Portugal.

Nasceu no palácio de Aranjuez, nos arredores de Madri, Espanha, a 22 de abril de 1775, primogênita do futuro rei Carlos IV de Espanha.

Para consolidar a aliança política dos reinos ibéricos, foi oferecida em casamento, com 10 anos de idade, ao então príncipe português D. João VI. Devido à pouca idade da princesa, a união matrimonial só se consumou em 1790, quando Carlota completou 15 anos, e apesar de viverem em casas separadas tiveram nove filhos: Maria Teresa, Antônio, Maria Isabel Francisca, Pedro de Alcântara, futuro imperador do Brasil, Maria Francisca de Assis, Isabel Maria, Miguel (rei de Portugal como Miguel I), Maria de Assunção e Ana de Jesus Maria. Estes tinham biotipos muito diferentes, levando o povo a comentar as diversas paternidades possíveis.

Carlota nunca se adaptou à vida em Portugal e, com a demência da rainha D. Maria I, passou a viver em Queluz, enquanto D. João residia no palácio de Mafra.

Em 1807 Napoleão ameaçou invadir Portugal, fazendo com que a família real preparasse sua fuga para o Brasil. Carlota dirigiu desesperados apelos a seu pai em Madri, tentando evitar por todos os meios a vinda da corte para a colônia. Acabou tendo que acompanhar a família real, chegando à colônia em 1808. No Rio de Janeiro, morou em residências distantes do marido: Andaraí, Mata-Porcos, Laranjeiras e Botafogo, para usufruir dos banhos de mar.

Conta-se que teve uma vida amorosa atribulada no Brasil, sendo responsabilizada por um episódio trágico. Carlota Joaquina foi acusada de mandante do assassinato de Gertrudes Angélica Pedra Carneiro Leão, mulher do juiz dos contratos reais do dízimo, Fernando Carneiro Leão, pertencente a uma das mais ricas famílias brasileiras. Gertrudes foi morta com um tiro na porta de sua casa, no bairro do Catete, na noite do dia 8 de outubro de 1820. Apurado o crime, a Justiça chegou à embaraçosa certeza de que teria sido a própria rainha Carlota Joaquina quem teria mandado matar Gertrudes por ciúmes. Apesar dos testemunhos das duas filhas do casal, o crime foi abafado e Fernando Carneiro Leão recebeu o título de barão e, posteriormente, o de conde de Vila Nova de São João.

Com o almirante Sydney Smith, Carlota tentou manobras políticas junto aos governos das colônias espanholas, levando D. João VI a impedir sua partida para o Prata, frustrando-lhe os planos de promover uma sublevação no Uruguai. Nesse período, Carlota Joaquina alimentava esperanças de vir a reinar nas colônias espanholas, já que Napoleão I, imperador da França, havia forçado seu pai e seu irmão primogênito a abdicarem. Não conseguiu realizar seus desejos, mesmo tendo se empenhado intensamente em conspirações e tramas com as autoridades espanholas.

Já de volta a Portugal, Carlota recusou-se a jurar a Constituição de 1821, tendo, por isso, a sua cidadania portuguesa cassada. Em 1824, D. Miguel, aliado a ela, tentou depor o pai no movimento conhecido como Abrilada, cujo objetivo era substituir o rei pela rainha Carlota. D. João VI teve que se refugiar em um navio inglês até destituir o príncipe do comando das armas. Fracassado o golpe, Carlota voltou a Queluz, onde continuou a conspirar até a morte de D. João, atribuída a um envenenamento. Esse fato deixou uma permanente suspeita sobre a memória de Carlota Joaquina.

Com a morte do marido em 1826, tomou o partido de D. Miguel, incitando-o a tomar o poder. Mas não viveu o bastante para ver a derrota e o exílio definitivo de seu filho. Faleceu no Palácio de Queluz, em Lisboa, a 7 de janeiro de 1830 e foi enterrada em São Vicente de Fora.

Fontes: Ângelo Pereira, *Carlota Joaquina — a rainha intrigante*; Augusto Tavares de Lira, *O centenário de criação do Supremo Tribunal de Justiça*; Carolina Ribeiro de Oliveira, *Biografias de personalidades célebres*; J. Serrão, *Dicionário de história de Portugal*.

Carlota Lúcia de Brito (c.1810-c.1895)

Fazendeira, condenada pela Justiça.

Sertaneja de Pajeú das Flores, chegou a Brejo de Areia (PB) na seca de 1845 e aparentava menos de 30 anos.

Relatos de época referem-se a ela como uma mulher bonita e que, ao chegar à Paraíba, já dispunha de algumas posses herdadas de seu marido, um fazendeiro de nome Jovino. Em Areia adquiriu uma pequena propriedade, em Cantinhos, nos limites do agreste com o Curimataú.

Suas terras eram passagem obrigatória para uma fazenda, a Jandaíra, pertencente a Joaquim José dos Santos Leal, tenente-coronel da Guarda Nacional. Assim, os dois acabaram se conhecendo e iniciaram um romance que abalou a pequena localidade. Nesta época, o coronel Joaquim José, que atendia pela alcunha de major Quinca, tinha cerca de 35 anos, era solteiro, rico e gozava de grande prestígio político nas hostes liberais, além de ser comandante da Guarda Nacional e deputado na Assembléia da Província da Paraíba.

Após casar a filha adolescente, chamada Jovina, Carlota doou-lhe as terras em Cantinhos como dote e foi morar com o major Quinca na cidade de Areia. Em pouco tempo tornou-se uma figura influente na comunidade, a ponto de os presidiários de Areia, ao saírem da cadeia para fazer faxina, isto é, para despejar fora da cidade o barril de excrementos do presídio, suplicarem no caminho: "Rua abaixo, rua acima./ Com meu chapéu de bolota,/ Me solte seu major Quinca,/ Me valha dona Carlota."

No entanto, algumas famílias de Areia, sobretudo as que faziam oposição política ao major Quinca, consideravam uma afronta a presença da amante do major na cidade. Fizeram circular rumores de que ela havia matado o primeiro marido. Contudo existia ainda alguma tolerância entre as partes.

A situação se agravou quando eclodiu o movimento armado da Rebelião Praieira, sufocado em fevereiro de 1849. Comprometido com o levante, o major Quinca teve que sair de Areia, refugiando-se na fazenda Jandaíra e Carlota permaneceu na cidade cuidando dos negócios do major.

Certo dia, recebeu uma grave desfeita por parte do chefe do partido conservador local, Trajano Chacon. O líder conservador era vizinho de Carlota na cidade. Por esta razão, levara a família para o sítio Jaqueira, distante da casa de Carlota, alegando que não admitia a vizinhança com uma prostituta. O episódio, de trágicas conseqüências, ocorreu quando Trajano foi à cidade visitar seu irmão, o vigário Chacon, e ao chegar encontrou Carlota conversando com o vigário. Irritado, avançou sobre a mulher e, de rebenque em punho, expulsou-a da casa aos gritos. Já na porta, aplicou-lhe um pontapé e ela procurou defender-se, afirmando que lá estava apenas para tratar de um batizado; mas Trajano não lhe deu crédito. A ofensa calou fundo em Carlota, que jurou vingar-se.

No dia 5 de setembro de 1849, estava prevista a realização de eleição secundária para deputado-geral na comarca de Areia. Concorriam ao pleito, pelo lado dos conservadores, Trajano Chacon e, pelo lado dos liberais, o foragido major Quinca. Este, sentindo-se inseguro em sua fazenda, refugiou-se em São João do Cariri, onde tinha parentes. Enquanto isso, em Areia, Carlota tomara providências para sua desforra, preparando uma emboscada a seu inimigo. Ajudaram-na o irmão do amante, Manuel José dos Santos Leal, e um parente seu. No dia previsto, a eleição transcorreu em ordem, com a vitória de Trajano. Porém, quando este retornava à casa, tarde da noite, depois das comemorações, foi tocaiado e morto, a mando de Carlota. Esse fato deu início a uma grave crise política.

O sentimento de vingança tomou conta das duas famílias. Os partidários do major Quinca, que, ocultos pelo interior do município desde os episódios da Rebelião Praieira, fugiam à perseguição da polícia aliada aos conservadores e passaram a sofrer um cerco ainda mais severo. Manuel Joaquim, irmão do major Quinca, foi assassinado pouco tempo depois.

Em 6 de fevereiro de 1851, a polícia indiciou Carlota e mais cinco pessoas pela morte de Trajano Chacon. Levados a júri, foram todos condenados. A família Santos Leal conseguiu a realização de um outro julgamento, mas, como predominassem os conservadores no poder, os jurados mantiveram o primeiro veredito. Joaquim José, acusado de cumplicidade, foi condenado a 20 anos de galés; seu irmão pegou a pena de 23 anos e quatro meses de prisão. Carlota foi condenada à prisão perpétua e o executante do crime, um empregado seu, foi condenado à morte na forca.

Carlota e Joaquim José empreenderam uma fuga bem-sucedida, mas acabaram sendo presos no Piauí em maio de 1851. Inconformados com a decisão do júri, os Santos Leal apelaram às instâncias superiores da Justiça. Conseguiram que os réus cumprissem pena no presídio de Fernando de Noronha.

Em 1860, o imperador D. Pedro II confirmou a sentença de morte do assassino, que foi executado. Joaquim José e Manuel, seu irmão, cumpriram a pena em Fernando de Noronha, assim como Carlota, que passou a viver com o diretor do presídio e gozar de regalias especiais. Os irmãos condenados, porém, sofreram graves privações e, quando retornaram a Areia, Joaquim José e Manuel estavam cegos. Manuel acabou enlouquecendo e Joaquim José, o major Quinca, ficou visivelmente traumatizado pelo desgosto e vergonha.

Os irmãos Chacon que restaram, todos padres, também morreram isolados. Enquanto vivos, nunca batizaram em Areia meninas com o nome de Carlota, que consideravam amaldiçoado por Deus e pela Virgem Maria.

Em 1890, já velha, Carlota deixou a ilha, beneficiada por decreto do Governo Provisório, que, logo após a proclamação da República, reduziu para 30 anos a pena de prisão perpétua. Passou a viver no Recife, onde abriu uma pensão para estudantes. Morreu em idade avançada.

O caso de Carlota revela as relações de poder presentes na sociedade agrária do sertão nordestino no século XIX.

Fonte: Horácio de Almeida, *Brejo de Areia: memórias de um município.*

Carlota Pereira de Queirós

(1892-1982)

Médica e primeira deputada federal da América Latina.

Nasceu na cidade de São Paulo, no dia 13 de fevereiro de 1892. Seus pais eram Maria Vicentina de Azevedo Pereira de Queirós e José Pereira de Queirós. Carlota fez curso Normal, foi inspetora de escola e depois tornou-se professora. Em 1920, ingressou na Faculdade de Medicina, formando-se em 1926, com a tese "Estudos sobre o câncer", vencedora do prêmio Miguel Couto. Em 1928, assumiu a chefia do laboratório da clinica pediátrica da Faculdade de Medicina de São Paulo e, no ano seguinte, viajou para a Suíça onde fez um curso sobre dietética infantil, patrocinado pelo governo paulista.

Seu envolvimento com a política se deu durante a Revolução Constitucionalista de 1932, quando o estado de São Paulo se mobilizou contra o governo provisório de Getúlio Vargas. Carlota organizou, juntamente com a seção paulista da Cruz Vermelha, um grupo de 700 mulheres para prestar assistência aos feridos. Este trabalho conferiu-lhe grande prestígio, fazendo a Federação dos Voluntários incluí-la na relação dos 22 candidatos da Chapa Única por São Paulo Unido. Na época, tanto o Partido Republicano Paulista (PRP) como o Partido Democrático (PD) estavam com suas principais lideranças paulistas exiladas. Embora não estivessem impedidos de concorrer, os dois partidos decidiram se unir e apresentar uma chapa única. Assim, elegeram 17 dos 22 integrantes da bancada paulista na Assembléia Nacional Constituinte. Eleita e empossada em novembro de 1933, Carlota participou dos trabalhos na Assembléia Nacional

Constituinte, integrando a Comissão de Saúde e Educação.

Como parlamentar constituinte, elaborou o primeiro projeto brasileiro sobre a criação de serviços sociais no país. Sua iniciativa colaborou para o estabelecimento da obrigatoriedade de verbas destinadas à assistência social, possibilitando assim, a construção da Casa do Jornaleiro e do laboratório de biologia infantil, anexo ao Serviço de Menores.

Com a promulgação da nova Carta e a eleição do presidente da República dias depois, a 17 de julho de 1934, os mandatos dos deputados foram prorrogados até maio de 1935. Deste modo, Carlota conseguiu ser eleita deputada federal nas eleições de outubro de 1934, pela legenda do Partido Constitucionalista de São Paulo. Ainda neste ano ingressou no Instituto Histórico e Geográfico de São Paulo, instituição que hoje abriga seu acervo de documentos pessoais.

Como deputada, posicionou-se contrariamente à proposta da então deputada Bertha Lutz*, sobre a criação de um Departamento Nacional da Mulher. Alegava, em oposição à proposta, que o departamento representaria um ato de discriminação sexual. Exerceu o seu mandato até a decretação do Estado Novo e o conseqüente fechamento do Congresso Nacional em novembro de 1937. Em 1942, foi eleita membro da Academia Nacional de Medicina.

Com a redemocratização do país, tentou voltar à Câmara, candidatando-se em 1945, 1950 e 1954 pela União Democrática Nacional (UDN), mas não se elegeu.

Em 1950 fundou a Associação Brasileira de Mulheres Médicas, que presidiu por vários anos. Com a deflagração do golpe militar de 1964, Carlota posicionou-se a favor dos militares.

Teve uma intensa vida profissional, com passagens por hospitais alemães, franceses e suíços. Foi membro da Academia Paulista de Medicina e da Academia Nacional de Medicina de Buenos Aires. Foi membro-correspondente da Association Française pour l'Étude du Cancer.

Escreveu, entre outras, as seguintes obras: *Sistema Froebel e Montessori* (1920), *Estudos sobre o câncer* (1926), *Diário de um tropeiro* (1937), *Exame hematológico e medicina social, Exame de hemorragias nas tonsilectomias* (1940), *Das vantagens de generalização do exame hematológico e sua aplicação em medicina social* (1941), *Vida e morte de um capitão-mor* e *Um fazendeiro paulista no século XIX*.

Faleceu em São Paulo no dia 17 de abril de 1982.

Fontes: Alzira Abreu e Israel Beloch, *Dicionário histórico-biográfico brasileiro*; Ângela de Castro Gomes, *Regionalismo e centralização política*; J. Rodrigues, *A mulher paulista no movimento pró-Constituinte;* Line Bareiro, *El Estado, las mujeres y la politica a traves de la historia latinoamericana*; TSE, *Dados estatísticos.*

Carmélia Alves (1929-)

Cantora, "Rainha do Baião".

Nasceu no Rio de Janeiro (RJ), em 14 de fevereiro de 1929. Foi criada no subúrbio carioca de Bangu. Desde cedo, entrou em contato com a música do Norte e do Nordeste, em reuniões de repentistas que os pais promoviam em sua casa. Iniciou a carreira artística em 1941, em um programa de calouros da Rádio Nacional. De início, cantava sambas imitando Carmem Miranda*. Em 1943, trabalhava como *crooner* na boate do Copacabana Palace Hotel e gravou seu primeiro disco, com o choro de Assis Valente "Quem dorme no ponto é chofer", lançado no Carnaval de 1944.

Foi através do programa *Ritmos da Panair*, de Murilo Néri, transmitido diariamente da boate do Copacabana Palace, em 1948, que se tornou conhecida. Lançou sucessivos discos, sendo consagrada, na década de 1950, como a rainha do baião. Seus maiores sucessos foram: "Trepa no coqueiro", "Sabiá na gaiola", "Cabeça inchada". Interpretou o baião com sotaque sulista, sendo uma das maiores divulgadoras do gênero no Sul do país. Em 1956, excursionou com seu marido, o cantor Jimmy Lester, pela Europa, Estados Unidos, África e Ásia. Participou também de diversos filmes musicais, como *Tudo azul*, *Está com tudo*, *Agulha no palheiro* e *Carnaval em lá maior*.

Em 1972, depois de um longo período de esquecimento, gravou um LP com Sílvio Caldas, para o qual cantou um baião composto por Roberto Carlos e um samba para o Carnaval de 1973, "Ninguém sofre como eu". Gravou ainda vários LPs, participou do Projeto Pixinguinha, no Teatro Dulcina do Rio de Janeiro, em 1979, ao lado de Sivuca e Claudio Versiani, e em 1994 apresentou-se no Café do Teatro, também no Rio, com o show *Carmélia Alves canta a MPB*.

Fontes: *Enciclopédia da música brasileira: popular, erudita e folclórica*; *O Globo*, 27.10.1972, 19.7.1979 e 20.7.1994; *O Jornal*, 16.3.1963; Salviano Cavalcanti de Paiva, *História ilustrada dos filmes brasileiros (1929-1988)*.

Carmem Costa (1920-)

Cantora.

Carmelita Madriaga nasceu em Trajano de Morais (RJ), em 5 de janeiro de 1920, filha de Teotônio José Madriaga, meeiro de fazenda. Aos nove anos começou a trabalhar na casa de uma família protestante, onde aprendeu a cantar hinos religiosos.

Por volta de 1935, transferiu-se para a cidade do Rio de Janeiro e empregou-se como doméstica na residência do cantor Francisco Alves, começando a freqüentar programas de calouros na Rádio Clube Fluminense, em Niterói. Em 1937, conheceu o compositor Henrique Felipe da Costa, o Henricão, que lhe deu o nome artístico de Carmem Costa; no ano seguinte, cantavam em dupla em uma feira de amostras, em Juiz de Fora (MG).

Cantou até 1942 em dupla com Henricão; fez então seu primeiro disco individual na RCA Victor, cantando "Está chegando a hora", versão brasileira do mexicano "Cielito lindo", que se tornou um grande sucesso no Carnaval. Em novembro de 1945, a cantora casou-se com o norte-americano Hans van Koehler, e com ele passou dois anos em Nova Jersey, Estados Unidos; apresentou-se em 1947 no Teatro Triboro, em Nova York, e também em Caracas (Venezuela) e Bogotá (Colômbia).

De volta ao Brasil, teve um dos maiores sucessos da carreira gravando, para o Carnaval de 1952, a marcha "Cachaça não é água". Atuou também no cinema, aparecendo em filmes como *Carnaval em Marte*, *Depois eu canto*, *Eu vou te contá*. Ainda na década de 50 voltou por mais quatro anos aos Estados Unidos e participou do festival de bossa nova realizado no Carnegie Hall, em 1962. Realizou outras apresentações nos Estados Unidos com o músico Sivuca.

De volta ao Brasil, trabalhou em boates paulistas e cariocas e, em 1973, lançou o LP *Trinta anos depois*. No mesmo ano, cantou hinos sacros, benditos e rezas em espetáculo realizado na Igreja do Outeiro da Glória, na cidade do Rio de Janeiro, com arranjos do saxofonista Paulo Moura. Fez depois recitais semelhantes em várias igrejas do Brasil.

Fontes: *Enciclopédia da música brasileira: popular, erudita e folclórica*; *Jornal do Brasil*, 24.9.1977; *O Estado de S. Paulo*, 2.3.1984; *O Globo*, 18.4.1973 e 20.3.1978; Salviano Cavalcanti de Paiva, *História ilustrada dos filmes brasileiros (1929-1988)*.

Carmem da Silva (1919-85)

Jornalista, escritora e feminista.

Nasceu em Rio Grande (RS) no dia 31 de dezembro de 1919.

Nos anos 40, viveu no Uruguai e na Argentina, onde iniciou sua carreira de escritora e de jornalista, publicando seu primeiro livro. Nos anos 1960 radicou-se no Rio de Janeiro, e consolidou seu talento como escritora, colaborando com jornais e revistas. Seus escritos tiveram repercussão nacional e contribuíram para a formação do pensamento de gerações de mulheres brasileiras, sobretudo os textos da coluna "A arte de ser mulher", que começou a assinar em 1963 na revista *Cláudia*, de grande tiragem.

Em sua autobiografia, *Histórias híbridas de uma senhora de respeito*, de 1984, escreveu sobre a enorme receptividade das suas leitoras e as dificuldades de sua experiência como jornalista e mulher, sempre mantendo o bom-humor e a ironia: "Meus artigos caíram como UFOs incandescentes no marasmo em que dormitava a mulher brasileira naquela época. Logo comecei a receber uma avalanche de cartas de todos os tons: desesperados apelos, xingamentos, pedidos de clemência: deixe-nos em paz, preferimos não saber! Consciência dói — olé se dói (...) Encaixei na revista como uma cravelha no buraco certo, se é que me posso permitir imagem tão fálica.

Entre mim e as leitoras o vínculo se estreitava num calor de briguinhas, desafios e reconciliações que me ajudavam a pôr a nu os seus (nossos) medos e ambivalências. (...) Foi assim que levei oito anos de aparente indefinição antes de empregar a palavra bicho-papão 'feminismo'. E só escrevi, preto no branco, quando já não escandalizava ninguém — exceto as pessoas, e não são poucas, que continuam escandalizadas até hoje — mas essas não têm jeito mesmo, azar o delas."

Carmem dedicou seu talento como escritora a temas caros ao feminismo, estando presente nas principais manifestações públicas em defesa dos direitos da mulher. Na memorável passeata organizada pelo movimento no centro do Rio em 1985, foi às ruas fantasiada de liberdade, expressão máxima de suas convicções.

O último episódio da vida da Carmem foi representativo de sua trajetória. Realizava, em Resende (RJ), uma palestra sobre a condição feminina, quando se sentiu mal. De repente seu ventre cresceu e, brincalhona, Carmem exclamou: "Fiquei grávida, nessa idade!" Atendida por um médico na platéia, foi levada para o Hospital de Volta Redonda (RJ), onde veio a falecer, vítima de um aneurisma abdominal. Foi sepultada no Rio de Janeiro em 29 de abril de 1985.

Escreveu os romances *Septiembre* (1958), *Sangue sem dono* (1964) e *Fuga em setembro* (1973). Publicou, ainda, os livros de ensaios *Guia de boas maneiras* (1965), *A arte de ser mulher* (1966), *O homem e a mulher no mundo moderno* (1969), a novela *Dalva na rua Mar* (1965) e a autobiografia *Histórias híbridas de uma senhora de respeito* (1984).

Fontes: Afrânio Coutinho, *Enciclopédia de literatura brasileira*; *Cláudia*, nº 26; Dulcília Helena Schroeder Buitoni, *Mulher de papel*; Heloísa Buarque de Holanda e Lúcia Nascimento Araújo, *Ensaístas brasileiras*; *Impressões*, nº zero.

Carmem Dolores (1852-1910)

Escritora.

Emília Moncorvo nasceu no Rio de Janeiro, em 11 de março de 1852. Casou-se com Jerônimo Bandeira de Melo, com quem teve uma filha, Cecília Bandeira de Melo, que também se tornou escritora e ficou conhecida pelo pseudônimo de Mme. Chrysanthème.

Emília iniciou sua carreira literária escrevendo contos e fantasias. Usou vários outros pseudônimos em suas colaborações para os jornais *Correio da Manhã*, *O País*, *Tribuna* e *Étoile du Sud*, mas foi sob o pseudônimo de Carmem Dolores que ficou conhecida. Com este nome assinou, entre 1905 e 14 de agosto de 1910, as crônicas da coluna dominical "A semana", publicada na primeira página de *O País*, um importante jornal brasileiro e, naqueles anos, o de maior tiragem da América do Sul. As crônicas de Carmem são preciosos documentos de uma época em que as mulheres estavam circunscritas ao espaço privado, tornando-se assim uma pioneira, ao expor na grande imprensa temas como a educação da mulher, a defesa de seu ingresso no mercado de trabalho, a defesa do divórcio.

Carmem concordava com as teses gerais do feminismo de sua época, que defendia a melhoria das condições de vida da mulher, porém, sobre temas polêmicos, posicionava-se conservadoramente. Era contra o direito de voto feminino, por exemplo. De fato, seu feminismo era ambíguo. Certa vez, afirmou sobre ela mesma: "(...) não se considera feminista, livre-pensadora ou coisa que o valha". Num artigo de 19 de junho de 1910, ao comentar a atuação de Leolinda Daltro*, esclareceu sua posição contrária ao movimento organizado pela professora: "(...) tanto mais que em matéria de feminismo (...) minhas idéias não têm o vôo das suas. Ah! Não, pairo muito mais baixo... Eu quero apenas que não se dispute à mulher o privilégio de concorrer ao trabalho, como o homem, logo que tem de ganhar a sua vida. A mulher ininteligente e passiva na adversidade é digna de desprezo. Mas o mais de palavrões, partidarismos, exibições, direitos ao voto — não, isso não é comigo. Que fazer?..."

Em outra ocasião, afirmou que começou sua carreira literária por diletantismo e, depois, premida pela necessidade financeira, passou a colaborar sistematicamente com os jornais. Em suas palavras: "o feminismo faculta apenas à mulher isolada e em luta pela vida, como o homem, os mesmos direitos de ganhar essa vida, tão dura e tão penosa, quando falta o pão".

O pensamento expressado em suas crônicas revela a limitação de sua concepção de libertação feminina. Marca, porém, para as mulheres uma conquista importante de espaço na imprensa, o que, certamente, contribuiu para formar opiniões favoráveis às numerosas teses defendidas pela escritora.

Faleceu no Rio de Janeiro em 16 de agosto de 1910, deixando, entre outras, as seguintes obras: *Gradações/Páginas soltas* (1897), *Um drama na roça* (contos) (1907), *Ao esvoaçar da idéia* (crônicas) (1910), *A luta* (romance) (1911), *Lendas brasileiras* (1914), *Almas complexas* (contos) (1934).

Fonte: Eliane Vasconcelos (org.), *Carmem Dolores — crônicas 1905-1910.*

Carmem Edwiges Savietto (1922-56)

Líder sindicalista e operária.

Filha do comunista Cláudio Savietto, descendente de italianos, nasceu em 14 de dezembro de 1922, em Ribeirão Pires (SP), onde iniciou os estudos. Terminou o curso primário em Santo André (SP), cidade na qual também freqüentou a Escola Profissional.

Em 1943, foi trabalhar como operária em uma laminação em Santo André. Na fábrica, mantinha contato direto com os trabalhadores participando ativamente do sindicato dos metalúrgicos. Como militante, Carmem fazia uma vigorosa campanha de sindicalização, num setor fabril que florescia no início dos anos 1940. Devido a sua atuação no movimento operário, Carmem sofreu perseguições da direção da empresa, que culminaram com sua demissão. Foi trabalhar em outra empresa metalúrgica e continuou seu ativismo político, enfrentando novamente os patrões numa luta renhida pela sindicalização dos trabalhadores. Outra vez despedida, Carmem virou um símbolo da firmeza da mulher operária na luta por melhores condições de vida.

Líder feminina na nova cidade industrial que surgia na periferia da cidade de São Paulo, presidiu a União de Mulheres Democráticas em Santo André, no chamado ABC paulista. Candidatou-se a deputada estadual, em São Paulo, na eleição de 28 de novembro de 1947, conseguindo somente a suplência. Em sua plataforma eleitoral, constavam os seguintes objetivos: luta contra a carestia e o câmbio negro; pela construção de dois hospitais (um em Santo André, outro em São Caetano), com maternidade e assistência gratuita à mulher trabalhadora, que correspondessem às necessidades do povo do município; criação de ambulatórios médicos nos distritos e bairros; criação de creches e parques infantis; e luta pela conquista de todos os direitos da mulher na indústria.

Dedicou sua vida à divulgação e organização do partido comunista nas cidades do interior paulista. Carmem Savietto acabou casando-se com Rolando Fratti, secretário do Partido Comunista do Brasil. Tiveram dois filhos: Rui Pedro e Régis.

Faleceu em 23 de julho de 1956, em Santo André.

Fontes: Ademir Medici, *De Pilar a Mauá* e *9 de novembro de 1947: a vitória dos candidatos de Prestes*; *Momento Feminino*, nº 14 • Colaboração especial de Regina Stella Moreira Pires.

Carmem Freire *ver* BARONESA DE MAMANGUAPE

Carmem Gomes (1900-55)

Cantora lírica.

Carmem Gomes de Oliveira nasceu no Rio de Janeiro (RJ), no dia 5 de março de 1900. Iniciou seus estudos particulares com a cantora Camila da Conceição. Cursou a Escola Nacional de Música e estreou em 1925, no Teatro Municipal do Rio de Janeiro, interpretando a *Tosca*.

Nos anos seguintes, cantou com muito sucesso no Brasil e Argentina. Em 1935, fez parte da comitiva artística que acompanhou o presidente Getúlio Vargas a Buenos Aires, fazendo Ceci, papel principal da ópera *O Guarani*, de Carlos Gomes. Durante a década de 30 foi contratada da Rádio Mayrink Veiga, como cantora de ópera.

Junto com o marido, o tenor Reis e Silva, Carmem continuou a interpretar Ceci por todo o Brasil, quando, em 1944, tornou-se professora de declamação lírica da Escola Nacional de Música. Na cátedra, criou as óperas *O descobrimento do Brasil* e *Tiradentes*. Em sua homenagem, a Escola de Música da UFRJ realiza, desde 1971, o concurso de canto lírico Carmem Gomes.

Faleceu no Rio de Janeiro, em 12 de julho de 1955. Existe um busto seu, em bronze, na Praça Paris, uma das nove estátuas de mulheres existentes na cidade do Rio de Janeiro. Foi instalado a 4 de março de 1958 por iniciativa da Sociedade de Artistas Líricos Brasileiros, em uma área especial dedicada aos monumentos de intelectuais brasileiros.

Fontes: *Enciclopédia da música brasileira: popular, erudita e folclórica;* Mariana Varzea, *Mulheres de bronze*; Teresa Cristina Tesser, *De passagem pelos estúdios: a presença feminina no início do rádio no Rio de Janeiro e São Paulo.*

Carmem Miranda (1909-55)

Cantora e atriz.

Maria do Carmo Miranda da Cunha nasceu em Marco de Canaveses, em Portugal, no dia 9 de fevereiro de 1909, filha de Maria Emília Miranda da Cunha e José Maria Pinto da Cunha. Veio para o Brasil quando contava com dois anos de idade, indo morar no Rio Janeiro, onde sua mãe dirigia uma pensão e seu pai era barbeiro.

Aos 15 anos, para ajudar no orçamento da família, começou a trabalhar como balconista, primeiro em uma loja de gravatas e depois em uma de chapéus femininos. Cantava, com as irmãs Olinda e Cecília, na pensão da mãe, freqüentada por músicos. Em 1928, conheceu Josué de Barros, que se tornaria seu padrinho profissional ao levá-la, no ano seguinte, para a Rádio Sociedade e outras emissoras. As primeiras músicas que gravou foram "Não vá simbora" e "Se o samba é moda", compostas por Josué de Barros. Foram lançadas em 1930, ano em que saiu seu segundo disco, do mesmo compositor, com "Triste jandaia" e "Dona Balbina". Para o Carnaval desse ano, gravou "Iaiá, ioiô" e lançou também outro disco com "Taí", originalmente "Para você gostar de mim", escrita para ela por Joubert de Carvalho, que vendeu a espantosa quantidade de 35 mil cópias e consagrou-a como cantora. Ainda em 1930, participou da revista *Vai dar o que falar.*

Fez temporada em Salvador e Recife em 1932, ano em que se apresentou em Buenos Aires com grande sucesso. Estreou no cineteatro Broadway Cocktail, na Cinelândia, em agosto desse mesmo ano, num espetáculo oferecido antes das sessões de cinema, apresentando-se ao lado de Noel Rosa, Francisco Alves e Almirante. Em 1933, atuou no filme *Voz do carnaval*, produzido pela Cinédia e dirigido por Ademar Gonzaga e Humberto Mauro, e fez várias gravações, especialmente de composições de Assis Valente, de quem se tornaria a principal intérprete. Em 1935, fez viagens à Argentina e ao Uruguai, além de dois filmes: *Alô, alô, Brasil* e *Estudantes*; no ano seguinte, o filme *Alô, alô, carnaval*, clássico de Ademar Gonzaga, e, em 1937, gravações de grandes sucessos como "Camisa listrada" e "Eu dei...".

A "Pequena Notável", apelido que recebeu de César Ladeira, tornou-se a intérprete mais constante de Ari Barroso. Este costumava dizer que, embora não possuísse extensão vocal e nem sempre cantasse com afinação, Carmem era perfeita. O grande atrativo de Carmem Miranda seria sua presença no palco, conquistando corações com sua graça, seus requebros e olhares, capazes de fazer até mesmo os músicos da orquestra de Pixinguinha desafinarem, segundo os historiadores da música brasileira Didier e João Máximo.

Estreou, em 1939, o filme *Banana da terra*, ao lado de Dircinha* e Linda Batista*, Emilinha Borba, Carlos Galhardo, Orlando Silva e Aurora Miranda. Seria seu último filme brasileiro. Foi nele que apareceu pela primeira vez em trajes de baiana para interpretar, com o Bando da Lua, "O que é que a baiana tem?" (Dorival Caymmi). A cena foi repetida no ano seguinte em outro filme, *Laranja da China*, como forma de homenagem àquela que já era a cantora de maior sucesso da música popular brasileira.

Apresentando-se no Cassino da Urca com o Bando da Lua, Carmem Miranda passou a utilizar a roupa de baiana estilizada, que, junto com seu gestual, tornou-se sua marca característica. Ainda em 1939, foi contratada pelo empresário norte-americano Lee Schubert e estreou na Broadway, junto com o Bando da

Lua, a revista *Streets of Paris*. No mesmo ano, exibiu-se com a orquestra de Romeu Silva na Feira Internacional de Nova York e gravou o álbum triplo *Carmem Miranda com o Bando da Lua*, além de trabalhar no filme *Serenata Tropical* (*Down Argentina Way*, dirigido por Irving Cummings). Apresentou-se na Casa Branca para o presidente Franklin D. Roosevelt em 1940, tornando-se uma personalidade muito popular em Nova York.

Retornou ao Brasil em julho desse mesmo ano e, apesar da calorosa recepção, seu show no Cassino da Urca foi marcado pela frieza, tendo sido acusada de estar americanizada. Reformulou seu repertório, então constituído basicamente de rumbas, e apresentou-se novamente no Cassino, obtendo grande sucesso com músicas bem brasileiras, inclusive a irônica "Disseram que eu voltei americanizada".

Retornou aos Estados Unidos em 1941. Contratada para trabalhar em Hollywood, atuou em vários filmes, entre os quais *Uma noite no Rio*, *Minha secretária brasileira* e *Entre a loura e a morena*. Nestes trabalhos, Carmem cantava e incorporava o personagem da mulher divertida e atrapalhada, sempre composto com vistosos e exóticos chapéus. Trazia sempre a boca vermelha, exageradamente pintada, sandálias de plataforma que, com os turbantes, compensavam a baixa estatura (apenas 1,53m), unhas postiças, pulseiras, colares e um jeito muito especial de mexer com o corpo. Chegou a ser uma das artistas mais bem pagas dos Estados Unidos, trabalhando em shows, filmes e rádio.

Carmem casou-se, em 1947, com o americano David Sebastian, mesmo ano em que estreou *Copacabana*, de Alfred Green, ao lado de Groucho Marx. Apresentou-se com grande sucesso no teatro Palladium, em Londres, em 1951, e esteve também no Havaí. Consagrada internacionalmente, voltou ao Brasil em 1954, a fim de descansar, mas fez alguns espetáculos. Regressou, então, aos Estados Unidos, vindo a falecer em sua casa no bairro de Beverly Hills no dia 5 de agosto de 1955. Seu corpo foi trazido para o Rio de Janeiro e cerca de 500 mil pessoas acompanharam o enterro cantando "Taí", seu primeiro sucesso. Participou de 19 filmes e gravou 154 discos.

Em 1976 foi criado no Rio de Janeiro o Museu Carmem Miranda, cujo acervo abriga cerca de 3.000 peças relativas à sua trajetória.

Fontes: C. Didier e J. Máximo, *Noel Rosa: uma biografia* e *História do samba*; *Enciclopédia da música brasileira: popular, erudita e folclórica*; *Jornal do Brasil*, 9.2.1984; Sérgio Cabral, *No tempo de Ari Barroso*; *Última Hora*, 26.7.1969.

Carmem Portinho (1903-)

Engenheira e militante feminista.

Nasceu em Corumbá (MT), em 26 de janeiro de 1903, mudando-se muito cedo para Rio de Janeiro (RJ). Militou entusiasticamente nas décadas de 20 e 30, em prol da conquista da cidadania feminina e do reconhecimento profissional das mulheres.

Em 1919 participou, com Bertha Lutz*, da organização do movimento sufragista. Atuou na Federação Brasileira pelo Progresso Feminino* (FBPF) desde sua fundação, chegando à vice-presidência. Tomou parte, também, na criação da União Universitária Feminina no ano de 1932. Na defesa do direito das mulheres ao voto, Carmem e outras companheiras chegaram a sobrevoar o Rio de Janeiro, na década de 20, lançando panfletos em defesa do sufrágio feminino: "Isso no tempo em que nem aviões decentes existiam", comentou em uma entrevista.

Conta Carmem que elas propunham às mulheres que não mudassem o nome ao se casar. Achava essa atitude uma demonstração de independência e resistência. Ela mesma não adotou o nome do marido. Em 1937, ajudou a criar a Associação Brasileira de Engenheiras e Arquitetas (ABEA) e foi sua primeira presidente. Na ocasião, esta era a única entidade profissional de classe composta exclusivamente por mulheres.

Desde 1925, ainda no último ano do curso de engenharia, começou a dar aulas no Colégio Pedro II. O fato de uma mulher ministrar aulas num internato masculino foi considerado um escândalo. O próprio ministro da Justiça quis interferir em sua nomeação para o colégio, mas não conseguiu tirá-la da cátedra. Assim sendo, Carmem permaneceu lecionando por mais três anos, até que decidiu pedir demissão.

Em 1926, formou-se em engenharia civil na Escola Politécnica da Universidade do Brasil, sendo a terceira mulher a se formar engenheira no país. Fez uma brilhante carreira profissional. Ao colar grau, foi nomeada engenheira-auxiliar pelo então prefeito Alaor Prata, paraninfo da turma. A nomeação foi provavelmente motivada, segundo seu depoimento, por ser a única mulher entre os formandos. Ingressou no quadro de engenheiros da Diretoria de Obras e Viação da prefeitura do Distrito Federal.

A Diretoria era ocupada por um antigo engenheiro, que não confiava muito na competência feminina. A primeira tarefa de que ele a incumbiu foi a de vistoriar um pára-raios instalado no alto do antigo edifício da prefeitura. Carmem teria que subir ao telhado do prédio, numa tarefa imposta pelo chefe para testá-la, acreditando que ela não conseguiria cumprir pelo fato de ser mulher. Por sorte, a jovem engenheira pertencera ao Centro Excursionista Brasileiro e havia escalado todos os morros cariocas. Nas palavras de Carmem Portinho: "Subir em um telhado era sopa!" Muito mais difícil, segundo ela, era saber como funcionava o pára-raios, uma vez que sua especialidade era a engenharia civil.

As dificuldades com esse primeiro chefe não pararam por aí. Mesmo sendo uma funcionária capacitada e dedicada ao trabalho, Carmem desconfiava de que não seria promovida por mérito, pois além do fato de ser mulher, essas promoções, à época, dependiam de "pistolão". Assim, arquitetou um plano. Naquele tempo, o presidente da República, Washington Luís, dava audiência pública toda segunda-feira. Carmem foi lá e disse ao presidente que era uma engenheira trabalhadora e competente, mas não tinha ninguém que apresentasse seu nome para que fosse promovida. Washington Luís mandou imediatamente que seus auxiliares tomassem providências e Carmem foi promovida. Sua primeira construção foi a Escola Ricardo de Albuquerque, no subúrbio carioca do mesmo nome.

Ainda nos anos 1930, Carmem fez o primeiro curso de urbanismo do país. Poucos anos depois, recebeu uma bolsa do Conselho Britânico para estagiar junto às comissões de reconstrução e remodelação das cidades inglesas destruídas pela guerra. Chegou à Inglaterra com a guerra ainda em curso, e pôde sentir o problema da falta de moradia, e acompanhou de perto as propostas e o esforço para sua solução.

Voltando ao Rio de Janeiro, propôs ao prefeito a criação de um Departamento de Habitação Popular. Tornou-se, assim, uma das responsáveis pela introdução do conceito de habitação popular no Brasil, onde as desigualdades sociais faziam com que a moradia também fosse um problema grave. O prefeito acabou nomeando-a diretora do novo departamento.

Naquela função, Carmem propôs e construiu, na década de 50, o conjunto residencial Pedregulho, no bairro de São Cristóvão. O projeto arquitetônico foi de Afonso Eduardo Reidy, seu marido, que trabalhava sob sua chefia. Ele também projetou o conjunto da Gávea, de cuja execução Carmem foi a engenheira responsável. A construção dos conjuntos habitacionais projetou-a no Brasil e no exterior como engenheira de renome. Não chegou, porém, a acompanhar até o fim a construção do conjunto Pedregulho, pois com a ascensão do jornalista Carlos Lacerda ao governo da Guanabara em 1962, Carmem pediu aposentadoria e deixou o serviço público.

Assumiu, então, a construção do Museu de Arte Moderna do Rio de Janeiro, também projetado por Reidy. Em 1966, a convite do então governador Francisco Negrão de Lima, criou a Escola Superior de Desenho Industrial (ESDI), uma experiência pioneira para a época, pois havia poucas escolas de desenho industrial no mundo. A mais famosa era a Bauhaus, na Alemanha. Carmem dirigiu, por 20 anos, a ESDI, só deixando o cargo quando a escola foi incorporada à Universidade do Estado do Rio de Janeiro, instituindo-se o rodízio para os cargos de direção.

Em 1987, foi convidada pelo Conselho Nacional dos Direitos da Mulher (CNDM) a entregar ao presidente da Câmara dos Deputados, Ulisses Guimarães, ao lado de outras mulheres, a Carta das Mulheres aos constituintes, com propostas para a Constituição que estava sendo escrita.

Fontes: Ana Luísa Nobre, *Carmem Portinho*; Carmem Portinho, *Por toda a minha vida*: depoimento a Geraldo Edson de Andrade; Sociedade Brasileira para o Progresso da Ciência (SBPC), *Cientistas do Brasil — depoimentos.*

Carmem Prudente (1911-)

Liderança no combate ao câncer.

Nasceu em 25 de dezembro de 1911 em Porto Alegre (RS), filha de Carolina Castilhos de Revoredo e do médico Heitor Annes Dias. Fez apenas os estudos básicos, porém estudou línguas em sua própria casa, tornando-se poliglota. Seu pai foi convidado para lecionar na antiga Faculdade de Medicina do Rio de Janeiro, cidade para a qual se mudou com a família. Assessorava o pai, inclusive acompanhando-o em viagens. Numa delas, quando foi para um congresso de medicina na Alemanha, conheceu Antônio Prudente de Moraes, médico da Faculdade de Medicina da Universidade de São Paulo (USP), com quem se casou em 1938.

Foram morar na capital paulista, onde atuou como inspetora federal de ensino do Colégio Pausteur. Já seu marido trabalhou na Associação Paulista de Combate ao Câncer (APCC), que havia criado quatro anos antes, instituição responsável em arrecadar fundos para diagnósticos, tratamentos e pesquisas relacionados à doença.

Carmem de Revoredo Annes Dias Prudente, partilhando do interesse do marido organizou, 12 anos depois, a Rede Feminina de Combate ao Câncer. Em 1953, foi fundado o Hospital A.C. Camargo, gerido pela própria APCC, cujo nome foi dado em homenagem ao médico clínico-cirurgião e professor da USP Antônio Cândido de Camargo, que falecera em 1947. A proposta do hospital seria atender todos os doentes, independente da condição financeira.

Após a morte do marido em 1965, Carmem continuou seu trabalho na APCC, que, em 1973, passou a chamar-se Fundação Antônio Prudente, reunindo hospitais, uma escola, um clube para pacientes com até 18 anos de idade e a própria Rede Feminina de Combate ao Câncer, atualmente composta por voluntários que cuidam dos pacientes. Prosseguiu participando da administração da Fundação até seu afastamento no final da década de 1980, dando sustentação para a arrecadação de fundos através de campanhas de mobilização. É de sua iniciativa, com apoio da Prefeitura Municipal de São Paulo, a criação da Escola Schwester Heine, localizada no setor de pediatria do hospital, destinada a atender crianças e adolescentes acometidos de neoplasias, para que eles possam continuar seus estudos durante o tratamento. Além disso, ao longo de sua vida, escreveu 15 livros sobre suas viagens e a renda obtida foi destinada à Fundação. Mudou-se para o Rio de Janeiro em 1990, onde vive sob os cuidados médicos de sua família.

O trabalho meritório de Carmem Prudente, à frente do maior centro de tratamento de câncer do Brasil, apoiado por um exército de voluntários, conferiu-lhe reconhecimento, prestígio social e muitas homenagens. Em 1980, recebeu o título de A Mulher do Ano, no Brasil e na Itália.

Fontes: Maria Lígia Madureira Pina, *A mulher na história; Atas da Associação de Proteção e Combate ao Câncer*; Arquivo do Hospital do Câncer.

Carmem Santos (1904-52)

Atriz e cineasta.

Maria do Carmo Santos Gonçalves foi a segunda cineasta brasileira. Nasceu em Vila da Flor, Portugal, em 1904, mudando-se para o Rio de Janeiro (RJ) em 1912.

Estreou como atriz, em 1919, no filme *Urutau*, dirigido pelo americano William Jansen. Seguiu a carreira ao mesmo tempo em que atuava na produção cinematográfica. Assim, como atriz e produtora, participou dos filmes mudos *A carne* e *Mademoiselle Cinema*, este último de Leo Marteen. Seus primeiros filmes, porém, nunca foram lançados.

Com o diretor Humberto Mauro, fez os filmes *Sangue mineiro* e *Lábios sem beijos*, este último realizado nos estúdios da Cinédia. Com o diretor Octávio Mendes fez seu primeiro filme falado, *Onde a terra acaba*. Em 1933 participou da fundação do estúdio Brasil Fox Filmes, o qual, a partir de 1935, passou a chamar-se Brasil Vita Filmes. Esta empresa construiu, em 1936, o segundo maior estúdio do Brasil à época. Localizava-se no bairro da Muda, no Alto da Tijuca, Rio de Janeiro. A iniciativa impulsionou a carreira do diretor

Humberto Mauro, que obteve os recursos técnicos necessários para realizar documentários e longas-metragens. Carmem produziu os filmes *Inocência* e *O rei do samba*, de Luiz de Barros. Os estúdios da Brasil Vita Filmes também foram utilizados por Watson Macedo e produtores independentes. Ao final do anos 50, foram adquiridos por Herbert Richers e, posteriormente, alugados à Rede Globo.

Carmem Santos investiu quase cinco anos no ambicioso projeto *Inconfidência Mineira*, estreado em 1948. Nele atuou como produtora, diretora e intérprete.

Faleceu em 1952.

Fontes: Heloísa Buarque de Holanda (org.), *Realizadoras de cinema no Brasil*; Luís Felipe Miranda, *Dicionário de cineastas brasileiros*; Maria Lígia Madureira Pina, *A mulher na história*.

Carolina Maria de Jesus (1914-77)

Escritora.

Descendente de escravos, nasceu no ano de 1914 na cidade de Sacramento (MG). Freqüentou a escola apenas até a segunda série, porque teve que trabalhar com a mãe na lavoura. Manteve, porém, o hábito de fazer anotações sobre as experiências que vivia. Referindo-se a sua educação, Carolina afirmava ter recebido a maior influência dos ensinamentos de seu avô materno, a quem chamava de "Sócrates africano".

Na adolescência acompanhou a mãe em sucessivas mudanças por cidades do interior de São Paulo, onde se empregou em casas de família. Em 1947 foi morar na capital, trabalhando ora como empregada doméstica, ora como auxiliar de enfermagem, e ainda como artista de circo. Em algumas casas onde trabalhou, como na do médico Euríclides Zerbini, teve acesso a livros.

Em 1948, grávida do primeiro filho, perdeu o emprego e foi obrigada a morar na favela do Canindé, às margens do rio Tietê. Aprendeu a tirar do lixo seu sustento. Assim foi criando, como podia, seu filho João José. Dois anos depois, teve o filho José Carlos e, logo a seguir, nasceu-lhe Vera Eunice. As dificuldades de vida se avolumaram com o nascimento dos filhos. No dia 15 de julho de 1955, Carolina começou a fazer um diário, em que anotava sistematicamente suas reflexões sobre as experiências cotidianas.

Em maio de 1958, um encontro fortuito alterou-lhe completamente a vida. O repórter autônomo Audálio Dantas fora designado pelo jornal *Diário de São Paulo* para cobrir uma desavença entre moradores nas proximidades da favela onde Carolina morava. O jornalista foi atraído pela informação de que Carolina mantinha um diário onde anotava seus pensamentos. Teve acesso aos textos e os examinou com atenção. À revelia de Carolina, Audálio fez publicar trechos do diário no jornal *Folha da Noite*. A repercussão foi enorme, suscitando a atenção tanto dos leitores como da mídia. Após uma revisão feita por Audálio, os textos de Carolina foram aceitos pela Livraria Francisco Alves, que os publicou em agosto de 1960. Lançados com o formato de livro e o título de *Quarto de despejo*, encontraram enorme receptividade por parte do público brasileiro e estrangeiro. Seis meses após o lançamento, o livro alcançou a marca de 90 mil volumes vendidos. Carolina recebia o equivalente a 10% do valor de capa, e o jornalista Audálio Dantas recebia 5%. *Quarto de despejo* foi traduzido para 13 idiomas, em mais de 40 países.

Com o sucesso do livro, Carolina pôde deixar a favela e comprar uma pequena casa de alvenaria em Santana, um bairro de classe média da capital paulista. Em seu novo endereço sofreu, além do assédio implacável da imprensa, o preconceito dos vizinhos. Por outro lado, experimentou a vida pública, chegando a receber as chaves da cidade de São Paulo.

Em novembro de 1961 foi editado seu segundo livro, *Casa de alvenaria: diário de uma ex-favelada*, que nem de longe alcançou o sucesso do primeiro. Em 1969, Carolina fez editar, por conta própria, um livro de provérbios, *Quem foi que disse*. Incomodada com o preconceito da vizinhança, deixou a casa em Santana e refugiou-se em uma chácara na periferia da cidade, onde continuou escrevendo.

No início dos anos 70, apesar de sua grande produção, Carolina sofreu com o esquecimento dos leitores e da imprensa. No ano de 1976, o livro *Quarto de despejo* recebeu uma nova edição que tirou Carolina do ostracismo

1

2

3

4

5

6

1 • Carolina Nabuco
Escritora, autora do romance *A sucessora.*

2 • Carolina Martuscelli Bori
Uma das fundadoras da Sociedade Brasileira de Psicologia e primeira mulher a presidir a Sociedade Brasileira para o Progresso da Ciência (SBPC).

3 • Chica da Silva
Casa onde viveu Chica da Silva, em Diamantina (MG).

4 • Cordélia Ferreira
Foi uma das primeiras radioatrizes brasileiras.

5 • Cacilda Becker
Uma das grandes atrizes brasileiras.

6 • Carmem da Silva
Jornalista e escritora que, desde a década de 1960, usou seu talento para pregar a liberdade das mulheres, influenciando todo o pensamento da segunda onda do feminismo no Brasil.

7

8

9

10

11

12

7 • *Carolina Maria de Jesus*
Escritora favelada que bateu recordes de vendagem, na década de 1960, com seu livro *Quarto de despejo*.

8 • *Clarisse Índio do Brasil*
Vítima da violência urbana em 6 de outubro de 1919, cujo busto esculpido em sua homenagem foi o primeiro monumento a uma mulher na cidade do Rio de Janeiro.

9 • *Catarina Paraguaçu*
Índia tupinambá, considerada uma das mães do povo brasileiro.

10 • *Carmem Dolores*
Escritora e jornalista que, a partir da virada do séc.XX, atuou na grande imprensa, onde defendia a educação feminina, o ingresso das mulheres no mercado de trabalho e o direito ao voto e ao divórcio.

11 • *Clarice Lispector*
Escritora com maior número de títulos traduzidos no exterior.

12 • *Cecília Meireles*
Uma das maiores poetisas da língua portuguesa.

e a colocou, novamente, no centro das atenções do público. No dia 13 de fevereiro de 1977, faleceu em São Paulo. Em 1986, foi lançada a edição póstuma de um texto seu, *Diário de Bitita*.

Além dos já citados, deixou os livros *Maria, Ra-re-ri-ro-rua, A vedete da favela, Pinguço, Marcha, Acende o fogão, O pobre e o rico, Simplício, O malandro, Moamba, As granfinas, A Maria veio, Quem assim me vê cantando* e *Macumba*.

Fontes: Maria Lúcia de Barros Mott, "Escritoras negras — resgatando nossa história", *Papéis Avulsos* nº 13; Nilcéia Cleide da Silva Baroncelli, *Mulheres compositoras;* Robert Levine e José Carlos Meihy, *Cinderela negra: a saga de Carolina Maria de Jesus*.

Carolina Martuscelli Bori (1924-)

Cientista.

Nasceu em 4 de janeiro de 1924 na capital paulista, filha de Maria Colombo e Aurélio Martuscelli. Fez seus estudos em psicologia, especializando-se em psicologia experimental na área de ensino e aprendizado, sendo professora da Universidade de São Paulo (USP) desde o ano de 1948.

Concluiu o mestrado na New School for Social Research, de Nova York, em 1953. Retornou ao Brasil e, no ano seguinte, defendeu sua tese de doutorado na USP. Esteve à frente das principais iniciativas no campo institucional da psicologia, participando da fundação da Sociedade Brasileira de Psicologia, da Sociedade de Psicologia de São Paulo, da Associação Nacional de Pesquisa e Pós-Graduação em Psicologia e do programa de pós-graduação do Instituto de Psicologia da USP, que coordenou durante 15 anos.

Em 1963, foi convidada a implementar o Departamento de Psicologia da recém-fundada Universidade de Brasília (UnB), vivendo nessa cidade por dois anos. Em seguida, a convite da Universidade do Texas, passou um ano nos Estados Unidos como professora visitante, onde ministrava cursos sobre psicologia experimental. É membro da diretoria da Sociedade Brasileira para o Progresso da Ciência (SBPC) desde 1973 e presidiu essa instituição entre 1986 e 1989, sendo a primeira mulher a ocupar tal cargo, destacando-se na tarefa de divulgar a ciência para o grande público. Findo seu mandato, Carolina Bori foi aclamada presidente de honra da entidade.

Desde 1996, dirige o Núcleo de Pesquisas sobre Ensino Superior (NUPES) da USP. Em 1999, foi escolhida presidente do Instituto Brasileiro de Educação, Ciência e Cultura da Unesco. Autora de inúmeras publicações, atualmente é professora emérita de psicologia da Universidade de São Paulo.

Fontes: Ana Maria Fernandes, *A construção da ciência no Brasil e a SBPC*; Sociedade Brasileira para o Progresso da Ciência (SBPC), *Cientistas do Brasil — depoimentos*.

Carolina Nabuco (1890-1981)

Escritora.

Nasceu na cidade do Rio de Janeiro, em 1890. Era a filha mais velha do político, abolicionista, escritor e diplomata Joaquim Nabuco. Consagrou-se por seu estilo simples e erudito, rico e profundo em conteúdo.

Sua primeira obra foi a biografia do pai, *A vida de Joaquim Nabuco,* concluída em 1929, após oito anos de dedicação. Muito elogiada pela crítica, a primeira edição esgotou-se em um mês. O livro rendeu-lhe um movimento na Academia Brasileira de Letras, liderado pelo poeta e acadêmico Alberto de Oliveira, para elegê-la membro da Casa. Carolina, considerando que a Academia, nos termos do estatuto, era reservada apenas a escritores, não aceitou o convite formalizado pessoalmente pelo poeta.

Como romancista, ganhou notoriedade com *A sucessora* (1934), uma trama psicológica ambientada no Rio de Janeiro no início do século. O livro despertou curiosidade e fez especial sucesso com a polêmica de que teria sido plagiado pela autora de *Rebecca,* um *best-seller* da escritora inglesa Daphne du Maurier, que foi levado às telas de cinema por Hitchcock. Segundo a própria escritora em *Oito décadas*, sua autobiografia (1973), "poucas dúvidas puderam subsistir a este respeito, após o caso haver sido amplamente estudado por Álvaro Lins, num dos seus famosos rodapés de crítica literária.(...) Pouco depois, apareceu um artigo no *New York Times Book Review,* ressaltando as coincidências existentes entre *Rebecca* e *A sucessora*" e reafirmando o plágio feito pela inglesa. Anos mais tarde, o romance ganhou uma versão para TV, numa telenovela produzida pela Globo.

Oito décadas é mais que um simples livro de memórias; é um testemunho de uma época. Carolina fala dos costumes, da evolução da política brasileira e de suas impressões dos acontecimentos e personalidades que marcaram um período decisivo na história da humanidade: Einstein e a relatividade, Freud e o subconsciente, Duchamp e a arte abstrata, os avanços na medicina, a Segunda Guerra Mundial e muitos outros.

As outras obras da escritora incluem o romance *Chama e cinzas* (1947), a biografia *A vida de Virgílio de Melo Franco* (1962) e um ensaio sobre a literatura americana, *Retrato dos Estados Unidos à luz de sua literatura* (1967).

Fontes: Carolina Nabuco, *Oito décadas*; Arquivo da família • Colaboração especial de Cláudio Manuel Nabuco.

Catarina Albuquerque (séc.XVII)

Senhora de engenho.

Viveu em Pernambuco, em meio ao domínio holandês. Catarina Camelo era filha de Maria Camelo e de Pedro Alves. Casou-se com Pedro de Albuquerque, descendente direto de Jerônimo de Albuquerque e da índia Maria do Espírito Santo do Arco-Verde*. Ficou viúva em 1635.

Seu filho, também Pedro de Albuquerque, comandou as tropas portuguesas na batalha do Rio Formoso. No dia 3 de julho de 1635, após sofrerem severas perdas em face do avanço holandês, viram-se obrigadas a abandonar a Vila Nova do Serinhaém. Como este era o último refúgio da população civil, os que puderam empreenderam fuga para o sul. Diante dos acontecimentos, Catarina, que pertencia ao grupo de senhoras da sociedade colonial, num gesto de coragem e lucidez, abandonou tudo, inclusive seu engenho, e embrenhou-se pelos sertões, com suas duas filhas, uma sobrinha e dezenas de outras famílias indo ao encontro da multidão que fugia para o interior sob a ameaça das tropas holandesas.

Fonte: Henrique C.P. de Melo, *Pernambucanas ilustres.*

Catarina Camacho (séc.XVII)

Senhora de escravos.

Moradora da capitania de São Vicente, no ano de 1625, Catarina e seu marido, Fernão Dias, legaram à Igreja a fazenda Nossa Senhora do Rosário, situada nas cercanias de São Paulo. Anexaram à doação cerca de 600 escravos índios, da nação Carijó, que haviam sido capturados no Sul. Essa doação deu origem ao aldeamento jesuíta de Carapicuíba, onde um número considerável de índios trazidos do sertão vivia sob a administração dos religiosos, para profundo descontentamento dos colonos da capitania, ávidos por usufruir do trabalho compulsório indígena.

Fonte: John Manuel Monteiro, *Negros da terra: índios e bandeirantes nas origens de São Paulo.*

Catarina de Almeida (séc.XVI)

Órfã da Rainha*.

Veio para o Brasil na esquadra do segundo governador-geral, Duarte da Costa, em 1553, junto com outras oito órfãs. Viveu na Bahia, onde se casou com Gaspar Barros Magalhães e teve oito filhos.

Fonte: Afonso Costa, *Genealogia baiana.*

Catarina de Andrade e Aguilar (séc.XVI)

Colonizadora da capitania de São Vicente.

Chegou ao Brasil com os primeiros donatários. Casou-se com Luis de Góes, irmão do donatário Pedro de Góes, e morou alguns anos na capitania de São Vicente. Teve uma filha, Cecília de Góes.

O registro de sua vida em São Vicente deveu-se ao fato de o casal ter construído, em Santos, uma pequena capela para veneração de Santa Catarina. Foi edificada ao pé de um outeiro com o nome da santa. Quando os ingleses atacaram a vila do Porto de Santos, lançaram ao mar a imagem, que era de barro. Esta voltou à terra anos depois, casualmente pescada numa rede por escravos dos jesuítas. Nessa época, era reitor do Colégio de Santos o padre Alexandre de Gusmão.

Em 1548, o casal ainda vivia na vila de Santos, o que se atesta pela carta que Luís de Góes escreveu ao rei pedindo auxílio para combater os franceses. Em 1553, Catarina e seu marido aparentemente deixaram a capitania, porque venderam, nesse ano, sua moradia no Porto de Santos, conforme escritura passada no Tabelião Jácome da Motta.

Fonte: Torre do Tombo, Corpo cronológico, parte I, tomo I, maço 96, doc.74, fol.1 vol.40, e tomo III.

Catarina de Bittencourt (c.1580-?)

Colonizadora do Rio de Janeiro.

Era casada com o oficial da Câmara da cidade do Rio de Janeiro Estevão de Araújo, com quem teve uma filha, Beatriz Álvares Gaga. Possuíam terras na região do rio Iguaçu, atual Baixada Fluminense, que foram doadas ao Mosteiro de São Bento entre 1603 e 1606. Esta e outras doações fizeram com que os padres beneditinos acabassem por se tornar os maiores proprietários de terras da região do Rio de Janeiro.

Fonte: Elysio de Oliveira Belchior, *Conquistadores e povoadores do Rio de Janeiro.*

Catarina de Castro (c.1845-1927)

Empresária.

Viveu em Juiz de Fora, sul de Minas Gerais, onde se casou com Bernardo José de Castro. Seu marido fundou, juntamente com o imigrante alemão Augusto Kremer, a primeira fábrica de cerveja de Minas Gerais, no ano de 1864.

O negócio prosperava quando, em 1891, Bernardo José de Castro faleceu. Catarina de Castro assumiu o lugar do marido na sociedade, auxiliada pelo filho do sócio fundador, Henrique Kremer. A firma, que até então se chamava Augusto Kremer & Cia., teve sua denominação alterada para Kremer & Cia. Este nome permaneceu até 1906, quando Catarina de Castro decidiu ampliar o escopo de atuação da fábrica. Nesse ano, já com o nome de Cervejaria Germania, foram adquiridos novos e modernos equipamentos e a capacidade de produção foi ampliada. Tudo isto para permitir que a fábrica distribuísse cerveja engarrafada a locais mais distantes no sul de Minas.

Com a eclosão da I Guerra, os proprietários decidiram alterar o nome da empresa para Cervejaria Americana, a fim de evitar a hostilidade dos consumidores. Em 1922, o processo de alteração do estatuto jurídico da empresa para sociedade anônima revelou a grande concentração acionária nas mãos de Catarina de Castro e seus filhos.

No ano de 1927, Catarina de Castro faleceu, legando a administração da empresa a seu filho mais velho.

Fonte: *Jornal de Minas*, 20.12.1931.

Catarina de Lemos (c.1590-?)

Colonizadora das terras gaúchas.

Seus pais eram Mécia de Roiz e Justino Tavares. Vivia em Guaratinguetá (SP).

Certa vez, um grupo de índios, vindos do sul, chegou ao planalto paulista para negociar gado. Um deles viu uma mulher branca e encantou-se por ela. Decidiu que não voltaria enquanto não obtivesse uma mulher branca para levar consigo, e não dormiria nem se alimentaria enquanto seu desejo não fosse realizado. O caso correu bocas e chegou ao ouvido de Catarina, que decidiu acompanhar o índio para sua terra. Catarina Lemos foi considerada a primeira mulher branca a viver nas terras gaúchas.

Fonte: Adalzira Bittencourt, *A mulher paulista na história.*

Catarina do Monte Sinai (c.1680-1758)

Religiosa.

Viveu recolhida no Convento do Desterro, em Salvador (BA). Era filha de João dos Couros Carneiro, escrivão do conselho da cidade de Salvador e grande proprietário de terras.

Entrou para o convento em 1696, juntamente com outras três irmãs. Filha de família abastada, administrava um conjunto expressivo de bens. Ao morrer, no ano de 1758, o vasto inventário de suas posses incluía casas alugadas na cidade de Salvador, uma propriedade rural, 12 escravos dedicados à confecção de roupas e à venda das mesmas pelas ruas da cidade, além de ampla quantia em dinheiro, empregada em empréstimos a terceiros. O valor de seus bens pecuniários atingia a soma de 4.402.000 réis, quantia equivalente a mais da metade da renda do Convento do Desterro no ano de 1756. Todos estes bens reverteram automaticamente ao patrimônio do convento. Apesar de rica, Catarina provavelmente preferiu o convento ao casamento — a rígida tutela do marido imposta pela sociedade colonial deve ter contribuído para sua escolha da vida religiosa.

Fonte: Susan Soeiro, *The Social and Economic Role of the Convent: Women and Nuns in Colonial Bahia, 1677-1800.*

Catarina Fróis (séc.XVI)

Órfã da Rainha*.

Catarina veio para a Bahia na esquadra de Mem de Sá, no ano de 1558. Era filha de Mécia Rodrigues e de Simão Rodrigues Fróis. Casou-se com Francisco de Morais, o qual foi nomeado escrivão da provedoria dos defuntos e escrivão da alfândega da cidade de Salvador pelo período de quatro anos. Teve três filhas.

Fonte: Afonso Costa, *As Órfãs da Rainha.*

Catarina Isabel de São Francisco (séc.XVIII)

Imigrante açoriana.

Veio dos Açores e fixou-se no vale do Viamão, no Rio Grande do Sul, com seu companheiro Manoel de Ávila e Sousa. Passaram antes pela vila de São Vicente.

Seu caso ilustra o movimento isolado de deslocamento de imigrantes vindos de várias regiões de Portugal, mas sobretudo dos Açores, a partir do ano de 1742, quando se tem notícia dos primeiros casais portugueses instalados no Rio Grande. A grande leva de imigrantes açorianos, porém, deu-se a partir de 1748, incentivada por uma política de Estado que prometia concessões de terras e favores aos que desejassem emigrar do Reino para Santa Catarina ou o Rio Grande do Sul.

Fontes: João Borges Fortes, *Casais*; Oswaldo Cabral, *Os açorianos.*

Catarina Laudsberg (c.1910-?)

Ativista política.

Como militante do Partido Comunista do Brasil (PCB), participou da fundação da União Feminina do Brasil* no ano de 1935.

Essa organização fazia parte da Aliança Nacional Libertadora (ANL), movimento organizado no mesmo ano. No espaço de alguns meses, a ANL teve uma extraordinária expansão, criando mais de 1.600 núcleos pelo Brasil. A Aliança foi uma coligação de partidos de esquerda, sindicatos e alguns tenentes, reunindo a classe média e o operariado numa frente contra o imperialismo e o fascismo. As reivindicações pelos direitos da mulher também faziam parte do programa da ANL. Catarina foi uma das fundadoras dos núcleos de organização das mulheres.

Estes dois movimentos estavam sob a direção dos comunistas brasileiros. Foram reprimidos pelo governo, acusados pelo chefe de polícia Filinto Muller de serem organizações financiadas por estrangeiros. Fechada a Aliança, iniciou-se uma onda de prisões por todo o Brasil, que culminaria, em 1937, com o golpe de estado e a instauração do Estado Novo.

Fonte: Maria Amélia A. Teles, *Breve história do feminismo no Brasil.*

Catarina Paraguaçu (c.1503-83)

Índia tupinambá.

Era filha do morubixaba Taparica, da nação Tupinambá, da Bahia, e tinha o nome indígena de Guaibimpará. Estima-se que tenha nascido no ano de 1503. Casou-se com o português Diogo Álvares Correia, denominado pelos indígenas de Caramuru (homem de fogo).

Diogo Álvares era natural de Viana e chegou à Bahia muito jovem. Vítima de um naufrágio, desembarcou na Maraquita, no ano de 1510, quando encontrou os indígenas da tribo de Guaibimpará e, segundo o antropólogo Gustavo de Almeida, a jovem índia intercedeu junto ao pai para poupar a vida de Diogo Álvares. Assim, embora Guaibimpará estivesse prometida ao índio Gupeva, a habilidade de Caramuru em conquistar a amizade dos tupinambás acabou proporcionando-lhe a união com a filha do cacique.

Alguns anos depois, quando já tinham tido alguns filhos, o casal seguiu para a Europa, a bordo do navio do comandante Jacques Cartier. Ao chegarem à França, Guaibimpará foi batizada na localidade de Saint Malo, em julho de 1528. Passou a ser chamada de Catarina Álvares, em homenagem à sua madrinha Catherine des Ganches, mulher de Jacques Cartier, que também fora seu padrinho de batismo.

De volta à Bahia, à região de Paraguaçu, Catarina e Caramuru tiveram um papel decisivo na afirmação da aliança entre os Tupinambá e os colonizadores portugueses. Catarina foi um importante elemento de ligação entre as culturas.

Atribuíram-se a ela inúmeros atos de bravura. Quando Caramuru foi feito prisioneiro de colonos portugueses partidários do donatário Pereira Coutinho, Catarina teria organizado as forças que resgataram seu marido e acabaram expulsando Pereira Coutinho. Sua devoção à fé católica também foi ressaltada pelos cronistas de época, que registraram a construção da ermida do Mosteiro de Nossa Senhora da Graça, em Salvador. A ermida foi construída com o patrocínio de Catarina, assim como a igreja situada no mesmo local, com o propósito de abrigar futuramente seus restos mortais. Mas Catarina foi longeva, sobrevivendo a seu companheiro Caramuru por muitas décadas. Viveu tempo suficiente para promover bons casamentos entre seus filhos e membros influentes da Corte.

Catarina Paraguaçu foi uma figura histórica; representou a união das duas culturas e sua vida deu origem a inúmeras imagens criadas em torno desse processo civilizatório, especialmente por autores do século XIX. Algumas destas representações permaneceram no âmago da cultura brasileira, como a imagem da mulher indígena que, ao se cristianizar, ingressou na civilização ocidental, abandonando os hábitos de seu povo. Consolidou-se na memória construída em torno das mulheres indígenas como uma das mães do povo brasileiro.

A escritora baiana Inês Sabino*, autora de um importante livro sobre figuras históricas femininas no Brasil, definiu Catarina Paraguaçu como o exemplo maior do esforço civilizatório do elemento europeu nos primeiros momentos da vida na Colônia. O livro de Inês, publicado em 1899, trata a descendência da índia Paraguaçu como o principal legado do encontro entre a cultura européia e as nações indígenas.

A importância de Catarina Paraguaçu também foi ressaltada pelos genealogistas que reconstituíram os ramos das famílias dos colonizadores da Bahia.

A união entre Diogo Álvares e Catarina Paraguaçu nos revela, sobretudo, um tipo de associação entre o colonizador e o colonizado, marcado, por um lado, pela aculturação do elemento indígena e, por outro, pela possibilidade dos portugueses serem admitidos nas relações de parentesco das nações indígenas e usufruírem da proteção e confiança necessários à colonização. Nessa política, a historiografia registra que Diogo Álvares teve outras mulheres índias*, sendo a mais conhecida Moema*, que morreu afogada quando de sua partida com Paraguaçu para a França. Como uma das principais prerrogativas do integrante de uma comunidade indígena é a defesa contra tribos inimigas, fundou-se, deste modo, uma aliança sólida entre os dois mundos. Esta se mostrou providencial quando os portugueses necessitaram entrar em confronto com tribos indígenas hostis.

As outras formas de contato entre colonizadores e habitantes nativos não foram, de modo algum, tão pacíficas como no caso de Catarina e Caramuru, a julgar pelo contínuo processo de aniquilamento a que milhares de índios e índias foram submetidos ao longo dos séculos da presença européia no Brasil.

Catarina Paraguaçu faleceu na Bahia, no dia 26 de janeiro de 1583.

Fontes: Afonso Costa, *Genealogia baiana*; Carolina Ribeiro de Oliveira, *Biografias de personalidades célebres*; Gustavo Geraldo de Almeida, *Heróis indígenas do Brasil — memórias sinceras de uma raça;* Inês Sabino, *Mulheres ilustres do Brasil*; John Manuel Monteiro, *Negros da terra: índios e bandeirantes nas origens de São Paulo*; *Revista do IHGB*, nº 191.

Catuíra (c.1770-?)

Índia araxá.

Era filha única do cacique Andiá, da tribo dos Araxá, que vivia na fronteira de Minas Gerais com Goiás. A tribo mantinha contato com os negros de um quilombo existente na região.

Catuíra gostava de um índio chamado Oboapi, mas estava prometida ao guerreiro Maú. Na hora da cerimônia de casamento, à qual assistiam também os quilombolas, a aldeia foi atacada por forças policiais, por ordem do conde de Bobadela. O ataque resultou na morte de todos os integrantes da tribo de Catuíra, além dos visitantes.

A responsabilidade pela tragédia foi atribuída, por alguns, ao negro João Bernardo, traidor que alertou as autoridades portuguesas sobre o casamento, momento oportuno para um ataque. Para Agripa Vasconcelos, no entanto, a trama que levou ao ataque dos portugueses estava contaminada de ciúme e vingança: foi Oboapi quem teria traído os índios e ajudado os bandeirantes, querendo se vingar por não conseguir casar-se com Catuíra.

Fontes: Agripa Vasconcelos, *A vida em flor de Dona Beja*; J.G. Almeida, *O sertão dos Araxás e os amores de Dona Beja*.

Cecília Barbalho (1618-?)

Fundadora de recolhimento.

Nasceu no Rio de Janeiro em novembro de 1618 e foi casada com Agostinho Barbalho Bezerra. Seu cunhado, Jerônimo Barbalho Bezerra, foi um dos líderes da revolta dos moradores da cidade do Rio de Janeiro contra o governador da capitania, ocorrida entre 1660 e 1661. Os revoltosos assumiram o governo por cerca de seis meses, findos os quais foram vencidos. Jerônimo foi decapitado. Agostinho, no entanto, não recebeu punição severa e, alguns anos depois, veio a ser nomeado administrador das minas de Paranaguá.

Já viúva, Cecília Barbalho tomou a decisão de se recolher à clausura, juntamente com suas três filhas. Na ausência de um convento feminino no Rio de Janeiro, Cecília ofereceu recursos próprios às autoridades eclesiásticas locais para que fosse construída uma instituição destinada a abrigar mulheres influentes da cidade. Foi, então, construído um recolhimento junto à ermida da Ajuda, atualmente na rua São José, e que ficou pronto no dia 9 de julho de 1678. Com o término da obra, Cecília recolheu-se ao convento, levando consigo as filhas e mais duas meninas, filhas de outras famílias importantes na cidade. Da iniciativa de Cecília Barbalho surgiu o Convento da Ajuda, que só veio a ser formalmente instituído nos anos setecentos. No fim no século XVIII, o Convento da Ajuda foi transferido para um outro prédio construído com este fim, em um local que corresponde hoje à Cinelândia, centro do Rio de Janeiro. Por ocasião das reformas urbanas implementadas na cidade no início do século XX, o prédio do Convento da Ajuda foi demolido.

Fontes: Inês Sabino, *Mulheres ilustres do Brasil*; J. Vieira Fazenda; *Revista do IHGB*, nº 149, 1924; Vivaldo Coaracy, *O Rio de Janeiro no século XVII*.

Cecília Meireles (1901-64)

Considerada a maior poetisa do Brasil.

Cecília Benevides de Carvalho Meireles nasceu em 7 de novembro de 1901 na cidade do Rio de Janeiro. Filha da professora primária Matilde Benevides e de Carlos Alberto de Carvalho Meireles.

Órfã de pai e mãe desde os três anos de idade, foi criada pela avó materna, uma imigrante açoriana. Em 1917, diplomou-se pela Escola Normal do Rio de Janeiro, dedicando-se por longos anos ao magistério primário. A experiência como professora resultou no belíssimo livro *Criança, meu amor*.

Em 1919 publicou *Espectro*, seu primeiro livro de poesia; de inspiração parnasiana, continha 17 sonetos sobre temas históricos. Nesse início de carreira literária, Cecília Meireles aproximou-se do grupo Festa, neo-simbolista, dirigido por Tasso da Silveira. Publicou dois livros de poemas de tonalidade simbolista, um em 1922 e outro em 1924, e desde então deixou-se atrair pela revolução estética modernista já em curso. Porém, segundo o crítico literário José de Nicola, o gradual afastamento de Cecília do movimento simbolista não a fez perder as características intimistas, introspectivas, numa permanente viagem interior.

Um dos aspectos fundamentais da poética de Cecília Meireles é sua consciência da transitoriedade das coisas. Marcada pela perda precoce dos pais e, posteriormente, de outros entes queridos, Cecília afirmava ter adquirido uma certa intimidade com a morte. Dizia que nunca havia se esforçado para ganhar, nem tinha se espantado por perder, como uma forma de se preservar da dor. Poucos escritores conseguiram expressar a consciência da transitoriedade da vida com tanta maestria e, ao mesmo tempo, de forma tão doce e gentil.

O livro *Romanceiro da Inconfidência* é uma obra madura, onde a poesia de Cecília revela-se em sua plenitude. São dela estes versos: "Liberdade — essa palavra/ que o sonho humano alimenta:/ que não há ninguém que explique/ e ninguém que não entenda!". Embora tenham sido escritas em sua juventude, as obras para crianças são também grandes marcos da literatura infantil brasileira. Os poemas de *Ou isto ou aquilo* tornaram-se clássicos. Traduziu ainda alguns poemas da literatura judaica, presentes no livro *Quatro mil anos de poesia*, organizado por Zulmira Ribeiro Tavares e J. Guinsburg.

Dirigiu por quatro anos uma página dedicada à educação no *Diário de Notícias* no Rio de Janeiro e, em 1934, fundou a primeira biblioteca infantil especializada, na capital da República.

Ensinou literatura brasileira na Universidade do Distrito Federal entre 1936 e 1938, e na do Texas, em 1940. Viajou longamente por vários países de sua predileção, tais como México, Índia e sobretudo Portugal, onde viu reconhecido seu talento antes mesmo de consagrar-se, no Brasil, como uma das maiores vozes poéticas da língua portuguesa contemporânea. Um exemplo, estes versos de "Motivo":

"Eu canto porque o instante existe/ e a minha vida está completa./ Não sou alegre nem sou triste:/ sou poeta. (...) Sei que canto. E a canção é tudo./ Tem sangue eterno e asa ritmada./ E um dia sei que estarei mudo:/ mais nada."

Faleceu em 9 de novembro de 1964 no Rio de Janeiro, deixando vasta obra e três filhas: Maria Elvira, Maria Matilde e Maria Fernanda. No ano seguinte recebeu da Academia Brasileira de Letras, *post mortem*, o Prêmio Machado de Assis pelo conjunto de sua obra.

Fontes: Afrânio Coutinho, *Enciclopédia de literatura brasileira;* Alfredo Bosi, *História concisa da literatura brasileira*; Carolina Ribeiro de Oliveira, *Biografia de personalidades célebres*; José de Nicola, *Literatura brasileira, das origens aos nossos dias.*

Célia Sodré Dória *ver* Madre Cristina

Celina Guimarães Viana (1898-)

Primeira eleitora do Brasil.

Nasceu em Mossoró (RN), em 1898. Seus pais eram Elisa Aguiar de Amorim Guimarães e José Eustáquio de Amorim Guimarães. Casou-se com o bacharel Eliseu de Oliveira Viana. Foi professora da Escola Normal de Mossoró.

Quando o congresso estadual do Rio Grande do Norte elaborou a lei eleitoral para se adaptar à constituição revista em 1926, os legisladores não incluíram uma disposição consagrando a igualdade de direitos dos cidadãos de ambos os sexos. Juvenal Lamartine, então senador, protestou, enviando um telegrama ao presidente do estado para que fizesse tal inclusão. O deputado Adauto da Câmara apresentou, então, a seguinte emenda no art. 77 das Disposições Gerais: "No Rio Grande do Norte, poderão votar e ser votados, sem distinção de sexo, todos os cidadãos que reunirem as condições exigidas por esta lei."

Celina fez parte da relação dos eleitores do Rio Grande do Norte em 1927, ano no qual Juvenal Lamartine, candidato ao governo do estado, apresentava em sua plataforma de governo a inclusão dos direitos e deveres cívicos de ambos os sexos. Queria, enfatizava ele, desfrutar da prerrogativa de contar com o "concurso da mulher não só na escolha daqueles que vêm representar o povo, como entre os que elaboram e votam a lei que tiver que aplicar".

Assim nasceu o sufrágio feminino no Rio Grande do Norte. Entrava em vigor a Lei nº 660, de 25 de outubro de 1927, com a emenda: "Regular o Serviço Eleitoral do Estado", sancionada pelo presidente do estado, José Augusto Bezerra de Medeiros. Estabelecia que não haveria mais distinção de sexo para o exercício do sufrágio e como condição básica de elegibilidade.

Estavam dadas as precondições para o sufrágio feminino e para a igualdade política da mulher potiguar. No dia 25 de novembro de 1927, Celina deu entrada a uma petição na qual "requer a V. Excia., que se digne mandar incluí-la no rol dos eleitores deste município", e o despacho do juiz Israel Ferreira Nunes foi favorável: "mando que inclua-se na lista dos eleitores". Decidido seu caso, ela enviou um telegrama de apelo ao presidente do Senado Federal, para que todas as compatriotas obtivessem o mesmo direito: "Peço nome mulher brasileira seja aprovado projeto institui voto feminino amparando seus direitos políticos reconhecidos Constituição Federal — Saudações Celina Guimarães Viana — Professora Escola Normal Mossoró."

Celina fincou o marco da vanguarda política feminina na América do Sul, tornando realidade o voto feminino no Brasil. A mobilização das mulheres na luta pelo direito ao voto no Rio Grande do Norte levou a que, no mesmo dia em que Celina requeria seu alistamente em Mossoró, outra mulher, a professora Júlia Barbosa*, fizesse o mesmo na cidade de Natal. Mas o requerimento de Celina teve despacho mais rápido, e assim ela se tornou a primeira eleitora do Brasil.

Fonte: João Batista Cascudo Rodrigues, *A mulher brasileira — direitos políticos e civis.*

Chaja Berliner *ver* ASSOCIAÇÃO BENEFICENTE FUNERÁRIA E RELIGIOSA ISRAELITA

Chica da Silva (?-1796)

Escrava forra e figura mítica.

Francisca da Silva nasceu escrava. Era filha da negra Maria da Costa e do português Antônio Caetano de Sá.

Chica teve o primeiro filho, Simão, com seu proprietário, o médico português Manuel Pires Sardinha, fato documentado, segundo a historiadora Junia Furtado, no arquivo do Bispado. Ele exerceu os cargos de juiz e presidente do Senado da Câmara na vila do Príncipe. Sardinha estava impedido legalmente, pela Igreja, de assumir esta paternidade, mas concedeu alforria ao menino na ocasião do batismo. Mais tarde, ao redigir seu testamento em 1755, reconheceu Simão como seu filho bastardo, nomeando-o como um de seus herdeiros.

Francisca parda (como era chamada) foi alforriada pelo desembargador João Fernandes de Oliveira, que chegara ao arraial do Tejuco no segundo semestre de 1753, para administrar o contrato dos diamantes arrematado por seu pai. A região, que englobava a vila do Príncipe e o Tejuco, desde 1729, ano da descoberta dos diamantes, era a mais cobiçada da colônia portuguesa. Devido às dificuldades de arrecadar os tributos relativos à extração das pedras, a Coroa resolveu adotar o sistema de contrato. Apenas o contratador podia explorar os diamantes, garimpados por mão-de-obra escrava negra.

Chica foi viver neste meio e seu poder tornou-se tão grande que foi alcunhada de "Chica que manda". No ano seguinte da sua alforria, 1754, já era proprietária de um sobrado e alguns escravos, demonstrando que procurava inserir-se no mundo livre do arraial, incorporando seus costumes e adquirindo os bens necessários para se fazer respeitada.

Entre 1755 e 1770, teve 13 filhos com João Fernandes, sendo nove mulheres e quatro homens. O sobrenome Silva foi adotado quando de sua alforria e o Oliveira foi assumido por Chica, segundo Júnia Furtado, quando teve a primeira filha com José Fernandes. A média de um filho a cada 13 meses faz desmoronar a figura sensual, lasciva e devoradora de homens à qual Chica esteve sempre associada. João Fernandes demonstrou não ter dúvidas sobre a paternidade dos rebentos ao legitimá-los e legar-lhes todo o seu patrimônio. Os nomes dados aos filhos, além de repetirem os do pai e da mãe, homenageavam as cinco irmãs freiras de João Fernandes, a mãe e a irmã de Chica. Reverenciavam também alguns santos de devoção da família, conforme revelado pelo próprio João Fernandes em seu testamento e pelos sobrenomes adotados pelas tias das crianças. Esta reafirmação dos laços familiares sugeria que ali se estabelecia uma família autêntica, ainda que não sagrada pelos laços oficiais do matrimônio. Revela, também, a intenção de honrar os filhos e de inserí-los no seio familiar, buscando, ao mesmo tempo, conferir legitimidade à relação.

Chica agia como qualquer senhora da elite local. Educou suas nove filhas no Recolhimento de Macaúbas, melhor educandário das Minas, destinado apenas às moças das famílias abastadas. Educação esmerada para as mulheres significava, principalmente, a preparação para uma vida virtuosa. Os muros do convento deveriam funcionar como uma barreira intransponível para a vida mundana que grassava no seu exterior. Puras, intocadas e bem preparadas, as mulheres ali reclusas estariam aptas a escolher uma das duas alternativas que a sociedade da época lhes oferecia: a vida religiosa ou o casamento honrado. A primeira opção não era o objetivo de Chica. Assim, embora cinco de suas filhas tivessem professado os votos e se tornado freiras, quatro delas abandonaram mais tarde o hábito para se casar.

Sua inserção e a de seus filhos na elite do arraial ocorreu a partir de várias circunstâncias, não devendo ser creditado apenas à importância e à fortuna de João Fernandes, já que ele teve que retornar a Portugal em 1771, chamado pela Coroa para prestar contas sobre a acusação de violar regras do contrato que tinha com a Corte. Tendo que contar consigo mesma, Chica buscou mecanismos para a manutenção de seu *status*, a exemplo das outras mulheres forras do Tejuco. Um deles era a filiação a diversas irmandades. Estas procuravam agregar indivíduos de mesma origem e condição, sendo, por isso, um modo de obter distinção e reconhecimento social. Era também comum a participação de brancos nas irmandades de pardos e negros, como sinal de proteção à entidade. Prova da importância e do grau de prestígio que alcançaram é o fato de Dona Francisca da Silva de Oliveira, como era sempre tratada, e seus filhos pertencerem às principais irmandades do Tejuco, fossem de brancos, pardos ou negros. Na Irmandade das Mercês, que congregava pardos, chegou ao cargo de juíza. A maioria das filiações ocorreu em datas posteriores ao retorno de João Fernandes ao Reino e a sua morte.

No livro da Irmandade do Santíssimo do Tejuco, existem dezenas de registros de pagamentos feitos por Chica por conta de casamentos, batismos e enterros de escravos seus. Na sociedade escravista da América portuguesa, era obrigação de um bom cristão garantir o acesso de seus cativos aos sacramentos religiosos. A Igreja procurava punir os senhores que não deixassem seus escravos irem à missa, ou que lhes negassem a extrema-unção, impedindo que suas almas fossem salvas. Chica foi proprietária convencional de escravos, pois convertê-los à fé católica era um dos mecanismos de aculturação e acomodamento ao cativeiro e à cultura dominante. Não foi encontrado nenhum registro de alforria concedido por ela, nem mesmo para filhos de suas escravas pessoais. Como há lacunas nos documentos, esta afirmação não pode ser tomada de forma absoluta, porém confirma o comportamento comum das negras forras, de manter o patrimônio acumulado.

A casa de Chica ficava na rua do Bonfim, local prestigiado do arraial. Era uma construção sólida, ampla e arejada, constituída de dois pavimentos, com quintal. Tinha capela própria — privilégio de pouquíssimos no arraial —, onde mais tarde se casaram duas de suas filhas. A fachada lateral era coberta por treliça, que escondia a varanda, garantia a ventilação e protegia o interior, revelando preocupação com a intimidade familiar. Ela possuía ainda, nos arredores do Tejuco, uma espécie de castelo, a Chácara de Palha, com capela e teatro.

Depois da volta de João Fernandes ao Reino, buscou realizar bons casamentos para as filhas. Seu filho João tornou-se o principal herdeiro do pai, que constituiu em Portugal o Morgado do Grijó, destinando-lhe dois terços de seus bens. Casou-se com Ana Maria da Silva, natural de Guimarães, com quem teve pelo menos dois filhos. José Agostinho tornou-se padre, tendo o pai deixado renda para que ocupasse uma capela. Simão Pires Sardinha estudou em Roma, comprou um título de nobreza e uma patente de tenente-coronel da cavalaria de Minas Gerais.

A imagem de Chica da Silva que se popularizou em nossos dias foi a de uma mulher imoral que abusava da sensualidade para conseguir o que queria. Este é, entretanto, um dos estereótipos do papel que a mulher negra ocupou na sociedade colonial, construído pelos historiadores a partir do século XIX.

A primeira vez em que Francisca da Silva apareceu como personagem histórico foi nos textos sobre Diamantina, publicados por Joaquim Felício dos Santos no jornal *O Jequitinhonha*. Foram posteriormente reunidos no livro *Memórias do Distrito Diamantino*. Para o autor, ela "não possuía graças, não possuía beleza, não possuía espírito, não tivera educação, enfim, não possuía atrativo algum que pudesse justificar uma forte paixão". Este havia tomado conhecimento da história de Chica, segundo Júnia Furtado, porque foi advogado de seus herdeiros no processo de disputa de seus bens, depois da morte do herdeiro principal, João Fernandes de Oliveira Grijó. Já o historiador Erildo Jesus afirma que este autor, o primeiro a escrever pejorativamente sobre ela, era sobrinho de Antonio Amador dos Santos, que tinha sido casado com Frutuosa Batista de Oliveira, uma neta de Chica da Silva.

As pesquisas posteriores sobre a vida de Chica não pretenderam recuperar sua imagem física. Revelaram, porém, que se tratava de uma mulher que procurava, e de certa forma conseguiu, inserir-se na sociedade branca e excludente de Minas Gerais na época. Esta inserção se deu a partir do concubinato com o contratador dos diamantes, desembargador João Fernandes de Oliveira, com o qual nunca se casou de fato, por estar impedida pelos costumes e leis da época.

Chica, segundo a historiografia recente, não foi rainha ou bruxa. Soube aproveitar-se das poucas possibilidades que o sistema lhe oferecia. A principal delas, disponível principalmente às mulheres escravas, era o concubinato com os brancos. Esta estratégia está amplamente documentada nos testamentos do século XVIII, onde era corriqueiro que os homens brancos, diante da morte, alforriassem suas concubinas e numerosa prole escrava. Como atesta o censo da capitania de Minas realizado em 1738, no qual as mulheres eram majoritárias somente entre a população forra, elas constituíam 63% do total de 387 forros, contra 37% de homens, indicativo de que eram quem mais se beneficiava da alforria.

A atuação de Chica reflete a tentativa de diminuir o estigma que a cor e a escravidão lhe impuseram, promovendo a ascensão social de sua prole.

João Fernandes morreu em Lisboa, em 1779. Estava tão doente que foi incapaz de assinar seu último testamento, escrito três dias antes de seu falecimento. Foi enterrado no Convento de Nossa Senhora de Jesus.

Chica morreu no dia 15 de fevereiro de 1796, no Tejuco; seu enterro no corpo da Igreja de São Francisco de Assis, cuja Irmandade era reservada e congregava a elite branca do arraial, demonstra sua importância e prestígio. Teve ofício de corpo presente, reunindo todos os sacerdotes do arraial, sendo o cortejo acompanhado até a sepultura por todas as irmandades a que pertencia. Segundo suas disposições testamentárias, foram rezadas 40 missas por sua alma na igreja das Mercês, que reunia os pardos e mulatos.

O racismo perpetuou o mito de Chica da Silva ao longo dos séculos: uma escrava que se uniu ao homem branco mais rico da Colônia. O personagem histórico de Chica da Silva foi brilhantemente interpretado pela atriz Zezé Mota, protagonista do filme *Xica da Silva*, dirigido por Cacá Diegues em 1976; em 1997, a TV Manchete fez uma novela de sucesso, intitulada *Chica da Silva*, com a atriz Taís Araújo, negra como Zezé, interpretando o papel principal.

Fontes: Erildo Antônio Nascimento de Jesus, "Chica que manda", *Palmares* nº 3, 2000; Júnia Ferreira Furtado, *Nem escrava, nem rainha: a história documentada de Chica da Silva*; Leila Mezan Algranti, *Honradas e devotas: mulheres da Colônia*; *O Estado de Minas*, 14.9.1998; Paulo Amador, "História e preconceito", *Revista Palmares* nº 3 • Colaboração especial de Júnia Ferreira Furtado.

Chica Homem (séc.XVII)

Bandeirante.

Este é o nome pelo qual ficou conhecida uma mulher de grande coragem que participou das entradas do sertão de Goiás. Era filha de mulher índia e de português. Nasceu nos sertões de Goiás e viveu na vila de São Paulo de Piratininga no primeiro quartel do século XVII.

Segundo o historiador Batista Ferreira, Chica Homem teria sido uma mulher extremamente rústica e corajosa, domadora de potros e capaz de matar a golpes de machado dois índios que participaram do ataque à vila ocorrido no ano de 1594. Tinha o hábito de fumar uma espécie de cachimbo, que mantinha à boca o dia inteiro. Ela mesma secava as folhas do tabaco e as enrolava. Quando havia entradas para o sertão, qualquer que fosse o propósito, Chica Homem acompanhava a tropa, tratando os feridos com ervas e ungüentos, misto dos costumes indígenas e das superstições portuguesas. A tradição atribuiu-lhe, ainda, o manejo competente de armas de fogo.

Vivia às margens do rio Anhangabaú, nas proximidades da Tapera do Índio, onde supõe-se que tenha vivido o velho cacique Tibiriçá. Participou da recepção ao governador nomeado para a repartição do sul, D. Francisco de Sousa, que chegou à vila de São Paulo em abril de 1609.

Consta que Chica Homem morreu devido aos ferimentos provocados pelo ataque de um touro.

Fonte: Batista Ferreira, *Vultos e episódios do Brasil.*

Chiquinha Gonzaga (1847-1935)

Compositora, maestrina e abolicionista.

Francisca Edwiges Neves Gonzaga nasceu na rua do Príncipe, na Freguesia de Sant'Ana, na cidade do Rio de Janeiro, no dia 17 de outubro de 1847. Seus pais eram Rosa Maria Lima, de descendência negra e pobre, e o militar José Basileu Neves Gonzaga, de família tradicional, parente de Caxias. A família de José Basileu fora contra o casamento do filho, e Francisca nasceu bastarda, longe do pai, que estava em Pernambuco. Ao retornar ao Rio em março de 1848, conheceu a filha e assumiu a paternidade. Com Rosa ele teria outros três filhos e conseguiria, em 1860, alterar seus registros de batismo, reconhecendo-os como legítimos.

A educação de Francisca Gonzaga seguiu os padrões de sua época: José Basileu contratou o cônego Trindade para ensinar à filha as primeiras letras, o cálculo, o catecismo e alguns idiomas. Atento às necessidades impostas pela Corte, onde os bailes eram cada vez mais freqüentes, o pai contratou também um professor de piano, o maestro Lobo, para cuidar da educação musical da filha.

No Natal de 1858 Chiquinha teve a oportunidade de mostrar à família seus dotes musicais. Sob a coordenação do tio Antônio Eliseu, flautista amador, a menina apresentou ao piano uma loa ao Menino Jesus, composição sua com versos de seu irmão José Basileu Filho, o Juca.

Personalidade inquieta e decidida, a menina cumpriu o caminho das jovens de então, casando-se aos 16 anos com Jacinto Ribeiro do Amaral. O noivo era um bonito moço de 24 anos, filho do português Miguel Ribeiro do Amaral e de Maria Isabel da Rosa Amaral. Jacinto herdara os negócios do pai e era proprietário de terras e de criações de gado, possuindo uma boa situação econômica. A cerimônia realizou-se na matriz de Santana no dia 16 de novembro de 1863 e teve como padrinho o marquês de Caxias. Chiquinha recebeu de seu pai um piano, presente muito valorizado no Brasil imperial.

Como sugere sua biógrafa Edinha Diniz, o piano adquiriu grande importância em sua vida enquanto meio para preencher seus dias e extravasar seu forte temperamento, passando a provocar ciúmes no marido.

Chiquinha tornou-se mãe ainda aos 16 anos. João Gualberto nasceu no dia 12 de julho de 1864. No ano seguinte nasceu, em 12 de novembro, Maria do Patrocínio, sua primeira filha.

Em 1865, o Brasil entrou em guerra com o Paraguai. Nesse tempo, Jacinto tornara-se proprietário do navio mercante *São Paulo*. Em junho, o navio foi fretado pelo governo para servir de transporte a soldados e armas. Jacinto obrigou a mulher a acompanhá-lo nas viagens ao acampamento do Passo da Pátria, na foz do rio Paraguai, pensando, assim, afastá-la do piano. A filha Maria, ainda muito pequena para tais aventuras, ficou sob os cuidados da avó materna, que acabara de dar à luz mais um filho e que amamentava as duas crianças.

Para amenizar as dificuldades da viagem, Chiquinha conseguiu um violão, que passou a acompanhá-la. As brigas entre o casal tornavam-se mais e mais freqüentes e Jacinto exigiu que a mulher escolhesse entre a música e ele. Decidida, Chiquinha respondeu-lhe: "Pois, senhor meu marido, eu não entendo a vida sem harmonia", e retornou ao Rio de Janeiro, trazendo consigo o filho. A família lhe recusou apoio, aconselhando-a a voltar para o marido, o que ela acabou fazendo ao descobrir que estava grávida do terceiro filho, Hilário.

Pouco depois de seu nascimento, provavelmente em 1868, Chiquinha resolveu abandonar definitivamente Jacinto, levando consigo apenas João Gualberto. Sua atitude foi condenada pela família, que, a partir daquele momento, declarou-a morta, impedindo que seu nome fosse pronunciado em casa e que ela visitasse seus outros filhos, Maria e Hilário.

Após sair de casa e renunciar à vida de respeitável senhora de família, Chiquinha foi adotada pelo círculo musical boêmio do Rio de Janeiro. O flautista Joaquim Antonio Calado, músico muito popular da cidade, recebeu-a de braços abertos, dedicando-lhe sua primeira música editada, a polca "Querida por todos". Era o início do ano de 1869, e a homenagem marcou sua introdução no meio musical.

Embora cortejada pelo músico, que lhe dedicou uma segunda polca, "A sedutora", era outro o alvo do interesse de Chiquinha. Tratava-se do jovem engenheiro João Batista de Carvalho, amigo da família Gonzaga e freqüentador da casa dos Amaral — o que despertou maliciosos comentários acerca da existência de uma ligação anterior entre ambos. Foi com ele que Chiquinha passaria a viver, numa relação condenada pela sociedade. Os primeiros anos da vida do casal foram felizes e, a 24 de agosto de 1876, nasceu-lhes a primeira filha, Alice Maria. Chiquinha e João Batista, todavia, não permaneceriam muito tempo juntos. Sem agüentar algumas características do marido, sedutor e mulherengo, Chiquinha decidiu abandoná-lo, abrindo mão da nova família que constituíra e deixando Alice Maria com poucos meses de idade. Mais uma vez, foi apenas João Gualberto que ela levou consigo.

Chiquinha instalou-se com o filho numa modesta casa na rua da Aurora, em São Cristóvão. Lá romperia mais uma barreira da sociedade de então, transformando o piano, de mero objeto ornamental, em instrumento de trabalho e sustento. Com o apoio do amigo Calado, Chiquinha ingressou definitivamente no universo musical da cidade.

Por volta de 1870, eram comuns no Rio de Janeiro grupos formados por dois violões, um cavaquinho e um instrumento solista, geralmente a flauta, denominados choros. Esta formação usual, onde geralmente apenas um integrante sabia ler a partitura e a improvisação era uma característica essencial, originou o choro como gênero, uma maneira de se tocar. O Choro do Calado era muito popular, animando festas em toda a cidade.

A primeira composição de Chiquinha surgiu durante um sarau na casa do compositor e maestro Henrique Alves de Mesquita, no ano de 1877. Ela sonhara com a melodia, mas, sem tempo para escrever, guardou-a na memória. Na casa do amigo, dirigiu-se ao piano e foi tirando a melodia. Aos poucos, os músicos foram-se aproximando para acompanhá-la: Calado na flauta, Ciríaco Cardoso no violino, Patola no oficleide, Saturnino na flauta e vários violões e cavaquinhos. A polca, batizada de "Atraente", foi publicada pela editora de Calado, transformando-se rapidamente em sucesso.

O Choro do Calado, ou Choro Carioca, era muito requisitado para tocar nas casas cariocas, mas faltava-lhe alguém que soubesse executar ao piano. Era preciso identificar-se com aquela maneira de tocar, deixando-se guiar pelo flautista e improvisando. Chiquinha, acostumada aos choros, passou a integrar o grupo. Tornava-se, assim, a primeira pianeira, ou primeira profissional do piano ligada ao choro, tocando em bailes e recebendo 10 mil-réis por noite. A seu lado, estava sempre um rapazinho de uns 12 anos, empunhando a clarineta — seu filho João Gualberto.

Sustentando-se como pianeira, como era chamada na época, compositora e professora, a fama de Chiquinha crescia na cidade, e com ela as piadas e as maldosas associações entre a autora e o título de sua primeira peça. A ousadia de Chiquinha, que freqüentava saraus, pagodes, enfim, a roda boêmia da cidade, foi severamente condenada. Suas atitudes não eram compreendidas, seu jeito de vestir era criticado: sem dinheiro para comprar vestidos, confeccionava ela própria suas roupas e usava, em lugar do indispensável chapéu, um lenço amarrado ao cabelo, confundido-se com seus cachos. O acessório provocava maliciosos comentários. Uma vez, caminhando pela rua do Ouvidor, uma senhora arrancou-lhe o ornamento. Chiquinha revidou, chamando-a de feia.

Em 1880 morreu Calado, seu grande amigo e incentivador. Chiquinha passou por uma época de dificuldades financeiras e chegou a anunciar em jornal que lecionava piano, canto, francês, história, geografia e português, buscando qualquer trabalho que pudesse sustentá-la.

Ainda nessa década, percebeu que o teatro era um caminho para alcançar maior popularidade e oportunidades. Estava muito em voga, no Rio de Janeiro, o teatro musicado ou opereta, apresentando caricaturas musicais e descrevendo acontecimentos. A novidade surgira em Paris alguns anos antes e, introduzida no Brasil em 1859, agradou em cheio, inicialmente através de adaptações de espetáculos europeus. Artur Azevedo nacionalizou o gênero na revista *O Rio de Janeiro em 1877*.

Chiquinha Gonzaga então escreveu, em 1880, o libreto *Festa de São João*, peça de costumes campestres que manteve inédita. Nela, compôs para vários instrumentos, o que aprendera por conta própria, exercitando-se através de manuais. Três anos mais tarde, começou a musicar o libreto de Artur Azevedo, *Viagem ao Parnaso*, mas foi forçada a parar, mesmo tendo já musicado quase toda a parte de piano e canto. O empresário recusou-lhe o trabalho, desconfiando que fosse tarefa além das possibilidades de uma mulher. Chiquinha não desistiu e, em 1885, musicou um libreto do iniciante Palhares Ribeiro, a opereta em um ato chamada *A Corte na roça*. A peça foi ensaiada pela empresa do Teatro Príncipe Imperial e enfrentou inúmeras dificuldades. O empresário fugira para a Europa, os artistas estavam sem receber e poucos acreditavam que aquela mulher poderia ensaiar sua partitura e fazer-se respeitar. *A Corte na roça* estreou em 17 de janeiro de 1885, com um público modesto, mas responsável por insistentes aplausos. Apesar dos pedidos de bis, o número final não pôde ser repetido — tratava-se de um maxixe, dança malemolente censurada pela polícia. Seu trabalho foi muito elogiado e causou alguns embaraços na imprensa, que não sabia como se referir a ela — se maestra ou maestrina. Era a estréia daquela que mais tarde significaria sucesso para qualquer peça que levasse sua assinatura.

Chiquinha Gonzaga captava perfeitamente o gosto popular e afirmava seu talento. Sua peça seguinte, *A filha do Guedes*, recebeu algumas críticas pelo enredo, considerado muito vulgar, mas a música foi alvo de novos elogios. Foi na ocasião da festa de benefício da peça, maneira pela qual os autores recebiam algo pelo espetáculo numa época em que o direito autoral ainda não existia, que Chiquinha provavelmente recebeu o broche, que ela não abandonaria jamais, com os primeiros acordes da valsa "Valquíria". Foi-lhe oferecido pelos jornalistas Oscar Guanabarino, Ferreira de Araújo e Quintino Bocaiúva. Sua estréia no teatro musicado marcou o início de uma carreira de sucessos e seu nome estaria presente em praticamente todas as revistas do ano, que se destacaram a partir de então.

Ao lado da carreira de maestrina, compositora e pianeira, dedicou-se também às campanhas sociais. Ativista da abolição, participou de festivais que arrecadavam fundos para a Confederação Libertadora, que comprava alforrias para os escravos. Ela própria vendia suas músicas de porta em porta e, com o dinheiro obtido, libertou o escravo Zé da Flauta. Após a abolição da escravatura, compôs um hino em homenagem à princesa Isabel.

Chiquinha empenhou-se também na campanha republicana, protestando contra a monarquia em locais públicos, utilizando-se de seu prestígio para propagar a idéia. O republicano Lopes Trovão, a quem acompanhava com freqüência, dela diria: "Aquela Chiquinha é o diabo! Foi a nossa companheira de propaganda na praça pública, nos cafés! Nunca me abandonou..." Proclamou-se a República e, já desencantada com o novo regime, dirigiu severas críticas ao governo Floriano Peixoto por ocasião da Revolta da Armada, quando escreveu a cançoneta "Aperte o botão", considerada irreverente pelo governo. Recebeu ordem de prisão pela ousadia, mas seu parentesco com pessoas ilustres teria impedido a concretização do fato.

Ainda em julho de 1889, chegou ao Rio de Janeiro o maestro Carlos Gomes, muito admirado por Chiquinha Gonzaga. Pretendia montar, como parte das comemorações da Independência, a ópera *O escravo*. Pelo fato de o maestro não mais contar com a prometida ajuda de D. Pedro II, seus amigos decidiram auxiliá-lo. Entre eles, Chiquinha Gonzaga, que organizou um concerto no Teatro São Pedro de Alcântara. O programa primou pela originalidade: foi encerrado com a música "Caramuru", um fado brasileiro, dançado e cantado a caráter, executado por violões, violas, pandeiros e diversos amadores. Uma ousadia enorme, considerando que até as companhias de operetas e revistas utilizavam instrumentos mais nobres em suas orquestras, sendo o violão e o pandeiro considerados instrumentos excessivamente populares. Nesse mesmo concerto, ela executou ao piano e regeu uma valsa intitulada "Carlos Gomes", dedicada ao maestro. Recebeu dele uma fotografia, que traria sempre sobre o piano.

Seu pai adoeceu e Chiquinha tentou vê-lo pela última vez. Mesmo no leito de morte, José Basileu recusou a visita, alegando que sua filha estava morta havia muito. Sua família ainda não perdoara os "descaminhos" de sua vida. Anos após a morte do pai, Chiquinha iria reaproximar-se de sua mãe.

Por volta de 1894, chegou ao Rio um navio de guerra francês, permanecendo no porto por cerca de dois meses. As músicas de Chiquinha passaram a fazer parte do repertório executado no navio e ela escreveu composições especialmente para a ocasião. Antes de partir, o comandante-em-chefe da divisão do Atlântico, E. Fournier, entregou à maestrina, em nome do governo francês, uma medalha e o título de "Alma cantante do Brasil".

No final do século XIX, seu público era cada vez maior e Chiquinha firmava-se como o nome responsável pela divulgação do maxixe. Nascido da maneira livre de dançar os gêneros em voga na época — como a polca, o *schottisch* e a mazurca —, o maxixe surgiu a partir do esforço dos músicos de choro em adaptar as músicas aos requebros que os mestiços, negros e brancos do povo incluíam nos passos da dança de salão. Encarado com reservas, como gênero menor, durante muito tempo os compositores editaram seus maxixes como tangos. A própria Chiquinha, grande responsável pela divulgação do gênero, editou muitas de suas músicas como tangos para fugir das críticas e censuras endereçadas ao maxixe.

Morando no bairro que sediava o cordão carnavalesco Rosa de Ouro, Chiquinha compôs, em 1899, uma peça inspirada nos ensaios do cordão. "Ó abre alas" tornou-se a primeira música feita especialmente para o Carnaval, inaugurando uma prática que se tornaria comum 20 anos mais tarde. Também a popularidade dessa música só viria anos depois.

Nos princípio do século XX, fez uma viagem à Europa. Retornou em 1902, acompanhada de João Batista, rapaz que trouxera de Portugal e que a todos apresentava como seu filho. Na verdade, Chiquinha e João Batista se haviam conhecido no Rio de Janeiro em 1899, ela com 52 anos, ele com 16. Foi quando Chiquinha tornou-se sócia honorária do Clube Euterpe. O clube reunia rapazes interessados por música, organizava espetáculos musicais e oferecia cursos para diversos instrumentos. João Batista Fernandes Lage, músico amador, era um dos jovens que freqüentavam o clube. Promovido a diretor de harmonia do clube, passou a trabalhar com a maestrina na organização de um grande concerto. Chiquinha presenteou-o com um fado português chamado "Desejos", ao que João Batista retribuiu com uma foto sua. Era o início de um romance que duraria até o fim da vida da maestrina e que seria ocultado sob o respeitável véu da maternidade.

Em 1906, em sua terceira viagem a Portugal, Chiquinha instalou-se com "Joãozinho" no bairro de Benfica. Durante os primeiros meses, descansava e passeava. Sua primeira colaboração teatral em terras lusas, em 1908, foi um maxixe incluído na revista *Salão do tesouro velho*. Escreveu, ainda, a partitura completa da revista *A batota* e reescreveu a música para *Cá e lá*, sucesso anterior no Brasil. Duas de suas peças — *As três Graças* e *A bota do diabo* — foram encenadas em Portugal, e a imprensa portuguesa reconheceu seu talento.

Em maio de 1909, Chiquinha retornou ao Brasil e encontrou o Rio de Janeiro transformado por alguns novos hábitos, entre eles o cinematógrafo, diversão que atraía multidões, fazendo concorrência ao teatro. Mas este não se deixaria obscurecer pela novidade. Em ju-

13 • Clementina de Jesus

Uma das mais queridas cantoras brasileiras, descoberta na década de 1960, aos 63 anos.

14 • Carmem Santos

Atriz, produtora e pioneira do cinema no país, participou da fundação do estúdio Brasil Fox Filmes, em 1933.

15 • Cléo de Verberena

Atriz do teatro de revista, uma das fundadoras da Épica Filmes e primeira diretora de cinema no Brasil.

16 • Cora Coralina

Poetisa e doceira de Goiás Velho, descoberta por Drummond na década de 1980.

17 • Carmem Portinho

Sufragista e pioneira da engenharia no Brasil, introduziu o conceito de habitação popular no país, assumiu a responsabilidade pela construção do Museu de Arte Moderna do Rio de Janeiro e fundou, na década de 1960, a Escola de Desenho Industrial (ESDI/RJ).

13

14

17

15

16

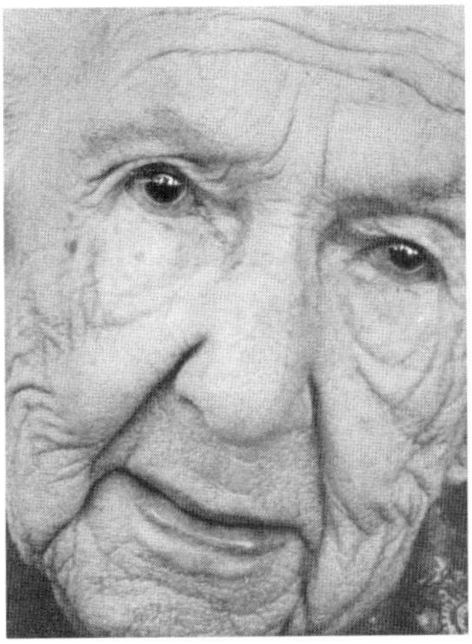

18

19

20

21

22

23

24

18 • *Carlota Pereira de Queirós*
Médica paulista e primeira deputada federal eleita no Brasil por São Paulo, em 1933.

19 • *Chiquinha Gonzaga*
Compositora, pioneira da música popular, e abolicionista.

20 • *Chiquinha Rodrigues*
Educadora e fundadora da Bandeira Paulista de Alfabetização, movimento responsável pela criação de inúmeras escolas. Eleita deputada estadual por São Paulo em 1936.

21 • *Corina de Vivaldi Coaracy*
Jornalista desde 1875, diretora de cadernos literários e correspondente internacional, além de escritora e pioneira no trabalho de tradução no Brasil.

22 • *Carlota Joaquina*
Mulher de D. João VI e figura polêmica do Primeiro Reinado.

23 • *Carmem Miranda*
A "Pequena Notável", que com sua voz, trejeitos e balangandãs projetou o Brasil internacionalmente.

24 • *Condessa de Barral*
Senhora de grande influência no Segundo Império, preceptora das princesas Isabel e Leopoldina e dama de companhia da imperatriz Teresa Cristina.

lho de 1911, foi criada a Companhia de Operetas, Mágicas e Revistas do Cinema-Teatro São José (antigo Teatro Príncipe Imperial), que inaugurou os espetáculos por sessões, com preços de entradas de cinema. O sucesso do novo empreendimento fez com que outros estabelecimentos imitassem a iniciativa, entre eles o Teatro São Pedro. Chiquinha não ficaria de fora da novidade, passando a compor para as operetas em apenas um ato, emplacando sucessos como "Casei com titia" e "Manobras do amor". Enquanto isso, ela também gravava em discos com o Grupo Chiquinha Gonzaga, formado por Artur Nascimento (violão), Nelson dos Santos Alves (cavaquinho) e Antônio Maria Passos (flauta), numa autêntica formação de choro.

O espetáculo por sessões nos teatros da praça Tiradentes reconquistava o público. Em 1911, Chiquinha musicou a peça *Forrobodó*, que tinha como tema um baile, trazia personagens dos meios populares, além de uma linguagem cheia de gírias. Foi recusado pelos diretores do Teatro São José, mas Chiquinha conseguiu que a peça fosse encenada e o espetáculo foi um sucesso. Nascia assim mais um gênero de peças teatrais — o teatro de tipos, linguagem e temas exclusivamente cariocas.

Chiquinha Gonzaga também introduziu a música popular nos salões de elite da cidade. Em 1914, Nair de Teffé*, esposa do presidente Hermes da Fonseca, instigada por um comentário do compositor Catulo da Paixão Cearense sobre o fato de não se executar música nacional nas recepções oficiais, decidiu incluir no programa da recepção no Palácio do Catete o tango "Corta-jaca". Foi a própria primeira-dama quem executou a música, que lhe fora apresentada por seu ex-professor de violão, para escândalo da sociedade de então. Rui Barbosa comentou, da tribuna do Senado Federal: "Uma (...) recepção presidencial em que, diante do corpo diplomático, da mais fina sociedade do Rio de Janeiro, aqueles que deviam dar ao país o exemplo das maneiras mais distintas e dos costumes mais reservados elevaram o corta-jaca à altura de uma instituição social. Mas o corta-jaca, (...) que vem a ser ele, Sr. Presidente? A mais baixa, a mais chula, a mais grosseira de todas as danças selvagens, a irmã gêmea do batuque, do cateretê e do samba. (...) e não se quer que a consciência deste país se revolte, que as nossas faces se enrubesçam e que a mocidade se ria."

Com o apoio de Viriato Corrêa e Raul Pederneiras, jornalistas de prestígio, Chiquinha fundou, em 27 de setembro de 1917, a Sociedade Brasileira de Autores Teatrais (SBAT), primeira entidade de classe para defender os direitos autorais no Brasil. A sede da entidade abriga um busto de Chiquinha Gonzaga, sócia iniciadora, fundadora, efetiva, remida, conselheira e patrona.

Compôs, ainda, peças regionalistas para espetáculos como *Juriti* (1919), que retratava costumes sertanejos, e *Jandira* (1921), abordando os costumes do Rio Grande do Sul. Sua última partitura data de 1933. Contava a maestrina 83 anos de idade.

Os últimos anos de sua vida, Chiquinha passou-os boa parte na SBAT, para onde se dirigia diariamente, reverenciada pelos autores. Faleceu em seu apartamento, no dia 28 de fevereiro de 1935, uma quinta-feira, antevéspera de Carnaval.

A TV Globo fez uma minissérie de enorme sucesso sobre a vida de Chiquinha Gonzaga, interpretada por Regina Duarte.

Fontes:.Ari Vasconcelos, *Raízes da música popular brasileira*; Edinha Diniz, *Chiquinha Gonzaga — uma história de vida*; Geysa Boscoli, *A pioneira Chiquinha Gonzaga*; José Ramos Tinhorão, *Pequena história da música popular — da modinha ao tropicalismo*; Marisa Lira, *Chiquinha Gonzaga*.

Chiquinha Rodrigues (1896-1966)

Professora, jornalista e política.

Nasceu em Tatuí (SP), em 4 de maio de 1896. Francisca Pereira Rodrigues era filha de Maria de Barros Pereira e de Adauto Pereira. Fez os estudos secundários na Escola Normal de Itapetininga e exerceu o magistério na cidade de Itu.

Em março de 1933 fundou a Bandeira Paulista de Alfabetização, que realizou um grande trabalho educativo criando escolas primárias, escolas profissionais e clubes agrícolas por todo o interior do estado. Em 1935, Chiquinha criou a Sociedade Luís Pereira Barreto, para melhor difundir atividades educacionais.

Em 1937, ainda sob a presidência de Chiquinha Rodrigues, a Bandeira Paulista de Alfabetização comemorou seu quarto ano distribuindo, pelas escolas rurais e grupos escolares, livros para leitura complementar, sementes de hortaliças e um decálogo sobre alimentação e higiene. A Bandeira teve um papel importante na educação no estado de São Paulo.

Nas eleições suplementares de 1936 elegeu-se para a Assembléia Legislativa do estado de São Paulo e exerceu o mandato de deputada regular até a decretação do Estado Novo em novembro de 1937, quando foram fechados os Legislativos federal, estadual e municipal. Ainda em 1936, promoveu e dirigiu o primeiro Congresso de Ensino Rural e o primeiro Congresso das Municipalidades Paulistas. Em 1940, viajou pelo Brasil a serviço do Instituto Nacional de Geografia e Estatística. Percorreu, também, a Argentina, o Uruguai e os Estados Unidos.

Foi, por 15 meses, prefeita de Tatuí (agosto de 1945 a dezembro de 1946). Criou jardins de infância, um grupo escolar, construiu refeitório na Escola Normal, ampliou o cemitério, abriu novas ruas e uma avenida; deixou em fase de acabamento o matadouro, o mercado municipal e a estação rodoviária.

Sócia honorária do Instituto Histórico e Geográfico de São Paulo e sócia-correspondente do Instituto Histórico da Bahia, além de conferencista, historiadora e ensaísta, escreveu, como educadora, diversos livros didáticos. Promoveu e presidiu o Congresso Interamericano de Educação de Base, como parte das comemorações do IV Centenário da cidade de São Paulo. Em 1949, foi indicada delegada do Brasil no Congresso Internacional de Toponímia e Antroponímia, na Bélgica.

Escreveu, entre outras, as seguintes obras: *Em marcha para a civilização rural* (1935), *Bandeira paulista de alfabetização* (1935), *Tendências urbanistas de nossa civilização* (1936), *Pelo caboclo do Brasil* (1937), *O braço estrangeiro* (1938), *Antevisão de jesuíta* (1939), *Confidência de Susana* (romance) (1939), *Primeiro livro da bandeira* (1940), *Grandes brasileiros* (biografias) (1939), *Segundo livro da bandeira — vamos conhecer as riquezas do Brasil* (s.d.), *Meninas de ouro* (literatura infantil) (1947), *Dança das flores* (1947), *História e brincadeira* (1947), *Primavera em meu quarto* (1947), *Horas alegres* (1947).

Recebeu várias condecorações e o título de Educadora Emérita na Assembléia Legislativa do estado de São Paulo; seu nome foi dado ao grupo escolar de Vila Penteado. Faleceu em 9 de outubro de 1966.

Fontes: Adalzira Bittencourt, *A mulher paulista na história*; Margarida Cintra Gordinho, *Assembléia Legislativa de São Paulo* • Colaboração especial de Regina Stella Moreira Pires.

Ciata *ver* Tia Ciata

Cida Kopcak (1946-92)

Feminista e líder de movimento social.

Maria Aparecida nasceu em 28 de março de 1946, em Itapira (SP).

Aos 12 anos, veio com a família morar em Santo André, município da grande São Paulo. Ainda adolescente, trabalhou como embaladora em uma indústria farmacêutica. O manuseio dos produtos químicos provocou-lhe problemas de saúde e sua aposentadoria precoce. Esta experiência deu-lhe os instrumentos necessários para uma atuação junto aos trabalhadores da zona leste na capital paulista, aproximando-a da Pastoral Operária e da oposição metalúrgica de São Paulo.

De formação católica, Cida casou em 1970 com Carlos Kopkac. Sua natureza rebelde expressou-se num vestido de noiva em minissaia e na música de Geraldo Vandré tocada durante a cerimônia religiosa. Carlos foi seu companheiro de muitas lutas e jornadas e pai de seus três filhos.

As tentativas de conciliação das tarefas de dona-de-casa, trabalhadora, mãe e militante, trouxeram-lhe a consciência da necessidade da construção de um novo lugar para a mulher no espaço doméstico e fora dele. Inventou um "rodízio de pais" para cuidar dos filhos do grupo de amigos do casal, liberando os pais para a militância nos fins de semana. Em seguida, Cida foi convidada a fazer parte da Associação das Donas de Casa, fundada em 1964 pela Ação Católica Operária. Sua grande facilidade de congregar as mulheres, formando novos grupos, ampliou o âmbito de atuação da Associação das Donas de Casa, que passou a ter uma presença forte e viva, além de em Santo André, em Mauá, Burgo Paulista e na zona leste de São Paulo.

A militância de Cida na Associação das Donas de Casa e na resistência contra a ditadura permitiu-lhe fazer uma ponte com algumas mulheres que, na primeira metade dos anos 1970, iniciavam o debate sobre a condição feminina no país. Junto com Raquel Moreno, Cida viajou ao Rio de Janeiro para participar do seminário da Associação Brasileira de Imprensa (ABI) em 1975, discutindo a cidadania das mulheres. Sua presença no seminário estabeleceu uma ligação entre as feministas e o movimento de donas-de-casa do qual participava. Organizava discussões entre os grupos, colaborava com a imprensa feminista que surgia, os jornais *Nós, Mulheres* e, depois, *Brasil Mulher*. Este convívio levou-a a aprofundar a temática da libertação da mulher, acrescentando as questões do prazer e da sexualidade.

Nas greves dos metalúrgicos da região do ABC paulista ao final dos anos 70, Cida foi uma das articuladoras da solidariedade das mulheres dos trabalhadores, ajudando a criar o fundo de greve.

Participou ativamente do I Congresso da Mulher Paulista, realizado em 1979, com a presença de cerca de mil mulheres. Desse congresso surgiu o Movimento de Luta por Creches, no qual teve atuação marcante. Até então São Paulo tinha três creches. Como resultado do movimento, criaram-se mais de 300 creches, algumas administradas pelo próprio movimento.

Nos anos 80, com a fundação do Partido dos Trabalhadores (PT), Cida filiou-se a ele, embora mantivesse sempre a defesa da autonomia do movimento feminista frente às questões partidárias. Como resultado dessa sua dupla militância, foi uma das fundadoras do Serviço de Orientação à Família (SOF Leste).

Em 1990, participou da criação do Grupo Feminista Verde-Lilás, como expressão da vontade de popularizar as questões ambientais, traduzindo-as nos hábitos cotidianos. Sempre à frente do seu tempo, Cida amou homens e mulheres, enfrentando o preconceito daí decorrente e ainda agravado por sua inserção social. Passou a viver segundo a máxima "o prazer é revolucionário". Cida ousou transgredir e derrubar barreiras, lutando por uma vida mais plena. Mesmo doente, fazia críticas contundentes ao esmorecimento da atuação das feministas, mostrando sua imensa vontade de transformar o mundo.

Morreu em São Paulo no dia 28 de outubro de 1992, cercada pelas amigas e amigos que, com ela, haviam lutado para construir um mundo melhor.

Fontes: Arquivo do Centro Informação Mulher (CIM); Entrevista com Carlos Kopcak, em novembro de 1999 • Colaboração especial de Raquel Moreno e Regina Stella Moreira Pires.

Clara Charf (1925-)

Ativista política.

Nasceu em Maceió (AL), no dia 17 de julho de 1925, de origem judaica. Mudou-se com a família para Recife (PE) em 1942. Clara queria ser médica, mas os poucos recursos não permitiam. Aos 17 anos foi trabalhar como datilógrafa-copista, em inglês, na base naval norte-americana. Por essa época, eclodiam no Brasil as primeiras reações da classe política e das forças populares de esquerda contra o regime ditatorial de Vargas. O fim da II Guerra Mundial, a passagem pelo Recife da menina Anita Leocádia (filha de Olga Benario* e do líder comunista Luís Carlos Prestes), libertada de um campo de concentração por uma campanha de solidariedade internacional, e o primeiro comício a que assistiu, depois da queda do Estado Novo, com a presença Prestes, foram fatos que marcaram a sua trajetória política.

Viajou, em 1946, para o Rio de Janeiro, trabalhou como aeromoça e filiou-se ao Partido Comunista, assumindo a tarefa de assessorar a bancada parlamentar do partido no Congresso Nacional. Conheceu, assim, o então deputado Carlos Marighela, a quem esteve unida de 1948 até o assassinato dele pelas forças policiais, em novembro de 1969.

Sua união com o dirigente comunista Marighela levou-a à vida clandestina e à decisão de, por essa circunstância, não ter filhos. Em 1950, Clara foi presa em Campinas (SP), onde havia acabado de chegar com o nome de Marta Santos, uma mala de livros, uma máquina de escrever e a tarefa de montar uma escola de quadros partidários. Marighela estava então na China. Clara foi solta porque não fora apanhada distribuindo material comunista e apenas carregá-lo não era crime.

Na década de 1950, o casal veio para o Rio e passou a viver legalmente. Clara passou a atuar na Liga Feminina e representou o Brasil em congressos de mulheres realizados em 1962 e 1963 em Cuba. O golpe militar de 1964, o rompimento de Marighela com a direção do PCB e seu assassinato levaram Clara a exilar-se em Cuba, de onde só voltou em 1979, com a anistia. Filiou-se depois ao Partido dos Trabalhadores (PT) e concentrou sua atividade política na luta pelo resgate de mortos e desaparecidos do regime militar e no movimento de mulheres. Trabalhou na prefeitura de São Paulo, na gestão de Luísa Erundina*.

Aos 75 anos, Clara é um exemplo de mulher que, sem medo da polícia ou dos tabus sociais, construiu livremente sua vida e dedicou-a às lutas pela igualdade social e solidariedade entre os povos.

Fontes: Maria Rita Kehl e Venceslau Paulo de Tarso, "Clara Charf", in R. Azevedo e F. Maués (orgs.), *Rememória — entrevistas sobre o Brasil do século XX.*

Clara Felipa Camarão (séc.XVII)

Índia potiguar, heroína.

Nasceu no Rio Grande do Norte e viveu na capitania de Pernambuco. Era companheira de Antônio Felipe Camarão.

Tomou parte ativa na guerra de expulsão dos holandeses, participando dos combates lado a lado com seu companheiro. Quando a sorte virou contra os portugueses, Clara Camarão esteve na frente de batalha, defendendo as posições militares e a população civil, que, abandonando suas propriedades e as cidades, veio refugiar-se atrás das linhas de Matias de Albuquerque, Felipe Camarão e Henrique Dias. Os holandeses, que haviam chegado a Pernambuco no ano de 1630, ganharam terreno sobre os portugueses, que foram obrigados a abandonar a Vila Formosa do Serinhaém em julho de 1635. Sua última tentativa de resistência foi a sangrenta batalha de Porto Calvo, ocorrida no dia 18 de fevereiro de 1637. Nesse dia, o comandante Henrique Dias foi ferido, perdendo uma mão. Felipe Camarão assumiu o comando da tropa, apoiado por Clara, enquanto, em meio à desordem da batalha, as demais mulheres seguiam em fuga para o sul, levando seus filhos. Clara também foi uma das heroínas de Tejucupapo*, um pequeno lugarejo no litoral pernambucano, onde as mulheres mostraram bravura na resistência ao domínio holandês.

Clara, por seus feitos corajosos, gozou das regalias do título de "Dona" e do hábito de Cristo, que o rei Filipe IV havia concedido a Felipe Camarão pelos relevantes serviços prestados à nação portuguesa. Após a morte de seu companheiro em 1648, em seguida à batalha dos Guararapes, Clara ainda viveu por mais alguns anos. Permaneceu na memória popular como uma heroína da luta contra a invasão holandesa.

Fontes: Carlos Augusto de Campos, *As heroínas do Brasil*; Carolina Ribeiro de Oliveira, *Biografias de personalidades célebres*; Henrique C.P. de Melo, *Pernambucanas ilustres*; Inês Sabino, *Mulheres ilustres do Brasil.*

Clara Maria do Café Carvalhista

(séc.XIX)

Revolucionária.

Nasceu em Pernambuco e lutou nas ruas do Recife na Revolução de 1824.

O movimento insurrecional teve origem com a dissolução, por D. Pedro I, da Assembléia Constituinte em 1823 e a imposição de Francisco Paes Barreto na presidência da província de Pernambuco. As atitudes autoritárias do imperador levaram, no mês de julho daquele ano, à explosão de uma ampla revolta federativa e republicana, cujo epicentro localizou-se em Pernambuco. Essa revolta ficou conhecida como a Confederação do Equador. A repressão veio pelas mãos do brigadeiro Francisco Lima e Silva, pai do futuro duque de Caxias.

No dia 11 de setembro de 1824, as tropas do brigadeiro desembarcaram na Barra Grande, nas proximidades do Recife, e marcharam em direção ao centro da cidade. Clara Maria, uma mulher do povo que, segundo Henrique Capitolino, descendia de índios, juntou-se à legião da família Carvalhista e pôs-se a lutar lado a lado com os homens nas ruas do Recife. Participou dos combates na ponte dos Carvalhos, em Afogados e na Boa Vista, pontos no centro da cidade. Com a tomada de Recife pelas tropas da reação, os rebeldes rumaram em direção ao sertão, onde foram perseguidos por todo o mês de dezembro daquele ano. Desconhece-se o destino de Clara Maria.

Fontes: Boris Fausto, *História do Brasil*; Henrique C. P. de Melo, *Pernambucanas ilustres.*

Clara Nunes (1943-83)

Cantora.

Nasceu em Paraopeba (MG), em 12 de agosto de 1943. Clara era órfã de mãe desde pequena; seu pai, Mané Serrador, era violeiro e cantador de folias-de-reis.

Mudou-se para Belo Horizonte aos 14 anos, onde conseguiu empregar-se como operária numa fábrica de tecidos. Por essa época cantava no coral de uma igreja, ao mesmo tempo em que, com o apoio dos irmãos, concluía o curso Normal.

Em 1960, venceu a final do concurso A Voz de Ouro ABC, na fase mineira da disputa. Interpretou a canção "Serenata de adeus", de Vinícius de Morais. Também obteve o terceiro lugar na finalíssima do concurso, realizada em São Paulo, interpretando "Só adeus", de Jair Amorim e Evaldo Gouveia. Teve início, assim, sua carreira profissional, pois, com a projeção obtida no concurso, acabou por ser contratada por emissoras de rádio de Belo Horizonte e pela televisão local, onde teve um programa exclusivamente seu por cerca de um ano e meio. Paralelamente, cantava em boates e clubes, tendo sido escolhida, em três ocasiões, a melhor cantora do ano.

Em 1965, mudou-se para o Rio de Janeiro e passou a apresentar-se na TV Continental, no programa de José Messias. Ainda nesse ano, após fazer um teste, foi contratada pela gravadora Odeon. Em 1966 lançou o seu primeiro disco, *A voz adorável de Clara Nunes*, em que interpretava boleros e sambas-canções. Em 1968, gravou o samba "Você passa e eu acho graça", de Ataulfo Alves e Carlos Imperial, que foi o seu primeiro grande sucesso de público e marcou, a partir de então, sua preferência pelo samba. Do primeiro disco até sua morte prematura, Clara Nunes gravou, em média, um disco a cada ano, conquistando o sucesso de público e de crítica.

Fez sua estréia nos palcos em 1972, com o show *Clara, Clarisse, Clara*, realizado no Rio de Janeiro. Em fevereiro do ano seguinte, estreou em Salvador (BA), partilhando a cena com Vinícius de Morais e Toquinho. Em seguida, fez uma longa temporada em Portugal a convite da rádio e televisão portuguesas.

O ano de 1974 foi marcante em sua vida, pois integrou a delegação que representou o Brasil em um festival internacional de música realizado em Cannes, França. Como resultado de sua experiência na Europa, gravou o disco *Brasília*, lançado no exterior. No mesmo ano, alcançou o primeiro lugar de todas as paradas brasileiras, interpretando o samba "Meu sapato já furou", de Elton Medeiros e Mauro Duarte. Ainda em 1974, ao lado de Paulo Gracindo, atuou na montagem do espetáculo *Brasileiro, profissão esperança*. Esta peça conta, de forma musicada, as vidas de Dolores Duran e de Antônio Maria.

Em 1975, casou-se com o compositor Paulo César Pinheiro e excursionou por vários países da Europa.

Faleceu a 2 de abril de 1983, no Rio de Janeiro, em conseqüência de problemas durante uma cirurgia.

Fontes: *Enciclopédia da música brasileira: popular, erudita e folclórica*; Raimundo Santa Helena, *Clara Nunes.*

Clara Perelberg Steinberg (1924-)

Engenheira.

Nasceu no Rio de Janeiro (RJ), em 14 de janeiro de 1924, filha de imigrantes russos.

Entrou para a Escola Politécnica em 1942 e cursou, ao mesmo tempo, engenharia civil e engenharia química. Formou-se em 1946, numa turma de 200 formandos, dos quais apenas cinco eram mulheres. Conseguiu emprego como engenheira química em uma loja de tintas e em um laboratório. Mais tarde, passou a trabalhar como engenheira civil no ministério da Educação e Saúde.

Casou-se, em 1948, com o também engenheiro Jacob Steinberg, que havia sido seu colega de faculdade. Juntos fundaram a empresa

Servenco, no ramo da construção civil. Naquela época, as mulheres somente podiam ser sócias de firmas com o consentimento do marido. Esbarrando nesta exigência burocrática, o pedido foi negado. Acabaram colocando seu pai como sócio, pelo fato de que demoraria demais abrir um novo processo.

Clara, como empresária e engenheira, tem-se destacado social e profissionalmente. Foi admitida como sócia do Clube de Engenharia em 20 de abril de 1954 e é reverenciada como uma pioneira por seus pares. Foi, por duas vezes, presidente da Abea — Associação Brasileira de Engenheiras e Arquitetas. Divide a presidência da Servenco com as atividades no Conselho Superior do Banco da Mulher, onde desenvolve ações de apoio social a mulheres de baixa renda.

No final da década de 70, teve a idéia de abrir um *shopping* voltado apenas para decoração. Junto com Bertha Leitchic*, construiu o Rio Design Center na cidade do Rio de Janeiro.

Fontes: *Almanaque de Sócios do Clube de Engenharia,* 1970; *O Globo,* 6.11.1999; *Jornal do Clube de Engenharia,* set/1997.

Clarice Lispector (1925-77)

Escritora com o maior número de obras traduzidas.

Nasceu em 10 de dezembro de 1925, em Tchetchelnik, Ucrânia. Seus pais vieram para o Brasil quando Clarice tinha apenas dois meses de vida. Fez questão de se naturalizar brasileira.

Passou a infância em Maceió e Recife, onde fez os estudos primários. Aos sete anos de idade já escrevia histórias para a seção infantil semanal de um jornal pernambucano; aos 12 anos, transferiu-se para o Rio de Janeiro com sua família. Diplomou-se em direito em 1944.

Trabalhou como jornalista e iniciou sua carreira literária publicando, em 1944, seu primeiro romance, *Perto do coração selvagem*, que não só foi muito bem recebido pela crítica como causou um impacto nos meios literários. Casou-se com o diplomata Mauri Gurgel Valente, com quem teve dois filhos. O casal viveu na Itália, Suíça e Estados Unidos, retornando definitivamente ao Rio de Janeiro em 1958. Durante o período em que esteve fora do país, seus contos apareceram em vários periódicos brasileiros. Na década de 60 colaborou semanalmente com o *Jornal do Brasil.*

Clarice ganhou inúmeros prêmios: o Graça Aranha, em 1944; Carmem Dolores Barbosa, em 1956; Calunga, em 1967, e Golfinho de Ouro, em 1969. Romancista, contista e cronista, Clarice foi uma das mais importantes escritoras do século XX. Num momento em que a tendência predominante era regionalista, masculina e realista, ela tratou de questões urbanas, femininas e psicológicas. A preocupação com temas filosóficos como o ser, a consciência e a linguagem são uma constante em sua obra, traduzida em muitos países. Seus principais personagens são quase sempre mulheres. O livro de contos *Laços de família* e os romances *A maçã no escuro* e *A paixão segundo G.H.* são suas obras mais lidas e reverenciadas. Há, no Brasil e no mundo, dezenas de teses de mestrado e doutorado sobre Clarice.

Sua prosa é profundamente poética, tanto em estilo quanto em estrutura. A também escritora e jornalista Marina Colasanti, apresentando seu livro de contos *Felicidade clandestina*, assim a descreveu: "Desde o início Clarice Lispector recusou a escravidão dos gêneros. Escrevia por fragmentos que depois montava. Escrevia aos arrancos, transcrevendo um ditado anterior. As estruturas clássicas não faziam parte desse ditado. Seu olhar passava por cima das regras, quase voraz em sua busca da essência."

Faleceu a 9 de dezembro de 1977, no Rio de Janeiro, vitimada por um câncer.

Sua obra inspirou numerosas produções teatrais e de cinema, como o filme *A hora da estrela*, de 1985, dirigido por Susana Amaral, cuja protagonista, a simplória Macabéia, foi vivida pela atriz Marcélia Cartaxo. Por sua atuação no filme, Marcélia Cartaxo recebeu o Urso de Prata do Festival de Cinema de Berlim.

Fontes: Afrânio Coutinho, *Enciclopédia de literatura brasileira*; Assis Brasil, *Dicionário prático de literatura brasileira*; Nova Cultural, *Astros & estrelas.*

Clarisse Índio do Brasil (1864-1919)

Vítima de violência urbana.

Nasceu em 4 de abril de 1864, no Rio de Janeiro (RJ). Filha de Ana Rita de Matos Costa Pereira de Faro e do comendador Antônio Martins Lage. Casou-se em 1893 com Artur Índio do Brasil e, como era usual entre as mulheres da elite, fazia trabalhos de assistência social em instituições de caridade no bairro de Botafogo, no Rio de Janeiro.

No dia 6 de outubro de 1919, ao buscar o marido no trabalho como regularmente fazia, levou um tiro no peito, à queima-roupa, disparado por um transeunte. Este chamava-se Mário Coelho e era taquígrafo do Senado Federal. Clarisse foi socorrida ainda com vida, mas não resistiu ao ferimento e morreu no dia seguinte.

Antes de morrer, no entanto, diante do pedido de misericórdia da esposa de seu assassino, ela suplicou ao marido que perdoasse aquele que a baleou, sussurrando as palavras "Perdoa, coração". Clarisse conquistou, assim, toda a cidade e inspirou várias homenagens, tendo dado seu nome a uma rua situada no bairro de Botafogo, além de um busto, esculpido por Honório Cunha Melo, colocado inicialmente nos jardins da Glória, no Rio de Janeiro. Depois a escultura foi transferida para o Largo dos Leões, no bairro em que viveu; tem a seguinte inscrição: "uma homenagem aos pobres de Botafogo".

Também, depois de sua morte, foi lançado um livro intitulado *Livro da saudade*, composto por cartas de amigos e desconhecidos, chocados com o acontecimento, e notícias do triste episódio narradas na imprensa. Mais importante que o ato misericordioso de Clarisse, de perdoar seu assassino, foi a discussão levantada na Câmara e no Senado, de forma pioneira, sobre o porte de armas e a falta de fiscalização da venda de armas, que tinham ensejado o crime.

Fontes: Afonso Fontainha, *História dos monumentos do Rio de Janeiro*; Mariana Varzea, *Mulheres de bronze*.

Clarisse Ruas (1860-1950)

Corretora de imóveis.

Pioneira nessa atividade, Clarisse Andrade Luz nasceu em Ouro Preto (MG). Filha de um padre, era sobrinha do barão de Saramenha.

Aos 19 anos, casou-se com Miguel Arcanjo Teixeira Ruas, capitão da Polícia Militar. Tiveram uma filha, Maria Augusta. Após o casamento, mudaram-se para Belo Horizonte e Clarisse passou a trabalhar como corretora. Exerceu a corretagem numa época em que as mulheres só trabalhavam em casa, no cuidado dos filhos e marido. Seu escritório foi pioneiro em Belo Horizonte, e nele construiu uma sólida reputação profissional.

Faleceu em 28 de julho de 1950.

Fonte: Entrevista com Diva Ruas, neta de Clarisse Ruas, concedida a Jovita Levi Ginja em 22.9.1999.

Clemência Dória (c.1535-?)

Órfã da Rainha*.

Clemência veio para a Bahia com a armada de Duarte da Costa, em 1553. Era filha de Lorenzo d'Oria, radicado em Portugal no início do século XVI. Foi educada no Recolhimento Nossa Senhora da Ajuda, educandário para órfãs nobres cujo pai tivesse morrido a serviço dos Avizes na carreira das Índias. Veio para a colônia trazendo o dote de um ofício burocrático na colônia. Casou-se com Sebastião Ferreira, moço de câmara do infante D. Fernando e, em Salvador, procurador da câmara dessa cidade. Sebastião morreu devorado pelos índios caetés, no naufrágio da nau Nossa Senhora da Ajuda, em 1556, junto com o bispo Pero Fernandes Sardinha. Viúva, Clemência casou-se de novo, com Fernão Vaz da Costa, cunhado de Tomé de Sousa e sobrinho de Duarte da Costa, capitão do bergantim São Roque, em 1552.

Fernão tinha vindo para o Brasil com Tomé de Sousa. Pelo casamento com Clemência, recebeu e exerceu o cargo de contador geral do Brasil. Fernão morreu alguns anos depois, provavelmente entre 1567 e 1568, e Clemência ainda vivia quando da chegada do visitador do Santo Ofício à Bahia em 1591. Foi uma rica proprietária de terras em Salvador e do seu dote de um ofício burocrático viveram vários de seus parentes. Teve sete filhos dos dois casamentos e dela provavelmente descendem todos os Dória do Brasil.

Fontes: Afonso Costa, *As Órfãs da Rainha*; Francisco Antônio Dória, *Os herdeiros do poder*, *Revista do IHGB*, jan-mar 1946.

Clementina de Jesus (1901-87)

Cantora.

Nasceu provavelmente em 7 de fevereiro de 1901, em Valença (RJ). Negra, filha de um violeiro, desde pequena ouvia os cantos de trabalho, os jongos, benditos, ladainhas e partidos altos cantados pela mãe. Ainda criança, mudou-se com a família para o Rio de Janeiro, e foram viver no subúrbio de Oswaldo Cruz, zona norte da cidade, onde passou sua adolescência.

Aos 12 anos já saía no bloco Moreninha das Campinas, vestida de pastorinha. Com 15 anos, talvez por influência do colégio de freiras onde estudava, passou a cantar no coro da igreja do bairro. Com o passar do tempo, Clementina começou a freqüentar rodas de samba, especialmente as da casa de Maria Nenê, também em Oswaldo Cruz. Depois, passou a freqüentar a Escola de Samba da Portela. Em 1940, ao se casar com o mangueirense Albino Pé-grande, foi morar no morro da Mangueira, mudando a escola de sua preferência. Durante 20 anos trabalhou como empregada doméstica, cantando só para os amigos.

Em 1964, o poeta e compositor Hermínio Belo de Carvalho convidou-a para fazer um concerto de samba, acompanhada do violonista Turíbio Santos, numa iniciativa de integrar a música popular e a erudita. Seu lançamento definitivo como cantora, porém, aconteceu no ano seguinte, quando completava 64 anos, no musical *Rosa de ouro*, organizado também por Hermínio Belo de Carvalho. Foi um grande espetáculo, que contou com a presença de artistas consagrados, como Elton Medeiros e Araci Cortes*, ao lado de artistas jovens, como Paulinho da Viola. Esse espetáculo também foi apresentado na Bahia e em São Paulo, com grande sucesso, o que resultou na gravação de *Rosa de ouro*, primeiro disco em que Clementina registrou sua voz grave. A repercussão desse espetáculo também gerou convites para se apresentar no exterior. Assim, em 1966, Clementina participou de shows em Dacar, capital do Senegal, onde representou o Brasil no festival de Arte Negra, ao lado de Paulinho da Viola, Elisete Cardoso* e Elton Medeiros. Ainda no mesmo ano, participou de concertos na Aldeia de Arcozelo e na Sala Cecília Meireles, do Rio de Janeiro, apresentando a *Missa de São Benedito*, de José Maria Neves, para tamba e voz.

O segundo volume do disco *Rosa de ouro* foi lançado em 1967 e também contou com sua participação, interpretando, entre outros, os jongos "Benguelê" e "Boi não berra", os sambas "Semente do samba", de Hélio Cabral, "Nascente de uma semente", de José Ramos e o lundu "Bate canela". O segundo volume do *Rosa de ouro* inclui uma homenagem prestada a Clementina pelos demais participantes do projeto, na figura do partido alto "Clementina, cadê você?", composto por Elton Medeiros.

Desde sua estréia para o grande público, Clementina passou a ser chamada de Quelé. Em 1968, gravou, com Pixinguinha e João da Baiana, o disco *Gente da antiga*. No mesmo ano participou do disco *Mudando de conversa*, ao lado de Ciro Monteiro e Nora Nei.

Em 1970, lançou seu primeiro disco individual, *Clementina, cadê você?*, editado pelo Museu da Imagem e do Som do Rio de Janeiro. Em 1973, cinco meses depois de ter sofrido uma trombose que ameaçara sua carreira artística, gravou o segundo disco, *Clementina de Jesus — marinheiro só*, que traz adaptações de cantos populares.

Faleceu no Rio de Janeiro, no dia 19 de setembro de 1987.

Fontes: Adriana Magalhães Bevilácqua, *Clementina, cadê você?*; *Enciclopédia da música brasileira: popular, erudita e folclórica;* Helena Theodoro, *Mito e espiritualidade — mulheres negras.*

Cleo de Verberena (1909-72)

Primeira cineasta brasileira.

Jacira Martins Silveira nasceu em Amparo (SP). Aos 15 anos, foi morar na capital paulista. Interessando-se logo por cinema, assistia a filmes procurando entender sua realização, desde a direção de ator, o manejo da câmara e seus ângulos, até a iluminação. Erich von Stroheim e Fred Niblo eram seus diretores favoritos; sua estrela era Greta Garbo.

Jacira foi atriz de revistas no Teatro Central, em São Paulo, e tentou, no Rio de Janeiro, fazer cinema. Com o marido, César Melani, construiu um estúdio no bairro de Perdizes, importando todo o equipamento da França, e fundou a Épica Film. Em 1930, vendeu jóias e propriedades e realizou seu sonho: concebeu, produziu, dirigiu e estrelou o filme *O mistério do dominó preto*, um longa-metragem. Foi então que adotou o pseudônimo de Cleo de Verberena. O marido foi o ator principal, com o pseudônimo de Laes Mac Reni.

Em 1931, iniciou um novo filme, *Canção do destino*, mas não concluiu o projeto. Faleceu em 1972.

Fontes: *Cinearte*, 28.5.1930 e 6.5.1931; Heloisa Buarque de Holanda, *Realizadoras de cinema no Brasil: 1930-1988*; Luís F.A. Miranda, *Dicionário de cineastas brasileiros*; *Tribuna da Imprensa*, 22.1.1997.

Cleofe Person de Matos (1913-)

Musicóloga e regente.

Nasceu na cidade do Rio de Janeiro (RJ), a 17 de dezembro de 1913. Formou-se pela Escola Nacional de Música, onde conviveu com o maestro e compositor Heitor Villa-Lobos. Fundou, em 1941, a Associação de Canto Coral (ACC), que veio a se instalar na rua das Marrecas, mesma rua onde funcionou, no século XVIII, a escola de música do Padre José Maurício. Como regente e diretora artística da ACC, Cleofe escreveu parte da história cultural do Rio de Janeiro.

Conquistou o respeito de renomados regentes nacionais e internacionais, com a *tournée* do coral à Europa. No Rio de Janeiro, levou o coro da ACC a participar de inesquecíveis concertos, como o da Igreja da Candelária, em 1963, sob a regência de Igor Stravinsky, os do Ciclo Bach, de 1966 a 1970, com o célebre maestro alemão Karl Richter, e o da Orquestra Bach de Munique, em 1976, sob regência de seu titular, o já citado Richter.

O repertório da ACC inclui variadas obras dos grandes mestres, destacando-se, porém, a especial atenção de Cleofe para as partituras de José Maurício Nunes Garcia (1767-1830). Deve-se a sua vocação de pesquisadora a compilação da obra de Padre José Maurício, o músico brasileiro mais importante do século XVIII. Em 1970, Cleofe consolidou o *Catálogo temático* do compositor e, em 1996, publicou o livro *José Maurício Nunes Garcia — biografia*.

Durante os 52 anos em que esteve à frente da ACC, manteve vivo o seu "laboratório", nos proveitosos ensaios, sempre às terças e quintas-feiras, ao cair da tarde. Sua ininterrupta atividade na regência do coro até dezembro de 1993, quando se afastou por motivo de saúde, garantiu ao grande público o contato com a música clássica. Seu trabalho com o coral da ACC resultou, igualmente, em valiosas gravações de obras de importantes compositores brasileiros como José Maurício, Villa-Lobos e Francisco Mignone, entre outros.

Cleofe é referência obrigatória não só para os amantes e estudiosos da música, como também para os interessados na memória cultural do Rio de Janeiro. É um exemplo vivo da possibilidade de se construir um original destino de mulher. Não deu ouvidos aos cânones sexistas dos meados do século XX. Em sua vida, os devaneios com o "príncipe encantado" cederam vez à realidade dos estudos, notadamente da arte, da teoria musical, da história da música, de modo que, com o passar dos anos, apuraram-se em Cleofe extraordinárias qualidades, sobretudo como mestra e regente. Uma mulher forte, apesar de sua aparente fragilidade; rigorosa, mas não menos sensível, Cleofe sempre soube superar as dificuldades e bem "timbrar" seu coro, afinando, assim, sua própria existência.

Dona Cleofe, como é chamada por aqueles que com ela convivem, está na galeria das incomparáveis mulheres que souberam transcender às limitações de seu tempo, tendo, assim, construído um novo referencial de identidade feminina.

Fontes: Arquivos da Associação de Canto Coral; Kogan/Houaiss, *Enciclopédia e dicionário ilustrado* • Colaboração especial de Comba Marques Porto.

Comitê das Mulheres Trabalhadoras

Instituição criada em 1928, no Rio de Janeiro, foi uma das primeiras associações de mulheres sindicalistas no país. Sob influência do Partido Comunista do Brasil (PCB), era parte integrante do Bloco Operário e Camponês, organização político-partidária operária que chegou a disputar as eleições presidenciais do final dos anos 20.

O Bloco teve como fundadores Laura Brandão*, Minervino de Oliveira, Joaquim Nepomuceno e Otávio Brandão. A direção do Comitê das Mulheres designou a operária Maria Lopes*, como representante nas reuniões da direção do Bloco Operário, nas quais participava em igualdade de condições com os demais dirigentes. Este fato representou um avanço, pois nessa época as mulheres ainda não tinham os mesmos direitos que os homens na vida política.

O Comitê das Mulheres Trabalhadoras tinha como principal objetivo fazer a divulgação das idéias do partido, sobretudo à porta de fábricas e oficinas, geralmente localizadas nos bairros operários e subúrbios pobres. Suas integrantes proferiam discursos voltados aos trabalhadores, especialmente as mulheres, convidando-as a participarem da organização e da luta política. Destacavam-se como grandes oradoras a própria Maria Lopes, Isaura Nepomuceno e Laura Brandão.

Fonte: Otávio Brandão, *Combates e batalhas — memórias* • Elaborado por Hildete Pereira de Melo.

Condessa de Barral (1816-91)

Dama do Império.

Luísa Margarida Borges de Barros era filha do diplomata Domingos Borges de Barros, visconde de Pedra Branca. Nasceu na Bahia, em 13 de abril de 1816, mas educou-se na França. Era reconhecida por sua inteligência e desenvoltura social.

Em 1837, casou-se com um nobre francês, o conde de Barral, que mais tarde seria o marquês de Abrantes; ficou conhecida, porém, como condessa de Barral e também pelo título de sua família, condessa da Pedra Branca. Dois anos depois, embarcaram de volta ao Brasil e foram para a Bahia, onde moraram no engenho São João e São Pedro.

Retornou à Europa, tornando-se amiga íntima de D. Francisca, a irmã de D. Pedro II, que era casada com o príncipe de Joinville, filho de Luís Filipe, rei da França. As duas amigas freqüentavam os salões da corte francesa. Com os acontecimentos políticos de 1848, que culminaram com a destituição da família real francesa, a condessa deixou a França com o marido e retornou ao Brasil, dedicando-se às suas fazendas na Bahia. Foi quando marcou época nos salões de Salvador, tendo sido responsável pela introdução de costumes europeus da sociedade baiana. Fora dos salões, afirma Valentim Benício, a condessa de Barral vivia a outra face de sua personalidade, como mulher enérgica e eficiente administradora de suas propriedades e engenhos.

Em dezembro de 1856, recebeu um convite especial de D. Pedro II para ser a preceptora das princesas Isabel e Leopoldina e ainda dama de companhia da imperatriz Teresa Cristina. Contava o imperador com a capacidade intelectual e refinamento da condessa de Barral, que dominava a etiqueta das cortes européias e era fluente em várias línguas. Ofereceram-lhe a possibilidade de residir no palácio de São Cristóvão, em aposentos particulares, a remuneração anual de 12 mil francos e mais uma pensão vitalícia de seis mil francos quando a tarefa de educar as princesas estivesse concluída. O convite foi aceito e teve início, assim, uma longa convivência da condessa com a família imperial.

D. Pedro II apreciava o espírito inteligente da Barral, como ficou conhecida, e cultivou uma longa amizade com ela. Por muitas décadas trocaram cartas, tendo a condessa se encontrado com ele na Europa e o acompanhado em viagens. Já na época comentava-se na corte e na imprensa brasileira o grau de intimidade existente entre a Barral e D. Pedro II, e vários historiadores se dedicaram a comprovar um relacionamento amoroso entre os dois. Na verdade, a discrição com que D. Pedro II tratava de sua vida íntima deixou sempre uma dúvida sobre este assunto.

Faleceu em Paris, a 14 de janeiro de 1891.

Fontes: Barão de Loreto, *Notícia biográfica da condessa do Barral e de Pedra*; Heitor Moniz, *O Brasil de ontem*; Lilia Moritz Schwarz, *As barbas do imperador*, *Revista do IHGB/BA*, nº 83; Valentim Benício da Silva, *A mulher na evolução do Brasil*.

Condessa Pereira Carneiro (1899-1983)

Empresária.

Maurina Dunshee de Abranches Pereira Carneiro, conhecida como a Condessa, nasceu em Niterói (RJ), no dia 15 de agosto de 1899. Era filha, neta e bisneta de jornalistas. Casou-se com o conde Pereira Carneiro, proprietário do *Jornal do Brasil* do Rio de Janeiro; com a morte do marido, em 21 de fevereiro de 1954, assumiu a direção e, com competência e determinação, reformou o jornal.

A transformação do *Jornal do Brasil* foi uma revolução editorial, gráfica e industrial, que mudou a imprensa brasileira; o jornal, que tinha se tornado um veículo de pequenos anúncios, sob sua direção alcançou grande prestígio nacional e internacional. O jornal inglês *The Guardian* classificou a Condessa como "uma das mulheres mais influentes da América do Sul" e a revista francesa *Marie Claire* incluiu-a entre as 50 mulheres mais importantes do mundo, ao lado das políticas Golda Meir, israelense, e Indira Gandhi, indiana, e da feminista Betty Friedman, norte-americana.

O processo de reforma do *Jornal do Brasil* começou com o lançamento do Suplemento Dominical, o SDJB, em 3 de junho de 1956; a primeira página do jornal foi pouco a pouco publicando fotos e adquirindo a paginação vertical consagrada depois internacionalmente. O Caderno B e o Departamento de Pesquisa foram outras duas inovações do JB copiadas por toda a imprensa brasileira.

Além de tino e ousadia para renovar, a Condessa também defendeu com firmeza o direito à informação, em momentos como na noite de 31 de março de 1964, quando o jornal foi invadido pelos fuzileiros navais e ela disse ao comandante da tropa: "Vou deixar o meu jornal entregue a vocês. Agora vocês todos se compenetrem: o *Jornal do Brasil* não me pertence, absolutamente. Pertence a vocês todos, pertence ao país. De maneira que vocês tomem conta dele bem direitinho." Na noite de 14 de dezembro de 1968, quando um diretor do jornal foi preso porque na véspera, dia do Ato Institucional nº 5, o jornal havia enganado a censura publicando, embora veladamente, sua decretação, a Condessa mandou que as máquinas parassem — com o diretor preso o jornal não seria impresso e os censores "podiam voltar para casa, porque não haveria serviço aquela noite".

Faleceu em Brasília, no dia 5 de dezembro de 1983.

Fonte: *Jornal do Brasil*, 15.8.1999.

Constância Dias (séc.XVI)

Colonizadora da Paraíba.

Nasceu em Portugal. Veio para o Brasil acompanhando o marido, João Tavares, primeiro capitão-mor da Paraíba (1585 e 1588), nomeado pelo ouvidor-geral Martim Leitão com o propósito de selar a paz com os índios tabajaras. A expedição de Tavares fundou a vila de Nossa Senhora das Neves, que deu origem à cidade de João Pessoa.

Em 1590, João Tavares morreu numa expedição militar durante as investidas dos índios potiguares contra os colonizadores portugueses.

Constância teve dois filhos. Ambos se tornaram religiosos, frei Manoel da Piedade e frei Bernardino das Neves. Muito versados na língua indígena, atuaram em missões religiosas.

Fonte: Horácio de Almeida, *História da Paraíba.*

Cora Coralina (1889-1985)

Poetisa.

Ana Lins dos Guimarães Peixoto Bretas nasceu em Goiás Velho (GO), antiga capital do estado de Goiás, em 20 de agosto de 1889.

A melhor lembrança que guardava da infância eram as pequenas temporadas passadas na fazenda do avô, a poucos quilômetros da cidade. Criticava, porém, o tratamento que as crianças recebiam no seu tempo de menina: "Criança, no meu tempo de criança, não valia mesmo nada. A gente grande da casa usava e abusava de pretensos direitos de educação."

Ainda jovem, interessou-se por poesia e romances. Lia tudo o que lhe chegava às mãos, apesar da oposição da família, que acreditava que moça romântica não se casava. Em entrevista que deu em 1985, pouco antes de morrer, Cora recordou: "Diziam que em casa de romântica, quando o marido chega, o fogão está apagado, cinzento, o feijão cru, esturricado na panela, o menino está sujo, a casa por varrer. E ela está lá, declamando Fagundes Varela, lendo Guerra Junqueiro." Ainda assim, começou a escrever, aos 14 anos, pequenos poemas, ou "escritinhos", como ela dizia. Romântica e eternamente otimista, Cora escandalizou a cidade ao fugir com o namorado. Aos 21 anos apaixonara-se pelo novo delegado de polícia da cidade de Goiás, o Doutor Cantídio, 22 anos mais velho que ela, ainda casado e pai de uma filha de outra união. Diante da oposição da família, fugiu em lombo de burro para a cidade de Jaboticabal, no estado de São Paulo. Quando a mulher dele morreu, casaram-se. Teve quatro filhos: Paraguassu, Cantídio, Jacinta e Vicência. Enquanto viveram no interior de São Paulo, Cora manteve sempre viva a lembrança de sua terra natal, através dos poemas que escrevia. No poema "Minha cidade", por exemplo, diz: "Goiás, minha cidade,/ Eu sou aquela amorosa/ De tuas ruas estreitas,/ Curtas,/ Indecisas,/ Entrando,/ Saindo, uma das outras (...)."

Seu marido morreu em 1934 e, em 1945, ela retornou definitivamente para Goiás Velho, onde produziu a maior parte de sua obra e onde era conhecida de todos como Tia Tó. Foi viver às margens do rio Vermelho, em um grande e antigo sobrado sempre de portas abertas: turistas, vizinhos e muitas crianças entravam e saíam quando queriam.

Já nos anos 60 começou a ter seu talento reconhecido também fora dos limites de sua cidade. Publicou em 1965 o livro *Poemas dos becos de Goiás e estórias mais*, que teve mais de 10 edições nos anos seguintes. Nele destaca-se o "Poema do milho", uma brilhante exaltação da natureza, e "Poema da vida", que diz: "Vive dentro de mim/ A mulher do povo/ Bem proletária/ Bem linguaruda/ Desabusada/ Sem preconceitos/ De casca-grossa/ De chinelinha/ E filharada".

Aos 70 anos, com problemas financeiros, decidiu fazer doces de frutas para vender; foi doceira por 14 anos. Orgulhosa e satisfeita com o que fazia, dizia que seus doces "eram os melhores que podiam ser feitos no Brasil". De caráter igualmente doce, tinha orgulho de jamais ter escrito para se lamentar da vida. Preferia, ao invés, louvar as coisas da terra e sua gente. Afirmou em uma entrevista em 1985: "Meus versos têm o cheiro dos currais, da terra, têm o som livre do berrante. É água corrente, é tronco, é fronde, é folha, é semente, é vida."

Ainda na década de 1980 passou a se corresponder com o poeta Carlos Drummond de Andrade, que admirava seu talento, a qualidade de seu caráter e a considerava uma mulher de espírito independente e livre. Partilhavam o gosto pela vida no interior.

Foi homenageada no Festival Nacional de Mulheres nas Artes e recebeu o título de doutora *honoris causa*, concedido pela Universidade Federal de Goiás. Em 1983, recebeu da União Brasileira de Escritores o título de Intelectual do Ano e o troféu Juca Pato, tendo sido a primeira mulher a ser agraciada com eles. Aos 94 anos, admitia estar vivendo o melhor tempo de sua vida graças à coragem de contar suas meias-verdades, pois sempre repetia que ninguém conta verdades inteiras: "Temos três medos. Medo dos mortos, medo dos vivos e medo de nós mesmos."

Faleceu em Goiânia a 10 de abril de 1985, vítima de insuficiência respiratória. Cora deixou uma descendência de quatro filhos, 15 netos e 29 bisnetos. Na pedra do seu túmulo está escrito o seguinte verso, que ela havia deixado pronto: "Não morre aquele que deixou na terra a melodia de seu cântico na música de seus versos."

Fontes: Afrânio Coutinho, *Enciclopédia de literatura brasileira*; *Jornal do Brasil*, 2.8.1999.

Cora Coutinho Sodré *ver* BARONESA DE ALAGOINHAS

Cordélia Ferreira (1898-1999)

Radioatriz.

Nasceu em 1898, em Curitiba (PR). Era filha de artistas e começou a carreira de atriz em 1906, com apenas oito anos de idade. Viajava pelos diversos estados brasileiros em companhia dos pais, Esmeralda e Francisco de Barros, que integravam um grupo de teatro amador.

Sua estréia no teatro profissional foi em Campos, no estado do Rio de Janeiro. Fez, depois, pequenos quadros na rádio Cruzeiro do Sul, em 1936, e posteriormente na rádio Mayrink Veiga. Lá inaugurou o radioteatro no Brasil, encenando peças como *A dama das camélias, A ré misteriosa* e *A ponte de Waterloo*, e por isso é hoje considerada pioneira no ofício de radioatriz. O programa chamava-se *Teatro pelos ares* e foi criado por Plácido Ferreira, seu marido, e César Ladeira. Embora fosse veiculado das 22 às 23 horas, teve enorme repercussão e a rádio recebia ligações telefônicas até uma da madrugada. Sua carreira de sucessos levou-a, em 1942, ao primeiro lugar na lista dos melhores do rádio.

Também trabalhou nos filmes *Alô, alô Brasil*, *Alô, alô carnaval* e emprestou sua voz à personagem da bruxa no desenho animado *Branca de Neve e os sete anões*, de Walt Disney.

Faleceu no Rio de Janeiro em 26 de agosto de 1999.

Fontes: *Jornal do Brasil*, 2.8.1998; Teresa Cristina Tesser, *De passagem pelos estúdios: a presença feminina no início do rádio no Rio de Janeiro e São Paulo.*

Corina de Vivaldi Coaracy (1858-92)

Jornalista e tradutora.

Corina Henriqueta Alberta Lawe de Vivaldi nasceu no estado de Kansas, Estados Unidos, em 18 de abril de 1858. Era filha do jornalista e proprietário de periódicos Carlos F. de Vivaldi, que a trouxe com dois anos para o Brasil quando veio exercer o cargo de cônsul dos Estados Unidos em Santos (SP). Foi educada no Rio de Janeiro, no Colégio Brasileiro. Casou-se, em 1880, com o jornalista, escritor teatral e primeiro oficial da secretaria de Guerra José Alves Visconti Coaracy.

Sua estréia no jornalismo foi no ano de 1875, escrevendo para jornais de seu pai, a começar pelo *South American Mail*, onde redigia em inglês, e a revista *Ilustração do Brazil*. Ainda no âmbito dos periódicos de Carlos Vivaldi, Corina assumiu, entre 1877 e 1878, a direção literária do *Ilustração Popular*, que circulava no Rio de Janeiro. Embora tivesse iniciado sua carreira de jornalista como colaboradora dos periódicos da família, foi graças a seu grande talento que permaneceu atuando com sucesso na redação.

Em 1887, publicou o livro didático *Selection of choice passages from Longfellow and Macaulay*. Era uma coletânea de textos literários empregados nos exames de inglês nas escolas públicas da Corte e adotado como livro obrigatório na Escola Naval. Entre 1888 e 1889, fez a cobertura das transformações políticas em curso no Brasil para o grande jornal *New York Herald*. Em 1890 passou a colaborar, semanalmente, com o jornal *Cidade do Rio*, de propriedade de José do Patrocínio, onde assinava a coluna “A esmo”.

Como tradutora, Corina desenvolveu um trabalho pioneiro entre as mulheres no Brasil. Traduziu do francês, em 1883, o romance *A Rússia vermelha*, de autoria de Victor Tissot e Constant Amero, e a comédia *A alegria causa medo*, de Mme. Girardin. Do inglês, verteu em 1884 as seguintes obras: *O dever* e *Vida e trabalho*, do escritor Samuel Smiles. Do italiano, traduziu *A reabilitação*, um drama escrito por E. Montescoboli.

Além de suas crônicas e artigos publicados na imprensa, Corina escreveu o romance *Matar ou morrer*, que não foi publicado. Usou, ao longo da carreira, os pseudônimos Froufrou e Condessa Alberta.

Teve um filho, o escritor Vivaldo Coaracy, e faleceu em Nova Orleans, onde se encontrava a passeio, em 23 de março de 1892.

Fontes: Afrânio Coutinho, *Enciclopédia de literatura brasileira*; Maria T.C. Bernardes, *Mulheres de ontem?*; Raimundo Meneses, *Dicionário literário brasileiro ilustrado*; Sacramento Blake, *Dicionário bibliográfico brasileiro.*

Cosma Tavares Leitão (séc. XVII)

Colonizadora da Paraíba.

Casou-se com Teodósio de Oliveira Ledo, capitão-mor da Paraíba e responsável pela ocupação do sertão paraibano no século XVII.

Cosma acompanhou o marido em uma expedição pelo sertão nordestino que encontrou a junção do rio Paraíba com o Taperoá. Enfrentou a resistência indígena dos sertões diante dos índios sucurus (cariris). Descendo a serra da Borborema, a bandeira de seu marido atingiu o Piranhas, no alto sertão paraibano.

Da união de Cosma e Teodósio originou-se uma enorme descendência de paraibanos, sobretudo na cidade de Campina Grande.

Fonte: Elpídio de Almeida, *História de Campina Grande.*

Cristina (séc. XVIII)

Ex-escrava, acusada de prostituição.

Viveu em Minas Gerais em meados do século XVIII. Fora trazida de Angola e vivia em Ouro Preto em estado de miséria absoluta. Durante a devassa eclesiástica que varreu a vida dos moradores da cidade, entre maio e dezembro de 1753, Cristina foi feita prisioneira na cadeia da cidade depois que as autoridades da Igreja descobriram que ela negociava sua filha Leandra — "que era mulata e forra" — como prostituta. Sustentava-se de esmolas e dos ganhos obtidos pela filha, o que não lhe garantia muito mais do que o mínimo para viver, considerando-se a carestia que grassava na região das minas. Tão pobre era ela, que apelou ao visitador eclesiástico que lhe comutasse o pagamento das custas de sua prisão e o que devia ao carcereiro pela carceragem.

O registro dessa passagem da vida de Cristina ilustra as enormes dificuldades que ex-escravos, como ela, tinham que enfrentar para sobreviver.

Fonte: Mary Del Priore (org.), *História das mulheres no Brasil.*

Custódia Machado de Barros (séc. XIX)

Negra do tabuleiro.

Viveu em Salvador (BA) e exerceu o ofício de vendedora ambulante pelas ruas da cidade.

Por volta de 1814 conseguiu comprar sua liberdade, pagando ao seu senhor 150 mil réis. Vinte anos depois, em 1834, era proprietária de duas casas na cidade de Salvador e de seis escravos. Estes trabalhavam em atividades que rendiam seu próprio sustento e o da senhora Custódia. A renda obtida com o trabalho dos escravos, que constava do testamento e inventário de Custódia, chegou à soma de quatro contos de réis, quantia suficiente para comprar seis pequenas casas na periferia de Salvador.

Fonte: Maria José de Sousa Andrade, *A mão-de-obra escrava em Salvador, 1811-1860.*

D

Dadá (1915-94)
Cangaceira.

Sérgia Ribeiro da Silva nasceu na cidade de Belém do São Francisco (PE) no dia 25 de abril de 1915. Seus pais, Maria Santana Ribeiro da Silva e Vicente Ribeiro da Silva eram baianos. Corisco, primo distante de Dadá, já cangaceiro, em 1927 levou-a como companheira, deixando-a na casa de sua tia, dona Vitalina, onde a visitava quando sua vida lhe permitia.

Ao trazer Maria Bonita* para o bando, Lampião admitiu a presença feminina, permitindo que Corisco também trouxesse Dadá. Morena cor de canela, cabelos pretos, forte, estatura em torno de 1,70m, valente e desconfiada, Dadá era admirada pelos companheiros com tal intensidade que um chefe de grupo disse certa vez: "Dadá vale mais do que muito cangaceiro".

Teve sete filhos durante o tempo em que andou no cangaço. Quando aconteceu a morte de Lampião em Angico, em 1938, Dadá e Corisco estavam na fazenda Emendadas, em Alagoas, diante do palco dos acontecimentos. Cinco dias após, na presença de Dadá, Corisco e seus cabras mataram o vaqueiro Domingos Ventura, seus três filhos, sua esposa e uma filha, pensando estar vingando seu chefe, induzidos pelo verdadeiro traidor, João Almeida Santos, conhecido também como Joca Bernardo.

Em outubro de 1939, Corisco foi baleado nos dois braços durante combate na fazenda Lagoa da Serra, em Sergipe, contra três volantes, de Antônio Recruta, de cabo Miguel e do Besouro, ficando aleijado. A partir desse dia, Dadá foi a primeira e única mulher dos grupos cangaceiros a portar fuzil. Em 25 de maio de 1940, Corisco morreu e ela foi ferida no pé direito, que foi amputado, sofrendo uma série de operações cirúrgicas.

A atitude guerreira de Dadá deu a muitos a idéia errônea de que o porte de armas era habitual entre as mulheres que viviam no cangaço. Geralmente, durante os tiroteios, as mulheres eram levadas para a retaguarda e colocadas sob a proteção e guarda de alguns cangaceiros, jamais participando dos mesmos. Ela foi uma exceção.

As mulheres nesses grupos viviam de forma totalmente diferente das donas-de-casa do sertão, vilas e cidades: não cozinhavam nem lavavam. Algumas viam na entrada no bando de Lampião a única maneira de escapar a uma vida de opressão familiar, saindo de um mundo limitado para viver uma aventura, não medindo os riscos, dificuldades e sofrimento, entre os quais o de terem que entregar os filhos recém-nascidos para serem criados por padres, juizes ou pessoas da região. Outras sentiam-se orgulhosas por terem sido "eleitas" por um cangaceiro.

Dadá faleceu em fevereiro de 1994.

Fontes: Antônio Amauri Corrêa de Araújo, *Lampião: as mulheres e o cangaço*; *Assim morreu Lampião*; *Gente de Lampião: Sila e Zé Sereno* • Colaboração especial de Antônio Amauri Corrêa de Araújo.

Dalva de Oliveira (1917-72)
Cantora.

Nasceu em Rio Claro (SP), a 5 de maio de 1917. Seu pai, Mário de Oliveira, era carpinteiro de profissão e músico amador: tocava saxofone e clarinete. Ainda pequena, Vicentina de Paula Oliveira acompanhava o conjunto do pai, Os Oito Batutas, em serenatas e festas no clube da cidade. Quando o pai morreu, tinha oito anos. Foi mandada com as três irmãs para um orfanato, o Colégio Tamandaré, onde aprendeu piano, órgão e canto coral. Três anos depois, largou os estudos por causa de uma doença nos olhos.

Mudou-se para a cidade de São Paulo, onde a mãe já trabalhava como governanta. Foi babá, cozinheira e também faxineira numa escola de dança; após o serviço, costumava cantar e improvisar músicas ao piano. Um dos professores a ouviu cantando e a convidou para uma turnê com o grupo de Antônio Zoveti. Em 1933, já com 16 anos, viajou acompanhada da mãe por várias cidades do interior com o grupo. Quando se apresentavam em Belo Horizonte (MG), Zoveti adoeceu e o grupo se dispersou. Fez um teste na rádio Mineira, foi aprovada e adotou o nome artístico de Dalva de Oliveira.

No ano seguinte, decidiu tentar a vida no Rio de Janeiro (RJ) e foi trabalhar como costureira numa fábrica de chinelos. Um dos proprietários da fábrica, Milton Guita (Milonguita), também era diretor da rádio Ipanema. A fama da voz da jovem operária chegou aos seus ouvidos e ele a chamou para um teste na emissora. Foi o seu início no circuito das rádios cariocas. Depois da Ipanema, Dalva cantou nas rádios Sociedade, Cruzeiro do Sul (onde se apresentou ao lado de Noel Rosa) e na rádio Phillips. Fez temporadas populares no Teatro Fênix, dividindo o palco com as duplas sertanejas Jararaca e Ratinho, Alvarenga e Ranchinho, e com os atores Ema D' Ávila e Antônio Marzullo. Atuava também como atriz em pequenas cenas cômicas que intercalavam os números musicais.

Em 1936, conheceu Herivelto Martins e Nilo Chagas, e com eles formou o trio batizado por César Ladeira de Trio de Ouro, que foi contratado pela rádio Mayrink Veiga. Dalva casou-se com Herivelto, com quem teve dois filhos, Peri (também cantor) e Ubiratã. Em 1938, o Trio de Ouro foi para a rádio Tupi e dois anos depois para a rádio Clube; o grupo exibiu-se no Cassino da Urca, ao lado de Grande Otelo e outros artistas, até o fechamento dos cassinos sob o governo Dutra, em 1946.

Com o Trio de Ouro, Dalva gravou grandes sucessos, como "Praça onze" e "Ave Maria no morro". Em 1944, participou do filme *Berlim na batucada*, dirigido por Luís de Barros, e, dois anos depois, de *Caídos do céu*, do mesmo diretor. Em 1945, gravou com Carlos Galhardo e os Trovadores a adaptação de João de Barro para a história infantil *Branca de Neve e os sete anões*, em dois discos, com músicas de Radamés Gnattali. Em 1947, novo sucesso com o samba-canção "Segredo", de Herivelto Martins e Marino Pinto. Em 1949, deixou o Trio quando este se apresentava na Venezuela com Derci Gonçalves*.

A separação de Dalva e Herivelto foi acompanhada pelo público, através da troca de "insultos musicais", que se tornaram pérolas do cancioneiro popular e venderam centenas de milhares de discos. Dalva lançou a canção "Tudo acabado" de J. Piedade e Osvaldo Martins, que retratava sua separação. Herivelto respondeu com "Caminho certo", de sua autoria em parceria com David Nasser e cuja letra culpa o comportamento da mulher pela separação. Dois meses depois, Dalva gravou o bolero "Que será?", de Marino Pinto e Mário Rossi, e a polêmica foi ao auge com sua gravação de "Errei sim", de Ataulfo Alves.

Os fã-clubes de Dalva espalharam-se por todo o Brasil. Em 1951, filmou *Maria da praia*, dirigido por Paulo Wanderley, e *Milagre do amor*, dirigido por Moacir Fenelon. Em 1952, foi eleita Rainha do Rádio e excursionou pela Argentina, apresentando-se na rádio El Mundo, de Buenos Aires, onde conheceu Tito Climent, que se tornou seu empresário e depois marido. No mesmo ano, realizou temporada no Teatro Santana, em São Paulo, e participou do filme *Tudo azul*, de Moacir Fenelon. Viajou para a Europa, tendo se apresentado em Portugal e Espanha e gravado vários discos.

Dalva passou a morar na Argentina, onde chegou a ter um fã-clube em Córdoba com dez mil filiados, e visitava o Brasil em curtas temporadas até regressar definitivamente em 1963. Separada de Climent, casou-se com

Manuel Nuno Carpinteiro. Em 1965, sofreu sério acidente de carro e ficou afastada da carreira artística. Em 1970, voltou a brilhar com "Bandeira branca", de Max Nunes e Laércio Alves, grande sucesso do carnaval daquele ano. Pouco antes de morrer estava novamente em evidência, em programas de televisão, teatros e casas noturnas. Faleceu no Rio de Janeiro no dia 30 de agosto de 1972, vítima de problemas cardíacos. Foi velada no Teatro João Caetano e seu enterro foi acompanhado de um grande cortejo.

Fontes: *Enciclopédia da música brasileira: popular, erudita e folclórica*; João Elísio Fonseca, *A estrela Dalva*.

Damas da Cruz Verde (início séc.XX)

Denominação utilizada por um grupo de senhoras da elite carioca e fluminense, como a Baronesa do Bonfim*, Jerônima Mesquita* e Stella Guerra Duval*, que prestaram serviços assistenciais no combate à gripe espanhola, que assolou a cidade do Rio de Janeiro, assim como muitas outras cidades portuárias do Brasil, em 1918. Foi dessa experiência que nasceu o projeto de fundar a maternidade Pró-Matre, no Rio de Janeiro.

A reunião de fundação aconteceu na casa da família Duval no dia 1º de abril de 1918. Compareceram, entre outras, Laurinda Santos Lobo*, Jenny Monteiro Amaral, Helena Figueiredo Araújo, Jerônima Mesquita, Ernestina Passos Bulhões de Carvalho, Nair de Azevedo Teixeira, Maria Eugênia Celso Carneiro de Mendonça* e Lo Landbery, além do professor Fernando Magalhães, ginecologista e obstetra, e de Fernando Guerra Duval, marido de Stella, que conduzia a reunião. Decidiu-se fundar uma instituição de proteção à mulher pobre e à infância carente. Foram ao presidente da República, Venceslau Brás, solicitar um casarão na avenida Venezuela para instalarem a instituição.

Em 9 de fevereiro de 1919 inaugurou-se a maternidade, com duas enfermarias, sendo uma de obstetrícia e outra de ginecologia, num total de 40 leitos. O consultório para atendimento às gestantes teve, naquele ano, a média semanal de 162 consultas. Criou-se, logo a seguir, uma creche com capacidade para receber 20 crianças.

Nos anos seguintes, foram instalados pela cidade do Rio de Janeiro 17 postos de saúde materna e 17 farmácias. Mais tarde, os serviços ampliaram-se através de um hospital com 155 leitos, distribuídos em 15 enfermarias e 31 apartamentos particulares, além de laboratórios médicos e de serviços ambulatoriais à população feminina e à infância carente. De 1919 a 1985, a Pró-Matre recebeu cerca de 270 mil mulheres. Nasceram em sua maternidade aproximadamente 200 mil crianças.

As atividades de assistência social desenvolvidas por este grupo de mulheres ganharam maior amplitude política com o surgimento da Federação Brasileira pelo Progresso Feminino (FBPF)*, organização a que a maioria delas pertencia. A FBPF acolheu em seu programa político as propostas trazidas por este grupo influente. Mantinha sempre um espaço para a discussão da proteção à maternidade e à infância, tanto nos congressos que promovia, quanto em suas ações políticas em defesa dos direitos da mulher. No I Congresso Internacional Feminista, em dezembro de 1922, o tema da proteção à maternidade recebeu uma ênfase acentuada. Presente, o médico Moncorvo Filho, responsável pela política pública de proteção às mães e crianças, tomou parte na comissão de trabalho que examinou as formas de se ampliar o papel do Estado no setor.

Chamava-se "maternidade higiênica" o conjunto de políticas públicas destinadas a proteger a mulher durante a gravidez, que implicava ampla intervenção do saber médico na vida das mães e gestantes. Foi com esta tônica que as atividades desenvolvidas na Pró-Matre atraíram um bom número de mulheres de classe média e da elite para o seio do movimento feminista.

Nesse Congresso, até mesmo teses eugênicas chegaram a ser discutidas, como, por exemplo, a instituição da obrigatoriedade de um exame pré-nupcial para licença de casamento. Apesar das defesas apresentadas, esta proposta não foi aprovada e não ingressou na pauta política da FBPF.

Fontes: Arquivo da FBPF; Arquivo Pró-Matre; Entrevista com Adele Lynch; *Revista das Mães e do Lar* •

Elaborado por Carmen Margarida Oliveira Alveal, Hildete Pereira de Melo e Schuma Schumaher.

Damiana da Cunha Meneses
(1779-1831)
Índia caiapó.

Sua história tem várias versões; a mais mencionada conta que, na década de 1780, o governador da capitania de Goiás, D. Luís da Cunha Meneses, capturou um grupo de cerca de 50 índios caiapós, entre eles o cacique, uma de suas filhas e dois netos. A filha do cacique recebeu, com o batismo, o nome de Damiana e o sobrenome do governador. Cresceu na religião cristã e acabou se casando com um português, Manoel Pereira da Cruz.

Outras incursões ao sertão trouxeram novos grupos de indígenas. Para assegurar o processo de pacificação da tribo, os grupos foram instalados em dois locais onde se fundaram as aldeias de São José de Mossamedes e de Maria (em homenagem à rainha portuguesa D. Maria I). Com a morte do cacique, entretanto, o processo de aculturação dos caiapós regrediu. Novos conflitos explodiram entre colonos portugueses e índios, o que levou Damiana a trabalhar na catequização, percorrendo o interior da capitania.

Em sua primeira entrada no sertão, Damiana trouxe cerca de 70 indígenas para viver nas aldeias. Em 1829, novos conflitos entre colonos e índios fizeram-na buscar o governador da capitania para intermediar a paz. No ano seguinte, Damiana e seu marido entraram novamente no sertão com o mesmo objetivo. Damiana retornou em 12 de janeiro de 1831 à aldeia, muito doente e com um pequeno grupo de índios a serem cristianizados. Morreu poucos dias depois do seu regresso.

A história de Damiana é um exemplo típico dos meios empregados no processo de aculturação das tribos indígenas brasileiras. Chama a atenção a importância atribuída à sua memória por vários autores que trataram da questão das mulheres indígenas no Brasil. Em 1925, por exemplo, o deputado federal Olegário Pinto fez imprimir um folheto com sua história para distribuição nas escolas públicas de Goiás. A escritora e feminista Maria Eugênia Celso*, por sua vez, afirmou em uma conferência, em 1928, que Damiana teve o mérito de "trazer à civilização seus irmãos selvagens e rebeldes".

Fontes: Adalzira Bittencourt, *Dicionário de mulheres ilustres, notáveis e intelectuais do Brasil*; Carlos Augusto de Campos, *As heroínas do Brasil*; Célia Coutinho Seixo Brito, *A mulher, a história e Goiás*; Francolino Cameu, *Apontamentos para a história de Goiás*; J. Norberto S.S., *Brasileiras célebres*; Joaquim Manoel de Macedo, *Mulheres célebres;* Maria Eugênia Celso, *O espírito e o heroísmo da mulher brasileira*; Olegário Pinto, *Damiana da Cunha*; *Revista do IHGB*, jul-set/1951.

Damiana de Góis (séc.XVI)
Órfã da Rainha.

Filha de Manuel de Góis Macedo. Perdeu o pai na expansão para as Índias. Veio para o Brasil na armada de Mem de Sá, em 1558. No Brasil, casou-se com João Fernandes Coelho.

Fonte: Afonso Costa, *As Órfãs da Rainha.*

Darci Sarmanho Vargas (1896-1968)
Primeira-dama.

Pioneira, dentre as primeiras-damas brasileiras, na criação de órgãos assistenciais pertencentes à estrutura do Estado. Nasceu em São Borja (RS), filha de Alzira Lima Sarmanho e do estancieiro e comerciante Antônio Sarmanho. Sua família era grande amiga da família Vargas, e assim a jovem Darci, órfã de mãe aos 14 anos, casou-se aos 15 com o promissor advogado e político Getúlio Vargas, então com 28 anos. Foi uma companheira austera do presidente, e da união nasceram os filhos Lutero (1912), Jandira (1913), Alzira (1914), Manuel Antônio (1916) e Getúlio (1917).

A atuação de Darci Vargas em obras sociais começou em 1934, quando apoiou a fundação do Abrigo Cristo Redentor (RJ). Seguiram-se outras obras assistenciais, no Rio de Janeiro, como um abrigo para mendigos, a Escola de Pesca Darci Vargas e a Escola Agrícola Presidente Vargas. Também promovia nos jardins do Palácio Guanabara o Natal dos Pobres, festa de grande repercussão pública, e participava de campanhas contra a lepra.

Em 1938, criou a Fundação Darci Vargas, destinada a oferecer assistência a menores e a coordenar escolas para crianças e idosos. Em

1940, inaugurou a Casa do Pequeno Jornaleiro — sua obra mais querida — que prestava serviços de proteção à infância. Nos anos 1940, expandiu essas atividades com a Casa do Pequeno Lavrador, a colônia de férias da Casa do Pequeno Jornaleiro, a escola primária Álvaro Sodré e o restaurante da Casa do Pequeno Trabalhador. Em 1942, criou a Legião Brasileira de Assistência (LBA), que herdara algumas finalidades da antiga Legião de Caridade, mas adquiriu novas funções no quadro da administração pública. Coube à LBA realizar múltiplas atividades assistenciais em todo o país, como principal órgão de assistência social do governo brasileiro durante décadas, até ser extinta no governo Collor em 1990.

Darci Vargas trabalhava diariamente na LBA, exceto às quintas-feiras, quando costurava na Casa do Pequeno Jornaleiro, visando a promoção de bazares anuais. Durante a II Guerra Mundial, integrou-se à Liga de Defesa Passiva antiaérea e às campanhas da borracha, do ferro velho, de agasalhos e do cigarro para os pracinhas brasileiros. Criou o corpo de voluntárias e o boletim da LBA para divulgar as mensagens das famílias e do povo para a Força Expedicionária Brasileira (FEB).

Com a queda do governo Vargas em 1945, Getúlio retornou para São Borja, mas Darci Vargas, devido a problemas familiares, permaneceu no Rio de Janeiro, dando continuidade às suas atividades à frente da Casa do Pequeno Jornaleiro. Com a volta de Getúlio Vargas ao poder, em 1950, voltou a residir no Palácio do Catete e a presidir a LBA. Durante esse segundo mandato, ela visitou os estados nordestinos assolados pela seca de 1951-53 e providenciou assistência às vítimas da enchente do Amazonas, em 1953.

Após o suicídio de Getúlio Vargas em 24 de agosto de 1954, passou a dedicar todo o seu tempo às atividades assistenciais, particularmente à Casa do Pequeno Jornaleiro, que fez questão de administrar até morrer, em 1968. Foi sepultada no cemitério São João Batista, ao lado do filho Getúlio.

Em 1995, a Casa do Pequeno Jornaleiro abrigava cerca de cento e cinqüenta jovens, entre 12 e 18 anos, que permanecem na casa durante a semana. Esses jovens freqüentam a Escola Municipal Darci Vargas, praticam esportes, fazem cursos profissionalizantes nas oficinas da casa e em outras instituições, além de receberem assistência médica e odontológica. Ainda hoje, essa obra é mantida pela família Vargas, em homenagem à Dona Darci. Atualmente está sob a direção de Edith Vargas, sua neta.

Fontes: Alzira Vargas do Amaral Peixoto, *Getúlio Vargas, meu pai*; Chermont de Britto, *Vida luminosa de Dona Darci Vargas.*

Delfina Benigna da Cunha

(1791-1857)

Escritora.

Nasceu na vila de São José do Norte, Rio Grande do Sul, em 17 de junho de 1791. Era filha de Maria de Paula e Cunha e do capitão-mor Joaquim Francisco da Cunha Sá e Meneses. Embora cega desde os 20 meses, em conseqüência de varíola, recebeu instrução e tornou-se escritora. Já aos 12 anos, o seu talento para a poesia se manifestava, aprimorando-se com o passar do tempo. Suas *Poesias oferecidas às senhoras riograndenses*, publicadas em 1834, quando tinha 43 anos, foram o primeiro livro de versos de uma mulher impresso no Rio Grande do Sul.

Com a morte de seus pais, Delfina ficou completamente sem recursos. Restou-lhe apelar à Corte, solicitando proteção de D. Pedro I, que lhe concedeu uma pensão vitalícia, justificada pelos serviços prestados por seu pai à Coroa, no posto de capitão-mor. Isso explica sua posição contra a revolução Farroupilha, durante a qual se asilou na Corte, compondo versos violentos contra Bento Gonçalves. Delfina, com seu trabalho intelectual, procurava ganhar sua vida num momento em que esta era uma tarefa muito difícil para a maioria das mulheres.

Alguns críticos, embora reconhecendo as dificuldades que as mulheres enfrentavam para vencer no mundo literário, avaliavam com rigor sua produção. Guilhemino César, por exemplo, chegou a afirmar que "só mesmo uma pobre mulher cega poderia fazer lirismo" naqueles tempos de guerra.

Delfina faleceu a 13 de abril de 1857, deixando publicados, além do livro já citado, *Poe-*

sias oferecidas às senhoras brasileiras (1838) e *Coleção de várias poesias (dedicada à imperatriz viúva)* (1846).

Fontes: Chiquinha Neves Lobo, *Vultos célebres*; J. Norberto S.S., *Brasileiras célebres;* Maria T.C. Crescenti Bernardes, *Mulheres de ontem?*; Míriam Steffen Vieira, *Atuação literária de escritoras no Rio Grande do Sul: um estudo do periódico* Corimbo, *1885-1925*; Pedro Maia Soares, "Feminismo no Rio Grande do Sul — primeiros apontamentos (1835-1945)", in Cristina Bruschini e Fúlvia Rosenberg, *Vivência: história, sexualidade e imagens femininas*; Rita Terezinha Schmidt, "Delfina Benigna da Cunha", in Zahidé L. Muzart (org.), *Escritoras brasileiras do século XIX*; Sacramento Blake, *Dicionário bibliográfico brasileiro*; Valentim Benício Silva, "A mulher na evolução do Brasil", *Revista do IHGB*, jul-set/1951.

Délia (1853-96)

Escritora.

Maria Benedita Câmara Bormann nasceu em Porto Alegre (RS), em 25 de novembro de 1853, filha de Luiza Bormann de Lima e de Patrício Augusto Câmara Lima. Em 1863, mudou-se com a família para o Rio de Janeiro. Casou-se em 7 de dezembro de 1872 com seu tio materno, capitão de infantaria José Bernardino Bormann.

Começou a escrever ainda jovem. Além disso, também desenhava e cantava. Sua paixão pela música se transformava em objeto de suas obras, como nos livros *Madalena* e *Uma vítima*, nos quais já utilizou o pseudônimo Délia. Colaborou no jornal *Gazeta da Tarde* e *O Paiz*, onde seus contos a fizeram escritora respeitada.

Na sua vida conjugal não era muito feliz, pelas constantes viagens que o marido era obrigado a fazer. Délia, de idéias próprias e espírito rebelde, voltou-se contra o casamento e passou a defender a educação sexual para os jovens. Publicou, em 1890, um romance chamado *Lésbia*. Em todos os seus romances — escreveu ainda *Celeste, Duas irmãs, Aurélia, Angelina* e *Estátua de neve* — o personagem principal é feminino, misturando um pouco de sua própria vida com fatos ficcionais.

Faleceu em 15 de maio de 1896.

Fontes: Inês Sabino, *Mulheres ilustres do Brasil*; Zahidé Lupinacci Muzart (org.), *Escritoras brasileiras do século XIX*.

Derci Gonçalves (1907-)

Atriz comediante e cantora.

Dolores Costa Bastos nasceu em Santa Maria Madalena (RJ), em 23 de junho de 1907. Sua mãe era lavadeira e seu pai, alfaiate. A cidade de Madalena tornou-se pequena demais para seu temperamento inquieto e, em 1929, saiu de casa acompanhada de Eugênio Pascoal, cantor da Companhia de Teatro Maria Castro, com quem formou a dupla Os Pascoalinos, estreando nos palcos de Niterói (RJ) com o espetáculo *Minha terra*, obtendo grande sucesso. Ao contrair tuberculose, doença que a fez perder a voz, foi internada em Santos Dumond (MG), onde conheceu Ademar Martins, pai de sua única filha, Decimar.

Em 1936, no Rio de Janeiro, ingressou no elenco de um circo na Praça Afonso Pena. Ao cantar e fazer imitações dos grandes astros de rádio, sua veia cômica foi descoberta e ela foi convidada pelo compositor Custódio Mesquita para ser vedete no teatro de revista. Atuou nos espetáculos *As filhas de Eva* e *Do que elas gostam*, sempre com lotação esgotada. Casou-se em 1942 com Danilo Bastos, jornalista e publicitário, e, no ano seguinte, estreou no filme *Samba em Berlim*, de Luís Barros. Nessa época conheceu o empresário Walter Pinto, que passou a gerenciar sua carreira. Derci dirigiu por três anos a companhia de teatro de Walter Pinto, quando conviveu com artistas de renome no país, como Dircinha Batista*, Elvira Pagã, Lurdinha Bittencourt, Luz del Fuego* e o cantor Nélson Gonçalves.

Nas décadas seguintes, sua carreira artística viveu o apogeu com participações em peças como *Dorotéia*, de Nélson Rodrigues (1956), e em filmes como *Absolutamente certo*, de Anselmo Duarte (1957); *Cala a boca Etelvina* (1959); *Dona Violante Miranda* (1960); *Se meu dólar falasse* (1970) e *Menino arco-íris* (1983). A experiência na televisão começou em 1961, na TV Excelsior, marcada por seu jeito debochado de contar piadas e histórias. Assinou contrato com a TV Globo em 1965 e no ano seguinte estreou o programa dominical *Dercy de verdade*, cancelado pela censura anos depois.

Derci foi a primeira mulher a fazer reportagens para a rede Globo no exterior, tendo es-

1

2

3

4

5

1 • *Djanira*
Artista plástica que se inspirou nos costumes e tradições do povo brasileiro.

2 • *Diacuí*
Índia kalapalo (ao centro) cujo casamento com o sertanista Aires Câmara Cunha, na década de 1950, teve enorme repercussão nacional.

3 • *Dolores Duran*
Cantora da década de 1950 e compositora de clássicos da música popular brasileira, como "A noite do meu bem".

4 • *Dulcina de Morais*
Uma das grandes atrizes brasileiras, estreou nos palcos na década de 1920.

5 • *Dina Sfat*
Foto de capa da revista *Isto É* em que a atriz defende a legalização do aborto.

6

6 • Dinah Silveira de Queirós
Escritora, segunda mulher a ingressar na Academia Brasileira de Letras.

7 • Derci Gonçalves
Atriz que há mais de 70 anos diverte o público brasileiro com seu humor irreverente.

8 • Delfina Benigna da Cunha
Daguerreótipo, do começo do século XIX, da escritora gaúcha cega.

9 • Darci Vargas
Responsável por diversas iniciativas na área de assistência social, como a Casa do Pequeno Jornaleiro.

10 • Domingas Mamaluca
Ilustração de Spix que retrata uma das tantas mamelucas, como Domingas.

11 • Dalva de Oliveira
Considerada uma das grandes intérpretes da música popular brasileira.

7

8

9

10

11

tado em Beirute, em Paris e na cobertura da Copa do Mundo da Inglaterra, em 1966. A partir dos anos 70, trabalhou no teatro, em São Paulo, participando também de programas e novelas na televisão, como *Cravo amarelo* (1980) e *Que rei sou eu?* (1989). Com mais de 90 anos, ainda atua na TV, com seus comentários sempre picantes que marcaram os papéis que viveu nos palcos ao longo de sua carreira. Em 1999 assinou contrato com o SBT para apresentar o programa humorístico *Fala Dercy*, que entrou no ar em 2000.

Fontes: Revista *Mulher*, 20.6.1982; *Isto É*, nº 1539 (edição especial nº 3); Nova Cultural, *Astros & estrelas*; *O Globo*, 23.6.1997.

Diacuí (?-1953)
Índia kalapalo.

Seu povo habitava as margens do rio Culuene, no Alto Xingu. Diacuí Canualo Aiute casou-se com o sertanista Aires Câmara Cunha, da Fundação Brasil Central, apesar da oposição do Serviço de Proteção ao Índio (SPI). A intensa campanha a favor do casamento foi liderada pelo jornal *Diário da Noite* e pela revista *O Cruzeiro*, de Assis Chateaubriand. O casamento se realizou com grande pompa em 29 de novembro de 1952, na Igreja da Candelária (RJ), com mais de 10 mil pessoas presentes na cerimônia. Poucos membros da tribo dos Kalapalo compareceram: o cacique Comátsi, irmão de Diacuí, Diarrila e um parente de nome Halita. Até mesmo em frente ao hotel onde Diacuí estava hospedada, uma multidão queria vê-la e tocá-la. No ato civil foram padrinhos o ministro da Agricultura João Cleofas e sua mulher.

O caso Diacuí tornou bem explícito o preconceito social contra os "índios. Nas páginas de *O Cruzeiro*, Diacuí foi mostrada como a índia que deixava a barbárie e ingressava na civilização". Nas fotos das muitas reportagens veiculadas pela revista, com ampla repercussão no país, Diacuí aparecia penteada, maquiada e vestida conforme a moda da época, encarnando, involuntariamente, o mito da Cinderela tropical.

Em *O Cruzeiro* de 13 de dezembro de 1952, lê-se: "Aires está construindo o seu palácio de sapé nas selvas do Culuene (...) Ali viverá uma existência simples com sua esposa, contribuindo para a recuperação dos Kalapalo: 'Ao lado de Diacuí, ensinarei os índios a falar o português e a fazer agricultura, criação, etc. Estou certo que em pouco tempo civilizarei toda a tribo. Conto, para isso, com a ajuda de meus amigos brancos.'"

Nove meses depois do casamento, a 10 de agosto de 1953, Diacuí deu à luz uma menina, mas morreu durante o trabalho de parto. A notícia chocou a sociedade brasileira, enquanto a imprensa, que havia promovido a campanha pelo casamento, voltou-se contra Aires, culpando-o pela morte da índia. Segundo os jornais, ele teria deixado a aldeia dias antes do parto, mesmo sabendo que a mulher poderia dar à luz a qualquer momento. Quando voltou ao Culuene, ela já estava sepultada há dois dias. Testemunhas contaram que o sertanista teria oferecido presentes aos índios para que repetissem o ritual de sepultamento com ele presente e diante dos fotógrafos e cinegrafistas. Culpou-se, também, a Fundação Brasil Central por não ter enviado um médico à tribo.

Diacuí foi sepultada de acordo com os costumes de sua tribo: teve o corpo pintado de urucum e envolto em uma rede; junto com ela foram enterrados todos os seus pertences, exceto o vestido de noiva.

Fonte: *O Cruzeiro*, 6, 13, 27 dez/1952 e 29.8.1953.

Dina Sfat (1938-89)
Atriz.

Nasceu em 28 de outubro de 1938 no Alto da Lapa, na capital paulista. De ascendência judaica, Dina Kutner era filha de Noêmia, provavelmente nascida na cidade de Sfat (Israel), o que a levou a adotar Sfat como seu nome artístico, e do judeu russo Jacob Kutner. Sua paixão pelo palco surgiu quando a irmã mais velha, Rachel, a levou ao teatro para assistir a *Arsênico e alfazema*, com Cacilda Becker*. Nos anos 50, tornou-se secretária do Centro Acadêmico Horácio Lane, da Escola de Engenharia da Universidade Mackenzie, e se aproximou do grupo teatral formado pelos universitários.

Estreou na peça *Os fuzis da senhora Carrar*, de Bertolt Brecht, em 1961, no Festival Nacional de Estudantes de Porto Alegre. Nesse mesmo ano, no Festival Estadual de Estudantes, em Campinas, com *Aquele que diz sim, aquele que diz não*, conquistou o prêmio de melhor atriz. Em 1964, casou-se com o ator e diretor Paulo José, com quem teve três filhas, Isabel (a atriz Bel Kutner), Ana e Clara.

Sua estréia na televisão deu-se em 1966, na TV Tupi, com a novela *Ciúme*. Atuou também em novelas na TV Record de São Paulo e na TV Excelsior. Ainda em 1966 fez seu primeiro filme, *Três histórias de amor*, de Alberto D'Aversa. Trabalhou, ainda em outros filmes, como *Macunaíma*, de Joaquim Pedro de Andrade (1969) e *Os deuses e os mortos*, de Rui Guerra (1970), pelo qual recebeu o prêmio de melhor atriz no Festival de Cinema de Brasília. Em 1971, conquistou o Prêmio Air France de melhor atriz graças ao filme *A culpa*, de Domingos de Oliveira. Em 1972, ganhou o Prêmio Helena Silveira por sua atuação na novela *Selva de pedra*, da TV Globo.

Progressista, Dina Sfat sempre esteve na vanguarda das lutas dos artistas e defendeu a liberdade de expressão durante a ditadura militar, quando estava no auge do seu sucesso na televisão. Intimada pela polícia a prestar declarações no DOPS, enfrentou com galhardia o interrogatório. Durante o processo de redemocratização, em um programa de televisão transmitido ao vivo, disse a um general, ex-ministro do Exército, que, como a maioria do povo brasileiro, tinha medo dele e da tirania do regime militar.

Corajosa em suas posições políticas, foi também uma defensora das lutas das mulheres pela cidadania plena. Uma de suas principais contribuições ao movimento feminista foi ter posado para a capa da revista *Isto É* com um cartaz defendendo a descriminalização do aborto.

Dina Sfat fez ainda várias novelas, montou a peça *Hedda Gabler*, de Ibsen, que recebeu em 1982 o Prêmio Mambembe de melhor produção teatral, e fez o papel de Lourença Coutinho* no filme *O judeu*, rodado em Portugal e só finalizado após sua morte. Vítima de câncer de mama, enfrentou a doença e continuou trabalhando: gravou a novela *Bebê a bordo*, na TV Globo, até o final: as gravações terminaram em fevereiro de 1988 e Dina faleceu em 20 de março de 1989.

Fontes: Dina Sfat e Mara Caballero, *Dina Sfat, palmas para que te quero*; Nova Cultural, *Astros & estrelas e seus filmes em vídeo*; *Isto É*, 21.9.83.

Dinaelza Soares Santana Coqueiro (1949-74)

Ativista política, vítima da ditadura militar.

Nasceu em 22 de março de 1949 em Vitória da Conquista (BA). Era filha de Junília Soares Santana e de Antônio Pereira de Santana. Estudou o primário e o secundário no interior da Bahia, em Jequié, e, em 1969, foi estudar geografia na Pontifícia Universidade Católica (PUC) de Salvador. Era um ano de enorme agitação no meio estudantil e Dinaelza envolveu-se com a política fazendo parte da comissão executiva do Diretório Central dos Estudantes da Universidade e militando no Partido Comunista do Brasil (PC do B).

Casou-se com Vandick Reidner Pereira Coqueiro e, quando o PC do B decidiu desencadear a luta armada no interior do Brasil, ambos foram para a região do Araguaia, em Xambioá e Marabá, local escolhido para o levante, onde desapareceram no enfrentamento com os militares. Seus companheiros a viram viva e em liberdade pela última vez em 30 de dezembro de 1973. O relatório do Ministério do Exército diz que ela utilizava os codinomes Dinorá e Maria Dina na clandestinidade. Segundo informações dos moradores da região, foi aprisionada por tropas do Exército. Um relatório do Ministério da Marinha diz que foi morta em 8 de abril de 1974.

Fontes: Ana Maria Colling, *A resistência da mulher à ditadura militar no Brasil*; Maria do Amparo Almeida Araújo et al., *Dossiê dos mortos e desaparecidos políticos a partir de 1964.*

Dinah Silveira de Queirós (1917-82)

Escritora.

Nasceu em São Paulo, em 5 de novembro de 1917, filha de Dinorá Ribeiro Silveira e de Alarico Silveira. Escreveu em vários gêneros literários: conto, romance, crônica, teatro. Fez crítica literária e se aventurou no jornalismo e no radialismo. A publicação de *Floradas na serra*, em 1939, foi recebida com entusiasmo pela crítica e Dinah recebeu o Prêmio Antônio Alcântara Machado da Academia Paulista de

Letras no ano seguinte. O livro recebeu posteriormente uma versão cinematográfica, com Cacilda Becker* no papel principal.

Pelo conjunto de sua obra — em que se destacam também a novela *A sereia verde* (1941) e os romances *Margarida de La Rocque* (1950) e *A muralha* (1954) — recebeu, em 1954, o Prêmio Machado de Assis da Academia Brasileira de Letras, para a qual foi eleita em 1980. Escreveu ainda *As noites do morro encantado* (1957), *Eles herdarão a terra* (1960), *Os invasores* (1965), *O verão dos infiéis* (1968), *Café da manhã* (1969) e a monografia sobre Jesus Cristo, *Eu venho* (1974). Seu último livro foi *Guida, caríssima Guida* (1981).

Era casada com o embaixador Dário Castro Alves. Faleceu no Rio de Janeiro em 29 de novembro de 1982. Seu romance *A muralha* foi adaptado pela TV Globo, como uma minissérie, em janeiro de 2000, e em semanas este livro tornou-se *best-seller* nacional.

Fontes: Afrânio Coutinho, *Enciclopédia de literatura brasileira*; Raimundo de Meneses, *Dicionário literário brasileiro ilustrado.*

Dinalva Oliveira Teixeira (1945-74)

Ativista política e vítima da ditadura militar.

Nasceu em Argoin, município de Castro Alves (BA), em 16 de maio de 1945. Filha de Elza Conceição Bastos e de Viriato Augusto Oliveira, estudou em Salvador, formando-se em geologia pela Universidade Federal da Bahia (UFBA), em 1968. Participou do movimento estudantil com Antônio Carlos Monteiro Teixeira, seu colega de turma, com quem se casou em 1969. Os dois mudaram-se para o Rio de Janeiro (RJ) para trabalharem no Ministério das Minas e Energia.

Militantes do Partido Comunista do Brasil (PC do B), em maio de 1970 ambos foram para a região do Araguaia participar do movimento armado desencadeado pelo partido, que pretendia formar um Exército Popular Guerrilheiro. Os militantes faziam treinamento e mantinham contatos com os camponeses para preparar a revolução que, segundo esperavam, derrubaria o regime militar. Na região, foi professora, parteira, e também a única mulher da guerrilha a ocupar o cargo de vice-comandante de um grupo militar; era considerada uma estrategista da ação armada. Por várias vezes, escapou do cerco militar e o testemunho de ex-guerrilheiros indica que se destacava pela coragem e habilidade com as armas.

A última vez em que foi vista com vida e em liberdade pelos companheiros foi no dia 25 de dezembro de 1973. Desapareceu após tiroteio no acampamento, onde estava gravemente enferma e em adiantado estado de gravidez. Pelo depoimento de moradores da região e de membros do Exército, teria sido presa na serra das Andorinhas. Dinalva parece ter sido a última guerrilheira morta, após quatro meses de perseguição das forças militares, o que, de acordo com relatório do Ministério da Marinha, aconteceu em julho de 1974.

Fontes: Ana Maria Colling, *A resistência da mulher à ditadura militar no Brasil*; Maria do Amparo Almeida Araújo et al., *Dossiê dos mortos e desaparecidos políticos a partir de 1964.*

Dinorá de Carvalho (1905-80)

Pianista, compositora e professora.

Dinorá Gontijo de Carvalho Murici nasceu em Uberaba (MG), em 1º de julho de 1905. Era filha do músico Vicente Gontijo. Após a morte do pai, mudou-se com a família para a capital paulista. Com apenas seis anos de idade, iniciou os estudos de piano no Conservatório Dramático e Musical de São Paulo; estreou como pianista aos sete anos, em uma audição de alunos do Conservatório. Em 1912, compôs uma valsa para piano intitulada "Serenata ao luar" e, durante um recital em Campinas (SP), improvisou um noturno. Formou-se em 1916 e dois anos depois apresentou-se em recitais em São Paulo, Belo Horizonte e outras cidades do Brasil, executando composições de sua autoria.

Seu êxito valeu-lhe uma bolsa de estudos em Paris, concedida pelo governo de Minas Gerais. Estudou com Isidor Philipe e fez recitais na Europa; de volta ao Brasil, fez outros cursos de aperfeiçoamento e retomou suas atividades de professora e concertista. Em 1936, foi premiada pelo Departamento de Cultura da Prefeitura de São Paulo por sua obra "Dois corais", para vozes mistas.

Dinorá foi inspetora federal do ensino superior de música, fundou e dirigiu a Orquestra Feminina de São Paulo — a primeira do gênero na América do Sul —, escreveu críticas musicais para jornais e revistas e recebeu muitos prêmios por obras como *O bom pastor* e *Procissão de cinzas em Pernambuco*, esta utilizando como letra a poesia de Gregório de Matos, e por seu trabalho em favor da educação musical das crianças.

Faleceu em São Paulo no dia 28 de fevereiro de 1980.

Fonte: Eli Maria Rocha, *Nós, as mulheres*.

Dionísia Gonçalves Pinto *ver* NÍSIA FLORESTA BRASILEIRA AUGUSTA

Dircinha Batista (1922-99)

Cantora.

Dirce Grandino de Oliveira nasceu em São Paulo, a 7 de maio de 1922, filha do ventríloquo João Batista de Oliveira (Batista Júnior), de quem adotou o sobrenome artístico, e irmã da também cantora Linda Batista*. Ainda muito criança, veio com a família morar no Rio de Janeiro (RJ). Quando tinha seis anos, seu pai foi convidado para apresentar-se no Teatro Santana, em São Paulo, num espetáculo organizado pelo empresário Raul Roulien. Dircinha acompanhou-o e cantou pela primeira vez em público a música "Morena cor de canela", de Ari Kerner. O sucesso mudou a vida da menina, e a partir daí passou a acompanhar o pai. Em 1929 terminou o curso primário e, no ano seguinte, com oito anos, gravou seu primeiro disco, ainda usando o nome Dircinha de Oliveira. Com músicas de autoria do pai.

Continuou sua carreira na rádio Cajuti (futura Vera Cruz), participando com grande sucesso do programa de Francisco Alves, que a apresentou como "a menina com garganta de pássaro". No mesmo ano gravou seu segundo disco, com as canções: "A Órfã" e "Anjo enfermo", de Cândido Neves. Da rádio Cajuti, onde ficou um ano, passou para a rádio Clube (futura Mundial), consagrando-se como cantora adolescente. Em 1935, ainda uma ginasiana do Ateneu São Luís, estreou no cinema com o filme *Alô, alô carnaval*, de Ademar Gonzaga. Em 1936, já com o nome artístico de Dircinha Batista, prosseguiu sua carreira de cantora que até 1940 foi uma roda-viva de gravações, espetáculos em emissoras de rádio e filmes. São antológicas as suas gravações de marchinhas de carnaval, como "Meu sonho foi um balão" de Alberto Ribeiro, "Meu moreno", de Hervé Cordovil, "Periquitinho verde", de Nássara e Sá Róris, "Tirolesa", de Oswaldo Santiago e Paulo Barbosa, "Upa... upa... (meu trolinho)", de Ari Barroso.

Na década de 1940, seu sucesso era extraordinário: foi escolhida Cantora da Cidade pelo jornal *O Globo*, excursionou pela Argentina e foi a primeira cantora brasileira a ser escolhida Rainha do Rádio pela Associação Brasileira de Rádio, título extremamente importante na vida radiofônica nacional e durante muitos anos renhidamente disputado. Nas décadas de 1940, 1950 e parte da de 1960, Dircinha e Linda Batista foram campeãs de vendas de disco no país.

Apaixonada pelo compositor gaúcho Lupiscínio Rodrigues, Dircinha foi talvez sua intérprete mais constante, cantando "Vingança", "Volta", "Dona Divergência", "Migalhas", "Foi assim" e "Nunca". Entusiasmada com o teatro, atuou como radioatriz e fez parte da companhia teatral de Derci Gonçalves*, apresentando-se no Teatro Glória, do Rio de Janeiro. No final de 1951, assinou contrato com as maiores emissoras do país, a rádio Nacional e a rádio Clube. Em 1953, fez parte da companhia teatral Barreto Pinto e gravou um de seus maiores sucessos, "Se eu morresse amanhã", de Antônio Maria.

Chegou à televisão, na TV Tupi, em 1961. Entretanto, como outras cantoras brasileiras, não sobreviveu à transformação que o advento da televisão produziu no ambiente artístico e, da mesma forma que conheceu a fama e o poder, na década de 1970 passou a viver com sua irmã Linda a miséria e o isolamento, situação agravada após a morte da mãe, Dona Neném, em 1974. Dircinha passou mais de dez anos internada na clínica Doutor Eiras, até morrer em 1999. A história das irmãs Batista foi narrada no musical *Somos irmãs*, com roteiro de Sandra Lousada, que estreou no Rio de Janeiro em março de 1998.

Fontes: *Enciclopédia da música brasileira: popular, erudita e folclórica*; *Jornal do Brasil*, 19.6.1999; Teresa Cristina Tesser, *De passagem pelos estúdios*.

Diva Nolf Nazário (séc.XX)

Sufragista e feminista.

Formada em direito e secretária-geral da Aliança Paulista pelo Sufrágio Feminino, Regina Cecília Maria Diva Nolf Nazário era natural de Batatais (SP). Escreveu um livro no qual faz um histórico da sua tentativa, sem sucesso, de alistamento eleitoral. Em junho de 1922, quando cursava a Faculdade de Direito, após as aulas sobre a Constituição, convenceu-se de que poderia ser eleitora. Pediu ao pai para dirigir-se a um secretário de um chefe político, indagando se poderia se incumbir de mais um eleitor. No dia marcado, apresentou-se juntamente com o pai, assustando o secretário, que aceitou seus argumentos, mas informou nada poder fazer.

Foi então ao Gabinete de Identificações para obter a carteira de identificação eleitoral (atual título de eleitor). Nada conseguiu. Dirigiu-se à Polícia Central, que lhe autorizou a tirar uma caderneta particular. Juntou esta caderneta a outros documentos e, em 6 de junho de 1922, sob o nº 23239, no Fórum Civil, depositou estes documentos para obter seu alistamento. O escrivão não quis registrar sem antes consultar um juiz, que acabou autorizando, mas lhe disse que ainda iria despachar o processo. Finalmente, quando se manifestou, disse o seguinte:

> "Não se reconhece ainda, no Brasil, a capacidade social da mulher para o exercício de voto. As restrições que se lhe impõe na ordem civil têm um reflexo na ordem política. É certo que não existe em nossas leis uma exclusão expressa a esse respeito. Mas, também o é que várias tentativas surgiram, na discussão do nosso pacto fundamental, para precisamente tornar expresso o direito de voto feminino sem que lograsse aprovação qualquer das emendas apresentadas. Entendem, por certo, a maioria dos nossos representantes que, embora deixasse aberta a porta a possíveis futuras inovações, não era ainda o momento de romper com as tradições de nosso direito, segundo as quais as palavras 'cidadão brasileiro', empregadas nas leis eleitorais, designem sempre o cidadão do sexo masculino, elegível para os cargos públicos na plenitude de sua capacidade, idôneo para o trabalho, apto principalmente a defender a pátria, pegar em armas, bater-se por ela contra o inimigo exterior e pregar pelos seus direitos na imprensa, na tribuna, na praça pública, com as energias e veemência próprias da organização viril. Há, sem dúvida, mulheres capazes de fazer tudo isso. Mas o legislador, quando estabelece normas sobre a capacidade, não se deixa influenciar de preferência pelo conhecimento dos casos de exceção. A verdade é que prevalecem ainda, entre nós, considerações tradicionais das quais se faz eco o deputado Pedro Américo, ao lembrar que a missão da mulher é mais doméstica do que pública, mais moral do que política. Os publicistas que, entre nós, propugnam ardorosamente, como o faz o Dr. Tito Fulgêncio, pela emancipação política da mulher, qualificando de arbitrária a exclusão que dela se fizer do direito de voto, esquecem por completo a concepção que se há feito, em nossa vida social, da entidade feminina: concepção de uma criatura destinada a dividir harmonicamente com o homem as responsabilidades da vida em comum, ela na tranqüilidade do lar, cuidando da ordem doméstica, ele, no trabalho cotidiano, auferindo os meios de prover a subsistência da família. Pode ser que futuramente assista a humanidade à confusão de papéis. Mas por enquanto cumpre conservar o que até aqui tem se conservado no tocante à capacidade feminina, pois entre nós ainda impera, quanto às mulheres, o preceito romano rude, mas sincero, revelado pelo jurisconsulto Ulpiano: 'Faeminae ab omnibus officiis civilibus vel publici remotae sunt'. Em vista do exposto, indefiro a petição de fls. 02. São Paulo, 7 de junho de 1922. Affonso José de Carvalho."

O resultado negativo do pedido de alistamento de Diva foi publicado em vários jornais do Rio de Janeiro e São Paulo. Ela ainda entrou com recurso em 27 de junho de 1922, discutindo os dois pontos principais que o juiz havia colocado em sua negativa: tradições sentimentais e o não reconhecimento da mulher como cidadã brasileira, respondendo com argumentos filosóficos e legais. Finalmente, em 3 de julho de 1922, a Junta de Recursos Eleitorais do Estado de São Paulo concluiu pelo indeferimento de seu pedido.

Contudo, a tentativa de Diva repercutiu no país e, ainda em junho de 1922, recebeu uma carta de Juvenal Lamartine, então deputado pelo estado do Rio Grande do Norte, onde este informava que no ano anterior havia feito um relatório de um projeto de lei favorável ao reconhecimento do direito ativo e passivo do voto à mulher. Este parecer não entrou na ordem do dia, pois ficou retido na Câmara de Constituição e Justiça. Lamartine era contrário ao cerceamento da mulher, explicando que o Código Civil não incluía nada disso. Finalizava dizendo que estava aguardando a volta de Bertha Lutz* para recolher novos elementos que ela traria para recomeçar a luta.

Fontes: Diva Nolf Nazário, *Voto feminino e feminismo*; Arquivo da FBPF, cx. 6.

Djanira (1914-79)

Pintora, desenhista e gravadora.

Nasceu em Avaré (SP), em 1914. Filha única de mãe descendente de índios e pai descendente de austríaco, Djanira da Mota e Silva sempre acompanhou seu pai, que era dentista itinerante, em viagens pelo interior, conhecendo vários lugares do país. Passou a infância e os primeiros anos da mocidade na pequena cidade catarinense de Porto União, fronteira com o Paraná, na zona contestada entre os dois estados. Nesse ambiente rural viu lutas e tiros, inclusive a passagem da Coluna Prestes. Retornou a Avaré em 1930. Dessa fase, guardou imagens do trabalho nos cafezais no interior paulista. Mudou-se depois para a capital, São Paulo, onde ganhou a vida como vendedora.

Casou-se com Bartolomeu Gomes Pereira, maquinista da marinha mercante brasileira, passando a morar na cidade do Rio de Janeiro. Ficou grávida, mas em conseqüência de um aborto natural não pôde mais ter filhos. Este fato foi sublimado mais tarde na sua pintura, que retratou com muita singeleza crianças em jogos infantis. Bartolomeu morreu em 1942, quando seu navio foi torpedeado pelos submarinos alemães durante a II Guerra. Djanira contraiu tuberculose e foi internada num sanatório em São José dos Campos (SP), onde começou a pintar e desenhar. Condenada pelos médicos, que a consideravam um caso terminal, fez seu primeiro desenho: um Cristo sofredor. Conseguiu melhorar e veio para o Rio de Janeiro, onde continuou o tratamento. Seguindo o conselho dos médicos, alugou um quarto no bairro de Santa Teresa, o único da cidade recomendado para tuberculosos. Continuou também a pintar e, para se sustentar, montou uma pensão, onde conheceu o pintor Emeric Marcier, que, em 1940, por cerca de cinco meses, deu-lhe aulas de pintura em troca da hospedagem. No mesmo ano, freqüentou um curso noturno de desenho no Liceu de Artes e Ofícios, onde conheceu vários artistas como Pancetti, Edson Mota, Malagolli, Milton Dacosta.

Em 1942, expôs pela primeira vez no Salão Nacional de Belas-Artes, conquistando menção honrosa (1943) e as medalhas de bronze (1944) e de prata (1950). Ainda em 1943, participou da coletiva de brasileiros enviada pelo governo à Inglaterra e fez sua primeira exposição individual na Associação Brasileira de Imprensa (Rio de Janeiro). Participou também da mostra *20 Artistas Brasileiros*, excursionando pela Argentina, Uruguai e Chile em 1944. No ano seguinte, expôs na New School for Social Research, em Nova York, e na galeria da Panamerican Union, em Washington.

Participou da Exposição Internacional da Unesco em 1946, em Paris. Ao voltar, dois anos depois, apresentou exposições individuais no Ministério da Educação e Cultura e no Studio Lina Bo Bardi, em São Paulo (SP). No Salão Paulista de Arte Moderna, recebeu medalha de ouro (1951) e prêmio de aquisição (1955); no Salão Nacional de Arte Moderna, conquistou o Prêmio de Viagem ao País (1952). Seus trabalhos foram admirados em vários países; entre outras exposições, destacam-se o Salão do Cristo Negro (RJ, 1955), Exposição Internacional do Prêmio Guggenheim, (Nova York, 1958), e a II Bienal Interamericana do México (1960).

Depois de viagem à Rússia, em 1953, percorreu o planalto central e o norte do Brasil. Ali encontrou inspiração nos costumes e nos trabalhos do povo brasileiro para cenários feitos para o Teatro Folclórico Brasileiro e o Grupo de Teatro Popular de Solão Trindade, além de painéis decorativos a óleo — *Velas do Maranhão*, *Praia do Nordeste*, *Baianas* e *Bananal de Parati* — pintados em 1962 para o navio *Princesa Leopoldina*, e *Indústria automobilís-*

tica e *Petrobrás*, também de 1962, para o navio *Princesa Isabel*. Em 1963, realizou painel em azulejos para a capela de Santa Bárbara, no túnel Catumbi-Laranjeiras (RJ), e que hoje está instalado no pátio interno do Museu Nacional de Belas-Artes. Em 1967, voltou a expor no Museu de Arte Moderna do Rio de Janeiro, com reconstituição do seu ateliê e 130 obras.

Djanira submeteu-se a uma perigosa cirurgia cardíaca em 1971, recuperando-se em poucos meses. Tornou-se então irmã leiga da Ordem Terceira Carmelitana, com nome de Irmã Teresa do Amor Divino. No ano seguinte, recebeu Medalha e Diploma da Cruz Pro Ecclesia et Pontifice, do Vaticano, conferidos pelo Papa Paulo VI. Uma exposição retrospectiva no Museu Nacional de Belas-Artes comemorou, em 1976, seus 35 anos de carreira. Obras suas são encontradas em museus e coleções nacionais e estrangeiras, inclusive no Vaticano. Djanira faleceu de infarto em 1979, no Rio de Janeiro.

Fontes: Carlos Cavalcanti (org.), *Dicionário brasileiro de artistas plásticos*; Museu Nacional de Belas-Artes, *Djanira e a azulejaria contemporânea* e *Djanira*; Roberto Pontual, *Dicionário das artes plásticas no Brasil*.

Dolores Costa Bastos *ver* DERCI GONÇALVES

Dolores Duran (1930-59)

Cantora e compositora.

Nasceu no bairro da Saúde, no Rio de Janeiro, no dia 7 de junho de 1930. Filha de Josefa Silva da Rocha e de Armindo José da Rocha, sargento da Marinha, foi registrada como Adiléia Silva da Rocha. Desde pequena, costumava cantar em festinhas nos subúrbios de Irajá e Pilares, onde morou. Aos 10 anos, apresentou-se no programa *Calouros em desfile*, comandado por Ari Barroso na rádio Tupi. Apesar da resistência do apresentador em ouvir composições estrangeiras, a menina cantou "Vereda tropical", em português e espanhol, dividindo o primeiro prêmio com o conjunto Nativos da Lua. Pouco depois apresentou-se no programa *Escada de Jacó*, cuja equipe depois integraria, em shows de bairro, em cinemas e teatros.

Aos 12 anos, após a morte do pai, começou a trabalhar num programa infantil de radioteatro na Tupi, *Teatro da Tia Chiquinha*, ajudando no pequeno orçamento da família. Na mesma época, integrou um grupo de teatro infantil. Sua facilidade para aprender línguas, mesmo sem ter concluído o curso primário, levou-a a participar do concurso "À procura de uma cantora de boleros", promovido pela rádio Nacional. Não ganhou, mas continuou freqüentando a rádio e apresentando-se em alguns programas de calouros. Numa dessas apresentações, em 1940, foi convidada para um teste na boate Vogue, freqüentada pela elite carioca, onde então começou a trabalhar com o nome de Dolores Duran, aos 16 anos.

Posteriormente, trabalhou no programa César de Alencar, na rádio Nacional, e cantou nas principais boates do Rio, com um repertório que incluía músicas em francês, espanhol e inglês. Estreou em disco em 1952, gravando dois sambas para o carnaval do ano seguinte. Em 1954, lançou outras canções, entre elas "Canção da volta", de Antônio Maria e Ismael Neto, e "Bom é querer bem", de Fernando Lobo. Em 1955, casou-se com a ator de rádio Macedo Neto, uma união que duraria três anos, e fez sua primeira composição, "Se é por falta de adeus", em parceria com Tom Jobim. Em 1957, fez parceria com Vinícius de Moraes com a letra de "Por causa de você", que gravaria em 1958. Outras composições se seguiriam, como "Castigo" (1958), "A noite do meu bem", "Fim de caso" e "Solidão" (1959). Sua última apresentação foi na boate Little Club, em Copacabana, na noite de 23 de outubro de 1959. No dia seguinte morreu, vítima de problemas cardíacos.

Dolores Duran conquistou sucesso como cantora nos anos 50, mas sua fama como compositora só consolidou-se após sua morte, com a gravação feita por Lúcio Alves de um LP exclusivamente de músicas suas.

Fontes: Abril Cultural, *Nova história da música popular brasileira*; *Enciclopédia da música brasileira: popular, erudita e folclórica*; Maria Izilda Santos de Matos, *Dolores Duran: experiências boêmias em Copacabana nos anos 50*.

Domingas (séc.XVIII)

Índia escrava.

Viveu em Mogi das Cruzes (SP) e pertencia a Maria da Cunha. Conforme o documento do testamento de sua senhora, Domingas, que era tratada como bastarda, podia ser trocada por outra escrava índia, desde que fosse da mesma nação indígena. Em outros termos, a senhora seguia o costume arraigado entre os paulistas de formar plantéis de escravos reunindo índios da mesma origem.

Como as expedições de apresamento dos índios no sertão resultavam na reunião de uma vasta gama de tipos étnicos, línguas e costumes, no processo de adaptação à disciplina do trabalho escravo convinha que o índio recém-chegado pudesse se entender com outros cativos há mais tempo. Para abreviar o período de adaptação, os senhores buscavam adquirir índios escravos da mesma nação.

Fonte: John Manuel Monteiro, *Negros da terra: índios e bandeirantes nas origens de São Paulo.*

Domingas Mamaluca (sécs.XVII-XVIII)

Mestiça escrava do irmão.

Filha de mãe índia e pai português, vivia na vila de Itu, na capitania de São Paulo. O registro da vida de Domingas chega através de um processo em que acusou o próprio irmão de escravizá-la. No ano de 1700, seu pai havia morrido e Domingas compareceu perante a justiça reivindicando sua liberdade. Afirmava que seu irmão a havia vendido para uma terceira pessoa. O caso de Domingas é um exemplo da luta da população indígena e de seus descendentes, mestiços ou não, para assegurar sua liberdade na época colonial.

Fonte: John Manuel Monteiro, *Negros da terra: índios e bandeirantes nas origens de São Paulo.*

Domitila de Castro Canto e Melo *ver* MARQUESA DE SANTOS

Dona Dulce *ver* MARIA DULCE BARBOSA

Dona Neuma *ver* NEUMA GONÇALVES

Dona Zica *ver* ZICA

Dora Bran Chinquel *ver* ASSOCIAÇÃO BENEFICENTE FUNERÁRIA E RELIGIOSA ISRAELITA

Dora Vivacqua *ver* LUZ DEL FUEGO

Dulce Barbosa *ver* MARIA DULCE BARBOSA

Dulce Braga (1924-)

Política.

Dulce Sales Cunha Braga nasceu em São José do Rio Preto (SP), em 20 de abril de 1924. Filha de Maria Paternost Sales e de Feliciano Sales Cunha, foi casada com Antônio Roberto Alves Braga, médico, advogado e empresário. Licenciada em línguas neolatinas pela Pontifícia Universidade Católica (PUC) de São Paulo e bacharel em direito pela Universidade Mackenzie, desenvolveu intensa atividade nas áreas de educação, cultura, arte e política. No campo cultural e artístico, fez freqüentes palestras e cursos sobre literatura brasileira, história da música clássica, entre outros. Na década de 50, dedicou-se à música e ao teatro lírico, estudou canto e chegou a se apresentar no Teatro Municipal e a dar alguns recitais.

Seu trabalho em prol da educação caminhou paralelamente à sua atividade política. Idealizou cursos de alfabetização de adultos através do rádio e da televisão, conjugados com a distribuição de cartilhas, oferecidas pelo Rotary Clube e pelo Serviço Social da Indústria (SESI). Seu trabalho foi reconhecido até mesmo pelo governo italiano, que a convidou a participar do I Congresso Internacional de Rádio e Televisão Educativa, realizado em Roma, em 1961. Durante três anos (1961-63) manteve na rádio Record seu programa de alfabetização *ABC Para Você*. Na televisão, produziu com Hélio Silveira o programa *Literatura brasileira na TV* (1960-61).

Em 1951, seguindo os passos do pai, iniciou-se na política a convite do senador Padre Calazans, candidatando-se a vereadora de São Paulo pela UDN. Como suplente conseguiu exercer o mandato em 1955 ocupando a vaga do titular. Reelegeu-se em 1959 e 1963, ano em que foi a vereadora mais votada do Brasil. Em 1967 elegia-se deputada especial pela Arena, o partido do governo, reelegendo-se em 1970 e 1974. Suplente do Senado Federal, assumiu a senadoria em 1982, sendo a primeira mulher na história do estado de São Paulo a alcançar tal posto. Como parlamentar, batalhou junto ao Ministério da Educação até ver implantados o Movimento Brasileiro de Alfabetização (Mobral) e o Projeto Minerva, programa educativo que era levado ao ar em cadeia nacional logo após a *Hora do Brasil*.

Foi também uma das líderes do movimento feminino Marcha da Família com Deus Pela Liberdade, deflagrado em 19 de março de 1964. Em abril de 1968, o governo dos EUA convidou-a para uma visita oficial de dois meses àquele país. Em agosto de 1975, foi convidada a participar do congresso do American Council for World Freedom, contra Fidel Castro. Em julho de 1978, foi agraciada com o Prêmio Dama da América conferido pelo Consejo de Derechos de la Mujer do México. Faz parte de muitas associações culturais, assistenciais e cívicas, e recebeu dezenas de condecorações e títulos honoríficos. Publicou *Autores contemporâneos brasileiros* (1951), *A forma poética de Camões a Guilherme de Almeida, Conceito de autoridade, Gramática-índice da língua portuguesa, Gramática-índice da língua inglesa, Paulo Setúbal, vida e obra, Preces líricas, Ser feliz* e *Be happy*.

Fontes: Assembléia Legislativa do Estado de São Paulo, *Prontuário*; Curriculum vitae • Colaboração especial de Regina Stella Moreira Pires.

Dulce Faria Accioly (1911-95)

Feminista.

Nasceu em 8 de maio de 1911, em Belém (PA). Estudou contabilidade e aos 15 anos casou-se, tendo dois filhos, Maria Teresa e Carlos. Além destes, adotou e criou mais 10 crianças. Ficou viúva muito jovem e casou-se novamente. Na década de 1960 iniciou sua militância feminista, através da Pastoral da Mulher Marginalizada, voltada especialmente para as prostitutas. Nesse movimento, chegou a presidir a Associação Cristã Feminina e engajou-se na luta das mulheres de Belém por melhores condições de vida. Na década de 1980, como diretora do Movimento de Promoção da Mulher, participou das articulações para instalação da delegacia das mulheres, assim como da fundação do Conselho Municipal da Condição Feminina (CMCF) de Belém do Pará, fazendo parte da primeira direção dessa instituição, que presidiu por dois mandatos. Em 1994, foi uma das organizadoras das plenárias estaduais dos movimentos feministas preparativas para a IV Conferência Mundial sobre a Mulher realizada em Beijing em setembro de 1995, mas faleceu em maio daquele ano.

Fonte: Depoimento de Isabel Tavares de Cunha, assessora do CMCF de Belém do Pará • Colaboração especial de Luzia Alvares.

Dulce Lopes Porto *ver* IRMÃ DULCE

Dulcina de Morais (1911-96)

Atriz.

Nasceu em Valença (RJ) em 3 de fevereiro de 1911. Filha dos artistas Conchita de Morais e Átila de Morais, ingressou muito cedo no teatro. Tamanha era a sua dedicação, que, em muito pouco tempo, tornou-se a atriz mais importante da Companhia Leopoldo Fróes, com a qual viajou para a Argentina. Também atuou nas companhias teatrais de Jaime Costa e Abigail Durães. Em 1934 fundou em São Paulo, com seu marido, Odilon Azevedo, a Companhia Dulcina-Odilon, que estreou no Teatro Rival com a comédia de Oduvaldo Vianna *Amor*, que alcançou grande sucesso e tendo ficado longa temporada em cartaz.

Nas peças teatrais que apresentou, destacou-se como grande intérprete de personagens de temperamentos diferentes. Grande dama do teatro nacional, apresentou três temporadas oficiais no Teatro Municipal do Rio de Janeiro, nos anos de 1944, 1945 e 1947, encenando *César e Cleópatra*, de Bernard Shaw, e *Bodas de sangue*, de García Lorca. Seus maiores sucessos foram *Chuva*, de Somerset Maugham, e *O sorriso da Gioconda*, de Aldous Huxley. Mudou-se para Brasília em 1971, onde se dedicou à formação de atores, mas ainda atuou no Rio de Janeiro, em 1981, na peça *O melhor dos pecados*, escrita por Sérgio Viotti especialmente para ela. Por essa peça ganhou o Prêmio Molière Especial. Construiu, em Brasília, a Fundação Dulcina de Morais, um complexo cultural que reúne o Teatro Dulcina, a Faculdade de Artes Dulcina e o Centro de Referência Cultural Dulcina. A importância de Dulcina no meio cênico brasileiro pode ser apreciada pela declaração da atriz Fernanda Montenegro* segundo a qual foi uma das maiores atrizes nacionais e uma de suas inspirações na vida artística. Faleceu em 28 de agosto de 1996.

Fontes: Lafayette Silva, *História do teatro brasileiro*; Sérgio Viotti, *Dulcina: primeiros tempos*; *Jornal do Brasil*, 18.3.1982; *O Globo*, 29.8.1996.

E

Edith Mendes da Gama e Abreu
(1903-82)

Educadora, escritora e feminista.

Nasceu em 13 de outubro de 1903, em Feira de Santana (BA). Filha de Maria Augusta Falcão Mendes da Costa e de João Mendes da Costa, que foi prefeito dessa cidade entre 1931 e 1933. Casou-se com Jaime Cunha da Gama e Abreu, paraense, engenheiro e professor da Escola Politécnica da Universidade Federal da Bahia. Cursou pedagogia, filosofia, literatura e ciências sociais em Salvador e no Rio de Janeiro.

Aos 15 anos, pronunciou sua primeira conferência, sob o título "A Mulher", no Grêmio Rio Branco, em Feira de Santana. Com apenas 18 anos, presidiu a Federação Baiana pelo Progresso Feminino logo que esta foi criada, em 9 de agosto de 1922, e até o início da década de 1930. Ao longo desses anos, tornou-se brilhante conferencista e uma das mulheres que mais batalharam pela ampliação da cidadania feminina na Bahia. Foi também diretora do Departamento de Ação Cultural da Federação Brasileira pelo Progresso Feminino (FBPF*), membro do Conselho de Educação e Cultura do Estado da Bahia, presidente da Sociedade Baiana de Combate à Lepra, da Pró-Mater da Bahia e conselheira do Abrigo de Salvador. Participou ativamente dos movimento sociais ao lado de Bertha Lutz*, que conhecera por intermédio de Moniz Sodré e Ana Amélia Carneiro de Mendonça*.

Em nome da FBPF, fez gestões junto ao governador baiano Juraci Magalhães para que este recomendasse à bancada de seu estado vetar o projeto de lei do general Goes Monteiro que vinculava o cargo público à mulher que tivesse, como o homem, a carteira de reservista. Apesar de adversária política do governador, conseguiu convencê-lo. Outra questão que demonstra seu talento para a negociação foi sua atuação em face do anteprojeto do Código Eleitoral, que apresentava restrições ao voto feminino. Diante de sua argumentação, o relator, deputado João Cabral, retirou essas restrições.

Na eleição de 1933, foi convidada pelo Partido Autonomista, de oposição a Juraci Magalhães, a candidatar-se à Assembléia Estadual Constituinte, mas recusou o convite, sugerindo o nome da advogada Maria Luísa Bittencourt*, que foi indicada e eleita para o cargo. Com a redemocratização do país em 1945, Edith candidatou-se à Assembléia Legislativa da Bahia pela União Democrática Nacional (UDN), mas não conseguiu se eleger. Depois dessa tentativa frustrada de obter um mandato político, dedicou-se a atividades literárias, jornalísticas e educacionais. Entrou para a Academia de Letras da Bahia em 1938 e durante quase 44 anos teve ali destacado desempenho. Publicou, entre outras obras, *Problemas do coração* (1935), *A cigana* (1949), *O romance, estudo literário* (1958), *Um baiano eminente* (1971), *Só mulheres* (colaboração, 1978), *O que a vida me tem dito* (1978).

Professora e inspetora do ensino secundário do Ministério de Educação e Cultura junto a diversos educandários baianos, formuladora da política educacional do seu estado, Edith foi também fundadora e professora catedrática da Faculdade de Filosofia da Bahia, criada em 1942. Entrou para o Instituto Histórico e Geográfico da Bahia, onde realizou algumas pesquisas sobre vultos femininos. Faleceu no dia 20 de janeiro de 1982, deixando como exemplo a sua luta para escapar do destino reservado à maioria das mulheres nascidas no começo do século XX.

Fontes: Afrânio Coutinho, *Brasil e brasileiros de hoje*; Ana Alice Alcântara Costa, *As donas no poder — mulher e política na Bahia*; Arquivo da FBPF, cx.7; Edivaldo M. Boaventura, *Edith Mendes da Gama e Abreu*, 1984.

Edwiges de Sá Pereira (?-1958)

Feminista e escritora.

Nasceu em Pernambuco, no século XIX. Colaborou com a imprensa feminina, defendendo a causa da "elevação" intelectual da mulher e escrevendo textos literários. Em 1901, foi incluída, na categoria de correspondente, como sócia fundadora da Academia Pernambucana de Letras, no Recife. A partir de 1920, tornou-se sócia efetiva e a primeira mulher no Brasil a pertencer de fato a uma Academia de Letras. Publicou nas revistas *Escrínio,* editada no Rio Grande do Sul por Andradina de Oliveira*, e *O Lírio*, de Pernambuco. Participou das primeiras iniciativas da Federação Brasileira pelo Progresso Feminino (FBPF)*, especialmente do I Congresso Internacional Feminista, realizado em dezembro de 1922.

Ao longo da década de 1920, continuou se correspondendo com as feministas do Sudeste. Mas somente em maio de 1931 surgiram as condições políticas necessárias à criação da seção pernambucana da FBPF. Contou com o apoio de Noêmia Xavier, Ana Almeida, Maria Luísa Maranhão, Palmira Carvalho e Santina Monteiro, assumindo a presidência da entidade em Pernambuco de 1931 a 1935.

Ainda em 1931, participou do II Congresso Internacional Feminista, promovido pela direção nacional da FBPF na cidade do Rio de Janeiro. Apresentou a tese "Pela mulher e para a mulher", onde defendia uma nova concepção de ensino para as mulheres. As iniciativas da Federação Pernambucana também se pautavam pela ênfase na educação. Suas dirigentes escolheram como prioridade fundar a Escola de Oportunidades, um fórum de reflexão sobre temas educacionais. Fugindo à tônica do movimento feminista nos demais estados e da orientação seguida pela direção nacional, a seção pernambucana dava firme apoio aos princípios católicos.

Edwiges e suas colaboradoras defenderam a participação de Bertha Lutz* no grupo de juristas responsáveis pela redação do anteprojeto constitucional. No início de 1933, quando o país se preparava para eleger os deputados constituintes, a Federação Pernambucana incumbiu Georgina Barbosa Viana de representá-la na Convenção Eleitoral Feminina, no Rio de Janeiro, levando propostas de inclusão no texto constitucional de obras contra as secas, recusa ao serviço militar obrigatório para mulheres e apoio ao ideário católico.

Quando Edwiges deixou a presidência, em 1935, Emília Barbosa Viana Marchesini assumiu o cargo e ela ficou como presidente honorária. Mas havia tantas divergências entre as feministas pernambucanas que nem a liderança forte de Edwiges conseguiu contê-las. Com a decretação do Estado Novo, em 1937, o movimento feminista foi sufocado.

Faleceu em Recife (PE) no ano de 1958.

Fontes: Arquivo da FBPF, cx.6; João Batista Cascudo Rodrigues, *A mulher brasileira: direitos políticos*; *Escrínio*, 1909.

Efigênia Veiga (séc.XIX)

Médica.

Terceira mulher a se formar em medicina na Bahia, a quarta no Brasil. Concluiu o curso no ano de 1890, na Faculdade de Medicina da Bahia, onde Rita Lobato* e Amélia Pedroso Benebien* já haviam se formado desde 1887.

Fontes: Adalzira Bittencourt, *Dicionário biobibliográfico de mulheres ilustres, notáveis e intelectuais do Brasil*; Sacramento Blake, *Dicionário bibliográfico brasileiro.*

Elena (séc.XVIII)

Senhora de engenho.

Era proprietária de um engenho açucareiro na região de Matoim, Bahia. À época em que viveu Dona Elena (como se tornou conhecida), raras eram as mulheres que administravam seus próprios bens. Elas em geral alcançavam essa posição com a morte dos maridos. No ano de 1759, além de Dona Elena, havia apenas mais uma senhora de engenho na mesma região, que contava com 29 senhores de engenho.

Fonte: José Antônio Caldas, *Notícia geral de toda esta capitania da Bahia desde o seu descobrimento até o presente ano de 1759.*

Eline Mochel Matos (1911-88)

Médica, ativista política e feminista.

Nasceu em São Luís (MA), em 28 de outubro de 1911. Filha de Ercília Rodrigues Mochel e de José Augusto da Silva Mochel. O pai, de origem alemã, era oficial da Polícia Militar do Maranhão e durante vários anos foi delegado da cidade de São Luís. Era uma família numerosa, com oito filhos. Cedo ficaram órfãos, mas seguiram as recomendações do pai, que insistia na necessidade de estudar; todos, homens e mulheres, cursaram faculdade, o que era raro na época.

Uma das irmãs de Eline, Arcelina Mochel*, passou a morar no Rio de Janeiro na década de 1930, e Eline, depois de diplomada em medicina, a seguiu. Casou-se com Leopoldo da Costa Matos e teve uma filha. Como médica, clinicava em bairros populares, prestando assistência aos desvalidos. Foi a primeira mulher aprovada em concurso para médica da Câmara Federal. Atuou intensamente no movimento de mulheres na década de 1940, projetando-se no cenário político da então capital do país.

Nas eleições de 1950, concorreu ao cargo de deputada federal pelo Partido Republicano Trabalhista. Com 2.678 votos, alcançou a suplência. Foi colaboradora da revista *Momento Feminino* e participou da Federação de Mulheres do Brasil*. Com a transferência da capital federal para Brasília, mudou-se para lá devido ao seu cargo no serviço médico da Câmara. Faleceu em Brasília, no dia 2 de março de 1988.

Fontes: TSE, *Dados estatísticos. Eleições federal, estadual e municipal realizadas no Brasil a partir de 1945*; Entrevista com Dinah Mochel no dia 20 de julho de 1999.

Elis Regina (1945-82)

Cantora.

Nasceu em Porto Alegre (RS), no dia 17 de março de 1945. Aos 11 anos, Elis Regina Carvalho da Costa apresentou-se na Rádio Farroupilha, de Porto Alegre, cantando no programa *Clube do Guri*, cujo elenco passou a integrar. Foi contratada como cantora pela Rádio Gaúcha, em 1959, gravando seu primeiro compacto em 1960. Viajou, então, para o Rio de Janeiro, onde fez apresentações na televisão e gravou o LP *Viva a brotolândia*. Transferiu-se definitivamente para a capital do então estado da Guanabara em 1964.

Em abril de 1965, participou do I Festival de Música Popular Brasileira, realizado pela TV Excelsior, cantando "Arrastão" (Edu Lobo e Vinícius de Moraes), conquistando o primeiro lugar e projetando-se nacionalmente. Seguiram-se muitos outros sucessos, "Canto de Ossanha" (Vinícius de Moraes e Baden Powel) e "Louvação" (Gilberto Gil e Torquato Neto). Em janeiro de 1966, apresentou-se em Lisboa e Luanda, ao lado de Jair Rodrigues e do Zimbo Trio.

Em dezembro de 1967, Elis casou-se com Ronaldo Boscoli, com quem teve um filho. Ao longo desse ano, gravou sucessos como "Travessia" (Milton Nascimento) e "Upa neguinho!" (Edu Lobo e Gianfrancesco Guarnieri), música muito aplaudida no II Mercado Internacional do Disco e da Edição Musical (Midem), realizado em Cannes, em janeiro de 1968, e se apresentou no teatro Olympia, em Paris. Em maio, obteve o primeiro lugar na I Bienal do Samba interpretando "Lapinha" (Baden Powel e Paulo César Pinheiro).

Retornou à Europa em 1969, apresentando-se novamente em Cannes, além de gravar programas para as televisões francesa, inglesa, holandesa, suíça, belga e sueca. Em abril de 1970, grávida de sete meses, fez temporada no Canecão, onde cantou músicas de Caetano Veloso e Gilberto Gil, feitas especialmente para ela e enviadas de Londres, onde os dois compositores encontravam-se exilados.

Em 1971, estreou dois programas na TV Globo, além de gravar o LP *Top Star Festival*, produzido pela ONU em solidariedade aos refugiados do mundo, sendo a única brasileira a participar do disco. Em comemoração aos seus 15 anos de carreira, lançou, em 1974, o disco *Elis e Tom*, gravado em Los Angeles, do qual participou o tecladista César Camargo

Mariano, com quem Elis passaria a viver e teria dois filhos.

Estreou em Porto Alegre, em dezembro de 1977, o espetáculo *Transversal do Tempo*, que seria apresentado em Roma, Milão e Barcelona em princípios de 1978, e depois faria turnê pelo Brasil. Elis recusou convite para apresentá-lo em Buenos Aires, alegando que, enquanto seu disco *Falso brilhante*, censurado por causa da música "Gracias a la vida", de Violeta Parra, estivesse proibido na Argentina, não se apresentaria no país.

Em maio de 1979, participou, ao lado de outros artistas, do *Show de Maio*, cuja renda foi revertida para o fundo de greve dos metalúrgicos de São Paulo. No mesmo mês, foi lançado compacto com "O bêbado e o equilibrista" (João Bosco e Aldir Blanc), que foi chamado de "hino pela anistia", pois a campanha pela volta dos exilados ganhava força no Brasil. Ainda em 1979, Elis apresentou-se em Bruxelas, participou do Festival de Jazz de Montreux e do Festival de Jazz de Tóquio, além de fazer temporadas pelo Brasil.

Em janeiro de 1980, estreou no Rio de Janeiro o show *Saudades do Brasil*, a respeito do qual declarou: "Não se trata de saudade de alguma coisa que acabou ou pessoa que morreu... saudade do que está aí vivo, solto, e nunca deixou de existir. Se não temos acesso a isso, é por falta de uma batalha maior." Em 1981, percorreu palcos de São Paulo, Porto Alegre e Rio de Janeiro com o show *Trem Azul*. Em dezembro faria sua última apresentação na televisão, num especial de fim de ano da TV Record.

Elis faleceu em São Paulo, no dia 19 de janeiro de 1982, aos 37 anos, em decorrência de *overdose*.

Fontes: *Enciclopédia da música brasileira: popular, erudita e folclórica*; www.geocities.com/Nashville/Opry/6544; Regina Echeveria, *Furacão Elis*.

Elisa Branco (1912-?)

Ativista política.

Nasceu em Barretos (SP), em 1912. Não concluiu seus estudos, pois cedo teve que trabalhar como costureira. Casou-se no ano de 1932 e teve duas filhas. Participou, ao lado do marido, das greves dos operários da fábrica Anglo Swift. Participou da Aliança Nacional Libertadora (ANL), frente popular antifascista e antiimperialista surgida em fins de 1934 com o apoio do PCB. Sempre ligada a correntes de esquerda, mudou-se em 1947 para a capital paulista, onde ingressou na Federação de Mulheres do Estado de São Paulo.

Como ativista da Federação de Mulheres, participou das campanhas contra a carestia, chegando, em conseqüência, a ser presa em 1947; naquele mesmo ano, foi novamente presa e espancada quando protestava diante das violências praticadas pela polícia contra Alice Tibiriçá*. Em meio ao tumulto da prisão, alguém lhe roubou uma pasta que continha documentos e dinheiro. Elisa moveu processo contra as autoridades policiais responsáveis, mas nada conseguiu.

No dia 7 de setembro de 1950, foi novamente presa por ter aberto uma faixa com os dizeres: "Nossos filhos não irão para a Coréia", durante o desfile militar do dia da Independência, no vale do Anhangabaú, centro de São Paulo. Foi perseguida, arrancada de um ônibus e levada para a Casa de Detenção. Recebeu a sentença de quatro anos e cinco meses de prisão, proferida pelo juiz Plínio Gomes Barbosa. O jornal *O Momento Feminino* e a Federação de Mulheres do Brasil* promoveram intensa campanha em prol da libertação de Elisa Branco. O movimento contou com o apoio de várias associações femininas estaduais e até mesmo do exterior. Durante o primeiro Congresso da Federação de Mulheres do Brasil, realizado em junho de 1951, criou-se a comissão nacional pró-anistia de Elisa Branco. Após intensas manifestações e campanhas realizadas por todo o país, o Supremo Tribunal Federal acabou absolvendo-a em 20 de setembro de 1951. No ano seguinte tornou-se vice-presidente da Federação das Mulheres do Brasil e no pleito de 1954 saiu candidata a uma vaga na Assembléia Legislativa do Estado de São Paulo.

Fontes: Ana Montenegro, *Ser ou não ser feminista*; *Momento Feminino*, 20.12.1950, fev/1951, set-out/1951; Maria Amélia A. Teles, *Breve história do feminismo no Brasil*.

Elisa de Faria Souto (séc.XIX)

Abolicionista.

Nasceu em Manaus (AM) e era filha de Teodoreto Carlos de Faria Souto, presidente da província do Amazonas.

Nessa época, a Amazônia entrava num rápido processo de desenvolvimento e ocupação, graças à exploração da borracha. Sucessivas levas de nordestinos livres, fugidos da seca que assolara a economia do Nordeste, afluíram à região. Essa população engajou-se na campanha abolicionista que se expandia desde que o Ceará abolira a escravidão em 1883. Comemorando o primeiro ano da libertação dos escravos cearenses, em 24 de abril de 1884, foi criada em Manaus uma sociedade feminina, as Amazonenses Libertadoras, que tinha como objetivo a emancipação de todos os escravos existentes no solo amazonense. Elisa, que participara desde o início do movimento de criação da entidade, foi eleita presidente.

Também faziam parte da diretoria Olimpia Fonseca (vice-presidente), Filomena Amorim (1ª secretária), Isabel Bittencourt (2ª secretária), Clotilde Albuquerque (tesoureira) e mais Tertuliana Moreira, Albina Sarmento, Guilhermina de Faria e Souza, Maria Bessa Teixeira, Maria de Souza Lopes Ferreira, Carolina Braga, Adelina Fleury, Jovina Cabral, Carlota Baird, Evarista Moraes e Celina Hosannah. O exemplo das Amazonenses Libertadoras repetiu-se em várias outras províncias brasileiras. A força da luta abolicionista no Amazonas, que congregou também outras entidades, foi tão significativa, que em 30 de março de 1887 foi abolida a escravidão nessa província, um ano antes da Lei Áurea.

Fonte: João Mendonça de Sousa, *O grande Amazonas: mitologia, história e sociologia.*

Elisa Hedwig Carolina Mankel *ver* Liddy Chiafarelli Mignone

Elisa Kauffmann Abamonide (séc.XX)

Ativista política e vereadora.

Nasceu em São Paulo (SP). Professora, no decorrer de suas atividades de magistério, fez cursos de especialização em orientação profissional no Instituto Profissional Feminino. Na segunda metade da década de 1930, Elisa foi uma ativa militante do movimento estudantil em São Paulo. Diplomada, viveu com intensidade sua profissão, deparando-se, no dia-a-dia do atendimento aos seus alunos, com as injustiças sociais.

Com a redemocratização do Brasil em 1945, sua liderança no movimento político se firmou e ela foi candidata à Câmara Municipal de São Paulo. Foi também a principal representante da colônia israelita na capital. No pós-1945, as grandes cidades tiveram problemas com o abastecimento de gêneros alimentícios e a venda clandestina de alimentos racionados, a preços mais altos, tornou-se prática generalizada, o que penalizava os mais pobres. Contra essa situação, surgiram organizações de mulheres como a União Feminina. Elisa foi uma das maiores expressões desse movimento na capital paulista. Como vereadora e participante do movimento de mulheres, teve como plataforma política na Câmara Municipal essas questões e os problemas da educação, que eram vividos intensamente por ela na vida profissional.

Fonte: *Momento Feminino*, 24.10.1947.

Elisabete Teixeira (1925-)

Líder rural.

Nasceu em Sapé (PB), a 13 de fevereiro de 1925. Filha de comerciante e pequeno proprietário de terra, não estudou muito por falta de oportunidade, fazendo apenas as duas primeiras séries. Aos 16 anos, casou-se com João Pedro Teixeira, com o qual teve 11 filhos. Seu pai se opôs ao casamento, porque João Pedro era negro e trabalhador braçal. Elisabete e João Pedro tornaram-se líderes populares e, em 1958, fundaram a Liga Camponesa de Sapé, com o objetivo de conscientizar os camponeses da luta pelos seus direitos. As reuniões eram em sua casa.

João Pedro começou a receber ameaças de morte, sendo assassinado em 2 de abril de 1962 por dois policiais disfarçados, a mando de usineiros paraibanos. Viúva aos 36 anos de idade, Elisabete assumiu o lugar do marido na liderança da organização e passou também a sofrer ameaças. A morte de João Pedro comoveu os camponeses e a Liga, que tinha cerca de 7.400 filiados, em dois anos passou para quase 30.000. Elisabete Teixeira tornou-se um símbolo da resistência dos trabalhadores rurais dos anos 60 no Nordeste do Brasil.

Depois que os militares tomaram o poder, Elisabete entrou na clandestinidade, abrindo mão da guarda dos filhos, enquanto os demais líderes da luta camponesa foram assassinados em setembro de 1964. Fugiu para o Rio Grande do Norte, com identidade falsa. Trabalhou como lavadeira e, posteriormente, como professora em São Rafael, sob o nome de Marta Maria da Costa. Já havia sido dada como morta pela repressão política, quando em 1981 apareceu no filme *Cabra marcado para morrer*, de Eduardo Coutinho. O filme registrou a história de João Pedro e a saga de Elisabete.

Fonte: Entrevista com Alípio Freire e Hamilton Pereira, *Teoria e Debate*, nº 30.

Elisabeth de Sousa Lobo *ver* BETH LOBO

Elisete Cardoso (1920-90)

Cantora.

Elisete Moreira Cardoso nasceu em 16 de julho de 1920, no Rio de Janeiro (RJ), perto do morro da Mangueira. O pai tocava violão e a mãe gostava de cantar. Criada nesse ambiente musical, aos oito anos já cobrava ingresso de dois mil réis da garotada da vizinhança, que se reunia no quintal de sua tia Antônia para ouvi-la cantar os sucessos de Vicente Celestino. Cedo precisou trabalhar e, entre 1930 e 1935, foi balconista, peleteira, funcionária de uma fábrica de sabão e cabeleireira, até ser descoberta, aos 15 anos, por Jacó do Bandolim, dele recebendo convite para fazer um teste na rádio Guanabara.

Apesar da oposição inicial do pai, apresentou-se como estreante no programa *Suburbano*, ao lado de Vicente Celestino, Araci de Almeida*, Moreira da Silva, Noel Rosa e Marília Batista*. Na semana seguinte, foi contratada para fazer um programa semanal na Guanabara. Ingressou como sambista numa companhia de teatro de revista, onde conheceu Ari Valdez, com quem se casou. O casamento durou pouco e, depois de separada, começou a se apresentar em circos e cabarés, fazendo muitas vezes duplas com Grande Otelo, seu parceiro no famoso quadro "Boneca de piche". A partir daí, trabalhou em várias boates como *taxi-girl* e *crooner* de orquestras. Mudou-se para São Paulo, onde cantou em bares e se apresentou na rádio Cruzeiro do Sul. Regressou ao Rio por volta de 1946, quando foi contratada pela rádio Mayrink Veiga para o programa *Alvorada da Alegria*. O sucesso viria em 1949, com a gravação das músicas *Canção de amor*, de Chocolate e Elano de Paula, e "Complexo", de Wilson Batista.

Em 1952 estreou no cinema, no filme *É fogo na roupa*, dirigido por Watson Macedo, e gravou um de seus maiores sucessos, "Barracão", de Luís Antônio e Oldemar Magalhães. Em 1954, lançou seu primeiro LP e, em 1955, trabalhou em outro filme, *Carnaval em lá maior*, dirigido por Ademar Gonzaga. Em 1958, depois de fazer outros filmes, participou do LP *Canção do amor demais*, com acompanhamento de João Gilberto no violão e um repertório composto basicamente de músicas de Tom Jobim e Vinícius de Morais.

Em novembro de 1964 deu importante recital no Teatro Municipal de São Paulo e no do Rio de Janeiro, interpretando as *Bachianas brasileiras* nº 5, de Villa-Lobos. Em 1966, participou da delegação brasileira ao festival de Arte Negra, em Dacar, Senegal. No ano seguinte, lançou o LP *Enluarada Elisete*, com participação de Pixinguinha, Cartola, Clementina de Jesus* e Codó. Em fevereiro de 1968, realizou no Teatro João Caetano, no Rio, um espetáculo com o Zimbo Trio, Jacó do Bandolim e o conjunto Época de Ouro. O show, gravado ao vivo em dois LPs, transformou-se nos seus discos mais procurados.

Lançou no Brasil mais de 30 LPs e gravou vários discos em Portugal, Venezuela, Uruguai, Argentina e México. Durante as quatro décadas de vida como cantora, interpretou quase todos os gêneros. Recebeu os apelidos de "A Lady do Samba", "A Enluarada" e "A Divina". Faleceu em 7 de maio de 1990, vítima de câncer.

Fonte: *Enciclopédia da música brasileira: popular, erudita e folclórica.*

Elmira Ribeiro Lima (1904-?)

Ativista política, feminista, jornalista e poetisa.

Nasceu em Manaus (AM). Filha de Angela Ribeiro e de Francisco Leopoldo de Matos Ribeiro. Quando estava com três anos de idade, a família mudou-se para Belém (PA). Na capital paraense, Elmira empolgou-se com a política e, no embate entre Lauro Sodré e Antônio Lemos, tomou partido pelo primeiro, filiando-se à Liga Feminina Lauro Sodré. Durante os comícios, distribuía versos de sua autoria, laudatórios ao patrono da Liga. Cedo destacou-se nessa campanha, promovendo a articulação das lideranças feministas que organizavam os comícios contra os partidários de Antônio Lemos. A política levou-a ao jornalismo na década de 20. Seus artigos no jornal *Folha do Norte* tratavam da emancipação feminina.

Casou-se com Arquimino de Lima, funcionário da Intendência de Belém. Ambos converteram-se ao espiritismo e, em 1926, fundaram o Centro Espírita Caminheiros do Bem. O talento de Elmira como jornalista foi canalizado para a propagação do espiritismo, nos periódicos espíritas *Jornal de Belém* e *Alma e Coração*. Mas a inquietação quanto à condição feminina perdurava e se engajou na luta pelo direito ao voto, que estava então presente em todos os estados brasileiros. Em junho de 1931, criou com outras mulheres o Departamento Paraense pelo Progresso Feminino, tornando-se a primeira presidente desse núcleo do sufragismo no Pará. Sua sobrinha, Orminda Bastos*, que desde 1925 tornara-se assessora jurídica da Federação Brasileira pelo Progresso Feminino*, subsidiava as atividades do núcleo paraense e estimulou a presença de uma representação daquele estado no II Congresso Internacional Feminista, no Rio de Janeiro, em julho de 1931. Elmira Lima encabeçou a delegação paraense, de mulheres e homens, entre os quais Corina Pegado (primeira paraense a pleitear o direito do voto, em Belém, em 1929), Clóvis Silva, Feliz Boloniel de Cavaco, Helena Sousa, Joanita Machado e Marieta Campos.

No Pará, as sufragistas e suas campanhas enfrentaram a reação de parte da sociedade. O padre Florence Dubois e o jornalista Mário Sousa combatiam o voto feminino na imprensa local. O segundo, no artigo "Feminismo e sexualismo", chegou a levantar dúvidas sobre a sexualidade das mulheres eleitoras. Elmira não se intimidou. A sede provisória do Núcleo Feminista foi instalada em sua casa e a campanha continuou até a publicação do decreto presidencial de fevereiro de 1932, regulamentando o direito das mulheres de votar e serem votadas. Elmira permaneceu na política partidária paraense, integrando-se em 1935 à Legião Feminina Lauro Sodré.

Publicou livros de poesia, como *Alma em ritmos* e *Lira azul,* este último contendo sua produção das décadas de 1930 e 1940. Na militância espírita, Elmira fez inúmeras conferências que foram reunidas no livro *Na seara de Jesus.*

Fonte: Luzia Álvares, *Projeto Cidadania, Participação Política e Gênero: Pará, 1932/1998* • Colaboração especial de Luzia Álvares.

Eloisa Biasotto Mano (1924-)

Cientista.

Uma das maiores pesquisadoras em polímeros do mundo, Eloisa nasceu no Rio de Janeiro (RJ), em 24 de outubro de 1924. Diplomou-se em química industrial em 1947 pela Universidade do Brasil, (atual Universidade Federal do Rio de Janeiro — UFRJ) e em 1955 formou-se em engenharia química. Nos Estados Unidos, em 1956-1957, recebeu um treinamento em polímeros na Universidade de Illinois, sob a orientação do professor Carl S. Marvel. Em 1961, concluiu o doutorado em química, na Universidade do Brasil, e em 1964 trabalhou na Universidade de Birmingham, Inglaterra, com o professor J.C. Bevington.

Voltando ao Brasil, foi responsável pela criação, em 1968, do primeiro grupo de pesquisadores em polímeros no Brasil, que deu origem ao atual Instituto de Macromoléculas da UFRJ, o qual em 1994 passou a chamar-se Instituto de Macromoléculas Eloisa Mano, em reconhecimento à sua atuação. Trabalhou também no Instituto Nacional de Tecnologia, no Laboratório de Borracha e Plásticos, no Rio de Janeiro. Na Universidade Federal do Rio de Janeiro foi catedrática da Escola Nacional de Química e do Instituto de Química. É membro titular da Academia Brasileira de Ciências desde 1978.

Recebeu inúmeros prêmios nacionais e, em 1998, foi-lhe outorgado o prêmio internacional The Polymer Science. Seu nome consta do *Dictionary of International Biography* (1995) e do *Who's Who of the Year* (1995). Em 1996 tornou-se membro do conselho do Polymer Processing and Properties Center da Universidade da Flórida. Aposentada em 1994, é desde 1995 professora emérita da UFRJ e participa do conselho editorial dos principais periódicos internacionais de química.

Fontes: Academia Brasileira de Ciências; www.abc.org.br/academicos/bia/emano.htm.

Elvira Boni de Lacerda (1899-1990)

Ativista política e líder grevista.

Anarquista e líder da greve das costureiras de 1919 no Rio de Janeiro. Nasceu no Espírito Santo do Pinhal (SP). A "mocinha do século passado", como ela se definia, era filha dos imigrantes italianos Tercila Aciratti Boni e Angelo Boni. Conheceu as idéias socialistas dentro de casa, com seu pai, operário metalúrgico, e seus irmãos. Aos oito anos, sua família mudou-se para a cidade do Rio de Janeiro. Um irmão doente ocupou-a e Elvira não completou nem o curso primário; aos 12 anos começou a trabalhar como aprendiz numa oficina de costura.

As idéias anarquistas se difundiam e, em 1909, fundara-se na então capital federal a Liga Anticlerical, como conseqüência dos protestos contra a prisão e morte do dirigente anarquista Francisco Ferrer pelo governo espanhol naquele ano. A Liga desenvolveu intensa atividade, inclusive a campanha "Onde está Idalina?", que durou dois anos, denunciando o padre Faustino Consoni pelo estupro e a morte da menor Idalina de Oliveira. No meio dessa agitação, Elvira iniciou-se na vida sindical e política.

Depois de passar por algumas oficinas de costura, Elvira teve de optar entre montar seu próprio negócio ou fazer o trabalho sindical. Suas idéias a impediram de ser empresária, porque as ajudantes do ateliê queriam receber muito mais do que o mercado pagava. Decidiu-se então pelo trabalho sindical. Em maio de 1919 fundou, com Elisa Gonçalves de Oliveira, Aida Morais, Isabel Peleteiro, Noêmia Lopes, Carmen Ribeiro e outras profissionais, a União das Costureiras, Chapeleiras e Classes Anexas. Três meses depois, a entidade promoveu greve vitoriosa por melhores salários e jornada de oito horas. Essa greve foi noticiada pelo *Jornal do Brasil* como "a greve das abelhas de luxo".

A União das Costureiras participou do III Congresso Operário Brasileiro, realizado em abril de 1920. Elvira e Noêmia Lopes foram escolhidas como representantes das costureiras. Elvira chegou a presidir a sessão de encerramento deste congresso. Foi tesoureira da União de 1919 até 1922, quando a entidade fechou, segundo seu depoimento, por falta de interesse das mulheres em participar do movimento sindical. As mulheres temiam a repressão patronal; a própria Elvira teve que mudar de emprego depois da greve de 1919. Além disso, elas se viam mais como artistas do que como operárias, o que atrapalhava o recrutamento para ação sindical.

A participação de Elvira num grupo de teatro operário, o Grupo Dramático 1º de Maio, a fez conhecer em 1917 o comerciário Olgier Lacerda, homem instruído e um dos fundadores do Partido Comunista Brasileiro, em 1922. O casamento dos dois coincidiu com o fechamento da União das Costureiras, ocasião em que Elvira deixou de trabalhar fora, passando a costurar em casa. Entre 1925 e 1929, o casal morou no Rio Grande do Sul, onde nasceram as filhas Vanda (a atriz Vanda Lacerda) e Zeni. Nessa época, ocupada com as crianças pequenas, Elvira pouco pôde participar da atividade política. Ainda assim, engajou-se no Socorro Vermelho, organização comunista internacional que recolhia e encaminhava fundos para famílias de trabalhadores presos e perseguidos.

Apesar de grande colaboradora da causa comunista, Elvira nunca se filiou ao PCB. Em 1938, foi morar em Santa Teresa, na cidade do Rio de Janeiro, e lá, em 1949, fundou junto com outras mulheres a Associação de Senhoras de Santa Teresa, que desenvolveu importante trabalho comunitário de proteção à infância, por melhorias no bairro e contra a carestia. Morreu no Rio de Janeiro em 1990.

Fonte: Ângela de Castro Gomes (coord.), *Velhos militantes.*

Elvira Faria Paraná (1883-1912)

Professora.

Nasceu em Rio Negro (PR) em 1883. Estudou na Escola Normal de Curitiba e trabalhou como professora primária. Casou-se com o professor Sebastião Paraná. Preocupada com as precárias condições femininas e acreditando que era preciso preparar as mulheres para exercer uma profissão e serem menos dependentes socialmente, empenhou-se em qualificar suas alunas para a obtenção de um ofício. Escreveu diversos artigos sobre educação e o papel social da mulher em jornais de Curitiba, numa atitude pioneira e positiva para a construção da cidadania feminina. Faleceu em 1912.

Fonte: Etelvina Maria de Castro Trindade, *Clotildes ou Marias: mulheres de Curitiba na Primeira República.*

Elvira Gama (séc.XIX)

Jornalista e poetisa.

Nasceu no Rio de Janeiro (RJ). Começou a escrever sonetos no jornal *O Mineiro*. Foi redatora do *Jornal do Brasil*, sendo responsável, pela seção "Kinetescópio". Colaborou assiduamente com o jornal *Gazeta de Notícias*. Publicou uma série de cartas sob o pseudônimo de Sinhá Miquelina no prestigioso jornal carioca *O País*.

Elvira também exerceu intensa atividade literária em Recife (PE), onde os jornais *A Gazetinha*, *Jornal do Recife*, *Pequeno Jornal*, *Diário de Pernambuco* e *Gazeta da Tarde* publicaram vários de seus poemas no período de 1896 a 1901.

Fontes: Pelayo Serrano, "Ainda um assunto feminino", *A Mensageira*, 15.2.1898; Luzilá Gonçalves Ferreira, *Em busca de Thargélia.*

Elvira Komel (1906-32)

Advogada, sufragista e revolucionária de 1930.

Nasceu na cidade de Barão de Cocais (MG) em 24 de junho de 1906. Depois de diplomar-se em direito no Rio de Janeiro, voltou para Minas Gerais e, em 1929, abriu uma banca de advocacia, o que era na época um ato de ousadia. Foi a primeira mulher a exercer a profissão no Fórum de Belo Horizonte. Atenta para as questões sociais, engajou-se nos movimentos urbanos que, durante a década de 1920, reagiram à oligarquia agrária, reivindicando maior representação social.

Em 1928, a luta pelo direito ao voto catalisou o movimento feminista, sobretudo depois do sucesso da luta da Federação Brasileira pelo Progresso Feminino* no Rio Grande do Norte. Movida pelo desejo de participar da vida política, a jovem mineira Ernestina Carneiro Santiago requereu ao juiz de Direito de Belo Horizonte, Gentil de Moura Rangel, sua inclusão na lista dos eleitores de seu estado. A escritora feminista Mariana Coelho relatou em livro o despacho favorável do juiz ao processo movido também por Elvira Komel, que foi considerada a primeira eleitora mineira.

Nessa época de tensão política e econômica no país, que culminou com a revolução de 3 de outubro de 1930, que levou Getúlio Vargas ao poder, Elvira aderiu prontamente ao apelo revolucionário. Publicou nos jornais de Belo Horizonte um manifesto dirigido às mulheres mineiras, convocando-as a apoiar o movimento revolucionário e comunicando a criação do Batalhão Feminino João Pessoa, com base de apoio na capital mineira. Rapidamente batalhões similares foram criados em outras cidades e, em menos de 30 dias, oito mil mulheres se alistaram no estado, sendo 500 de Belo Horizonte. Costurando fardas e bandagens para os soldados, elas sentiam que participavam do acontecimento histórico.

Com a vitória da revolução, o batalhão feminino foi transformado em uma associação feminina e Elvira Komel eleita sua presidente. O primeiro objetivo da associação foi organizar uma campanha pela ampliação dos direitos políticos da mulher, dos quais o mais importante era o direito de votar e ser votada. Elvira empenhou-se de corpo e alma na luta e, em 1931, a associação organizou o I Congresso Feminino Mineiro, com a presença de delegações de muitas cidades de Minas Gerais e até de outros estados. O congresso teve enorme repercussão na sociedade local, com ampla cobertura na imprensa e comparecimento de autoridades. A luta foi fortalecida com a promulgação do novo Código Eleitoral de 1932 que garantia às mulheres o direito de voto. Aos 26 anos, quando despontava como uma nova liderança feminina no cenário político mineiro e preparava-se para disputar uma vaga no Senado, Elvira adoeceu durante um seminário no interior de Minas Gerais, falecendo em Belo Horizonte, no dia 27 de julho de 1932. A *causa mortis* foi dada como meningite, laudo contestado por sua família, que atribuiu a um aneurisma a sua morte precoce.

Fontes: Jô Moraes, *Rasgando o véu da Belo Horizonte mulher*; Mariana Coelho, *Evolução do feminismo: subsídios para sua história*; O.S. Dulci (org.), *BH: poder, política e movimentos sociais.*

Elvira Pinho (1860-1946)

Abolicionista, educadora e pianista.

Nasceu em Maranguape (CE), a 12 de julho de 1860. Filha de Eugênia Correia de Pinho e de Reginaldo Benévolo Ferreira de Pinho, teve como irmãos Jaime, Francisco e Odilon Benévolo, os três militares com participação destacada no movimento republicano. Foi nomeada professora primária em 1882 e tão bem desempenhou sua tarefa, que foi eleita em 1884 pelo professorado de Fortaleza membro do Conselho de Instrução Pública.

Destacou-se como incansável ativista da campanha pela abolição da escravatura, primeiro como observadora, depois como filiada à sociedade abolicionista Perseverança e Porvir, fundada a 28 de setembro de 1879, em Fortaleza (CE). Na cerimônia de comemoração do primeiro ano da sociedade, sua presença foi registrada ao lado de 15 outras mulheres. Contudo, foi com a fundação da sociedade abolicionista feminina Cearenses Libertadoras que assumiu papel de destaque, como braço direito da presidenta e principal articuladora do movimento, Maria Tomásia Figueira de Melo*.

Em 1913, foi nomeada diretora da Escola Normal, sendo a primeira mulher a ocupar este cargo no Ceará. Entretanto, devido à intervenção federal no estado, renunciou ao cargo para continuar apenas como professora de música, função que exerceu até 1919, quando se aposentou depois de 37 anos no magistério. Seu trabalho como musicista foi uma página interessante de sua vida e marcou sua trajetória, pois Elvira foi responsável pela formação de várias gerações de pianistas no Ceará.

Na seca de 1915, que abalou a economia cearense, Elvira trabalhou intensamente pelos flagelados, defendendo as precursoras frentes de trabalho. Idosa, ainda ia para a rua defender suas convicções: em 1930, com 70 anos, no episódio da marcha contra o governo de Matos Peixoto, foi pisoteada pela cavalaria; e em 1943, já com 83 anos, participou em Fortaleza dos protestos contra a carestia. Faleceu em Fortaleza, a 27 de agosto de 1946.

Fontes: Gisela Paschen Schimmelpfeng, *A mulher e a Abolição*; Leonardo Dantas Silva, *A Abolição em Pernambuco*; Maria Lúcia de Barros Mott, Pesquisa do Conselho Estadual da Condição Feminina de São Paulo, 1986; Padre João Mendes Lira, *A escravatura e a abolição dos escravos em Sobral*; Raimundo Girão, *A Abolição no Ceará.*

Elza Monnerat (1913-)

Ativista política.

Nasceu no dia 19 de outubro de 1913, na cidade de Bom Jardim (RJ). Descende de imigrantes suíços que vieram para o Brasil, nos anos 1820, para trabalhar em fazendas de café do interior fluminense. Passou a infância na fazenda Santa Bárbara, com os pais e oito irmãos. Fez os estudos elementares em Nova Friburgo (RJ) e, posteriormente, no Colégio Brasil, de Niterói (RJ). No ano de 1937, prestou concurso para o Instituto de Aposentadorias dos Pensionistas Industriários (IAPI); só foi chamada a tomar posse dois anos depois. Em 1945, com o fim do Estado Novo, tomou parte na campanha pela anistia dos presos políticos; logo a seguir, ingressou no Partido Comunista do Brasil (PCB).

Ao entrar para o PCB, Elza teve que fazer uma adaptação na sua rotina pessoal e, por exigência do partido, deixar de praticar o montanhismo, como fazia desde 1944, quando entrou para o Centro Excursionista Brasileiro. A razão alegada pela direção do PCB era que ela precisava dedicar o maior tempo possível às atividade partidárias. Entretanto, Elza não abandonou totalmente a prática de esportes.

Como militante do PCB, participou da campanha pela convocação da Assembléia Nacional Constituinte e, mesmo após a decretação da ilegalidade do partido, em 1947, da campanha contra a intervenção militar dos EUA na guerra da Coréia. No início da década de 1950, tomou parte também nas campanhas por aumento salarial, contra a carestia e pelo monopólio estatal do petróleo. A partir de 1956, com a denúncia dos crimes de Stálin e as divergências entre os partidos comunistas soviético e chinês e seus reflexos sobre o movimento comunista brasileiro, Elza juntou-se ao grupo que abandonou o Partido Comunista Brasileiro (PCB) para formar o Partido Comunista do Brasil (PC do B).

Após o golpe militar de 1964, abandonou o emprego no IAPI e entrou na clandestinidade. Em 1967, foi para a região do Araguaia, onde ficou até 1972, participando da preparação da guerrilha na região. Voltou a São Paulo e foi presa pelas forças militares no dia 16 de dezembro de 1976, com outros dirigentes do PC do B. Permaneceu presa até 1979, quando foi beneficiada pela Lei da Anistia.

Fonte: Entrevista concedida por Elza Monnerat a Roberto Mansilla Amaral, Rio de Janeiro, 12.6.1998.

Elza Soares (1937-)

Cantora.

Nasceu em 23 de junho de 1937, no Rio de Janeiro. Filha de lavadeira e de operário, foi criada na favela de Água Santa, subúrbio de Engenho de Dentro. Cantava desde criança com a voz rouca e o ritmo dos sambistas de morro. Aos 12 anos, casou-se e teve três filhos. Contudo, o marido morreu de tuberculose quando Elza tinha apenas 21 anos.

Já com 14 anos ganhou o concurso *Calouros em desfile,* de Ary Barroso. Trabalhando como lavadeira e operária numa fábrica de sabão, por volta dos 20 anos, fez seu primeiro teste como cantora na academia do professor Joaquim Negli, sendo contratada pela Orquestra de Bailes Garan e, a seguir, pelo Teatro João Caetano. Sem ter dinheiro para comprar roupas adequadas, ganhava de seus produtores vestidos para suas apresentações. Numa das ocasiões em que se apresentaria com a Orquestra Garan em Pilares, a direção do clube tentou impedir que cantasse por ser negra. Sem saber da proibição, Elza subiu ao palco e, para espanto de alguns, a platéia levantou-se fascinada para dançar.

Em 1958 foi à Argentina, onde se apresentou com grandes artistas latinos e também integrou o elenco da peça *Jou-Jou frou-frou,* daquele país. Quando voltou, fez um teste para a rádio Mauá e passou a atuar no programa de Hélio Ricardo, porém sem ganhar salário. Em seguida, transferiu-se para a rádio Tupi e depois foi trabalhar como *crooner* da boate carioca Texas, em Copacabana, onde conheceu Silvinha Teles e Aluísio de Oliveira, que a convidou para gravar.

Conseguiu lançar seu primeiro disco pela Odeon, gravado em 1960, e com a música "*Se acaso você chegasse*" (Lupicínio Rodrigues e Felisberto Martins) alcançou grande sucesso. Logo depois foi trabalhar em São Paulo no show *Primeiro festival nacional de bossa nova,* na boate Oásis do Teatro Record, gravando seu segundo LP, *A bossa negra.*

Na Copa do Mundo de 1962, realizada no Chile, acompanhou a seleção de futebol como artista representante do Brasil nesse evento, cantando ao lado do representante norte-americano, Louis Armstrong. Nessa época conheceu o futebolista Garrincha, de origem humilde. Elza, com a vida estável, passou a ajudá-lo numa eleição para melhor jogador. Grato pela ajuda da campanha feita por Elza, que resultou em vitória, ele começou a freqüentar sua casa, levando-lhe presentes. Garrincha, casado, apaixonou-se pela cantora e, em seguida, foi com ela viver. Uma campanha difamatória na mídia apresentava Elza como "destruidora de lares", e ainda foi qualificada de prostituta. Teve sua casa, localizada no elegante bairro da Urca, apedrejada, obrigando-os a mudarem-se.

Foram para a Itália, onde Elza passou a receber artistas brasileiros que por lá iam se apresentar. Tiveram uma vida difícil; nem Elza nem Garrincha conseguiram emprego.

Retornaram ao Brasil e foram residir em Petróplis. Elza teve dificuldades para retornar ao cenário artístico. Conseguiu, porém, gravar o disco *Sombossa*, onde se destacam as músicas "Rosa Morena" (Dorival Caymmi) e "Só danço samba" (Tom Jobim e Vinícius de Moraes) e, em 1964, lançou "Na roda do samba" (Orlandivo e Helton Menezes). Realizando inúmeras apresentações pelo Brasil e nas emissoras de televisão, conseguiu lançar ainda cinco discos na década de 1960: *Um show de beleza*; *Sambou, sambou*; *Mulata assanhada; Com a bola branca;* e *Elza, carnaval & samba.*

No ano de 1967, apresentou-se no Teatro Santa Rosa com o show *Elza de todos os sambas.* Três anos depois, retornou à Itália para interpretar no Teatro Sistina, em Roma, "Que maravilha" (Jorge Ben e Toquinho) e "Máscara negra" (Zé Keti). Nesse mesmo ano, gravou o LP *Sambas e mais sambas.*

De volta ao Brasil em 1972, lançou mais um disco, *Elza pede passagem,* e apresentou-se no teatro carioca Opinião com o espetáculo *Elza em dia de graça,* passando, em seguida, uma temporada de shows no navio italiano *Eugênio C.* Sua atuação lhe valeu o título de Embaixatriz do Samba, do Conselho de Música Popular do Museu da Imagem e do Som do Rio de Janeiro.

Gravou o disco *Elza Soares* apresentado no show do Teatro Brasileiro de Comédia, na capital paulista, tendo excursionado para vários estados. Produziu ainda mais três discos e, na década de 1980, lançou *Somos todos iguais* e *Voltei.* Nessa época, já estava separada de Garrincha.

A partir de 1986, com a morte prematura de Garrinchinha, seu filho com o jogador, passou nove anos na Europa e nos Estados Unidos. De volta ao Brasil, gravou em 1997 o CD *Trajetória,* só de sambas, com músicas de renomados compositores. Nesse mesmo ano, saiu o livro *Cantando para não enlouquecer,* biografia escrita por José Loureiro.

Foi o personagem central do espetáculo *Crioula,* apresentado no Centro Cultural do Banco do Brasil no início do ano 2000. Neste mesmo período foi eleita pela BBC de Londres a cantora do milênio, prêmio que lhe foi entregue num show realizado no Teatro Glória.

Fontes: *Enciclopédia da música brasileira: popular, erudita e folclórica;* Ruy Castro, *Estrela solitária: um brasileiro chamado Garrincha.*

Emília Moncorvo Bandeira de Melo

ver CARMEM DOLORES

Emília Pinto Magalhães Branco

(1818-88)

Dama da sociedade maranhense.

Nasceu em Lisboa e faleceu na cidade de São Luís (MA). Filha do comerciante português Custódio José Pinto de Magalhães, que se estabeleceu em São Luís na década de 1820. Falava várias línguas, era musicista e pintora. Emília, muito jovem, já se sobressaía nos saraus artístico-literários da capital maranhense.

Contra sua vontade, foi obrigada a desposar aos 17 anos o rico comerciante português Antônio Joaquim Branco, e assim descreveu seu casamento: "Não escapei eu também a esse verdadeiro tráfico de esposas brancas reduzidas a objetos de mercância entre sócios (...) para perpetuarem firmas comerciais. O meu noivado foi curto e torturante. Tive que tratar com uma criatura brutal, concupiscente, viciada na linguagem da gentalha de sua laia (...) Até às vésperas do casamento, fiz tudo para desmanchá-lo (...) Esse marido, imposto à força de ameaças e castigos, fez de mim uma pobre escrava, brutalizando-me de momento a momento (...) Ansiei pelo nascimento de minha primeira filha, na esperança de que se mostrasse um pai. Esse fato, ao contrário, agravou os ultrajes que já me fazia com sua antiga amásia."

Revoltada com o tratamento que Antônio lhe dava, fugiu de casa após uma violenta discussão, refugiando-se na casa de uma família amiga. Foi perseguida ferozmente pelo marido, só sendo salva pela intervenção do cônsul português. Envergonhado pelo abandono e por não ter podido se vingar, Antônio mudou-se definitivamente para o Rio de Janeiro. Emília não voltou à casa paterna: encerrou-se em uma das casas de sua família para nunca mais sair à rua até sua morte. Seu gesto causou escândalo na cidade de São Luís.

Mesmo recolhida, passou mais tarde a receber em sua casa um grupo seleto de intelectuais e artistas abolicionistas, entre eles Gonçalves Dias. Nessas reuniões, conheceu o chanceler do consulado português, David Gonçalves de Azevedo, homem culto, jovem e viúvo. Apaixonaram-se e, enfrentando toda sorte de preconceitos, passaram a viver juntos. A clausura de Emília tornou-se irreversível, a ponto de ela se referir como "prisioneira do amor". Mesmo carregando o estigma da má reputação, transformou sua casa em ponto de encontros onde se discutia a abolição da escravidão e a libertação da mulher. Com o companheiro teve duas filhas e três filhos, os escritores Aluísio, Artur e Américo Azevedo, que produziram trabalhos de crítica social, contra a censura e a discriminação.

Fonte: Maria de Lourdes M. Janotti, *Três mulheres da elite maranhense.*

Emiliana Emery Viana (1874-1957)

Sufragista e primeira eleitora capixaba.

Primeira mulher a obter o direito de voto no Espírito Santo. Nasceu em 19 de abril de 1874 no interior do Espírito Santo. Filha de Marinha de Azevedo Viana e de Silvestre Manoel Viana. Casou-se aos 13 anos e, ainda na casa dos 20 anos, ficou viúva, sem recursos, com sete filhos pequenos para criar. Como todas as moças de sua época, não tinha sido preparada para ganhar a vida; porém, diante das circunstâncias lançou-se à luta.

Na região onde morava, estava sendo construída uma ferrovia. Emiliana anteviu a possiblidade de abrir um negócio, fornecendo alimento para os operários da obra. Construiu um forno e tornou-se padeira. Também comprou uma vaca, e seus filhos andavam quilômetros, todo dia, vendendo café, leite e pão aos trabalhadores. Terminada a obra, passou a vender seus pães e café com leite na plataforma da estação, aos passageiros da ferrovia. A família era grande, e tornou-se necessário aumentar a renda. Como na localidade havia costureiras, mas ninguém que costurasse para os homens, tornou-se alfaiate. No começo, houve alguns comentários, mas Emiliana levou seu negócio adiante. A chegada da estrada de ferro dava esperança de crescimento.

Emiliana foi uma das fundadoras do município de Veado, no Espírito Santo, depois denominado de Guaçuí (rio Veado, na língua indígena). Irrequieta lutadora, Emiliana participou de todos os movimentos da pequena vila e até da construção da igreja. Pronto o templo, era preciso vir um pároco para a localidade, mas o bispo de Mariana (MG), ao qual estava subordinada a região, exigiu um abaixo-assinado com determinado número de peticionários masculinos para autorizar o funcionamento da paróquia. Como não havia homens em número suficiente para assinar a petição, Emiliana colheu no grupo escolar as assinaturas de todos os meninos. O escrivão do cartório recusou-se a princípio a reconhecer as assinaturas, mas Emiliana conseguiu convencê-lo de que não havia assinatura de mulher e que o bispo não determinara a idade dos peticionários. Assim, o bispo promoveu a sagração da igreja.

Toda essa vitalidade de Emiliana para vencer as dificuldades da luta pela sobrevivência ensinou-a que a situação de inferioridade das mulheres na sociedade precisava mudar. Para isso, era necessário ser cidadã e votar para derrubar o poder das oligarquias locais e renovar a representação política. O eco das lutas feministas pelo sufrágio chegava até seu lugarejo, e Emiliana requereu o direito de voto, já que tinha todos os requisitos legais. Bertha Lutz* mandou a Emiliana um telegrama de congratulações pela iniciativa, datado de 19 de fevereiro de 1929, e a convidou a ingressar na Federação Brasileira pelo Progresso Feminino*, organização que encaminhava essa luta no país havia 10 anos. No dia 15 de julho de 1929, numa sentença histórica, o juiz de direito da comarca de Alegre, Aloísio Aderito de Meneses, deu despacho favorável a seu pedido, mandando que a requerente fosse admitida como eleitora no município de Veado.

No final da década de 1920, Emiliana era uma próspera empresária: tinha uma fábrica de doces e um hotel, no qual aquartelou os revolucionários de 1930 comandados pelos tenentes Joaquim Magalhães Barata e Serôa da Mota. Embora apoiando a Revolução de 30, com a decretação do Estado Novo, em 1937, rompeu com o getulismo e dizia raivosa: "Fecho o hotel, mas aqui nenhum retrato de ditador será pendurado." Participou ativamente da campanha "Dê asas ao Brasil", arrecadando fundos para comprar um avião e construir o aeroporto e o aeroclube de Veado. Aderiu ao partido antigetulista União Democrática Nacional (UDN), apoiando a candidatura do brigadeiro Eduardo Gomes à presidência da Repú-

1

2

3

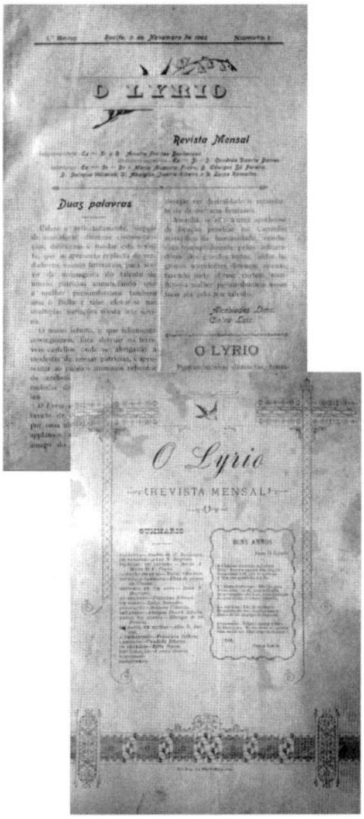
O LYRIO

Revista Mensal

Duas palavras

O LYRIO

O Lyrio

REVISTA MENSAL

4

5

6

7

1 • *Elis Regina*
Uma das maiores vozes brasileiras.

2 • *Edwiges de Sá Pereira*
Militante feminista e fundadora da Federação Brasileira pelo Progresso Feminino de Pernambuco.

3 • Jornal *O Lyrio*, para o qual Edwiges de Sá Pereira colaborou no início do séc.XX.

4 • *Estela Sezefrida*
Atriz pioneira do teatro no Brasil.

5 • *Eva Maria do Bonsucesso*
Uma quitandeira como Eva Maria, por Debret.

6 • *Elisete Cardoso*
"A Divina" e "A Magnífica" foram alguns dos apelidos dados a essa grande intérprete da música brasileira.

7 • *Emiliana Emery Viana*
Primeira mulher a obter o direito de voto no Espírito Santo, em 1929.

8

9

10

11

12

13

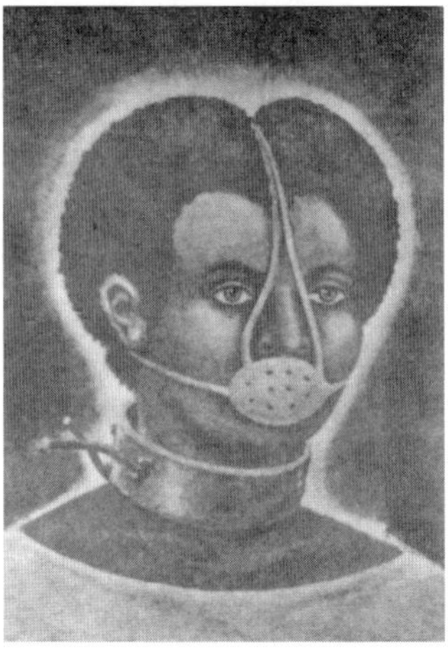

8 • Eulália Lobo
A primeira mulher no Brasil a doutorar-se em história.

9 • Elvira Boni de Lacerda
Líder da greve das costureiras de 1917, no Rio de Janeiro.

10 • Eugênia Moreira
Considerada a primeira repórter do Brasil.

11 • Edith Mendes Abreu
Primeira reunião nacional da FBPF em Salvador (BA), com a presença de Edith Mendes, presidente da Federação Baiana pelo Progresso Feminino.

12 • Eufrásia Teixeira Leite
Rica herdeira de fazendas de café e talentosa administradora fluminense do final do séc.XIX.

13 • Escrava Anastácia
Figura mítica cultuada por milhões de brasileiros.

blica e, no final da vida, chegou a presidente de honra da UDN no estado.

Faleceu dia 21 de dezembro de 1957. Em 1992, foi homenageada pela Academia Feminina Espirito-Santense de Letras com o título de membro da Galeria de Notáveis.

Fonte: *O Cruzeiro*, 10.6.1950; Entrevista com sua neta, Leda Emery de Carvalho Batista, concedida a Schuma Schumaher em 19.5.1999.

Emilinha Borba (1923-)

Cantora.

Nasceu no Rio de Janeiro (RJ), em 31 de agosto de 1923. Passou grande parte da infância no morro da Mangueira, mudando-se depois para Jacarepaguá com a família. Emília Savana da Silva Rocha perdeu o pai quando tinha quatro anos; a mãe foi obrigada a trabalhar como camareira no cassino da Urca para sustentar os sete filhos. Emilinha gostava de cantar e se apresentava aos colegas da escola fazendo imitações de Carmen Miranda*. Passou a freqüentar os programas de calouros das estações de rádio e aos 14 anos conquistou seu primeiro prêmio na *Hora Juvenil*, da rádio Cruzeiro do Sul.

Pouco tempo depois, passou a fazer parte do coro nas gravações da Colúmbia. Em 1939 conheceu o diretor artístico do Cassino da Urca, Joaquim Rolas, através de Carmen Miranda, que era a estrela da casa. Foi contratada e, em seguida, também assinou contrato com a rádio Cajuti. No mesmo ano, já com o nome de Emília Borba, gravou seu primeiro disco, cantando o samba "Ninguém escapa", de Frazão, e o samba-choro "Faça o mesmo", de Frazão e Nássara.

Em abril de 1940, transferiu-se para a rádio Mayrink Veiga, onde, ao lado de Bidu Reis, formou a dupla As Moreninhas. Saiu do Cassino da Urca em 1943, indo para o Cassino Atlântico. Em 1944 foi contratada pela rádio Nacional, onde permaneceria por 27 anos ininterruptos. Esses anos representaram tanto o auge da emissora como da cantora. Sua popularidade deveu-se muito ao programa de César de Alencar, transmitido para todo o país. Em 1947, fez enorme sucesso com a rumba "Escandalosa"; dois anos depois, gravou uma das suas marchinhas de carnaval mais lembradas, "Chiquita Bacana", de João de Barro e Alberto Ribeiro. Mesmo assim, perdeu para Marlene* o título de Rainha do Rádio daquele ano. Este fato gerou atritos entre os fã-clubes das duas estrelas. No ano seguinte, Marlene e Emilinha surpreenderam o público gravando juntas várias músicas.

Além da carreira musical, Emilinha participou de 34 filmes, como *Poeira de estrelas* (1948), dirigido por Moacir Fenelon, e *Aviso aos navegantes* (1950), de Watson Macedo. Durante a década de 60, continuou marcando presença nos carnavais; porém, à proporção que o samba, a marcha e a rumba foram perdendo espaço para a bossa nova e o rock, Emilinha foi desaparecendo do cenário musical. Encerrou sua carreira em 1968, quando foi operada nas cordas vocais. Desde então, apresenta-se apenas esporadicamente.

Fontes: *Enciclopédia da música brasileira: popular, erudita e folclórica*; *O Globo*, 31.1.1999.

Enedina Nascimento (séc.XX).

Mulher do cangaço.

Enedina acompanhou de livre e espontânea vontade o marido José Francisco de Nascimento, vulgo Cajazeira, quando este foi ameaçado pela polícia e resolveu entrar para o cangaço. Foi ama-seca do filho de Maria Bonita e Lampião antes de o menino ser entregue ao padre Fernandes Pinheiro. Morreu assassinada em 28 de julho de 1938 na fazenda de Angico (SE), com todo o bando de Lampião. Enedina e Maria Bonita foram as únicas mulheres assassinadas no grupo quando este foi atacado.

Fontes: Antônio Roças Narciso, *Vidas, aventuras e morte de Lampião e Maria Bonita*; João Bento dos Santos, *Lampião e Maria Bonita: seus crimes, seus amores*; Melchiades da Rocha, *Bandoleiros das caatingas*.

Eneida (1904-71)

Jornalista, escritora e ativista política.

Eneida Vilas Boas Costa nasceu em Belém (PA), em 23 de outubro de 1904. Filha da professora primária Júlia Vilas Boas e do comandante Guilherme Joaquim da Costa, descendente de índios. Aprendeu as primeiras letras em casa, com sua mãe. Muito cedo estudou francês, lendo livros de contos e lendas da literatura francesa. Aos sete anos de idade escreveu um pequeno conto campestre. Quando tinha oito anos, a família mudou-se para o estado do Rio de Janeiro e ela passou a estudar no Colégio Sion, em Petrópolis. Em 1918, antes de completar os estudos, voltou para Belém e matriculou-se no Ginásio Paes de Carvalho. Fez os preparatórios no Colégio Gentil Bittencourt e entrou para a Faculdade de Odontologia.

Nunca exerceu a profissão de dentista. Em 1921, logo depois de formada, casou-se com Genaro Baima de Morais, com quem teve dois filhos, e passou a se chamar Eneida de Morais. Nessa época, conheceu os escritores Raimundo de Morais e Mário de Andrade e participou do movimento modernista no Pará e do grupo Flaminiaçu, ao lado do romancista Abguar Bastos e outros intelectuais. Eneida nunca abandonou a literatura. Escrevia, em prosa e verso, em pequenos jornais e nas revistas *A Semana* e *Guajarina*, sob o pseudônimo de "Miss Felicidade". Também foi colaboradora da revista *Para Todos*, do Rio de Janeiro.

Dedicando-se à poesia e ao jornalismo, conseguiu o cargo de crítica literária no jornal *O Estado do Pará*, em 1927. Em 1930, publicou o livro *Terra verde*. Nesse mesmo ano, foi homenageada pelos intelectuais do Pará e Amazonas, por ter participado de todos os eventos literários do estado. Separada do marido, mudou-se para o Rio de Janeiro, onde fixou residência e passou a dedicar-se à prosa, inclusive crônicas, abandonando a poesia.

Eneida ligou-se a um grupo de estudantes, escritores e jornalistas boêmios que freqüentavam determinados cafés e bares da cidade. Nesse grupo, tomou conhecimento das teorias de Marx, Engels, Bukarin, Lenin, entre outros, e ficou seduzida pelas idéias socialistas. Mudou-se, em 1932, para São Paulo, onde ingressou no Partido Comunista e tomou parte, através da imprensa, em diversos debates. Foi presa, por imprimir panfletos e volantes em um mimeógrafo, e libertada quatro meses depois, por engano. Logo foi caçada pela polícia como comunista, tendo que se refugiar em uma cidade do interior paulista. Voltou para o Rio em 1933. No ano de 1936, foi presa novamente. Passou um ano e seis meses na Casa de Detenção. Lá, em companhia de outros intelectuais, liderou greves contra maus-tratos e escreveu o livro de contos *Quarteirão*, que não foi publicado. Um dos contos, "O guarda-chuva", foi incluído na *Antologia do conto brasileiro*, de Graciliano Ramos.

Ao sair da prisão, em 1937, continuou trabalhando como jornalista, escrevendo para jornais e revistas, além de fazer traduções e trabalhar como datilógrafa. Seus artigos políticos lhe valeram 11 prisões durante o Estado Novo. Em 1947, passou a escrever para o jornal *Momento Feminino*. No mesmo ano, tomou parte na organização do I Congresso de Escritores e na fundação da União Brasileira de Escritores. Em 1950 viajou à Europa; em Paris, aproximou-se do meio literário e artístico, conhecendo o escritor português Ferreira de Castro, que havia começado sua carreira no Pará, e o pintor Antônio Bandeira, que fez o seu retrato.

De volta ao Brasil, em 1951, começou a escrever no *Diário de Notícias* a coluna "Encontro matinal". Em 1954, publicou *Cão da madrugada*, livro de crônicas, e *Alguns personagens*, dedicado ao poeta Carlos Drummond de Andrade. Em 1957 publicou *Aruanda*, crônicas memorialistas, e em 1958 escreveu um livro-documentário, a *História do carnaval carioca*. Em 1959, viajou à Rússia, convidada pela União dos Escritores Soviéticos, como representante da União Brasileira de Escritores, para participar do III Congresso de Escritores da URSS. Esta viagem, que se estenderia à Tchecoslováquia e à China, foi relatada em *Caminhos da Terra*. Em 1962 publicou *Romancistas também personagens*, dedicado a Jorge Amado e Zélia Gattai. No mesmo ano publicou *Banho de cheiro*. A partir de 1966, doente, parou de escrever. Em 1971, ainda foi a Belém do Pará, onde fundou o Museu Paraense da Imagem e do Som. Morreu em 27 de abril de 1971, no Rio de Janeiro.

Fontes: Eunice Ferreira Santos e Maria Luísa M. Álvares, *A literatura em prosa e verso na obra de Eneida de Morais*; Maria de Lourdes Patrini L'Abbate, *A presença de Eneida na cultura do Nordeste*; Veloso Leão, *Eneida... simplesmente Eneida* • Colaboração especial de Luzia Álvares.

Ermelina Lopes Vasconcelos
(1866-1952?)
Médica obstetra.

Primeira mulher diplomada em medicina no Rio de Janeiro e a segunda no Brasil. Nasceu a 23 de novembro de 1866, em Porto Alegre. Filha de Joaquim Lopes de Vasconcelos e de Firmina dos Santos. Tinha oito anos quando embarcou, a 16 de outubro de 1874, no vapor *Arinos*, para a cidade do Rio de Janeiro, onde fez os estudos elementares e depois foi matriculada na Escola Normal de Niterói. Diplomou-se em 1881 e passou a lecionar na escola em que se formou. Foi nessa ocasião que resolveu estudar medicina. O pai impôs severa resistência à idéia e foi preciso que o republicano Lopes Trovão, amigo dele, interferisse para ela conseguir sua permissão. Lopes Trovão teria dito a Joaquim Vasconcelos: "Deixe a rapariga estudar que eu tenho confiança nela!"

Ermelina prestou exames de latim e filosofia no Colégio Pedro II, requisitos que lhe faltavam para pleitear uma vaga no curso superior, e matriculou-se, finalmente, a 25 de abril de 1884 na Faculdade de Medicina do Rio de Janeiro. Ali fez um curso brilhante e sua tese de conclusão foi sobre "Formas clínicas da meningite na criança — Diagnóstico diferencial". A defesa da tese foi na manhã do dia 19 de dezembro de 1888 e a solenidade foi presidida pelo imperador Pedro II, que a cumprimentou com admiração. Ao deixar a Faculdade, Ermelina foi saudada entusiasticamente por colegas e populares que se aglomeravam na frente do edifício. De forma espontânea, organizou-se uma passeata que a acompanhou em seu caminho, passando pela rua Santa Luzia, a rua do Ouvidor, até o Largo do São Francisco de Paula. No trajeto, a médica foi saudada por Rui Barbosa e pelo jornalista Ferreira de Araújo, da sacada do *Diário de Notícias*, por José do Patrocínio, da sede do jornal *Cidade do Rio*, e por Quintino Bocaiúva, do balcão do antigo *O Globo*. O evento foi noticiado no *Jornal do Commercio*, o mais prestigioso jornal da então capital do país.

Dias depois da defesa da tese, Ermelina Vasconcelos recebeu o seu diploma numa cerimônia que contou, igualmente, com a presença de D. Pedro II. Diplomada, passou a exercer a profissão, especializando-se em cirurgias, partos e doenças de mulheres e crianças. Um ano depois, casou-se com o colega Alberto Xavier de Sá e passou a se dividir entre o lar e o trabalho. Faleceu, ao que parece, em 1952.

Fonte: Alberto Silva, *A primeira médica do Brasil.*

Ernestina Lesina (séc.XX)
Ativista política.

Militante anarquista, Ernestina teve importante papel na fundação do jornal operário *Anima e Vita*, surgido em São Paulo no princípio do século XX. Foi conferencista e oradora em manifestações proletárias, propagando as idéias de emancipação da mulher e da classe operária. São poucas as figuras femininas registradas pela história do trabalho no Brasil. Podem-se citar Ernestina, Elizabetta Valentini, italiana anarquista que pronunciava conferências em italiano no Círculo Educativo Libertário Germinal sobre o papel da mulher na emancipação da classe trabalhadora e, nos quadros do Partido Comunista, a poetisa Laura Brandão*. Isto não significa, entretanto, que as mulheres operárias estivessem ausentes das greves ocorridas na Primeira República. Em São Paulo, as greves de 1901, na fábrica de tecidos Sant'Anna, e de 1902, na fábrica Anhaia, foram em resposta aos maus-tratos sofridos pelas trabalhadoras que culminaram com a expulsão da tecelã Emma Sartorelli, de 17 anos. Em 1905 e 1907 aconteceram movimentos paredistas na Anhaia, Sant'Anna e na Matarazzo & Cia. e, finalmente, em 1917, no Cotonifício Crespi, as mulheres foram decisivas na deflagração do mais importante movimento grevista de São Paulo.

Ernestina dedicou sua militância à transformação das condições de vida da classe operária e sobretudo da mulher operária. Em 1906, por sua influência, foi fundada a Associação de Costureiras de Sacos, que no mesmo ano lançou contundente proclamação às filiadas, convocando-as à luta pela redução da jornada de trabalho e pela organização de um sindicato da classe.

Fontes: Everardo Dias, *História das lutas sociais no Brasil*; Maria Valéria Juno Pena, *Mulheres e trabalha-*

doras — presença feminina na constituição do sistema fabril.

Escrava Anastácia (séc.XVIII)

Escrava e figura mítica.

Sua existência real é bastante controvertida. Alguns crêem que sua imagem se baseia num retrato desenhado pelo pintor francês Jacques Étienne Victor Arago (1790-1855), representando escravos mineiros e garimpeiros que eram obrigados a usar máscaras de ferro para não engolirem as pepitas. Outros afirmam, contudo, que sua história teve início em 9 de abril de 1740, quando o navio negreiro *Madalena* aportou no Rio de Janeiro com um carregamento de 112 escravos bantos, do Congo. Entre os escravos, estaria a família real de Galanda. A mãe de Anastácia, Delminda, seria uma princesa, filha da irmã do rei; muito jovem, ainda no cais, foi arrematada pelos feitores de Antônio Rodrigues Velho por mil réis. Antônio Rodrigues era um bandeirante que minerava na região centro-oeste de Minas Gerais. Chegando lá, Delminda foi vendida, já grávida, para a mulher do neto do bandeirante, Joaquina Bernarda de Abreu e Silva Castelo Branco, conhecida como Joaquina do Pompéu*.

Joaquina possuía muitas terras, que hoje abrangem as cidades de Pompéu, Cedro de Pompéu, Abaeté, Pitangui, Dores de Indaiá e Martinho Campos. Essa região faz fronteira com o atual estado da Bahia, daí várias pessoas afirmarem que Anastácia teria nascido naquele estado, embora para outros tenha nascido em Pompéu. Como era muito bonita, um dos filhos de Joaquina, Joaquim Antônio, se apaixonou por ela e ofereceu-lhe dinheiro para deitar-se com ele. Anastácia teria recusado, sendo por isso perseguida, torturada e obrigada a usar uma máscara de flandres, morrendo na senzala como mártir. Segundo reportagem da revista *Manchete*, num manuscrito pertencente ao Arquivo Público de Pitangui encontra-se o registro de uma negra escrava, de 34 anos, de nome Anastácia, sob o número 284. Estaria registrada como de propriedade de Ana Palmério da Silva, amiga íntima de Joaquina do Pompéu, porque esta não gostava de comprar diretamente escravos, pedindo a amigos que o fizessem por ela.

Anastácia foi redescoberta pela fé em 1968, quando a igreja do Rosário, no Rio de Janeiro, fez uma exposição comemorando os 90 anos da Abolição, e nela se encontrava o retrato pintado por Arago. A partir daí, passou a ser considerada como milagreira. Apesar dos 28 milhões de fiéis que Anastácia tem hoje no Brasil, o cônego Guilherme Schubert, historiador e membro do Instituto Histórico e Geográfico Brasileiro, nega sua existência.

Existe um Santuário Escrava Anastácia, localizado na avenida Vicente de Carvalho, 33, em Vaz Lobo, bairro do Rio de Janeiro. Nos santinhos distribuídos com a famosa imagem com a máscara de metal, ela é apresentada como princesa originária banto-angola, que teria crescido livre em Abaeté, na Bahia. Foi supliciada pela fazendeira por dizer que não era escrava, e o ferro em seu pescoço gangrenou. Em seguida, teria sido trazida para o Rio de Janeiro, onde faleceu, sendo enterrada na igreja dos negros forros.

Fontes: Jacob Gorender, *A escravidão reabilitada*; *Trabalhadores*, 1990; *Manchete*, nº 1883.

Esperança Garcia (séc.XVIII)

Escrava.

Vivia no Piauí e era casada. O registro de sua vida foi feito através de uma carta que escreveu ao governador do Piauí, datada de 6 de setembro de 1770. Esperança pertencia a uma das fazendas reais que foram incorporadas à Coroa depois da expulsão dos jesuítas. Era a Fazenda dos Algodões, na jurisdição da Inspeção de Nazaré, administrada pelo capitão Antônio Vieira do Couto. Esperança aí vivia com o marido, mas foi levada pelo capitão para cozinhar na sede da Inspeção de Nazaré.

Sua carta reclamando dos maus-tratos foi divulgada pelo historiador Luís Mott. Segundo ele, a carta, por ser de uma escrava, representa "algo duplamente insólito: primeiro por se tratar de uma mulher que ousa se dirigir por escrito diretamente ao governador da Capitania; segundo, por se tratar de uma escrava". Eis o que diz a carta: "Eu sou uma escrava de V.S. da administração do Capitão Antônio Vieira de Couto, casada. Desde que o Capitão para lá foi administrar, que me tirou da fazenda dos Algodões, onde vivia com meu marido, para ser cozinheira da sua casa. Onde nela passo muito mal. A primeira é que há grandes trovoadas de pancadas em um filho meu, sendo uma criança, que fez extrair sangue pela boca, em mim não posso explicar que sou colchão de pancadas, tanto que caí uma vez do sobrado abaixo; por misericórdia de Deus escapei. A segunda estou eu e mais minhas parceiras por confessar há três anos. E uma criança minha e duas mais por batizar. Pelo que peço a V.S. pelo amor de Deus e do seu valimento ponha os olhos em mim ordenando digo mandar o Procurador que mande para a Fazenda aonde ele me tirou para eu viver com meu marido e batizar minha filha. De V.Sa. sua escrava — Esperança Garcia"

A carta era acompanhada de outro documento que confirmava os maus-tratos que lhe eram infligidos quando fugia para encontrar o marido, o que lhe era proibido. Denunciava ainda que o administrador tratava mal todos os escravos, além de usá-los para tarefas referentes a seus negócios pessoais.

Fonte: Luís Mott, *Piauí colonial. População, economia e sociedade.*

Esperança Rita (séc.XX)

Líder espiritual.

Migrante nordestina, de origem africana, fundadora do primeiro Centro de Umbanda de Porto Velho (RO), entre 1914 e 1916, cujo terreiro era freqüentado pelos políticos locais.

O nascimento da cidade de Porto Velho está ligado à construção da ferrovia Madeira-Mamoré, em 1907. Grande parte dos trabalhadores da companhia inglesa, encarregada da obra, era oriunda de Barbados, negros que haviam assimilado os modos e costumes britânicos e, portanto, negavam sus tradições e sua origem africana. Os barbadianos e demais trabalhadores oriundos das ilhas do Caribe praticavam a religião anglicana aprendida com os colonizadores ingleses; já os migrantes nordestinos levaram para essa região a cultura negra de seus ancestrais. O registro histórico do terreiro de Esperança marca a presença feminina na ocupação da Amazônia. Sua vida foi uma tentativa de perpetuar laços culturais como líder espiritual da comunidade.

Fonte: Nilza Meneses, *Chá das cinco na floresta.*

Estela Sezefrida (c.1810-74)

Atriz e bailarina.

Pioneira do teatro no Brasil. Nasceu no Rio Grande do Sul, segundo alguns biógrafos. Documentos baseados no testemunho do ator João Caetano afirmam que nasceu no Rio de Janeiro, em 4 de janeiro de 1810. Estreou como corista aos 12 anos, no Constitucional Fluminense, tornando-se bailarina e atriz.

Afastou-se em 1830, do palco, retornando três anos depois na companhia teatral de João Caetano, a primeira do Brasil. Antes dessa, apenas companhias portuguesas e de outros países europeus se apresentavam nos teatros brasileiros. Também faziam parte da companhia Custódia Maria do Carmo e Francisca de Paula Firmina.

Em 1845, Estela casou-se com João Caetano e permaneceu na empresa do marido até 1855. Após a morte deste, em 1863, voltou mais uma vez ao palco, organizando sua própria companhia, que estreou no Teatro Lírico Fluminense, em 17 de abril de 1864. Neste mesmo ano, fez sua última apresentação, em 26 de junho. Faleceu em 13 de março de 1874.

Fontes: *Diário de Notícias*, 14.2.1952; Edewaldo Cafezeiro e Carmem Gadelha, *História do teatro brasileiro de Anchieta a Nelson Rodrigues*; Olmio Barros Vidal e J.G. de Sousa, *O teatro no Brasil.*

Ester de Figueiredo Ferraz (1915-)

Primeira reitora e primeira ministra de Estado do Brasil.

Primeira mulher a se tornar reitora de uma universidade na América Latina e a exercer no país o cargo de ministro (da Educação e Cultura). Nasceu em 6 de fevereiro de 1915 em São Paulo (SP). Filha da dentista Julieta Martins de Figueiredo Ferraz e do engenheiro Odon Carlos de Figueiredo Ferraz. Sua mãe, que teve seis filhos, atendia às freiras reclusas e tinha seu gabinete dentário no convento. Ester estudou no Colégio Notre Dame do Sion, em São Paulo, e prestou exames preparatórios no Liceu Nacional Rio Branco e no Instituto Caetano de Campos. Bacharelou-se em filosofia pela Faculdade de Filosofia de São Bento (atualmente PUC/SP) e depois diplomou-se em direito pela Universidade de São Paulo (USP).

Iniciou carreira docente lecionando sociologia e psicologia no curso Normal da Escola Caetano de Campos. Em 1948, tornou-se livre docente de direito penal na Faculdade de Direito da USP; foi também professora nas universidades Mackenzie e de São Bernardo do Campo, em São Paulo. Interessada pelas questões educacionais, foi nomeada para o Conselho Estadual de Educação de São Paulo (1963-1968). Destacada professora e administradora universitária, Ester foi nomeada reitora da Universidade Mackenzie, com mandato de 1965 a 1971. O exercício desse cargo foi histórico, porque era a primeira vez que uma mulher dirigia uma universidade no Brasil e na América Latina.

Seu desempenho nos cargos de diretora de Ensino Superior do Ministério da Educação e da Cultura (nomeada pelo general Castelo Branco, primeiro governante do regime militar) e presidente da CAPES/MEC, bem como sua atuação no conselho paulista e na administração universitária levaram-na a ser nomeada membro do Conselho Federal de Educação, no qual permaneceu como conselheira de 1969 até 1982. Ainda nos anos 70, foi convidada pelo governador paulista Laudo Natel para ser sua secretária de Educação, cargo que exerceu de 1971 a 1973. No governo João Figueiredo, foi ministra da Educação e Cultura de 1982 a 1985.

Ao deixar o cargo, voltou ao magistério e, até 1997, ainda lecionava no curso de especialização em direito penal da Faculdade de Direito da USP. Escreveu vários livros, entre eles *A co-delinqüência no moderno direito penal brasileiro* (1946), *Os delitos qualificados pelo resultado no regime do Código Penal de 1940* (1948), *Prostituição e criminalidade feminina* (1958), *Caminhos percorridos* (1983) e *Falas de ontem e de hoje* (2000), além de inúmeros trabalhos para revistas e jornais especializados. Recebeu diversas condecorações nacionais e estrangeiras, como reconhecimento do seu trabalho.

Fontes: J.B. Cascudo Rodrigues, *A mulher brasileira: direitos políticos e civis*; Curriculum vitae; Entrevista concedida a Hildete Pereira de Melo em 18.2.2000.

Ester Scliar (1926-78)

Compositora, regente, pianista e professora.

Nasceu em Porto Alegre (RS), em 28 de setembro de 1926. Iniciou os estudos de piano com Judite Pacheco e depois matriculou-se no Instituto de Belas Artes, de Porto Alegre, onde estudou piano e harmonia. Diplomou-se em 1945 e, em 1948, transferiu-se para o Rio de Janeiro (RJ), onde estudou harmonia, contraponto e composição com Hans-Joachim Koellreuter. Nesse mesmo ano viajou para a Europa e fez, em Veneza, curso de regência com Hermann Scherechen. Retornou ao Brasil em 1949 e passou a dar aulas de piano, teoria, percepção e análise musical no Rio de Janeiro.

Em 1952, voltou para o Rio Grande do Sul e organizou o Coro da Associação Juvenil Musical de Porto Alegre, com o qual esteve na Europa em 1953. Depois de ter participado durante alguns anos, como tecladista, da Orquestra Sinfônica de Porto Alegre, em 1956 fixou-se definitivamente no Rio de Janeiro, onde estudou composição e orquestração com Cláudio Santoro e composição com Edino Krieger, conquistando, em 1961, o primeiro prêmio do Concurso Nacional de Composição, promovido pela Rádio MEC, com sua *Sonata* para piano. Em 1967, a trilha sonora que compôs para o filme *A derrota* (1966), de Mário Fiorani, classificou-se como a melhor música do Festival Nacional de Cinema de Brasília.

No Rio, integrou o coro da Rádio MEC, tendo sido ainda professora do Instituto Villa-Lobos e, de 1962 a 1975, da Pró-Arte, onde lecionou análise e morfologia. Jurada de muitos concursos de composição, participou de vários cursos de férias, promovidos em Teresópolis (RJ), Ouro Preto (MG) e Curitiba (PR). Escreveu um *Quarteto de cordas*, o *Auto da barca do inferno*, obras para canto e piano, coro e uma sonata para flauta. Faleceu no Rio de Janeiro em 1978.

Fonte: Eli Maria Rocha, *Nós, as mulheres*; *Enciclopédia da música brasileira: popular, erudita e folclórica;* Salviano Cavalcanti de Paiva, *História ilustrada dos filmes brasileiros (1929-1988).*

Estera Gladkowicer *ver* ASSOCIAÇÃO BENEFICENTE FUNERÁRIA E RELIGIOSA ISRAELITA

Eufrásia Teixeira Leite (1850-1930)

Fazendeira.

Nasceu no dia 15 de abril de 1850, em Vassouras (RJ), no vale do Paraíba, no período em que a cafeicultura daquela região atingia o auge. Era filha de Ana Esméria Corrêa e Castro e do rico fazendeiro Joaquim Teixeira Leite. Sua mãe faleceu em 1871 e no ano seguinte, morreu seu pai. As perdas causaram-lhe grande choque emocional. Eufrásia e sua irmã, Francisca Bernadina, tornaram-se as únicas herdeiras da vasta fortuna acumulada.

Ainda jovem, viveu por várias décadas na França, tornando-se conhecida nos salões parisienses. Retornando ao Brasil de tempos em tempos, Eufrásia destacava-se na vida social de Vassouras por seus modos europeizados e sua elegância. Numa dessas viagens, em 1884, encontrou o país em plena campanha abolicionista. Decidiu libertar seus escravos, entre eles Ramiro, pai de sua mucama Cecília. Com a morte da irmã, em 1899, coube a Eufrásia administrar a imensa herança, mas como era dotada de notável talento para negócios, conseguiu aumentar ainda mais seu patrimônio.

Jamais se casou. Considerando-se a sua inestimável fortuna em móveis, objetos de arte, jóias e títulos de governo, de empresas e bancos da França, Rússia, Bélgica, Estados Unidos, Egito, Chile, Argentina e Uruguai, pareceria estranho que uma mulher tão prestigiada e inteligente não tenha querido se casar, apesar dos muitos pretendentes surgidos. A explicação parece estar no romance tumultuado vivido com o político e escritor Joaquim Nabuco, entre os anos 1872 e 1886. Ainda inédita, a peça *Cartas de Eufrásia*, de Hamilton Moss de Sousa, fala desse relacionamento amoroso e dos muitos encontros e desencontros que o agitaram.

Os documentos pessoais de Joaquim Nabuco, depositados na fundação que tem seu nome, em Recife, testemunham uma intensa correspondência entre ambos. Em uma carta datada do início de 1884, por exemplo, Eufrásia queixa-se a Joaquim Nabuco por ele não guardar as cartas que lhe enviava. No mesmo ano, escreve de Paris, no dia 20 de abril, desculpando-se pela má impressão que julgava ter causado no amado durante recente encontro dos dois na capital francesa. Em 27 de novembro, Eufrásia volta a escrever-lhe de Petrópolis, tentando explicar os motivos que estavam tornando suas cartas pouco agradáveis. Em uma última correspondência de 1884, preservada por Joaquim Nabuco, Eufrásia sugeria um encontro em Petrópolis, para que pudessem se entender melhor.

Faleceu em 13 de setembro de 1930 e deixou seus bens para obras de beneficência, estipulando entre suas vontades a criação de dois institutos educacionais em Vassouras, um feminino e outro masculino, além de um hospital. Em meio a outras determinações testamentárias, não esqueceu a mucama Cecília, nem seu burrinho de estimação — o Pimpão. Os pobres de Vassouras foram bem aquinhoados, assim como os pobres do quarteirão de seu palacete em Paris. Com o produto da venda de alguns de seus bens, foram adquiridas apólices que, transferidas para a direção da Irmandade da Santa Casa da Misericórdia, financiaram a construção do hospital que tem seu nome.

Fontes: Ana Isabel Andrade e Carmem Rego, *Catálogo da correspondência de Joaquim Nabuco, 1865-1884*; Lielza Lemos Machado, *Imagens de Vassouras*.

Eugênia Ana dos Santos *ver* MÃE ANINHA

Eugênia Moreira (1898-1948)

Jornalista, feminista e ativista política.

Considerada a primeira repórter mulher do país, tornou-se conhecida como Eugênia Álvaro Moreira. Nasceu em Juiz de Fora (MG), no dia 6 de março de 1898, e recebeu o nome Eugênia Brandão. Era filha de Maria Antonieta Brandão e de Armindo Gomes Brandão. Sua primeira reportagem foi publicada na primeira página no jornal *Última Hora*, de Olegário Mariano e Cásper Líbero, onde continuou trabalhando. Transferiu-se depois para o vespertino *A Rua*, jornal de oposição ao governo do marechal Hermes da Fonseca, e foi também da redação de *A Notícia* e *O País*.

Casou-se com o jornalista e escritor Álvaro Moreira e desse casamento teve seis filhos. Em sua casa, reuniam-se intelectuais e militantes políticos de esquerda. Nos anos 20, participou ativamente do movimento feminista, na campanha em prol do sufrágio feminino, assim como do movimento modernista. Juntos, Eugênia e Álvaro iniciaram um movimento de renovação do teatro brasileiro através da fundação do Teatro de Brinquedos, que montou diversas peças brasileiras. O maior sucesso foi *Deus lhe pague*, de Joraci Camargo.

Eugênia participou da fundação, em maio de 1935, da União Feminina do Brasil*, promovida por mulheres simpatizantes ou filiadas ao Partido Comunista do Brasil (PCB). A União se ligou à Aliança Nacional Libertadora (ANL), formando a Frente Popular Antifascista. Foi presa em dezembro de 1935, sob a acusação de envolvimento com o PCB e com a revolta comunista daquele ano. Foi posta em liberdade em fevereiro de 1936, por falta de provas.

Presidiu a Casa dos Artistas de 1936 a 1938 e, neste ano, venceu um concurso público aberto pelo ministro da Educação, Gustavo Capanema, para escolher um projeto que popularizasse o teatro brasileiro. O projeto vencedor, Teatro de Arte, apresentado por Eugênia e Álvaro Moreira, foi levado ao subúrbio do Rio de Janeiro e depois percorreu o Brasil. Ainda durante o Estado Novo, participou ativamente da campanha feita por Leocádia Felizardo Prestes, mãe de Luís Carlos Prestes, então preso, para libertar sua neta Anita Leocádia Prestes, nascida em novembro de 1936 num campo de concentração nazista. Essa campanha internacional teve enorme repercussão no Brasil e acabou vitoriosa, com a entrega, pelo governo de Hitler, da criança à sua avó. Com a redemocratização do país em 1945, filiou-se ao PCB.

Eugênia era uma figura emblemática da mulher liberada. Fumava com uma piteira, e também charutos, em público, desafiando os costumes da época. Sua importância política pode ser avaliada por ter sido uma das oradoras do célebre comício do PCB, realizado em maio de 1945 no estádio do Vasco da Gama, no Rio de Janeiro, no qual discursaram Getúlio Vargas, Luís Carlos Prestes, Manuel Campos da Paz, entre outros. Nas eleições de dezembro de 1945, candidatou-se a deputada federal constituinte, mas nenhuma mulher foi eleita para representar os interesses femininos durante a elaboração da Constituição Federal de 1946. Faleceu no Rio de Janeiro no dia 16 de junho de 1948.

Fontes: Alzira Abreu e Israel Beloch, *Dicionário histórico-biográfico brasileiro*; *O Globo*, 3.12.1998; TSE, *Dados estatísticos*.

Eulália Maria Lahmeyer Lobo (1924-)

Historiadora.

Nasceu no Rio de Janeiro, em 17 de julho de 1924. Filha de Georgette Furquim Lahmeyer Leite e de Antônio Dias Leite. Pelo lado materno, descende de família cafeeira tradicional, os Teixeira Leite, de Vassouras, e pelo paterno de imigrantes portugueses. Foi alfabetizada e iniciada nos estudos em casa com a professora Nair Lopes. Fez o curso ginasial no Colégio Jacobina e, concluída a quinta série, ingressou no curso de história e geografia da Faculdade Nacional de Filosofia da Universidade do Brasil. Era o ano de 1941, e pouco antes, em 1939, a Universidade do Distrito Federal havia sido incorporada à Universidade do Brasil e criada a Faculdade Nacional de Filosofia. Nessa fase de transição, os candidatos foram liberados de realizar os dois anos de curso complementar após o ginásio e puderam fazer exame direto para a Universidade.

Casou-se com Bruno Lobo, com quem teve dois filhos, um deles a escritora Luísa Lobo. Bacharel e licenciada em história, Eulália completou sua formação nos Estados Unidos, nas universidades de Colúmbia e da Carolina do Norte, onde foi aluna exemplar. Iniciou sua carreira acadêmica na Universidade do Brasil, ao mesmo tempo que era de professora de história do Colégio Pedro II. Doutorou-se com a tese "Administração colonial luso-espanhola nas Américas", orientada pelo professor Silvio Júlio, primeira tese de doutorado em história defendida por uma mulher no Brasil. Mais tarde, obteve a livre docência na

Universidade com a tese "Caminho de Chiquitos às Missões Guaranis".

Após ter trabalhado como auxiliar de ensino, professora regente e catedrática interina, conquistou por concurso o cargo de professora titular de história das Américas no Instituto de Filosofia e Ciências Sociais (IFCS) da UFRJ, em 1967, com a tese "Aspectos da atuação dos consulados de Sevilha, Cádiz e da América Hispânica na evolução econômica do século XVIII. Foi professora visitante em universidades nos Estados Unidos e na França.

Em 1968 foi atingida pelo AI-5 e aposentada compulsoriamente da Universidade, chegando a ficar presa por uma semana, numa operação realizada pela polícia para evitar manifestações contra a visita do político e milionário norte-americano Nelson Rockefeller ao Brasil, em 1969. Afastada do IFCS, obteve bolsa de pesquisa da Ford Foundation e do Social Science Research Council. Em meados dos anos 70, participou da criação da pós-graduação em história na Universidade Federal Fluminense e, com a anistia, em 79, voltou ao IFCS.

Como resultado de suas pesquisas, publicou livros, artigos e monografias em revistas especializadas no Brasil e na Argentina, Peru, Costa Rica, Estados Unidos, Portugal, França e Alemanha. Entre seus livros estão *História do Rio de Janeiro (do capital comercial ao capital industrial e financeiro)*, *América Latina contemporânea* e *A imigração portuguesa*.

Fonte: "Entrevista com Eulália Maria Lahmeyer Lobo", *Estudos Históricos*, vol.5, nº 9, 1992.

Eunice Catunda (1915-)

Compositora, regente, pianista e professora.

Eunice do Monte Lima nasceu no Rio de Janeiro (RJ) em 14 de março de 1915. Iniciou-se no piano aos cinco anos, estudando de 1920 a 1927 com Mima Oswald e Branca Bilhar. Foi aluna de Oscar Guanabarino de 1928 a 1936, quando foi para São Paulo, onde estudou com Marieta Lion até 1946. Além de piano, aprendeu contraponto e harmonia e análise musical com Furio Franceschini, composição e música brasileira com Camargo Guarnieri, harmonia moderna e composição com Hans-Joachim Koellreuter, orquestração com Guerra-Peixe, adquirindo através desses mestres uma sólida formação.

Realizou seu primeiro recital individual no Instituto Nacional de Música, no Rio de Janeiro, em 1927; em 1936 apresentou-se acompanhada pela Orquestra Sinfônica do Teatro Municipal do Rio de Janeiro, sob a regência de Henrique Spedini. Nesse mesmo ano estreou na Rádio Cruzeiro do Sul com programas semanais. Apresentou-se ainda na rádio Cultura de São Paulo (1938), na rádio MEC, na Difusora de Veneza, Itália (1948), e na rádio de Moscou, na Rússia (1953), entre outras.

Quando participava do grupo Música Viva, ao lado de Cláudio Santoro e Guerra-Peixe, em 1946, recebeu o prêmio de composição, com a cantata *O Negrinho do Pastoreio*, para três vozes, violão, flauta e instrumentos de percussão. Em 1948 foi para Europa, onde se aperfeiçoou na Itália e na Suíça. Apresentou-se em Veneza e em Milão com obras de compositores brasileiros, sob a regência Koellreuter. Em 1950, foi a única compositora das Américas a apresentar obra (*Homenagem a Schoenberg*, para clarinete, clarone, viola e piano) no 24º Festival da Sociedade Internacional de Música Contemporânea, em Bruxelas, Bélgica.

No Brasil, desenvolveu intensa atividade artística, como regente da orquestra da rádio Nacional de São Paulo (1955-56) do Grupo Experimental de Piratininga (1957), em concertos e conferências em várias capitais, além de colaborar em periódicos, como as revistas *Música Viva* (RJ) e *Fundamentos* (SP), e os jornais *Folha da Manhã* e *O Estado de São Paulo*. Embora reconhecida no Brasil e no exterior como intérprete e compositora, continuou se aperfeiçoando. Estudou regência coral com Isaac Karabtchewsky e freqüentou os seminários livres de música eletrônica, em Salvador (BA), com José Vicente Asuar. Em 1973, deu um curso de introdução à musicologia na Universidade de Brasília.

Em sua obra, caracterizada pela união das técnicas vanguardistas ao caráter nativista, destacam-se ainda *Sonata de louvação*, para piano, *Cantiga de cego*, para viola e piano, *A negrinha* e *Iemanjá*, suite para vozes e orquestra, e a *Cantata do soldado morto*, apresentada durante a III Bienal de Música Brasileira Contemporânea (1979), na Sala Cecília Meireles, no Rio de Janeiro.

Fontes: Eli Maria Rocha, *Nós, as mulheres*; *Enciclopédia de música brasileira: popular, erudita e folclórica*; Vasco Mariz, *Figuras da música brasileira contemporânea*.

Eunice Michiles (1929-)

Política, primeira senadora no Brasil.

Eunice Mafalda Michiles nasceu no dia 10 de julho de 1929, em Santo Amaro, periferia da cidade de São Paulo, filha de Edith Berger e Theófilo Berger. Cursou a Escola Normal e, posteriormente, formou-se em atendente de enfermagem. Casou-se, em 1950, com o amazonense Darci Augusto Michiles, com quem teve quatro filhos. O casal foi morar na cidade de Maués, no estado do Amazonas, onde Eunice foi professora e diretora do Ginásio, da Escola Normal e do Serviço Municipal de Educação. Exerceu, ainda, intensa atividade assistencial, sobretudo na área da saúde, beneficiando toda a população carente da região.

Seu marido foi eleito prefeito de Maués e Eunice foi nomeada secretária de Educação e Serviços Sociais daquela cidade. Levou para a administração municipal sua larga experiência anterior e seu trabalho à frente das secretarias teve uma grande repercussão.

No final de seu casamento em 1966, mudou-se para Manaus (AM), onde foi trabalhar como gerente de uma empresa comercial. Em 1974 resolveu procurar o diretório da Aliança Nacional Renovadora (Arena) para solicitar uma legenda nas eleições daquele ano e assim concorrer a uma vaga na Assembléia Legislativa do Amazonas. Seu pedido ia de encontro aos interesses do partido, pois não havia mulheres candidatas, e naquele momento era de grande importância ter um nome feminino disputando às eleições estaduais. Não representava uma ameaça aos candidatos homens e sobretudo apresentava um perfil mais moderno para o partido. Eunice conseguiu facilmente a legenda e foi eleita deputada estadual.

Em 1978 a legislação eleitoral permitia o estatuto da sublegenda para os cargos majoritários; cada partido podia concorrer a uma vaga de senador com três candidatos, e a votação destes definia a posição que cada um teria como suplente no caso de um deles ser eleito. Eunice, que nessa época preparava-se para se candidatar à reeleição, foi convidada pela Arena a concorrer então para o Senado, pois pelo partido opositor (Movimento Democrático Brasileiro-MDB), estava concorrendo uma mulher com grande aceitação, a evangélica Maria Júlia Rodrigues. Acolheu o desafio e se integrou na chapa encabeçada pelo vice-governador do estado, João Bosco Ramos de Lima. Sua candidatura empolgou os eleitores, fazendo com que a legenda saísse vencedora, sendo o vice-governador eleito, e Eunice obtendo a segunda maior votação. O senador vitorioso tomou posse vindo a falecer logo depois. Eunice Michiles assumiu então, no dia 31 de maio de 1979, uma cadeira no Senado Federal, tornando-se a primeira mulher no Brasil a ocupar o cargo de senadora.

Durante seu mandato defendeu, sobretudo, a Amazônia e a cidadania feminina. Entre seus projetos destacam-se a supressão do artigo 219 do Código Civil que desobriga a mulher do dever da virgindade; acréscimo no art. 373 da CLT, que dava direito às empregadas com filhos de optarem por uma jornada de trabalho com salário proporcional, desde que não perdessem o vínculo empregatício; e a permissão para que as mulheres casadas em regime de comunhão de bens pudessem contrair empréstimos sem a necessidade do aval do marido. No Senado foi membro titular da Comissão de Legislação Social, Educação, Assuntos Regionais Salários e Demográficos. Transferiu-se, nesta época, para o Partido Democrático Social (PDS). Neste partido organizou e dirigiu o Movimento da Mulher Democrata Social, promovendo em agosto de 1982 um encontro nacional para ampliar a participação política feminina.

Foi eleita deputada federal constituinte, já pelo Partido da Frente Liberal (PFL), na legislatura 1986/90. Em 1992 foi nomeada conselheira do Tribunal de Contas do Amazonas. Este cargo fez com que Eunice fosse mais uma vez pioneira, pois nenhuma outra mulher havia ainda ocupado uma vaga nesse Tribunal. Filiada à Associação da Mulher Profissional e de Negócios do Brasil — Distrito Federal, aposentou-se compulsoriamente e vive em Brasília.

Fontes: João Batista Cascudo Rodrigues, *A mulher brasileira — direitos políticos e civis*; Entrevista com Eunice Michiles concedida a Hildete Pereira de Melo, em janeiro de 2000.

Eunice Weaver (1904-69)

Assistente social na luta contra a lepra.

Eunice de Sousa Gabbi nasceu na pequena cidade de São Manuel (SP) em uma família de fazendeiros de café. Na adolescência, com a morte da mãe, foi morar em Piracicaba, interior paulista, onde cursou a Escola Normal. Um episódio ocorrido nessa cidade deixou nela uma marca profunda: uma jovem leprosa simulou suicídio para esconder-se da sociedade e livrar sua família do estigma dessa doença. A partir daí, Eunice se envolveu na luta contra a lepra no Brasil. Nas primeiras décadas do século XX, esta doença era dos maiores problemas sociais e de saúde pública do país, uma vez que provocava a destruição de famílias pela repulsa que causava.

Formada professora, Eunice cursou a Escola de Serviço Social da Universidade da Carolina do Norte (EUA) e casou-se em 1927 com o professor Charles Anderson Weaver. O casal veio para o Brasil e foi morar em Juiz de Fora (MG), onde Charles lecionava no Colégio Granbery. Eunice, que também foi professora desse educandário metodista, de 1931 até 1934, começou seu trabalho de combate à lepra participando da Sociedade de Assistência aos Lázaros de Juiz de Fora.

Diante da falta de políticas públicas de saúde, o atendimento aos doentes coube a obras assistenciais realizadas por mulheres em praticamente todos os estados do país através de associações de voluntárias, não só de combate à lepra (ou hanseníase) como à tuberculose, e de proteção à infância e à maternidade. Em 1932, Alice Tibiriçá* fundou em São Paulo a Federação das Sociedades de Assistência aos Lázaros e Defesa contra a Lepra, tendo Eunice como sua vice-presidente. Em 1935, Eunice assumiu a presidência dessa entidade, que exerceu durante 30 anos. Seu trabalho pioneiro de assistência aos filhos dos leprosos, mantendo escolas que os recebiam até os 20 anos de idade, e as campanhas de solidariedade desenvolvidas pela Federação tiveram ampla repercussão nacional. Eunice faleceu em 9 de dezembro de 1969.

Fontes: Carmencita Gibson Barbosa, *Eunice Weaver — um símbolo.*

Eva Blay (1937-)

Feminista, política e professora.

Eva Alterman Blay nasceu em 4 de junho de 1937 em São Paulo (SP), filha de Eta Raboy Alterman e de Moyses Lejb Alterman, ambos de origem israelita. Diplomou-se em ciências sociais em 1959, pela Universidade de São Paulo (USP). Casou-se em 1964; tem dois filhos e uma neta.

Eva começou a lecionar em 1961 na USP, onde também fez o curso de especialização em sociologia e, em 1968, defendeu sua dissertação de mestrado intitulada "Mulheres: Escolas e profissão — um estudo do ginásio industrial em São Paulo". Este foi um dos primeiros estudos sobre a questão de gênero realizado no Departamento de Sociologia da USP.

Preocupada com a temática da condição feminina, Eva, de forma pioneira, tentou em 1964 organizar um curso de pós-graduação em gênero no departamento. Como esse assunto não era considerado relevante no meio universitário, e no mundo essa temática estava começando a ser alvo de interrogações, o curso que Eva estava propondo parecia um diletantismo ou algo pouco sério. Nenhum aluno se inscreveu.

Continuou dedicada a essa questão e, em 1965, lecionando a disciplina organização social, estabeleceu como tema para o trabalho final de curso "a participação social da mulher". A turma, não aceitando tal assunto, entrou em greve.

Não intimidada, a jovem professora defendeu em 1972 sua tese de doutoramento, orientada pelo professor Aziz Simão, sobre o trabalho industrial feminino, "A mulher na indústria paulista", mais tarde publicada como livro com o título de *O trabalho domesticado*. Mas eram outros tempos; os estudos de gênero já estavam consagrados e os colegas universitários já não olhavam enviesados para as pesquisas sobre o papel da mulher na sociedade.

Em 1975, com a oficialização pelas Nações Unidas do Ano Internacional da Mulher, as mulheres brasileiras iniciaram mais uma vez sua rebelião e Eva participou dos novos movimentos sociais que abalavam a ordem militar. Foi do Movimento Feminino pela Anistia e fez inúmeras palestras pelo Brasil discutindo a condição feminina, a partir da sua tese. Entre 1988 e 1991, exerceu a chefia do Departamento de Sociologia da Faculdade de Filosofia, Letras e Ciências Humanas da USP.

A força do movimento de mulheres durante o processo de redemocratização introduziu na agenda política nacional a questão feminina e, em 1983, o governador recém-eleito do estado de São Paulo — Franco Montoro —, como promessa de campanha, criou o Conselho Estadual da Condição Feminina de São Paulo. Eva foi um dos nomes indicados pelas mulheres paulistas para a presidência do órgão, sendo a escolhida pelo o governador.

Do exercício das tarefas políticas no Conselho, Eva enveredou pela política partidária: filiou-se ao PMDB e participou ativamente da organização de mulheres do partido, o PMDB Mulher, cuja seção paulista encaminhou a proposta da cota mínima de candidatas mulheres nas eleições de 1986. Conseguiram, depois de muita pressão, que 25 vagas fossem preenchidas por mulheres. Eva Blay foi indicada para ser a primeira suplente da chapa para o cargo de senador.

O cabeça da chapa foi Fernando Henrique Cardoso, que se elegeu com grande votação. Em 1992, Eva assumiu o mandato de senadora, que exerceu com brilho até janeiro de 1995. Posicionou-se em favor das demandas femininas no âmbito das políticas públicas, sobretudo nas questões reprodutivas, defendendo a descriminalização do aborto. Foi uma corajosa defensora do direito das mulheres decidirem pela maternidade. No pleito de 1994, candidatou-se à Câmara Federal, sem sucesso.

Em 1996, foi membro do Conselho Nacional dos Direitos da Mulher (CNDM). Sem mandato eletivo, Eva voltou ao trabalho acadêmico na USP, no Núcleo de Estudos da Mulher e Relações de Gênero (NEMGE), do qual havia sido uma das fundadoras em 1985. Atualmente é professora titular e diretora científica do NEMGE/USP e conselheira do Conselho Estadual da Condição Feminina de São Paulo.

Eva tem orientado inúmeras teses e monografias sobre a condição feminina, lecionado em universidades estrangeiras e publicado livros e artigos. *Eu não tenho onde morar* — estudo sobre vilas operárias em São Paulo; *A luta pelo espaço*; *Mulher, escola e profissão* e *As prefeitas* são alguns desses livros.

Fontes: Currículo de Eva Blay e entrevista concedida a Hildete Pereira de Melo no dia 3.3.2000.

Eva Maria do Bonsucesso (séc.XIX)

Quitandeira.

No dia 16 de julho de 1811, a negra forra Eva armou, como fazia todos os dias, seu tabuleiro de couves e bananas na calçada da antiga rua da Misericórdia, na cidade do Rio de Janeiro. Estava vendendo seus produtos, quando uma cabra, tangida por um escravo, abocanhou um maço de couve e uma penca de bananas do tabuleiro. Eva correu atrás da cabra para reaver suas mercadorias e com uma vara batia no animal, tentando recuperar o que restava da penca de bananas.

Foi quando apareceu José Inácio de Sousa, senhor branco que cuidava da cabra, e ficou indignado com a agressão ao animal. Correu atrás de Eva e esbofeteou-a. Ela reagiu e a questão foi parar na Justiça. Trinta pessoas depuseram a favor de Eva, todas unânimes em realçar as qualidades morais da quitandeira e confirmar a agressão de José Inácio. Diante das provas, o juiz ordenou a prisão de José Inácio.

Meses depois, este conseguiu uma carta de fiança para, no prazo de 12 meses, juntar provas em sua defesa. Na petição que fez ao príncipe regente D. João, negou que tivesse batido no rosto de Eva, mas sim nas suas costas, crime menos grave, e afirmou que tomara essa atitude ao vê-la maltratar a cabra que pertencia ao príncipe da Beira, D. Pedro de Alcântara. Alegou ainda que a quitandeira devia ter visto que a cabra carregava no pescoço uma "coleira de prata com as armas reais e o nome do seu legítimo dono". Não se sabe o desfecho dessa petição, mas o fato é que Eva conseguiu meter na cadeia o homem branco que a agrediu. O registro da sua vida foi obtido pelo pesquisador Nireu Cavalcanti através do processo na Justiça, no qual ela foi a protagonista.

Fontes: Arquivo Nacional, cx. 770; Nireu Cavalcanti "Crônicas do Rio Colonial", *Jornal do Brasil*, 12.7.1999.

Evelina Arruda Pereira (séc.XX)

Feminista.

Foi a primeira presidente da Liga Paulista pelo Progresso Feminino, uma seção da Federação Brasileira pelo Progresso Feminino (FBPF*) fundada na capital paulista em 1923. Em 6 de janeiro deste ano, chegaram a São Paulo a líder do movimento feminino nos Estados Unidos, Carrie Chapman Catt, com algumas outras delegadas estrangeiras. No dia 8, na casa de Evelina, reuniu-se a diretoria da Liga Paulista pelo Progresso Feminino composta por: Evelina Arruda Pereira, presidente; Ana de Moraes Buchard e Silvia Cajado, tesoureiras; Maria Xavier da Silveira e Fanny Whately*, secretárias.

No mesmo dia, foi fundada a Aliança pelo Sufrágio Feminino, sendo eleita a seguinte diretoria: Walkíria Moreira da Silva, presidente; Ana Galieto, Hermínia Bialos Korsky e Maria Renotte, vice-presidentes; Diva Nolf Nazário*, secretária-geral; Angelita de Oliveira, arquivista; Carmem de Cocoba Pires, tesoureira.

À noite, efetuou-se uma sessão solene, no salão da Cruz Vermelha, presidida por Evelina em homenagem a Carrie Chapman Catt e às outras delegadas que a acompanhavam.

Os objetivos principais das Ligas eram promover a elevação do nível de instrução feminina, estimular o espírito de associação entre mulheres, facilitar novas oportunidades de ação e assegurar direitos civis e políticos à mulher, assim como medidas de proteção das mães, da infância e das jovens desamparadas.

Fontes: Arquivo da FBPF, cxs. 2 e 6; Diva Nolf Nazário, *Voto feminino e feminismo*; *Renascença*, fevereiro de 1923.

F

Fanny Nusman *ver* ASSOCIAÇÃO BENEFICENTE FUNERÁRIA E RELIGIOSA ISRAELITA (ABFRI)

Fanny Tabak (1924-)

Feminista, socióloga e ativista política.

Nasceu em 13 de agosto de 1924 no bairro de Cascadura, na cidade do Rio de Janeiro, filha dos imigrantes judeus russos Sophia e Isaac Golub, chegados ao Brasil em 1922. A infância cheia de privações vivida num subúrbio carioca aguçou sua sensibilidade sobre a problemática social. Estudou na Escola Normal, onde formou-se professora primária. Cursou a partir de 1943 a Faculdade de Filosofia na antiga Universidade do Brasil, onde bacharelou-se em ciências sociais em 1945.

Fanny foi nomeada professora primária na Ilha do Governador, na época considerada zona rural do Rio de Janeiro. O regime autoritário de Vargas, conhecido como Estado Novo, começava a agonizar e um clima de grande agitação política sacudia o país. A jovem professora aderiu à luta por justiça social e liberdade. Participou da Liga de Defesa Nacional, movimento que, no início dos anos 1940, ganhou as ruas brasileiras em prol dos interesses nacionais e para ajudar os pracinhas que tinham ido combater nas terras européias as forças nazi-fascistas. Nesse ambiente político conheceu o químico Salomão Tabak. Casaram-se em 1945 e tiveram três filhos.

Filiada ao Partido Comunista do Brasil (PCB) na sua breve existência legal (1945-47), teve uma importante atuação no movimento de mulheres que explodiu no pós-guerra. Incentivou a criação de dezenas de núcleos de mulheres de bairros, conhecidos como Uniões Femininas, que, em 1949, deram origem à Federação de Mulheres do Brasil*, da qual Fanny foi uma das fundadoras. Os principais objetivos dessa organização consistiam na luta contra a carestia, pela paz mundial e pelos direitos das mulheres, mesclando as questões gerais do povo por melhores condições de vida com a luta específica pela ampliação da cidadania feminina. Nesse período Fanny dirigiu a revista Momento Feminino, de circulação nacional, que durante 10 anos divulgou a causa e as lutas gerais do povo por justiça social. Filiou-se também à Federação Brasileira pelo Progresso Feminino* (FBPF) e à Associação de Mulheres Universitárias, organizações feministas de expressiva atuação nas décadas de 20 e 30. Em 1959 concluiu sua licenciatura em ciências sociais e pôs sua formação acadêmica a serviço do PCB, então na semi-ilegalidade. Dirigiu a Escola de Quadros Comunistas, órgão subordinado ao Comitê Central, e traduziu obras marxistas para a Editora Calvino, pertencente ao partido.

Em 1961 o casal Tabak mudou-se para Moscou. Na Universidade Lomonosov, Salomão foi realizar pesquisas e ela fazer pós-graduação. Defendeu a tese de doutorado "A estrutura social no Brasil: principais modificações", sob a orientação de Galina Mijailovna Andreeva, em 1965. O retorno para o Brasil estava difícil, pois os militares haviam assumido o controle do país e os comunistas sofriam uma severa perseguição. Fanny, o marido e os três filhos foram para Londres; Salomão foi trabalhar no Imperial College e Fanny fez um curso de especialização em sociologia do desenvolvimento na London School of Economics and Political Science (1966). Finalmente, em 1967, conseguiram voltar para o Brasil, onde Fanny foi lecionar na Faculdade de Filosofia e Letras de Araraquara (SP). Lá Fanny ficou até 1970 como regente da cadeira de política. Voltou para o Rio de Janeiro para trabalhar na Fundação Getúlio Vargas (FGV), e, demitida por motivos políticos, ingressou na Universidade Federal Fluminense (UFF), onde defendeu uma tese de livre-docência, mas também foi afastada pelo seu passado comunista em 1975.

Em 1972 ficou viúva e não mais se casou. Foi para a Pontifícia Universidade Católica do Rio de Janeiro (PUC/RJ) onde permaneceu por 20 anos, lecionando no Departamento de Sociologia e, como fundadora, dirigindo durante 14 anos o primeiro Núcleo de Estudos sobre a Mulher (NEM) criado em uma universidade brasileira. O exemplo do NEM foi multiplicado por vários estados brasileiros.

Fanny esteve presente no memorável seminário, em julho de 1975, que reinaugurou no país a segunda onda feminista (Feminismo pós-75*). Como decisão do seminário foi criado o Centro da Mulher Brasileira no Rio de Janeiro e Fanny foi uma das suas fundadoras. Introduziu também os estudos de gênero na Sociedade Brasileira pelo Progresso da Ciência (SBPC) e criou, junto com outras pesquisadoras, o primeiro grupo de Mulher e Política na Associação Nacional de Pós-Graduação em Ciências Sociais (ANPOCS). Ao longo desses últimos 25 anos tem pesquisado sobre a temática de gênero como professora visitante de várias universidades estrangeiras e, com o apoio da Universidade do Rio de Janeiro (UNI-RIO), desenvolveu vários projetos.

Entre outros livros, publicou: *A difícil igualdade — os direitos da mulher como direitos humanos* (organizadora); *A mulher brasileira no Congresso Nacional*; *A nova ordem legal — mulheres na Constituinte*; *O perfil da vereadora brasileira*; *O impacto da urbanização sobre a participação da mulher de baixa-renda — favela do Vidigal*; *Mulher & política* (com Moema Toscano*); *Dependência tecnológica e desenvolvimento nacional*; e *A sociologia na União Soviética*.

Fontes: CNPq; Currículo de Fanny Tabak, Entrevista concedida a Hildete Pereira de Melo em 17.2.2000.

Fanny Whately (séc.XX)

Feminista e ativista política.

Foi segunda-secretária da Liga Paulista pelo Progresso Feminino, criada em 1923 e que funcionava como seção da Federação Brasileira pelo Progresso Feminino* (FBPF). Em 1932, participou da Revolução Constitucionalista de São Paulo como diretora da Casa do Soldado do município de Cruzeiro, vale do Paraíba do Sul. As Casas do Soldado eram organizações lideradas por mulheres em todo o estado de São Paulo durante a Revolução Constitucionalista. Forneciam principalmente roupas e alimentos às tropas envolvidas na ação.

Fontes: J. Rodrigues, *A mulher paulista no movimento pró-Constituinte*; *Renascença*, fev/1923.

Farestina Bonimani (séc.XX)

Operária e ativista política.

Nasceu em Serra Negra (SP). Cursou o primário na cidade vizinha de Lindóia e começou a trabalhar muito cedo, pois não tinha recursos para prosseguir nos estudos. Em 1936, já morando na capital paulista, foi contratada como tecelã em uma indústria têxtil. Atraída pelas idéias socialistas, participou do efervescente movimento sindical dos anos 40, e acabou provocando sua demissão por estar à frente das campanhas por aumento de salários e cumprimento das leis trabalhistas. Conseguiu um novo emprego, desta vez na indústria Domingos Forte, onde continou trabalhando como tecelã. Em 1947, concorreu às eleições paulistas; não se elegeu, mas sabe-se que foi muito prestigiada por sua liderança popular no Alto da Moóca, reduto italiano na cidade de São Paulo.

Fonte: *Momento Feminino*, 24.10.1947.

Federação Brasileira pelo Progresso Feminino (FBPF)

Entidade civil criada no Rio de Janeiro, no ano de 1922, por iniciativa de um grupo de mulheres de classe média, de elevada escolaridade e conhecedoras dos rumos dos movimentos feministas na Europa e nos EUA. A origem da entidade se confunde com a biografia de Bertha Lutz*, sua fundadora e principal líder por mais de duas décadas.

Em novembro de 1918, a jovem bióloga Bertha Lutz, recém-chegada de seus estudos na Europa, indignou-se com um artigo de jornal que desdenhava a difusão das idéias feministas no Brasil e redigiu uma carta, publicada na imprensa carioca, defendendo a união das mulheres em defesa de seus interesses. Meses depois, Bertha, juntamente com um grupo de colaboradoras, criou no Rio uma organização que chamaram de Liga para a Emancipação Intelectual da Mulher. Logo buscaram difundir a idéia em outros estados para que neles também fossem criados núcleos de defesa de interesses femininos.

Desta primeira iniciativa também tomou parte a educadora e escritora Maria Lacerda de Moura*. Com o tempo, porém, divergências de idéias acabaram afastando-a do grupo de Bertha Lutz.

As primeiras ações empreendidas pelas feministas estavam voltadas para a conquista do direito ao voto, e para isso, aproveitavam todo o espaço disponível para divulgar a causa que abraçavam: escreviam cartas à imprensa, a autoridades, concediam entrevistas e pressionavam os parlamentares quando alguma matéria de seu interesse tramitava no Congresso Nacional. Foi o caso de um projeto de lei que estendia o direito de voto às mulheres, apresentado pelo senador Justo Chermont no ano de 1919. Mesmo não sendo a primeira vez que um parlamentar pretendia acabar com a discriminação política contra as mulheres, a tramitação do projeto Chermont inaugurou uma nova forma de participação política feminina. Bem aos moldes do movimento feminista norte-americano, buscava-se a articulação de interesses junto às forças políticas, evitando confronto aberto com instituições tradicionais, e promoviam-se ruidosas manifestações de rua, como aquelas protagonizadas pelas *sufragettes* inglesas.

As feministas compareciam em grupo às sessões públicas e procuravam expressar o seu ponto de vista sempre que a imprensa lhes cedia espaços. Embora discutido acaloradamente pelo Senado, o projeto de Justo Chermont não teve andamento naquela legislatura. Nos anos seguintes, outros parlamentares retomaram a proposta, contando sempre com o apoio irrestrito das militantes.

Assim prosseguiram as atividades da Liga para a Emancipação Intelectual da Mulher, posteriormente chamada de Liga pelo Progresso Feminino e, com a adesão de outros estados à idéia de organização proposta pelo grupo, formou-se a Federação das Ligas pelo Progresso Feminino. Em abril de 1922, Bertha Lutz participou da Conferência Pan-Americana de Mulheres, realizada na cidade norte-americana de Baltimore, onde pôde travar contato estreito com a liderança do movimento feminista nos EUA. Após um período de permanência de cerca de três meses naquele país, retornou ao Brasil com idéias claras sobre como encaminhar as ações da entidade que presidia. O primeiro passo era dotar a entidade de maior visibilidade junto ao público em geral. Para tanto, a 19 de agosto de 1922 o nome Federação das Ligas pelo Progresso Feminino deu lugar ao de Federação Brasileira pelo Progresso Feminino (FBFP), com a qual duas gerações de feministas forjaram a sua identidade política.

O segundo passo consistiu na promoção de atividades que pudessem ganhar espaço na imprensa e suscitar o debate público em torno de questões de interesse feminino. Aproveitando as comemorações do Primeiro Centenário da Independência, a FBPF promoveu, em dezembro de 1922, o I Congresso Internacional Feminista, no Rio de Janeiro. O congresso contou com a presença de Carrie Chapman Catt, líder feminista norte-americana que Bertha Lutz conhecera durante o congresso de Baltimore. Para dar caráter solene ao evento, a direção da FBPF convidou diversas autoridades brasileiras de prestígio e que simpatizavam com a causa das mulheres. Dois nomes se destacaram entre os que acederam ao convite: o senador Lauro Müller e o médico Moncorvo Filho. Coube a Müller proferir um dos discursos da cerimônia de abertura do congresso. Na ocasião, o senador recomendou às feministas que dessem continuidade à campanha em prol do voto feminino, concluindo: "os homens são como carneiros, se um presidente de Estado furasse a cerca, os outros iriam atrás". Já o médico Moncorvo Filho, responsável pelo programa de assistência governamental à mulher e à criança, participou ativamente das comissões de trabalho do congresso, inaugurando uma parceria de muitos anos com as feministas.

Ainda como parte das comemorações do Centenário, realizou-se um congresso jurídico no Rio de Janeiro que reuniu a nata dos juristas brasileiros. Coube à advogada Mirtes de Campos* defender a posição das feministas quanto à constitucionalidade do direito de voto para as mulheres. Mirtes obteve o apoio da maioria dos participantes do congresso, que rechaçaram, em peso, a absurda interpretação que os tribunais superiores vinham dando à questão do sufrágio feminino. Entenderam os congressistas que, em face do texto constitucional, a mulher estava apta ao exercício dos direitos políticos, contrariando as leis eleitorais que vinham adotando a interpretação conservadora do Supremo, pela qual o direito de voto fora negado às mulheres pelos constituintes de 1891.

Os anos que se seguiram ao congresso feminista de 1922 foram de intensa mobilização das afiliadas à FBPF. Sempre atentas à questão da luta pelos direitos políticos, as feministas tiveram entre 1926 e 1927 uma nova oportunidade de exercer pressão sobre os parlamentares. Nesta época, o velho projeto Chermont, com poucas modificações, foi novamente apresentado na Câmara dos Deputados, cuja relatoria ficou a cargo do deputado Juvenal Lamartine, do Rio Grande do Norte, membro da Comissão de Constituição e Justiça da Câmara. Lamartine foi procurado por uma comissão de feministas, composta por Bertha Lutz, Jerônima Mesquita*, Ana Amélia Carneiro de Mendonça* e Maria Eugênia Celso*, a cúpula da FBPF. Sensibilizado com os argumentos do grupo, ele elaborou um parecer favorável ao projeto. Por esta época, Juvenal Lamartine foi indicado candidato à presidência do estado do Rio Grande do Norte e incluiu na sua plataforma de governo a concessão dos direitos políticos às mulheres de seu estado. Durante a campanha, contou com o apoio incondicional da FBPF. Bertha e outras colaboradoras visitaram Natal (RN), sobrevoaram a cidade a bordo de um avião monomotor, de onde lançaram panfletos, concederam entrevistas à imprensa local e participaram de eventos públicos em apoio à candidatura Lamartine.

Eleito presidente do Estado, articulou para que os parlamentares estaduais elaborassem uma nova lei eleitoral que permitia o voto feminino. Coube ao seu antecessor, ainda em exercício do mandato, José Augusto Bezerra de Medeiros, sancionar a lei. Foi a porta aberta para uma avalanche de mulheres que acorreram à Justiça do estado para garantir o seu direito de votar e de serem votadas. A corrida pelo alistamento foi iniciada por Júlia Alves Barbosa* e Celina Guimarães Viana*, uma professora de Mossoró que se tornou a primeira eleitora do Brasil a partir do parecer favorável concedido pela Justiça local, a 25 de novembro de 1927. Desta data em diante, até inícios de 1928, a febre do voto tomou conta do Rio Grande do Norte, levando a que professoras, escritoras, donas-de-casa, mulheres de políticos, todas se inscrevessem como eleitoras na capital e nas cidades médias do interior.

Retornando ao Sudeste, as feministas da FBPF trataram de divulgar o exemplo dado pelo Rio Grande do Norte como a prova maior de que não havia mais razão para se negar às mulheres de todo o Brasil o direito de votar. Repetiram, na cidade do Rio de Janeiro, a experiência de lançar do ar panfletos, como recordou em entrevista a engenheira Carmem Portinho*, que participou da aventura.

Em 12 de novembro de 1927, a Comissão de Constituição e Justiça do Senado aprovou, por cinco votos contra dois, um substitutivo apresentado pelo senador Aristides Rocha, do Amazonas, que tratava da matéria relatada por Chermont. A liderança da FBPF compareceu ao ato de votação e se posicionou frente a frente com os senadores durante a sessão. As feministas levaram consigo um abaixo-assinado com cerca de duas mil assinaturas de mulheres, colhidas em todo o país. O documento foi amplamente divulgado na imprensa, como forma de pressionar os congressistas a aprovarem a matéria, e hoje está preservado no

Arquivo Histórico do Senado Federal, em Brasília.

"Desde que uma só exista, não há motivo para que não sejam eleitoras todas as mulheres habilitadas no Brasil", argumentavam as signatárias. "Reclamando esses direitos, não fazemos mais do que fizeram e estão fazendo as mulheres de todos os países civilizados. É princípio do regime democrático, universalmente reconhecido, que, àqueles que obedecem às leis e pagam impostos, assiste o direito de colaborar, direta ou indiretamente, na elaboração dessas mesmas leis e votação desses mesmos impostos. Assim o entendem e praticam os países de cultura mais adiantada, que, na sua quase totalidade, reconhecem os direitos políticos da mulher. (...) Já na antigüidade, as matronas romanas, sob a chefia de Hortênsia, compareceram ao Senado para protestar contra o lançamento de impostos, incidindo sobre as viúvas, sob o fundamento de que não deve pagar imposto aquele a quem não é permitido se pronunciar sobre o lançamento de tributos e confecção de leis. Nem a esclarecida justiça de V.V. Exs. negará que a mulher brasileira é um fator importante para o progresso do nosso país. (...) O recenseamento de 1920 acusa mais de um milhão de mulheres que exercem ofícios e profissões. Estão elas em contato diário com o público, conhecem de experiência própria as dificuldades materiais da vida e os problemas morais e econômicos da coletividade. Por outro lado, também evoluíram as condições do lar.

A economia doméstica e a organização da família estão inteiramente ligadas à organização social e econômica do país. São problemas coletivos que não toleram mais as soluções individuais. Não podem deixar indiferentes as donas-de-casa, as mães de família, cujos filhos, na freqüência diária de jardins de infância, escola, oficinas, academias e cinemas, se acham expostos às vissicitudes do meio ambiente.

O nosso Código Civil, afastando-se de outros menos liberais, deu à mulher brasileira uma situação privilegiada, considerando a esposa como companheira do marido e não como sua inferior, não lhe exigindo na sociedade conjugal obediência, mas sim colaboração. Sendo a mãe a tutora natural dos filhos, dotada de pátrio poder, elevou-se legalmente ao nível dos homens, cujas responsabilidades políticas está habilitada a compartilhar. (...) Votar não é um privilégio, uma recompensa que se dê aos cidadãos altamente especializados para exercerem essa função. É uma obrigação de todos. (...) É bem possível que a interferência da mulher na vida pública, armada do poder de legislar e influir sobre a economia política, seja o meio mais eficaz de assegurar às mães do futuro a possibilidade, que hoje não mais existe, senão nas classes privilegiadas, de se dedicarem, inteiramente, à sua santa missão.

Mas — seja como for — não há força humana que possa sustar a marcha da evolução. Uma vez atirada a mulher ao trabalho pela pressão econômica, é a sua emancipação política um corolário inevitável, ao qual não é possível fugir.

As mulheres possuem direitos eleitorais em 40 países. Só Portugal e os Bálcãs, alguns países da África, da Ásia e da América Latina, ainda não instituíram nenhuma forma de sufrágio feminino. Mesmo assim, todos os dias se vão abrindo novas brechas. Enquanto que os nossos adversários dizem que os latinos da Europa excluem o elemento feminino da plena participação na política, as mulheres de Espanha ascendem à Assembléia Nacional, em desmentido solene a esta afirmação. (...)

Não é neste momento, em que 160.000.000 de mulheres são eleitoras, em que uma delas preside o Senado da Áustria e outras ingressam às dezenas nos parlamentos, às centenas nas assembléias estaduais, aos milhares nos conselhos municipais, que poderá a América Latina repelir uma das mais nobres conquistas da humanidade. Assim o evidenciou o exemplo do Rio Grande do Norte, das províncias de Guanajuato, no México, e de San Juan, na Argentina, desfraldando o estandarte da emancipação feminina. Quando esta se incorporar às grandes conquistas da nossa história, como a Independência, a Abolição e a Proclamação da República, será o Rio Grande do Norte apontado como arauto do Progresso e da Civilização (...)."

Assinavam, Bertha Lutz, presidente, Jerônima de Mesquita, vice-presidente, Maria Amália Bastos, 1ª secretária, Carmem Velasco Portinho, 2ª secretária, Maria de Carvalho

Dutra, 3ª secretária, Maria Ester Corrêa Ramalho*, tesoureira, Orminda Bastos*, consultora jurídica, e Ester Ferreira Viana, diretora de atividades sociais; o Conselho da FBPF — Laurinda Santos Lobo*, Baronesa do Bonfim*, Maria Eugênia Celso, Ana Amélia Carneiro de Mendonça, Cassilda Martins, Stela de Carvalho Guerra Duval*, Nair de Teffé Hermes da Fonseca*, Laurita Lacerda Dias, Maria de Lourdes Lamartine — e mais duas mil mulheres.

Parecia que a questão do voto ia encontrar, afinal, a solução longamente ansiada por três gerações de mulheres, desde a década de 1890. Mas esse projeto, apesar da aprovação do substitutivo, também não foi convertido em lei.

Em maio de 1928, um retrocesso nas conquistas das eleitoras do Rio Grande do Norte causou indignação entre as feministas da FBPF. Procedeu-se à eleição para o Senado, na vaga deixada por Juvenal Lamartine, do candidato único José Augusto Bezerra de Medeiros. Contudo, ao ser diplomado no Congresso Nacional, José Augusto Bezerra foi proclamado senador da República sem os votos das mulheres de seu estado, uma vez que a Comissão de Poderes daquele órgão legislativo considerou-os inapuráveis. Em resposta, a FBPF lançou um manifesto à Nação.

Em meados de 1930, um projeto de sufrágio feminino foi aprovado em segunda discussão no Senado, mas o devido encaminhamento permaneceu a reboque de outras questões nacionais, naquela fase turbulenta vivida pelo país quando a República oligárquica foi derrotada pela Revolução de outubro de 1930. Cedo as feministas cariocas buscaram aliados no novo quadro político e se aproximaram do chefe do Governo Provisório, Getúlio Vargas. Em 1931, a FBPF promoveu no Rio de Janeiro o II Congresso Internacional Feminista para discutir os rumos do movimento. Maria Eugênia Celso foi nomeada, por decreto, representante oficial do governo no encontro que transcorreu com grande audiência nos salões do Automóvel Clube, centro do Rio de Janeiro. O discurso de abertura coube à prestigiada escritora Júlia Lopes de Almeida*.

As conclusões do congresso foram encaminhadas a Vargas que se comprometeu a empenhar-se pela concessão do voto feminino. Em fevereiro de 1932, foi publicado o novo Código Eleitoral, de cuja comissão de redação Bertha participara, finalmente estendendo o direito de voto às mulheres.

A atenção das filiadas à FBPF voltou-se também para o reordenamento das forças políticas estaduais. Enquanto no Rio de Janeiro a cúpula buscava criar um espaço político junto ao novo governo, em São Paulo as feministas da Federação alinharam-se de corpo e alma com o movimento constitucionalista de oposição a Vargas. As paulistas apoiaram formalmente um manifesto encaminhado ao presidente, a Mensagem das Senhoras Paulistas aos Soldados da Constituição e aos brasileiros de outros estados, subscrito por cerca de 300 mulheres, algumas delas ligadas à FBPF/SP.

Após o encerramento do conflito entre São Paulo e as forças legalistas, o governo convocou uma Assembléia Nacional Constituinte. Para elaborar o texto do anteprojeto de Constituição foi formada uma comissão de juristas que se reuniu na cidade de Petrópolis (RJ) e, indicada por Vargas, Bertha Lutz dela fez parte. A proposta das feministas para a redação do anteprojeto constitucional foi resumida em um documento encaminhado ao relator. Era composto por 13 propostas de emendas ao texto constitucional e foi chamado de "Os 13 princípios". Enfatizava as questões diretamente vinculadas ao cotidiano das mulheres — como maternidade e proteção à infância —, e contemplava problemas que afetavam as condições de vida da população pobre como um todo. Pensando de forma ampla e com ousadia para a época, as feministas condenaram as diferenças salariais motivadas por sexo, nacionalidade ou estado civil, previram a instituição de licença-maternidade remunerada, além de pleitearem o acesso irrestrito de mulheres a cargos públicos, sem distinção de estado civil.

Nos anos de 1931 a 1937, a FBPF deu os primeiros passos no sentido de se tornar o principal canal de representação política do movimento feminista no Brasil. Garantido o direito de voto, a Federação expandiu-se rapidamente, surgindo diversas seções estaduais, umas mais atuantes e com um número maior de filiadas, outras embrionárias. Dentre as mais organizadas estavam as da Bahia, de São Paulo e de Pernambuco. Outras como as do Amazonas, Goiás e Paraíba, ainda incipientes, surgiram naqueles anos no rastro da vitória alcançada pelas feministas.

Enquanto buscava se articular no novo cenário político criado após 1930, a FBPF promoveu uma convenção da Liga Eleitoral Independente — a seção da entidade encarregada de assuntos eleitorais. Simultaneamente, nos primeiros meses de 1933, começaram os preparativos para as eleições da Assembléia Nacional Constituinte, marcadas para maio. Com a previsão da existência de representação por classes na Assembléia, Bertha incentivou Almerinda Farias Gama* a se candidatar como representante do Sindicato das Datilógrafas e Taquígrafas do Distrito Federal. Segundo relatou a própria Almerinda, esse sindicato fora fundado com o apoio e orientação jurídica de Bertha, mas, embora suas filiadas pouco se envolvessem com as atividades sindicais, a mão-de-obra feminina empregada em serviços de escritório significava um importante instrumento político para sustentar uma eventual candidatura das trabalhadoras, como de fato aconteceu.

A grande novidade da eleição de 1933 foi, por um lado, a ampliação do eleitorado, desta vez composto também por mulheres e, por outro, a aspiração difundida na sociedade de que as eleições tomariam rumos diferentes daqueles do período pré-30, tão viciado. O novo Código Eleitoral introduziu importantes inovações: reduziu a idade de cadastramento eleitoral para 18 anos, instituiu o voto secreto e reformulou os esquemas de alistamento, permitindo que entidades civis e órgãos públicos promovessem o alistamento eleitoral em suas sedes. Assim sendo, a FBPF encaminhou no dia 10 de fevereiro de 1933 um requerimento às autoridades competentes para fazer com que a sede da Federação, então localizada no edifício Segreto, na praça Tiradentes, centro do Rio de Janeiro, funcionasse como uma junta de alistamento eleitoral e, posteriormente, durante as eleições, como seção eleitoral. Foi bem-sucedida no seu pleito.

As feministas estavam conscientes de que não bastavam as providências para incentivar as mulheres a fazer valer o seu direito de votar; era preciso garantir um ambiente amistoso para que elas pudessem se alistar sem sofrer constrangimentos. Bertha Lutz, ciente de seu potencial eleitoral após estar por mais de uma década à frente do feminismo organizado, filiou-se ao Partido Autonomista — a agremiação política que mais se expandia no espaço político carioca daquele momento — para concorrer a uma vaga como deputada constituinte.

Lançados os candidatos e feita a campanha, as eleições transcorreram sem grandes conflitos. A FBPF, porém, não teve sucesso na sua tentativa de eleger uma representante para a Assembléia Nacional. Já no pleito dos representantes classistas, realizado a 20 de julho de 1933, Almerinda Farias Gama, numa bem-sucedida estratégia política da FBPF logrou o feito de ser indicada como delegada eleitora responsável por escolher os representantes classistas que fariam parte da Assembléia Nacional Constituinte.

O insucesso nas eleições não esmoreceu o ânimo das feministas da FBPF, que se articularam para pressionar os constituintes a aprovar matérias de interesse das mulheres, especialmente no que dizia respeito à proteção à maternidade e à infância. A única presença feminina na Assembléia Nacional Constituinte foi a da médica paulista Carlota Pereira de Queirós*. Ainda que tivesse sido saudada por todas as feministas, representava uma incógnita política, visto que ela jamais se aproximara da Federação, sendo ligada a outras atividades. Fizera o seu capital político no estado de São Paulo, coordenando as atividades de apoio material aos soldados na frente de batalha durante a campanha constitucionalista de 1932. Bertha e Carlota tinham divergências profundas, que se explicitariam mais tarde, quando ambas conviveram no Congresso Nacional.

Em junho de 1934, a FBPF promoveu a II Convenção Feminista Nacional, realizada em Salvador (BA). Do encontro, saiu um projeto de reformulação da estrutura interna da instituição, visando ampliar o seu raio de ação para todo o âmbito nacional. O novo plano de ação para a entidade estabeleceu as seguintes diretrizes: promover a organização de filiais nos estados onde ainda não existisse uma Federação; instituir um novo desenho hierárquico, e prever a existência de dois tipos de sócias: as ativas e as colaboradoras voluntárias.

No encontro da Bahia, decidiram também mudanças nos rituais das reuniões e a instituição de símbolos que caracterizassem a identidade da FBPF. A partir de então, qualquer cerimônia da Federação deveria ser precedida pela execução de um hino, cuja letra foi composta por Maria Eugênia Celso e a música, pela maestrina Joanídia Sodré*.

O hino tinha o seguinte estribilho: "Todas juntas na conquista/ Deste novo e sagrado mister/ Que é essência do ideal feminista,/ Tudo à mulher, pela mulher!...", cantado após cada uma das três estrofes.

Na mesma ocasião, a direção da FBPF formulou 10 princípios básicos do feminismo, que deviam ser seguidos pelas filiadas, denominado Decálogo Feminista:

"Toda mulher deve: 1) Exercer seus direitos políticos e cumprir seus deveres cívicos; 2) Interessar-se pelas questões públicas do país; 3) Ter ocupação útil à sociedade; 4) Alistar-se e votar; 5) Votar conscientemente e criteriosamente; 6) Não entregar seu título eleitoral; 7) Dedicar-se à causa feminista, crente no triunfo dos seus ideais; 8) Votar somente em quem for feminista; 9) Bater-se pela conquista e pleno exercício de seus direitos sociais e políticos; 10) Trabalhar pelo aperfeiçoamento moral, intelectual, social e cívico da mulher."

Como parte das mudanças no ritual das reuniões, definiu-se o preto e o laranja como as cores do distintivo da Federação, que passou a trazer a inscrição latina *Viribus Unitis* (forças conjugadas). A bandeira da entidade seguia o mesmo padrão estético. Afeitas a detalhes, as feministas da Federação instituíram a flor calêndula, em sua variedade alaranjada, como aquela que deveria figurar em todas as cerimônias solenes da entidade. A mudança mais importante que resultou do encontro de Salvador, porém, foi a reformulação da estrutura de poder interna da Federação, que passou a contar com uma líder nacional e uma presidenta em cada estado, auxiliadas por secretárias-gerais. A forma como a liderança da FBPF encaminhou a participação das feministas organizadas no mundo da política, prezando, como de hábito, a hierarquia, indica que a Federação poderia ter dado origem a uma agremiação partidária, não fosse a supressão das liberdades democráticas em novembro de 1937.

A 14 de outubro de 1934 promoveram-se eleições gerais, com disputa para os cargos de governador e por vagas para a Câmara Federal e as Assembléias Constituintes estaduais. Bertha candidatou-se à Câmara Federal, mas novamente não conseguiu ser eleita, alcançando a primeira suplência. No entanto, em todo o Brasil, nove mulheres foram eleitas deputadas estaduais. Dentre elas, três eram ligadas à FBPF, onde ascenderam a postos de liderança e alcançaram visibilidade política suficiente para serem eleitas: Maria Luísa Bittencourt*, eleita na Bahia; Lili Lages*, em Alagoas, Quintina Diniz de Oliveira Ribeiro em Sergipe. Outras duas deputadas de 1934 mantinham estreita colaboração com a FBPF, embora não fossem filiadas à entidade: Antonieta de Barros*, de Santa Catarina, e Maria do Céu Pereira Fernandes*, do Rio Grande do Norte. Além destas, Maria Teresa Nogueira de Azevedo* e Maria Teresa Silveira de Barros Camargo*, por São Paulo; Zuleide Bogéa* e Rosa Castro pelo Maranhão, também conseguiram um mandato para as Assembléias de seus estados. Desta feita o sucesso político da mobilização feminista era inegável.

A 28 de julho de 1936, Bertha Lutz assumiu o mandato de deputada federal na vaga deixada pelo deputado titular, Cândido Pessoa, que falecera. Para discutir os rumos da FBPF e elaborar as diretrizes da atuação parlamentar de sua líder, as feministas realizaram no Rio de Janeiro, entre os dias 1 e 8 de outubro daquele ano, o III Congresso Nacional Feminista, nos salões do Automóvel Clube. Na ocasião, as integrantes da FBPF discutiram um conjunto de propostas de ampliação da cidadania feminina que contemplavam desde a questão educacional até a questão do estatuto jurídico-institucional das mulheres brasileiras. Paralelamente ao III Congresso, foi realizada a Convenção Bianual da FBPF. Enquanto os participantes do congresso — aberto ao público em geral — discutiam teses concernentes à condição feminina, as delegadas da Federação debatiam os caminhos factíveis para tornar realidade as resoluções do Congresso.

O tema central do evento foi o Estatuto da Mulher, considerado em todas as suas dimensões: econômica, política e social. O objetivo era promover o debate e encaminhar ações concretas para alterar a condição jurídica da mulher. O sucesso das iniciativas das ativistas da FBPF era garantido pela intensa articulação política que precedia a realização de audiências públicas, a fim de que os governantes fossem convertidos em virtuais aliados do movimento feminista. O congresso de 1936, por exemplo, teve como presidente de honra a primeira-dama Darci Vargas*, e a solenidade de abertura dos trabalhos foi prestigiada por ela e pelo próprio presidente Getúlio Vargas.

O auge do encontro foi a apresentação do trabalho "Estatutos da Mulher", elaborado pela advogada baiana Maria Luísa Bittencourt, que propunha a aplicação do art. 113, nº 1, da Constituição Federal de 1934: "Não haverá distinção, nem privilégios baseados no sexo". Aparentemente, há uma contradição entre essa proposta e a de Bertha, que pressupõe a discriminação em favor da mulher como uma ação afirmativa.

Ao final dos trabalhos, as integrantes da FBPF deliberaram pela urgente difusão, em âmbito nacional, por intermédio das federações regionais, dos princípios do Decálogo Feminista, visando a conscientização das mulheres, e do Estatuto da Mulher, como uma peça legal que redefinia os direitos femininos. Outra importante resolução tomada pelo congresso foi a de pleitear, junto ao Governo Federal, a fundação de um Departamento Nacional da Mulher. Postas em discussão no interior do movimento feminista e apresentadas ao debate público, as propostas do departamento da mulher e da reformulação do estatuto jurídico feminino fizeram a base da atuação de Bertha Lutz no Câmara dos Deputados.

Na Câmara, Bertha apresentou as duas grandes propostas elaboradas pela FBPF: criação, no primeiro semestre de 1937, de uma Comissão Especial do Estatuto da Mulher — presidida por ela própria, cujo projeto de lei chegou a passar em primeira discussão na Câmara. Mas o súbito fechamento do Legislativo em novembro de 1937 abortou o que teria sido uma das principais conquistas das mulheres. Além disso, defendeu a criação do Departamento Nacional da Mulher. Esta sofreu resistência de onde menos se esperaria, da deputada Carlota Pereira de Queirós. O projeto — inspirado, segundo afirma Heleieth Saffioti, no Woman's Bureau norte-americano — previa a implantação de um órgão burocrático, integralmente administrado por mulheres nos níveis nacional, estadual e municipal. Conforme a avaliação da historiadora Susan Besse, as integrantes da FBPF conceberam o Departamento para que o Estado promovesse um conjunto amplo e articulado de políticas que teriam início com uma vasta investigação sobre as reais condições de vida enfrentadas pelas mulheres. O segundo passo a ser tomado seria a instituição de um sistema de assistência à maternidade, seguida da preparação de materiais didáticos destinados a serem divulgados na mídia (especialmente no rádio). A etapa final do plano de ação previa a promoção de treinamento profissional de assistentes sociais.

A rejeição da deputada Carlota Pereira de Queirós à proposta de criação do Departamento da Mulher baseou-se na idéia de que o modelo burocrático subentendido no projeto levaria à criação de um órgão virtualmente autônomo, que avançaria sobre as competências de três ministérios. Contrariando o espírito do projeto de Bertha, Carlota propôs que o Departamento a ser criado ficasse subordinado a um ministério, preferencialmente, ao da Educação e Saúde. Outra crítica apontada por Carlota ao projeto prendeu-se à idéia de que os cargos do órgão seriam preenchidos, exclusivamente, por mulheres. Para Carlota, esta proposta continha no seu bojo a idéia de segregação sexual. Em razão das divergências de pensamento entre as duas deputadas, solitárias representantes femininas no Congresso Nacional, a proposta do Departamento da Mulher avançou muito pouco ao longo do ano legislativo de 1937. Em novembro daquele ano, o golpe do Estado Novo encerrou a carreira de

Bertha no parlamento, sufocando a primeira experiência do feminismo brasileiro organizado no jogo político congressual.

Pouco se conhece sobre as atividades da FBPF durante o período do Estado Novo. Sabe-se, porém, que em meados de 1938 a direção da Federação pediu às seções estaduais que enviassem cartas à presidência da República solicitando que as conquistas obtidas pelas mulheres na Constituição de 1934 fossem preservadas. Apesar da correspondência trocada entre a direção da FBPF no Distrito Federal e as federações estaduais, desconhece-se até mesmo se a entidade chegou a encaminhar ao governo o documento em defesa das conquistas sociais já obtidas. Almerinda Gama, após ter vivido o momento de destaque político durante os preparativos para a Constituinte de 1934, acabou se afastando do movimento liderado por Bertha. Na sua avaliação, já em meados dos anos 30, pesava mais dentro da FBPF a voz das mulheres de elite, de pensamento pouco sensível aos problemas das mulheres trabalhadoras.

O balanço da atuação de Bertha Lutz nos revela, porém, uma hábil articuladora política, envolvida com propostas de reformas que beneficiavam a condição de vida do conjunto das mulheres brasileiras, usando o Estado como instrumento de intervenção social. Mas é verdade, também, que a ordem hierárquica que presidia a organização oferecia pouco espaço para a atuação de mulheres que não fossem originárias dos setores médios e que, portanto, não partilhassem dos mesmos códigos de conduta e valores desses setores.

Após a decretação do Estado Novo, observa-se o gradual afastamento de Bertha do dia-a-dia da federação, por motivos ainda hoje pouco esclarecidos. Em conseqüência, houve uma perda sensível no ímpeto de mobilização que impulsionara o movimento feminista em todo o país, uma vez que poucas atividades foram promovidas pela entidade naqueles anos. Já no início dos anos 1940, Maria Sabina de Albuquerque* assumiu a presidência executiva da entidade; a Bertha foi garantido um lugar de honra em todas as reuniões promovidas pela Federação.

Nos anos de redemocratização pós-1945, o cenário político brasileiro não comportava entidades que privilegiassem a articulação de interesses específicos acima dos interesses de classe. Conquistado o voto e, uma vez bloqueado o caminho eleitoral que as feministas ensaiaram no curto período de mandato, a FBPF foi perdendo o seu potencial mobilizador. Como a política no Brasil caminhava no sentido da polarização ideológica, também as mulheres que ansiavam por participar do mundo público aderiram a organizações de orientação ideológica de direita ou de esquerda, conforme ditassem suas convicções políticas.

Legalmente, a FBPF não foi extinta com o Estado Novo, mas com a redemocratização do país a entidade não apresentou o mesmo fôlego para mobilizar uma parcela importante da população feminina em torno de sua agenda. Durante décadas, ainda, antigas militantes continuaram a se reunir semanalmente na casa da presidenta, Maria Sabina de Albuquerque. Tem-se notícia de que, já entrando nos anos 1970, as tradicionais tardes de chá e debate continuaram a acontecer em sua casa, no bairro carioca do Arpoador.

Convidada a participar, como membro da delegação brasileira, da Conferência Mundial do Ano Internacional da Mulher, promovida pela ONU no México, em julho de 1975, Bertha Lutz dirigiu-se à platéia falando em nome da Federação Brasileira pelo Progresso Feminino. Definitivamente, quatro décadas após a sua criação, não era mais possível distinguir a figura de Bertha Lutz da FBPF.

Fontes: Ângela de Castro Gomes, *Regionalismo e centralização política. Partidos e Constituinte nos anos 30*; Arquivo da FBPF, cxs. 2, 06, 10, 11, 12, 13, 23; Arquivo do Senado Federal, *Desde que uma só exista não há motivo para que não sejam eleitoras todas as mulheres do Brasil*; Atas da FBPF, 1922/1954; Bertha Lutz, Carta a João Batista Cascudo Rodrigues, 4.4.1963; Branca Moreira Alves, *Ideologia e feminismo*; FBPF, *Boletim*, out-nov/1934; Heleieth Saffioti, *A mulher na sociedade de classes*; J.F. Assis Brasil, *Democracia representativa*; J. Rodrigues, *A mulher paulista no movimento pró-Constituinte*; João Cascudo Rodrigues, *A mulher brasileira: direitos políticos e civis*; *Jornal do Brasil*, 2.5.1933; June Hahner, *A mulher brasileira e suas lutas sociais e políticas*; *A Mulher*, ago/1936; *Renascença*, fev/1923;

Susan Besse, *Restructuring Patriarchy*; Entrevista com Romy Medeiros da Fonseca em 13.1.1999. • Elaborado por Teresa Cristina Novaes Marques, Hildete Pereira de Melo e Schuma Schumaher.

Federação de Mulheres do Brasil (FMB)

Entidade civil, criada em maio de 1949, abrigava várias tendências do pensamento de esquerda, com forte influência do Partido Comunista Brasileiro (PCB). Teve como primeira presidente Alice Tibiriçá*. A proposta da FMB era organizar a ação das mulheres nas questões relativas a seus direitos, à proteção à infância e à paz mundial, mas principalmente mobilizar campanhas contra a carestia de vida. Alice Tibiriçá exerceu a presidência até a sua morte, em 1950, sendo substituída no cargo por Branca Fialho*.

Através da delegada Fanny Tabak* (na ocasião usando outro nome), a FMB esteve presente na Reunião do Conselho da Federação Democrática Internacional de Mulheres, realizada em Moscou em novembro de 1949. A presidente da entidade foi impedida de sair do país para participar da conferência. Em 1950, Arcelina Mochel*, secretária-geral da FMB, visitou, como sua representante, a Bahia, o Espírito Santo e o Ceará, a fim de travar contato com as associações femininas daqueles estados. Nesse mesmo ano, depois de uma reunião específica sobre a carestia, a FMB resolveu propor às suas filiadas um Plano Nacional Contra a Carestia que se adaptasse às condições de cada região. A entidade empenhou-se também em campanhas para a libertação de presas políticas, como Elisa Branco*, nos anos 50/51.

Em fevereiro de 1951, a FMB participou, através da delegada Ofélia do Amaral Botelho, da reunião do Conselho da Federação Democrática Internacional de Mulheres, realizada em Berlim. Em junho do mesmo ano, foi realizado o I Congresso Nacional da Federação, em São Paulo, com a presença das filiadas estaduais. No ano seguinte, no Rio de Janeiro, a 1ª Assembléia Nacional de Mulheres discutiu o princípio da igualdade de salário para homens e mulheres, a aposentadoria aos 25 anos de serviço e a obrigatoriedade de instalação de creches nas grandes empresas.

Em 1953, as mulheres novamente se organizaram contra a carestia, realizando a Passeata da Panela Vazia. Além desse movimento, participaram da Greve dos 300 mil, ocupando espaços e instalando departamentos femininos nos sindicatos. A luta da FMB teve grande repercussão, e o presidente Vargas enviou ao Congresso Nacional uma lei de defesa da economia popular, a célebre Lei Delegada nº 4, que conferia amplos poderes às autoridades públicas para defender os interesses da população. Aprovada a lei no Congresso (até hoje não foi revogada), foi criado um órgão público para aplicá-la, a Superintendência Nacional do Abastecimento (Sunab). A FMB foi extinta pelo governo Juscelino Kubitschek (1956-60). Contudo, sua atuação já havia sido bastante enfraquecida desde a cisão do Partido Comunista Brasileiro, com a criação do Partido Comunista do Brasil (PC do B) pelos dissidentes.

Fontes: Maria Amélia de A. Teles, *Breve história do feminismo no Brasil*; Maria Augusta Tibiriçá de Miranda, *Alice Tibiriçá: suas lutas e idéias*; *Momento Feminino*; Angélica Monteiro e Guaraciara Barros Leal, *Mulher: da luta e dos direitos*. • Elaborado por Carmen Margarida Oliveira Alveal e Hildete Pereira de Melo.

Feliciana Maria da Conceição
(c.1770-?)

Devota de movimento religioso.

Participou da revolta sebastianista da serra do Rodeador, em Bonito (PE), em 1820. Essa revolta foi a primeira manifestação popular do sebastianismo e o primeiro movimento messiânico no Brasil de que se tem notícia. Chama-se sebastianismo a crença na volta do antigo rei de Portugal, D. Sebastião, morto em 1578 na batalha de Alcácer-Quibir (Marrocos), cujo corpo nunca foi encontrado, suscitando especulações em torno de seu retorno, séculos após a sua morte.

O movimento religioso teve início por volta do ano de 1812, sob inspiração de uma irmandade liderada por Silvestre César (ou Silvestre José dos Santos), de Lages do Canhoto, Alagoas. Nos primeiros tempos, a irmandade congregava apenas parentes próximos de Silvestre, mas, passados alguns anos, muitas pessoas das povoações e campos vizinhos começaram a ser atraídas para a congregação e se dirigiram à serra do Rodeador para participar de rezas domésticas e ouvir as prédicas do líder. A maioria dos adeptos era formada por mulheres e crianças. Quase todos eram negros ou mestiços e, com poucas exceções, analfabetos.

A irmandade foi crescendo e, em 1819, já possuía seu oratório próprio, situado num grande mocambo de palha. Entre as imagens veneradas pelos fiéis estava a Santa da Pedra, presumivelmente Nossa Senhora da Conceição, padroeira de Bonito. Acreditavam os fiéis que a santa tinha o dom milagroso da fala e era quem transmitia a Silvestre todo o conhecimento e as instruções referentes ao "desencanto" de D. Sebastião. Contudo, o movimento messiânico no Rodeador incomodava as autoridades do governo de Pernambuco e da Igreja. Ao final de 1820, a decisão de dispersar com força policial a aglomeração foi colocada em prática.

Tropas governamentais partiram de Recife no dia 21 de outubro daquele ano, com o objetivo de cercar e tomar de assalto a serra do Rodeador. Na madrugada de 25 para 26 de outubro o conflito explodiu. O combate entre os policiais e os fanáticos, maltrapilhos e mal-armados, durou seis horas e nele morreram, pelas cifras oficiais, cerca de 80 sebastianistas, entre os quais algumas mulheres. Muitas pessoas encontraram morte cruel, quando os soldados da polícia atearam fogo nas choupanas de palha, e acabaram queimadas vivas. Os sobreviventes, cerca de 420 pessoas, foram presos para responder a processo sumário.

Feliciana foi interrogada com outras cinco mulheres em 22 de novembro de 1820, mas foram todas absolvidas e soltas. Na época, Feliciana, negra, presumivelmente alfabetizada e casada com um dos líderes da irmandade, declarou ter "50 e tantos anos". Disse que estava no Rodeador porque seu homem e filhos também ali estavam e que ocupava o cargo de "Procuradora da Honestidade das Mulheres", pelo qual recebera duas divisas, uma vermelha e outra azul, enviadas pelo "todo-poderoso El Rei Dom Sebastião José", mas que não sabia o que aquilo queria dizer. Suas funções consistiam em atentar para o modo de vestir das fiéis durante as cerimônias e manter as mulheres separadas dos homens. O conselho de investigação instituído pelo governo concluiu que, apesar de ocuparem cargos de destaque na associação sebastianista, as prisioneiras haviam sido arrastadas pelos homens para entrar na sociedade.

O fato é que, seja pelas tarefas rituais e pela vigilância moral de que estavam incumbidas durante as reuniões, seja pela participação na resistência às investidas repressivas, as mulheres do Rodeador tiveram um papel significativo no episódio.

Fonte: Leonarda Musumeci, *Bonito, Pernambuco, 1820. A revolta sebastianista da serra do Rodeador* • Colaboração especial de Leonarda Musumeci.

Felipa *ver* MÔNICA E FELIPA

Felipa de Melo (séc.XVI)

Colonizadora.

Nasceu em Portugal mas viveu em Pernambuco e no Maranhão. Casou-se com Jerônimo de Albuquerque, cunhado do donatário da capitania de Pernambuco, Duarte Coelho. Jerônimo abandonara a união com a índia Maria do Espírito Santo do Arco-Verde, com quem já tinha oito filhos, para se casar com Felipa de Melo, de origem nobre. Felipa acompanhou o marido quando este foi nomeado capitão-mor do Maranhão, com a incumbência de expulsar os franceses lá estabelecidos, o que de fato aconteceu. Segundo Henrique Capitolino, as três filhas do casal, Luisa, Cosma e Isabel, foram recolhidas à Congregação da Ordem Terceira da Penitência, em Olinda, por volta de 1540. Já Inês Sabino afirma que as moças foram recolhidas ao Convento da Conceição, também em Olinda.

Fontes: Inês Sabino, *Mulheres ilustres do Brasil*; Henrique C.P. de Melo, *Pernambucanas ilustres.*

Felipa de Melo e Albuquerque (séc.XVII)

Senhora de engenho.

Viveu em Pernambuco durante o domínio holandês. Quando, em 3 de julho de 1635, as tropas portuguesas sofreram severas perdas para os holandeses e foram obrigadas a abandonar a Vila Nova do Serinhaem, último refúgio da população civil, Felipa juntou-se à multidão de fugitivos.

Fonte: Henrique C. Pereira de Melo, *Pernambucanas ilustres.*

Felipa de Meneses (séc.XVII)

Colonizadora do Espírito Santo.

Casou-se com Ambrósio de Aguiar Coutinho, donatário da capitania do Espirito Santo. Como as capitanias eram hereditárias, passando de pai para filho, Felipa, ao enviuvar, tornou-se tutora do filho, Antônio Luís Coutinho, que ainda era menor, e passou a administrá-la, nomeando o capitão-mor Francisco Grigante para gerir seus negócios. Em 1648, esse ato foi contestado pelo Conselho Ultramarino.

Fonte: Arquivo Histórico Ultramarino, *Inventário dos documentos relativos ao Brasil, existentes no Arquivo da Marinha e Ultramar de Lisboa,* docs. nº 660-661.

Felipa de Sá (séc.XVI)

Colonizadora da Bahia.

Filha de Guiomar de Faria e de Mem de Sá, governador-geral do Brasil, casou-se com o terceiro conde de Linhares, Fernão de Noronha e Ambrósio de Sá Pessoa. Não deixou herdeiros, pois seus filhos morreram todos em tenra idade. Deixou sua fortuna para o Colégio de Santo Antão, em Lisboa, e para o educandário jesuíta do Brasil, o Colégio da Bahia. O registro de sua vida deve-se a esta doação, para a Companhia de Jesus, de um espólio significativo que deveria ser aplicado no Brasil.

Fonte: Joel Serrão, *Dicionário de história de Portugal.*

Felipa de Souza (c.1556-?)

Condenada pela Inquisição por lesbianismo.

Nasceu em Tavira-Algarve, parte do império português, vindo para o Brasil em data ignorada. Filha de Fulana Gonçalves e Manoel de Souza, era costureira e viúva de um pedreiro, sendo casada pela segunda vez com o padeiro Francisco Pires, com quem vivia em Salvador. Felipa de Souza era alfabetizada, fato extraordinário numa época em que era comum, principalmente entre as mulheres, não saber ler nem escrever.

Tinha 35 anos quando ocorreu a primeira visitação do Tribunal do Santo Ofício. Foi denunciada por práticas nefandas e presa em 18 de dezembro de 1591, confessando inúmeros casos com pessoas do mesmo sexo. Seu processo foi volumoso e envolveu mais de seis mulheres, pelas quais Felipa confessou sentir "grande amor e afeição carnal", tendo tido por companheiras a jovem Maria Peralta, por 8 anos, Maria Lourenço*, por 4 anos, Paula de Sequeira, por um ano, e Ana Fernandes.

Com cartas, presentes e outros expedientes, Felipa procurava aproximar-se das mulheres por quem se sentia atraída. Usava de estratagemas como fingir-se de doente, fazendo o marido levantar-se da cama para dar lugar a sua suposta enfermeira, com quem se deitaria; também iniciava encontros amorosos durante a missa ou trocava abraços e beijos com sua vizinha por cima do muro.

Foi severamente punida pela Inquisição. Em 24 de janeiro de 1592, foi retirada da Casa da Inquisição, no Terreiro de Jesus, sendo levada até a Mesa Inquisitorial na Igreja da Sé, na Bahia. Descalça, vestindo uma túnica branca e com uma vela na mão, ouviu sua sentença e teve como pena o açoite público e o degredo para sempre da capitania. Recebeu, ainda, penitências espirituais. O fato de não ter utilizado instrumento durante suas relações sexuais aparece na sentença como circunstância atenuante, o que indica que a pena poderia ter sido mais rigorosa.

Após o julgamento, Felipa ainda ficou quatro dias presa, mas não se sabe onde cumpriu a pena de degredo.

Por ter sido a mulher mais humilhada e castigada da colônia, como homenagem seu nome foi atribuído ao principal prêmio internacional de Direitos Humanos dos Homossexuais, o "Felipa de Souza Award".

Fontes: Lígia Bellini, *A coisa obscura: mulher, sodomia e inquisição no Brasil*; Ronaldo Vainfas (org.), *História e sexualidade no Brasil* e *Trópicos dos pecados.*

Felisbina Rosa (1830-66)

Enfermeira e heroína da Guerra do Paraguai.

Nasceu em 1830, na cidade de Santos (SP). Com 11 anos, Felisbina Rosa da Anunciação Fernandes e Silva seguiu para o Rio de Janeiro com seus pais. Casou-se com Joaquim Fernandes de Andrade e Silva, mas ficou viúva logo em seguida, com um filho. Com a eclosão da guerra, seu filho foi convocado e Felisbina decidiu acompanhá-lo aos campos de batalha. Apresentou-se como enfermeira e obteve as vantagens conferidas às religiosas da Santa Casa de Misericórdia, sendo designada para o hospital instalado em Montevidéu, nos primeiros meses de 1865. No ano seguinte, foi transferida para o Hospital Avalos em Corrientes, destinado aos praças. Tendo em vista que a baiana Ana Néri* somente partiria em agosto de 1865, os paulistas reivindicam para Felisbina o título de primeira enfermeira, que vem sendo conferido a Ana Néri.

Felisbina Rosa esteve na frente de batalha da passagem do Paraná e na batalha de Tuiuti, onde atendeu aos feridos com abnegação e carinho. Regressou a Corrientes acompanhando os feridos dessa batalha. Estava assistindo a um enfermo, quando, repentinamente, no dia 31 de julho de 1866, sofreu um colapso cardíaco, falecendo em seguida. Seu filho continuou no serviço do Exército e atingiu o generalato.

Fontes: Adalzira Bittencourt, *A mulher paulista na história*; Lígia Torres, *Damas paulistas.*

Feminismo pós-1975

A segunda onda feminista no Brasil

No mundo ocidental, os anos 1960 foram marcados pela luta das chamadas minorias pelos direitos civis. Nos Estados Unidos, paralelamente à luta dos negros americanos contra a segregação racial e os movimentos políticos contrários à guerra do Vietnã, assistiu-se o ressurgimento do movimento de mulheres. Essa nova onda distanciava-se da sua primeira fase baseada na luta pelo direito ao voto do final do século XIX e início do XX. O feminismo contemporâneo estava apoiado, principalmente, nas idéias da escritora francesa Simone de Beauvoir, expressas em seu livro *O segundo sexo*, publicado pela primeira vez em 1949. Nessa obra, a autora examina o desenvolvimento psicológico da mulher e os condicionamentos de sua socialização que a tornam alienada e submissa ao homem. A divulgação das idéias de Simone deu-se ao longo dos anos 50 e foi o marco intelectual para a nova organização do movimento internacional de mulheres.

Nos EUA, a nova etapa do feminismo teve como ponto de partida a publicação do livro *A mística feminina* de Betty Fridman (1963), onde a autora examina o pensamento de Simone de Beauvoir e agrega novas formulações para a reorganização do movimento de mulheres. Fridman busca explicar o que ela chamou de "o mal que não tem nome", representando a angústia do eterno feminino, da mulher sedutora e submissa. Como resultado da difusão do novo pensamento feminista e da inquietude social, a insatisfação com o cotidiano se alastra e as mulheres ocidentais, agora mais informadas, buscam outras formas de satisfação pessoal. Norte-americanas, italianas, francesas, inglesas, suecas ganharam as ruas para entoar as palavras de ordem: *Nosso corpo nos pertence! O privado também é político!* São estas algumas das idéias difundidas pelo mundo inteiro, as quais constituem uma crítica radical, simultaneamente teórica e prática, ao modelo tradicional do que é *ser mulher*. Assim, como resposta à intensa mobilização das mulheres somada à indicação de uma grande conferência internacional, realizada na Cidade do México, com a presença de delegações de diversos países, inclusive do Brasil, a Organização das Nações Unidas (ONU) instituiu o ano de 1975 como o Ano Internacional da Mulher. Também como resultado da conferência do México, a ONU declarou os anos de 1975 a 1985 como a Década da Mulher em todo o mundo. A necessidade de transformar o papel feminino difundiu-se nos mais variados países, independentemente do grau de seu desenvolvimento econômico e social. Da consigna *Diferentes, mas não Desiguais* travaram-se lutas concretas em prol da construção de uma sociedade igualitária.

No Brasil, os acontecimentos em curso no plano internacional causaram enorme repercussão. A despeito de o momento político nacional estar marcado pelo cerceamento das liberdades democráticas, diferentes estratégias e algumas parcerias possibilitaram a organização de seminários onde as mulheres puderam discutir os problemas comuns. Foi nesse contexto de crise da democracia, mas também de construção de novos modelos sociais, que emergiu o feminismo organizado dos anos

1

2

3

4

5

6

Anno I. Cidade da Campanha, 7 de Setembro de 1873. Num. 1.

O SEXO FEMININO

SEMANARIO DEDICADO AOS INTERESSES DA MULHER.

Assignaturas.
Por anno. . . . . . 5$000
Por semestre . . . . 2$500
Publica-se 1 vez por semana.

« E pelo intermedio da mulher que a natureza escreve no coração do homem »
(Aimé Martin.)

Observação.
Toda correspondencia será dirigida á D. Francisca Senhorinha da Motta Diniz.

PROPRIETARIA E REDACTORA—*D. FRANCISCA S. DA M. DINIZ.*—COLLABORADORAS, DIVERSAS.

O Sexo Feminino.

A educação da mulher.

Zombem muito embora os *pessimistas* do apparecimento de um novo orgão na imprensa—O *Sexo Feminino*; tapem os olhos os *indifferentes* para não verem a luz do progresso, que, qual pedra desprendida do rochedo alcantilado, rola violentamente sem poder ser impedida em seu curso; rião os *curiosos* seu riso sardonico de reprovação á idéa que ora surge brilhante no horizonte da cidade da Campanha; agourem bem ou mal o nascimento, vida e morte do *Sexo Feminino*; persigão os *retrogrados* com seus diterios de chufa e mofa nossas conterraneas, chamando-as de *utopistas*: O *Sexo Feminino* apparece, hade luctar, e luctar até morrer: morrèrá talvez, mas sua morte será gloriosa e a posteridade julgará o perseguidor e o perseguido.

O seculo XIX, seculo das luzes, não se findará sem que os homens se convenção de que mais de metade dos males que os opprimem é devida ao descuido, que elles tem tido da educação das mulheres, e ao falso supposto de pensarem que a mulher não passa de *um traste de casa*, grosseiro e brusco gracejo que infelizmente alguns individuos menos delicados ousão atirar a face da mulher, e o que é mais as vezes, em plena sociedade familiar!!!

Em vez de paes de familia mandarem ensinar suas filhas a coser, engomar, lavar, cosinhar, varrer a casa etc., etc., mandem-lhes ensinar a ler, escrever, contar, grammatica da lingua nacional *perfeitamente*, e depois, *economia* e *medicina domestica*, a *puericultura*, a *litteratura* (ao menos a nacional e portugueza), a *philosophia*, a *historia*, a *geographia*, a *physica*, a *chimica*, a *historia natural*, para coroar esses estudos a *instrucção moral e religiosa*; que *estas meninas assim educadas* não dirão quando moças estas tristes palavras:

« Si meu pai, minha mãi, meu irmão, meu marido morrerem o que será de mim!! »

Não sirva de cuidado aos paes que suas filhas, assim educadas e instruidas, não saibão coser, levar, engomar, cortar uma camisa, etc. etc.

A riqueza intellectual produzirá o dinheiro, e com este se satisfarão as necessidades.

O dinheiro, Deos o dá e o diabo póde tirar; mas a sabedoria que Deos dá—o diabo não a roubará.

7

O QUINZE DE NOVEMBRO

DO SEXO FEMININO

PERIODICO QUINZENAL, LITTERARIO, RECREATIVO E NOTICIOSO

ESPECIALMENTE DEDICADO AOS INTERESSES DA MULHE

Redactora proprietaria, D. Francisca Senhorinha da Motta Diniz

COLLABORADORAS, SUAS FILHAS E DIVERSAS SENHORAS

REDACÇÃO; RUA DO LAVRADIO N. 24

Anno III — Capital Federal 6 de Abril de 1890 — Num. 14

O QUINZE DE NOVEMBRO

A racional emancipação da mulher

IGUALDADE DE DIREITOS

FOLHETIM

A Diva Isabella

1 • *Federação Brasileira pelo Progresso Feminino*
Primeira reunião da FBPF no Ministério das Relações Exteriores, em abril de 1936, para discutir o Estatuto da Mulher.

2 • *Felisbina Rosa*
Enfermeira e heroína da Guerra do Paraguai.

3 • *Feminismo*
Mesa "Mulher, um ser violado", II Encontro Nacional Feminista da SBPC/RJ, em 1980.

4 • Manifestação de mulheres no Rio de Janeiro no final da década de 1970.

5 • Manifestação de mulheres em comemoração ao 8 de Março na década de 1970, Rio de Janeiro.

6 • *Francisca Senhorinha da Mota Diniz*
Escritora, educadora e jornalista mineira, fundadora do jornal semanário *O Sexo Feminino* em 1873.

7 • *O Quinze de Novembro*, novo nome do periódico *O Sexo Feminino* após a Proclamação da República.

8

9

10

11

12

13

8 • *Federação Brasileira pelo Progresso Feminino*
Confraternização da FBPF com autoridades brasileiras.

9 • Grupo de mulheres da FBPF.

10 • Excursão da FBPF ao Recreio dos Bandeirantes (RJ).

11 • *Feminismo*
Manifestação do dia 8 de Março de 1981 em São Paulo.

12 • *Francisca Júlia da Silva*
Poetisa do final do séc.XIX que teve sua obra prestigiada por Olavo Bilac e Manuel Bandeira.

13 • *Fernanda Montenegro*
Uma das grandes damas do teatro brasileiro.

14

14 • Feminismo
Manifestação de mulheres em comemoração ao 8 de Março no início da década de 1990, Rio de Janeiro.

15

15 • Francisca Isidora Gonçalves da Rocha
Escritora e professora pernambucana, uma das principais colaboradoras da imprensa feminina na virada do séc.XIX.

16

16 • Federação Brasileira pelo Progresso Feminino
Almoço de confraternização durante II Congresso Internacional Feminista promovido pela FBPF, em 1931, no Rio de Janeiro.

17

17 • Recepção oferecida pela FBPF a autoridades diplomáticas em 14 de abril de 1934.

18

18 • Recepção oferecida pela FBPF a autoridades em agosto de 1934, no Automóvel Clube do Rio de Janeiro.

19

19 • Presença das alunas da escola Wenceslau Braz no II Congresso Internacional Feminista, promovido pela FBPF em 1931, no Rio de Janeiro.

1970. A nova *onda feminista*, se por um lado lutou contra a ditadura militar, por outro empenhou-se também contra a supremacia masculina, a violência sexual e pelo direito ao prazer. O primeiro grupo de que se tem notícia foi organizado em São Paulo em 1972, formado sobretudo por professoras universitárias, algumas recém-chegadas dos EUA e Europa, onde o movimento de mulheres tinha explodido com muita força. Reuniram-se com o objetivo de pensar coletivamente sobre a condição feminina, a partir dos acontecimentos no mundo e no Brasil. Participaram deste primeiro momento de reflexão Célia Sampaio, Walnice Nogueira Galvão, apontadas por todas como as idealizadoras do grupo, Betty Mindlin, Maria Malta Campos, Maria Odila Silva Dias e mais tarde Martha Suplicy*. Durante três anos fizeram algumas tentativas de ampliação do coletivo e, em 1975, na reunião anual da Sociedade Brasileira pelo Progresso da Ciência (SBPC) em Belo Horizonte, organizaram uma mesa sobre o tema mulher e esta questão invadiu o cenário acadêmico. Esse grupo pioneiro dissolveu-se nesse mesmo ano e suas integrantes incorporaram, cada uma à sua maneira, a temática de gênero.

No Rio de Janeiro, em julho de 1975, sob o patrocínio do Centro de Informações da ONU, foi organizada na Associação Brasileira de Imprensa (ABI) a semana de debates intitulada *O papel e o comportamento da mulher na realidade brasileira*. Este evento histórico foi organizado por Mariska Ribeiro, Maria Luiza Heilborn, Maria Helena Darci de Oliveira, Elice Monerato, Katy Almeida Braga, Branca Moreira Alves, Jacqueline Pitanguy, Leila Linhares, dentre outras, com o objetivo de comemorar o ano internacional da mulher e acabou por reunir profissionais liberais, estudantes universitárias e donas-de-casa para discutir os problemas das mulheres brasileiras diante de uma platéia composta por mais de 400 participantes. Do encontro da ABI, as cariocas fundaram o Centro da Mulher Brasileira (CMB), a primeira organização feminista do país nessa nova fase. Tinha como propostas a formação de grupos de reflexão, a promoção de atividades para tornar visível a questão feminina e o combate ao papel subalterno da mulher na sociedade.

Em outubro do mesmo ano, realizou-se na Câmara Municipal de São Paulo o Encontro para o Diagnóstico da Mulher Paulista. Participaram do evento representantes de partidos políticos, da Igreja, sindicalistas, feministas e pesquisadoras. Nesse encontro foi elaborada uma carta-documento, subscrita por 38 organizações, com a proposta de criação de uma entidade que servisse de pólo aglutinador das lutas feministas. Assim sendo, em 1976, Albertina Duarte, Carmita Alves de Lima, Marise Egger, Vera Menegoz, entre outras, criaram o Centro de Desenvolvimento da Mulher Brasileira (CDMB), com vinculação partidária e semelhante à entidade carioca apenas nos estatutos. Ainda em novembro deste ano, aconteceu no Sindicato dos Jornalistas o Encontro de Mulheres de São Paulo, organizado, dentre outras, por Raquel Moreno e Neide Abati, que contou com a presença expressiva de mulheres ligadas principalmente aos clubes de mães e ao movimento popular da periferia da capital paulistana.

Organizou-se, ainda em 1975, o Movimento Feminino pela Anistia, que alcançou rápida repercussão por todo o país e teve como uma de suas principais articuladoras Terezinha Zerbine. Como decorrência da intensa mobilização das mulheres surge o jornal *Brasil Mulher*, editado primeiramente no Paraná e depois transferido para a capital paulista. No princípio, funcionou como um porta-voz do Movimento Feminino pela Anistia, mas depois as questões feministas tomaram conta de suas páginas. Circulou nacionalmente de 1975 até março de 1980, perfazendo o total de 16 edições. Logo em seguida nasceu, em São Paulo, o jornal feminista intitulado *Nós Mulheres*, que circulou de 1976 a 1978, distribuído em todo o país e que durou oito números. Enquanto isso, iam aparecendo inúmeros grupos pelo Brasil e diversos jornais eram criados, com o propósito de denunciar a subordinação da mulher na sociedade. Dessa nova leva, destaca-se o jornal *Mulherio*, lançado em março de 1981, que nasceu e contou com o apoio da equipe de pesquisadoras da Fundação Carlos Chagas de São Paulo e foi uma leitura obrigatória das feministas brasileiras por mais de cinco anos. Outros periódicos foram surgindo regionalmente, como o jornal *Libertas*, editado por um grupo de mulheres de Porto Alegre (1981), o *Chanacomchana*, publicado pelo Grupo de Ação Lésbica Feminista de São Paulo (1984) e o *Maria Maria*, publicado pelo grupo Brasil Mulher de Salvador a partir de 1984.

Do ponto de vista da ação concreta, nos anos 1970 e 80 o movimento feminista no Brasil esteve marcado pela luta em prol da redemocratização e por direitos de cidadania e igualdade. Multiplicaram-se por todo o país dezenas de grupos autônomos de mulheres reunindo as mais diferentes expressões políticas: desde a antiga Associação das Donas de Casa, criada nos anos 1960, na zona leste de São Paulo, até as intelectuais e as exiladas recém-chegadas. Esses grupos estavam próximos das organizações de esquerda, embora surgissem como novos movimentos sociais. Na capital paulista foram criados vários grupos: Associação de Mulheres, depois denominada Sexualidade e Política; o Centro de Informação da Mulher (CIM); Casa da Mulher de São Paulo; Grupo 8 de Março; SOS Mulher; Rede Mulher de Educação e, no interior, o Coletivo Feminista de Campinas. Existia, ainda nesse mesmo estado, um forte movimento de luta por creches, reunindo, sobretudo, mulheres da periferia da capital paulista, o que repercutiu também nos estados do Rio de Janeiro, Minas Gerais e Rio Grande do Sul.

No Rio de Janeiro, foram criados o CERES; o Coletivo Feminista; o Mulherando; o grupo Sexo Finalmente Explícito; SOS Mulher e, posteriormente, o Fórum Feminista do Rio de Janeiro. Em São Luís (MA) Mulheres da Ilha; em João Pessoa (PB), o Maria Mulher; no Recife (PE), a Casa da Mulher do Nordeste, Ação Mulher, e o SOS Corpo. No Rio Grande do Norte, o Centro da Mulher Natalense; no Distrito Federal, o Brasília Mulher; em Salvador (BA), o grupo Brasil Mulher; em Goiás, o Eva de Novo; em Minas Gerais, o Centro de Defesa dos Direitos da Mulher; e no Sul, em Santa Catarina, o grupo Mulher Catarina e, no Rio Grande do Sul, os grupos Libertas e o Costela de Adão.

Embora as organizações feministas contassem com aliados nos partidos políticos, no conjunto, o movimento abrigava mulheres de tendências políticas diferentes que buscavam total autonomia em relação aos mesmos. Os vários grupos defendiam, prioritariamente, a ampliação da cidadania e o direito à sexualidade, e aspiravam afirmar a identidade feminina, diferenciando-a das visões que pretendiam sobrepor as lutas gerais da sociedade à especificidade da condição feminina. Dentro dessa multiplicidade de formas de organização, e principalmente a partir dos anos 1980, o movimento feminista foi ganhando novos contornos e incorporando outros segmentos com realidades específicas, como os grupos de mulheres negras, lésbicas, trabalhadoras urbanas e rurais, prostitutas, empresárias, produtoras culturais, educadoras populares, entre outros.

O complexo universo de reivindicações se expressava nos encontros estaduais, regionais e nacionais. Esses eventos injetavam ânimo novo, permitiam a troca de experiência e a elaboração de um eixo de lutas conjuntas para a construção de uma consciência coletiva que transformasse o papel desempenhado pelas mulheres na sociedade. No estado de São Paulo foram organizados os chamados Congressos da Mulher Paulista nos anos de 1979, 1980 e 1981, chegando a reunir mais de três mil mulheres. No Rio de Janeiro as comemorações do 8 de março foram o pretexto para os encontros estaduais que desde 1977 até meados da década de 1980 aconteceram regularmente. Em Pernambuco, em 1980, houve o I Encontro Feminista Regional e os estados do Ceará, Bahia, Santa Catarina também organizaram eventos similares, tendo essa prática se generalizado nos demais estados brasileiros.

As primeiras reuniões nacionais foram promovidas pelas feministas no espaço dos encontros anuais da SBPC. Em Fortaleza, no ano de 1979, teve lugar o que se convencionou chamar o I Encontro Nacional Feminista; e em seguida o II Encontro no Rio de Janeiro, em 1980, uma reunião histórica com mais de 1.500 participantes entre professoras, estudantes universitárias e militantes do movimento. Diante da efervescência desse encontro, as feministas formularam a proposta de continuidade. Assim, paralelamente à reunião da SBPC de 1981, na Bahia, o grupo Brasil Mulher de Salvador organizou o III Encontro Nacional Feminista, onde participaram 20 grupos de mulheres, no total de 120 militantes, cuja pauta foi a discussão da violência contra a mulher.

A partir de então, concomitantes com as reuniões da SBPC, as organizações feministas passaram a convocar regularmente encontros nacionais, cabendo às organizações locais a responsabilidade da produção dos mesmos. Houve então o IV Encontro Nacional Feminista, em Campinas (SP), 1982; o V Encontro Nacional Feminista, em Brasília (DF), 1983; o VI Encontro Nacional Feminista, em São Paulo (SP), 1984; o VII Encontro Nacional Feminista, em Belo Horizonte (MG), 1985. O crescente interesse das mulheres em participar desses eventos levou a realização dos encontros posteriores para fora do âmbito da SBPC, inaugurando um novo formato, novas metodologias de integração, ampliação dos dias de debates e um espaço comum de convivência das participantes. Dessa forma, o VIII Encontro Nacional Feminista foi realizado no interior do Nordeste, em Garanhuns (PE), 1986; o IX em Petrópolis (RJ), 1987; o X em Bertioga (SP), 1988; o XI em Caldas Novas (GO), 1991; o XII em Salvador (BA), 1997, e o XIII em João Pessoa (PB), abril de 2000.

Na área sindical, a história registra um esforço enorme das trabalhadoras na luta por igualdade, justiça e cidadania. As mulheres sindicalistas participaram aguerridamente de todos os encontros organizados pelos trabalhadores, numa luta renhida para romper com o "machismo sindical" e transformar o sindicalismo em espaço igualitário para ambos os sexos. Criaram departamentos femininos nos sindicatos, participaram de congressos da categoria e discursaram sobre a dura realidade de suas vidas. Essa mobilização, muitas vezes sem alcançar o devido prestígio, acompanhou as lutas operárias brasileiras e, assim, o clima de euforia política do início dos anos 1960 reflete-se também na organização sindical feminina. Em 1963, a realização de um encontro memorável, organizado pelo Pacto de Unidade Intersindical de São Paulo, contou com 415 delegadas para discutir a situação da mulher trabalhadora brasileira. Foi um momento histórico que o golpe militar de 1964 sepultou. Depois de interrompido, esse movimento só veio ressurgir no final dos anos 70, já influenciado pela rebelião feminina mundial.

Em 1979, foram organizados dois congressos da Mulher Metalúrgica, um em São Bernardo (SP) e outro na capital paulista. Esses encontros refletem de certa forma a pujança do novo movimento sindical do ABC paulista e as célebres greves de 1978, com a presença das mulheres. A atuação e a visibilidade alcançada forçou o meio sindical a incorporar as especificidades das operárias: foram denunciados os salários mais baixos das mulheres e a falta de creches, lutou-se pela jornada de 40 horas semanais, pelo abono de faltas ou atrasos causados pela necessidade de levar os filhos ao médico. Estava definitivamente explicitada a diferença entre os trabalhadores quanto ao sexo e, conseqüentemente, a necessidade de os sindicatos defenderem as demandas femininas nas mesas de negociações daí para frente.

A efervescência das idéias feministas no meio sindical tem na realização da I CONCLAT, em agosto de 1981, um marco significativo, com as trabalhadoras demarcando o território da diferença de gênero e as centrais sindicais começando a incorporar as reivindicações e o novo discurso feminino. As metalúrgicas organizaram mais um importante congresso em 1985, onde reafirmaram sua agenda de proposta, bem como avaliaram a importância de se mobilizarem para influírem no novo texto constitucional, que seria elaborado nos anos seguintes. Uma outra novidade da I CONCLAT foi a introdução das demandas das empregadas domésticas na resolução desse encontro, que desde 1960 batalhavam pelo reconhecimento da profissão e pela extensão dos direitos trabalhistas à sua categoria. Algumas associações de empregadas domésticas haviam sido criadas e foram realizados encontros em vários estados brasileiros, mas era a primeira vez que o movimento sindical colocava-as em pé de igualdade.

Da mesma forma, as trabalhadoras rurais emergiram com reivindicações próprias no cenário político. Especialmente em 1979, depois da greve dos 100 mil trabalhadores rurais da Zona da Mata de Pernambuco, as mulheres do campo surgem lutando pela plena cidadania. Começaram a se agrupar como segmento específico, seja como movimento de mulheres, seja dentro dos sindicatos ou mesmo no Movimento dos Sem-Terra, levantando simultaneamente propostas contra a exploração da mão-de-obra no campo e, sobretudo, demandas específicas das trabalhadoras. Em 1990, dois momentos se destacaram nessa luta: o Seminário Nacional das Trabalhadoras Rurais e o primeiro Congresso do Departamento Nacional dos Trabalhadores Rurais da CUT. Na agenda política sindical foram finalmente inseridas as propostas dos diferentes segmentos das trabalhadoras, que vão desde os direitos trabalhistas e sociais até as conquistas de espaço nos sindicatos, nas federações e centrais sindicais.

Mulheres de outros setores organizados da sociedade civil, ainda na década de 1980, passam a dar visibilidade às suas questões específicas. Este é o caso, por exemplo, das mulheres negras. Entre 1985 e 1990, amplia-se, por todo o país, o número de seminários e encontros destinados a fortalecer a organização das mulheres negras e aprofundar a visão específica de subordinação e discriminação, marcada pelo preconceito racial. Neste período, os Encontros Nacionais Feministas passam a ser também um local de articulação política deste segmento, e em 1987, durante o VIII Encontro Nacional Feminista, em Garanhuns (PE), mulheres negras de diversos estados ali presentes decidem realizar, no ano seguinte, o I Encontro Nacional de Mulheres Negras. Este encontro, realizado na cidade de Valença (RJ), em dezembro de 1988, foi precedido de seminários estaduais nos quais se amadureceram os conteúdos a serem discutidos em âmbito nacional. Estiveram presentes, aproximadamente, 440 mulheres negras de 19 estados brasileiros. Na agenda, além da crítica aos festejos do Centenário da Abolição, que marcou o ano de 1988, as mulheres negras lograram discutir temas como racismo, educação, trabalho, saúde, organização política, sexualidade, arte e cultura. A metodologia utilizada foram oficinas simultâneas, projeção de vídeos, performance musical, entre outras atividades, favorecendo a troca de experiência e transparência da diversidade política e cultural das participantes, bem como a importância da realização de outros encontros semelhantes.

Em 1991, as mulheres baianas assumem a realização do II Encontro Nacional de Mulheres Negras, em Salvador. Desde então, é incontável o número de grupos, organizações não governamentais e programas cujo objetivo principal tem sido o de fortalecer as demandas das mulheres negras por cidadania. Essa participação em fóruns e articulações nacionais tem contribuído para uma ampla e efetiva compreensão da diversidade cultural e política do movimento de mulheres brasileiras. Deve-se ressaltar o fato de o XII Encontro Nacional Feminista, realizado em Salvador no ano de 1998, ter particularmente demarcado este ideal, reivindicado por inúmeras militantes negras. Finalmente, é importante mencionar que esta trajetória comum de crescimento e enriquecimento político contou com o espírito instigador e o pioneirismo de várias militantes negras, feministas e ativistas. Maria Beatriz Nascimento e Lélia Gonzalez*, sem dúvida, destacaram-se nesse processo.

Uma outra voz que se levanta é a das mulheres com diferente orientação sexual. As lésbicas somaram ingredientes ao caldo da contestação e, diante dos enormes preconceitos e violência sofrida na sociedade brasileira, organizam-se em grupos de auto-estima, de denúncias e de ação política. Desde 1979 havia surgido em São Paulo a associação *SOMOS* — Grupo de Afirmação Homossexual, onde as mulheres começaram a participar na chamada facção lésbico-feminista; em 1980, diante do crescimento do grupo, resolveram se constituir autonomamente e assim nasce o Grupo Lésbico Feminista, e depois Grupo da Ação Lésbico Feminista. A partir da experiência desse grupo paulista, outros foram sendo criados pelo Brasil: Grupo Terra Maria Opção Lésbica (SP), Grupo Iamaricumas (RJ), Grupo Libertário Homossexual (BA), Grupo Gaúcho de Lésbicas Feministas (RS), Rede de Informação Lésbica Um Outro Olhar (SP), Coletivo de Feministas Lésbicas (SP), Grupo Deusa Terra (SP), Grupo Afins/Santos (SP), Grupo

Lésbico da Bahia/Salvador (BA), Estação Mulher (SP), Coisa de Mulher (RJ). Ao longo das últimas décadas produziram inúmeras publicações, realizaram encontros e seminários estaduais e nacionais, além de ter sediado, em 1999, no Rio de Janeiro, o V Encontro de Lésbicas Feministas da América Latina e do Caribe. Essa temática ocupa pela primeira vez a pauta dos encontros feministas quando, em 1980, no II Congresso da Mulher Paulista, as lésbicas aparecem organizadas no plenário do congresso distribuindo o panfleto "Mulheres Violentadas". A incorporação do lesbianismo como questão política foi muitas vezes ambíguo, mesmo que no discurso do movimento feminista esteja garantido o respeito à diferença e a não-discriminação por orientação sexual.

Atravessando as diversas formas de organizações, algumas questões repercutiram no movimento e foram pólos de aglutinação: a denúncia da violência doméstica, a luta pela saúde, direitos reprodutivos e a descriminalização do aborto foram as principais bandeiras. A luta contra a violência explodiu, com a reação coordenada das feministas, diante das notícias de vários assassinatos de mulheres por seus companheiros. O que antes eram pequenas notinhas nos jornais, ganharam as primeiras páginas com a indignação e denúncia do movimento feminista. As mortes de Ângela Diniz (RJ), Maria Regina Rocha e Eloisa Ballesteros (MG), Eliane de Gramont (SP), tiveram enorme repercussão e tornaram-se exemplos de que o silêncio protegia os assassinos. O bordão *Quem ama não mata*, gritado inicialmente pelas feministas mineiras, ecoou por todo o Brasil, levando inclusive a TV Globo a transformar a questão numa minissérie de grande audiência, cujo título era o *slogan* feminista.

A premência de atuar-se contra todo tipo de violência sofrida pelas mulheres emergiu como idéia no Encontro Feminista de Valinhos (SP), em junho de 1980, com a recomendação da criação de espaços de denúncias e solidariedade para com as vítimas. No dia 10 de outubro desse mesmo ano, foi criado na capital paulista, o primeiro grupo organizado de combate à violência contra a mulher, o *SOS Mulher*. O trabalho desse grupo acabou impulsionando a criação das Delegacias Especializadas no Atendimento às Mulheres Vítimas de Violência (DEAMs). A primeira foi estabelecida em 1985 em São Paulo e, rapidamente, várias outras foram implantadas em outros estados brasileiros. No final dos anos 1990, podia-se contar com mais de 200 delegacias em todo o país.

A discussão sobre a saúde da mulher já fazia parte da agenda feminista, mas o assunto inflamou-se com o regresso das mulheres exiladas — pertencentes ao Círculo de Mulheres Brasileiras — de Paris. Trouxeram na bagagem o polêmico tema do aborto, um dos eixos de luta do movimento internacional de mulheres, nos anos 1970, até então não assumido pelo movimento no Brasil devido à parceria das feministas com a Igreja Católica, o que foi essencial na luta pela redemocratização, mas prejudicial no caso do aborto. A explosão do tema aconteceu quando, em janeiro de 1980, a polícia carioca estourou uma clínica clandestina no bairro de Jacarepaguá e prendeu duas mulheres pela prática do aborto. Como resposta à ação da polícia, foi organizado um protesto pelas feministas cariocas. Essa manifestação teve uma enorme repercussão na sociedade, pois era a primeira vez que um grupo de mulheres vinha a público reivindicar o direito ao aborto. O silêncio que envolvia o assunto estava definitivamente rompido; debates na televisão se sucederam com enorme rapidez e a questão, até então um tabu, foi colocada na agenda do movimento de mulheres. A partir deste momento organizou-se uma campanha, de âmbito nacional, pela descriminalização do aborto e a inserção do assunto no contexto dos direitos sexuais e reprodutivos. A força da mobilização coloca as feministas como interlocutoras no debate público sobre a saúde da mulher. O diálogo com o Ministério da Saúde e a pressão dos diferentes grupos faz surgir, em 1984, o Programa de Assistência Integral à Saúde da Mulher (PAISM), e propicia a realização da I Conferência Nacional sobre a Saúde da Mulher (1987). O acúmulo de forças e o crescente número de entidades voltadas para essa questão possibilitou que em agosto de 1991 fosse criada a Rede Nacional Feminista de Saúde e Direitos Reprodutivos, que integra mais de 100 organizações.

O lento retorno da democracia no país culmina nos anos 1980, com uma grande mobilização pela participação política das mulheres na sociedade brasileira. Desde as eleições de 1982, as feministas cariocas haviam elaborado uma plataforma para ser submetida aos candidatos. Este documento, "Alerta Feminista", virou uma tradição e daí para frente as eleições contaram, nos estados e municípios, com experiências semelhantes; embora essa estratégia não tenha se traduzido em um número significativo de candidatas e sobretudo na ampliação do quadro de mulheres eleitas.

Em 1982, a sociedade brasileira vivia um momento importante na política com a convocação de eleições diretas para governadores. Valendo-se disto, um grupo de feministas paulistas propõe a criação de um órgão específico responsável pela defesa da cidadania feminina e implementação de políticas públicas para as mulheres na estrutura do estado. A vitória do PMDB em São Paulo e Minas Gerais, naquele ano, levou à criação, em 1983, dos primeiros Conselhos Estaduais da Condição Feminina naqueles estados. Essas experiências regionais repercutiram nacionalmente e, por pressão do movimento feminista, o Presidente José Sarney encaminhou ao Congresso projeto de lei propondo a criação do Conselho Nacional dos Direitos da Mulher (CNDM). Foi aprovado o projeto de lei nº 7.335 em agosto de 1985, vinculando o CNDM à estrutura do Ministério da Justiça, com dotação orçamentária e recursos humanos.

A experiência do CNDM foi pioneira porque até então o Estado brasileiro não dispunha de uma política pública específica para a mulher, salvo alguns programas na área da saúde. No rastro da construção do CNDM, foram criados nos estados e municípios diversos conselhos e coordenadorias que passaram a desenvolver importantes ações no campo das políticas públicas. A mais contundente deu-se durante os trabalhos da Constituinte de 1988, quando sua atuação junto ao Congresso Nacional foi pautada pelo compromisso de servir como canal de representação dos interesses do movimento de mulheres. Desta forma, a campanha nacional realizada pelo CNDM, "Constituinte prá valer tem que ter palavra de mulher", foi a ação prioritária nos três primeiros anos de existência do órgão. Criou-se um verdadeiro lobby nacional, o *lobby do batom*, como ficou conhecida a atuação do conselho e da bancada feminina no Congresso Nacional Constituinte. A perfeita sintonia do chamado *lobby do batom* com os movimentos sociais permitiu a façanha extraordinária de se obter a aprovação de mais de 80% das reivindicações encaminhadas aos constituintes na área dos direitos da mulher. Em 1989, o governo Collor acabou com a autonomia financeira e administrativa do órgão e desde então o CNDM veio sistematicamente perdendo espaço na estrutura do Estado, dependendo quase sempre da boa vontade do Ministério da Justiça.

Nos anos 1990, o movimento feminista ampliou sua agenda de ação com um ciclo de conferências promovido pelas Nações Unidas. O marco inicial teve como cenário o Brasil, com a realização da ECO 92 na cidade do Rio de Janeiro. No Fórum das Organizações Não Governamentais, o movimento de mulheres brasileiras participou ativamente através do *Planeta Fêmea*. Este foi um espaço privilegiado que promoveu o encontro de feministas do mundo inteiro, e a partir de amplas discussões elaboraram a *Agenda 21 das Mulheres*. Seguiram-se as conferências sobre Direitos Humanos (Viena, 1993) e População e Desenvolvimento (Cairo, 1994), ambas tratando de assuntos de interesses específicos da agenda feminista. O apogeu desse processo de integração internacional da luta das mulheres se deu com a realização da IV Conferência Mundial da Mulher (Beijing, 1995).

O período preparatório desse evento possibilitou uma grande mobilização nacional com a participação de mais de 800 grupos de mulheres, da realização de encontros estaduais e uma conferência nacional para elaborar um documento contendo as principais reivindicações das brasileiras. É criado no período pré-Beijing (1994) a Articulação de Mulheres Brasileiras (AMB), com fóruns na maioria das unidades da federação. Essa articulação continua atuante no monitoramento das políticas públicas, no sentido de pressionar o governo no cumprimento da Plataforma de Beijing.

O chamado feminismo contemporâneo, ao longo dessas últimas três décadas, organizou-se em mais de 1.000 grupos espalhados pelo Brasil, atuando em diferentes setores: partidos políticos, estrutura do Estado, sindicatos, grupos autônomos, organizações não governamentais (ONGs), associações de moradores, instâncias de controle social, universidades, entre outros. É considerado por muitos estudiosos como o movimento social mais importante do século XX. Essa poderosa força política está espalhada pelas seguintes redes: Rede Nacional Feminista de Saúde e Direitos Reprodutivos, Rede entre Mulheres, Articulação Nacional de Mulheres Negras, Rede de Mulheres no Rádio, Movimento Articulado das Mulheres da Amazônia (MAMA), Rede de Educação Popular entre Mulheres (REPEM), Rede de Estudos e Pesquisas sobre a mulher e relações de gênero (REDOR), Rede para humanização do parto (REHUMA) e, finalmente, a Articulação de Mulheres Brasileiras (AMB).

Em julho de 2000 comemoram-se os 25 anos do seminário da ABI/Rio de Janeiro, data-símbolo da segunda onda feminista que desde então varre as terras brasileiras, em tempos pontuados de vitórias e derrotas. Embora com uma presença ainda modesta no Congresso Nacional, nas assembléias legislativas, nas câmaras de vereadores e nos governos federal, estaduais (a única exceção é o mandato de Roseana Sarney para o governo do Maranhão) e municipais, as mulheres seguem lutando para superar o estigma de sua condição biológica e alcançar seu merecido lugar nos espaços de poder e decisão.

Fontes: Albertina de Oliveira Costa, *É viável o feminismo nos trópicos?*; Ana Alice A. Costa, *La mujer en poder local en Bahia: Brasil, La imbricación de lo publico e lo privado*; Angela Borba, Hildete Pereira, Jacqueline Pitanguy, Wanda Sant' Anna, "O feminismo no brasil de hoje", *Estudos Feministas*; D. Manini, "A critica feminista à modernidade e o projeto feminista no Brasil nos anos 70 e 80", *Cadernos AEL*; Fanny Tabak, *Perfil da vereadora brasileira*; L. Avelar, *Mulheres na elite política brasileira*; Lena Lavinas e Hildete Pereira de Melo, *Mulheres sem medo do poder*, M. Rago, "Adeus ao feminismo? Feminismo e (pós) modernidade no Brasil", *Cadernos AEL*; Maria Luiza Heilborn e Angela Arruda, "Legado feminista e ONG de mulheres: notas preliminares", *Núcleo de Estudos Mulher e Políticas Públicas*; Matilde Ribeiro, "Mulheres negras brasileiras: de Bertioaga a Beijing", *Estudos Feministas*; Schuma Shumaher e Elisabete Vargas, "Lugar no governo: álibi ou conquista?", *Estudos Feministas* • Elaborado por Hildete Pereira de Melo e Schuma Schumaher.

Fernanda Montenegro (1929-)

Atriz.

Nasceu em 16 de outubro de 1929, no bairro do Campinho, zona norte do Rio de Janeiro, filha de Carmen Nieddu e de Vitorino Pinheiro Esteves da Silva. Arlete Pinheiro Esteves da Silva, seu nome de batismo, passou boa parte da infância com os avós, que moravam em Minas Gerais.

Adolescente, fez cursos de secretariado, inglês e francês, custeados com o dinheiro que recebia dando aulas de português. Aos 15 anos soube que a rádio MEC, no Rio de Janeiro, estava selecionando novas atrizes. Fez um teste, foi contratada, e assim teve início uma carreira radiofônica de 10 anos, nos quais trabalhou como atriz, locutora e redatora. Nessa época, adotou o nome artístico de Fernanda Montenegro.

No teatro profissional, estreou em 1950 com a peça *As alegres canções da montanha*, de Lucien Luchaire, em que contracenava com o ator Walter Amêndola. O primeiro sucesso veio com a peça *Loucuras do imperador*, encenada em 1952, em que vivia o papel de uma concubina de D. Pedro I. Em 1954, a atriz francesa Henriette Morineau* contratou Fernanda Montenegro e seu marido, o também ator Fernando Torres, para a sua companhia teatral.

Ao longo de sua carreira, Fernanda protagonizou interpretações históricas no teatro, como nas peças *A profissão da Sra. Warren*, de Bernard Shaw, *Beijo no asfalto*, de Nelson Rodrigues, *A volta ao lar*, de Harold Pinter, e *As lágrimas amargas de Petra von Kant*, de Rainer Werner Fassbinder, um dos maiores sucessos teatrais brasileiros dos anos 1980. Ao todo, participou do elenco de mais de 60 peças teatrais.

Fernanda foi precursora na televisão brasileira nas encenações de clássicos do teatro transmitidos ao vivo na antiga TV Tupi. Também atuou na TV Excelsior e, na Rede Globo, destacou-se em várias novelas, como *Baila comigo*, *Brilhante*, *Guerra dos sexos*, *Renascer* e *Zazá*. Ao todo foram cerca de 15 participações marcantes em telenovelas, que contribuíram para torná-la uma das atrizes mais populares do país.

Do seu casamento, em 1953, tem dois filhos: a atriz Fernanda Torres, com quem contracenou na peça de Gerald Thomas *The flash and the crash days* (1992), e Cláudio Torres, produtor cultural e diretor cinematográfico. No cinema, participou com destaque em obras como *A falecida*, de Leon Hirszman, *Tudo bem*, de Arnaldo Jabor, e *Eles não usam black-tie*, premiado no Festival de Veneza de 1980, de Leon Hirszman e Gianfrancesco Guarnieri. Esta atuação rendeu-lhe o Prêmio Molière de Melhor Atriz. Mais recentemente, trabalhou em *Central do Brasil*, de Walter Sales, pelo qual recebeu o Urso de Prata de Melhor Atriz do Festival de Berlim de 1998 e o Globo de Ouro de 1999. Pelo mesmo filme, foi ainda a primeira atriz latino-americana a receber uma indicação para o Oscar de 1999, conferido anualmente pela Academia de Cinema de Los Angeles, EUA, na categoria de melhor atriz.

Fontes: *Caras*, 19.3.1999; *O Globo*, 27.12.1998; *Veja*, 27.1.1999; Lúcia Rito, *Fernanda Montenegro, o exercício da paixão.*

Filomena Paganani Selleri *ver* MENA FIALA

Floriana Maria (séc.XVIII)

Negra forra.

Viveu em Guarapiranga, na época freguesia de Minas Gerais. Havia sido abandonada ou, nos termos da época, "exposta", na casa do primeiro marido da mulher de José Luís Reis, e ali permaneceu cativa durante toda a infância e parte da idade adulta. Trabalhava no serviço doméstico e na roça da propriedade como se fosse escrava. Fez, então, requerimento ao governador, solicitando a sua liberdade e afirmando ser livre por nascimento. Floriana Maria acabou sendo libertada do cativeiro ilegal a que havia sido submetida, embora não tivesse escapado da condição de extrema pobreza.

Fonte: Laura de Melo e Sousa, *Os desclassificados do ouro.*

Florinda Bolkan (1941 -)

Atriz.

Descendente de índios, portugueses e holandeses, Florinda Soares Bulcão nasceu em 1941, em Uruburetama, pequena cidade do interior do Ceará. Filha de Hosana Soares Bulcão e de José Pedro Soares Bulcão, deputado e poeta. Na infância estudou em Fortaleza, mas sempre passava as férias em Uruburetama com a avó, auxiliando-a nas tarefas domésticas e ajudando a fazer farinhada e rapadura. Após a morte do pai, Florinda mudou-se, aos 17 anos, para o Rio de Janeiro, a fim de continuar os estudos e conseguir emprego. Estudou línguas e estenografia e trabalhou como secretária, ficando noiva nesta mesma época de um rico jovem polonês, mas o acaso fez com que sua vida mudasse radicalmente.

Ao acompanhar uma amiga a um teste de emprego temporário em uma companhia aérea, recebeu a proposta de integrar o grupo das 12 jovens selecionadas, que receberiam no final de um mês de trabalho uma passagem para o exterior. Rompeu o noivado e, com a passagem ganha, resolveu viajar pela Europa. Foi comissária de bordo durante dois anos e foi morar em Roma, onde conheceu o cineasta italiano Luchino Visconti, de quem se tornou amiga e que a convidou para atuar, em 1969, em seu filme *Os deuses malditos*. Participou de vários outros filmes, principalmente na Europa; foi amiga dos diretores Louis Malle, François Truffaut e Claude Lelouch, contracenou com Helmut Berger, Marlon Brando, Richard Burton, Omar Shariff, Ringo Starr, Jean-Louis Trintignant, John Cassavetes, Alberto Sordi. Entre seus papéis cinematográficos, destacam-se os que fez em *Anônimo veneziano* (1970) e *Caros pais* (1972), filmes de Enrico Maria Salerno que lhe deram dois Donatello (prêmio máximo do cinema italiano), *Investigação sobre um cidadão acima de qualquer suspeita* (1970), de Elio Petri, e *Amargo despertar* (1973) de Vittorio de Sica, pelo qual recebeu o prêmio de melhor atriz da Associação de Críticos Cinematográficos de Los Angeles (1975), e *Bella Donna* (1997), de Fabio Barreto.

Apesar de pertencer a uma geração em que as meninas sonhavam em casar, ter um marido e filhos, Florinda nunca se casou, mas admitiu, em entrevistas, que os relacionamentos amorosos, nem sempre convencionais, guiaram sua vida. Ela nunca desmentiu os boatos sobre o romance com a condessa Marina Cicogna. Atualmente vive com plenitude a sua opção libertária e sua preferência por lugares paradisíacos — praia de Quixaba no Ceará e uma casa de campo na Itália. Trabalha na finalização do filme que dirige e no qual atua, *Eu não conhecia Tururu*, filmado boa parte em Guaramiranga, cidade próxima a Fortaleza.

Fonte: *República*, ano 2, nº 23.

Florinda Grandino de Oliveira *ver* LINDA BATISTA

Florisbela (séc.XIX)
Heroína de guerra.

Foi uma mulher do povo que lutou na Guerra do Paraguai (1864-1879), junto com Maria Curupaiti*. Seus feitos como soldado foram reconhecidos por contemporâneos, como o coronel Joaquim S. de Azevedo Pimentel, ele próprio um voluntário na guerra. O coronel Pimentel mencionou tanto Florisbela como Maria Curupaiti em seu livro *Episódios militares*.

Florisbela engajou-se no conflito no Rio Grande do Sul, acompanhando o marido, que pertencia ao 29º Corpo de Voluntários da Pátria. Não se limitou, contudo, à vida dos acampamentos das mulheres dos soldados, envolvendo-se pessoalmente nas lutas. Segundo o coronel Pimentel, Florisbela armava-se com a carabina do primeiro homem que caía ferido e sustentava o combate até o final da luta. Além disso, auxiliava nos hospitais de sangue. Apesar do registro feito pelo coronel, Florisbela não recebeu homenagens por seus feitos, embora estes se igualassem aos que mais se destacaram nos sangrentos combates da Guerra do Paraguai. Faleceu no Rio Grande do Sul, no ostracismo.

Fonte: Carlos Augusto de Campos, *As heroínas do Brasil.*

Francisca (c.1790-?)
Escrava participante de rebelião.

Viveu em Salvador (BA) no início do século XIX. Teve papel destacado na articulação do levante escravo de 1814, ocorrido na Bahia. Com seu companheiro, Francisco Cidade, também escravo, coordenou o movimento. A pretexto de custear batuques e danças da nação, eles percorriam as armações (locais de pesca), coletando dinheiro e transmitindo aos escravos os planos de revolta. Com a repressão desencadeada sobre os conspiradores, Francisca e seu companheiro foram presos. A polícia encontrou em seu poder papéis escritos em árabe, onde ela e ele figuravam como "Rainha" e "Rei" da conspiração. Sufocada a rebelião, Francisco Cidade foi condenado à morte mas teve a pena comutada e foi deportado para um presídio na África. Desconhece-se o paradeiro de Francisca.

Fonte: Nilza Iraci, Alzira Rufino e Maria Rosa Pereira, *A mulher negra tem história.*

Francisca Clotilde (1862-1935)
Educadora, escritora e abolicionista.

Francisca Clotilde Barbosa Lima nasceu na fazenda São Lourenço em São João de Inhamuns, atualmente Tauá (CE), em 19 de janeiro de 1862. Filha de Anna Maria Castelo Branco e João Correia Lima. Fez seus estudos em Baturité, sendo a primeira mulher a lecionar na Escola Normal da cidade.

Na década de 1880 colaborou com o jornal científico e literário *A Evolução*, além das revistas *A Quinzena*, *O Domingo*, *O Libertador* e outras, utilizando-se do pseudônimo de Jane Davy. Em 1889 publicou *Noções de aritméticas* para a Escola Normal, *Coleção de contos* e o romance *A divorciada*, sua obra principal. Em 1893 fundou em Fortaleza o Externato Santa Clotilde, que funcionou por três anos. Mudou-se então para Aracati, onde publicou, em 1906, *A Estrela*, revista dedicada ao sexo feminino que circulou por 15 anos.

Participou do movimento pioneiro de libertação dos escravos do Ceará, integrando a sociedade abolicionista Cearenses Libertadoras, composta somente por mulheres e presidida por Maria Tomázia*. O estado do Ceará foi o primeiro a abolir a escravidão, em 25 de março de 1884.

Faleceu em Aracati no dia 8 de março de 1935.

Fontes: Gisela Paschen Schimmelpfeng, *A mulher e a abolição*; Raimundo Girão e Maria Conceição Souza, *Dicionário de literatura cearense.*

Francisca da Costa (séc.XVI)

Colonizadora do Rio de Janeiro.

Nasceu na ilha Terceira, no arquipélago dos Açores, filha de Jordão Homem da Costa. Casou-se com Aleixo Manuel, o velho, também originário dos Açores, e veio para o Brasil, fixando-se no Rio de Janeiro. Sob a invocação de Nossa Senhora da Conceição, o casal construiu, em 1582, uma capelinha na colina existente na sesmaria de Manuel de Brito, que então tinha o nome de Outeiro da Conceição ou Morro de Manuel de Brito, atualmente São Bento. Em 1586, a sesmaria foi doada aos primeiros beneditinos chegados ao Rio de Janeiro com a incumbência de estabelecer um mosteiro dessa Ordem. Mais tarde, a 13 de maio de 1596, Francisca e seu marido também doaram aos mesmos religiosos a ermida, acrescida, para patrimônio da capela, de terras em Saracuruna e de algumas cabeças de gado.

Fonte: Elysio de Oliveira Belchior, *Conquistadores e povoadores do Rio de Janeiro.*

Francisca da Silva *ver* CHICA DA SILVA

Francisca de Sande (?-1702)

Enfermeira.

Era filha de Clara de Sande e de Francisco Fernandes do Sim. Projetou-se por sua atuação durante epidemia de febre amarela que se alastrou na vila de Salvador, em 1686. Enquanto toda a elite fugia da então capital da colônia, com medo de contágio, Francisca de Sande, já viúva, fez da sua casa um improvisado hospital onde cuidou de doentes provenientes da Santa Casa da Misericórdia que, superlotada, não podia atender a mais ninguém. Era um nobre solar localizado na atual avenida Sete de Setembro, centro de Salvador.

Recolhia também aqueles que preferiam se internar diretamente ali, e para todos providenciava tratamento, pagando por sua própria conta médicos, medicamentos e alimentação dos pacientes. Documentos da época dizem que gastou praticamente todo o patrimônio, "constituído de bens herdados dos seus pais e deixados por seu marido", e que dispendeu "considerável soma em galinhas, frangos, camas, roupas e tudo o que podia ser preciso para a saúde e asseio dos doentes".

Francisca percorria a cidade, acompanhada de seus escravos, pronta a providenciar socorro. Passada a epidemia, a população de Salvador e o rei de Portugal agradeceram sua atitude generosa. Por essa atitude, Francisca foi considerada por alguns a primeira enfermeira do Brasil. Foi casada com o mestre-de-campo Nicolau Aranha Pacheco, com quem teve quatro filhos: Pedro, Francisco, Maria Francisca e Francisca Clara. Faleceu em 21 de abril de 1702 e foi sepultada no Convento da Piedade.

Fontes: Inês Sabino, *Mulheres ilustres do Brasil*; Joaquim Manuel de Macedo, *Mulheres célebres*; *A Tarde*, 7.5.1946; Valentim Benício da Silva, "A mulher na evolução do Brasil" *Revista do IHGB*, jul/1951; Waldemar Matos, *D. Francisca de Sande: a primeira enfermeira do Brasil*; Rocha Pita, *História da América portuguesa.*

Francisca do Céu Ribeiro Sousa (1898-1993)

Política.

Nasceu em 3 de dezembro de 1898, em Belém do Pará. Conhecida como "Professora Santinha", concorreu às eleições municipais de janeiro de 1948 como candidata do PSD à Câmara Municipal de Belém. Foi diplomada em março desse ano, exercendo seu único mandato até 1951. Era professora formada pela Escola Normal do Pará, hoje Instituto de Educação do Pará.

De família pobre, sua mãe, Matilde Alexandrina Ribeiro, costurava para diversas famílias abastadas de Belém; o pai, José Barbosa Ribeiro, era guarda aduaneiro, sendo ambos oriundos da ilha de Marajó. Santinha muito cedo teve que procurar emprego, conseguindo ser nomeada professora nas escolas públicas das cidades de Bagre e Monte Alegre. Nesta, também trabalhou para o fazendeiro José Julio de Andrade como secretária e ajudante de guarda-livros (contadora da firma). Ali criou um jornalzinho, *Aurora*.

Outras cidades onde lecionou foram Igarapé-Açu e Santa Isabel. Na condição de professora, sofreu a falta de recursos do Estado para o pagamento dos salários do funcionalismo público, tendo que sobreviver com bônus do governo (promissórias trocadas por mercadorias nas lojas inadimplentes nos impostos devidos à Secretaria da Fazenda).

O governo do interventor Magalhães Barata (novembro de 1930) fez uma auditoria no serviço público e Santinha foi nomeada para Belém, lecionando primeiro na Escola Cantídia Guimarães, depois no Grupo Escolar Floriano Peixoto. É nessa condição que, em 1934, junta-se às professoras da capital que homenageiam o interventor, apoiando-o como candidato ao governo do Pará. Esse período é marcado pelas lutas internas que opõem a oligarquia da Primeira República, encastelada na Frente Única Paraense (FEUP), aos revolucionários da Aliança Liberal, fundadores do Partido Liberal do Pará em 1931. As mulheres brasileiras acabavam de conquistar (1932) o direito ao voto.

Santinha faz parte do grupo de professoras que, em maio de 1935, cria a Legião Feminina Magalhães Barata, braço do PL que procura fortalecer moralmente a figura do patrono, que não fora indicado ao cargo para o qual estava inscrito, o do governo constitucional do Pará. Essa associação feminina permanece no cenário paraense até 1965, com a função de auxiliar as campanhas eleitorais. Como uma das primeiras "legionárias", atua na organização de comitês do partido e na arregimentação de eleitores. Só a partir de 1948 é que Santinha alcança a representação parlamentar, ao ser indicada para disputar uma vaga de vereadora pelo PSD, e se torna a primeira vereadora paraense. Tinha o dom da oratória e exerceu a 2ª Secretaria da Câmara Municipal, cabendo-lhe escrever as atas das sessões. Embora tenha se aposentado em 1957, continuou no magistério privado até sua morte, em 2 de abril de 1993, aos 94 anos. Santinha era conferencista espírita, doutrina que abraçava como missão.

Fonte: Luzia Álvares, Projeto *Cidadania, participação política e gênero, Pará, 1932-1998* • Colaboração especial de Luzia Álvares.

Francisca Edwiges Neves Gonzaga

ver CHIQUINHA GONZAGA

Francisca Ferreira e Mendecha Ferreira (séc.XVIII)

Líderes comunitárias.

Irmãs negras que, junto com mais quatro mulheres que negaram sua condição de cativas ou escravas, fugiram em busca de um lugar seguro para formar a comunidade hoje conhecida como Conceição das Crioulas, em Pernambuco, a 50km da cidade de Salgueiro, no mesmo estado.

A história oral aponta o início do século XIX, mais precisamente o ano de 1802, como o período em que as crioulas chegaram à região, não havendo consenso quanto a seu local de origem. Na comunidade, trabalhavam fiando algodão que vendiam em Flores, a cidade mais antiga do estado, com o intuito de comprar a terra.

A origem do nome Conceição das Crioulas vem da promessa que essas mulheres fizeram a Nossa Senhora da Conceição de erguer uma capela dedicada a essa santa na localidade, caso conseguissem seu objetivo. Instalada a comunidade, foram elas próprias que fizeram os tijolos para a construção de suas casas. Várias são hoje em dia as lideranças femininas em Conceição das Crioulas: benzedeiras, parteiras, presidentes de associações e partidos políticos, professoras, sindicalistas que estão na luta pelos direitos dos trabalhadores e trabalhadoras rurais.

Fontes: Centro Luís Freire; Fundação Palmares.

Francisca Isidora Gonçalves da Rocha (1855-1918)

Jornalista, escritora e professora.

Nasceu em 24 de janeiro de 1855, em Pernambuco, em um engenho de açúcar no município de Jaboatão, periferia do Recife. Ainda menina, publicou junto com o irmão um jornalzinho que circulava entre seus familiares. Já moça, colaborou com os jornais locais *Diário de Pernambuco* e *A Província da Cidade do*

Recife e com os interioranos *O Phanal* e *O Commercio*. Foi uma das principais colaboradoras da revista *O Lyrio*, editada de 1902 a 1904, dedicada ao público feminino e defensora da educação da mulher como fator primordial para sua atuação social e política. A Academia Pernambucana de Letras a admitiu como sócia correspondente.

Francisca manteve durante anos uma coluna de crônicas no jornal *A Victoria,* de propriedade de seu irmão, o deputado Gonçalves da Rocha. Tratava de assuntos variados, desde a defesa de melhorias para a cidade de Vitória de Santo Antão, como literatura e também política internacional. Professora dessa cidade, nunca se casou. Faleceu na cidade de Vitória de Santo Antão, em 22 de janeiro de 1918.

Fontes: Henrique C.P. de Melo, *Pernambucanas ilustres*; Zahidé L. Muzart (org.), *Escritoras brasileiras do século XIX*.

Francisca Júlia da Silva (1874-1920)

Poetisa.

Nasceu em 31 de agosto de 1874 na cidade de Xiririca (SP), atual Eldorado. Filha de Cecília Isabel da Silva e de Miguel Luso da Silva, teve um irmão, Júlio César da Silva, que também foi poeta. Freqüentou a Escola Normal e se formou professora primária.

Ainda criança, mudou-se para a cidade de São Paulo e aos 20 anos começou a colaborar na imprensa paulistana. Na imprensa do Rio, escreveu para a revista *A Semana*, de grande repercussão. Em 1895 publicou o livro de poemas *Mármores*, que recebeu elogios de poetas contemporâneos e até mesmo de escritores de gerações seguintes. Olavo Bilac, por exemplo, elogiou-lhe "o uso clássico e ao mesmo tempo leve" da língua portuguesa. Manoel Bandeira referiu-se a *Mármores* como a realização do ideal parnasiano da beleza impassível. Na juventude, teve um amor não correspondido pelo poeta Aristeo Seixas. Em 1909, casou-se com Philadelpho Edmundo Munster, com quem viveu até morrer em 1º de novembro de 1920, na cidade de São Paulo.

Fontes: Adalzira Bittencourt, *A mulher paulista na história*; Carolina Ribeiro de Oliveira, *Biografias de personalidades célebres*; Maria T.C. Crescenti Bernardes, *Mulheres de ontem?*.

Francisca Luís (c.1550-?)

Condenada pela Inquisição por lesbianismo.

Negra forra, abandonada pelo marido, estabeleceu-se em Salvador, vinda da cidade portuguesa do Porto. Era vendeira e casou-se com um remador. Tinha 40 anos na época da visitação inquisitorial e foi denunciada ao Tribunal do Santo Ofício por causa de um romance que viveu com a portuguesa Isabel Antônia. Esta chegara de Portugal por volta de 1579, degredada também do Porto por acusações de lesbianismo. Não se sabe se já se conheciam em Portugal.

Isabel foi morar na casa de Francisca e, em 1580, uma briga entre elas, motivada por ciúmes, acabou no Juízo Eclesiástico. Ambas foram punidas com o desterro, sentença que nunca foi cumprida. O relacionamento entre as duas durou 13 anos. A denúncia contra Francisca Luís ao Tribunal do Santo Ofício partiu de uma mulher que afirmou que ela mantinha relações amorosas com outra mulher, sendo isso de conhecimento público na cidade de Salvador. Por Isabel Antônia estar morta na época da visitação, o Santo Ofício resolveu não castigar Francisca além da imposição de penitências espirituais e pagamento das custas à própria Inquisição.

No processo de Francisca Luís e Isabel Antônia há uma referência ao uso de instrumento material durante as relações sexuais. Esse dado contribuía para a gravidade da pena. Isabel tinha a alcunha de "a do veludo", provavelmente alusiva ao falo coberto de veludo que usava nas relações sexuais.

Fontes: Lígia Bellini, *A coisa obscura: mulher, sodomia e Inquisição no Brasil*; Ronaldo Vainfas (org.), *História e sexualidade no Brasil* e *Trópico dos pecados*.

Francisca Luzia da Silva *ver* MÃE LUZIA

Francisca Maria da Encarnação (séc.XIX)

Escrava forra.

Foi declarada forra pelo ex-senhor no ano de 1812. Trabalhadora, Francisca dedicou-se a amealhar bens. No seu testamento e inventário foram arrolados bens valiosos, como peças de ouro e prata, uma casa em Itapagipe, uma canoa e quatro escravos. Estes últimos foram avaliados em 670 mil réis e o inventário apresenta o montante de quase dois contos de réis, uma soma respeitável para a época e para as origens de Francisca.

Fonte: Maria José de Sousa Andrade, *A mão-de-obra escrava em Salvador, 1811-1860.*

Francisca Maria de Santa Anna

(séc.XIX)

Devota de movimento religioso.

Participou da revolta sebastianista da serra do Rodeador, em Bonito, Pernambuco, em 1820. Esta foi a primeira manifestação popular do sebastianismo e o primeiro movimento messiânico de que se tem notícia no Brasil. O sebastianismo pregava a volta do antigo rei de Portugal, D. Sebastião, morto em 1578 na batalha de Alcácer-Quibir, no Marrocos.

A Irmandade do Rodeador formou-se em 1812, liderada por Silvestre César ou Silvestre José dos Santos, vindo de Lages do Canhoto, na comarca de Alagoas. Inicialmente congregava apenas parentes próximos de Silvestre, mas atraiu muitas pessoas das povoações e campos vizinhos, que se dirigiram à serra para participar de rezas e ouvir as prédicas do líder. Em 1819 já tinha seu oratório próprio, num grande mocambo de palha, para onde foram levadas diversas imagens, entre elas a da Santa da Pedra (presumivelmente N.S. da Conceição, padroeira de Bonito, que, segundo acreditavam os fiéis, transmitia a Silvestre todo o conhecimento e as instruções referentes ao "encanto" de D. Sebastião).

A revolta sebastianista terminou num combate com as tropas provinciais, em 26 de outubro de 1820, em que morreram 80 dos 500 membros da irmandade, reunidos na serra. Os sobreviventes foram presos e responderam a processo sumário. Francisca foi interrogada com outras cinco mulheres, no dia 22 de novembro de 1820. Todas elas foram absolvidas e libertadas. Na época, tinha 25 anos. Supõe-se que fosse irmã de Silvestre e casada com um dos alferes da tropa sebastianista. Junto com Feliciana Maria da Conceição*, desempenhava o cargo de "Procuradora da Honestidade das Mulheres". A investigação concluiu que, apesar de ocuparem cargos de destaque na irmandade, haviam sido "arrastadas pelos homens para aquela sociedade criminosa". O fato é que, seja pelas tarefas rituais e pela vigilância moral de que estavam incumbidas durante as reuniões, seja pela participação na resistência às investidas repressivas, as mulheres do Rodeador desempenharam um papel significativo no episódio.

Fonte: Leonarda Musumeci, *Bonito, Pernambuco, 1820. A revolta sebastianista da serra do Rodeador.*

Francisca Pereira Rodrigues *ver*

CHIQUINHA RODRIGUES

Francisca Praguer Fróes (1872-1931)

Médica e feminista.

Nasceu em 1872, em Cachoeira, na Bahia. Era filha de Francisca Barreto Praguer e do engenheiro de minas Henrique Praguer. Sua mãe era uma mulher inteligente e educada, que ensinou a filha a lutar pela igualdade. Francisca sempre afirmava ser "feminista por herança".

Foi das primeiras mulheres a se formar em medicina no Brasil, concluindo o curso em 1893, na Faculdade de Medicina da Bahia. Casou-se com João Américo Garcez Fróes, com quem teve dois filhos, sendo um deles o médico e poeta Heitor Praguer Fróes. Seus trabalhos científicos atestam que foi uma profissional muito eficiente: *Estatística da clínica obstétrica da Faculdade de Medicina da Bahia* (1903); *Propriedades galalotogênicas do extrato do algodoeiro* (1908); *Secreção láctea suplementar e profilaxia matrimonial*; trabalhos apresentados na Semana Médica do Centenário da Bahia em 1923; *Higiene e maternidade* (1931).

Entusiasmada com a luta feminista pelo direito ao voto, participou ativamente da Federação das Ligas para o Progresso Feminino, na seção da Bahia, que deu origem à Federação Baiana pelo Progresso Feminino, vinculada à Federação Brasileira pelo Progresso Feminino (FBPF*). Além de médica e militante da causa feminista, Francisca foi também poeta de grande sensibilidade. Faleceu no Rio de Janeiro no dia 21 de novembro de 1931.

Fontes: Academia Literária Feminina do Rio Grande do Sul, *50 anos de literatura — perfil das patronas*; Adalzira Bittencourt, *Dicionário biobibliográfico de mulheres ilustres, notáveis e intelectuais do Brasil*; Ana Alice A. Costa, *As donas no poder*; Sacramento Blake, *Dicionário bibliográfico brasileiro*.

Francisca Roiz (séc.XVII)

Comerciante.

Em 1599 a Câmara Municipal de São Paulo de Piratininga, concedeu licença para que Marco Lopo se estabelecesse na praça, vendendo "carne, bijus, farinhas, e outras coisas", como ambulante. Já a primeira loja surgiu em 1603, após a Câmara Municipal ter autorizado a abertura de uma casa comercial na cidade. A licença foi para uma mulher chamada Francisca Roiz, ou Rodrigues, a qual, por esse motivo, recebeu a alcunha de "cigana Francisca Roiz". É considerada a primeira comerciante de São Paulo.

Fonte: Adalzira Bittencourt, *A mulher paulista na história*.

Francisca Senhorinha da Mota Diniz (séc.XIX)

Escritora, educadora e jornalista.

Nasceu em São João d'El-Rei (MG), filha de Gertrudes Alves de Melo Ramos e de Eduardo Gonçalves da Mota Ramos. Casou-se com o advogado José Joaquim da Silva, com quem teve duas filhas. Dedicou-se ao magistério da instrução primária, lecionando em Minas Gerais e, posteriormente, em São Paulo e no Rio de Janeiro. Já viúva, fixou residência nesta última, onde fundou e dirigiu o Colégio de Santa Isabel, na rua do Lavradio, voltado para a clientela de moças de classe média. Para administrar a escola contou com o apoio de suas filhas, Albertina Diniz e Elisa Diniz Machado Coelho, ambas escritoras.

Iniciou-se no jornalismo colaborando com o semanário *Estação*, um jornal de modas, mas sua mais importante contribuição para a imprensa feminina da época foi o semanário *O Sexo Feminino*, que começou a produzir em Campanha (MG) em 1873 e durou dois anos. No Rio de Janeiro, reeditou essa publicação de 1875 até 1890 — *O Sexo Feminino*, também semanal, continha informações sobre literatura e amenidades, acrescido de temas polêmicos como a abolição da escravatura, o voto feminino e o movimento feminista em outros países. Após a proclamação da República, Francisca Senhorinha mudou o nome do jornal para *O Quinze de Novembro do Sexo Feminino*. O programa do jornal propunha a emancipação da mulher por meio da educação física, moral e intelectual.

Ainda como jornalista, Francisca Senhorinha redigiu durante o ano de 1880 os semanários *A Primavera*, que circulou no Rio de Janeiro, e *A Voz da Verdade*. Com o auxílio de sua filha, Albertina da Mota Diniz, Francisca Senhorinha escreveu o romance de costumes *A judia Rachel*, editado no Rio de Janeiro em 1886.

Fontes: Maria T.C. Crescenti Bernardes, *Mulheres de ontem?* e "Jornalistas brasileiras do século XIX (1840-1890)", in Maria Aparecida Franco Pereira (coord.), *História da mulher na história*; Sacramento Blake, *Dicionário bibliográfico brasileiro*.

Francisca Silveira do Val (c.1880-?)

Fazendeira.

Na década de 1910, era proprietária da fazenda Santa Teresa, no município de Ribeirão Preto (SP), com 1.000 alqueires, dos quais 250 ainda eram cobertos por floresta. A fazenda tinha 1.047.000 pés de café, que produziram em média, entre 1908 e 1913, 100.000 arrobas anuais. Tinha ainda 150 cabeças de gado, cerca de 100 burros, 18 mulas e 12 cavalos. Viviam na propriedade 162 famílias de colonos, o que representava cerca de 1.000 pessoas, quase todos italianos e espanhóis. A fazenda era atravessada pela linha da Estrada de Ferro Mogiana, sendo servida por uma estação particular, de onde o café era levado até o entreposto comercial por meio de ramal próprio.

Além da elevada produtividade, a fazenda tinha modernos equipamentos de beneficiamento inicial do produto. Francisca do Val, contudo, não residia na propriedade: preferiu viver na cidade de São Paulo, intercalando temporadas anuais na cidade do Rio de Janeiro. Para administrar a fazenda, Francisca do Val se valia de um gerente contratado.

Fonte: Reginald Lloyd, *Impressões do Brasil no século XX*.

G

Gal Costa (1945-)
Cantora.

Maria da Graça Costa Pena Burgos, seu nome de registro, nasceu em Salvador (BA), no dia 26 de setembro de 1945, quando seus pais já estavam separados. Desde pequena, era levada pela mãe, Mariah Costa Pena Burgos, a montagens teatrais e concertos. Em casa, costumava ouvir as grandes cantoras do rádio, como Dalva de Oliveira*, Ângela Maria*, Marlene*, Linda* e Dircinha Batista*. O primeiro violão foi presente da mãe que, no entanto, não conseguiu que ela se dedicasse à música clássica. A menina logo começou a cantar e a tocar violão de ouvido nas festinhas escolares.

Em 1963 conheceu Caetano Veloso, que ficou muito impressionado com seu jeito de cantar, influenciado pela bossa nova. Em 1964, foi convidada para participar do show *Nós, por exemplo*, no Teatro Vila Velha, em Salvador, ao lado de Tom Zé, Gilberto Gil e Maria Betânia*. O ponto alto do espetáculo foi sua interpretação, ao lado de Betânia, de "Sol negro", de Caetano.

Em 1965, Maria da Graça participou do primeiro LP de Maria Betânia, e em setembro do mesmo ano, com Tom Zé, Gilberto Gil, Maria Betânia e Caetano Veloso, apresentou-se em *Arena canta Bahia*, espetáculo dirigido por Augusto Boal, em São Paulo. Adotou, então, por sugestão de seu empresário Guilherme Araújo, o nome de Gal Costa.

Ao lado de Caetano, Gal gravou, em 1967, o LP *Domingo* e, em 1968, participou do IV Festival da Música Popular Brasileira, promovido pela TV Record, com "Divino maravilhoso" (Gilberto Gil e Caetano Veloso) e conquistou o terceiro lugar. Em 1969, gravou, pela Philips, seu primeiro LP individual, intitulado *Gal Costa*, com canções de Caetano, Gil, Tom Zé, Jorge Ben e Roberto Carlos. Em 1970, esteve na Inglaterra, onde se encontrou com Gil e Caetano, que haviam deixado o Brasil no ano anterior. De volta ao país, realizou nova temporada na boate Sucata, onde lançou "London, London", de Caetano Veloso.

No início de 1972, o *pier* de Ipanema, no Rio de Janeiro, transformou-se no lugar da moda da cidade e suas dunas ficaram conhecidas como as "dunas da Gal", pois era ali que a cantora ia à praia.

A França aplaudiu Gal em 1973, no Mercado Internacional do Disco e da Edição Musical (Midem), em Cannes, onde ela se apresentou com Gilberto Gil. Gal prosseguiu com sucesso sua carreira na década de 1980, firmando-se como uma das mais populares cantoras brasileiras. No carnaval de 1994, foi homenageada, juntamente com Betânia, Caetano e Gilberto Gil, no enredo da Escola de Samba Estação Primeira de Mangueira. Em 1998, a gravadora Polygram lançou um conjunto de três CDs com gravações de 1967 até 1983, chamado *30 anos de barato*.

Fontes: Carlos Callado, *Tropicália — a história de uma revolução musical*; *Enciclopédia da música brasileira*.

Gastone Lúcia Beltrão (1950-72)
Ativista política, vítima da ditadura militar.

Nasceu em 12 de novembro de 1950, no estado de Alagoas. Filha de Zoraide Carvalho Beltrão e João de Castro Beltrão. Começou sua militância política na Juventude Universitária Católica (JUC). Mudou-se para o Rio de Janeiro, onde continuou a atuar no movimento estudantil. Casou-se, em 1969, com o militante de esquerda José Pereira da Silva e filiou-se à Ação Libertadora Nacional (ALN). Em agosto de 1969, o casal viajou para Roma e depois para Cuba, onde fizeram treinamento de guerrilha. Foi denunciada aos órgãos de repressão brasileiros quando ainda estava em Cuba. Pouco tempo depois, separou-se do companheiro.

No início de 1972, voltou para o Brasil, mas dias depois, em 21 de janeiro, foi presa na cidade de São Paulo pela equipe do delegado Sérgio Fleury. Consta que reagiu e foi fuzilada, sendo enterrada como indigente no cemitério de Perus. Segundo relatório do Ministério da Aeronáutica, Gastone faleceu em 22 de janeiro, após travar tiroteio com os agentes de segurança. No relatório do Ministério da Marinha, a versão é semelhante, mas não há data e o local da morte é uma rua na zona norte do Rio de Janeiro. Contraditoriamente, documentos no arquivo da polícia técnica, com várias fotos, estabeleceram o local de sua morte em São Paulo.

Fontes: Maria do Amparo Almeida Araújo et al., *Dossiê dos mortos e desaparecidos políticos a partir de 1964*; Luiz Maklouf Carvalho, *Mulheres que foram à luta armada*; Ana Maria Colling, *A resistência da mulher à ditadura militar no Brasil.*

Genendla Kulinska *ver* ASSOCIAÇÃO BENEFICENTE FUNERÁRIA E RELIGIOSA ISRAELITA

Georgina de Albuquerque (1885-1962)

Artista plástica.

Georgina Moura Andrade de Albuquerque nasceu em Taubaté (SP), em 4 de fevereiro de 1885. Aos 19 anos estava na Escola Nacional de Belas-Artes, no Rio, estudando com Henrique Bernardelli. Casou-se em 1906 com o pintor Lucílio de Albuquerque, com quem viajou à Europa. Em Paris, estudou com Paul Gervais e Decheneu, na Escola de Belas-Artes, e com Henri Royer, na Academia Julien. Em 1909, já de volta ao Brasil, Georgina obteve menção honrosa no Salão Nacional de Belas-Artes, com o quadro *Supremo amor*. A partir daí, seu talento foi reconhecido no cenário artístico nacional.

Georgina conquistou muitos outros prêmios no Brasil e participou de mostras internacionais, entre elas a Exposição Panamericana de São Francisco e a de Mulheres Pintoras e Escultoras, em Nova York, ambas em 1925. Dois anos depois, fez concurso para livre-docente e assumiu a vaga deixada pelo pintor João Batista da Costa na cadeira de pintura da Escola Nacional de Belas-Artes (ENBA), ocupando-a durante 20 anos; em 1948, passou a catedrática, também por concurso, e, de 1952 a 1954, dirigiu a Escola, sendo a primeira mulher a ocupar tal função.

No ano de 1937, Georgina foi premiada no Salão de Belas-Artes de Buenos Aires. Fundou, em 1943, o Museu Lucílio de Albuquerque, em homenagem ao marido, morto em 1939, instituindo ali cursos de pintura e desenho para crianças. O Museu Nacional de Belas-Artes, do Rio de Janeiro, onde se encontra sua tela mais famosa, *Raio de sol*, incluiu-a em muitas mostras coletivas. Participou, em 1960, da exposição Contribuição da Mulher às Artes Plásticas no País, no Museu de Arte Moderna de São Paulo. Georgina de Albuquerque faleceu no Rio de Janeiro, em 29 de agosto de 1962.

Fontes: Roberto Pontual, *Dicionário das artes plásticas no Brasil*; Catálogo da exposição Lucílio e Georgina de Albuquerque, MNBA, 1977.

Germana (1819-?)

Escrava, conquistou a liberdade na Justiça.

Vivia em Salvador (BA) e era casada com Manoel Pinto de Oliveira, escravo forro. Juntos conseguiram reunir a quantia de 180 mil réis para depositar como pecúlio em favor da liberdade de Germana. Assim, quando ela estava com 60 anos, entrou com uma ação na justiça, na qual se queixava do rigoroso cativeiro a que era submetida por seu senhor, que continuava negando-lhe a alforria. Argumentava que já tinha idade avançada e continuava a sofrer castigos físicos. Além disso, já havia "produzido" quinze crias. Alegava também que era casada, mas estava vivendo separada de seu marido, livre, também idoso e bastante doente.

Durante o julgamento da ação, Germana chegou a ser avaliada em 250 mil réis pelo seu senhor, e depois em 150 mil réis, por sua avançada idade e pouca saúde. Como acabou sendo avaliada 30 mil réis abaixo da quantia que fora depositada, solicitou a devolução dessa diferença.

Fonte: Cecília Moreira Soares, *Mulher negra na Bahia no século XIX*.

Germana Maria da Purificação *ver* IRMÃ GERMANA

Gerosina Silva Pereira (1918-78)

Operária e ativista política.

Nasceu em 15 de julho de 1918, em São Pedro de Jequitinhonha (MG). Filha de Laura Soares Silva e de Antônio Soares de Arruda. De família pobre, Zizinha, como era conhecida, desde cedo começou a trabalhar como operária numa indústria de confecção. Mais tarde, mudou-se para São Paulo e continuou trabalhando como operária. Casou-se com Antônio Ubaldino Pereira, no ano de 1938, tendo com ele três filhos.

Com o golpe de 1964, acabou se ligando a uma facção de esquerda. Foi presa e mantida incomunicável, em fins de 1970. Seu marido, preso desde 1969, foi banido para o Chile no dia 13 de janeiro de 1971. Assim que foi solta, Zizinha partiu para aquele país, onde viveu até o golpe que derrubou o presidente Salvador Allende, em setembro de 1973.

Novamente o casal se viu separado pelas circunstâncias; enquanto Antônio Ubaldino viajou para a Argentina e daí para a Suécia, Zizinha exilou-se no Panamá. Posteriormente, reuniram-se na cidade de Lund, na Suécia. Em 1974, começou a trabalhar como restauradora de objetos do Museu local. Além disso, presidiu o Comitê Brasileiro de Mulheres Democráticas, fundado na mesma cidade.

Zizinha manifestava o desejo de retornar ao Brasil e rever seus filhos, netos e amigos. Contudo, isso não se realizou. Em 9 de setembro de 1978, morreu de câncer, ainda no exílio. Seu corpo foi cremado e as cinzas trazidas para São Paulo, onde viviam seus familiares.

Fontes: Maria do Amparo Almeida Araújo et al., *Dossiê dos mortos e desaparecidos políticos a partir de 1964*; Ana Maria Colling, *A resistência da mulher à ditadura militar no Brasil*.

Gilda de Abreu (1904-79)

Cineasta, cantora e escritora.

Gilda de Abreu Celestino nasceu em 23 de setembro de 1904 em Paris, França, filha da cantora Nícia Silva de Abreu. Veio para o Brasil para ser batizada quando tinha apenas 4 anos, instalando-se definitivamente no Rio de Janeiro. Estudou no Conservatório Nacional de Música, tornando-se nos anos 30 cantora lírica e de operetas. No cinema, foi atriz de *Bonequinha de seda* (direção de Oduvaldo Vianna) e escreveu o argumento de *Chico Viola não morreu* (Roman V. Barreto). Teve seu romance *Mestiça* levado ao cinema por Lenita Perroy (*Mestiça, a escrava indomável*).

Casou-se com o cantor Vicente Celestino, seu parceiro no cinema e nas letras de músicas. O filme que deu fama ao casal foi *O ébrio* (1946), dirigido por Gilda e com Vicente Celestino, autor do argumento e da canção-tema, no papel principal. A canção tornou-se muito popular e é conhecida até hoje. Gilda dirigiu ainda os dramas *Pinguinho de gente* (1949) e *Coração materno* (1951), este inspirado em outra canção de Vicente Celestino, também extremamente popular. Dois anos antes de sua morte, dirigiu o curta *Canção de amor*. Foi a primeira cineasta a fazer sucesso e carreira no cinema brasileiro.

Faleceu em 1979.

Fontes: Heloísa Buarque de Holanda (org.), *Realizadoras de cinema no Brasil*; Luiz Felipe Miranda, *Dicionário de cineastas brasileiros*.

Gilka Machado (1893-1980)

Poetisa, sufragista e feminista.

Gilka da Costa de Melo Machado nasceu no Rio de Janeiro, a 12 de março de 1893. Era filha da atriz de teatro Teresa Costa e do poeta Rodolfo Machado. Também seus avós e bisavós haviam sido artistas, e sua filha, Eros Volúsia, tornou-se uma bailarina de sucesso. Gilka foi pioneira na utilização do erotismo na poesia feminina brasileira.

Seu interesse pela poesia começou na infância, mas sempre precisou conciliar a vida difícil com a atividade literária. Já casada e com filhos, trabalhou como diarista na Estrada de Ferro Central do Brasil, recebendo um magro salário. Estreou nas letras vencendo um concurso literário do jornal *A Imprensa*, dirigido por José do Patrocínio Filho. Na ocasião, houve manifestação negativa, qualificando seu trabalho como "próprio de uma matrona imoral". Os críticos mais novos, porém, reconheceram a importância da sua proposta, que pretendia a libertação dos sentidos e dos instintos.

A obra de Gilka Machado pertence à escola poética do Simbolismo, e dela adota as imagens mais recorrentes. Contudo, Gilka caminhou para a ruptura com seus contemporâneos, não só pela ênfase na temática do erotismo, mas também pela referência a aspectos sociais que oprimem a mulher. Utilizou-se, quase sempre, de um conjunto de elementos simbólicos com os quais introduz a sua mensagem: a flor, os gatos, a noite, o vento. Seu objetivo é discutir o desejo feminino; executa o seu propósito empregando recursos de linguagem que invocam sensações, como no poema "Sensual":

"Quando, longe de ti, solitária medito/ neste afeto pagão que envergonhada oculto,/ vem-me às narinas, logo, o perfume esquisito/ que teu corpo desprende e há no teu próprio vulto."

Além de talentosa poetisa, Gilka também era uma mulher do seu tempo, que participou dos movimentos em defesa dos direitos das mulheres. Fez parte do grupo da professora Leolinda Daltro* que fundou em dezembro de 1910 o Partido Republicano Feminino*, do qual foi segunda-secretária.

Publicou *Cristais partidos* (poesia, 1915), *Estados de alma* (poesia, 1917), *Mulher nua* (poesia, 1922), *A revelação dos perfumes* (poesia, 1923), *Meu glorioso pecado: amores que mentiram, que passaram* (poesia, 1928), *Sublimação* (poesia, 1938), *Carne e alma* (poesia, 1938); *O meu rosto* (antologia e novos poemas, 1947), *Velha poesia* (antologia comemorativa do cinqüentenário da estréia, 1965), *Poesias completas* (1978). Recebeu o Prêmio Machado de Assis, concedido pela Academia Brasileira de Letras, em 1979. Faleceu no Rio de Janeiro, a 17 de dezembro de 1980.

Fontes: Andrade Muricy, "Alguns poetas novos", *Revista dos Tribunais*, 1918; Carlos Drummond de Andrade, "Gilka, a antecessora", *Jornal do Brasil*, 18.12.1980; Fernando Py (prefácio), in Gilka Machado, *Poesias completas*; Sílvia Paixão, *A fala-a-menos*; Afrânio Coutinho (org.), *Enciclopédia de literatura brasileira.*

Gina Araújo (1890-1960)

Compositora e cantora lírica.

Gina Araújo Régis de Oliveira nasceu no Rio de Janeiro (RJ) em 3 de abril de 1890. Estudou em Paris, com Jules Massenet e André Gédalge. Aperfeiçoou-se em canto com Dubelle e Jean de Reszké. Apresentou-se cantando em vários salões de Paris e foi a primeira brasileira a fazer parte da Societé des Auteurs et Compositeurs de Musique, onde ingressou em 1906. Em 1907, em concerto realizado na capital francesa, várias de suas composições foram interpretadas pelo barítono Corbiano Vilaça. Entre suas obras, destacam-se o poema sinfônico *Evocação*, uma *Missa de réquiem*, *Rosée*, para canto e piano, *Ave Maria*, *Voyage dans le bleu*, *Une larme*, *Les rêves*, para canto, e *Automne* e *Gavotte*, para piano. Em 1922, escreveu a música para os Jogos Florais da cidade do México. Faleceu no Rio de Janeiro, em 1960.

Fontes: *Enciclopédia da música brasileira: popular, erudita e folclórica; e popular*, Eli Maria Rocha, *Nós, as mulheres.*

Gioconda Rizzo (1901-)

Fotógrafa.

Nasceu em 1901, em São Paulo (SP). Filha de Giusepina Rizzo e Miguel Rizzo, fotógrafo italiano, estabelecidos na capital paulista desde 1888. Com o pai, aprendeu a arte da fotografia. Em seguida, surpreendendo a família pela precocidade, montou com apenas 15 anos seu próprio ateliê, o Foto Femina, onde retratava exclusivamente senhoras e crianças. Contudo, em meados da década seguinte, surgiram boatos de que "mulheres de reputação não muito sólida" estavam freqüentando o ateliê. Diante disso, seu pai não lhe permitiu continu-

1 • *Georgina de Albuquerque*
Cartaz do I Salão Feminino de Arte (1931) no Rio de Janeiro, do qual participou Georgina de Albuquerque.

2 • *Gilka Machado*
Poetisa que enfatizou o erotismo em sua obra no começo do séc.XX.

3 • *Gilda de Abreu*
Primeira cineasta a alcançar o reconhecimento popular, com a direção do filme *O ébrio*, em 1947.

4 • *Graziela Maciel Barroso*
Cientista considerada a primeira grande dama da botânica brasileira.

5 • *Guiomar Novaes*
Pianista brasileira consagrada internacionalmente.

1

2

3

4

5

ar a trabalhar no Foto Femina, embora ela contasse com a presença diária da mãe no local.

Gioconda abandonou o ateliê e casou-se. Acabou conhecendo novas técnicas de aplicação fotográfica sobre diversos materiais, sendo pioneira na execução de foto-jóias em porcelana e esmalte. Posteriormente, abriu o Estúdio Gioconda Rizzo. Vinte anos após ter encerrado suas atividades artísticas, em 1982, expôs suas fotografias, tiradas entre os anos 1916 e 1926, em São Paulo.

Fonte: *O Estado de S. Paulo*, 12.4.1982.

Glauce Rocha (1933-71)

Atriz.

Glauce Eldé Ligensfritz Corrêa de Araújo Rocha nasceu em Campo Grande (MS), em 16 de agosto de 1933, filha de Edelweiss Ligensfritz Rocha e de Leopoldino de Araújo Rocha. Aos cinco anos, viu seu pai ser assassinado numa festa e depois desta tragédia foi internada em um colégio religioso em Belo Horizonte. Mais tarde foi morar com sua avó materna em Porto Alegre, e em 1950 mudou-se para o Rio de Janeiro para estudar medicina. Já no ano seguinte, trocou a faculdade pelo Conservatório de Teatro do Rio de Janeiro e, casou-se com o ator Milton Moraes. Em 1952, depois de trabalhar no teatro amador, estreou como profissional no Teatro de Estudantes do Brasil, na peça *João sem terra*. Depois do sucesso nesta peça, atuou em espetáculos infantis, na companhia Alda Garrido*.

A consagração veio com as peças *Madame sans gêne* e *Dona Xêpa*. Conciliava o teatro com o cinema e participou dos movimentos mais importantes da cultura brasileira nos anos 1950. Seu primeiro filme foi *Aventura no Rio* e, logo em seguida, *Rua sem sol*, de Alex Viany. Sua interpretação neste último filme valeu-lhe o prêmio da revelação do ano, dado pela crítica nacional. Em 1955 participou do filme *Rio 40 graus*, de Nelson Pereira dos Santos, considerado um dos precursores do cinema novo brasileiro. Sua carreira foi coroada com o prêmio de melhor atriz do ano, em 1958, por sua atuação na peça *Moral em concordata*. Em 1962 fez os filmes *Os cafajestes*, de Ruy Guerra, e *Cinco vezes favela*, produzido pelo Centro de Popular de Cultura (CPC) da União Nacional dos Estudantes (UNE). Em 1967, foi escolhida por Glauber Rocha para fazer *Terra em transe*; no mesmo ano estrelou *Navalha na carne*. Ganhou o prêmio Molière de teatro em 1968. Na televisão, participou das novelas *Irmãos coragem*, da TV Globo e *Cabocla*, da TV Rio.

Seus últimos trabalhos foram na peça de teatro *Uma noite sobre o pântano* e na gravação da novela *Hospital*, na TV Tupi. Faleceu no dia 12 de outubro de 1971, em São Paulo, em plena atividade, e recebeu como homenagem póstuma o Prêmio Molière daquele ano. Nas duas décadas em que atuou no teatro e no cinema, Glauce colecionou mais de vinte prêmios, e a classe artística e a crítica nacional, numa homenagem à grande atriz, asseguraram que seu nome fosse dado a um teatro no centro do Rio de Janeiro.

Fontes: Aldomar Conrado, *Glauce Rocha*; *O Cruzeiro*, 6.4.1968; *Jornal do Brasil*, 8.7.1970.

Grácia de Abreu (séc.XVII)

Senhora de terras.

Vivia, na segunda metade do século XVII, na vila de São Paulo e possuía escravos índios. Foi processada por um vizinho pelo fato de seus índios terem furtado farinha de trigo e matado diversos porcos pertencentes a ele. A prática do furto de gado e outros mantimentos para venda em mercados era muito usual na época. Embora as autoridades coloniais, através das câmaras municipais, tentassem evitar essa prática por meio de pesadas multas, o número de reclamações e, conseqüentemente, de processos judiciais dessa época é considerável. Grácia de Abreu registrou este fato em seu testamento.

Fonte: John Manuel Monteiro, *Negros da terra: índios e bandeirantes nas origens de São Paulo.*

Graziela Maciel Barroso (1912-)

Cientista, botânica.

Nasceu em 1912, em Corumbá (MS). Casou-se aos 16 anos com um agrônomo e com ele viajou por vários estados brasileiros até que, em 1942, com 30 anos, começou a trabalhar no Jardim Botânico do Rio de Janeiro, ao qual dedicou quase toda a sua vida profissional. Primeira mulher a fazer o concurso para naturalista do Jardim Botânico, tirou o segundo lugar e foi trabalhar em 1946 com seu marido em sistemática botânica. Viúva em 1949, continuou o trabalho dele.

Aos 47 anos, fez o vestibular para a Universidade da Guanabara (atual UERJ), onde estudou história natural. Somente em 1972 fez o doutorado em ciências biológicas, em Campinas (SP). Nos seus mais de 50 anos de atividade didática, foi professora de quase todos os botânicos brasileiros em atividade no final do século. É conhecida como a "grande dama" da botânica brasileira. Em sua homenagem, mais de 25 espécies vegetais brasileiras identificadas nos últimos anos foram batizadas com seu nome, como a *Dorstenia grazielae* (caiapiá-da-graziela) e a *Diatenopteryx grazielae* (maria-preta). Aposentada compulsoriamente aos 70 anos, montou um pequeno laboratório em casa, onde atualmente estuda a família das mirtáceas.

Seu livro *Sistemática de angiospermas do Brasil*, em três volumes, é referência internacional sobre o assunto, sendo adotado em todas as universidades brasileiras. Recebeu o Prêmio Millenium Botany Award, no XVI Congresso Internacional de Botânica, realizado na cidade de Saint Louis, Missouri, Estados Unidos.

Fonte: V.M. Carvalho e V.R. Costa, *Cientistas do Brasil*; *Revista Ecologia e Desenvolvimento*, set-out 1999.

Guidinha do Poço (séc. XIX)
Fazendeira, acusada de assassinato.

Sabe-se que seu nome era Margarida e que viveu na região do Cariri (CE). Foi acusada de matar o marido e acabou a vida de forma trágica, mendigando pelas ruas de Fortaleza.

A literatura regional consagrou a memória coletiva construída em torno da figura de Guidinha do Poço, enfatizando com cores fortes a sua personalidade autoritária e autodeterminada. Sem admitir receber ordens, mas sempre disposta a mandar, Guidinha teria sido, todavia, uma personagem contraditória.

Conta-se que era extremamente generosa com os retirantes que passavam pela sua fazenda, oferecendo-lhes alimento e pouso antes de seguir caminho. O marido reprovava sua atitude e reclamava seguidamente. Altaneira, ela respondia: "Eu dou o que é meu."

O relacionamento conflituoso teve um desfecho dramático com o assassinato do marido. Guidinha foi acusada de ser a mandante do crime e presa. Por falta de provas, foi libertada, mas viveu o resto dos seus dias amargando a tragédia.

Fontes: Manuel de Oliveira Paiva, *Dona Guidinha do Poço*; Walnice Nogueira Galvão, *As mandonas brasileiras nos textos literários*.

Guilhermina Rosa de Sousa (séc. XIX)
Delatora da revolta dos Malês.

Ex-escrava, morava em Salvador (BA) com o também liberto Domingos Fortunato. Em 24 de janeiro de 1835, soube, através de Domingos, que os negros africanos de Salvador estavam planejando um levante para a manhã seguinte. Tendo também ouvido conversas de escravos da janela de sua casa, avisou seu ex-senhor, Sousa Velho, da possível rebelião. Dirigiu-se também a seu vizinho, o branco André Pinto da Silveira, e lhe contou o que sabia, incentivada pela forra Sabina da Cruz*, sua comadre. Foi a primeira notícia entre os brancos da rebelião que ficou conhecida como "Levante dos Malês", ocorrida em Salvador na madrugada de 24 para 25 de janeiro do ano de 1835. Liderado por africanos de religião muçulmana, foi o maior entre os diversos levantes de escravos ocorridos na Bahia do século XIX. Durante a rebelião, foram mortas 70 pessoas e mais de 500 africanos foram presos, dentre eles 31 mulheres.

Fontes: João José Reis, *Rebelião escrava no Brasil*, e "O rol dos culpados: notas sobre um documento da rebelião de 1835", *Anais do Arquivo Público do Estado da Bahia*.

Guimar Pisçara (c.1557-?)
Condenada pela Inquisição por lesbianismo.

Nasceu em Mora, Portugal, e foi morar em Itaparica, na Bahia, onde se casou com um lavrador. Tinha 38 anos por ocasião da chegada ao Brasil do Tribunal Santo Ofício que a acusou de práticas lésbicas. No seu depoimento, confessou que, ainda uma menina de doze ou treze anos, brincava de jogos sexuais com Mécia, uma escrava que servia na sua casa. Mécia também se casou, com um negro alfaiate, escravo dos jesuítas. Quando da visita do inquisidor Heitor Furtado de Mendonça, em 1592, Guimar ainda era amiga de Mécia. Ao confessar seus atos, foi repreendida pelo Tribunal do Santo Ofício, além de receber penitências espirituais.

Fontes: Lígia Bellini, *A coisa obscura: mulher, sodomia e Inquisição no Brasil*; Ronaldo Vainfas, *Trópico dos pecados.*

Guiomar Cacilda de Jesus (séc. XVIII)

Senhora de engenho.

Era proprietária de um engenho açucareiro na região de Santo Amaro (BA). Na época em que viveu Guiomar, raras eram as mulheres donas de engenho. Obtinha-se esta posição, geralmente, com a morte dos maridos. No ano de 1759, além de Guiomar, havia outras cinco senhoras de engenho no Recôncavo baiano — Ana Maria, Catarina de Prado, Maria Sofia, Rosa Maria e Teresa Nunes Teles —, que contava com 37 senhores de engenho.

Fonte: José Antônio Caldas, *Notícia geral de toda esta capitania da Bahia desde o seu descobrimento até o presente ano de 1759.*

Guiomar Novaes (1895-1979)

Pianista.

Guiomar Novaes Pinto nasceu em São João da Boa Vista (SP) no dia 28 de fevereiro de 1895, filha de Ana Meneses Novaes e de Manuel da Cruz Novaes. Começou a tocar piano aos quatro anos de idade, incentivada pela mãe. Suas primeiras apresentações foram nas festas do jardim de infância onde estudava.

Aprendeu a ler notas musicais antes dos sete anos, tornando-se aluna de Eugênio Nogueira, e já em São Paulo, tocou para Luigi Chiarelli, que passou a ensinar-lhe música. Logo se destacou nas apresentações promovidas pelo professor no Conservatório Dramático e Musical de São Paulo. Foi indicada para bolsa de estudos do governo por recomendação de Chiarelli e Isidor Philipp, professor do Conservatório de Paris.

Realizou sua primeira apresentação como profissional no Rio de Janeiro, em 1908. Chegou a Paris no ano seguinte, para apresentar-se ao concurso de admissão para o conservatório. Aprovada em primeiro lugar entre os 388 concorrentes por um júri composto por Claude Debussy, Gabriel Fauré e Moritz Moszkowski, foi aluna de Philipp durante dois anos. Concluiu o curso, obtendo o Grande Prêmio por sua primeira colocação. Fez sua apresentação oficial em Paris em 1912, nos Concertos Colonne e logo depois, apresentou-se no Queen' s Hall, em Londres. No ano seguinte, excursionando pela Europa, apresentou concertos em Berna, Genebra, Berlim e Munique, e em 1914, de retorno ao Brasil, realizou exibições no Rio de Janeiro. Estreou no Aeolian Hall, em Nova Iorque, em 1915.

Sua interpretação da obra de Villa-Lobos, no Teatro Municipal de São Paulo, em 1922, foi um dos pontos marcantes da Semana de Arte Moderna. Ainda nos anos 20, a reconhecida pianista mostrou sua faceta feminista. Em 1923, fazia parte da diretoria da Liga Paulista pelo Progresso Feminino, na qualidade de segunda vice-presidente.

Foi condecorada com a Legião de Honra, pelo governo francês (1932), com a Ordem do Cruzeiro do Sul, pelo governo brasileiro (1956), e com o título de Cidadã Honorária do Rio de Janeiro (1962). Em 1963 representou a América Latina nas comemorações do 15º aniversário da Declaração dos Direitos do Homem, na Organização das Nações Unidas. Considerada uma das maiores intérpretes de Frédéric Chopin, gravou diversos discos no exterior. O primeiro disco no Brasil foi gravado em 1974. Casou-se com Otávio Pinto e teve dois filhos, Ana Maria e Luís Otávio. Faleceu em 7 de março de 1979.

Fontes: *Enciclopédia da música brasileira: popular, erudita e folclórica*; *Dicionário de música*; *Revista Renascença*, fev/1923; Adalzira Bittencourt, *A mulher paulista na história*; Isto É — *1.000 que fizeram o século XX.*

H

Haydée Nicolussi (1905-70)

Poetisa e ativista política.

Nasceu na cidade de Alfredo Chaves (ES), em 14 de dezembro de 1905. Descendia de imigrantes italianos e era filha de Francisca Bourgingnon e de João Nicolussi. Na adolescência, mudou-se com a família para Vila Velha, perto da capital, Vitória, onde estudou no Colégio do Carmo, formando-se professora aos 16 anos. Estreou na literatura colaborando na revista *Vida Capixaba* e, em 1929, ainda em Vitória, foi premiada em um concurso de contos da revista *O Cruzeiro*. Nessa época, travou contato com o pensamento político socialista.

Na década de 1930, mudou-se para a cidade do Rio de Janeiro, onde se diplomou pela British American School e, posteriormente, em museologia, pelo Museu Histórico Nacional. Esteve ainda na França, onde fez curso de aperfeiçoamento em Artes, na Sorbonne, em Paris. De volta ao Brasil, e já como funcionária do Museu Histórico, passou a atuar na imprensa, escrevendo para jornais e revistas do Espírito Santo e do Rio de Janeiro. A qualidade de sua obra poética foi reconhecida por seus contemporâneos, pois muitos trabalhos seus foram incluídos em antologias de poesia brasileira publicadas no Brasil e no exterior.

Participou da revolta comunista deflagrada em novembro de 1935, razão pela qual foi presa pela polícia política do governo Vargas, tendo sido companheira de cárcere de Olga Benario*. Solta, participou da Guerra Civil Espanhola, lutando contra as forças franquistas. Retornou ao Brasil e foi alvo de perseguições políticas, a ponto de só ter conseguido publicar um livro de poemas, *Festa na sombra*, em 1943. O livro recebeu elogios de críticos literários e de poetas, como Manuel Bandeira, que o incluiu na sua antologia *Obras primas da lírica brasileira*. Também escreveu contos para crianças, como *O enterro da sabiá*, *A ingratidão de Papai Noel* e *Anda burro e anda*. Deixou inéditas as obras *Canções de torna viagem* (poemas), *Três recordações da infância*, *Outros contos*, *Os desambientados* (romance) e *Sol de outras plagas* (antologia de poemas). Por ocasião da sua morte, o poeta Carlos Drummond de Andrade referiu-se a Haydée Nicolussi como uma "revolucionária romântica".

Faleceu em 1970.

Fontes: Afrânio Coutinho, *Enciclopédia da literatura brasileira*; Francisco Aurélio Ribeiro, *Antologia de escritoras capixabas* Raimundo de Meneses, *Dicionário de literatura brasileira*.

Hebe Camargo (1929-)

Cantora e apresentadora de televisão.

Nasceu a 8 de março de 1929, em Taubaté (SP), filha de Ester e Sigesfredo Camargo, violinista profissional, conhecido como Feguinho. Em 1935, mudou-se com a família para São Paulo, onde seu pai iria trabalhar no programa *Hora da saudade*, da rádio Difusora. Nessa época, Hebe Maria Camargo, já cantava em festas da igreja e, aos 11 anos, começava a freqüentar os programas de calouros.

Em 1944, aos 15 anos, formou, com sua irmã Estela, a dupla caipira Rosalinda e Florisbela, apresentando o *Programa musical* da rádio Paulista. Ainda nessa década, já com outro repertório, cantou com o Trio Tupã e os conjuntos Três Américas e Dó, Ré, Mi, Fá. Gravou também seus primeiros discos pela Odeon e, mantendo ainda seus cabelos negros, ficou conhecida como a "Moreninha do Samba".

No dia 25 de março de 1950, fez parte do pequeno grupo que foi ao porto de Santos buscar os equipamentos da TV Tupi e, em 18 de setembro, desse mesmo ano, era uma das convidadas de Assis Chateaubriand, proprietário da emissora, para participar do nascimento da televisão no Brasil. Nessa primeira transmissão ao vivo, esteve ao lado de nomes que, como ela, iriam se consagrar na história da comunicação televisual no país. Uma de suas grandes amigas, a atriz Lolita Rodrigues, foi o primeiro rosto feminino a aparecer na tela, cantando o hino de abertura composto especialmente para a cerimônia inaugural.

Alguns anos depois, Hebe comandava cinco programas semanais e ao vivo, na TV Paulista: *Os calouros em desfile*; *Hebe comanda o espetáculo*; *Com a mão na massa*; *Maiôs a beira-mar* e *O mundo é das mulheres*, seu maior sucesso. Em 1957, transformou seu visual, adotando definitivamente os cabelos loiros, que viraram uma de suas marcas.

No inicio da década de 1960, casou-se com Décio Capuano, com quem teve seu único filho, Marcelo, em 1965. Logo após a esse primeiro casamento, afastou-se das atividades artísticas, por um breve intervalo. Voltou em grande estilo, pela TV Record, onde apresentava um programa aos domingos, que, em poucos anos, alcançou marcas imbatíveis de audiência. A partir daí, passou por outras duas emissoras, Tupi e Bandeirantes, até ancorar no Sistema Brasileiro de Televisão (SBT), onde, desde 1986, mantém ao vivo e semanalmente seu programa de entrevistas.

Após mais de 20 anos sem gravar, lançou o CD *Prá você*, em 1998, conquistando em poucos meses uma vendagem extraordinária.

Separou-se do primeiro marido em 1970 e, três anos depois, começou seu relacionamento com Lélio Ravagnani, com quem viveu durante 25 anos, até julho de 2000, quando ficou viúva.

Hebe, ao longo de 56 anos de carreira, criou uma peculiar cumplicidade com o público. Vive em São Paulo, onde com seu carisma e humor conserva o título de primeira dama da televisão brasileira.

Fontes: *Revista SBT*, nº 2; www.bixiga.com.br/telas/hebe.htm; www.musicultura.art.br/info/hebe.htm; www.geocities.com/hebecamargo/apresen.htm; prudenet.prudenet.com.br/~luciro/hebe.html.

Heleieth Saffioti (1934-)

Escritora, feminista, socióloga e professora universitária.

Heleieth Iara Bongiovani Saffioti nasceu em Ibirá (SP) em 4 de janeiro de 1934. Casada com Waldemar Saffioti, teve um filho. Diplomou-se em ciências sociais pela Faculdade de Filosofia, Ciências e Letras da Universidade de São Paulo (USP) em 1960, quando começou suas primeiras pesquisas acadêmicas sobre a condição feminina no Brasil. Resultou de seus estudos a tese de livre-docência para a Faculdade de Filosofia, Ciências e Letras de Araraquara, da Universidade Estadual de São Paulo (UNESP), *A mulher na sociedade de classes: mito e realidade*, sob orientação do professor Florestan Fernandes. Essa tese, defendida por Heleieth em 1967, constitui importante contribuição ao estudo do lugar da mulher na sociedade brasileira, tendo sido publicada em 1969 pela 4 Artes Livraria e reeditada pela Vozes em 1976. O livro alcançou a condição de *best-seller*, reflexo da efervescência do movimento de mulheres na década.

Heleieth não separa a questão feminina dos problemas gerais da sociedade. Mostra, em particular, as relações existentes entre a posição da mulher e o capitalismo. Nas palavras do professor Antônio Cândido de Melo e Sousa, que prefaciou a edição de 1976, o projeto de Heleieth Saffioti de analisar a condição feminina no Brasil era ambicioso e complexo, mas foi executado com rara mestria. A grande repercussão de seus trabalhos no meio acadêmico fez com que Heleieth Saffioti, então regente da cadeira de Sociologia na UNESP, se tornasse referência nacional para os estudos de gênero.

Aposentada como professora titular pela UNESP, continuou incentivando estudos sobre a condição feminina numa perspectiva marxista, participando de seminários e congressos, orientando dissertações de mestrado e doutorado. Tornou-se pesquisadora do Conselho Nacional de Pesquisas (CNPq) junto ao departamento de Psicologia da Universidade de São Paulo (USP), depois de ter sido também professora participante da Pontifícia Universidade Católica de São Paulo e professora visitante na Faculdade Serviço Social da UFRJ. Outras obras publicadas: *Profissionalização feminina: professoras primárias e operárias* (1969), *Emprego doméstico e capitalismo* (1978), *Do artesanal ao industrial: a exploração da mulher* (1981), *O fardo das trabalhadoras rurais* (1983), *Mulher brasileira: opressão e exploração* (1984), *Poder do macho* (1987), *Mulher brasileira é assim* (1994) e *Violência de gênero: poder e impotência* (1995).

Fonte: Curriculum vitae de Heleieth Saffioti.

Helena Antipoff (1892-1974)

Educadora.

Nasceu em Godno, Rússia, em 25 de março de 1892. Filha de Sofia Constantinova e Wladimir Vassilevitch, oficial do exército russo. De educação esmerada, Helena Wladimirovna Antipoff fez seus primeiros estudos em São Petersburgo, onde viveu boa parte da infância e adolescência. Ainda criança, já se expressava bem em francês, alemão e inglês. Cedo freqüentou teatros, onde teve contato com a obra de Gorki e Gogol, dos clássicos franceses e de Shakespeare.

Na década de 1910, a Rússia passava por grande agitação social; o ensaio geral da revolução comunista, tentado em 1905, fora sufocado, mas as famílias abastadas viviam sob tensão. Helena, sua mãe e irmãs foram em 1911 para Paris. Tinha quase 20 anos quando se matriculou na Sorbonne, com o objetivo de tornar-se médica. Mas, ao ouvir as conferências de Henri Bergson, decidiu mudar seu caminho e estudar psicologia. Trabalhou intensamente e, no laboratório do psicólogo Alfred Binet, mergulhou na pesquisa educacional. Entusiasmada com o novo campo de estudo, foi para Genebra (Suíça), a convite do eminente psicólogo Edouard Claparède, cuja equipe de trabalho passou a integrar, no Instituto Jean-Jacques Rousseau.

A I Guerra Mundial tinha explodido e, em 1916, Helena recebeu a notícia de que seu pai fora gravemente ferido na frente de batalha. Decidiu retornar à Rússia para encontrá-lo e, depois de penosa busca, conseguiu localizá-lo no interior do país. O regime czarista estava por um fio e Helena foi para São Petersburgo resolver os assuntos pessoais do pai. Era preciso trabalhar para se sustentar e arranjou emprego de professora para adolescentes problemáticos. Nessa ocasião, em 1918, conheceu Vítor Iretzky, escritor russo com alguma projeção e autor de vários livros, com quem passou a viver. Vítor tinha 35 anos e Helena 25. Em 1919, nasceu seu filho Daniel. Com a derrubada do czar e a proclamação do regime socialista, Vítor foi preso. Libertado após cinco meses, em fevereiro de 1922 foi para Berlim, onde tinha amigos. Helena e o pequeno Daniel só conseguiram ir ao seu encontro 15 meses depois.

Em 1926, não se adaptando à vida na Alemanha, Helena voltou com o filho para Genebra e recuperou seu antigo posto no Instituto Jean-Jacques Rousseau. Em 1928, recebeu convite do governo brasileiro para prestar serviços técnicos de sua especialidade junto à Escola de Aperfeiçoamento de Belo Horizonte, obra destinada à preparação dos futuros mestres e dirigentes educacionais. Em 6 de agosto de 1929 desembarcou no Brasil, onde deveria permanecer, pelo contrato, durante dois anos. Aqui ficou para sempre.

Em 1932, a importância do intenso trabalho que realizava de orientação educacional e de pesquisa no terreno da psicologia pedagógica já era reconhecida. Entretanto, vendo ao redor de si injustiça social, fome, miséria, Helena Antipoff quis fazer mais. Reuniu médicos, advogados, agrônomos, engenheiros e outros profissionais e partiu para a criação de uma sociedade de assistência social: a Sociedade Pestalozzi, que prestaria relevantes serviços à infância desamparada de Minas Gerais, inaugurada em 1934.

Paralelamente, criou com o mesmo grupo o Instituto Pestalozzi, um projeto de escola-granja para amparar crianças excepcionais.

Em 1937, preocupada em oferecer aos alunos do Instituto Pestalozzi oportunidade de trabalho e assistência permanente, partiu para seu projeto maior: a Fazenda do Rosário, concentrando instituições para menores e adultos, escolas do grau elementar ao superior, estabelecimentos de ensino geral e especializado, agrícola, profissional e normal. Em 26 de junho de 1951, o presidente Getúlio Vargas concedeu-lhe a cidadania brasileira. O escritor mineiro Otto Lara Resende a definia como "uma mineira de São Petersburgo".

Sua atividade como educadora foi reconhecida nacionalmente e governos de outros estados pediram sua colaboração como conselheira e orientadora de novos centros de apoio psicopedagógico. Foi professora catedrática de psicologia educacional na Universidade Federal de Minas Gerais e professora emérita da Faculdade de Educação da mesma universidade. Helena Antipoff estendeu sua atividade a muitas outras instituições, como a Casa do Pequeno Jornaleiro, o Serviço de Ensino Rural, a Escolinha de Arte do Brasil (em parceria com Augusto Rodrigues), o Instituto Superior de Educação Rural (hoje Fundação Estadual de Educação Rural Helena Antipoff — FEER), a Associação Mílton Campos para o Desenvolvimento e Assistência às Vocações dos Bem-Dotados (ADAV).

Recebeu inúmeras homenagens e condecorações, como as Medalhas da Inconfidência em 1960 e 1970; os títulos de Cidadã Honorária de Minas Gerais em 1962, de Cidadã Honorária de Belo Horizonte em 1968 e de Mãe do Ano em 1969, e a Ordem Cruzeiro do Sul, em 1972. Ganhou o Prêmio Henning Albert Boilesen 1973. Em 9 de agosto de 1974, faleceu em Belo Horizonte, aos 82 anos, já debilitada pela doença e pela idade, mas ainda com energia para pensar em novos projetos e realizações.

Publicou artigos em muitas revistas especializadas no Brasil e no exterior, como "Étude de la personnalité par la méthode Lazoursky", em *Intermédiaire des Educateurs*, Genebra (1924); "L'Expérimentation naturelle", em *Nouvelle Education*, Paris (1927); "Compassion et sentiment de Justice chez l'enfant", em *Archives de Psychologie* (1928); "Ideais e interesses das crianças de Belo Horizonte", em *Boletim* nº 6, Secretaria de Educação do Estado de Minas Gerais, publicado também na revista *Archives de Psychologie* (1930); "Como a escola pode contribuir para a formação de atitudes democráticas", em *Revista Brasileira de Estudos Pedagógicos*, Rio de Janeiro (1944); *O desenvolvimento mental da criança* — ficha de observação para uso de psicólogos, médicos e educadores, Belo Horizonte, Sociedade Pestalozzi, 4ª edição (1966).

Fontes: Carmen C. Oliveira, *Trilhas e quintais*; Daniel Antipoff, *Helena Antipoff — sua vida, sua obra*; Entrevista de Daniel Antipoff, filho de Helena Antipoff, a Jovita Levy Ginja, em 7.7.1999.

Helena do Vale (sécs. XVII-XVIII)

Condenada pela Inquisição por judaísmo.

Cristã-nova, nasceu no final do século XVII, no Rio de Janeiro. Pertencia a importante família de senhores do açúcar, em Jacutinga, no recôncavo fluminense. Filha de João Rodrigues do Vale, irmão de Duarte Rodrigues de Andrade, poderoso dono do engenho de Colubandé, em São Gonçalo (RJ). Denunciados ao Tribunal da Inquisição por prática da religião judaica, pai e filha foram condenados por crime de consciência. Helena foi presa pelo Tribunal do Santo Ofício, enviada para Lisboa e condenada a assistir a cerimônia do auto-de-fé no dia 26 de julho de 1711. Foi condenada também a permanecer encarcerada e a vestir o hábito, segundo o arbítrio dos inquisidores. Vários parentes seus estavam presentes à cerimônia, entre eles seu pai, então com 56 anos, e Ana do Vale, viúva de Duarte Rodrigues de Andrade.

O nome destas pessoas consta de uma longa lista de 221 colonos brasileiros condenados pela Inquisição entre 1711 e 1767 sob diversas alegações, que iam do judaísmo ao adultério, e foi levantada em Portugal pelo historiador Francisco Adolfo de Varnhagen, visconde de Porto Seguro (1816-78). Ele estimou que, ao todo, foram perseguidas pelo Tribunal da Inquisição, entre 1700 e 1767, cerca de 450 pessoas que viviam no Brasil, nascidas aqui ou residentes.

Fontes: Francisco A. Varnhagen, *Excertos de várias listas de condenados pela Inquisição de Lisboa*; Lina Gorenstein Ferreira da Silva, *Heréticos e impuros*.

Helena Maria (1740-?)

Religiosa.

Madre Helena Maria nasceu em Apiaí, interior da capitania de São Paulo, no dia 22 de maio de 1740. Sua família se mudou, posteriormente, para a localidade de Paranapanema. Conta-se que, desde menina, mostrava "sinais de santidade", dedicando várias horas por dia a orações. Também jejuava e fazia penitências. Foi aceita como serva no Recolhimento de Santa Teresa em São Paulo. Ingressou na congregação religiosa como serva e não como freira, porque era pobre e não tinha dote. Decidiu, então, fundar um novo recolhimento da Ordem do Carmo, sob a regra de Santa Teresa, contando com o apoio de um frade — frei Galvão. Para realizar seu projeto, escreveu em setembro de 1773 ao governador e capitão-general de São Paulo, D. Luís Antônio Botelho Mourão — o Morgado de Mateus —, que respondeu afirmativamente no Natal daquele mesmo ano.

No início de 1774, Helena saiu do Convento de Santa Teresa, acompanhada do governador do bispado, de frei Galvão e de outras personalidades. A comitiva dirigiu-se à ermida de Nossa Senhora da Luz, onde Helena Maria e sete noviças receberam o hábito de Nossa Senhora da Conceição, por escolha do bispo, uma vez que já havia na cidade um recolhimento do Carmo. No final do ano, o governador D. Luís conseguiu a aprovação da Câmara para a fundação do novo recolhimento. Madre Helena faleceu logo após a fundação do Recolhimento da Luz Divina Providência.

Fonte: Leila Mezan Angantri, *Honradas e devotas: mulheres da colônia*.

Helena Meireles (c.1922-)

Violeira do Pantanal.

Nasceu em 13 de agosto de 1922 (ou 1924), na fazenda Jamaracá, em Campo Grande (MS). Aos nove anos já tocava viola tão bem, que seu tio tentou convencer o irmão, pai de Helena, a deixá-la tocar com ele nas festinhas locais. Seu pai ficou irredutível, ameaçando cortar seus dedos caso a surpreendesse com a viola na mão, "Ele achava que aquilo era coisa de mulher da vida", disse Helena em um depoimento. Casou-se aos 16 anos, "para sair de casa", mas o marido também não queria vê-la tocando. Separou-se dele, juntou-se com outro e, finalmente, resolveu "ir para a zona", porque — contou ela — "tinha ouvido falar que lá a mulher era livre e era isso que queria".

Teve 11 filhos, dos quais três morreram e os outros "se espalharam pelo mundo", com exceção de Francisco Costa Machado que a acompanha até hoje. Tocou em dezenas de bares, biroscas e prostíbulos do interior do Mato Grosso, mas sua fama restringia-se à região até ganhar projeção nacional com a novela *Pantanal*, da TV Manchete, que provocou uma explosão da música sertaneja. A revista norte-americana *Guitar Player* chegou a colocá-la na capa, comparando-a aos maiores roqueiros americanos. Em 1992, gravou seu primeiro CD — *Helena Meireles e banda* — e logo mais dois — *Flor da Gavina* e *Raízes pantaneiras*. Com a renda dos seus shows e discos comprou uma casa em Presidente Epitácio (SP) na divisa com Mato Grosso.

Fonte: *Jornal do Brasil*, 4.7.1999.

Helena Morley (1880-1970)

Escritora.

Com o pseudônimo de Helena Morley, a mineira Alice Dayrell Caldeira Brant escreveu um diário, *Minha vida de menina*, que a marcou como escritora de um livro só, porém muito significativo na literatura brasileira. Nasceu em 28 de agosto de 1880, na cidade de Diamantina (MG), no seio de uma família mineira tradicional, pelo lado materno. Seu pai era um pequeno minerador descendente de ingleses, e desde cedo a estimulou a escrever um diário relatando tudo o que se passava ao seu redor.

O diário que Alice produziu registra as suas impressões sobre os acontecimentos de sua vida entre 1893 e 1895, quando cursava a Escola Normal da cidade de Diamantina. Pela qualidade literária, o livro constitui um relato primoroso sobre o cotidiano brasileiro, sobretudo sobre a vida das mulheres. Por suas considerações extremamente sensíveis sobre o casamento e a maternidade, representa também uma preciosa fonte documental sobre a condição feminina no final do século XIX. Escrito quando Alice tinha 15 anos, foi publicado pela primeira vez em 1942, recebendo diversos elogios da crítica nacional. Traduzido para o francês e o inglês, no Brasil o livro recebeu várias edições, a mais recente da editora Companhia das Letras. Alice faleceu no Rio de Janeiro, em 20 de junho de 1970.

Fonte: Afrânio Coutinho, *Enciclopédia da literatura brasileira*; Helena Morley, *Minha vida de menina*.

Heleni Teles Ferreira Guariba (1941-71)

Ativista política, vítima da ditadura militar.

Militante da Vanguarda Popular Revolucionária (VPR). Nasceu em 13 de março de 1941 em Bebedouro (SP). Filha de Pascoalina Alves Ferreira e Isaac Ferreira Caetano. Lecionou cultura grega na Faculdade de Filosofia da USP, foi professora da Escola de Arte Dramática de São Paulo e dirigiu o Grupo de Teatro da Cidade, de Santo André (SP). De sólida formação protestante, depois de formar-se em filosofia, fez um estágio de teatro na então Alemanha Oriental, onde pôde ter um contato mais próximo com as idéias socialistas.

Casou-se com Ulisses Teles Guariba em 1962 e teve dois filhos, Francisco e João Vicente. Com o golpe militar de 1964, o casal, simpatizante da ação armada, abrigou líderes clandestinos, dentre eles o capitão Carlos Lamarca. Em 1969, separou-se de Ulisses. Seu novo companheiro, o militante da VPR José Olavo Leite Ribeiro, foi preso em 15 de janeiro de 1970 e Heleni refugiou-se na casa do pai dele, em Poços de Caldas (MG). Presa em 24 de abril do mesmo ano, foi solta em 1º de abril de 1971 e continuou na organização, mas preferiu não entrar para a clandestinidade por causa dos filhos. Entretanto, não conseguiu emprego e foi presa novamente no Rio de Janeiro no dia 12 de julho de 1971, junto com Paulo de Tarso Celestino da Silva (desaparecido), por agentes do DOI-CODI/RJ.

Em seu relatório sobre a "Casa da Morte", em Petrópolis, Inês Etienne Romeu, sua companheira de luta, declarou que Heleni esteve naquele aparelho clandestino da repressão em julho de 1971, tendo sido torturada por três dias, inclusive com choques elétricos na vagina. Os relatórios do Ministério do Exército e da Aeronáutica não fazem menção à segunda prisão de Heleni. Estes fatos conduzem à presunção de que ela faleceu no local das torturas, em 1971.

Fontes: Ana Maria Colling, *A resistência da mulher à ditadura militar no Brasil*; Luís Maklouf Carvalho, *Mulheres que foram à luta armada*; Maria do Amparo Almeida Araújo et al., *Dossiê dos mortos e desaparecidos políticos a partir de 1964*.

Helenira Resende de Sousa Nazareth (1944-72)

Ativista política, vítima da ditadura militar.

Nasceu em Cerqueira César (SP), no dia 19 de janeiro de 1944. Filha de Euthália Resende de Sousa Nazareth e de Adalberto de Assis Nazareth. Quando estudante do curso de Letras, entrou em contato com o pensamento marxista e ingressou no movimento estudantil. Sua irmã, Helenalda Resende, conta que Helenira foi uma presença marcante na liderança estudantil por suas posições avançadas e firmeza.

Fundadora e primeira presidente eleita do Grêmio Estudantil da escola, chegou a ser vice-presidente da União Nacional dos Estudantes (UNE), em 1968, ano em que foi presa pela primeira vez, ao conclamar os colegas a participarem de uma passeata. Seria presa novamente por ocasião do 30º Congresso da UNE, em Ibiúna, com outros 800 estudantes. Do presídio Tiradentes foi transferida para o DOPS e, em seguida, para o Presídio de Mulheres do Carandiru. Enquanto isso, a polícia negava sua prisão. Finalmente, conseguiu *habeas corpus* um dia antes do Ato Institucional nº 5 (AI-5) e passou a viver na clandestinidade.

Foi fazer seu trabalho político na região do Araguaia, no sul do estado do Pará, onde o Partido Comunista do Brasil (PC do B) preparava um levante armado contra o regime militar. Contudo, os militantes da chamada Guerrilha do Araguaia foram massacrados. Consta que morreu a golpes de baioneta num enfrentamento com os militares, em 29 de setembro de 1972. Outra militante presa por motivos

1 • *Henriqueta Catharino*
Educadora e fundadora do Instituto Feminino da Bahia, no início do séc.XX.

2 • Primeira turma de datilografia da Casa São Vicente de Paulo do Instituto Feminino da Bahia, fundado por Henriqueta Catharino em 1923.

3 • *Henriette Morineau*
Uma das grandes damas do teatro brasileiro.

4 • *Heloísa Alberto Torres*
Etnóloga e antropóloga que dirigiu durante décadas o Museu Nacional, tendo também presidido o Conselho Nacional dos Índios.

5 • *Hermínia Nogueira Borges*
A figura feminina de maior destaque na fotografia brasileira dos anos 1920.

6 • *Heleieth Saffioti*
Escritora e socióloga, teve atuação destacada no movimento feminista do final do séc.XX.

7 • *Hermínia Tavares*
Liga Eleitoral Feminina, entidade da qual Hermínia Tavares participou em 1922.

8 • *Heloneida Studart*
Política e co-responsável pelo ressurgimento das idéias feministas no Brasil no final do séc.XX.

1

2

3

4

6

5

7

8

políticos, Elza Monnerat*, testemunhou a morte de Helenira.

Fontes: Ana Maria Colling, *A resistência da mulher à ditadura militar no Brasil*; Maria do Amparo Almeida Araújo et al., *Dossiê dos mortos e desaparecidos políticos a partir de 1964.*

Heloísa Alberto Torres (1895-1977)

Antropóloga.

Nasceu no Rio de Janeiro (RJ) no dia 17 de setembro de 1895, filha de Maria José Xavier da Silveira e do político e importante intelectual brasileiro Alberto Torres. Aluna do Sion, sofisticado colégio feminino carioca, teve uma rigorosa formação intelectual, aprendendo ciência, humanidades e a conhecer o Brasil, áreas até então de estrito interesse masculino.

Com o falecimento de seu pai, em 1917, decidiu prosseguir seus estudos, indo, em 1918, para o Museu Nacional, como estagiária do mestre Roquete Pinto, destacado naturalista e diretor desta instituição. Embora o sobrenome famoso ajudasse, seu valor era reconhecido graças a sua competência e dedicação ao trabalho. Em 1925, em um disputado concurso para professor substituto da Divisão de Antropologia, Etnografia e Arqueologia do Museu Nacional, foi aprovada em primeiro lugar. Sua façanha foi saudada na imprensa como uma vitória do feminismo. Dedicou-se à pesquisa de diversos sítios arqueológicos nacionais; realizando profundos estudos sobre a arte marajoara e tornando-se uma autoridade em cerâmica respeitada internacionalmente. Em 1931 torna-se professora-chefe e, em 1938, sucedendo a Roquete Pinto, assumiu a direção do Museu Nacional, cargo que ocupou por duas décadas.

Formou muitos pesquisadores importantes, dentre eles Eduardo Galvão e Castro Faria, geração que iniciou o programa de pós-graduação em Antropologia no Rio de Janeiro. Foi conselheira do Serviço do Patrimônio Histórico e Artístico Nacional (SPHAN), tendo sido grande incentivadora da criação de políticas nacionais de defesa do patrimônio. Nos anos 1950, inscreveu-se no concurso de livre docente de antropologia e etnologia da Faculdade Nacional de Filosofia e, apesar de precursora da antropologia no Rio de Janeiro, foi vetada pela congregação por não possuir título superior — Heloísa era autodidata. Lecionava também, desde 1939, na Faculdade de Filosofia Lafayette, onde aposentou-se.

A partir de 1937 passou a colaborar intensamente com o Conselho Nacional de Proteção aos Índios e, em 1959, após o falecimento do marechal Rondon, assumiu sua presidência. Na década de 1960 participou ativamente da criação da Fundacão Nacional do Índio (Funai), tendo dirigido seu Departamento de Estudos e Pesquisas.

Vibrante e apaixonada pelo trabalho científico, pela memória nacional e pelo índio, Heloísa nunca se casou. Aos 70 anos aposentou-se pela Funai e retirou-se com a irmã para Itaboraí, no interior fluminense, terra natal de seu pai, com o objetivo de organizar o acervo particular da família.

Publicou o livro *Cerâmica marajó* (1929), muitos artigos e ensaios em revistas científicas, e foi responsável pelos verbetes "Antropologia cultural do Brasil", "Áreas culturais brasileiras" e "O índio" da *Enciclopédia Delta Larousse.*

Heloísa faleceu em 23 de fevereiro de 1977. Sua casa em Itaboraí foi tombada pelo IPHAN, recebendo o nome de Casa de Cultura Heloísa Alberto Torres, e o acervo organizado por ela foi colocado à disposição do público.

Fontes: Adélia Miglievich, Heloísa Alberto Torres e Marina São Paulo de Vasconcelos, Acervos da Casa de Cultura Heloísa Alberto Torres, do Museu do Índio e do Museu Nacional; Arquivo da FBPF; L. Castro Faria, *Antropologia, espetáculo e excelência*; M. Corrêa, "Dona Heloísa e a pesquisa de campo", *Revista de Antropologia*, vol. 40, nº 1, 1997 • Colaboração especial de Adélia Miglievich.

Heloneida Studart (1932-)

Política, escritora e feminista.

Nasceu em Fortaleza (CE), a 9 de abril de 1932, filha de Edite Studart Soares e Vicente Soares. Desde menina já revelava atração pelas letras. Aos nove anos escreveu uma novela para crianças, aos 16 estreou como colunista no jornal *O Nordeste* e aos 19 mudou-se para o Rio de Janeiro, trazendo na bagagem os originais de seu primeiro romance, *A primeira pedra.* Formou-se em ciências sociais pela Universidade do Brasil. Seu segundo romance, *Dize-me teu nome*, recebeu o Prêmio Orlando Dantas, do jornal *Diário de Notícias*, e da Academia Brasileira de Letras.

Atuou no jornalismo por várias décadas, desde 1956, quando começou a trabalhar no *Correio da Manhã*. Em 1966 foi eleita presidente do Sindicato das Entidades Culturais (Senamba). Alinhada com a oposição ao regime militar, foi destituída do cargo e presa em março de 1969. A experiência no presídio inspirou o roteiro para o teleteatro *Quero meu filho*, transmitido pela TV Globo. Ainda em 1969, publicou *Mulher, objeto de cama e mesa*. Nesse livro, denuncia a opressão à mulher e convoca as leitoras a usarem a inteligência e a emoção para entrar no século 21. A resposta do público foi expressiva, uma vez que o livro vendeu cerca de 270 mil exemplares. Afinada com a nova onda feminista, participou das célebres conferências da ABI, em 1975, e foi uma das fundadoras do Centro da Mulher Brasileira, cuja atuação está descrita no verbete "Feminismo pós-1975"*.

Trabalhou na revista *Manchete* durante quase uma década, até 1978, ao ser eleita deputada estadual do Rio de Janeiro pelo Partido do Movimento Democrático Brasileiro (PMDB), com 60 mil votos. Nas eleições de 1982, reelegeu-se, ainda pelo PMDB; foi vice-líder da bancada de 1979 a 1988, quando deixou o partido. Exerceu a presidência da Assembléia Legislativa do Estado do Rio de Janeiro (Alerj) de 1981 a 1982, foi vice-presidente da Comissão Parlamentar de Controle do Meio-Ambiente de 1979 a 1980, membro das comissões especiais relativas aos direitos da mulher e à apuração das condições de atendimento da população no que se refere aos direitos reprodutivos.

Em 1982, tornou-se redatora e produtora do programa de Cidinha Campos na rádio Tupi. Nessa época, escreveu o monólogo *Homem não entra*, encenado em várias cidades brasileiras. Também redigiu um roteiro de um programa, recusado pela TV Globo, sobre a vida da então vereadora Benedita da Silva*, do Partido dos Trabalhadores. Em 1986 deixou o programa de rádio e passou a dedicar-se exclusivamente ao trabalho político. Presidiu a comissão parlamentar das regiões serranas e baixadas litorâneas e, deixando o PMDB, participou da fundação do PSDB/RJ em 1988. Em 1989, saiu do PSDB para integrar o PT, partido no qual se mantém.

Com o término de seu segundo mandato, em 1991, não conseguiu se reeleger para a Alerj, à qual retornou, entretanto, em 1995. No seu terceiro mandato, foi vice-líder da bancada do PT e participou de várias comissões, além de ter presidido de 1995 a 1999 a comissão especial destinada a apurar as formas de arrecadação e distribuição dos direitos autorais no RJ. Concorreu novamente pelo PT no pleito de 1998, alcançando a primeira suplência. É casada e tem seis filhos.

Além das obras mencionadas, publicou *O estandarte da agonia*, *O torturador em romaria*, *Deus não paga em dólar*, *China, o Nordeste que deu certo*, *O pardal é um pássaro azul* e *A deusa do rádio e outros deuses*.

Fontes: Alerj, *Deputados fluminenses, 4ª, 5ª e 6ª legislaturas*; Entrevista de Heloneida Studart concedida a Hildete Pereira de Melo, 31.3.1999.

Henriette Morineau (1906-90)

Atriz e diretora.

Nasceu na cidade de Niort, França, a 29 de novembro de 1906. Aos 18 anos mudou-se para Paris, onde cursou o Conservatório de Teatro, obtendo o primeiro prêmio de interpretação em um concurso da instituição. Com a Comédie Française, viajou por vários países da Europa e do norte da África. Em 1931, casou-se com Louis Jouvet e juntos vieram viver no Brasil. Com ele teve a única filha, Antoinette Morineau. Anos depois, naturalizou-se brasileira.

Estreou nos palcos brasileiros com a montagem da peça *Medéia*, de Eurípides, pela primeira vez encenada em português. Em 1943, encenou uma peça brasileira, *Presa pelo amor*, ao lado de Bibi Ferreira. Em 1947, foi dirigida por Ziembinski em *Um bonde chamado desejo*, de Tennessee Williams. No mesmo ano, fundou, com Carlos Brant, a companhia Grupo de Artistas Unidos, formando uma parceria que resultou em grandes espetáculos, como *Os filhos de Eduardo*, *O pecado original* e *Os deuses amam*. Dirigiu a companhia Tudor e lecionou na antiga Fundação Brasileira de Teatro.

Atriz consagrada, foi mestra de uma geração de grandes atores, como Fernanda Montenegro*. Também atuou como diretora, na peça *O casaco encantado*, um marco do teatro infantil brasileiro, escrita por Lúcia Benedetti*. Deixou a carreira artística em 1970, após a morte de seu segundo marido, o ator Delorges Caminha, isolando-se por quatro anos em sua casa em Miguel Pereira (RJ). Em 1974, Paulo Autran convenceu-a a voltar ao palco para interpretar a personagem Volúmnia, da peça *Coriolano*, de Shakespeare. Atuou pouco em televisão, mas teve participações marcantes nas novelas *Escrava Isaura* e *Água-viva*. Outros grandes sucessos de Henriette Morineau no teatro foram *Todo anjo é terrível*, *Gigi*, *Vento nos ramos de sassafrás*, *Quarenta quilates*, *Frank Sinatra 4815* e *Ensina-me a viver*, que estreou em 1981, depois de outro período longe do palco.

Empobrecida, não teve sequer recursos próprios para custear os tratamentos médicos. Faleceu no Rio de Janeiro, em 3 de dezembro de 1990, vítima de isquemia cerebral, no Instituto Brasileiro de Geriatria.

Fontes: *Enciclopédia Mirador Internacional*; *O Globo*, 5.3.1981; *Jornal do Brasil*, 3.7.1983, 4.1.1986, 4.12.1990.

Henriqueta Lisboa (1904-85)

Poetisa, professora e feminista.

Nasceu em Lambari (MG), em 1904. Filha de Maria Rita Vilhena Lisboa e de João de Almeida Lisboa, político de expressão na República Velha. Fez o curso primário no Grupo Escolar Dr. João Bráulio Júnior, transferindo-se, em 1915, para o Colégio Nossa Senhora do Sion, na cidade de Campanha (MG), onde estudou os clássicos da língua portuguesa e francesa. Em 1924, sua família mudou-se para o Rio de Janeiro, onde Henriqueta continuou os estudos, seguindo cursos de literatura e línguas. Em 1925, publicou seus primeiros poemas no livro *Fogo fátuo*; em 1929, o livro *Enternecimento*, que recebeu no ano seguinte o prêmio de poesia Olavo Bilac, da Academia Brasileira de Letras. Em 1935 retornou para Minas Gerais, fixando-se em Belo Horizonte, e foi nomeada inspetora federal de ensino secundário. Em 1936, participou do III Congresso Feminista Nacional, como representante oficial das mulheres mineiras. Em 1943, tornou-se catedrática de Literatura Hispano-Americana da Faculdade de Filosofia, Ciências e Letras da Universidade Católica de Santa Maria. Entre 1940 e 1945, trocou intensa correspondência com o escritor Mário de Andrade. Em 1963, foi eleita membro do Instituto Histórico e Geográfico de Minas Gerais; foi também a primeira mulher a ser eleita para a Academia Mineira de Letras.

Entre outras distinções e homenagens que recebeu, destacam-se o prêmio de poesia Othon Bezerra de Melo, concedido pelo Academia Mineira de Letras (1950), o título de Cidadã Honorária de Belo Horizonte (1969), o prêmio Presença da Itália no Brasil (1970), o Prêmio Brasília de Literatura, pelo conjunto de sua obra (1971), o prêmio de poesia da Associação Paulista dos Críticos de Arte (1976). Em 1979, ingressou na Academia Brasileira de Literatura Infantil e Juvenil, recebendo o Diploma de Mérito Poético, por decreto do governador do estado de Minas Gerais. Várias obras suas foram vertidas para o francês e para o inglês. Faleceu em Belo Horizonte, a 9 de outubro de 1985.

Ao longo da sua produtiva carreira literária, Henriqueta Lisboa publicou ainda *Prisioneira da noite* (1941), *A face lívida* (1945), o ensaio *Alphonsus de Guimaraens* (1945), *Flor da morte* (1949), *Madrinha da Lua* (1952), os ensaios *Convívio poético* (1955), *Lírica* (1958), *Montanha viva — Caraça* (1959), a edição oficial de sua *Antologia poética para a infância e juventude* (1961), os ensaios *Vigília poética* (1968), *Belo Horizonte bem querer* (1972), *O alvo humano* (1973), *Miradouro e outros poemas* e *Reverberações* (1976), *Celebração dos elementos — água, ar, fogo e terra* (1977) e *Casa de pedra* (1979).

Fontes: Abigail de Oliveira (org.), *Querida Henriqueta — cartas de Mário de Andrade a Henriqueta Lisboa*; Afrânio Coutinho, *Enciclopédia de literatura brasileira*; Paschoal Rangel, *Essa mineiríssima Henriqueta.*

Henriqueta Martins Catharino (1886-1969)

Educadora.

Nasceu a 12 de dezembro de 1886, na cidade de Feira de Santana (BA). Filha de Úrsula Costa Martins Catharino, de tradicional família baiana, e Bernardo Catharino, português. O pai chegara ao Brasil em 1875, com apenas 14 anos de idade, seguindo direto para a cidade de Feira de Santana, onde foi trabalhar na firma Costa e Irmão, da qual em pouco tempo chegou a sócio. Ali casou-se, em 1883, com D. Úrsula, com quem teve 14 filhos, e prosperou, chegando em 1912 à direção da Cia. União Fabril da Bahia, uma das maiores empresas do Nordeste brasileiro.

O espírito empreendedor do pai aliado à formação religiosa da mãe contribuíram para que Henriqueta tivesse primorosa educação e sólida formação cultural, desenvolvidas em freqüentes viagens à Europa, principalmente à França. Estudou alemão, inglês, francês, desenho e pintura. Não tinha ainda 30 anos quando fundou a Propaganda de Boas Leituras, uma espécie de biblioteca para empréstimo de livros, e as Tardes de Costura, para confecção de roupas para pessoas carentes. Dessas experiências nasceu o Instituto Feminino da Bahia (IFB).

A participação do IFB na história da Bahia tem início em 1923 com a criação da Casa São Vicente por Henriqueta e monsenhor Flaviano Osório Pimentel. Seu principal objetivo era proteger a mulher trabalhadora. Funcionava como uma agência de empregos e ministrava cursos profissionalizantes nas áreas de contabilidade e secretariado. Em 1924, com a morte de sua mãe, Henriqueta herdou um imóvel para onde transferiu a Casa São Vicente. Com o crescimento da obra, a sede foi transferida para um novo espaço e oficializada pelo governo, passando a chamar-se Instituto Feminino da Bahia, que em 1950 se transformaria na Fundação Instituto Feminino da Bahia. Em 1931, com o objetivo de preservar a arte popular, Henriqueta adquiriu uma coleção de esculturas de madeira executada por artistas de Santo Estevão de Jacuípe, dando início ao futuro Museu de Arte Popular, primeiro do gênero na Bahia.

Com o passar do tempo, a importância do Instituto Feminino crescia e se solidificava, recebendo elogios de personalidades como o escritor Érico Veríssimo. Essa obra é perpetuada até hoje pelo Museu Henriqueta Catharino — Fundação Instituto Feminino, que, com uma coleção de 14 mil peças, cumpre o papel social deixado pela Escola, fechada na década de 80. Henriqueta faleceu em 21 de junho de 1969, em Salvador.

Fontes: Arquivo da Fundação Instituto Feminino; Albertina Figueiredo Barbosa, arquivo particular; Elizete Silva Passos, *O feminismo de Henriqueta Catharino* e *Mulheres moralmente fortes* • Colaboração especial de Ana Lúcia Uchôa Peixoto.

Hermínia M. Nogueira Borges
(1894-?)
Fotógrafa.

Nasceu no Rio de Janeiro, a 7 de novembro de 1894. Recebeu educação esmerada, com ênfase na formação artística. Aos 18 anos mudou-se para Lisboa, onde permaneceu por dois anos. Ao retornar ao Brasil, casou-se, em 1918, com o advogado e fotógrafo amador João Nogueira Borges, com quem desenvolveu a paixão pela fotografia.

Nos anos 1920, filiou-se ao Photo Club Brasileiro, organização cultural fundada no Rio de Janeiro, em julho de 1923, com o propósito de divulgar a fotografia artística no Brasil através de exposições, cursos, concursos, e da publicação de uma revista mensal. Tornou-se, ao longo daqueles anos, a figura feminina de maior destaque na fotografia brasileira.

Dotada de grande sensibilidade, Hermínia produziu belíssimas imagens, geralmente tomadas ao ar livre. Foi premiada em diversos concursos e salões no Brasil e no exterior, como o XII Salón Internacional de Fotografia, realizado em Madri em 1936, o salão anual do Foto Clube Argentino, em Buenos Aires, em 1938, bem como em vários salões internacionais de fotografia, realizados em Berlim ao longo dos anos 1930.

Fonte: Maria Teresa Bandeira de Melo, *Arte e fotografia: o movimento pictorialista no Brasil.*

Hermínia Tavares Pereira de Queirós (séc.XX)
Sufragista.

Foi presidente da Sociedade Harmonia — uma entidade associativa de mulheres da capital paulista. Em 1922, Hermínia dispôs-se a fazer propaganda da Liga Paulista pelo Progresso Feminino, distribuindo folhetos e angariando adeptas, por sugestão da presidente, Evelina Arruda Pereira*. Sensibilizada com as propostas preconizadas pela Liga Paulista, em defesa do voto feminino, se envolveu nas iniciativas organizadas pela entidade. Participou da I Conferência Internacional Feminista, promovida pela Federação Brasileira pelo Progresso Feminino* (FBPF), em dezembro do mesmo ano, no Rio de Janeiro.

Fonte: Arquivo da FBPF, cx.6.

Heroínas de Tejucupapo (séc.XVII)

Mulheres pernambucanas que resistiram aos holandeses.

A pequena aldeia de Tejucupapo, na Zona da Mata pernambucana, foi palco de um dos mais dramáticos conflitos na resistência colonial portuguesa contra o domínio holandês. Coube às mulheres pegar em armas para defender a comunidade. Em janeiro de 1646, após a derrota das forças luso-brasileiras em Tabocas e em Casa Forte, houve uma reação e estas venceram, sucessivamente, as batalhas de Nazareth, Porto Calvo, Forte Maurício e Forte Santa Cruz. Nesse momento, a Paraíba e o Rio Grande do Norte também se levantaram contra os holandeses.

Em Pernambuco, trataram os resistentes de levantar novas estratégias de defesa. Por sua vez, os holandeses sofriam com a falta de comida em Recife, efeito do corte de abastecimento de gêneros a partir do interior. Premido pela necessidade de conseguir alimentos para sua tropa e recuperar posições militares, o comandante Lichtart saiu de Recife, avançando sobre os povoados do litoral. No seu caminho estava Tejucupapo, onde viviam não mais de 100 pessoas. Ali os moradores se recolheram a um reduto cercado de pau-a-pique que haviam preparado. Os homens buscaram deter os holandeses, ainda na estrada, preparando-lhes uma emboscada. A inferioridade numérica dos pernambucanos foi fatal — todos os homens de Tejucupapo morreram.

Logo as mulheres pegaram em armas. O historiador J. Norberto afirma que os holandeses foram por elas derrotados. O episódio de Tejucupapo foi recorrentemente lembrado nos séculos seguintes, com suas heroínas transformadas em símbolo da bravura da mulher brasileira, embora a história não tenha preservado o nome de nenhuma das corajosas mulheres. O imperador D. Pedro II, em 7 de dezembro de 1859, visitou a localidade de São Lourenço de Tejucupapo e fez cortar o pedaço de um tronco de uma árvore para conservá-lo em memória da coragem de todos os que ali lutaram.

Fontes: Bóris Fausto, *História do Brasil*; Henrique C. P. de Melo, *Pernambucanas ilustres*; Inês Sabino, *Mulheres ilustres do Brasil*; J. Norberto de S.S., *Brasileiras célebres*; Joaquim Manoel de Macedo, *Mulheres célebres*. • Elaborado por Teresa Cristina Novaes Marques.

Hilária Batista de Almeida *ver* TIA CIATA

Hilária Luís (sécs.XVI-XVII)

Senhora de escravos e de terras.

Em 1609, após a publicação da lei declarando a liberdade incondicional de todos os índios, Hilária, moradora da capitania de São Paulo, enviou uma petição ao governador perguntando-lhe se os índios trazidos por seu falecido marido podiam entrar nas partilhas. O governador respondeu que os índios eram livres pelas leis do Reino, assim, não poderiam entrar em inventários. Porém, o juiz dos Órfãos de São Paulo disse que era costume que os escravos entrassem nos inventários e, no final do processo, o governador recuou, autorizando a partilha.

Fonte: John Manuel Monteiro, *Negros da terra: índios e bandeirantes nas origens de São Paulo.*

Hipólita Jacinta Teixeira de Melo (1748-?)

Participante da Conjuração Mineira.

Nascida no ano de 1748, era considerada a mulher mais rica da região de Ouro Preto. Foi a única mulher a participar ativamente da conspiração. Hipólita pagou caro pelo seu envolvimento e teve decretado, durante a Devassa, o confisco de todos os seus bens. De fina educação, foi ela quem escreveu a carta denunciando Joaquim Silvério dos Reis como traidor dos conjurados. Consta que a carta foi enviada, através de um escravo, a seu marido, coronel Francisco de Oliveira Lopes, que se encontrava em Paraopeba, informando-o da prisão de Tiradentes e outros insurgentes no Rio de Janeiro.

Quando a rebelião fracassou, o coronel Francisco foi sentenciado ao degredo perpétuo na África. Desesperada, Hipólita conseguiu informações sobre o local onde ele estava preso, subornando um funcionário. Mais tarde, ofereceu um cacho de bananas em ouro maciço à rainha de Portugal, D. Maria I, pedindo que concedesse o perdão da pena imposta, mas o visconde de Barbacena interceptou o presente.

Apesar do confisco, morreu rica, de acordo com seu testamento datado de 1828, que relaciona muitos bens, como fazendas e lavras, além de numerosos escravos, alforriados no testamento. Na solenidade de entrega da Medalha da Inconfidência, no dia 21 de abril de 1999, em Ouro Preto, o governo mineiro concedeu *in memoriam* a honraria a Hipólita, por sua ativa participação na Conjuração Mineira.

Fontes: *O Estado de Minas*, 21.4.1999; Liana Maria Reis, "A mulher na Inconfidência" *Revista do Departamento de História*, UFMG, nº 9, 1989.

I

Iá Nassô (sécs.XVIII-XIX)
Ialorixá (mãe-de-santo).

Africana da Costa, conhecida como Iá Nassô fundou o mais antigo terreiro de origem nagô-queto a funcionar regularmente no Brasil. As primeiras informações sobre casas de candomblé (lugar de dança) remontam o início do século XIX, na Bahia. Nas matas do Urubu, em Pirajá (BA), havia um quilombo que se mantinha com a ajuda de uma "casa de fetiche" chamada Casa do Candomblé.

Desde o século XVII, a Igreja mostrou preocupação com a persistência das práticas religiosas africanas entre negros batizados. Criou, assim, nas cidades, as irmandades e confrarias que possibilitavam o encontro de grupos de uma mesma origem africana, cujos costumes e idiomas eram ignorados pelos padres. Contrariamente à intenção do clero, estas confrarias e irmandades celebravam cerimônias religiosas, sempre vistas como festivas ou folclóricas.

Iá Nassô era uma escrava forra que, no início do século XIX, fazia parte da confraria Nossa Senhora da Boa Morte, que congregava, sobretudo, mulheres nagôs na Igreja da Barroquinha, em Salvador (BA). Ali se reuniam com liberdade e davam continuidade aos cultos e tradições africanas. O nome Iá Nassô é um título religioso altamente honorífico, próprio da corte de Alafin de Oió, concedido às mulheres. A titular se ocupa do culto da principal divindade dos iorubás, Xangô, entre outras obrigações. Presume-se que ela tenha trazido esse título da África, pois tal honraria só poderia ser usada se devidamente reconhecida pelos adeptos do ritual.

Por volta de 1830, junto com Iá Calá e Iá Adetá, fundou em uma pequena casa na vizinhança da Igreja da Barroquinha, o Ilê Iá Omi Axé Airá Intilé — casa consagrada a Xangô. Ao se mudar para o Engenho Velho, o terreiro passou a se chamar, em sua homenagem, Ilê Axé Iá Nassô Oká Bangbose Obitiko; atualmente é conhecido como Casa Branca do Engenho Velho. A casa de Iá Nassô deu origem, anos mais tarde, a dois dos mais importantes terreiros de candomblé do Brasil, Ilê Axé Opô Afonjá e Gantois.

Contemporâneo ao Ilê Iá Nassô, foi fundado — segundo a tradição oral, por duas princesas africanas —, no bairro de Matatu, Salvador, o terreiro Ilê Maroiá Lage, atualmente conhecido como Alaketo. Hoje é dirigido por Olga Francisco Régis (Olga de Alaketo — Oiá Funmi), descendente da princesa Otampé Ojarô.

Iá Nassô voltou à África, onde veio a falecer, acompanhada de sua filha-de-santo e sucessora Marcelina da Silva*. As ialorixás, além de sacerdotisas, vêm desempenhando um papel de liderança fundamental na resistência e na preservação da cultura e tradições afro-brasileiras.

Fontes: Pierre Verger, *Artigos*; Cléo Martins e Raul Lody (orgs.), *Faraimará, o caçador traz alegria: Mãe Stella, 60 anos de iniciação*; Monique Augras, *O duplo e a metamorfose — a identidade mítica em comunidades nagô.*

Iara Iavelberg (1944-71)
Ativista política, vítima da ditadura militar.

Nasceu em 7 de maio de 1944, na cidade de São Paulo. Filha de Eva Iavelberg e de Davi Iavelberg, aos 16 anos interrompeu seus estudos para casar-se com Samuel Haberkorn. Mais tarde ingressou no curso de psicologia da Faculdade de Filosofia, Ciências e Letras da USP. Após o golpe militar de 1964, iniciou sua militância política, ingressando na Organização Revolucionária Marxista Política Operária (Polop), e depois no Movimento Revolucionário 8 de Outubro (MR-8). Conheceu Carlos Lamarca, em 1962, através de um amigo de faculdade, só voltando a reencontrá-lo em 1968, quando iniciaram seu romance, tendo sido sua companheira até sua morte.

Morreu aos 27 anos de idade, em circunstâncias ainda não esclarecidas. Uma das versões diz que foi morta após rápido tiroteio com policiais do DOI/CODI-RJ, deslocados para a cidade de Salvador (BA), a fim de prendê-la. A versão oficial, conforme nota divulgada na época pelos órgãos de segurança, é que Iara se refugiou no banheiro de uma casa vizinha, na tentativa de escapar à perseguição, tendo se matado com um tiro na cabeça ao ser localizada. Outra versão, com base no testemunho de populares que presenciaram a operação militar, é que Iara teria sido presa e levada para a sede do DOPS local. Vários presos que se encontravam ali ouviram os gritos de uma mulher sendo torturada, identificando-a como Iara.

Relatório do Ministério da Marinha diz que ela foi morta em ação de segurança, enquanto o Ministério da Aeronáutica afirma que se suicidou em 6 de agosto de 1971, no interior de uma residência, quando esta foi cercada pela polícia. Sua certidão de óbito é datada de 20 de agosto de 1971. Iara foi sepultada por sua família no cemitério israelita de São Paulo.

Fontes: Judith Lieblich Patarra, *Iara: reportagem biográfica;* Maria do Amparo Almeida Araújo, et al., *Dossiê dos mortos e desaparecidos políticos a partir de 1964*; Luiz Maklouf Carvalho, *Mulheres que foram à luta armada*; Ana Maria Colling, *A resistência da mulher à ditadura militar no Brasil.*

Ida Cienkonog *ver* ASSOCIAÇÃO BENEFICENTE FUNERÁRIA E RELIGIOSA ISRAELITA

Ida Marinho Rego (1894-1961)
Educadora.

Nasceu em 16 de maio de 1894 em Recife (PE). Filha de Maria Marinho Rego e José Joaquim Dias do Rego. Era professora e casou-se em 1921 com o músico carioca Nelson Ferreira da Paixão. Viveram em Recife e tiveram cinco filhos: Doris, Ivanise, Mauro, Flávio e Márcia.

Nelson levava uma vida boêmia, participando pouco das responsabilidades familiares, deixando inclusive de ajudar financeiramente nas despesas da casa. Em 1929 viajou para Manaus acompanhando um grupo de coristas. Após seis meses de ausência e sentindo-se abandonada, Ida entrou na Justiça com um pedido de desquite litigioso. Nelson retornou de sua excursão e soube do resultado do processo, que deu ganho de causa a Ida, na época bastante noticiado pela imprensa pernambucana. Abandonou Recife e voltou para o Rio de Janeiro.

No ano de 1933, logo após a conquista do voto feminino, o jornal *Diário de Pernambuco* solicitou a opinião de algumas pessoas a respeito do perfil da mulher pernambucana que deveria representar o estado na Assembléia Constituinte de 1934. Ida foi uma das entrevistadas e manifestou suas opiniões, bastante avançadas para a época, dizendo que desejava para a mulher a mesma liberdade que procurava conquistar para si mesma. Criticou os que não aceitavam a participação feminina nos diferentes setores da sociedade. Sobre os requisitos indispensáveis a uma candidata, afirmou que iria escolher para representante uma mulher habituada às lutas e que soubesse aproveitar seus talentos para conquistar a igualdade que reivindicavam. Ida não se candidatou, mas seus pronunciamentos provocaram uma longa discussão na imprensa sobre a importância da participação da mulher em todas as áreas.

Como educadora, dirigiu, na década de 30, a Escola Técnico-Profissional Masculina, localizada no bairro Encruzilhada, em Recife, cargo que ocupou até a ascensão do Estado Novo em 1937, quando foi afastada. No tempo em que esteve à frente da escola, representou-a em diversas feiras e exposições estaduais. Além disso, coordenou a Cruzada de Educação Pernambucana, a Federação de Escoteiros de Pernambuco e foi a representante estadual no V Congresso de Educação.

Em 1946, foi reintegrada à diretoria da Escola Industrial de Pernambuco, antiga Escola Técnico-Profissional Masculina, onde ficou por mais alguns anos, até aposentar-se.

Faleceu em 1º de maio de 1961.

Fonte: Ida Marinho Rego, *Madeiras de Pernambuco*; Entrevista com Cláudia Loureiro, concedida a Carmen Alveal em 8.2.2000.

Ieda Santos Delgado (1945-74)

Ativista política, vítima da ditadura militar.

Nasceu em 9 de julho de 1945, no Rio de Janeiro. Filha de Odorico Arthur Delgado. Foi advogada e funcionária do Departamento Nacional de Produção Mineral do Ministério das Minas e Energia, no Rio de Janeiro, até sua prisão. Trabalhou ainda no jornal *Tribuna da Imprensa*.

Militante da Ação Libertadora Nacional (ALN), foi presa em São Paulo no dia 11 de abril de 1974, pelas forças da repressão, quando se preparava para viajar para o Rio de Janeiro. Relatório do Ministério da Marinha diz que foi detida no dia 18 de abril de 1974, não constando qual a autoridade ou órgão responsável pela prisão. O certo é que Ieda jamais reapareceu, e sua morte nos cárceres do regime militar é aceita como uma verdade.

Fontes: Maria do Amparo Almeida Araújo et al., *Dossiê dos mortos e desaparecidos políticos a partir de 1964*; Ana Maria Colling, *A resistência da mulher à ditadura militar no Brasil.*

Iguaçu (séc.XVI)

Índia tamoio.

Filha de Pindobuçu e irmã de Camorim, casou-se com Aimberê, importante chefe indígena. Foi capturada e levada como escrava para as terras de Piratininga, no planalto paulista. Os Tamoio, porém, libertaram-na e com ela voltaram para o Rio de Janeiro, onde se uniram aos franceses para enfrentar os colonizadores portugueses na disputa pelo domínio das terras da baía de Guanabara. Iguaçu morreu lutando ao lado do marido, em 20 de janeiro de 1567, na batalha decisiva em que os franceses e os índios a eles aliados foram derrotados e expulsos.

Fonte: Gustavo Geraldo de Almeida, *Heróis indígenas do Brasil – memórias sinceras de uma raça.*

Inácia Gertrudes de Almeida

(séc.XVIII)

Aliada da Conjuração Mineira.

Prestou auxílio a Tiradentes, quando este se encontrava no Rio de Janeiro e, por conta disso, foi severamente punida pelas autoridades portuguesas. Era viúva de Francisco da Silva Braga e vivia com uma filha na rua Quitanda do Marisco (atual rua da Alfândega). Corria o mês de maio de 1789 e o alferes Joaquim José da Silva Xavier passava pelo Rio de Janeiro. Suspeitando que estivesse sendo seguido, Tiradentes obteve cartas de recomendação para deixar a cidade e se refugiar em uma fazenda no interior da província, mas precisava encontrar um lugar para se esconder por alguns dias. Pediu abrigo à viúva Inácia Gertrudes, mas ela, por ter em casa uma filha solteira, encaminhou o alferes para a moradia de um compadre seu. Deflagrada a repressão aos insurrentes, Tiradentes foi preso na casa do homem que o abrigava, no dia 10 de maio de 1789. Logo em seguida, Dona Inácia, sua filha e seu compadre tiveram o mesmo destino. Mãe e filha permaneceram incomunicáveis por vários meses e tiveram os bens seqüestrados pela Coroa portuguesa.

Fonte: José Vieira Fazenda, *Antiqualhas e memórias do Rio de Janeiro.*

Índias

Os cronistas, viajantes e primeiros pesquisadores, através dos quais podemos ter algum acesso à realidade brasileira dos primeiros tempos da colonização, foram bastante econômicos em suas referências às mulheres indígenas. E os poucos registros existentes sobre as índias revelam mais sobre os preconceitos que povoavam as mentes desses observadores do que sobre a vida e a atitude das mulheres que habitavam a costa brasileira. Tais concepções, infelizmente, não se afastam muito das representações e estereótipos que ainda encontramos em muitas elaborações recentes acerca dessas personagens de nossa história. As imagens distorcidas, de que as mulheres indígenas foram e são objeto, viciaram o olhar do senso comum e embaçaram a própria reflexão antropológica sobre elas. Para tentar resgatar o valor desse grande contingente de mulheres que permaneceu invisível para a sociedade brasileira por tanto tempo, o melhor é começar com uma pergunta: "por que as vozes das mulheres indígenas não foram ouvidas?".

Até a década de 70, o papel feminino nas sociedades humanas havia sido negligenciado pela maioria dos cientistas sociais. Os estereótipos culturais da mulher como objeto sexual ou mãe/esposa devotada penetraram com tamanha intensidade na visão das ciências sociais, que destituíram o mundo feminino de relevância para o estudo da vida em sociedade. Desse modo, a invisibilidade das mulheres indígenas é parte da invisibilidade das mulheres em geral, enquanto sujeitos históricos de processos sociais e políticos. Além disso, é também um caso específico da invisibilidade dos próprios índios, figura cuja apreensão intelectual objetiva foi por muito tempo obliterada pela influência de representações estereotipadas. Os povos indígenas foram subsumidos na categoria genérica "índio", e suas sociedades vistas como se estivessem congeladas no tempo. O produto disso foi a nossa profunda ignorância sobre eles. Não é à toa que, passando na porta de uma escola ou assistindo a programas de televisão no dia 19 de abril, podemos ver tantas crianças e artistas homenageando os índios brasileiros com adereços corporais utilizados, na verdade, por índios da América do Norte.

Os clichês construídos em torno da figura do índio, e que o transformavam ora no selvagem puro e bom, ora no bárbaro canibal, incidiram de forma privilegiada, no caso das mulheres, sobre a natureza de sua sexualidade. Aliada ao fato de terem sido elas as parceiras sexuais dos primeiros portugueses, a identificação entre índio e natureza desembocou na criação de uma representação das mulheres indígenas como seres cujo comportamento sexual é dominado pelo instinto. Concebidas como mulheres extremamente sensuais e excessivamente excitáveis, as índias permaneceram invisíveis enquanto sujeitos para se transformarem em objeto de fantasia euro e androcêntrica. A imagem de um europeu maltrapilho do século XVI descendo de uma embarcação e deparando-se em uma praia ensolarada com um grupo de índias jovens, bonitas, nuas e dispostas ao sexo já foi dramatizada muitas vezes e faz parte do imaginário corrente quando o assunto é mulher indígena e colonização. Pouco ou quase nada é dito, por outro lado, sobre o fato dessas mulheres terem sido e continuarem sendo vítimas freqüentes de exploração e violência sexual por parte de brancos desde a época à qual remontaria a nossa cena clássica. Um dos efeitos dessa representação da disponibilidade sexual das mulheres indígenas é, justamente, o de inverter os termos da relação. Quando índias são violentadas por homens brancos, é comum ouvir os regionais que habitam próximo às comunidades indígenas dizerem que são elas que os "estupram" com sua atitude supostamente provocativa. Sobre a vítima recai toda a culpa, e isso é um fenômeno recorrente na cultura brasileira quando se trata de grupos excluídos, e quando se trata principalmente de mulheres.

Nos livros de história, podemos encontrar referências elogiosas à contribuição das índias para a formação cultural do Brasil, principalmente no que tange à culinária e cultura material: lista-se o beiju, o mingau, a rede... Sabemos quão pouco isso representa perto da riqueza que a história oficial esconde: são inúmeras histórias de vida feminina que, se conhecidas, poderiam adicionar à nossa identidade nacional um viés original e renovador. Infelizmente, ainda não é possível fornecer uma visão alternativa sobre a contribuição das mulheres indígenas para a formação da sociedade brasileira. O desvelamento sólido e consistente desse ângulo inédito de nossa história requer que se afaste o mato crescido durante os últimos cinco séculos e que contaminou não só o senso comum, mas também o próprio olhar antropológico sobre as mulheres indígenas. Em outras palavras, é preciso depurar a imagem dessas últimas dos estereótipos que as transformaram em categoria essencializada. Para tanto, em primeiro lugar, devemos resistir ao impulso de utilizar a expressão "a mulher indígena", uma vez que ela desrespeita a diversidade sociocultural dos índios brasileiros. É fundamental falar em "mulheres indígenas", no plural. Só assim elas poderão tornar-se visíveis enquanto sujeitos sociais e históricos, escapando das artimanhas da essencialização.

No livro *Heróis indígenas do Brasil*, Geraldo Gustavo de Almeida levanta cerca de 650 nomes de indígenas que aparecem nos registros históricos, dentre os quais menos de 10% são mulheres. E suas aparições são, em grande parte, fortuitas, espectrais, nomes sem substância. A história realmente interessou-se muito pouco por elas para dedicar-lhes mais do que papéis secundários. Mas embora tenham se tornado personagens menores, são de qualquer forma personagens, e vale a pena lançar-lhes um olhar. A maioria dessas mulheres insere-se nos registros históricos através de suas relações com um homem, na maior parte das vezes um branco português. Vejamos os casos de Arco-Verde, Bartira e Paraguaçu, mães das primeiras gerações de brasileiros ilustres e mulheres, respectivamente, de Jerônimo de Albuquerque, João Ramalho e Diogo Álvares, o Caramuru. Assim como a maioria das outras, ficaram famosas por estarem sexual ou conjugalmente ligadas a um português ou brasileiro ilustre. As três mulheres pertenciam a famílias de prestígio, eram filhas de chefes indígenas importantes, o que sugere que elas devam ter possuído um papel na constituição de redes de aliança entre brancos e índios no início da colonização. Quando a ligação com um homem famoso não é o motivo da inscrição histórica, as causas podem variar: algumas índias foram protagonistas de episódios messiânicos ou supostamente místicos, outras intermediaram o contato entre brancos e índios e há ainda as que deram mostras de bravura, matando animais perigosos. Chefia, liderança religiosa, caça, guerra e contato com estrangeiros são atividades concebidas como masculinas, tanto do ponto de vista do colonizador quanto das sociedades indígenas, e isso poderia explicar a notoriedade dessas mulheres. As índias cuja memória foi registrada nas fontes históricas foram, portanto, mulheres que ou se associaram a um homem importante ou se masculinizaram em algum sentido, aos olhos do observador da época, aos olhos do cronista, do viajante, do historiador.

Diante disso tudo, parece fácil responder por que a memória dessas mulheres foi preservada. Mas, para uma reflexão mais profunda, devemos perguntar por que, dentre tantas mulheres indígenas que, nos primeiros tempos da colonização, relacionaram-se com homens ilustres ou exerceram papéis concebidos como masculinos, foram essas as que ficaram nos registros da história? Em outras palavras, o que será que a história esconde sobre essas mulheres? O que será que os cronistas, os viajantes e os historiadores deixaram de revelar sobre elas?

Para que possamos responder a tais perguntas, será necessário um esforço concentrado de pesquisa. Por ora, devemos tirar uma lição: resgatar a visibilidade das mulheres indígenas não é resgatar o nome de mulheres que em algum momento exerceram um papel definido como importante ou relevante pelo olhar de quem o registrou, e sim reconstituir a dimensão especificamente feminina dessas histórias de vida. Privilegiar sua atividade social e não os rótulos que as imortalizaram. Revelar trajetórias de resistência, através do redimensionamento do papel das mulheres em movimentos articulados pelos índios em defesa de seus direitos à terra e à cultura. Mas uma história não se escreve só com personagens. No processo recente de politização dos grupos indígenas da Amazônia, foram criadas algumas associações de mulheres cuja atuação também precisa ser reconhecida. E também não devemos esquecer que a denúncia dos abusos sexuais a que vêm sendo submetidas as índias ao longo de todo esse processo histórico, assim como da violência material e simbólica de que foram e continuam sendo vítimas as sociedades indígenas, é um passo importante no longo caminho a ser percorrido para que a história do Brasil seja reescrita de forma mais equilibrada.

Fontes: Anne-Christine Taylor, "L'Americanismo tropical, une frontière fossile de l'Ethnologie?" B., in

Rupp-Eisenreich, *Histoires de l'anthropologie: XVI-XIX siécles*; Geraldo Gustavo de Almeida, *Heróis indígenas do Brasil*; Gilberto Freyre, *Casa-grande & senzala*; Ronald Raminelli, "Eva Tupinambá" in Mary Del Priori (org.), *História das mulheres no Brasil* • Elaborado por Cristiane Lasmar, mestre em antropologia social.

Inês da Silva (séc.XVI)
Órfã da Rainha*.

Portuguesa, veio para a Bahia junto com a armada de Duarte da Costa, segundo governador-geral do Brasil, no ano de 1553. Casou-se com Cristóvão Brandão, que era ouvidor. Pouco se sabe a seu respeito. O registro de sua vida epresenta o resgate do papel das mulheres brancas no processo de colonização do Brasil.

Fonte: Afonso Costa, *As Órfãs da Rainha*.

Inês de Sousa (séc.XVI)
Colonizadora da capitania do Rio de Janeiro.*

Portuguesa, mulher do governador da capitania do Rio de Janeiro, Salvador Correia de Sá. Foi responsável pela defesa da cidade contra um ataque de corsários franceses. O episódio se deu durante o segundo governo de Salvador de Sá (1578-98). Estava o governador ausente, em uma expedição com o objetivo de explorar o interior da capitania e apresar índios, quando entraram na baía de Guanabara três navios franceses, com a intenção de saquear a população. Os corsários, porém, não chegaram a desembarcar, graças ao ardil planejado por Dona Inês de Sousa, junto com o administrador eclesiástico. Para defender a cidade, ela fez as mulheres e jovens se vestirem com armaduras masculinas e simularem manobras de defesa na praia. Assim, segundo diz a tradição historiográfica, os franceses desistiram de assaltar a cidade do Rio de Janeiro, contentando-se em extrair lotes de pau-brasil do litoral.

Fontes: Delgado de Carvalho, *História da cidade do Rio de Janeiro*; Hélio Viana, *História do Brasil*.

Inês Monteiro de Alvarenga (c.1588-?)
Colonizadora da capitania de São Paulo.

Conhecida como "a matrona", nasceu na vila de São Paulo do Campo de Piratininga, filha de Ana Ribeiro e do fidalgo português Antônio Rodrigues de Alvarenga. Viveu em uma propriedade rural na confluência dos rios Pinheiros e Tietê. Casou-se com o sertanista Salvador Pires de Medeiros, proprietário da fazenda Ajuá, na serra da Cantareira, e de uma sesmaria em Jatuaí, Sorocaba.

O casamento foi realizado entre os anos 1603 e 1605. Salvador participou das bandeiras de Nicolau Barreto, em 1602, e de Antônio Raposo Tavares, em 1628, ao Guairá. Nesta levou três filhos dos nove que teve com Inês. Em sua homenagem, o marido mandou erigir uma capela para Santa Inês na vila.

Com a morte do marido, por volta de 1642, Inês assumiu os encargos da família. Seu filho mais velho, Alberto Pires, assassinou, por ciúmes, a mulher, Leonor de Camargo Cabral* e um cunhado. Essas mortes e a vingança dos Camargo, que prenderam Alberto Pires para levá-lo ao Rio a julgamento, tendo ele morrido na viagem, provocaram uma guerra secular entre as famílias Pires e Camargo. Com mão de ferro, Inês conduziu a guerra do lado dos Pires, não deixando ninguém esquecer o assassinato de seu filho.

Esse episódio de sua vida foi relatado de forma romanceada por Paulo Antero S. Barbosa no livro *Inês Monteiro — ou a matrona feroz e os homens de bem*, em 1999.

Fontes: Afonso de Taunay, *História das bandeiras paulistas*; Francisco de Assis Carvalho Franco, *Dicionário de bandeirantes e sertanistas do Brasil*; Pedro Taques de Almeida Paes Leme, *Nobiliarquia paulistana histórica e genealógica* e *Notícias das minas de São Paulo e dos sertões da mesma capitania*.

Inês Rodrigues de Morais (c.1630-?)
Senhora de terras e escravos.

Morava na capitania de São Paulo de Piratininga, na vila de Taubaté. Apropriou-se, para seu serviço particular, de uma índia cativa de Estevão Furquim. Em 1660, os herdeiros de Furquim buscaram a Justiça para reaver a índia escrava, que fugira da propriedade da família, encontrando refúgio nas terras de Inês de Morais. Lá, a índia teria sido coagida, segundo alegavam os promotores da ação, a se casar com um outro índio cativo de Inês, o que representava uma forma de burlar a legislação e os costumes.

Sabia Inês que, com o casamento, a índia podia ser descrita como uma moradora da sua propriedade, que lhe prestava serviço, o que justificaria sua "proteção". Sabia também que era limitado o alcance da Justiça colonial para dirimir os numerosos conflitos entre colonos, à semelhança do que manteve com a família Furquim, que de fato durou anos. Em face da crescente escassez de mão-de-obra disponível para o trabalho, com a redução das entradas no interior para o apresamento de índios e da política ambígua da Coroa para com a questão, arriscava-se até um litígio sobre a posse de índios aptos para o trabalho.

Fonte: John Manuel Monteiro, *Negros da terra: índios e bandeirantes nas origens de São Paulo.*

Inês Sabino (1853-1911)

Feminista, escritora e abolicionista.

Maria Inês Sabino Pinto Maia nasceu em Salvador (BA) em 31 de dezembro de 1853, filha de Gertrudes Pereira Alves Maciel e do médico Sabino Olegário Ludgero Pinho. Ainda menina, mudou-se com a família para Pernambuco e depois, por desejo do pai, foi estudar na Inglaterra. Mas não ficou muito tempo nesse país; com a morte do pai, voltou para Pernambuco, onde se tornou discípula do filósofo Tobias Barreto. Fez parte da sociedade abolicionista pernambucana Ave Libertas, composta somente por mulheres, fundada por Leonor Porto*. Casou-se com o português Francisco de Oliveira Maia, comerciante na cidade do Recife, e desse casamento teve uma filha. Mudou-se para São Paulo e, depois, Rio de Janeiro.

Além de seu envolvimento com a causa abolicionista, Inês demonstrava preocupação com a invisibilidade e condição das mulheres na sociedade brasileira. Em suas obras ressaltou o papel da mulher na história, sendo seu trabalho mais importante o livro *Mulheres ilustres do Brasil* (1899), um pequeno dicionário biográfico publicado pela Editora Garnier, com ampla repercussão. Foi considerado obra de referência por todos os que desejavam recuperar a memória de mulheres, sob as mais diversas situações de vida. Muitas décadas após a sua edição ainda era citado, como no discurso do deputado Basílio de Magalhães à Câmara, na sessão de 28 de novembro de 1924, em defesa do voto feminino.

Publicou *Rosas pálidas,* poesias, e o poema abolicionista *Aves libertas* (1886); *Impressões*, poesias (1887); *Contos e lapidações*, contos e poesias (1891); *Noites brasileiras*, contos (1897). Publicou também os romances *Lutas do coração* e *Almas de artista*, e notas biográficas no *Almanach Luso Brasileiro* de 1897.

Faleceu em 1911.

Fontes: Basílio de Magalhães, *Pela paz e pelo progresso do Brasil*; Maria T.C. Crescenti Bernardes, *Mulheres de ontem?*; Pelayo Serrano, "Ainda um assunto feminino", *A Mensageira*, 15.2.1898; Zahidé L. Muzart, *Escritoras brasileiras do século XIX*.

Inezita Barroso (1925-)

Cantora, atriz e folclorista.

Inês Madalena Aranha de Lima nasceu em São Paulo (SP) no dia 4 de março de 1925. Ainda criança, começou a cantar e tocar violão e, aos 11 anos, a estudar piano. No início da década de 1950, casou-se com Adolfo Barroso, de quem adotou o sobrenome, pelo qual ficou conhecida artisticamente. Mudou-se para Recife, iniciando sua carreira como cantora na rádio Clube e, dois anos depois, retornou a São Paulo onde passou a trabalhar nas rádios Bandeirantes e Record. Nesse período atuou, ainda, como atriz nos filmes *Ângela*, de Tom Payne e Abílio Pereira de Almeida, *Mulher de verdade*, de Alberto Cavalcanti, *O craque*, de José Carlos Burle, *Carnaval em lá maior*, de Ademar Gonzaga, e *Destino em apuros*, de Ernesto Remani, e representou o Brasil no Festival de Cinema de Punta del Este, no Uruguai.

Em 1953, gravou as músicas "Canto do mar", de Guerra Peixe, "Marvada pinga", de Laureano, "Benedito Pretinho" e "Dança do caboclo", ambas de Hekel Tavares, que se tornaram sucessos nacionais. Lançou seu primeiro LP em 1955, privilegiando composições folclóricas, totalizando ao longo de sua trajetória 24 produções no mesmo estilo, consagrando-se como uma das maiores intérpretes da música regional. Publicou o livro *Roteiro de um violão* em 1956.

A experiência como apresentadora de canções da cultura popular, na TV Record, levou Inezita a realizar programas especiais sobre folclore para as televisões da América Latina e Europa.

Recebeu os prêmios Roquete Pinto de melhor cantora de rádio de MPB; O Guarani de melhor cantora em disco; O Saci de melhor atriz. Em 1970, ganhou o troféu do I Festival de Folclore Sul-Americano, em Salinas, Uruguai, e produziu o documentário que representou o Brasil na Expo-70 no Japão. Foi agraciada com Prêmio Sharp de melhor cantora regional de 1996 e homenageada pela Escola de Samba Pérola Negra da capital paulista, no Carnaval de 1998. Apresenta desde 1980 o programa *Viola, minha viola* na TV Cultura de São Paulo.

Fonte: *Enciclopédia da música brasileira: popular, erudita e folclórica.*

Ingaí (?-c.1535)

Índia caeté, lutou contra os portugueses.

Viveu no litoral de Pernambuco. Ingaí e seu povo resistiram bravamente aos colonos portugueses que vieram com Duarte Coelho, donatário da capitania de Pernambuco, em 1535. Consta que era prometida ao índio Camure e que este foi preso e morto durante a luta contra os portugueses, enquanto ela era levada prisioneira. Os colonos lusos tentaram violar a jovem índia, que resistiu e acabou conseguindo fugir, mas suicidou-se no mato.

Fonte: Gustavo Geraldo de Almeida, *Heróis indígenas do Brasil – memórias sinceras de uma raça.*

Iolanda Pereira (1910-)

Primeira Miss Universo brasileira.

Nasceu em 16 de outubro de 1910 na cidade de Pelotas (RS). Filha de Branca Conceição Pereira e de Lídio Alves Pereira. Fez seus estudos secundários em Pelotas, onde sua beleza e seu porte altivo eram muito admirados. Quando, em 1929, o jornal carioca *A Noite* começou a patrocinar um concurso de beleza que culminaria com a eleição da Miss Brasil e Miss Universo no então Distrito Federal, Iolanda foi eleita representante do Rio Grande do Sul por votação popular, de acordo com o regulamento em vigor na época para a primeira etapa do concurso. No Rio de Janeiro, ela encantou o júri, do qual faziam parte os escritores Anibal Machado e Álvaro Moreira, e conquistou sucessivamente os dois títulos.

Nos episódios que culminaram com a Revolução de 30, o nome de Iolanda foi a senha utilizada para anunciar o início da movimentação das tropas rebeldes gaúchas, de Porto Alegre ao Rio de Janeiro, então capital federal. Em 1936, Iolanda casou-se com o capitão da Aeronaútica Homero Souto de Oliveira, com quem teve quatro filhos. Quando a baiana Marta Rocha* ficou em segundo lugar na etapa internacional do mesmo concurso, o Brasil inteiro se emocionou e o nome de Iolanda foi lembrado pela imprensa.

Fonte: Entrevista com Jane Souto de Oliveira, filha de Iolanda Pereira, concedida a Hildete Pereira de Melo em 18.7.1999.

Irmã Dulce (1914-92)

Religiosa.

Maria Rita Lopes Pontes nasceu em 1914 em Salvador (BA). Filha de Lopes Pontes, funcionário da Companhia de Seguros Alianças da Bahia. Aos 13 anos de idade, tentou entrar para o Convento do Desterro, mas foi recusada por ser jovem demais. Continuou a estudar e, depois de formar-se, em 1932, entrou para a Congregação das Irmãs Missionárias da Imaculada Conceição, em Sergipe. Após seis meses de noviciado, recebeu o hábito de freira e adotou o nome Dulce. Em 15 de agosto de 1934 fez sua profissão de fé e voltou para a Bahia.

Passou a visitar regularmente os bairros operários de Salvador, realizando trabalho de evangelização. Queria fundar um movimento operário que pudesse oferecer às pessoas carentes assistência material e religiosa. Mais tarde juntaria seu grupo a um outro, também de operários, coordenado pelo frade alemão Hildebrando Kruthaup. Dessa fusão, surgiu a União Operária de São Francisco (UOSF), em 10 de janeiro de 1937.

Na década de 1950, Irmã Dulce dos Pobres começou sua obra assistencialista ocupando um barracão abandonado para abrigar mendigos. Ali trabalhou com idosos, doentes, pobres, crianças e jovens carentes, e chegou a receber a visita do papa João Paulo II quando ele esteve no Brasil, em 1980. Os diversos estabelecimentos que fundou formam o conjunto de Obras Sociais Irmã Dulce, entre elas o Hospital Santo Antônio, que atende 700 pacientes, além de 200 atendimentos ambulatoriais por dia; o Centro Educacional Santo Antônio, instalado em Simões Filho, na região de Salvador, onde estão abrigadas mais de 300 crianças de três a 17 anos. Nesta instituição, além de cursos profissionalizantes, os jovens cultivam verduras para o consumo do próprio Centro.

Depois de toda uma vida dedicada à caridade, Irmã Dulce começou a sofrer de problemas respiratórios e, em 11 de novembro de 1990, foi internada, passando por vários hospitais. Faleceu na tarde de 13 de março de 1992, em sua casa, no Convento Santo Antônio.

Fontes: George Everton Sales Sousa, *Entre o religioso e o político: uma história do círculo operário da Bahia*; Isto É, *1.000 que fizeram o século XX*.

Irmã Germana (c.1780-1856)

Beata.

Viveu no interior de Minas Gerais, no início do século XIX. Germana Maria da Purificação passava horas em posição de crucificada sem se mover. Habitava, com a permissão de seu confessor, uma capela na serra da Piedade, não muito distante de Ouro Preto, isolada de todos; multidões acorriam ao local para vê-la deitada, com os braços estendidos e os pés cruzados, por até 48 horas, sem falar nem comer. Este ritual repetia-se semanalmente.

No ano de 1814, houve uma romaria de fiéis e curiosos para ouvir missa e presenciar os êxtases e o padecimento de Irmã Germana. Suas rezas atraíam pessoas vindas de pontos distantes da colônia e de Portugal, e até autoridades eclesiásticas. Os naturalistas alemães Spix e Martius visitaram a capela da serra da Piedade, levados pelas histórias contadas pelos habitantes acerca dos milagres e da santidade de Irmã Germana. Em 1818, outro naturalista, o francês Saint-Hilaire, também foi presenciar suas transformações.

Em torno dela formou-se uma comunidade de beatas que, sob a liderança de Clara da Paixão de Cristo, uma de suas seguidoras, elaborou em 1817 uma petição ao príncipe regente, D. João, para erguer naquele local um recolhimento de mulheres. Mas a santidade e os dons milagrosos atribuídos à Irmã Germana incomodavam o bispo de Mariana, D. Cipriano de São José, que proibiu as romarias. Irmã Germana foi levada para o arraial de Roças Novas, distrito de Caetés, onde ficou alguns anos. Em 1843 foi recebida no recolhimento de Macaúbas, onde ficou até sua morte em 1856. Os fenômenos espirituais continuaram acontecendo com ela enquanto ali esteve.

Fontes: J. Norberto S.S., *Brasileiras célebres*; Leila Mezan Algantri, *Honradas e devotas: mulheres da colônia*; Maria Juscelina Faria, "Mosteiro Nossa Senhora da Conceição de Macaúbas: um recolhimento mineiro do século XVIII", *Análise & Conjuntura*, jan-abr/1987.

Isa Adonias (1919-)

Historiadora e geógrafa.

Nasceu no Rio de Janeiro, no dia 27 de outubro de 1919. Filha de Leonídia de Sousa Adonias e de Antônio da Silva Adonias. Fez os cursos primário e secundário no Colégio Notre Dame de Sion, em Petrópolis (RJ). Em 1942, formou-se em geografia e história pela Faculdade de Filosofia, Ciências e Letras Santa Úrsula. No ano seguinte ingressou no Conselho Nacional de Geografia, do IBGE, onde permaneceu até 1945. Tornou-se técnica de mapoteconomia e documentação do Instituto Rio Branco, do Ministério das Relações Exteriores, por onde se aposentou. Foi a primeira historiadora brasileira a ser admitida como sócia efetiva do Instituto Histórico e Geográfico Brasileiro (IHGB), o que aconteceu na sessão de 4 de setembro de 1968. Muitas mulheres já haviam antes tentado, sem sucesso, integrar os quadros do IHGB. A última tentativa ocorrera em 1965, com a candidatura da portuguesa Virgínia Rau*; esta acabou sendo eleita sócia-correspondente.

Publicou *A cartografia da região amazônica: catálogo descritivo (1500-1961)*, em 1963, e editou a revista mensal *Bibliografia Cartográfica*, do Ministério das Relações

1

2

3

4

5

6

7

1 • *Ida Marinho Rego*
Professora e educadora que fundou e dirigiu, na década de 1940, a Cruzada de Educação Pernambucana.

2 • *Irmã Dulce*
Religiosa baiana, uma das mulheres mais cultuadas no Brasil.

3 • *Itália Fausta*
Atriz paulista que organizou, na década de 1910, a Companhia Dramática Nacional.

4 • *Inês Sabino*
Escritora feminista e autora do livro *Mulheres ilustres do Brasil*, de 1889.

5 • *Ivete Vargas*
Política eleita seis vezes deputada federal.

6 • *Iolanda Pereira*
Primeira brasileira a conquistar o título de Miss Universo.

7 • *Ivone Lara*
Compositora de sambas-enredo e partidos-alto.

8

9

10

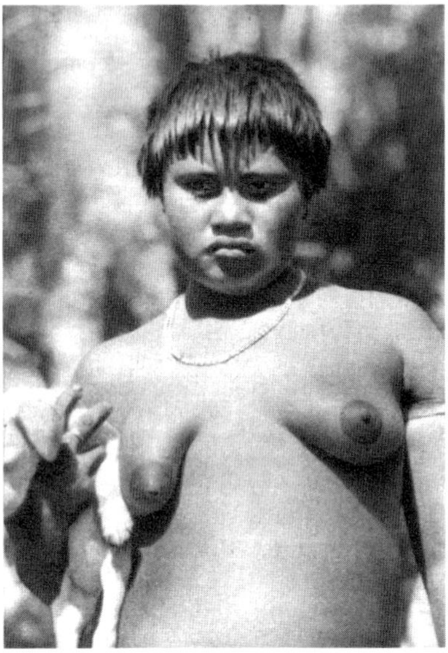

11

8 • *Índias*
Meninas uapixanas do Rio Branco, norte do Brasil.

9 • Índia maiongom, rio Uraricuera, norte do Brasil.

10 • Índia maiongom, rio Uraricuera, norte do Brasil.

11 • Índia maiongom, trabalhando em seu engenho *tipití*, usado para espremer o líqüido da mandioca.

Exteriores, entre 1960 e 1970. Também colaborou em diversas publicações, com artigos, verbetes de dicionários cartográficos e coletâneas. Recebeu a condecoração da Ordem do Rio Branco em 1970 e da Ordem do Mérito Tamandaré em 1987.

Fonte: Vicente Tapajós (org.), *Dicionário biobibliográfico de historiadores, geógrafos e antropólogos brasileiros.*

Isabel (séc.XVI)
Índia escrava.

Foi vítima da crueldade de seu senhor, Fernão Cabral de Taide, proprietário do engenho Jaguaripe, situado no Recôncavo baiano. Isabel foi lançada na fornalha do engenho, sob acusação de ter contado casos amorosos de Fernão Cabral para sua mulher, Margarida da Costa*. Irritado, o senhor ordenou ao feitor, Domingos Camacho, que queimasse Isabel viva, o que ele fez ajudado pelo escravo guiné João. O episódio teve enorme repercussão na Bahia.

Anos depois, quando Heitor Furtado — visitador do Santo Ofício — esteve na Bahia, entre 1591 e 1593, Fernão Cabral foi denunciado à Inquisição, dentre outras coisas, pela morte cruel da escrava, fato que horrorizara até mesmo a autoritária sociedade colonial baiana. As testemunhas do suplício de Isabel relataram um quadro dramático: durante sua agonia ela gritava, chamava por Deus e Nossa Senhora, por todos os anjos e santos do paraíso. Irredutível, Fernão Cabral ameaçou jogar na fornalha qualquer um que ousasse acudi-la.

Fonte: Ronaldo Vainfas, *A heresia dos índios – catolicismo e rebeldia no Brasil colonial.*

Isabel (séc.XVII)
Índia escrava.

Viveu na capitania de São Paulo. Teve a sua alforria concedida, assim como a de seu marido e filhos, pelo capitão Guilherme Pompeu de Almeida, que queria realizar o desejo de sua mãe, expresso em testamento, de libertá-los sob a condição de servirem a seus herdeiros. Essa "alforria condicional" costumava ser a forma mais comum da passagem dos índios escravos a libertos. Em alguns casos, o herdeiro concedia a liberdade definitiva do índio condicionalmente alforriado para completar o desejo de seus pais.

Fonte: John Manuel Monteiro, *Negros da terra: índios e bandeirantes nas origens de São Paulo.*

Isabel (séc.XVII)
Índia escrava.

Vivia na capitania de São Paulo e teria sido obrigada por seu senhor a casar com um escravo negro de nome Luciano. O caso de Isabel é mencionado como exemplo de um processo social que afetou a população cativa paulista, ao longo do século XVII. Nessa época, começou a se tornar freqüente o casamento entre escravos africanos e índios, em decorrência tanto do aumento da população negra em São Paulo quanto do acirramento da competição pela mão-de-obra disponível.

Fonte: John Manuel Monteiro, *Negros da terra: índios e bandeirantes nas origens de São Paulo.*

Isabel (séc.XVII)
Índia escrava.

No século XVII, a maioria dos índios fugidos costumava permanecer nas proximidades da região que habitavam. Antônia Chaves* registrou em seu testamento que a índia Isabel "andara fugida e que dizem estar de certeza em casa de Antônio Ribeiro de Morais, morador da vila de São Paulo", com o intuito de que seus herdeiros a recuperassem.

Fonte: John Manuel Monteiro, *Negros da terra: índios e bandeirantes nas origens de São Paulo.*

Isabel Afonso (séc.XVI)
Personagem de milagre atribuído ao padre José de Anchieta.

Conforme registro datado de 1578, o padre Anchieta, provincial da Companhia de Jesus, encontrava-se em viagem ao sul do Brasil e, demorando-se na cidade do Rio de Janeiro, abrigou-se no colégio do morro do Descanso — antigo morro do Castelo.

Certo dia, ao terminar as orações, o jesuíta chamou o irmão enfermeiro e lhe disse que apanhasse um remédio da botica e o acompanhasse à casa de Isabel Afonso, gravemente enferma. Ao entrar na casa, Anchieta encontrou os parentes em pranto, inclusive o marido, que já usava "carapuça de dó", indicativa de luto. Anchieta aproximou-se do leito e, segundo o relato que ficou na história, tocou com a mão a cabeça da doente, lendo o evangelho. Em seguida, pediu ao enfermeiro que administrasse o remédio trazido, e que nada mais era do que água com açúcar. Imediatamente a mulher recobrou a saúde.

Fonte: Elysio de Oliveira Belchior, *Conquistadores e povoadores do Rio de Janeiro.*

Isabel Caldeira (séc.XVI)

Colonizadora da Paraíba.

Casou-se com Manoel de Azevedo, que participou das expedições promovidas por Martim Leão para a conquista da Paraíba, onde se estabeleceu em seguida com a esposa, na ilha da Restinga (na embocadura do rio Sanhauá, atual cidade de João Pessoa). Os negócios prosperavam, com a propriedade protegida dos assaltos por uma fortificação que ele próprio construiu.

Era o começo do governo do capitão-mor Feliciano Coelho de Carvalho na Paraíba e os índios estavam em grande desassossego, acabando por invadir a ilha e matar Manoel, um filho do casal e vários escravos. Como reparação, em 1595 Feliciano Coelho de Carvalho doou a ilha à viúva, atendendo a seu pedido, diante da necessidade de dote para casar uma filha. Após a morte de Isabel, a ilha passou a pertencer a seu genro, Manoel Homem da Silva, que a vendeu, no ano de 1610, aos beneditinos.

Fonte: Horácio de Almeida, *História da Paraíba.*

Isabel de Bragança e Bourbon *ver* PRINCESA ISABEL

Isabel de Moura (séc.XVII)

Senhora de engenho.

Viveu em Pernambuco no século XVII, durante o domínio holandês. Era viúva de Antônio Ribeiro de Lacerda. No dia 3 de julho de 1635, as tropas portuguesas sofreram severas perdas em face do avanço holandês, e foram obrigadas a abandonar a Vila Nova do Serinhaém, último refúgio da população civil. Os que puderam, empreenderam fuga para o sul. Assim, Isabel de Moura juntou-se à multidão que fugia da ameaça dos holandeses.

Fonte: Henrique C.P. de Melo, *Pernambucanas ilustres.*

Isabel de Pina (séc.XVII)

Pioneira, reivindicou direito de herança.

Nascida em Portugal. Com a morte do marido, Manoel Jerônimo, Isabel, moradora do Rio de Janeiro, mãe de três filhos e grávida do quarto, solicitou ao Conselho Ultramarino a propriedade sobre os ofícios de contador, inquiridor e distribuidor, na cidade do Rio de Janeiro, de seu falecido. Alegava que ficara pobre e precisava sustentar seus filhos. Afirmou que sabia realizar os trabalhos do marido, visto que, desde a sua morte, permanecera prestando os serviços próprios àqueles ofícios. O Conselho Ultramarino acabou preterindo a solicitação de Isabel em favor de João Antônio Corrêa, que também fizera uma petição semelhante, solicitando o mesmo alvará. O pedido dele foi deferido em setembro de 1644, com a condição de que pagasse um quarto das rendas obtidas a Isabel de Pina e seus filhos.

Fonte: Arquivo Histórico Ultramarino, cx. 2, doc.332.

Isabel de Sousa Matos (séc.XIX)

Cirurgiã-dentista e sufragista.

Nasceu em São José do Norte (RS). Requereu seu alistamento eleitoral ainda no ano de 1885, na sua cidade, amparada pela Lei nº 3.029, de 9 de janeiro de 1881, também conhecida como Lei Saraiva. Essa lei, baseada em projeto de Rui Barbosa, restabelecia o voto distrital uninominal e garantia o direito de voto aos portadores de títulos científicos. Isabel de Matos conseguiu ganhar a demanda judicial em segunda instância, o que lhe possibilitou o exercício do voto. Transferiu-se para a capital federal — então o Rio de Janeiro — por volta do ano de 1889.

Com o advento da República e a convocação de eleições para a Assembléia Constituinte, Isabel procurou a comissão de alistamento eleitoral da paróquia do Engenho Velho, zona norte da cidade, para fazer valer os seus direitos de cidadã. Diante do fato inusitado de uma mulher pleiteando o direito de se alistar, a comissão resolveu consultar o ministro do Interior, José Cesário de Faria Alvim. A decisão do ministro, publicada em 9 de abril de 1890, foi contundente: ele julgou absolutamente improcedente a reivindicação de Isabel de Matos, baseando-se na interpretação de que a Lei Saraiva não havia conferido o direito de voto às mulheres, fossem elas educadas ou não, como a maior parte da população.

A exclusão das mulheres do direito de participar e intervir na construção do novo regime de governo — a República — deu-se no bojo de uma série de medidas que afastavam outros "indesejáveis" da cena política: os praças, os religiosos e os analfabetos. O objetivo maior dos membros do Governo Provisório era garantir que o processo eleitoral transcorresse da forma mais previsível possível. O primeiro passo foi rejeitar eleitores potencialmente contrários à orientação política do governo; o segundo passo foi a decretação do regulamento eleitoral, o chamado Regulamento Cesário Alvim (Decreto nº 511, de 23 de junho de 1890). Nele não há qualquer menção explícita à exclusão de mulheres do universo de eleitores, e nem seria necessário: para excluí-las, bastava as comissões eleitorais negarem-lhes alistamento, com base na interpretação que o ministro Cesário Alvim dera à lei em vigor, explicitada na resposta ao pleito de Isabel de Matos.

Mesmo assim, durante a Constituinte, alguns parlamentares apresentaram propostas concretas de extensão da cidadania plena também às mulheres. O deputado pelo Distrito Federal Lopes Trovão, por exemplo, apresentou uma emenda (também subscrita por Nilo Peçanha, Epitácio Pessoa e Hermes da Fonseca) concedendo o direito de voto às mulheres. Contudo, apesar das defesas feitas pelos deputados César Zama e Costa Machado, a emenda foi rechaçada, como outras de mesmo teor.

Fontes: Ana Alice Alcântara Costa, *As donas no poder — mulher e política na Bahia*; Branca Moreira Alves, *Ideologia e feminismo. A luta da mulher pelo direito ao voto no Brasil*; Jorge B. Fernandes, *Ordenando a República, construindo o progresso*; Ministério do Interior, *Decisões do Governo Provisório — 1º.4 a 30.6.1891*.

Isabel Dias (séc.XVI)

Colonizadora e comerciante.

Foi a primeira comerciante legalmente estabelecida no Rio de Janeiro. Era casada com Lourenço Fernandes, porteiro da Cidade e do Conselho. O registro da vida e da atividade de Isabel Dias foi possível pela leitura da petição datada de 4 de agosto de 1576, relacionada às atividades de comércio que ela desenvolvia.

Fonte: Elysio de Oliveira Belchior, *Conquistadores e povoadores do Rio de Janeiro*.

Isabel Dillon (séc.XIX)

Sufragista.

Nascida na Bahia. Com o advento da República, apresentou-se como candidata a deputada na primeira Constituinte Republicana, argumentando que a lei eleitoral de fevereiro de 1890 não excluía as mulheres do processo eleitoral: estabelecia o voto direto para os maiores de 21 anos que soubessem ler e escrever, sem referência explícita ao sexo do eleitor. Pretendia candidatar-se pelo estado da Bahia, apelando para o civismo do povo baiano. Tornou pública a sua candidatura em uma carta publicada no jornal *A Família*, de Josefina Álvares de Azevedo*, em 28 de agosto de 1890.

Como plataforma eleitoral, assumiu o compromisso de defender os princípios da igualdade religiosa entre as pessoas, a ampla liberdade de pensamento, o direito do cidadão que estivesse em pleno gozo de seus direitos políticos a votar e ser votado. Defendia também a aprovação de leis de proteção à criança, à mulher e ao operariado, embora ressalvasse que não partilhava "o sonho mórbido do socialismo". Não conseguiu sequer se alistar para votar.

Fontes: *A Família*, 28.8.1890; Maria T.C. Crescenti Bernardes, *Mulheres de ontem?*.

Isabel Gomes (séc.XVI)

Colonizadora da Bahia.

Filha de uma índia da Bahia e do ouvidor Baltasar Leitão. Casou-se ainda muito menina, por volta do ano de 1550, em decorrência de um acerto entre seu pai e o mercador Heitor

Mendes, com quem se uniu e viveu por 15 anos. Teve dois filhos. Como faziam muitos homens da Colônia, Heitor Mendes partiu em viagem para Angola, Portugal, Índias de Castela e outros lugares, ausentando-se por mais de uma década. Isabel Gomes estava com mais de 30 anos quando seu pai resolveu arranjar-lhe um novo marido, o mercador Bento Rodrigues, com quem passou a viver "de portas adentro". Estava prestes a se casar, em 1591, quando o marido regressou inesperadamente e, tão logo soube do casamento, denunciou a mulher e o sogro ao Tribunal do Santo Ofício. Isabel Gomes é uma das muitas moças da elite que se casavam muito jovens por imposição do pai. Os casamentos arranjados não eram, contudo, uma prática exclusiva dessa classe social.

Fonte: Ronaldo Vainfas, *Trópico dos pecados.*

Isabel Gondim (1839-1933)

Escritora e educadora.

Isabel Urbana Carneiro de Albuquerque Gondim nasceu em 5 de julho de 1839, em Papari (RN), na mesma cidade em que também nasceu a feminista Nísia Floresta* (atualmente essa cidade chama-se Nísia Floresta). Nunca se casou e dedicou sua vida ao magistério e às letras. Rica e talentosa, era de temperamento rígido e conservador, e teve muita influência na vida da província.

Em 1884, escreveu um texto com observações desabonadoras a respeito de sua conterrânea Nísia Floresta. O artigo era em forma de carta dirigida a um senhor que pedia informações sobre Nísia. Ao difundir um texto crítico com dados deturpados sobre a vida de Nísia, Isabel estava, na realidade, sendo instrumento da discriminação contra a mulher. Sua austeridade admitia a educação feminina, mas não uma vida livre e igual entre os sexos, e o exemplo de Nísia afrontava seus princípios morais.

Isabel Gondim foi a primeira mulher eleita sócia efetiva do Instituto Histórico e Geográfico do Rio Grande do Norte e do Instituto Arqueológico Pernambucano. Seu nome é uma referência em seu estado pelos serviços prestados à comunidade na área da educação e das letras. Faleceu em Natal (RN) em 10 de junho de 1933, deixando as obras *Reflexões às minhas alunas* (1874), *O Brasil*, poema histórico (1903), *Sedição de 1817 na capitania, ora estado do Rio Grande do Norte* (1907), *O sacrifício do amor* (1909), *O preceptor* (1922) e *A lira singela* (1933).

Fonte: Constância Lima Duarte, "Izabel Gondim", in Zahidé L. Muzart, *Escritoras brasileiras do século XIX.*

Isabel Leitão (séc.XVI)

Colonizadora da capitania de São Vicente.

Nobre portuguesa, era sobrinha de Domingos Leitão, fidalgo da Casa Real casado com Cecília de Góes, filha de Catarina de Andrade e Aguillar* e Luís de Góes. Isabel casou com Diogo Rodrigues e recebeu uma doação de terras do engenho Madre Deus, na capitania de São Vicente. Sua descendência foi numerosa e um ramo foi para o Rio de Janeiro; existe um jazigo na capela de São Cristóvão da Igreja de São Bento, em cujo mármore está gravado o nome da família Leitão.

Fonte: Torre do Tombo, *Corpo cronológico,* parte I, tomo I, maço 96, doc.74, fol.1, vol.40.

Isabel Maria (séc.XIX)

Devota de movimento religioso.

Participante da revolta sebastianista da serra do Rodeador, em Bonito (PE), em 1820. Esta foi a primeira manifestação popular do sebastianismo ocorrida no Brasil de que se tem notícia. O sebastianismo era a crença na volta do rei de Portugal, D. Sebastião, morto em 1578 na batalha de Alcácer-Quibir. Como seu corpo nunca foi encontrado, especulou-se sobre o seu retorno messiânico. A revolta do Rodeador terminou num confronto com as tropas provinciais, em 26 de outubro de 1820, e na morte de 80 das 500 pessoas reunidas na serra, à espera do "desencanto" de D. Sebastião.

Essa irmandade formou-se por volta de 1812, liderada por Silvestre César (ou Silvestre José dos Santos), de Lages do Canhoto, na comarca de Alagoas. Inicialmente congregava apenas seus parentes próximos, mas com o passar dos anos atraiu pessoas dos povoados vizinhos, que se dirigiram à serra para participar de rezas domésticas e ouvir prédicas do líder. Em 1819, a irmandade já tinha seu oratório, um grande mocambo de palha para onde foram levadas diversas imagens, entre elas a da Santa da Pedra (presumivelmente N.S. da Conceição, padroeira de Bonito) que, acreditavam os fiéis, tinha o dom milagroso da fala e transmitia a Silvestre as instruções referentes ao "encanto" de D. Sebastião. A maioria dos adeptos era de negros ou mestiços e, com poucas exceções, analfabetos. Havia muitas mulheres e crianças.

As tropas governamentais saíram do Recife em 21 de outubro para tomar de assalto a serra do Rodeador, na madrugada de 25 para 26 de outubro. O combate durou seis horas e fez, pelas cifras oficiais, 80 mortos, entre eles algumas mulheres. Várias pessoas foram queimadas vivas pelo fogo que a tropa ateou às choupanas de palha. Os sobreviventes foram presos para responder a processo sumário. Isabel foi interrogada com outras cinco mulheres, em 22 de novembro de 1820, e todas foram absolvidas e soltas. Na época, tinha 28 anos e era viúva de um dos mortos no combate. O conselho de investigação concluiu que, apesar de ocuparem cargos de destaque na associação sebastianista, haviam sido "arrastadas pelos homens para entrar naquela sociedade criminosa".

Fonte: Leonarda Musumeci, *Bonito, Pernambuco, 1820. A revolta sebastianista da serra do Rodeador* • Colaboração especial de Leonarda Musumeci.

Isabel Maria (séc.XVIII)

Religiosa.

Era filha do mestre-de-campo de Conquista (BA), João da Silva Guimarães. Isabel fundou no interior do sertão, na localidade de Minas Novas, um recolhimento para moças. Testemunhos de época afirmaram às autoridades do Reino que Isabel tinha um bom comportamento e era uma zelosa religiosa.

Fonte: Arquivo Histórico Ultramarino, cx.2, docs. 130, 499, 500, 1134 e 1135.

Isabel Maria da Cruz (?-1767)

Religiosa.

Nasceu na vila de Santos. Filha de Ana de Siqueira e Mendonça e Domingos Teixeira de Azevedo, superintendente das minas de Cataguases, provedor real da casa de fundição da vila de Paranaguá e coronel de ordenanças da praça de Santos e vila de São Vicente. Foi uma das 12 fundadoras, em 1750, do Convento de Nossa Senhora da Ajuda, na cidade do Rio de Janeiro, junto com sua irmã, Maria do Sacramento.

Em 1761, foi eleita abadessa do convento, fato saudado pelo bispo do Rio de Janeiro, frei Antônio do Desterro, e por Gomes Freire de Andrade, o conde de Bobadela, governador e capitão-geral da capitania do Rio de Janeiro, São Paulo e Minas Gerais. Seus contemporâneos destacavam as suas grandes qualidades e virtudes morais. Favorável ao voto de pobreza fez uma reforma na clausura, retirando todos os objetos de luxo que ornavam as celas das religiosas, diminuiu o número de escravos que serviam no convento, instalando uma vida mais simples no mosteiro. Faleceu no Convento da Ajuda no dia 13 de outubro de 1767.

Fonte: Pedro Taques de Almeida Paes Leme, *Nobiliarquia paulistana histórica e genealógica.*

Isabel Maria Guedes de Brito

(?-1733)

Senhora de terras.

Era filha da índia Serafina de Sousa Dormundo e de Antônio Guedes de Brito, apresador de índios e proprietário de um dos maiores latifúndios da América portuguesa. Não tendo filhos com a esposa D. Guiomar Ximenes de Aragão, com quem se casara em 1677, Antônio Guedes transferiu sua enorme fortuna para a filha bastarda, que instituiu, em testamento, sua "herdeira universal". Sua fortuna rivalizava com a dos poderosos Garcia D'Ávila, Domingos Afonso Sertão, Antônio da Rocha Pita, coronel Pedro Barbosa Leal e a dos beneditinos.

Isabel entrou para os anais da história como grande proprietária de terras, escravos, minas, administrando e defendendo os bens herdados contra novos conquistadores. Ao se casar com o coronel Antônio da Silva Pimentel, senhor de grandes extensões de terras e rival de seu pai, Isabel reuniu as riquezas das duas famílias. Sem sucessores masculinos, a fortuna passou a uma filha, Isabel Maria, e a uma neta, Joana Guedes de Brito*, celebrizadas como as mais ricas herdeiras da América portuguesa. Viúva desde 1706, Isabel não poupou esforços para defender-se de quem a ameaçava, como demonstra a representação que interpôs junto ao rei D. João V, na qual acusava o genro, João de Mascarenhas, filho do conde de Coculim, de tentar lesar seus interesses e impedi-la de administrar seus bens.

A resposta do rei português veio através de uma carta de 17 de abril de 1724. Por este documento, o rei repreendeu João de Mascarenhas, o que lhe trouxe severas conseqüências. Envolvendo-se com desvios do ouro extraído das minas de Jacobina, em terras dos Guedes de Brito, Mascarenhas foi feito prisioneiro, por ordem do vice-rei, e enviado para Lisboa em 1725, onde morreu cinco anos depois. O fim do imenso domínio da viúva do coronel Antônio da Silva Pimentel começou com a carta do rei D. João V, datada de 5 de maio de 1724, respondendo negativamente à alegação de D. Isabel Maria de que todas as terras das vertentes do rio das Velhas, na região do ouro, lhe pertenciam. A partir daí, teve início um processo de desagregação da grandiosa fortuna.

O poder e a influência dessa mulher de sangue indígena podem ser avaliados não só pela riqueza que possuía, mas também pelo orgulho e obstinação com que tratou seu patrimônio, envolvendo-se em intrigas políticas e buscando garantir suas conquistas. O palácio construído por ela e seu marido, em Salvador, conhecido como Paço do Saldanha, é um símbolo da grandiosidade da Bahia colonial. A rua onde se localiza tornou-se conhecida, desde o século XVIII, como a "rua de Dona Isabel Maria Guedes de Brito". Atualmente é denominada rua Guedes de Brito.

Fontes: A.J. de Melo Moraes, *Brasil histórico*; Afonso Rui, *Solar dos condes da Ponte*; Alberto Silva, *A cidade D'El-Rei*; André João Antonil, *Cultura e opulência do Brasil*; Carlos Ott, *A Santa Casa de Misericórdia da cidade do Salvador* e *Quem construiu o Paço do Saldanha?*; Clarival Valadares, *Paço do Saldanha*; Erivaldo Fagundes Neves, *Uma comunidade sertaneja: da sesmaria ao minifúndio*; Herman Nesser, *O Paço do Saldanha*; Ignácio Accioli, *Memórias históricas e políticas da província da Bahia*; Maria das Graças de Andrade Leal, *A arte de ter um ofício: Liceu de Artes e Ofícios da Bahia (1872-1996)* e *Joana: um palácio e dois casamentos*; Marieta Alves, *História, arte e tradição da Bahia*; Pedro Calmon, *História da Casa da Torre* e *Introdução e notas ao catálogo genealógico das principais famílias, de Frei Jaboatão*; Serafim Leite, *História da Companhia de Jesus no Brasil*; Simeão Ribeiro Pires, *Raízes de Minas*; Waldemar Mattos, *Paço do Saldanha*; Waldir Freitas Oliveira, *Os Saldanha da Gama no Brasil* • Colaboração especial de Maria das Graças de Andrade Leal.

Isabel Rodrigues (séc.XVI)

Acusada pela Inquisição de feitiçaria.

Viveu em Salvador (BA), ao final do século XVI. Tinha a alcunha de Isabel, a Boca-Torta. Segundo relato do inquisidor do Santo Ofício, Heitor Furtado de Mendonça, que esteve em Salvador entre 1591 e 1593, Isabel vivia de vender nas ruas as chamadas "cartas de amor" — tirinhas de papel que continham fórmulas para conquistar o amor de alguém.

Fonte: Emanuel Araújo, "A arte de sedução: sexualidade feminina na Colônia", in Mary del Priore (org.), *História das mulheres no Brasil*.

Isabel Soares (séc.XVI)

Acusada pela Inquisição de bigamia.

Moradora de Salvador (BA), Isabel Soares era uma menina de 12 anos quando seu pai, fazendeiro instalado na Bahia em meados do século XVI, a entregou como esposa a Antônio Pais, escrivão que servia ao conde de Castanheira, em Portugal, obtendo licença do bispo para casá-la em casa e à noite — o que o Concílio de Trento não tardaria a proibir. Na Metrópole ou na Colônia, eram os pais ou familiares da noiva e, em menor escala, o futuro cônjuge, os grandes protagonistas do acerto matrimonial.

Pouco depois do casamento, o marido partiu em viagem para o Reino, de onde jamais voltaria. Passados 12 anos, descobrindo que o tal escrivão já era casado em Portugal quando desposara Isabel, sua família tratou novamente de casá-la, acolhendo sugestão do bispo Pero Leitão para uni-la a seu irmão, Gaspar Leitão. O próprio bispo encarregou-se de investigar a situação de Antônio Pais e, descobrindo-o casado, anulou o primeiro matrimônio de Isabel, autorizando-a a casar outra vez. Isabel se casou, viveu três anos com o marido e enviuvou. Novamente a família interveio, e pela terceira vez a fez casar, desta vez com o juiz Vicente Rangel. Isabel vivia com ele na época em que foi acusada de bigamia pelo Tribunal do Santo Ofício. Quando convocada pelo visitador inquisitorial, em 1593, Isabel tinha menos de 30 anos, mas já tinha passado por três casamentos arranjados, um abandono, uma viuvez e pelo menos duas desilusões, ao que se somaria um processo.

Fonte: Ronaldo Vainfas, *Trópico dos pecados.*

Isaura Nepomuceno (séc.XX)

Operária e ativista política.

Participou do Comitê de Mulheres Trabalhadoras, organização ligada ao Partido Comunista do Brasil (PCB), surgida no Rio de Janeiro em 1928. Esposa do operário e líder comunista Joaquim Nepomuceno, foi destacada como representante do Comitê junto ao Bloco Operário e Camponês, ao lado de Maria Lopes*. Ambas faziam um trabalho político junto às operárias cariocas, nas portas das fábricas e nos sindicatos.

Fonte: Otávio Brandão, *Combates e batalhas.*

Ísis Dias de Oliveira (1941-72)

Ativista política, vítima da ditadura militar.

Nasceu em 29 de agosto de 1941, no estado de São Paulo. Filha de Felícia Mardini de Oliveira e de Edmundo Dias de Oliveira. Em 1965 iniciou o curso de ciências sociais na Faculdade de Filosofia, Ciências e Letras da Universidade de São Paulo (USP). Participou do movimento estudantil, integrando a Ação Libertadora Nacional (ALN), organização de maior expressividade na guerrilha urbana durante o conturbado período entre 1968 e 1973. As ações armadas visavam angariar fundos para sustentar uma futura guerrilha rural, já que os integrantes planejavam iniciar no campo a revolução que derrubaria o regime militar.

Em 1967, casou-se com José Luiz Del Royo, de quem se separou logo depois. Trancou sua matrícula na faculdade e, em 1970, mudou-se para o Rio de Janeiro, onde foi presa no dia 30 de janeiro de 1972. Desde então, Ísis está desaparecida. Em uma matéria publicada no jornal *Folha de S. Paulo*, no dia 28 de janeiro de 1979, um general dos órgãos de segurança reconheceu a morte de Ísis e a de mais 11 presos políticos considerados desaparecidos. No arquivo do DOPS, em uma gaveta com a identificação "Falecidos", foi encontrada a sua ficha. Contudo, os relatórios dos ministérios da Marinha e do Exército insistem em afirmar que Ísis está "foragida".

Fontes: Ana Maria Colling, *A resistência da mulher à ditadura militar no Brasil*; Maria do Amparo Almeida Araújo et al., *Dossiê dos mortos e desaparecidos políticos a partir de 1964.*

Itália Fausta (1877-1951)

Atriz, produtora e diretora de teatro.

Filha de imigrantes italianos, Itália Fausta Polloni nasceu em São Paulo (SP) em 1877.

Começou como atriz amadora na Companhia de Lucinda Cristiano, estreando no Rio de Janeiro em 1906, no Palácio Teatro. Solteira, manteve relação amorosa com o prefeito paulistano Gomes Cardim.

Sua consagração como intérprete nos palcos brasileiros levou-a a excursionar no exterior. Não contente em participar das produções teatrais somente como atriz, Itália Fausta fundou sua própria empresa, a Companhia Dramática Nacional. Foi um dos maiores nomes do teatro nacional, encenando dezenas de peças, e pioneira na montagem do teatro grego com espetáculos ao ar livre.

Seu maior sucesso foi com a peça *A ré misteriosa*, encenada em 1917, protagonizando, dentre outras, *O anjo negro* de Nelson Rodrigues, *O fundo do poço* de Helena Silveira, desempenhos memoráveis que marcaram sua trajetória de atriz. Nos últimos anos de sua vida, dirigiu a empresa de Sandro Polloni, seu irmão, que excursionou por todo o país, tendo como estrela Maria Della Costa*. Faleceu em 29 de abril de 1951 no Rio de Janeiro.

Fontes: Brício de Abreu, "Morreu Itália Fausta", *Boletim da SBAT*; J. Galante de Sousa, *O teatro no Brasil.* Entrevista com Maria Della Costa em fevereiro de 2000.

Ivani Ribeiro (1922-95)

Novelista e dramaturga.

Cleyde Alves Ferreira nasceu em 1922 na cidade de Santos (SP), onde diplomou-se pela

Escola Normal. Em 1939 foi para São Paulo cursar a Faculdade de Filosofia.

Iniciou sua carreira como intérprete de canções folclóricas e sambas, alguns de sua autoria, na Rádio Educadora, aos 17 anos. Mais tarde criou, na mesma emissora, os programas *Teatrinho da Dona Chiquinha* e *As mais belas cartas de amor*, que lhe trouxeram grande prestígio junto ao público. Sua dramaturgia foi experimentada, inicialmente, através das radionovelas, onde também participava como atriz. Em 1942 casou-se com Dárcio Alves Ferreira, com quem teve dois filhos.

Sua estréia na televisão coincide com o nascimento da TV Tupi, ao escrever a série *Os eternos apaixonados*, exibida pela emissora. Em 1963 produziu sua primeira telenovela diária, *Corações em conflito*, adaptação de uma de suas histórias de rádio, e, em seguida, *A moça que veio de longe*. Na TV Excelsior ganhou projeção nacional, a partir de 1975, quando escreveu 13 novelas consecutivas, todas com grande audiência. Com o fechamento desse canal televisivo, revezou-se entre as emissoras Tupi, Record, SBT e Bandeirantes, sendo seus maiores sucessos *Mulheres de Areia* (1973-74) e *A viagem* (1975-76). Em 1982 estreou na Rede Globo com *Final feliz*, e continuou nessa emissora, onde suas principais novelas foram: *Amor com amor se paga* (1984), *A gata comeu* (1985), *Hipertensão* (1986) e o argumento de *Quem é você?* (1996). Nesse período, foram remontadas *Mulheres de areia* (1993) e *A viagem* (1994). Ao longo de sua carreira escreveu mais de 300 obras para o teatro, rádio e televisão, das quais 41 novelas tiveram produção assegurada.

Morreu em São Paulo em 17 de julho de 1995.

Fontes: CEDOC/Rede Globo; *Jornal do Brasil*, 19.7.1995.

Ivete Vargas (1927-84)

Política.

Cândida Ivete Vargas Tatsch Martins nasceu em São Borja (RS) em 17 de julho de 1927. Filha de Cândida Vargas Tatsch e de Newton Barbosa Tatsch. Seu avô materno era irmão de Getúlio Vargas, presidente da República de 1930 a 1945 e de 1951 a 1954. Mudou-se ainda menina para a cidade do Rio de Janeiro, onde fez seus estudos. Aos 15 anos, iniciou-se no jornalismo, escrevendo para o jornal *Brasil-Portugal*, que em 1947 passou a se chamar *Diário do Povo* e pertencia a seu avô Viriato Dornelles Vargas. Trabalhou também nos jornais cariocas *Diretrizes* e *Radical* e no paulista *Folha da Manhã*. Casou-se com o economista Paulo Guilherme Martins, com quem teve um filho. Licenciou-se em geografia, história e letras neolatinas na PUC do Rio de Janeiro.

Elegeu-se deputada federal pela primeira vez em 1951, aos 23 anos, pelo estado de São Paulo, na legenda do Partido Trabalhista Brasileiro (PTB). Alcançou o expressivo número de 18.607 votos, beneficiada pela votação do seu tio-avô Getúlio Vargas, eleito naquele ano presidente da República pela segunda vez. Na Câmara, integrou a Comissão de Diplomacia e Tratados, participando como embaixadora especial de inúmeras missões no exterior. Em 1954, foi reeleita com a segunda maior votação do estado: 48.282 votos. Nesse pleito apoiou Jânio Quadros para governador de São Paulo, divergindo da orientação do PTB que lançara candidato próprio. No seu segundo mandato, apresentou projeto para regulamentar a aposentadoria da mulher ferroviária aos 25 anos de serviço, que foi rejeitado. Em 1957 foi escolhida vice-líder do PTB na Câmara dos Deputados. No ano seguinte foi novamente reeleita com 78.063 mil votos, a segunda maior votação do estado e a primeira do PTB. Dona de uma expressiva base eleitoral, Ivete assumiu a presidência do PTB paulista.

Em 1960, com a eleição de Jânio Quadros para presidente e de João Goulart para vice, Ivete, que participava da Frente Parlamentar Nacionalista (grupo interpartidário criado em 1957 para combater o capital estrangeiro e defender a soberania nacional), teve atuação destacada. Em 1962, elegeu-se mais uma vez deputada federal, agora pelo Rio de Janeiro, pela coligação PTB-PSB. Após o golpe militar de 1964, com a extinção dos partidos políticos pelo Ato Institucional nº 2, de 27.10.1965, e a instauração do bipartidarismo, ingressou no Movimento Democrático Brasileiro (MDB). Foi eleita deputada federal por São Paulo em 1966, mas seu mandato foi cassado em janeiro de 1969, com base no Ato Institucional n 5º (AI-5), editado em dezembro de 1968.

Ivete ficou fora da vida política por cerca de 10 anos, mas a campanha pela anistia e a luta pela rearticulação do PTB trouxeram-na de novo à cena em fins de 1978. Nessa época, outro grupo político também pretendia refazer a antiga legenda:, reunindo nomes como Bocaiúva Cunha, Waldir Pires e Darcy Ribeiro. A disputa cresceu com acusações de que Ivete estava a serviço do governo federal, devido às suas ligações com o general Golberi do Couto e Silva, chefe do Gabinete Civil da presidência. O ex-governador gaúcho Leonel Brizola, também interessado na legenda, ainda estava exilado e, em fins de 1978, Ivete foi ao seu encontro tentar um acordo que não se concretizou. A disputa acabou em 1979 na Justiça Eleitoral, que deu ganho de causa ao grupo comandado por Ivete Vargas. Candidata a deputada federal por São Paulo em 1982, Ivete foi eleita com expressiva votação, mas seu partido, o PTB, só fez 13 deputados federais, nenhum governador ou senador em todo o país. Faleceu na capital paulista, em 1984, em decorrência de um câncer, deixando publicado o livro *Por que fui cassada: testemunho à nação* (1980).

Fontes: Alzira Abreu, Israel Beloch (org.), *Dicionário histórico-biográfico brasileiro*; Câmara dos Deputados, *Relação dos deputados brasileiros — repertório biográfico*; Fanny Tabak e Moema Toscano, *Mulher e política*; TSE, *Dados estatísticos.*

Ivone Lara (1922-)

Compositora, cantora e sambista.

Nasceu no Rio de Janeiro (RJ) em 13 de abril de 1922. Filha de uma pastora do antigo rancho Flor dos Africanos, Ivone Lara da Costa ficou órfã aos seis anos. Durante oito anos viveu num internato, onde estudou música com Lucila Guimarães Villa-Lobos*, chegando mesmo a cantar sob a regência do maestro na Rádio Tupi, quando participava do Orfeão dos Apiacás. Aos 12 anos já compunha: uma de suas primeiras músicas foi o estribilho de partido alto "Tiê-Tiê".

Estudou no Colégio Municipal Orsina da Fonseca*, de onde saiu com 16 anos para morar na casa do tio, Dionísio Bento da Silva, que pertencia a um grupo de "chorões". Com ele, aprendeu a tocar cavaquinho. Em 1945 foi morar em Madureira e começou a freqüentar a extinta escola de samba Prazer da Serrinha. Nessa época, compôs muitos sambas e partidos altos, mostrados aos outros sambistas pelo seu primo Fuleiro (também compositor), já que havia muito preconceito em relação a uma mulher sambista. Em 1947, começou a trabalhar como enfermeira e assistente social no Serviço Nacional de Doenças Mentais e só durante as férias conseguia se apresentar como artista. Nesse mesmo ano, casou-se com Oscar, filho do presidente do Prazer da Serrinha, e fez o samba com o qual a escola desfilou naquele ano, "Nasci pra sofrer".

Foi depois para o Império Serrano, escola de samba fundada em 1947 por dissidentes do Prazer da Serrinha. Em 1965, compôs com Silas de Oliveira e Bacalhau o samba-enredo "Os cinco bailes da Corte", que se tornaria um clássico no gênero. Participou das rodas de samba do Teatro Opinião, no Rio de Janeiro, e gravou várias faixas de discos em que foram apresentados diversos compositores e intérpretes, cantando composições suas. Foi madrinha da Ala dos Compositores de sua escola e desfila desde 1968 na Ala das Baianas. Até se aposentar, em 1977, conciliou o trabalho como enfermeira com a vida de compositora, mas só gravou seu primeiro disco em 1978. Desde então, fez shows no Japão, na Itália, na Martinica e na Espanha. Um dos seus maiores sucessos é "Sonho meu", com Délcio Carvalho, gravado em dueto por Gal Costa* e Maria Betânia*. Em 1995 comemorou 50 anos de carreira, em que compôs quase 300 músicas, e em 1997, após 10 anos sem gravar, lançou o CD *Bodas de ouro*.

Fontes: *Enciclopédia da música brasileira: popular, erudita folclórica*; Helena Theodoro, *Mito e espiritualidade – mulheres negras.*

J

Jacinta de São José (1715-68)

Religiosa, fundadora do Convento das Carmelitas.

Nasceu no Rio de Janeiro em 15 de outubro de 1715, filha de Maria Lemos Pereira e de José Rodrigues Aires, homem de posses. Foi batizada em 6 de novembro na matriz da Candelária com o nome de Jacinta Aires. Tinha nove anos quando o pai faleceu. Sua mãe casou-se novamente com André Gonçalves dos Santos, comissário-geral de Artilharia.

Adolescente, manifestou o desejo de entrar para a Ordem de Santa Teresa com sua irmã, Francisca de Jesus Maria. As duas, junto com o irmão José, que já era sacerdote, mudaram-se para as ruínas da capela do Desterro, no Rio de Janeiro. Com muito trabalho e o auxílio da família e de homens poderosos, como o conde de Bobadela, Gomes Freire de Andrade, governador da capitania do Rio de Janeiro, conseguiram reerguer a capela no sítio Chácara da Bica, junto ao Caminho de Mata-Cavalos (atual rua Riachuelo). Ali foi construída uma capela, embrião do atual convento de Santa Teresa.

Jacinta teve grande ajuda de frei Manuel de Jesus, carmelita descalço, secretário de frei João da Cruz, bispo do Rio de Janeiro de 1741 a 1745, da mesma Ordem, que inicialmente proibira as obras. Em 31 de dezembro de 1743, a capela foi concluída e benta. Jacinta e Francisca foram lá residir, rompendo todas as relações pessoais, e passaram a se dedicar à vida religiosa. Em 1748, Francisca contraiu tuberculose pulmonar, vindo a falecer em julho daquele ano. Apesar do golpe, Jacinta continuou sua luta para organizar a vida conventual.

Com a intenção de obter o reconhecimento oficial da Ordem das Carmelitas Descalças do Brasil pelo rei e pelas autoridades eclesiásticas, Jacinta (já usando o nome de madre Jacinta de São José) viajou para Portugal acompanhada do irmão. Nessa época, o governo colonial resistia a consentir que nos territórios de Ultramar fosse permitida a criação de conventos, diante da escassez de mulheres brancas. Com a morte do conde de Bobadela em 1763, aumentaram as dificuldades para que a obra de Jacinta fosse oficialmente reconhecida. Ela voltou ao Brasil enquanto seu pedido tramitava na Europa. A autorização papal só foi dada após a sua morte, ocorrida no Rio de Janeiro em 2 de outubro de 1768. As futuras freiras carmelitas viveram na rígida disciplina até professarem os votos em 1781, quando finalmente foram vencidas as resistências do bispo D. Antônio do Desterro e o convento foi criado.

Embora tenha falecido sem fazer os votos, sua memória foi venerada pelos membros da comunidade religiosa graças à sua persistência na luta pela fundação do convento. O frade carmelita Nicolau de São José escreveu um livro sobre a vida de Jacinta, intitulado *Vida da serva de Deus madre Jacinta de São José, carmelita descalça, fundadora do convento de Santa Teresa, do Rio de Janeiro*, em 1935.

Fontes: Baltasar da Silva Lisboa (org.), *Anais do Rio de Janeiro*; Inês Sabino, *Mulheres ilustres do Brasil*; J. Norberto S.S., *Brasileiras célebres*; Leila M. Algranti, *Honradas e devotas: mulheres na Colônia*;

Riolando Azzi, *A vida religiosa feminina no Brasil: síntese histórica.*

Jacobina Maurer (1842-74)

Líder religiosa.

Nasceu em junho de 1842 na Capela da Piedade, vila de Hamburgo Velho (RS). Era filha e neta de imigrantes alemães. Sua mãe, Maria Elizabeth Müller, chegou ao Brasil em novembro de 1825; seu pai, André Mentz, tinha vindo um ano antes. Viveu na colônia de imigrantes de São Leopoldo, vale do rio dos Sinos, fundada em 1824. Jacobina cresceu em um ambiente onde o trabalho na terra era a atividade principal para o sustento das famílias e, por conta disso, as mulheres tinham alguma voz nas decisões familiares, uma vez que lavravam a terra lado a lado com os maridos. A maioria das famílias de São Leopoldo professava o protestantismo; seu nível de escolaridade era precário: poucos sabiam ler em alemão e menos ainda em português. As famílias eram numerosas e os laços entre elas ganhavam maior importância em virtude do costume do compadrio, seguido à risca pela comunidade.

Em 26 de abril de 1866, Jacobina Mentz se casou com João Jorge Maurer, com quem viveu por oito anos e teve seis filhos: Jacó, Henrique, Francisco, Carlos, Matilde, Aurélia e uma última filha de quem se desconhece o nome. João Jorge Maurer, a princípio, sustentava a família trabalhando como marceneiro e agricultor, mas foi aos poucos abandonando essas atividades para praticar a medicina leiga. Em um lugar desprovido de qualquer forma de assistência médica, sua fama de curandeiro cresceu, provocando verdadeiras romarias à casa dos Maurer. Paralelamente, difundiu-se a fama de Jacobina como detentora de poderes divinatórios, porque sofria de longas crises de ausência e torpor, e falava coisas estranhas.

O afluxo de pessoas em torno dos Maurer começou a tomar força em 1868, na forma de reuniões de prece e de cura, acompanhadas de pregações de Jacobina. No início vieram os parentes diretos e indiretos, mas aos poucos o movimento ganhou adeptos, incomodando os membros mais prósperos da região. O grupo tornou-se conhecido como Mucker, termo alemão que designa tanto o beato quanto o hipócrita.

Em maio de 1873, a polícia de São Leopoldo, a pedido de moradores, prendeu adeptos do movimento, inclusive Jacobina que, em seguida, foi solta. Contudo, o fervor dos seguidores não arrefeceu, pois a essa altura Jacobina era a líder inconteste dos Mucker e, acometida do que chamavam "espírito natural", profetizava o fim próximo do mundo. Após a primeira intervenção policial, seus adeptos deixaram de freqüentar as igrejas e as crianças foram retiradas da escola por ordem de Jacobina. Também o ritual das reuniões na casa de Jacobina foi se tornando mais complexo, pois, segundo os autos do inquérito policial, "Jacobina aparecia no momento culminante, lívida, vestindo camisola branca comprida, cabelos soltos, cingidos por uma grinalda de flores, apoiada pelo marido e por adeptos."

Em dezembro de 1873, nova repressão policial com prisões. Porém, quanto maior a repressão, maior o radicalismo, e em 25 de junho de 1874 explodiu a revolta dos Mucker, que foram acossados por todos os meios, tanto pelas forças policiais, quanto pelo restante da comunidade. No dia 2 de agosto de 1874, Jacobina, que estava foragida na mata com os filhos, foi morta pela polícia. Para não ser descoberta pelos policiais, Jacobina teria provocado a morte de sua filha caçula, um bebê de poucos meses, de modo a evitar que o choro da criança denunciasse o esconderijo. Os filhos dos Mucker foram distribuídos a famílias de outros imigrantes alemães, em comunidades distantes, e os adultos sobreviventes ficaram estigmatizados. O último evento relativo ao episódio ocorreu em janeiro do ano de 1898, quando cinco remanescentes do movimento foram linchados em São Leopoldo, acusados de assassinato.

Fontes: *Dicionário Langenscheidts*; Janaína Amado, *Conflito social no Brasil.*

Janete Clair (1925-83)

Escritora de novelas e radialista.

Nasceu em Conquista (MG), a 25 de abril de 1925. Janete Emmer era filha da costureira Carolina e do comerciante libanês Salim Emmer. Começou a vida profissional como cantora, na rádio de Franca, interior paulista — para onde a família se mudara —, interpretando canções francesas e árabes. Aos 13 anos, passou a trabalhar em um escritório comercial, onde aprendeu datilografia, habilidade que lhe seria fundamental mais tarde. Aos 16 anos, submeteu-se a um teste para radioatriz na rádio Tupi-Difusora, em São Paulo. Aprovada, começou a trabalhar como locutora, sob a orientação da atriz Cacilda Becker*.

Ainda na Tupi paulista, conheceu o dramaturgo Dias Gomes, com quem se casou em 1950. Janete e Dias Gomes tiveram três filhos — Alfredo, Guilherme e Denise. A maternidade acabou afastando Janete do trabalho no rádio e aproximando-a do ofício de escritora de radionovelas, que podia ser executado em casa. Nessa fase da sua vida, passou a se chamar Janete Clair, inspirada na música "Clair de lune", de Debussy. Com este pseudônimo, assinou sua primeira obra, *Perdão, meu filho*, escrita para a rádio Nacional (1956). Na década de 1960, passou a trabalhar na televisão, escrevendo novelas, como *O acusador*, transmitida pela TV Tupi (RJ). Com o golpe militar de 1964, seu marido, Dias Gomes, perdeu o emprego por causa de seu engajamento político. Janete passou então a trabalhar em dobro, para garantir o sustento da família.

Seu maior sucesso foi na TV Globo, com a novela *Selva de pedra* (1973). A partir daí, tornou-se a principal escritora de novelas da televisão, reconhecida nacionalmente. Escreveu ainda *Véu de noiva* (1970), *O semideus* (1973), *Fogo sobre terra* (1975), *Pecado capital* (1976), *O bravo* (1975-76), *O astro* (1976), *Pai herói* (1978), *Coração alado* (1980), *Sétimo sentido* (1981), *Eu prometo* (1983). Morreu no Rio de Janeiro, em novembro de 1983, de câncer.

Fontes: Arthur Xexéo, *Janete Clair: a usineira de sonhos*; *O Globo*, 17.11.1983.

Jerônima de Góis (séc. XVI)

Órfã da Rainha*.

Jerônima saiu de Portugal e cruzou o oceano Atlântico para se casar. Desembarcou na Bahia, com o governador Duarte da Costa, no ano de 1553, e casou-se com João Velho Galvão, o qual, a título de dote real, obteve o cargo de escrivão dos armazéns da cidade de Salvador.

Fonte: Afonso Costa, *As Órfãs da Rainha*.

Jerônima Mesquita (1880-1972)

Sufragista, feminista e assistencialista.

Nasceu em Leopoldina (MG), em 30 de abril de 1880, filha da baronesa do Bonfim*, Maria José Villas Boas de Siqueira Mesquita, e do barão do Bonfim, José Jerônimo de Mesquita; era a mais velha de cinco irmãos. A família passava seis meses na fazenda Paraíso, em Leopoldina, e seis meses na cidade do Rio de Janeiro. Jerônima e seus irmãos fizeram os primeiros estudos com tutores. Todos, porém, aperfeiçoaram-se em colégios europeus. Jerônima fez os estudos secundários na França.

Aos 17 anos casou-se, por imposição da família, com um primo, com quem teve um filho; separou-se do marido dois anos depois e nunca mais se casou. Viveu a primeira década do século XX na Europa, dividindo-se entre a França e a Suíça. Encontrava-se no Velho Continente quando explodiu a I Guerra Mundial, em 1914. Ingressou como voluntária na Cruz Vermelha de Paris e, posteriormente, participou dos trabalhos de assistência promovidos pela Cruz Vermelha da Suíça durante os conflitos.

De volta ao Brasil, engajou-se em atividades de assistência social, participando da associação Damas da Cruz Verde*, com sua amiga Stella Guerra Duval* e sua mãe, a baronesa do Bonfim. Por ocasião do surto de gripe espanhola, em 1918, as Damas coordenaram a assistência às vítimas da epidemia na cidade do Rio de Janeiro, onde improvisaram-se enfermarias de emergência em todas as salas dos hospitais. Dessa experiência nasceu o projeto da maternidade Pró-Matre, fundada por elas. Foi também uma das fundadoras, em 1920, da Federação de Bandeirantes do Brasil.

Colaborou ativamente nas iniciativas de construção da cidadania feminina no país, como a luta pelo direito ao voto. Amiga de Bertha Lutz*, participou da Federação Brasileira pelo Progresso Feminino* (FBPF) desde a fundação da entidade em 1922, e nunca deixou de lado o trabalho em obras assistenciais.

Faleceu no Rio de Janeiro, em 1972.

Fontes: Arquivo da FBPF; Federação das Bandeirantes do Brasil, *Edição comemorativa: 65 anos*; Entrevistas com Adèle Lynch, 13.1.1999, e Maria Cláudia Bonfim, 12.1.1999, concedidas a Teresa Novaes.

Joana Angélica (c.1760-1823)

Religiosa, Mártir da Independência.

Nasceu em Salvador (BA). Filha de Catarina Maria da Silva e de José Tavares de Almeida, ingressou no Convento da Lapa, na cidade de Salvador, em 1782, fazendo sua profissão de fé no ano seguinte, como irmã Joana Angélica de Jesus, da Ordem das Religiosas Reformadas de Nossa Senhora da Conceição. A madre Joana Angélica foi escolhida abadessa da congregação em 1815, por vontade das demais religiosas do convento, e ocupou essa posição até 1817.

Joana Angélica morreu no dia 20 de fevereiro de 1823, por um golpe de espada desferido por um soldado da tropa do brigadeiro Madeira de Melo, chefe do exército português que combatia, na Bahia, as milícias brasileiras pró-Independência. Tinha mais de 60 anos e era uma das mais antigas residentes do convento. Foi com essa autoridade que se pôs à porta da clausura, entre 11 e 12 horas da manhã, do dia 20 de fevereiro, tentando barrar o avanço dos soldados do brigadeiro Madeira. Antes de invadir o Convento da Lapa, os soldados, desde a manhã daquele dia, já haviam saqueado tudo que encontraram no caminho. Com tal disposição, prepararam-se para penetrar na clausura do convento, mas encontraram a resistência de Joana Angélica, que teria proferido as seguintes palavras: "Detende-vos, bárbaros, aquelas portas caíram aos vaivéns de vossas alavancas, aos golpes de vossos machados, mas esta passagem está guardada pelo meu peito, e não passareis, senão por cima do cadáver de uma mulher!" Recebeu então no peito o golpe que lhe causou a morte instantânea. Em prantos, as outras religiosas foram autorizadas pelo comandante da operação a se transferirem para o Convento da Soledade, nas proximidades.

A morte da madre Joana Angélica deu mais alento à luta pela independência travada pelo povo baiano. A religiosa se tornou um símbolo da resistência contra o autoritarismo português. Foi enterrada na sepultura de número 9 da Igreja da Lapa, situada no interior do convento.

Fontes: Bernardino José de Sousa, *Heroínas baianas*; Carlos Augusto de Campos, *As heroínas do Brasil*; Inês Sabino, *Mulheres ilustres do Brasil*; J. Norberto S.S., *Brasileiras célebres*; Maria Lígia Madureira Pina, *A mulher na história*.

Joana Barbosa Lobo (séc. XVI)

Órfã da Rainha*.

Joana chegou à Bahia com as irmãs Mécia Lobo de Mendonça* e Marta de Sousa Lobo*, em 1551, na armada de Antônio Oliveira Carvalhal. Estavam entre as primeiras Órfãs da Rainha que vieram para o Brasil para se casarem com funcionários do rei ou fazendeiros locais. Na maioria dos casos, os maridos recebiam do Estado cargos na administração colonial como incentivo a mais para consolidar as uniões. Joana casou-se com Rodrigo de Argolo, cuja família foi muito importante na colonização da Bahia.

Fonte: Afonso Costa, *As Órfãs da Rainha*.

Joana da Silva Guedes de Brito (c.1690-1762)

Senhora de terras, vítima de preconceito.

Nasceu na Bahia. Filha de Isabel Maria Guedes de Brito* e do coronel Antônio da Silva Pimentel, ela e sua mãe herdaram uma das maiores fortunas em terras na América portuguesa. Antigos cronistas contam que Joana foi apelidada de "mameluca, mestiça, morena, nativa" por ser neta de uma índia, amásia do famoso apresador de índios Antônio Guedes de Brito. Sua mãe, Isabel, também foi estigmatizada como bastarda.

Joana foi considerada "a mais opulenta senhora de toda a colônia" e almejou enobrecer-se a todo custo. Para isso, foi buscar na nobreza empobrecida da metrópole um marido que lhe elevasse a linhagem. O primeiro que aceitou morar na colônia foi D. João de Mascarenhas, filho do conde Coculim, e com ele casou em 1717. Este fidalgo era violento e comportou-se de forma desregrada em Salvador, ridicularizando Joana por sua origem. Com o apoio da mãe, Joana revidou, recebendo em sua casa, a mais rica da cidade de Salvador, seus parentes caboclos. João de Mascarenhas respondeu construindo um anexo para hospedar os visitantes indesejados. Logo Joana entrou em franco conflito com o marido agressivo e desrespeitoso, e a vida de mãe e filha tornou-se insuportável. Vendo seu patrimônio ser dilapidado, apelaram ao rei de Portugal, denunciando as incorreções de D. João. Ele foi preso e retornou a Lisboa, onde morreu em 1729.

Com quase 40 anos, casou-se novamente com outro nobre português, D. Manuel de Saldanha da Gama, então com 19 anos de idade, filho de D. João de Saldanha da Gama, quinto conde da Ponte e vice-rei das Índias. Sua vida conjugal não foi melhor, pois o novo marido tinha os mesmos sentimentos de repulsa quanto à sua origem mestiça. Joana faleceu em 1762 e, como não teve filhos, sua fortuna foi herdada pelo marido, que voltou a Portugal em 1766, já com cerca de 46 anos. D. Manuel casou-se pela segunda vez, com Francisca Joana Josefa da Câmara Coutinho, e morreu em 1778. Com Francisca, teve quatro filhos, entre eles João de Saldanha da Gama de Melo Torres Guedes de Brito, sexto conde da Ponte, que herdou a fortuna da família e em 1808 veio com a família real para o Brasil, como governador e capitão-general da Bahia, onde morreu em 1809.

De Joana, restou o antigo palácio, que mesmo assim não perpetuou seus nomes, pois passou à história da Bahia e é conhecido ainda hoje como o "Paço do Saldanha"; a rua lateral chama-se rua do Saldanha. A marca da nobreza foi mais forte; das verdadeiras proprietárias, nada ficou.

Fontes: Clarival Valadares, *Paço do Saldanha*; Herman Nesser, *O paço do Saldanha*; Maria das Graças A. Leal, *Joana: um palácio e dois casamentos*; Pedro Calmon, *História da Casa da Torre*; Waldemar Matos, *Paço do Saldanha*; Waldir Freitas Oliveira, *Os Saldanha da Gama no Brasil* (mimeo) • Colaboração especial de Maria das Graças de Andrade Leal.

Joana de Siqueira (séc. XVII)

Índia escrava.

Viveu na capitania de São Paulo. Aos 28 anos foi assediada por capangas do fazendeiro Bartolomeu Fernandes, que a levaram à força para a propriedade dele. No momento da captura, Joana estava com seu companheiro e um amigo, que foram brutalmente assassinados. Na fazenda, foi escravizada, açoitada publicamente e obrigada a vestir a tipóia, traje típico das mulheres guarani.

Fonte: John Manuel Monteiro, *Negros da terra: índios e bandeirantes nas origens de São Paulo.*

Joana do Prado (séc. XVII)

Senhora de terras.

Possuía uma gleba com 2,2 quilômetros de frente no bairro do Juqueri, na vila de São Paulo de Piratininga. Em 1680, levou a viúva de Salvador de Oliveira à Justiça, pedindo uma indenização de 300 mil réis. Acusava os Oliveira de terem invadido a sua propriedade para plantar algodão e milho.

A ação de Joana do Prado contra os Oliveira é um exemplo dos conflitos de terra comuns no São Paulo colonial. Durante o século XVII, foi freqüente a invasão de terras alienadas, motivada pelo crescimento da população da capitania que levou à expansão territorial. No entanto, esta expansão esbarrava na gigantesca concentração de propriedades, por conta da enxurrada de sesmarias doadas no final da década de 1630, que colocou as melhores terras nas mãos de poucos povoadores.

Fonte: John Manuel Monteiro, *Negros da terra: índios e bandeirantes nas origens de São Paulo.*

Joana Evangelista (séc. XIX)

Devota de movimento religioso.

Participou do movimento sebastianista da serra do Rodeador, em Bonito (PE), em 1820, primeira manifestação popular do sebastianismo e primeiro movimento messiânico não indígena de que se tem notícia no Brasil. O sebastianismo foi a crença na volta do antigo rei de Portugal, D. Sebastião, morto em 1578 na batalha de Alcácer-Quibir. Como seu corpo nunca foi encontrado, durante muito tempo se especulou sobre seu messiânico retorno. O movimento terminou num combate com as tropas provinciais, em 26 de outubro de 1820, e na morte de 80 dos 500 adeptos, reunidos na serra à espera do "desencanto" de D. Sebastião.

A Irmandade do Rodeador foi formada por volta de 1812, liderada por Silvestre César ou Silvestre José dos Santos, vindo de Lages do Canhoto, na comarca de Alagoas. Inicialmente congregava apenas parentes próximos de Silvestre, mas com o tempo foi atraindo habitantes — na maioria negros, mestiços, pobres e analfabetos — pessoas das povoações e campos vizinhos, que se dirigiram à serra para participar de rezas domésticas e ouvir prédicas do líder. Em 1819 já tinha seu oratório, um grande mocambo de palha, com diversas imagens, entre elas a da Santa da Pedra (presumivelmente N.S. da Conceição, padroeira de Bonito), que, acreditavam os fiéis, tinha o dom milagroso da fala e transmitia a Silvestre o conhecimento e as instruções referentes ao "encanto" de D. Sebastião.

As tropas saíram de Recife em 21 de outubro de 1820 e invadiram o local na madrugada de 25 para 26 de outubro. O combate durou seis horas e nele morreram, pelas cifras oficiais, cerca de 80 fanáticos, entre os quais algumas mulheres. Várias pessoas foram queimadas vivas pelo fogo que a tropa ateou às choupanas de palha. Os sobreviventes foram presos para responder a processo sumário.

Joana e outras cinco mulheres foram interrogadas no dia 22 de novembro, sendo todas elas absolvidas e soltas. Na época, tinha 15 anos, era solteira e analfabeta. Seu pai, um dos líderes da comunidade, também ficou preso em Recife. O conselho de investigação concluiu que as mulheres haviam sido arrastadas pelos homens para entrar na sociedade. O fato é que elas tiveram participação destacada no movimento e na resistência a sua repressão.

Fonte: Leonarda Musumeci, *Bonito, Pernambuco, 1820: a revolta sebastianista da serra do Rodeador* • Colaboração especial de Leonarda Musumeci.

Joana Gomes de Gusmão

(1688-1780)
Beata e andarilha.

Nasceu no litoral paulista, na região onde se desenvolveu a cidade de Santos. Filha de Maria Álvares e do cirurgião-mor do presídio da vila de Santos, Francisco Lourenço, era irmã do estadista Alexandre de Gusmão e do padre Bartolomeu Lourenço de Gusmão, um notável homem de ciência do seu tempo. Casou-se com um proprietário de terras mas não teve filhos.

Certa vez, acometidos de doença tropical, Joana e seu marido viajaram até o rio Iguape, onde a Fonte do Senhor tinha águas consideradas milagrosas. Diz a tradição que o casal fez diante da fonte um pacto de não se casar novamente se, porventura, um deles viesse a falecer: o cônjuge sobrevivente deveria peregrinar pelo mundo. Quando o marido morreu de varíola, Joana cumpriu a promessa e passou a caminhar pelo interior do Brasil, pedindo esmolas e usufruindo da hospitalidade dos habitantes dos lugares por onde passava, ou alimentando-se com o que encontrasse em seu alcance e dormindo ao relento.

Ao se dirigir para o sul, encontrou o lugar de sua predileção na região da Lagoa, na ilha de Santa Catarina. Decidida a fundar uma capela sob a proteção do Menino Jesus no Desterro — atual cidade de Florianópolis —, Joana obteve autorização do bispo local em maio de 1750 para iniciar a obra e entrou para a Irmandade do Senhor dos Passos. Cerca de 15 anos depois, conseguiu erguer uma nova capela contígua à do Menino Jesus. Seu projeto seguinte foi a construção de um hospital. Nos últimos anos de sua longa vida, dedicou-se a cuidar de crianças e enfermos, com o auxílio de seguidores. Morreu no Desterro, no dia 15 de novembro de 1780.

Fontes: Carlos Augusto de Campos, *As heroínas do Brasil*; Inês Sabino, *Mulheres ilustres do Brasil*; J. Norberto S.S., *Brasileiras célebres*; Joaquim Manuel de Macedo, *Mulheres célebres*; Lígia Torres, *Damas paulistas*; Valentim Benício da Silva, *A mulher na evolução do Brasil*.

Joana Paula Manso de Noronha

(1819-75)
Jornalista, professora e escritora.

Nasceu na Argentina, em 26 de junho de 1819. Sua família, fugindo da ditadura de Rosas, instalou-se na cidade do Rio de Janeiro, onde Joana se casou com o músico português Francisco Sá Noronha, autor sem sucesso de óperas. Os dois viajaram para os Estados Unidos e

Cuba, e durante esse tempo Joana teve duas filhas. Voltando ao Brasil, Joana naturalizou-se para poder estudar medicina. Em 1852, escreveu para jornais cariocas — dentre eles *O País*, no qual publicou a série *Misterios del Plata* — e fundou no Rio de Janeiro *O Jornal das Senhoras*, periódico que abordava assuntos variados, de moda a literatura, arte, vida cultural e crítica teatral, e que circulou por mais três anos. No primeiro número, publicado em 1º de janeiro de 1852, Joana definiu seu objetivo: "propagar a ilustração, e cooperar com todas as forças para o melhoramento social e para a emancipação moral da mulher".

Depois de seis meses, o jornal passou a ser dirigido por Violante Atabalipa Ximenes de Bivar e Velasco* e, após um ano, por Gervásia Numésia Píres dos Santos Neves. Joana Paula provavelmente deixou a direção do jornal por ter se separado do marido, que voltou para Portugal com outra mulher. Ela decidiu retornar à Argentina com suas duas filhas, Eulália e Hermínia, chegando a Buenos Aires em 1853. Lá, escreveu para jornais e para o primeiro periódico argentino voltado para a educação, *Anales de la Educación Común*. Sua preocupação com o ensino repercutiu na sociedade local e em 1859 foi nomeada diretora da primeira escola mista de Buenos Aires.

Joana foi uma pioneira numa sociedade em que as mulheres eram na maioria analfabetas, e compreendeu que defender a educação feminina era um primeiro passo para a construção da cidadania. Ela defendia o casamento como um destino de mulher, afirmando que a emancipação feminina não passava pela rebelião, mas exigia um processo de evolução que acompanhasse o progresso da sociedade. Mesmo tímida em sua proposta, provocou polêmica com seu jornal ao batalhar pela educação da mulher e sua entrada no mercado de trabalho. Faleceu em 1875, provavelmente em Buenos Aires, deixando publicado o *Compendio de la historia de las Provincias Unidas del Rio de la Plata desde su descubrimiento hasta la declaración de su independencia el 9 de julio de 1816* (1862).

Fontes: Eliane Vasconcelos, "Joana Paula Manso de Noronha", in Zahidé L. Muzart, *Escritoras brasileiras do século XIX*; Jim Levy, *Joana Manso, Argentine feministe*; Maria T.C. Crescenti Bernardes, *Mulheres de ontem?*, e "Jornalistas brasileiras do século XIX (1840-1890)", in Maria Aparecida Franco Pereira (coord.), *história da mulher na História*; Olmio Vidal Barros, *Precursoras brasileiras.*

Joana Rodrigues do Rosário

(sécs.XVIII-XIX)

Membro de irmandade.

Moradora de Ouro Preto (MG), Joana pertencia à Irmandade do Rosário dos Pretos e obteve licença para fazer à sua custa o altar da Senhora Mãe dos Homens desta igreja.

As irmandades eram associações de leigos formadas nos centros urbanos coloniais com o objetivo de prestar assistência aos irmãos doentes, realizar seu sepultamento e celebrar missas por suas almas; também construíam igrejas. As irmandades tinham que ser aprovadas pela Coroa e pela Igreja e podiam ser de pretos (escravos e forros), como as de Nossa Senhora do Rosário, de São Benedito e de Santa Ifigênia, de mestiços, como as de Nossa Senhora da Conceição e de Nossa Senhora do Amparo, e de brancos, como as do Santíssimo Sacramento, de São Francisco de Assis e de Nossa Senhora do Carmo. No dia do santo a que eram dedicadas, faziam realizar festejos e procissões. As irmandades dos negros possibilitavam manifestações culturais de origem africana, como o reisado e o congado.

Eram um espaço predominantemente masculino. O caso de Joana é um dos raros registros de mulher participando de uma irmandade. O fato de ela ter obtido licença e de poder arcar com os custos da construção de um altar demonstram seu prestígio social no meio dos escravos e pretos forros de Ouro Preto.

Fontes: L.M. Reis e A.V. Botelho, *Dicionário histórico Brasil — Colônia e Império*; Luciano Figueiredo, *O avesso da memória — cotidiano e trabalho da mulher em Minas Gerais no século XVIII.*

Joanídia Sodré (1903-75)

Pianista, compositora e regente.

Joanídia Nuñes Sodré nasceu em Porto Alegre (RS), em 22 de dezembro de 1903. Aos quatro anos de idade mudou-se para o Rio de Janeiro (RJ), onde começou os estudos de piano com Alberto Nepomuceno. Estudou também no

Instituto Nacional de Música, diplomando-se em 1926. Um ano antes, já havia assumido por nomeação a cátedra de harmonia e morfologia na mesma escola, que dirigiu de 1946 a 1960.

Joanídia foi quem compôs o hino da Federação Brasileira pelo Progresso Feminino* (FBPF). Em 1927, sua ópera *Casa Forte*, com libreto de Goulart de Andrade, valeu-lhe o prêmio de viagem à Alemanha, onde permaneceu até 1930, freqüentando as aulas de Paul Juon na Escola Superior de Música de Berlim. Na mesma época, estudou regência com Ignatz Waghalter e foi a primeira maestrina brasileira a reger a Orquestra Filarmônica de Bonn, na Alemanha. Quando regressou ao Brasil, passou a atuar como regente, fundando o Coral Feminino e a Orquestra Sinfônica Infantil, em 1939. Ainda na década de 1930, foi diretora artística do Centro de Intercâmbio Musical Luso-Brasileiro. Seu interesse e sua dedicação à música levaram-na a escrever um *Compêndio de instrumentação para auxiliar no ensino da música*. Compôs, entre outras obras, *A cheia do Paraíba* (cena lírica), *Trio em si bemol*, *Dois quartetos* (câmara), *Girassol* e *Incêndio em Roma* (coral e orquestra).

Morreu no Rio de Janeiro em 7 de setembro dc 1975.

Fontes: *Enciclopédia da música brasileira: popular, erudita e folclórica*; Mariana Coelho, *Evolução do feminismo*; Nilcéia Cleide da Silva Baroncelli, *Mulheres compositoras*.

Joaninha (séc.XX)
Cangaceira.

Filha do coronel Piranhas, homem de posses da Paraíba. Era professora no sertão nordestino, mas seguiu Lampião por paixão. Foi alvo da tentativa de assassinato a mando de Raimunda, então companheira do cangaceiro. Raimunda foi presa pelo bando por ter induzido o cangaceiro Navalhada ao crime. Joaninha dava aulas às crianças do lugar e ensinava as meninas a costurar. Contudo, mais tarde, a mando do pai, Joaninha foi raptada por seis homens. Em seguida, o próprio pai a matou, sendo posteriormente assassinado por Lampião.

Fontes: Antônio Narciso Roças, *Vidas, aventuras e morte de Lampião e Maria Bonita*; João Bento dos Santos, *Lampião e Maria Bonita: seus crimes, seus amores*; Melchiades da Rocha, *Bandoleiros das caatingas*.

Joaquina Carlota (séc.XIX)
Escrava, comprou sua alforria.

Nasceu na província do Pará. A compra da sua carta de alforria demandou um longo período de negociação. O processo perdurou por 17 anos, quatro meses e três dias, tempo necessário para que Joaquina Carlota e sua mãe pudessem levantar a soma estipulada pelo seu senhor para a alforria de ambas. O primeiro pagamento foi em 1822 e o último em 1846.

Fonte: Maria Lúcia de Barros Mott, *Submissão e resistência*.

Joaquina do Pompéu (c.1745-?)
Fazendeira.

Joaquina Bernarda da Silva de Abreu Castelo Branco Souto Maior de Oliveira Campos, conhecida como Sinhá Braba, foi uma matrona mineira, nascida na vila de Mariana. Casou-se em 1763 com o capitão-mor de ordenanças, Inácio de Oliveira Campos, natural da Bahia. Dona de um temperamento enérgico, Joaquina do Pompéu administrava vastas áreas de terras, com escravos e peões. O núcleo de Pompéu abastecia de gêneros as populações de Vila Rica e do Rio de Janeiro.

Poderosa e implacável, teve muitas filhas. Uma delas, adotiva, Maria Zeferina, casou-se com o médico Manuel de Abreu e residia no Rio de Janeiro. Certa vez, a filha Maria Zeferina, magoada com as traições do marido, escreveu para a mãe em Minas sobre o seu desgosto no casamento. Prontamente, Sinhá Braba convidou o casal para um repouso na sua fazenda. Quando lá chegaram, a fazendeira organizou uma caçada para o genro e fez com que dois escravos seus o castigassem pelo adultério, castrando-o.

Na vida pública, Joaquina do Pompéu empenhou-se na luta pela independência brasileira, chegando a mandar recursos e tropas para a Bahia a fim de combater o general Madeira, comandante das forças portuguesas. Descenderam de Joaquina o escritor Bernardo Pereira de Vasconcelos e Martinho Campos.

Fontes: Agripa Vasconcelos, *Sinhá Braba — Dona Joaquina do Pompéu*; Paulo Amora, *Rebelião das mulheres em Minas Gerais.*

Joaquina Ferreira de Alvarenga
(séc.XIX)
Tropeira.

Viveu nas cercanias de São Paulo e exerceu o ofício de condutora de tropas de burros, atividade tipicamente masculina e da maior importância para o precário sistema de abastecimento e de circulação de mercadorias no interior do Sudeste brasileiro durante o período colonial e mesmo durante o século XIX.

Os documentos históricos não trazem casos como o de Joaquina com muita freqüência, mas o registro feito em Caraguatatuba (SP), com data de abril de 1847, encontrado em um livro de barreira — no qual eram anotados os impostos pagos por condutores de tropas em passagem por estradas e caminhos —, demonstra que essa atividade também era exercida por mulheres, às vezes motivadas pela ausência temporária ou definitiva de seus companheiros. Nesse livro, ficou registrado que Joaquina Alvarenga pagou ao poder público a quantia de 3$800 (três mil e oitocentos) réis, referente ao transporte de 19 bestas.

Fonte: Maria Odila S. Dias, *Quotidiano e poder em São Paulo no século XIX.*

Johanna Döbereiner (1924-2000)
Cientista.

Nasceu em Aussing (Alemanha). Graduou-se na Universidade de Munique e veio para o Brasil em 1950. Ingressou no Ministério da Agricultura como pesquisadora em microbiologia do solo, função que exerceu até o final de sua vida. Em 1974, descreveu a ocorrência de uma associação entre bactérias do gênero *Spirillum* e gramíneas. Posteriormente, estudou as bactérias associadas às raízes do milho. Essas descobertas tiveram enorme impacto diante de sua aplicação potencial aos solos tropicais em substituição a fertilizantes químicos, sobretudo no cultivo da soja.

Johanna estava nos EUA, em 1963, quando foi chamada a participar da Comissão Nacional da Soja, cujo cultivo estava começando no Brasil. Johanna fez a proposta revolucionária para que a soja brasileira não usasse o adubo nitrogenado, ao contrário da norte-americana. Com sua sólida experiência técnica, conseguiu convencer a comissão de que a aplicação de bactérias podia ser uma solução para o Brasil. Em 1964, seus argumentos foram aceitos, e a soja foi selecionada e melhorada, aproveitando-se a simbiose entre as bactérias e as raízes da planta. Seu trabalho foi decisivo para a extraordinária expansão da cultura da soja no país, pois essa técnica permitiu que o produto brasileiro fosse mais barato e competitivo no mercado internacional.

Membro titular da Academia Brasileira de Ciências e da Academia Pontifícia de Ciências, Johanna recebeu vários prêmios nacionais e internacionais como reconhecimento por seu trabalho científico. Foi doutora *honoris causa* da Universidade da Flórida (EUA) e da Universidade Federal Rural do Rio de Janeiro (UFRRJ).

Faleceu, no Rio de Janeiro, em 5 de outubro de 2000.

Fonte: V.M. Carvalho e V.R. Costa (coord.), *Cientistas do Brasil.*

Josefa Águeda Felisbela Mercedes de Oliveira (1864-?)
Médica.

Nasceu em Pernambuco, no dia 13 de fevereiro de 1864. Seu pai, o advogado Romualdo de Oliveira, numa atitude liberal e pioneira para o padrões da época, custeou os estudos de medicina da filha nos Estados Unidos, já que no Brasil o ingresso nos cursos superiores era interditado às mulheres. Josefa cursou o New York Medical College and Hospital for Women, antes porém, requereu aos cofres do Tesouro subvenção para seus estudos, contando com a ajuda do barão de Nazareth. O requerimento, porém, foi indeferido pelo cirurgião Malaquias Gonçalves.

Na instituição americana, Josefa conheceu a carioca Maria Augusta Generoso Estrela*, que também estudava medicina. As duas ficaram amigas e fundaram em 1881, em Nova York, o jornal literário *A Mulher*. Embora de curta duração, esse periódico, cujo objetivo era destacar a importância da educação para

1 • *Janete Clair*
Consagrada autora de telenovelas.

2 • *Joana Angélica*
Assinatura de Joana Angélica, religiosa considerada a Mártir da Independência.

3 • *Josefina Álvares de Azevedo*
Escritora feminista, fundadora do jornal *A Família*, dedicado às reivindicações das mulheres no final do séc.XIX.

4 • *Júlia Aguiar*
Periódico *Bello Sexo*, fundado por Júlia Aguiar em 1862.

5 • *Jerônima Mesquita*
Sufragista que se destacou na assistência social no começo do séc.XX.

6 • Jerônima, ao centro, já idosa, homenageda pela Federação das Bandeirantes do Brasil.

7 • *Jacinta de São José*
Religiosa e fundadora da Ordem das Carmelitas Descalças no Brasil, no final do séc.XVIII.

1

2

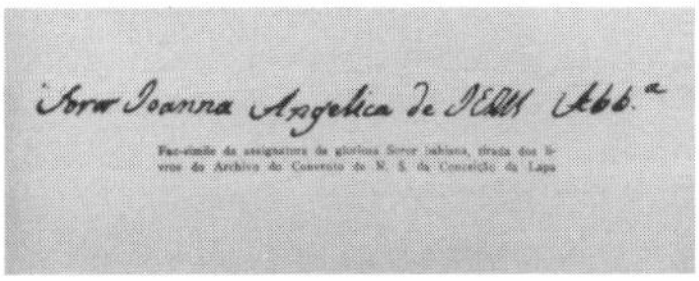

3

4

BELLO SEXO

Periodico Religioso, de Instrucção e Recreio, Noticioso e Critico moderado

REDIGIDO POR VARIAS SENHORAS

REDACTORA EN CHEFE
D. Julia de Albuquerque Sandy Aguiar.
RUA DA CARIOCA N. 50, LOJA.

CORTE. | FORA DA CORTE.

Vol. 1 — Quinta-feira 21 de Agosto de 1862 — N. 1

O BELLO SEXO

5

6

7

8

9

10

A Mulher.

Periodico illustrado de Litteratura e Bellas-Artes, consagrado aos interesses e direitos da

Mulher Brazileira.

Redactoras:

Josefa A. F. M. de Oliveira, Maria A. G. Estrella.

PREÇO $5000 REIS POR UM ANNO ADIANTADO.

Assigna-se no Brazil em todas as Agencias da "Correspondencia dos Estados Unidos" e nos Estados-Unidos no

No. 103 West 48th Street,
NEW YORK.

11

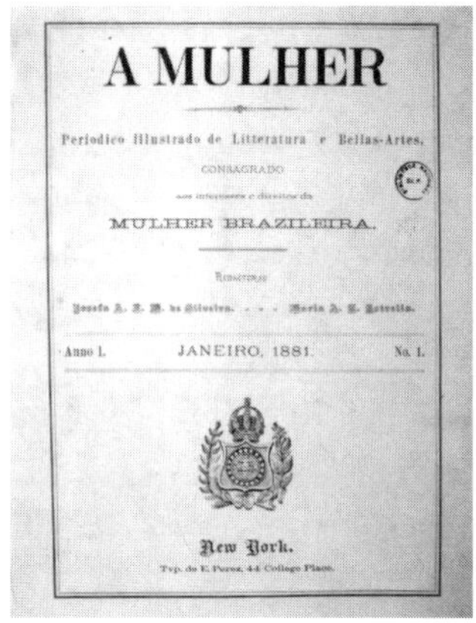

A MULHER

Periodico Illustrado de Litteratura e Bellas-Artes,
CONSAGRADO
aos interesses e direitos da
MULHER BRAZILEIRA.

Redactoras

Josefa A. F. M. de Oliveira. - - - Maria A. G. Estrella.

Anno I. JANEIRO, 1881. No. 1.

New York.
Typ. de E. Perez, 44 College Place.

12

13

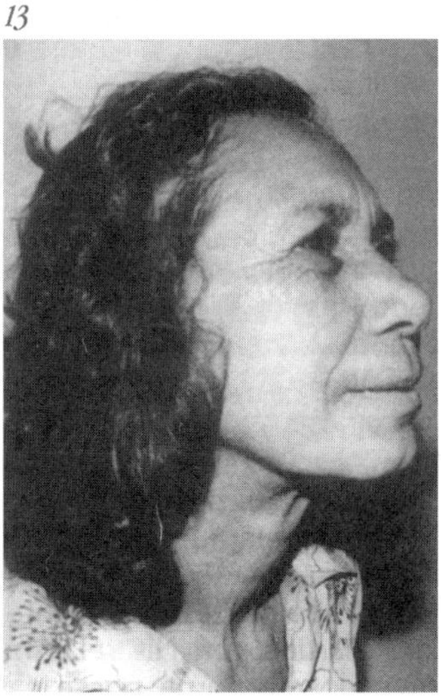

14

8 • Júlia Lopes de Almeida
Escritora e pioneira do feminismo a partir do final do séc.XIX.

9 • Joana de Gusmão
Representação da beata paulista do séc.XVII.

10 e 11 • Josefa Águeda
Anúncio e exemplar do periódico *A Mulher*, publicado em 1881 por Josefa Águeda e Maria Augusta Generoso Estrela.

12 • Johanna Döbereiner
Cientista, foi membro titular da Academia Brasileira de Ciências.

13 • Josefa Paulino da Silva
Foi militante comunista e líder camponesa.

14 • Joanídia Sodré
Musicista e compositora, diretora do Instituto Nacional de Música por mais de duas décadas.

promoção da mulher, foi distribuído aos principais jornais das capitais brasileiras e elogiado por parte dos jornalistas. A repercussão da iniciativa das duas estudantes, também registrada pela imprensa nova-iorquina, contribuiu para que toda uma geração de moças voltasse a atenção para o significado da educação superior. Em 1880, Josefa escreveu o livro *O dever*.

Em março de 1881, as amigas se diplomaram pelo New York Medical College. Josefa voltou logo em seguida para Recife (PE), enquanto Maria Augusta permaneceu mais alguns meses nos Estados Unidos para fazer um curso de aperfeiçoamento. As duas trocaram ativa correspondência durante cerca de 20 anos. Entretanto, pouco se sabe sobre a vida de Josefa Águeda depois de seu regresso, nem mesmo se exerceu a profissão. Mas em carta datada de 10 de setembro de 1882 e enviada a um jornal pernambucano, Josefa defende a importância da educação superior para as mulheres, contra comentários maldosos, surgidos na imprensa brasileira, que descreviam as mulheres formadas como "ébrias e desprovidas de moral". Ela manifesta sua indignação num protesto: "Sou formada em medicina, como tal recebi uma educação superior, e até o presente não desacreditei esta educação que recebi e a posição que ocupo na sociedade."

Fontes: Arquivo da família de Maria Augusta Generoso Estrela; "Debate sobre o Requerimento de Felisbela Águeda de Oliveira", *Revista Americana*, nº 3, 1910; June Hahner, *A mulher brasileira e suas lutas sociais e políticas: 1850-1937*; O. Carneiro Giffoni, *Dicionário biobibliográfico brasileiro de escritores médicos*.

Josefa Carneiro de Mendonça (séc.XIX)

Heroína.

Participou do movimento antiabsolutista de 1842. Nasceu em Araxá (MG) e era casada com o capitão de milícias João José Carneiro de Mendonça, dono de terras em Araxá e Paracatu. Sua família participou da sedição contra o ministério imperial. A Câmara de Barbacena lançou um manifesto e nomeou o tenente-coronel José Feliciano Pinto Coelho da Cunha como presidente interino da província de Minas Gerais. Em 13 de julho de 1842, foi preso o seu genro, José Antônio Pestana. Os revoltosos atacaram a cadeia onde ele estava preso e o libertaram; pouco depois o governo revolucionário foi instalado em Barbacena e São João Del Rei, mas durou pouco. As novas lutas infligiram perdas a ambos os lados e os sediciosos foram refugiar-se nas fazendas de Josefa. Os homens da família tinham fugido para evitar a iminente prisão. Josefa, então com 60 anos, ficou encarcerada com mais de 50 homens por cerca de dois meses. No processo, manteve-se calma e altiva.

Fontes: José Antônio Marinho, *História dos movimentos políticos da província de Minas Gerais*; Paulo Amora, *Rebelião das mulheres em Minas Gerais*.

Josefa Clara de Jesus (séc.XVIII)

Religiosa.

Foi vigária do convento de Nossa Senhora da Lapa, na Bahia, nomeada pelo arcebispo D. José Botelho de Matos. Esse convento foi levantado por João de Miranda Ribeiro para nele recolher as suas filhas e as filhas de Manoel Antunes de Lima, que ajudou a construí-lo. O convento deveria seguir a regra das franciscanas capuchas recoletas. A provisão de concessão régia para a construção foi dada em 25 de outubro de 1733, com a condição de que não admitisse mais de 20 religiosas. Contudo, somente em 7 de dezembro de 1744 é que Josefa, proveniente do convento de Desterro, transferiu-se para lá. Das 15 noviças que foram recolhidas, cinco eram as filhas de João de Miranda.

Fonte: *Anais do Arquivo do Estado da Bahia*, 1982, vol.46.

Josefa Emerenciana da Silva Paranhos (séc.XIX)

Dama baiana.

Foi mãe do visconde do Rio Branco e avó do barão de Rio Branco. Casou-se com o português João da Silva Telles, com o qual teve duas filhas, Francisca e Inês, que morreram em tenra idade. Logo depois da morte da segunda, Josefa separou-se de João. Mais tarde conheceu o português Agostinho da Silva Paranhos, comerciante de tecidos. Ele viera para o Brasil com o irmão a fim de integrar-se aos negócios do tio, Antônio da Silva Paranhos, abastado comerciante em Salvador.

Com Agostinho, Josefa viveu uma união livre, para escândalo da sociedade. Vários filhos nasceram dessa união, entre eles, em 1811, José da Silva Paranhos, futuro visconde do Rio Branco, que foi, por sua vez, pai do barão do Rio Branco. Com a morte de Agostinho, teve início uma querela judicial em torno do patrimônio do comerciante. Durante o processo, Josefa Emerenciana teve uma ligação amorosa com o juiz de órfãos da comarca de sua cidade, Luiz Paulo de Araujo Bastos, mais tarde barão e visconde de Fiais, com quem chegou a ter uma filha. Esta entrou para um convento na Bahia e foi importante dirigente religiosa.

Fonte: Luiz Viana Filho, *A vida do barão de Rio Branco.*

Josefa Paulino da Silva (1924-99)

Líder camponesa.

Nasceu em São Miguel do Campo (AL), em 21 de agosto de 1924. Filha de Maria das Dores dos Santos e de José Paulino dos Santos, ambos trabalhadores rurais. Tinha nove anos quando a mãe morreu, em 1933. No ano seguinte, perdeu o pai e ficou com a responsabilidade de cuidar de sua irmã, Alaíde, que era paralítica. As duas ficaram sem domicílio certo, vivendo na casa de amigos, até que Josefa foi entregue por um tio a uma família do Recife, para a qual trabalhou dos 10 aos 16 anos, como doméstica, submetendo-se a uma jornada dura de trabalho e sendo, freqüentemente, submetida a maus-tratos físicos e a humilhações.

Em 1940, com 16 anos, voltou para Maceió, onde conheceu José Pureza da Silva, com quem se casou aos 18 anos. Em 1942, o casal mudou-se para o Rio de Janeiro, instalando-se em terras abandonadas da União em Xerém, município de Duque de Caxias (RJ). As dificuldades levaram José, em 1947, a trabalhar na roça, enquanto Josefa ficou na cidade trabalhando como costureira numa confecção. A falência da fábrica, em 1949, forçou Josefa a juntar-se ao marido na roça.

Em 1955, Josefa se filiou ao Partido Comunista Brasileiro (PCB), do qual José Pureza já era membro desde 1945. Nesse período, os ocupantes dos terrenos de Xerém passaram a ser ameaçados de despejo por grileiros, uma luta que se estendeu até 1964. José Pureza foi um ativo militante da associação de moradores mas, como os demais ocupantes, acabou sendo expulso do local. Em 1957, o grupo, então acampado no município de Casimiro de Abreu, foi novamente expulso com violência, mas Josefa e o marido continuaram na militância pela terra e em 1958 organizaram o Sindicato dos Trabalhadores Agrícolas de Sampaio Correia, anexado ao de Papucaia (RJ).

Ao longo da década de 1950, Josefa participou da campanha "O petróleo é nosso" e do movimento de mulheres. Em 1954, Josefa compareceu ao I Congresso Latino-Americano de Mulheres, na cidade do Rio de Janeiro, e, em 1955, participou dos Congressos Estadual e Nacional das Mães, patrocinados pela Federação de Mulheres do Brasil (FMB), no Rio de Janeiro, sendo escolhida para representar as trabalhadoras rurais brasileiras no Congresso Mundial das Mulheres Trabalhadoras, na Hungria. Depois do congresso, Josefa foi convidada a visitar a União Soviética. Nesses anos, Josefa fundou com outras companheiras associações de mulheres no campo, para reivindicar a posse da terra e defender os maridos presos.

Com o golpe de 1964, Josefa e José Pureza, procurados pelas forças militares, perderam tudo. Josefa foi presa e solta, o marido conseguiu fugir. Juntos, foram para Alagoas, onde ficaram três anos, ela trabalhando como costureira, ele como pescador. Foram depois para o Recife, onde entraram para o partido de oposição, o Movimento Democrático Brasileiro (MDB). Em 1973, os dois foram acusados de tentar reorganizar o (PCB) e presos, Josefa por 32 dias, José por dois anos. Depois que ele foi solto, ambos voltaram para o Rio de Janeiro, trabalhando como caseiros. Em 1977, através da Federação dos Trabalhadores Agrícolas (Fetag), conseguiram comprar um terreno em Pendotiba, Niterói, e José passou a trabalhar como porteiro. Em Pendotiba, o casal voltou a reunir os companheiros e a fazer trabalhos políticos para a Fetag e os sindicatos da Região dos Lagos fluminense.

José Pureza morreu em setembro de 1983. Em 1986, Josefa candidatou-se a deputada federal pelo PCB. Não se elegeu, mas permaneceu ativa no departamento feminino do Sindicato dos Trabalhadores Rurais de Itaboraí (RJ). Integrou a associação de moradores de Sapé, em Niterói, onde morou até a sua morte. Faleceu em dezembro de 1999.

Fontes: Elza Maria Gheller (org.), *Josefa: a resistência de uma camponesa brasileira*; Entrevista concedida a Hildete Pereira de Melo em agosto de 1998.

Josefina Álvares de Azevedo

(1851-?)
Jornalista e feminista.

Uma das pioneiras do feminismo no Brasil, nasceu em Itaboraí (RJ). Era irmã, pelo lado paterno, do poeta Manoel Antônio Álvares de Azevedo. Em 1888, fundou na cidade de São Paulo o jornal *A Família*, dedicado à educação de mães, como afirma o editorial do primeiro número. O jornal foi posteriormente transferido para a cidade do Rio de Janeiro, onde alcançou público maior e contou com a colaboração de importantes ativistas do movimento feminista da época. *A Família* conseguiu a façanha de circular comercialmente entre 1888 e 1897, quase dez anos, sem interrupção. Defendia a educação feminina como a condição *sine qua non* para construir a emancipação da mulher.

Com a proclamação da República, *A Família* tornou-se um veículo de propaganda do direito ao voto feminino e Josefina publicou uma série de artigos, nos quais afirmava que, sem o exercício desse direito pelas mulheres, a igualdade prometida pelo novo regime não passaria de uma utopia (19.4.1890). Em abril de 1890, o ministro do Interior, Cesário Alvim, publicou seu parecer contrário ao pedido de alistamento eleitoral feito no Rio de Janeiro por Isabel de Matos*. Inspirada nesse parecer, Josefina escreveu uma peça teatral intitulada *Voto feminino*, que foi encenada durante os trabalhos constituintes de 1890-91, no Recreio Dramático, um dos teatros mais populares no Rio de Janeiro daquela época.

A peça apropriava-se, numa linguagem cênica, do parecer negativo do ministro e também do artigo de um congressista favorável ao voto feminino (provavelmente Lopes Trovão) para criticar duramente o ridículo da resistência masculina em aceitar a participação das mulheres na vida política. Apresentando as duas posições, a favorável e a contrária às mulheres, a autora buscava transmitir a esperança pela existência de congressistas homens sensíveis às mudanças nos papéis sociais.

Voto feminino foi publicada em livro e também como folhetim nas páginas do jornal de Josefina, de agosto a novembro de 1890. Voltou a ser reeditada na sua coletânea *A mulher moderna: trabalhos de propaganda* (1891). O final da vida de Josefina Álvares de Azevedo permanece desconhecido, mas seu papel relevante nas discussões pelo direito ao voto feminino na Constituição de 1891 é inquestionável.

Fontes: Maria T.C. Crescenti Bernardes, *Mulheres de ontem?* e "Jornalistas brasileiras do século XIX (1840-1890)", in Maria Aparecida Franco Pereira (coord.), *História da mulher na história*; Sacramento Blake, *Dicionário bibliográfico brasileiro*; Valéria A. Souto-Maior, *Índice de dramaturgas brasileiras do século XIX* e "A intuição feminina do Agitprop no teatro brasileiro em fins do século XIX", *Estudos Feministas*, nº 2/97.

Josephina Durocher *ver* MARIA JOSEPHINA MATHILDE DUROCHER

Jovita Alves Feitosa (1849-67)

Heroína.

Foi voluntária nas tropas brasileiras durante a Guerra do Paraguai. Nasceu na localidade de Jaicós (PI). Aos 18 anos ingressou no 2º Corpo de Voluntários da Pátria, assumindo o posto de segundo-sargento. Não há consenso quanto ao local onde nasceu. O jornal *Diário da Bahia* de 5 de setembro de 1865 registra: "No Corpo Piauiense, que viaja no vapor Tocantins, vem incorporada a voluntária Jovita Alves Feitosa, de 18 anos, natural de Inhamuns, no Ceará, e há um ano residente em Jaicós, no Piauí."

A história de Jovita é envolta em mistério, assim como sua morte em 1867. Uma versão conta que se suicidou em 9 de outubro daquele ano, ao ver-se esquecida, depois de ter recebido presentes e homenagens de presidentes de províncias e de populares, ao regressar dos combates. Isolada, sem amparo do Estado, rejeitada pelo pai e abandonada pelo amante (o engenheiro Guilherme Noot, da Companhia City Improvements), Jovita teria assumido um comportamento desregrado, acabando por se matar com um punhal, ato seguido de um estranho incêndio que destruiu o cortiço no qual habitava no Rio de Janeiro. Outra versão afirma que ela embarcou novamente para o Paraguai, no vapor Jaguaribe, foi para o campo de batalha como vivandeira, e lá acabou morrendo heroicamente na batalha de Acusta Ñu.

O escritor gaúcho Assis Brasil escreveu um romance histórico sobre sua vida: *Jovita — Missão trágica no Paraguai* (1993). A editora assim apresenta o livro: "Humilhada e prostituída, vidente e guerreira, Jovita ressurge de página esquecida da História pelas mãos mágicas do romancista. Como Joana d'Arc, acredita num sonho e parte para a guerra, morrendo queimada no holocausto de Acusta Ñu."

Fonte: Francisco Pereira da Costa, *Cronologia histórica do estado do Piauí.*

Judith Arêas (1903-53)

Enfermeira da Força Expedicionária Brasileira (FEB).

Nasceu no Rio de Janeiro (RJ) em 25 de maio de 1903. Filha de Evelgista da Costa Arêas e Basílio da Silva Arêas. Diplomada pela Escola de Enfermagem Ana Néri, atual Universidade Federal do Rio de Janeiro (UFRJ). Voluntária na II Guerra Mundial, Judith foi selecionada pelo ministério do Exército para prestar serviços de enfermagem à FEB, nos campos de batalha europeus, como outras Brasileiras na II Guerra Mundial*. Na Itália, Judith ficou nas bases aéreas aliadas, cuidando do transporte de feridos, porque tinha feito o curso Nursing Air Evacuation da Base de Mitchel Field, em Nova York. Ao voltar para o Brasil, Judith e suas companheiras foram nomeadas para o Quadro Especial do Ministério do Exército — Serviço Hospitalar, como segundo-tenente dos serviços de saúde. Pela dedicação com que desempenhou a sua missão, foi condecorada com a Medalha Militar do Ministério da Aeronáutica.

Faleceu em 8 de abril de 1953 e seu funeral foi realizado com todas as honras militares.

Fontes: Altamira Pereira Valadares, *Pesquisa da II Grande Guerra Mundial*; Centro de Documentação Histórica do Brasil, *Álbum biográfico das febianas.*

Judith Leão Castelo Ribeiro

(1898-1982)

Primeira deputada estadual capixaba.

Nasceu no município de Serra (ES) em 31 de agosto de 1898. Filha de Maria Grata Leão Castelo e de João Dalmácio Castelo, fez o curso normal no Colégio do Carmo na capital, Vitória. Publicou em 1932 a tese *A educação e o ensino interessante*. Atuou como professora no Ginásio São Vicente de Paulo por mais de quarenta anos, e na Escola Normal Pedro II, onde foi catedrática de psicologia e didática por 18 anos. Em 1947, candidatou-se à Assembléia Legislativa do seu estado, elegendo-se com 1.107 votos pelo Partido Social Democrático (PSD). Sua vitória fez dela a primeira mulher eleita deputada estadual no Espírito Santo e inaugurou uma expressiva carreira política no plano estadual.

Diante do sucesso de sua candidatura, Judith Leão pronunciou um discurso no Teatro Glória, em Vitória, onde ressaltou a importância da participação das mulheres na vida pública, invocando o exemplo de Luísa Grimaldi*, que governou a capitania do Espírito Santo no século XVII. Na eleição suplementar de 11 de março de 1951, foi novamente consagrada nas urnas, pela mesma legenda, com 1.528 votos. Foi reeleita deputada estadual no pleito de 1954 e eleita pela quarta vez, em 1958. Em 1962, porém, só alcançou a suplência.

Como escritora e jornalista, Judith Leão colaborou ativamente com jornais, revistas e emissoras de rádio do Espírito Santo, publicou crônicas e ensaios, pronunciou discursos e palestras. Foi a primeira mulher eleita para a Academia Espírito-santense de Letras, em 1981, e a receber a Ordem do Mérito Jerônimo Monteiro, conferida pelo governo do Espírito Santo. Integrou a Associação Espírito-santense de Imprensa e foi membro efetivo do Instituto Histórico e Geográfico do seu estado.

Faleceu em 1982. A prefeitura de Vitória colocou o seu nome numa avenida do bairro Jardim Camburi.

Fontes: Francisco A. Ribeiro, *Antologia de escritoras capixabas*; TSE, *Dados estatísticos.*

Júlia (séc.XIX)

Escrava, lutou na Justiça por sua liberdade.

Entrou na Justiça, em 1865, com o objetivo de conseguir a sua liberdade, pois continuava escrava, embora não mais vivesse com a sua proprietária. Dentre os vários outros motivos que apresentou para justificar o seu pedido, destacava-se o argumento de que vinha morando há sete ou oito anos num cortiço no bairro do Catete, zona sul do Rio de Janeiro, e trabalhando como lavadeira. As testemunhas levadas ao tribunal confirmaram a sua história e acrescentaram que a consideravam uma pessoa livre. Apesar dos fortes argumentos apresentados, Júlia acabou perdendo a ação judicial.

Casos como o de Júlia tornaram-se cada dia mais freqüentes nas cidades brasileiras na segunda metade do século XIX. Por essa época, o Rio de Janeiro experimentou a proliferação de cortiços, que eram habitados, sobretudo, por escravos alforriados e imigrantes portugueses. Além disso, surgiu a possibilidade de cativos conseguirem autorização de seus senhores para viver por conta própria, como aconteceu com Júlia. Apesar dela não ter conseguido a liberdade, outros a conseguiram, alegando razões semelhantes.

Fonte: *Revista Trabalhadores*, 1990.

Júlia Alves Barbosa (c.1906-?)

Sufragista e política.

Natural do Rio Grande do Norte, filha de Pedro Álvares Barbosa, nasceu por volta de 1906. Professora de matemática da Escola Normal de Natal, capital do estado, Júlia, com 21 anos, entusiasmada com a luta das mulheres pela conquista do direito do voto que empolgou o país no final dos anos 1920, requereu, no dia 22 de novembro de 1927, ao juiz Manuel Xavier da Cunha Montenegro seu alistamento eleitoral.

A audiência foi no dia 24 de novembro. Júlia justificou seu pedido com a qualificação de maior, solteira, com rendimentos próprios, portanto apta a exercer sua cidadania. À audiência compareceram membros do Superior Tribunal de Justiça, advogados, jornalistas e representantes do movimento organizado de mulheres do Rio Grande do Norte, que naqueles dias lutava com muito afinco pelo direito do voto. No dia 1º de dezembro de 1927, o jornal *A República* publicava em três colunas a sentença do juiz, mandando alistar a eleitora professora Júlia Barbosa.

A demora do juiz em despachar o processo de Júlia propiciou que uma outra mulher, Celina Guimarães Viana*, na cidade de Mossoró, no mesmo estado, que havia requerido seu alistamento no mesmo dia de Júlia, tivesse o despacho favorável de seu processo assinado no dia 25 de novembro de 1927. Assim, Celina foi reconhecida como a primeira eleitora do Rio Grande do Norte e Júlia, a segunda; até fevereiro de 1928, alistaram-se neste estado mais 16 mulheres. O corajoso ato de Júlia teve enorme repercussão e propiciou, naquele ano, sua eleição para a Câmara Municipal de Natal. Estes passos foram decisivos na conquista da cidadania feminina no Brasil.

Fontes: João Batista Cascudo Rodrigues, *A mulher brasileira — direitos políticos e civis*; *A República*, 9.11.1927 e 27.11.1927; Entrevista com Maria Bezerra em fev/2000.

Júlia Cortines (1863-1948)

Escritora.

Juntamente com Francisca Júlia*, representa o melhor da poesia parnasiana feminina brasileira. Nasceu em 12 de dezembro de 1863, em Rio Bonito (RJ), filha de Júlia Mesquita e João Batista Cortines Laxe. Fez seus estudos primários com a avó, e aos 13 anos passou a escrever poemas. Após uma viagem pela Europa, começou a escrever para o jornal *O País*, tendo sua própria coluna, "Através da vida".

Em 1894 lançou seu primeiro livro, *Versos*. O livro seguinte, *Vibrações*, de 1905, já era um livro mais maduro, que trata do desejo recalcado, com um tom negativo e elementos mórbidos. O nome de Júlia Cortines chegou a ser lembrado para a Academia Brasileira de Letras por Lúcio de Mendonça, mas foi afastado por se tratar de mulher. Em 1939, porém, ela foi homenageada pela Academia Fluminense de Letras, em sessão solene na qual o historiador Luís Lamego fez conferência sobre sua produção literária, e as poetisas Ana Amélia Queirós Carneiro de Mendonça* e Margarida Lopes de Almeida* declamaram poesias suas. A poetisa tem uma rua na cidade do Rio de Janeiro e várias escolas e logradouros em outras cidades do estado com seu nome.

Júlia Cortines Laxe nunca se casou. Faleceu em 19 de março de 1948.

Fontes: Henriqueta Galeno, *Mulheres admiráveis*; Mariana Coelho, *Evolução do feminismo*; Sílvia Paixão, *A fala-a-menos. A repressão do desejo na poesia feminina*.

Júlia da Costa (1844-1911)

Poetisa.

Nasceu em Paranaguá (PR), a 1º de julho de 1844, sendo batizada como Júlia Maria da Costa, filha de Maria Machado da Costa e de Alexandre José da Costa. Aos 10 anos, após a morte do pai, mudou-se com a família para São Francisco do Sul (SC), onde viveu até o fim da vida. Nascida em uma família culta, desde cedo habituou-se à música e à leitura de poesias. Muito jovem, colaborou com jornais e revistas do Paraná, Santa Catarina e Rio Grande do Sul, sempre usando pseudônimo: ora assinava seus trabalhos como "A Americana", ora como "A Sonhadora", ou optava por variações em torno das iniciais de seu nome.

Por muitos anos, manteve um romance com o poeta e educador catarinense Benjamin Carvolina. Dessa relação, resta uma coletânea de belas cartas de amor e poemas da correspondência de Júlia e Benjamin. As mais de quarenta cartas cuidadosamente conservadas por ele revelam um romance repleto de ilusões e desencontros. A primeira separação do casal, por exemplo, foi motivada pela incapacidade de Benjamin de assumir o compromisso de casamento, conforme o desejo da mãe de Júlia. Ele optou por deixar São Francisco do Sul e ir viver em Desterro (atual Florianópolis).

Em 1871, por pressão da família, Júlia casou-se com um comerciante e chefe político conservador, o comendador Francisco da Costa Pereira, muitos anos mais velho. Poucos anos depois, Benjamin voltou à cidade, reacendendo o romance. Os dois recomeçaram a trocar cartas apaixonadas, colocadas em locais secretos. Em uma dessas cartas, Júlia propôs que fossem viver juntos em algum lugar distante. Mais uma vez, Benjamin preferiu fugir, causando uma mágoa profunda na poetisa.

As desilusões amorosas não afetaram sua produção poética. Aos 23 anos, em 1867, publicou seus primeiros poemas sob o título de *Flores dispersas*; o segundo volume deste livro saiu um ano depois. Uma coleção de poesias foi publicada sob o título *Bouquet de violetas*, no jornal de Paranaguá *Itiberê*, entre 1882 e 1883. Contudo, em 1892, após a morte do marido, Júlia da Costa passou a ser estigmatizada pela sociedade provinciana de São Francisco do Sul e acabou por se recolher em seu casarão, desenvolvendo estranhos hábitos de pessoa solitária. Forrou as paredes com grandes painéis de papel de seda em cores fortes, onde afixava recortes de papel e de tecido, montando um mosaico incompreensível para os demais familiares.

Quando morreu, em São Francisco do Sul, a 2 de julho de 1911, seus parentes trataram de destruir os painéis, certos de que se tratava de obra excêntrica de uma pessoa demente. Entretanto, sua memória é disputada, ainda hoje, por autores paranaenses e catarinenses, cada qual a considerando como uma precursora nas letras no seu estado.

Fontes: A. Plaisant e R. Júnior, *Antologia da poesia paranaense*; América Sabóia e Hêlle Fernandes, *Antologia didática de escritores paranaenses*; C. da C. Pereira, *Traços da vida da poetisa Júlia da Costa*; C. Lacerda Carollo (coord.), *Dicionário histórico-biográfico do estado do Paraná*; Mariana Coelho, *O Paraná mental*; Maria Nicolas, *Pioneiras do Brasil*; Rosi Pinheiro Lima, *Vida de Júlia da Costa*; Viviane Maria Baggio, *Escrita feminina no séc.XIX: a poetisa Júlia da Costa*; Wilfredo Piloto, *Um século de poesia*; Zahidé L. Muzart, *Escritoras brasileiras do século XIX* •.Colaboração especial de Renata Teresa Fagundes Cunha.

Júlia de Albuquerque Sandy Aguiar (séc.XIX)

Escritora e jornalista.

Fundou no Rio de Janeiro, em agosto de 1862, o periódico *Bello Sexo*, que tratava de religião, de instrução feminina e de atualidades culturais de interesse para as leitoras.

Júlia era uma escritora exigente em busca da visibilidade feminina e não gostava de textos anônimos. Contudo, várias de suas colaboradoras insistiam em permanecer desconhecidas. As reuniões para decidir os temas a serem tratados na publicação aconteciam semanalmente e tinham como objetivo debater novas idéias visando conquistar a sociedade da época.

Fontes: June E. Hahner, *A mulher brasileira: e suas lutas sociais e políticas: 1850-1937*; Maria T.C. Crescenti Bernardes, *Mulheres de ontem?*.

Júlia Fetal (1827-47)

Jovem, vítima de violência.

Nasceu em fevereiro de 1827, na cidade de Salvador (BA). Filha da francesa Juliette Fetal e do comerciante português João Batista Fetal. Teve sólida formação, estudou piano, gramática francesa, inglês, religião, letras, pintura e bordado, sendo considerada uma das moças mais prendadas da cidade em sua época. Ficou noiva, em 1846, de seu professor de inglês, o advogado João Estanislau da Silva Lisboa, que a assassinou em 20 de abril de 1847, por ciúmes.

O episódio do assassinato de Júlia Fetal abalou e envolveu a sociedade baiana e virou lenda na cidade de Salvador. Uma das histórias que se contam diz que João Estanislau derreteu as alianças de ouro do casal e fez uma bala de pistola, com a qual tirou a vida de Júlia. Um túmulo artístico foi erguido em sua homenagem na Igreja de Nossa Senhora da Graça, em Salvador, onde se encontra um soneto da poetisa Adélia Josefina Fonseca* para Júlia.

Fontes: *A Tarde*, 24.4.1998, 4.7.1998, 29.8.1998, 3.9.1998; *Correio da Bahia*, 10.2.1993; Pedro Calmon, *A bala de ouro: história de um crime romântico* • Colaboração especial Maria Júlia Alves de Souza.

Júlia Lopes de Almeida (1862-1934)

Escritora e feminista.

Nasceu no Rio de Janeiro, a 24 de setembro de 1862. Filha de Antônia Adelina Pereira, natural de Lisboa, e do médico português Valentim Lopes. A família fixou-se em Nova Friburgo, região serrana fluminense, onde Júlia aprendeu a ler com a mãe. Quando tinha seis anos, a família mudou-se para o Rio de Janeiro, e anos depois para Campinas (SP). Ali, Júlia iniciou sua carreira literária no jornal *A Gazeta de Campinas*. Teve a oportunidade de aprimorar seus estudos na Europa, por influência de seu pai, um liberal. Casou-se com o poeta Felinto de Almeida e com ele voltou a residir no Rio de Janeiro, dividindo o seu tempo entre Portugal e o Brasil. Teve seis filhos.

No Rio de Janeiro, participou dos principais movimentos políticos do período, colaborando com jornais paulistas e cariocas, como o influente *Jornal do Commercio*. Em Portugal, editou o seu primeiro livro, *Traços e iluminuras*, coletânea de contos e poemas anteriormente publicados pela imprensa.

Na década de 1890, escreveu para jornais de grande circulação, bem como para periódicos produzidos e distribuídos por mulheres, como *O Jornal de Senhoras*. Das crônicas publicadas na imprensa, Júlia Lopes de Almeida passou para os romances, como *A família Medeiros*, sobre costumes paulistanos; *Correio da roça*, narrativa epistolar; e contos, como *Reflexões de um marido*, onde discutia a condição feminina. Crítica da sociedade do seu tempo, Júlia condenava a supremacia masculina, a negação do direito ao voto às mulheres, a exploração no trabalho, a escravidão dos negros e as violências sexuais contra a mulher.

Também se dedicou à literatura infantil, escrevendo em parceria com sua irmã mais velha, Adelina Amélia Lopes Vieira, igualmente poetisa, o livro *Contos infantis*, que foi aprovado pelas autoridades do ensino no Brasil para ser adotado em escolas primárias em todo o país. O livro teve três edições, sendo duas em Lisboa e uma no Rio de Janeiro, e alcançou cerca de 15 mil exemplares.

Como outras mulheres de sua geração, Júlia respondeu com criatividade à resistência que encontrou no exercício do jornalismo e da literatura, escrevendo sempre mais sobre assuntos voltados para o público feminino. Na época, um surto de literatura feminina na França criou um ambiente favorável ao trabalho das escritoras brasileiras, que gradativamente foram enveredando por temas polêmicos, como a abolição da escravidão, o acesso das mulheres à educação e o exercício dos difíceis papéis de mãe e de esposa.

Só isso não explicaria o sucesso de Júlia Lopes de Almeida. Sua obra incorporou-se ao cotidiano de gerações de mulheres brasileiras, sobretudo *O livro das noivas*, de 1896, um marco na precária preparação para o casamento nos mais distantes locais do país. Nas primeiras décadas do século XX, milhares de moças receberam esse livro de suas mães, como iniciação aos "mistérios do casamento". A receptividade que a obra encontrou no público é um capítulo da história da literatura brasileira que ainda requer uma atenção especial dos estudiosos.

Júlia Lopes de Almeida encarnou o ideal de mulher inteligente e de sucesso. Em dezembro de 1922, a convite de Bertha Lutz*, participou da Comissão de Relações Internacionais e Paz do I Congresso Internacional Feminista promovida pela Federação Brasileira pelo Progresso Feminino*. Em julho de 1931, quando a Federação promoveu o II Congresso Internacional Feminista, na cidade do Rio de Janeiro, e as mulheres se organizavam para obter o direito de voto, o discurso de abertura coube a Júlia Lopes de Almeida, a mulher de maior prestígio no meio cultural, em todo o país.

Faleceu no Rio de Janeiro, a 31 de maio de 1934. Em sua homenagem, a Academia Brasileira de Letras realizou uma sessão especial que teve como oradoras a sua filha, Margarida Lopes de Almeida*, e a escritora Maria Eugênia Celso*.

Entre as obras de Júlia Lopes de Almeida estão *Contos infantis* (1889), *Traços e iluminuras* (1888), *A família Medeiros* (1892), *A viúva Simões* (1897), *O livro das noivas* (1896), *O caso de Ruth* (publicado no jornal *Gazeta de Notícias* ao longo de 1897), *Livro das donas e donzelas* (1906), *A intrusa* (1908), *Eles e elas* (1910), *Cruel amor* (1911), *Correio da roça* (1913), *Era uma vez* (1917), *Pássaro tonto* (1934).

Fontes: Arquivo da FBPF; Enciclopédia *Nosso Século*; *A Mensageira*, 15.6.1899; Henriqueta Galeno, *Mulheres admiráveis*; Maria T.C. Crescenti Bernardes, *Mulheres de ontem?*; *Mulher: Opinião Feminina Organizada*, maio-jun/1934; Taís Florinda, "Júlia Lopes de Almeida" in *Academia Literária Feminina do Rio Grande do Sul — 50 anos de literatura: perfil das patronas.*

Júlia Vaena Steinbruch (1933-)

Advogada e política.

Nasceu na cidade do Rio de Janeiro a 28 de maio de 1933. Filha de Clara e Luciano Vaena. Bacharelou-se em ciências jurídicas e sociais em 1956 e doutorou-se em direito criminal em 1958, no Rio de Janeiro. Casada com o deputado e depois senador Aarão Steinbruch, famoso como autor da lei que instituiu o 13º salário no país. Tiveram dois filhos.

Júlia iniciou sua carreira política depois do golpe militar de 1964, elegendo-se deputada federal, em 1966, pelo partido Movimento Democrático Brasileiro (MDB), com 44.050 votos. Exerceu o mandato até 1969, quando ela e o marido perderam seus direitos políticos, com base no Ato Institucional nº 5 (13.12.1968) do governo militar. Depois da anistia política, em 1979, Júlia filiou-se ao Partido Trabalhista Brasileiro (PTB), integrando a comissão executiva provisória no Rio de Janeiro. Foi vereadora na década de 1980.

Fontes: Alzira Abreu e Israel Beloch, *Dicionário histórico-biográfico brasileiro: 1930-1981*; Câmara dos Deputados, *Deputados brasileiros*; TSE, *Dados estatísticos.*

Júlia Wanderley Petriche (1874-1918)

Primeira professora do Paraná.

Nascida em Ponta Grossa (PR) em 26 de agosto de 1874, mudou-se em 1879 para Curitiba. Foi na capital paranaense que Júlia Wanderley (como se tornou conhecida) passou a maior parte da vida. Teve como mestres prestigiados intelectuais do final do século XIX, destacando-se desde o início com distinção nos exames.

Em janeiro de 1891, com 16 anos, requereu ao governo estadual autorização para cursar a Escola Normal, só freqüentada na época por alunos do sexo masculino. Às mulheres cabia apenas o curso de prestação de exames para a habilitação ao magistério. Júlia não só conseguiu a autorização, como abriu caminho para outras moças, pois lhe fora imposta a condição de que não fosse a única mulher a assistir as aulas. O episódio teve enorme repercussão na sociedade paranaense do final do século XIX. Em novembro de 1892, foi também a primeira mulher a formar-se professora no estado.

Casou-se em 1895 com Frederico Petriche, comerciante. O casal não teve filhos, mas um sobrinho prometera deixar-lhe aos cuidados o terceiro filho que tivesse, o que de fato ocorreu, em 1901, quando nasceu Julio Petriche da Costa.

Considerada pelos colegas como advogada do professorado, cujos direitos defendia incansavelmente, causavam admiração sua inteligência, cultura e intuição. Colaborou com a imprensa local no periódico *Operário Livre*, entre outros. Escreveu sobre educação, pedagogia, questões sociais e ciências. Em 1915, foi nomeada membro efetivo do Conselho Superior do Ensino Primário e diretora da Escola Intermediária de Curitiba. Lecionou durante 25 anos. Por ocasião de seu falecimento, em 5 de abril de 1918, foi decretado luto oficial de três dias nas escolas do Paraná. Em 13 de maio de 1927, quase 10 anos após a sua morte, foi inaugurado na praça Santos Andrade, em frente à Universidade Federal do Paraná, o busto de Julia Wanderley, primeira mulher paranaense a receber esta homenagem. Ruas de Ponta Grossa e Curitiba também levam seu nome, assim como um colégio estadual e o grêmio do Instituto de Educação do Paraná. É patrona de uma das cadeiras da Academia Feminina de Letras do estado.

Fontes: Etelvina Maria de Castro Trindade, *Clotildes ou Marias: mulheres de Curitiba na Primeira República*; Herbert Munhoz van Erven, *Júlia Wanderley: uma vida que igualou o seu destino*; Maria Nicolas, *Pioneiras do Brasil*; Sebastião Paraná, *A Escola*, ano 1, nº 1, 1906; Wilfredo Pilotto e Júlia Wanderley, *Boletim do Instituto Histórico, Geográfico e Etnológico Paranaense*, vol.XXIV, 1974, e "Uma mulher e tanto", *Boletim do Arquivo do Paraná*, ano XIII, nº 23, 1988 • Colaboração especial de Renata Teresa Fagundes Cunha.

Juliana (séc.XVII)

Índia tapajó, administradora de fazenda.

Foi feitora da fazenda Mamaiacu, no Pará. Teve seu casamento com José Curemim realizado pelo padre Francisco Veloso. O registro da vida de Juliana como administradora de uma fazenda mostra a presença feminina indígena no processo colonizador na região paraense.

Fonte: Gustavo Geraldo de Almeida, *Heróis indígenas do Brasil — memórias sinceras de uma raça*.

Juliana de Almeida Calmon (séc.XVII)

Senhora de engenho.

Viveu na Bahia no século XVII. Foi uma rica senhora de engenho em Santo Amaro, propriedade que recebera como herança de seu primeiro marido. Em 1665 casou-se com o oficial do Estado português, João Calmon, que havia chegado ao Brasil dez anos antes, como oficial da tripulação de um navio enviado para rechaçar os holandeses do Nordeste. A união de Juliana Almeida com João Calmon deu origem à vasta linhagem da família Calmon no Nordeste.

Fonte: *Revista do IHGB*, out-dez/1965.

Julieta Battistioli (1907-96)

Operária, ativista política.

Nasceu no dia 13 de janeiro de 1907 em Palmares (RS). Era filha de trabalhadores rurais e, ainda menina, foi para a capital, Porto Alegre. Aos 13 anos foi trabalhar como operária nas indústrias têxteis então surgidas do bairro Navegantes. Em 1926 casou-se com Fortunato Battistioli. A efervescência política daqueles anos contagiou o meio operário gaúcho e o casal Battistioli abraçou a causa comunista, filiando-se ao Partido Comunista do Brasil (PCB).

Como operária e ativista, Julieta desenvolveu intensa ação política no meio sindical, reivindicando melhores condições de vida e de trabalho para o operariado. A importância de sua atuação refletiu-se na sua candidatura, em 1948, para vereadora em Porto Alegre. Alcançou a primeira suplência e por vacância do titular assumiu o cargo, tornando-se a primeira mulher vereadora da capital gaúcha.

Nessas eleições concorreu pelo Partido Social Progressista (PSP), que abrigou os comunistas no Rio Grande do Sul após a cassação do registro eleitoral do PCB, em 1947, no governo do general Eurico Dutra. Sua luta pela causa operária atravessou décadas e, em 1988, a Câmara Municipal de Porto Alegre, reconhecendo a dignidade de sua trajetória política, concedeu-lhe o título de cidadã emérita, condecorando-a com a Medalha da Cidade de Porto Alegre. Em 1998 seu nome foi dado a um dos auditórios da Usina do Gasômetro. Faleceu na cidade de Porto Alegre em 1996, com 89 anos.

Fonte: Entrevista de Naíra Vasconcelos, neta de Julieta Battistioli, a Míriam Steffen Vieira, em 26.4.1999.

Julieta de Melo Monteiro (1863-1928)

Escritora e editora de jornal feminino.

Nasceu em Porto Alegre (RS), em 21 de outubro de 1863. Filha da professora, escritora e poetisa Revocata Passos Figueirôa e Melo, conhecida nos círculos literários gaúchos pelo pseudônimo de Americana e membro da Sociedade Partenon Literário de Porto Alegre, e do negociante João Corrêa de Melo. Essa origem familiar ligada às letras influenciou Julieta e sua irmã Revocata Heloísa de Melo*.

Ainda menina, foi com a família para a cidade de Rio Grande. Casou-se com o jornalista Francisco Guilherme Pinto Monteiro. Tinha 22 anos quando fundou com a irmã o periódico *Corymbo*, primeiro órgão literário da imprensa feminina no sul do país, que circulou por mais de meio século na cidade de Rio Grande. O primeiro número data de junho de 1885. Era um tablóide de quatro páginas com periodicidade variada (bimensal, mensal, quinzenal). Tratava de assuntos literários, como poesias e notas sobre as artes em geral, e foi uma importante fonte de divulgação para novas escritoras. Propiciou a formação de uma rede de apoio para as mulheres literatas e ajudou-as a combater os preconceitos contra a produção feminina no mundo masculino da literatura.

Julieta foi também professora e, além do periódico literário *Corymbo*, criou a revista *A Violeta*. Publicou: *Prelúdios*, 1881 (poesias), *Oscilantes*, 1892 (sonetos), *Alma e coração*, 1898 (contos), *Terra sáfara*, póstumo (poesias), entre outros. Colaborou no jornal *Arena Literária* e pertenceu à Sociedade Partenon Literário. Faleceu em 27 de novembro de 1928.

Fontes: Academia Literária Feminina do Rio Grande do Sul, *50 anos de literatura — perfil das patronas*; Maria T.C. Crescenti Bernardes, *Mulheres de ontem?*; Míriam Steffen Vieira, *Atuação literária de escritoras no Rio Grande do Sul: um estudo do periódico* Corymbo, *1885-1925*; Raimundo de Meneses, *Dicionário literário brasileiro ilustrado*; Sacramento Blake, *Dicionário bibliográfico brasileiro.*

Júnia Marise (1945 -)

Senadora e jornalista.

Júnia Marise de Azeredo Coutinho nasceu em Belo Horizonte (MG), no bairro de Vila Oeste, no dia 21 de junho de 1945, filha de Maria Corrêa Coutinho e Ladislau Augusto Azevedo Coutinho. Sua mãe foi professora e dirigiu a escola do bairro onde moravam.

Começou desde muito cedo a trabalhar no jornalismo. Foi funcionária do jornal *Diário de Minas*, em Belo Horizonte, e por motivos profissionais mudou-se para Uberlândia, onde cursou ciências jurídicas e sociais pela Faculdade de Direito daquela cidade. Júnia teve importante atuação no movimento estudantil e ocupou um cargo na coordenação do Diretório Central dos Estudantes mineiros. Essa militância e a tradição política familiar, fizeram com que, em 1966, concorresse a uma vaga na Câmara Municipal de Belo Horizonte pelo Movimento Democrático Brasileiro (MDB). Foi eleita com apenas 21 anos, tornando-se uma das vereadoras mais jovens do Brasil.

Como jornalista, trabalhou nas rádios Tribuna Popular e Itatiaia, da capital mineira. Seus programas nessas emissoras tiveram uma enorme repercussão, sobretudo o quadro "Bronca do povão" que se tornou um dos preferidos da população, funcionando como um canal aberto de reclamações.

Reelegeu-se em 1974 para a Câmara Estadual de Minas Gerais, onde foi vice-presidente e primeira secretária da mesa por dois anos. Elegeu-se deputada federal em duas legislaturas, 1978-82 e 1982-86, ambas pela legenda de seu partido. Acumulou nesse último mandato o cargo de presidente do Conselho Estadual da Condição Feminina. Sua atuação e habilidade política garantiram-lhe a candidatura de vice-governadora de Minas Gerais na chapa de Newton Cardoso, em 1986, tendo sido eleita. Durante um breve período assumiu interinamente o governo, sendo a única mulher a ocupar este cargo no estado.

Em 1990 elegeu-se, com expressiva votação, senadora pelo Partido do Movimento Democrático Brasileiro (PMDB), vindo a ser a segunda mulher no Brasil a ocupar uma cadeira no Senado Federal. Logo no início do mandato, rompeu com o partido e filiou-se ao Partido Democrático Trabalhista (PDT) mineiro.

Solteira, dedica sua vida à política e ao jornalismo e costuma dizer que nasceu na pobreza e que a pobreza a politizou.

Fontes: Câmara dos Deputados. *Deputados brasileiros, nona legislatura, 1979-1983*; Centro Feminista de Estudos e Assessoria. *Fêmea*; João Batista Cascudo Rodrigues, *A mulher brasileira — direitos políticos e civis*. Entrevista de Júnia Marise concedida a Hildete Pereira de Melo em fevereiro de 2000.

Juraci França Xavier (séc.XX)

Enfermeira da Força Expedicionária Brasileira (FEB).

Filha de Bertha Xavier e de Alexandre Francisco Xavier. Nasceu no Rio de Janeiro (RJ). Casou-se com o general Augusto Marques Torres. Fez os cursos de enfermagem para Voluntária Socorrista e de Emergência de Enfermeiras da Reserva do Exército (CEERE) antes de partir com o primeiro grupo de pracinhas, em 27 de agosto de 1944, para a Itália. Trabalhou nas salas de cirurgia nos hospitais militares norte-americanos em Pisa, Marzabotto, Parola, Pistóia, Corvela. No Field Hospital, em Valdiburra, atuou como instrumentadora. Foi condecorada com a Medalha de Guerra e de Campanha. De volta ao Brasil, em junho de 1945, passou para a reserva.

Fontes: Altamira Pereira Valadares, *Pesquisa da II Grande Guerra Mundial*; Centro de Documentação Histórica do Brasil, *Álbum biográfico das febianas*.

Justina (séc.XIX)

Escrava, apelidada de "a Medéia negra".

Negra, nascida na freguesia de São Sebastião, município de Campos, interior do Rio de Janeiro. Pertencia a um pequeno proprietário de terras, Antônio Paes da Silva. Solteiro, Antônio vivia em 1878 com sua caseira, a negra forra Bibiana, com quem tinha filhos. A principal função de Justina era auxiliar Bibiana nos trabalhos domésticos. Mãe de dois filhos, Justina ainda criava a filha de uma escrava que fora vendida sem a criança. Na véspera de uma viagem que Antônio Paes da Silva faria para vender escravos, Justina, temendo ser também vendida e separada dos filhos, afogou as três crianças e tentou suicidar-se cortando a garganta. Descoberto o crime, foi presa e condenada a 42 anos de prisão.

Fonte: Hebe Maria Mattos, *Das cores do silêncio*.

Justina Maria do Espírito Santo

(?-1885)

Escrava e vendedora de frutas.

Nasceu na costa ocidental da África e chegou ao Brasil pequena, tendo sido comprada aos 13 anos pela proprietária de terras Emerenciana Ribeiro do Espírito Santo, que a presenteou ao cônego João Carlos Monteiro, de Campos dos Goitacazes, na província do Rio de Janeiro. Justina passou a viver na casa do cônego, que era vigário da cidade. No dia 9 de outubro de 1853, deu à luz um menino, filho do vigário. Este filho foi o destacado líder abolicionista José do Patrocínio.

O menino foi educado no vicariato de Campos e numa fazenda das proximidades. Justina devia ser negra forra, porque José do Patrocínio não era escravo. Nascido antes da Lei do Ventre Livre, caso sua mãe fosse escrava, este também seria seu destino. Portanto, ou Justina pertencia ao plantel de escravos do cônego João Carlos e este alforriou seu filho, ou era ela livre. Justina faleceu no dia 18 de agosto de 1885, na cidade do Rio de Janeiro. O prestígio do filho nessa época já era tão grande que seu enterro foi acompanhado por influentes políticos brasileiros, entre eles Prudente de Moraes, Campos Salles, Rui Barbosa, Rodolfo Dantas e os membros da Confederação Abolicionista.

Fontes: Alexandre C. Conrado, "O filho da lavadeira", in *Cartilha histórica da Bahia*; Robert Conrad, *Os últimos anos da escravatura no Brasil*.

L

Laja Cienkonog *ver* Associação Beneficente Funerária e Religiosa Israelita

Lapinha (sécs. XVIII-XIX)
Cantora e atriz.

Joaquina da Conceição Lapa nasceu no Brasil, consagrando-se na cidade do Rio de Janeiro, onde por diversas vezes se apresentou como atriz e cantora. Foi para Portugal e estreou com muito sucesso em dois saraus na cidade do Porto, em 27 de dezembro de 1794 e 3 de janeiro de 1795. Logo depois, em 27 de janeiro, foi muito aclamada em Lisboa, no Teatro São Carlos. Também foi aplaudida pela cidade de Coimbra, onde conheceu o poeta português João Evangelista de Moraes Sarmento, que se apaixonou por ela, dedicando-lhe versos. Nessa cidade, recebeu grandes homenagens dos estudantes da Universidade de Coimbra. Os jornais portugueses da época exaltavam suas qualidades de cantora. No Brasil, o padre José Maurício Nunes Garcia escreveu para ela o *Coro para o entremês,* em 1808, e uma ária do drama *O triunfo da América*, em 1809.

Fontes: *Enciclopédia da música brasileira: popular, erudita e folclórica*; Luís Edmundo, *O Rio de Janeiro no tempo dos vice-reis.*

Laudelina de Campos Melo (1904-91)
Líder sindical.

Nina, como era chamada, nasceu em 12 de outubro de 1904, em Poços de Caldas (MG). Seus pais, a mineira Maria Maurícia de Campos Melo e o baiano Marcos Aurélio de Campos Melo, não chegaram a ser escravos, como os avós e tios, pois nasceram após a aprovação da Lei do Ventre Livre, em 1871. A mãe, ainda criança, foi doada pela avó à família Junqueira, fundadora da vila de Poços de Caldas, para servir de companhia a uma menina deficiente. Laudelina, aos 12 anos, perdeu o pai de forma trágica, quando este trabalhava no corte de madeira no Paraná e foi atingido por uma tora que havia sido cortada por um de seus irmãos. Laudelina teve então que abandonar os estudos, ainda na escola primária, e assumiu o cuidado dos cinco irmãos menores, enquanto a mãe trabalhava em um hotel. Adolescente, auxiliava a mãe na confecção de doces e compotas caseiras, que eram vendidos na cidade. Aos 20 anos, empregou-se em uma casa de família e se mudou para Santos (SP), onde se casou e teve um filho.

Em Santos passou a integrar um grupo chamado Frente Negra, que abrigava várias entidades com propósitos de ampliação política, conscientização social e aprimoramento cultural da população negra. Em 1936, surgiu a idéia de criar uma associação para empregadas domésticas, como uma extensão do movimento. Foram criadas, simultaneamente, uma Associação de Empregadas Domésticas na cidade de São Paulo, sob a coordenação do professor Geraldo de Campos Oliveira, presidente do Clube Cultural Recreativo do Negro e membro do Partido Libertador, e outra em Santos, sob a responsabilidade de Laudelina. Com a entrada do Brasil na II Grande Guerra, em 1942, as atividades políticas de sindicatos e associações profissionais foram proibidas.

Impossibilitada de dar prosseguimento ao trabalho de conscientização e defesa dos interesses de sua categoria, Laudelina alistou-se e recebeu o treinamento militar destinado à população civil. Com o encerramento do conflito externo e a redemocratização do país, a Associação de Empregadas Domésticas de Santos foi reaberta, tendo Laudelina como presidente.

Após a morte de seu marido em 1948, Laudelina foi convidada, pela família para a qual trabalhava como governanta, a ser gerente do hotel-fazenda que tinham em Mogi das Cruzes (SP). Permaneceu neste trabalho entre 1950 e 1953, sempre em companhia de seu filho.

Com a morte de sua empregadora, foi para Campinas (SP), onde teve enorme dificuldade para encontrar emprego, uma vez que as senhoras campineiras preteriam as trabalhadoras negras, dando preferência a empregadas brancas. Indignada com esta discriminação, Laudelina procurou o diretor do jornal *Correio Popular* para protestar contra os anúncios preconceituosos que excluíam as mulheres negras do mercado de trabalho. Integrou-se então ao movimento negro de Campinas, promovendo atividades sociais e culturais que visavam elevar a auto-estima da juventude negra. Participou da organização de grupos de teatro e dança e da fundação, em 1957, da Cidade dos Menores em Indaiatuba (SP). Neste mesmo ano, o grupo de Laudelina realizou um baile de debutantes para moças negras. A diretoria do Teatro Municipal de Campinas resistiu em alugar o espaço, apesar dos convites já prontos, e foi necessária uma intensa mobilização junto à imprensa para denunciar o preconceito racial da elite campineira. O baile de debutantes de 1957 motivou outras promoções culturais que conjugavam lazer e conscientização política, como o memorável baile da Pérola Negra.

Dando prosseguimento a sua militância política, Laudelina obteve, em 1961, o apoio do Sindicato da Construção Civil de Campinas para fundar nas suas dependências a associação de empregadas domésticas desta cidade. A Associação Profissional Beneficente das Empregadas Domésticas atuou em diferentes áreas, especialmente na luta contra o preconceito racial, na promoção de atividades culturais e, sobretudo, na intermediação de conflitos entre domésticas e patroas, uma vez que não havia legislação trabalhista para a categoria. Outra importante luta de Laudelina foi a defesa dos direitos de empregadas domésticas menores de idade, que muitas vezes eram vítimas de abuso sexual pelos patrões. Cerca de 1.200 trabalhadoras de Campinas compareceram ao ato de inauguração da Associação, em 18 de maio de 1961. O sucesso e o reconhecimento deste movimento estimulou a fundação de outras organizações com os mesmos propósitos em várias outras cidades, como a do Rio de Janeiro, em 1962, e outra em São Paulo, em 1963.

Deflagrado o golpe militar de março de 1964, Laudelina foi presa para prestar depoimento. Diante da ameaça de fechamento dos sindicatos, aceitou a proposta de abrigar a Associação que presidia na sede da União Democrática Nacional (UDN), onde passou a realizar as suas atividades. Contou ainda com o apoio da Prefeitura de Campinas e de entidades privadas, levando a Associação a ampliar a variedade dos serviços prestados à comunidade.

Ao final de 1968, uma acirrada disputa política pelo comando da Associação levou à dissolução da entidade. Laudelina, que adoecera durante os conflitos sucessórios, afastou-se do movimento das empregadas domésticas.

Retomou a direção da entidade em 1982, após ter sido procurada por antigas colaboradoras. Em 1988, a Associação foi transformada em Sindicato dos Trabalhadores Domésticos e continuou a luta em favor dos direitos da categoria, reivindicando piso salarial, amparo legal, registro em carteira e defesa das filiadas contra abusos de vários tipos. Laudelina atuou em Campinas até a sua morte em 22 de maio de 1991.

Fonte: *Revista Trabalhadores: Classes Perigosas*, nº 6.

Laura Alvim (1900-84)

Atriz e promotora cultural.

Nasceu em 2 de novembro de 1900 no bairro de Botafogo, no Rio de Janeiro (RJ). Era filha de Laura Agostini de Villalba Alvim e do médico Álvaro Alvim, precursor da radiologia no

Brasil, e neta de Ângelo Agostini, pintor e renomado caricaturista do período imperial. Pertencia, portanto, a uma influente família carioca. Inteligente e irreverente, Laura tentou seguir a carreira artística, mas a oposição familiar e os preconceitos da época impediram-na de subir aos palcos. Decidiu, então, transformar sua casa em uma espécie de teatro, onde apresentava, para os amigos e pessoas do seu círculo social, recitais em que declamava em francês, sempre vestida de preto. Nos seus salões realizou grandes festas, apoiando artistas novos e reunindo a intelectualidade nacional.

Aos 83 anos, doou ao estado do Rio de Janeiro seu casarão da avenida Vieira Souto, na praia de Ipanema, onde estes espetáculos eram realizados. Seu objetivo era transformá-lo em um centro cultural. Morreu cinco meses depois de oficializar este desejo, no dia 22 de março de 1984, em sua cidade natal. Seu sonho foi concretizado e o Centro Cultural Laura Alvim é um endereço obrigatório na agenda cultural carioca.

Fontes: Centro Cultural Laura Alvim, *Folhetim*, 1999; Maria Lígia Madureira Pina, *A mulher na história*; Wanda Stylita Cardoso, *Laura Alvim, anjo barroco*.

Laura Brandão (1891-1942)

Ativista política e poetisa.

Nasceu em 28 de agosto de 1891, no Rio de Janeiro (RJ). Laura Adelaide Leopoldina da Fonseca e Silva era filha da alagoana Jacinta Cavalcanti e do pernambucano Domingos Leopoldino da Fonseca e Silva. Muito jovem, Laura Adelaide despertou para a poesia. Imbuída de preocupações patrióticas e humanistas, sua obra era bastante admirada, principalmente nos salões elegantes do Rio de Janeiro, que freqüentava enquanto membro de uma família influente. Nessa fase de sua vida, Laura percorreu grande parte do Brasil, desde o Pará até o Rio Grande do Sul. Trabalhou na seção de antropologia do Museu Nacional, foi professora do Instituto Lafayette e do Colégio Batista, ambos no bairro da Tijuca e publicou quatro livros: *Poesia* (1915), *Imaginação*, (1916), *Meia dúzias de fábulas*, (1917), já uma crítica social, e *Serenidade* (1918).

Em junho de 1919, aos 28 anos, conheceu o companheiro de toda a vida, o farmacêutico alagoano Otávio Brandão. Este havia deixado seu estado natal em razão de problemas que tivera com a polícia por sua militância esquerdista. Passaram a viver juntos no dia 20 de abril de 1921 e, como não se casaram legalmente, os familiares se afastaram. No início, a vida do casal era repleta de dificuldades. Viveram nos fundos de uma farmácia, na Tijuca, e posteriormente mudaram-se para a rua Monte Alegre, em Santa Teresa. Somente a partir do nascimento da primeira filha, Sátva, em 1922, os parentes começaram a restabelecer relações com o casal.

Apaixonados e militando juntos pela causa operária, Laura e Otávio falavam freqüentemente aos trabalhadores. Ela, vestida de pelerine azul e branca, à moda dos uniformes das fábricas, conquistava a admiração de muitos deles, que a ajudavam a distribuir propaganda e muitas vezes defenderam-na da polícia. Visitava sindicatos, ia às portas das fábricas e oficinas, aos bairros proletários e subúrbios pobres. Defendia as reivindicações dos operários e de todo o povo.

Em 1922, Otávio filiou-se ao Partido Comunista do Brasil (PCB), mas Laura nunca quis se filiar, por não se submeter a algumas exigências. Dava aulas particulares aos filhos do líder anarquista José Oiticica e era amiga íntima da militante anarquista e feminista Maria Lacerda de Moura*.

Laura colaborou com o jornal comunista *A Classe Operária*, que começou a circular em 1925, com poucos jornalistas e muitos colaboradores externos. Era também a revisora das cartas dos operários publicadas no jornal. A essa altura, já haviam nascido a segunda filha, Vólia (1923), e a terceira, Dionísia (1925).

Participou, em 1928, da fundação do Comitê das Mulheres Trabalhadoras, que conclamava as operárias a defenderem seus direitos por melhores condições de vida e de trabalho. Em março de 1929 foi deflagrada em São Paulo uma greve dos gráficos, articulada pelo PCB, que durou 72 dias e contou com o apoio de militantes e de simpatizantes. Laura contribuiu com o fundo desta greve paulista, doando-lhes seu montepio no valor de 15 contos de réis, o único dinheiro com que contava. Um sacrifício pessoal considerável, pois Laura e Otávio lutavam com dificuldade para conciliar militância partidária e manutenção da família.

Ainda em 1929, coube a ela encerrar o tradicional comício de 1º de maio, promovido pelo PCB, na praça Mauá, zona portuária do Rio de Janeiro. De pé sob a estátua do barão de Mauá, iniciou fazendo um apelo para que as tropas da polícia não atirassem nos companheiros que participavam do ato e afirmou aos operários presentes que não deveriam temer os soldados porque eles eram explorados como todos e logo viriam juntar-se ao proletariado. Desfeita a tensão, o comício acabou sem a interferência dos policiais. Conta-se que a multidão chegou a dar vivas aos "soldados irmãos".

Ao contrário do comício anterior, o da praça Marechal Floriano no final do mesmo ano, onde seriam anunciados os candidatos do Bloco Operário nas eleições majoritárias, foi dispersado pela polícia a golpes de bastões de borracha e tiros para o ar. Desafiando a proibição de manifestações políticas, a direção do PCB marcou nova manifestação na praça Mauá em comemoração ao 1º de maio de 1930. Ao enfrentarem a polícia, Laura e os demais militantes inscritos como oradores foram presos.

Em abril de 1931, o cerco aos comunistas se acentuou, particularmente no Rio de Janeiro. Otávio foi preso, junto com outros dirigentes do Partido, e levado, doente, para a Casa de Detenção. Em junho deste mesmo ano, o governo Vargas decidiu deportá-lo para a Alemanha, juntamente com Laura e as três meninas. Ao chegaram a Berlim, receberam o comunicado das autoridades alemãs de que a sua permanência no país era indesejada. Seguiram então para Moscou, onde passaram a viver.

Com a vida familiar reestruturada e já adaptados à cidade, nasceu, em 1932, sua quarta filha, Valná. Laura trabalhou na Rádio Moscou entre 1935 e 1939. Em agosto de 1941, descobriu que estava com câncer, tendo que ser internada. Durante os bombardeios da força aérea de Hitler, todos os doentes foram levados para um refúgio do hospital, onde Laura, que nunca abandonara a poesia, escreveu seus últimos versos, "E a vida continua", nos quais registrou seus sentimentos: "Não tenho medo de morrer, mas tenho/ um grande amor à vida, um grande empenho/ no processo de humanas maravilhas!"

Faleceu em Ufá, Bockhiria, região dos montes Urais, antiga União Soviética, depois de tratamento de radioterapia, na época inovador e arriscado. Seus restos mortais foram levados, em 1965, para o Cemitério dos Heróis, em Moscou.

Otávio Brandão retornou ao Brasil em 1946 com três das quatro filhas, pois uma permaneceu casada na Rússia. Escreveu uma biografia de Laura, mas a direção do Partido proibiu sua publicação.

Fontes: J.W. Foster Dulles, *Anarquistas e comunistas*; *Jornal do Brasil*, 18.6.1991; Luitgarde Oliveira Cavalcanti Barros (org.), *Otávio Brandão: centenário de um militante na memória do Rio de Janeiro*; Otávio Brandão, *Combates e batalhas (memórias)*; Entrevista concedida a Carmen Alveal por Dionísia Brandão em 28.1.1999.

Laurinda dos Santos Lobo

(1878-1946)

Promotora cultural e feminista

Nascida em 4 de maio de 1878, em Cuiabá (MT), sobrinha de Joaquim Murtinho, ministro da Fazenda do governo Campos Sales (1898-1902), e herdeira da Companhia Mate Laranjeira, Laurinda era dona de enorme fortuna. Foi referência da elegância das mulheres da *belle époque* carioca; o cronista João do Rio atribuiu-lhe o título de Marechala da Elegância. Era também conhecida como a Diva dos Salões da então capital do Brasil. Fez de sua mansão, no bairro de Santa Teresa, cidade do Rio de Janeiro, um centro de encontro dos mais notáveis intelectuais brasileiros e estrangeiros. Em seus saraus recebeu, entre outros, o escritor francês Anatole France e a bailarina Isadora Duncan. Sua residência tornou-se um símbolo de bom gosto e exuberância, com ricos ornamentos, móveis raros e peças de arte barroca brasileira. Em várias ocasiões, a pedido das autoridades, recebeu visitas ilustres, como os reis da Bélgica em 1920. Permitia-se extravagâncias, como ter um dos salões da mansão inteiramente rosa, sua cor predileta, que também era usada no tecido que forrava o *foyer* cativo que ocupava no Teatro Municipal.

Sua vida não se limitava a recepções e encontros sociais. Presidiu o conselho da Federação Brasileira para o Progresso Feminino* (FBPF) no final de 1927. Nessa mesma ocasião, a Federação promoveu um abaixo-assinado, com a adesão de cerca de 2.000 mulheres, para pressionar os congressistas a aprovarem o sufrágio feminino. Laurinda não hesitou em usar, por diversas vezes, seu prestígio social em prol da causa feminista. Atuou intensamente ao lado das sufragistas, tendo seu nome registrado com destaque em todos os atos e organizações desse movimento. A influente posição que ocupava na sociedade fazia com que fosse citada freqüentemente por parlamentares, no Congresso Nacional, como um exemplo que justificava a incorporação das mulheres à cidadania plena. Apesar da fundamental participação que teve na luta pelos direitos das mulheres brasileiras, Laurinda é sistematicamente lembrada somente como a grande anfitriã dos salões cariocas do início do século.

Faleceu em 18 de julho de 1946, no Rio de Janeiro.

O palacete que herdou de seu tio e onde viveu foi transformado no Parque das Ruínas e sua primeira residência é hoje o Centro Cultural Laurinda Santos Lobo, ambos localizados no bairro de Santa Teresa, na cidade do Rio de Janeiro.

Fontes: Enciclopédia *Nosso Século*; Folheto, "Desde que uma só exista não há razão para que"; Paulo Afonso C. Machado, *Antigüidades brasileiras*.

Léa Campos (c.1945-)

Juíza de futebol.

Primeira mulher árbitro de futebol do mundo. Mineira de Belo Horizonte, diplomada em educação física e jornalismo pela Universidade de Brasília, Asaléa de Campos Micheli, ainda na escola secundária, se apaixonou pelo futebol, tornando-se a centroavante de um time de meninas. Foi eleita Miss Belo Horizonte e Rainha dos Ex-Combatentes, mas preferiu trabalhar como jornalista em emissoras de rádio mineiras e como relações públicas do Cruzeiro, clube de futebol de Minas Gerais.

Sua carreira de árbitro começou com um curso de oito meses de duração, realizado em 1967 na escola de árbitros do Departamento de Futebol Amador da Federação Mineira de Futebol (FMF), mas só em 1971 seu diploma foi reconhecido pela FIFA e pelo governo federal. Para receber o diploma, foi obrigada a fazer mais exames e testes, pois deveria provar que tinha condições físicas para exercer a profissão. Na época, ainda havia os que acreditavam que a mulher possuía estrutura óssea inferior à do homem. Enfrentou João Havelange e a CBF durante quatro anos, e chegou a apelar até ao presidente da República para conseguir o diploma, só obtendo-o com a oportunidade que surgiu na Copa Mundial de Futebol Feminino, no México, onde representaria o Brasil como árbitro.

Nessa época, às mulheres brasileiras era dificultada a prática de muitos esportes, principalmente o futebol. Com a decisão favorável a sua diplomação, Léa teve a possibilidade de se profissionalizar, apitando jogos em gramados de quase todos os estados brasileiros, começando, naturalmente, pelo "Mineirão".

Léa teve que continuar lutando para apitar no estado de São Paulo, pois a Federação Paulista de Futebol (FPF) ainda considerava ilegal o exercício da função de juiz por uma mulher. Álvaro Paes Leme, dirigente da entidade, não abria mão do que considerava matéria de lei; dizia que enquanto ele estivesse na Federação, mulher não seria juíza. Embora pleiteasse apitar uma única partida, não pôde arbitrar e o jogo para o qual estava escalada não foi realizado.

Léa teve uma carreira vitoriosa; apitou centenas de partidas na Europa, América do Norte, Central e do Sul, sem nunca ter recebido reclamações por sua arbitragem. Um problema nos joelhos afastou-a dos gramados. Estendeu sua atuação para a luta livre e o boxe, diplomando-se pela Federação Mineira de Pugilismo.

Casada, vive nos Estados Unidos, onde ensina futebol para mulheres e é cronista esportiva dos jornais *Gol Internacional* e *Noticiero Colombiano de Nova York*.

Fontes: *Folha de Goiás*, 15.12.1976; *O Globo*, 1973; *Jornal Unitário Esportivo*, 3.11.71; Léa Campos, *Rules can be Broken — The L. Campos Biography.*

Leila Diniz (1945-72)

Atriz.

Símbolo de liberdade feminina da geração dos anos 60. Nasceu em 25 de março de 1945, em Niterói (RJ), filha de Ernestina Roque Diniz e Newton Sampaio de Castro Diniz. Com poucos meses de vida, separou-se da mãe, que fora internada com tuberculose em um sanatório em Correias (RJ), onde veio a falecer. Ficou, então, aos cuidados da avó paterna, separando-se dos dois irmãos, Eli e Elio, que foram encaminhados para um internato.

O pai, viúvo e com nova companheira, Isaura, mudou-se para o Rio de Janeiro, reunindo novamente os três filhos. Leila, aos 15 anos, ficou muito transtornada ao descobrir que Isaura não era sua mãe e saiu de casa, voltando para Niterói, onde foi morar com uma amiga. Começou a trabalhar como professora de pré-primário para poder se sustentar e estudava à noite.

Em 1962, com 17 anos, foi viver com o cineasta Domingos de Oliveira, de quem se separou três anos depois. Na mesma época teve suas primeiras experiências no teatro, a primeira com a peça infantil *Em busca do tesouro* e, pouco depois, sendo convidada por Cacilda Becker* para interpretar um pequeno papel na montagem de *O preço de um homem*, no Teatro Mesbla, centro do Rio de Janeiro, contracenando com a própria atriz e Adriano Reis. Em seguida entrou para o elenco da TV Globo, onde atuou em cerca de 12 telenovelas, e conquistou projeção nacional com sua personagem em *O sheik de Agadir.* Fez ao todo 14 filmes, tornando-se a musa do Cinema Novo. Em 1966, foi dirigida pelo ex-marido em *Todas as mulheres do mundo*, um de seus maiores sucessos.

Viveu a efervescência cultural e política dos anos 60 e, defendendo sobretudo a liberdade, sem pregar princípios ou bandeiras, desafiou todos os padrões com sua forma natural de abordar temas tabus para a sociedade da época. Falou de preferências sexuais, disse palavrões em público e não via motivos para dar satisfações a ninguém. Sem nunca ter tido uma participação política convencional, não perdia as oportunidades de declarar, com toda a contundência verbal, o seu inconformismo e sua indignação com os rumos autoritários do regime militar.

Em 1969, concedeu uma entrevista ao irreverente jornal *O Pasquim*, onde se expôs com muita espontaneidade e com sua peculiar autenticidade. A repercussão desta matéria, que só pôde ser publicada com a substituição dos palavrões por asteriscos, fez com que Alfredo Buzaid, ministro da Justiça de então, criasse a lei de censura prévia, apelidada de "decreto Leila Diniz". Ainda por esse motivo, foi perseguida pelos militares, chegando a receber ordem de prisão e tendo que assinar um documento no qual se comprometia a não falar mais palavrões, e foi também excluída do elenco das TVs. Conseguiu incomodar a todos; os de esquerda a consideravam artificial, os da direita a tachavam de imoral.

Posteriormente veio a se casar com outro cineasta, Rui Guerra, pai de sua única filha, Janaína. Durante a gravidez, Leila, já proprietária de uma loja para gestantes, ostentava orgulhosamente sua barriga, usando um biquíni, na praia de Ipanema. Mais uma vez chocou a sociedade, rompendo com a idéia de que a maternidade é sacrifício e renúncia e desmistificando a imagem da mulher submissa e dependente.

Nesta época, levou o teatro de revista para os concorridos palcos da Zona Sul do Rio de Janeiro, atuando em *Tem banana na banda* e *Vem de ré que eu estou de primeira*. Conseguia unir ao trabalho o grande prazer que sentia com a maternidade, amamentando sua filha no camarim.

Em junho de 1972, viajou para o festival de Adelaide, na Austrália, onde representou o Brasil com o filme *Mãos vazias*, dirigido por Luís Carlos Lacerda e pelo qual recebeu o prêmio de melhor atriz. Com saudades de sua filha, antecipou sua volta para casa; o avião em que viajava explodiu nas cercanias do aeroporto de Nova Délhi, Índia. Era o dia 14 de junho de 1972, Leila tinha 27 anos e esbanjava alegria de viver.

Fontes: Cláudia Cavalcanti, *Leila Diniz*; Luís Carlos Lacerda, *Leila para sempre Diniz*; *Jornal do Brasil*,

14.6.1997; Marcelo Cerqueira, "Leila Diniz" — discurso na Câmara dos Deputados, 11.8.1982; Vários autores, "Dossiê Leila Diniz", *Estudos Feministas.*

Lélia Abramo (1911-)

Atriz e militante política.

Nasceu em 8 de fevereiro de 1911, em São Paulo (SP), filha dos imigrantes italianos Afra Yole Scarmagnan e Vicenso Abramo. Cursou o ginásio no Colégio São José e o primeiro contato com o mundo da política deu-se dentro de sua própria casa, onde desde os nove anos lia para o avô jornais anarquistas e autores como Bakunin. Declarava, aos 12 anos, ter dois objetivos na vida: estudar na Sorbonne e fazer um curso de teatro em Paris. Com a família em dificuldades financeiras, teve de abandonar seus planos e seus estudos, refugiando-se na leitura sobre teatro e em livros de autores românticos.

Adolescente, passou a freqüentar o Clube dos Artistas, onde conheceu intelectuais de peso, como Oswald de Andrade, que posteriormente a convidou para atuar na peça *A morta*. Aos 21 anos começou a trabalhar no escritório de uma fábrica, onde relata ter sentido de perto o que lera nos textos anarquistas sobre as injustiças do capitalismo. No início dos anos 30, associou-se ao Sindicato dos Comerciários, colaborando no departamento de sindicância, e ingressou na Liga Internacionalista. Por não aceitar a política trabalhista de Getúlio Vargas, foi expulsa do sindicato em 1937.

Em 1938, um pouco antes da II Guerra Mundial, viajou para a Itália acompanhada de sua irmã Beatriz e de seu cunhado, em busca de um tratamento para um sério problema no útero. Submeteu-se, então, a uma cirurgia que não a deixou totalmente curada e, apesar da necessidade de uma nova operação, decidiu voltar para o Brasil, sendo porém impedida pela guerra. Sem perspectiva de retorno, empregou-se em uma produtora de filmes em Roma.

Durante o tempo em que esteve na Europa, enfrentou sérias dificuldades, especialmente depois de 1942, quando o Brasil declarou guerra à Itália e ela então passou, compulsoriamente, à categoria de "inimiga". Com a ocupação de Roma pelas tropas aliadas, em 1944, Lélia conseguiu um emprego na Film Section, do Exército norte-americano. Nesse mesmo ano, uma nova cirurgia no útero quase a levou à morte e deixou-a impossibilitada de ter filhos, o que fez com que passasse por um período de depressão. Coube ao jornalista Rubem Braga, que trabalhava como correspondente junto à Força Expedicionária Brasileira (FEB) na Itália, prestar-lhe assistência, levando-lhe comida e dinheiro, a pedido da família.

Só conseguiu retornar ao Brasil, juntamente com sua irmã, 12 anos depois de sua partida. Em 1953, retomou a idéia de se tornar atriz e entrou para um grupo de teatro amador, o Muse Italiche. No ano seguinte, começou a trabalhar como redatora na Agenzia Nazionale Stampa Associati (ANSA), uma agência de notícias dirigida por italianos.

A dissolução do Muse Italiche levou Lélia a formar o grupo I Guitti, que estreou, com muito sucesso, no teatro Cultura Artística de São Paulo (SP), em 1956, sob direção de seu irmão Atos. Pouco tempo depois, foi convidada pelo diretor do Teatro de Arena, José Renato, a participar da peça *Eles não usam black-tie*, de Gianfrancesco Guarnieri, que lhe valeu cinco prêmios, entre eles o Saci, o mais importante da época. Outro convite surgiu logo em seguida, o do ator e diretor Sérgio Brito, desta vez para participar, na televisão, do Grande Teatro Tupi dirigido por ele, Fernando Torres e Flávio Rangel. Nos últimos anos da década de 1950, trabalhou em várias outras emissoras e excursionou por todo o país com *Eles não usam black-tie*, sempre com os aplausos do público e da crítica.

Ingressou para a companhia de teatro de Cacilda Becker* e Walmor Chagas, que acabara de se formar, e atuou com eles na peça *Raízes* em 1961. Durante a década de 60 recebeu outras duas grandes premiações: o seu segundo Prêmio Saci, em 1963, por sua atuação em *Os ossos do barão,* e o Prêmio Roquete Pinto, em 1964, pelo conjunto de seu trabalho em televisão. Ainda nesta década atuou em diversos seriados, como *Gente como a gente*, de Roberto Freire, na Record, e fez seu primeiro filme, *Vereda da salvação*, de Anselmo Duarte. Foi presa pelo DOPS, em 1969, por seu envolvimento com a política.

Enquanto gravava a novela *Uma rosa com amor*, na Globo, foi chamada por Cacá Diegues a participar do filme *Joana, a francesa*, onde contracenou com a atriz Jeanne Moreau. Conquistou, em 1971, o Prêmio Molière por sua atuação na peça *Os olhos vazados*, e em 1974 teve mais uma vez seu talento reconhecido com o prêmio da Associação Paulista de Críticos de Arte (APCA).

Lélia foi eleita presidente do Sindicato dos Artistas em São Paulo, no ano de 1977, pela chapa Urdimento, e, durante sua gestão, empenhou-se em regulamentar a profissão, encontrando inúmeros obstáculos políticos. Chegou a ser demitida pela Rede Globo no meio da novela *Pai herói*, apesar da lei que proíbe a dispensa de empregado no exercício de função sindical. Muito abalada com o fato, sofreu em 1979 o primeiro de três enfartes em um curto período. Restabelecida, continuou enfrentando dificuldades por sua passagem na presidência do Sindicato dos Artistas.

Foi convidada, em 1981, por Leon Hirszman para participar do filme *Eles não usam black-tie*. Neste mesmo período voltou a atuar em televisão, na minissérie *Avenida paulista*, e posteriormente na adaptação do romance *O tempo e o vento*, de Érico Veríssimo, ambas na TV Globo.

Suas convicções políticas fizeram com que ela, ainda no começo da década de 80, participasse da fundação do Partido dos Trabalhadores (PT) e se candidatasse por este partido ao Senado, em 1982, tornando-se suplente. Sempre engajada e se mobilizando em campanhas como a "Diretas Já", de 1984, Lélia se juntou a Luísa Erundina na disputa pela prefeitura de São Paulo, e após a inusitada vitória, em 1988, assumiu o cargo de assessora da Secretaria Municipal de Cultura. Nesta função, trabalhou no projeto Teatro Comunitário, que promovia aulas de teatro para crianças de rua.

Na década de 1990, Lélia recebeu algumas homenagens e voltou a atuar no cinema e na televisão.

Fonte: Lélia Abramo, *Vida e arte. Memórias de Lélia Abramo.*

Lélia González (1935-94)

Feminista e ativista política.

Nasceu em 1º de fevereiro de 1935, em Minas Gerais, filha de Orcinda Serafim d'Almeida e Accacio Serafim d'Almeida. Lélia de Almeida González era a caçula de 14 irmãos. Casou-se com Luiz Carlos Gonzales. Mudou-se para o Rio de Janeiro (RJ), onde se graduou em história e filosofia e fez mestrado em comunicação social. Doutorou-se em antropologia social em São Paulo (SP) e dedicou-se a pesquisas sobre a temática de gênero e etnia. Professora universitária, seu último cargo foi de diretora do Departamento de Sociologia e Política da Pontifícia Universidade Católica do Rio de Janeiro (PUC-Rio).

Lélia se destacou pela importante participação que teve no Movimento Negro Unificado (MNU), do qual foi uma das fundadoras nos anos 70. Militou em diversas organizações, como o Instituto de Pesquisas das Culturas Negras (IPCN) e o Coletivo de Mulheres Negras N'Zinga. Sua importante atuação em defesa da mulher negra valeu-lhe a indicação para membro do Conselho Nacional dos Direitos da Mulher (CNDM). Este órgão foi criado pela presidência da República, em 1985, em resposta ao movimento feminista brasileiro que reivindicava o direito a ter no aparelho do Estado uma instituição que se ocupasse das políticas públicas voltadas para a cidadania feminina. Filiou-se ao Partido dos Trabalhadores (PT) e disputou vaga na Câmara Federal, em 1982, alcançando a primeira suplência. Nas eleições de 1986, concorreu à Assembléia Legislativa do Rio de Janeiro pelo Partido Democrático Trabalhista (PDT), ficando outra vez como suplente.

Sua intensa militância e suas atividades de pesquisadora levaram-na a viajar por vários continentes, apresentando sempre trabalhos sobre a condição da mulher e do negro. Incentivadora das tradições afro-brasileiras, Lélia se vestia com as cores vibrantes das roupas africanas. Nos últimos anos, estudava o que ela chamava "negros da diáspora", cunhando o conceito de amefricanidade. Pertenceu ao Grêmio Recreativo de Arte Negra e Escola de Samba Quilombos, que fazia seu carnaval atendo-se às raízes do velho samba carioca.

Ajudou a fundar o grupo Olodum, de Salvador (BA). Sua paixão pelo samba e pelo futebol, que acreditava serem manifestações autênticas do povo brasileiro, levou-a muitas vezes ao corpo de jurados das escolas de samba cariocas, bem como aos estádios.

Escreveu *Festas populares no Brasil, Lugar de negro*, em co-autoria com Carlos Hasenbalg, duas teses de pós-graduação, além de diversos artigos para revistas científicas e obras coletivas.

Faleceu no Rio de Janeiro no dia 10 julho de 1994.

Fontes: Curriculum vitae; *Palmares*, nº 3; www.criola.ong.org/mulheres.htm.

Leolina Costa (1907-63)

Política.

Nasceu em 7 de novembro de 1907 em Feira de Santana (BA), filha de Maria Machado Barbosa e Deocácio Barbosa de Souza, e viveu em Salvador, onde casou-se aos 17 anos. Começou a desenvolver trabalhos sociais na área da saúde ao lado do médico obstetra Alfredo Magalhães, que criara o Instituto de Proteção e Assistência à Infância da Bahia em 1929 (atendendo sobretudo mulheres e crianças carentes), do qual se tornou diretora com a morte do fundador. Leolina Barbosa de Souza Costa ou Nita Costa, como era chamada, construiu e manteve, através de associados, comerciantes e industriais, o hospital infantil Alfredo Magalhães, na capital baiana.

Mais tarde, procurada por Antonio Simões, secretário de Saúde no governo Régis Pacheco, não só cedeu uma ala do Instituto para construção de uma maternidade, como fez exaustivas viagens para garantir a aquisição do material que viabilizasse seu funcionamento. A maternidade acabou recebendo seu nome e transformando-se na maternidade-escola Nita Costa, ficando a cargo do governo sua manutenção, apesar de se encontrar no prédio do Instituto que dirigia.

Foi também fundadora do Partido Trabalhista Brasileiro (PTB) na Bahia, sendo eleita, por essa legenda, deputada para a Câmara Federa em 1954. Destacou-se como relatora do projeto nº 3.915 de 1958 de Mozart Lago, que regulamentava os direitos civis da mulher casada. Este propunha a alteração de alguns artigos do decreto-lei nº 4.657 de setembro de 1942, que definia o homem como chefe da família. Com isso, Nita Costa acolheu no seu parecer uma das reivindicações do movimento de mulheres: a alteração da estrutura do poder legal no seio da família, que só foi conquistada com a Constituição de 1988. Deve-se ainda à deputada, como parecerista favorável ao projeto de lei nº 209/1955, aprovado pela Comissão de Educação e Cultura, o fato de as mulheres terem seus cargos nomeados no feminino, como, por exemplo, "deputada", "senadora", "juíza" etc. Candidatou-se, ainda em 1958, a um novo mandato pelo PTB, mas não conseguiu reeleger-se.

Esteve à frente do Instituto de Proteção e Assistência à Infância da Bahia até seus últimos anos de vida.

Faleceu no dia 7 de março de 1963, em Nova Hamburgo (RS).

Fontes: Alzira Abreu e Israel Beloch, *Dicionário histórico-biográfico brasileiro – 1930-1981*; Ana Alice Alcântara Costa, *As donas no poder: mulher e política na Bahia.*

Leolinda de Figueiredo Daltro (c.1860-1935)

Feminista e indianista.

Nasceu na Bahia, em meados do século XIX, e mudou-se para o Rio de Janeiro (RJ), onde morou a maior parte de sua vida desempenhando um importante papel político como precursora do feminismo e do movimento em prol dos índios no Brasil. Teve cinco filhos e criou-os separada do marido.

Foi bem próxima do republicano Quintino Bocaiúva e amiga pessoal de Orsina da Fonseca*, primeira mulher do presidente Hermes da Fonseca. Apaixonada pela idéia de incorporar os índios brasileiros à sociedade por meio da educação, sobretudo sem conotações religiosas, usou de todos os artifícios a seu alcance para, no ano de 1896, iniciar o ambicioso projeto de percorrer o interior do Brasil promovendo a alfabetização de tribos indígenas. A proposta de Leolinda era ousada e inovadora. Naquela época, o debate público em torno da questão pendia ora em favor da catequização acompanhada da completa aculturação das tribos, ora em favor da sumária eliminação das populações indígenas remanescentes no Brasil.

Leolinda deixou os filhos com parentes e viajou para o interior de Minas Gerais, passando antes por São Paulo, onde encontrou apoio, inclusive financeiro, de homens influentes, como o fazendeiro e político republicano Eduardo Prado, Horace Lane, Caio Prado, Martinho Prado e Elias Fausto. Contudo, à medida que se aproximava do interior, Leolinda ia encontrando fortes resistências a sua proposta. A incorporação dos "silvícolas" à sociedade, respeitando-se as especificidades culturais desses povos, afetava os dois principais pilares do poder no Brasil em fins do século XIX, que eram a Igreja e a propriedade latifundiária.

Em razão de suas idéias, Leolinda sofreu em Uberaba toda sorte de perseguições, chegando a ser escorraçada da cidade sendo chamada de "mulher do diabo". Foi então para Araguari, cidade vizinha, ainda no Triângulo Mineiro, de onde iniciou uma longa viagem, que durou até 1897, pelos sertões de Goiás, atingindo as fronteiras do Maranhão e do Pará.

Voltou ao Rio de Janeiro e fundou o Grêmio Patriótico Leolinda Daltro, com a finalidade de defender a alfabetização dos índios sem a interferência da Igreja. Representando esta entidade, Leolinda passou a freqüentar as comemorações cívicas, como o dia da Bandeira e o de Tiradentes, sempre acompanhada de alguns indígenas que permaneciam a seu lado desde suas incursões pelo interior. Isto causava enorme repercussão na imprensa, onde muitos se dedicavam a criticá-la e ridicularizá-la.

Na década de 1910, Leolinda foi diretora da Escola de Ciências, Artes e Profissões Orsina da Fonseca, situada na Tijuca, zona norte do Rio de Janeiro. Passou a dedicar-se intensamente à causa feminista, que reivindicava a conquista da cidadania plena para as mulheres. Com base na omissão da Constituinte de 1891 no que se refere ao voto feminino, Leolinda requereu seu alistamento eleitoral, porém teve seu pedido recusado. Em protesto, fundou, em dezembro 1910, o Partido Republicano Feminino*, cujo objetivo era mobilizar as mulheres na luta pelo direito ao voto. Para tanto, contou com o apoio e o prestígio da primeira-dama Orsina da Fonseca. Em contrapartida, colaborou com a política nacionalista do presidente Hermes da Fonseca, que havia instituído em 1908 uma nova lei de recrutamento militar que permitiu que Leolinda ajudasse na criação, dois anos mais tarde, da Linha de Tiro Feminino, na qual as mulheres poderiam receber treinamento com armas de fogo.

Por mais de uma década, Leolinda e suas companheiras de militância, entre elas a poetisa Gilka Machado*, ocuparam a cena política carioca colocando em evidência a questão do sufrágio feminino. Fazia parte de sua estratégia comparecer a todos os eventos que pudessem causar repercussão na imprensa. O Partido Republicano Feminino foi o movimento precursor na luta das mulheres brasileiras em prol do sufrágio e chegou, em novembro de 1917, a promover uma marcha pelas ruas do centro do Rio de Janeiro, com a participação de cerca de 90 mulheres.

A ousadia de Leolinda e de suas companheiras obteve os resultados esperados, pois a polêmica em torno da cidadania das mulheres tornou-se viva e real. Farta correspondência foi enviada por leitores aos grandes jornais cariocas daquele período. O militar Turíbio Rabioli, leitor do *Jornal do Brasil,* enviou carta furiosa e indignada em outubro de 1918 a Carlos de Laet, a propósito da posição deste articulista, que louvava o fato de Maria José de Castro Rabelo* haver conquistado o direito de se inscrever no concurso público do Itamarati. Acusava também a professora Daltro e outras senhoras de estarem interessadas na "masculinização do seu adorável sexo". Em resposta, Laet aconselhou o leitor a ouvir com mais atenção o que reivindicavam. Ainda sobre a questão de Maria José de Castro Rabelo, o jornal carioca *A Rua* trouxe, na edição de 5 de outubro de 1918, menção desairosa ao Partido Republicano Feminino. Registros como estes comprovam que o movimento alcançou uma grande mobilização na capital federal, pois dividiu opiniões e aproveitou diversas oportunidades para dar visibilidade à condição feminina no Brasil.

Em 1919, já sem o apoio de sua amiga Orsina da Fonseca, que falecera, Leolinda lançou-se candidata à Intendência Municipal do

Distrito Federal, não conseguindo, contudo, formalizar sua candidatura. No decorrer dos anos 20, foi se afastando da luta política e passou a se dedicar, exclusivamente, a seu trabalho como educadora. Curiosamente, não integrou a Federação Brasileira pelo Progresso Feminino* (FBPF), organização política fundada por Bertha Lutz* em 1922. Logo após as mulheres terem alcançado o direito ao voto, no ano de 1932, Leolinda declarou que morreria feliz, pois vira vitoriosa a luta pela emancipação política da mulher.

Faleceu num desastre de automóvel em maio de 1935. Nesta ocasião, a revista *Mulher*, editada pela FBPF, homenageou-a, ressaltando seu importante papel como precursora do feminismo no Brasil, e lembrou que sua luta se dera contra a mais cruel das armas dos adversários da mulher, o ridículo.

Fontes: Conselho Nacional dos Direitos da Mulher (CNDM), *A mulher e a Constituinte*; *O Globo*, 8.12.1981; *Ilustração Brasileira*, nº 38, jun 1935; *Jornal do Brasil*, 26.9.1918 e 03/10/1918; June Hahner, *A mulher brasileira e suas lutas sociais e políticas*; *Mulher. Opinião Feminina Organizada*, mai-jun/1935; S. Besse, *Restructuring Patriarchy*.

Leonor (séc. XVIII)

Índia carijó.

Leonor viveu em Minas Gerais e foi submetida ao cativeiro ilegal, juntamente com seus filhos José, Manuel e Severina e seus netos Félix, Mariana, Narcisa e Amaro. No final do ano de 1764, solicitou a liberdade para si e para sua família ao governador da comarca onde vivia, diante do flagrante desrespeito às leis de 1755, que proibiram a escravidão de índios no Brasil. O seu senhor, Domingos de Oliveira, havia colocado Leonor e a família sob sua "guarda" durante a visita do governador à freguesia, impedindo-os de protestarem por seu direito à liberdade, mantendo-os assim por meses. O pleito de Leonor recebeu o apoio do vigário local, que intercedeu por ela junto ao governador, pedindo que este se compadecesse e olhasse com piedade a situação em que ela se encontrava. Assim foi que, no início do ano de 1765, o governador acolheu o requerimento de Leonor e determinou a sua libertação, bem como a de sua família.

Fonte: Laura de Melo e Sousa, *Os desclassificados do ouro*.

Leonor Castellano (1899-?)

Professora e feminista.

Nascida em Curitiba (PR), Leonor era simpatizante da causa feminista e escreveu vários artigos sobre a condição e as reivindicações das mulheres na imprensa de Curitiba, usando o pseudônimo de Flor D'Alisa. Na década de 1930, publicou obras literárias, chegando a ser presidente do Centro de Letras do Paraná.

Fonte: Etelvina Maria de Castro Trindade, *Clotildes ou Marias: mulheres de Curitiba na Primeira República*.

Leonor de Camargo Cabral (?-1652)

Colonizadora.

Nasceu e viveu na vila de São Paulo do Campo de Piratininga em meados do século XVII. Filha de Gabriela Ortiz de Camargo e Estevão Gomes Cabral e neta do bandeirante espanhol José Ortiz de Camargo.

Em 27 de janeiro de 1652, Leonor casou-se com Alberto Pires, membro de importante família paulista, e no mesmo ano foi por ele assassinada por ciúmes. Junto com ela, foi morto o cunhado e suposto amante Antônio Pedroso de Barros, bandeirante, rico proprietário de fazendas e viúvo de sua irmã Maria Pires de Medeiros.

Alberto fugiu para a casa de sua mãe, Inês Monteiro, que foi atacada pelas famílias Camargo e Pedroso de Barros. Finalmente preso, foi conduzido ao Rio de Janeiro para ser julgado, mas no caminho foi morto e atirado ao mar nas proximidades da ilha Grande, provavelmente pelos irmãos de Leonor. O episódio foi a origem de uma guerra secular entre os Pires e os Camargo, que por muitos anos travaram lutas sangüinárias.

A historiografia consagra como principal personagem da contenda a matriarca Inês Monteiro, que com dureza e determinação não permitia que fosse esquecida a morte de Alberto. A versão de que a morte de Antônio Pedroso de Barros não foi uma emboscada dos índios, mas um frio assassinato, foi defendida pelo historiador Afonso Taunay. O fato teria sido encoberto pelo historiador Pedro Taques,

2

1

3

4

5

6

1 • *Luz del Fuego*
Vedete e fundadora do primeiro clube de nudismo no Brasil, na década de 1950.

2 • *Lélia González*
Antropóloga, feminista e co-fundadora do Movimento Negro Unificado (MNU), nos anos 1970.

3 • *Lígia Lessa Bastos*
Detentora da mais longa carreira política do Brasil e da América Latina.

4 • *Léa Campos*
Primeira mulher árbitro de futebol do mundo.

5 • *Leonor Porto*
Cartaz da Ave Libertas, associação abolicionista da qual Leonor Porto foi uma das fundadoras.

6 • *Lúcia Benedetti*
Uma referência do teatro infantil no Brasil.

7

9

8

10

11

7 • Laura Brandão
Poetisa e co-fundadora do Comitê das Mulheres Trabalhadoras.

8 • Leila Diniz
Atriz que subverteu os padrões femininos nos anos 1960.

9 • Ludovina Portocarrero
Heroína da Guerra do Paraguai

10 • Laurinda dos Santos Lobo
Feminista, personalidade da sociedade carioca e uma das mulheres mais influentes dos anos 1920 no Brasil.

11 • Lili Lages
Sufragista e primeira president[illegible] da Federação pelo Progresso Feminino de Alagoas.

que era ligado à família Pires. O assassinato de Leonor foi relatado de forma romanceada por Paulo Antero S. Barbosa no livro *Inês Monteiro — ou a matrona feroz e os homens de bens.*

Fontes: Afonso Taunay, *História das bandeiras paulistas*; Francisco de Assis Carvalho Franco, *Dicionário de bandeirantes e sertanistas do Brasil*; Pedro Taques de Almeida Paes Leme, *Nobiliarquia paulistana histórica e genealógica* e *Notícias das minas de São Paulo e dos sertões da mesma capitania.*

Leonor de Siqueira (séc. XVII)

Senhora de escravos indígenas.

Moradora da capitania de São Paulo de Piratininga, Leonor de Siqueira era casada com Luís Pedroso de Barros. Em 1662, quando seu marido desapareceu numa expedição à cordilheira dos Andes, ela vendeu, apressadamente, ao seu cunhado Fernão Pais de Barros os 60 escravos indígenas de sua fazenda em Juqueri. O valor estipulado para a transação foi de 20 mil réis por cada escravo. O que levou Leonor Siqueira a se desfazer de "patrimônio" tão valioso foi o temor de uma revolta. Cinco rebeliões de escravos indígenas haviam eclodido na capitania no ano de 1660. As revoltas de es cravos começavam a aparecer com mais freqüência na sociedade colonial.

Fonte: John Manuel Monteiro, *Negros da terra: índios e bandeirantes nas origens de São Paulo.*

Leonor Leme (?-c.1633)

Colonizadora.

Natural da cidade de Funchal, Ilha da Madeira, filha de Luzia Fernandes e de Pedro Leme. Leonor veio na companhia dos seus pais, na década de 1550, para a capitania de São Vicente, onde se casou com Brás Esteves e teve cinco filhos. Leonor e Brás eram donos de terras e construíram um grande patrimônio, como o engenho de açúcar São Jorge dos Erasmos, local que conserva até hoje esse nome. Posteriormente, mudaram-se para a vila de São Paulo, onde Brás Esteves exerceu altos cargos na administração colonial. O testamento de Leonor tem a data de 13 de janeiro de 1633. Uma grande parte das tradicionais famílias paulistas descendem deste casal.

Fontes: Pedro Taques de Almeida Paes, *Nobiliarquia paulistana histórica e genealógica*; Torre do Tombo, Corpo cronológico, parte I, tomo I, maço 96, doc.74, fol.1, vol.40.

Leonor Pereira Marinho (séc.XVIII)

Colonizadora da Bahia.

Leonor Pereira Marinho era a matriarca da importante família de Garcia D'Ávila, da Casa da Torre. Essa família expandiu o seu domínio desde o litoral da Bahia até as terras do sertão do Nordeste. Os Garcia D'Ávila obtiveram sesmarias a oeste da Paraíba, chegando à chapada do Araripe. Segundo declarou João da Mata da Gama, governador da Paraíba de 1708 a 1717, a família era dona de sertões por mais de 300 léguas.

Em março de 1705, o governador-geral do Brasil dirigiu uma carta ao mestre-de-campo Manuel Álvares de Morais Navarro na qual relata as queixas de Leonor e seu filho, Garcia D'Ávila Pereira, que o acusam de querer espoliá-los das terras sobre as quais tinham posse "por si e por seus antepassados que são os distritos de Piancó, Piranhas e Açu, Jaguaribe e mais sertões a eles pertencentes, que à sua custa descobriram, lançando deles o gentio bravo, com grande despesa de sua fazenda, e neles se sustentaram até o presente sem contradição de pessoa alguma, tendo os mesmos sertões que lhes pertencem sempre povoados".

Fonte: Elpídio de Almeida, *História de Campina Grande.*

Leonor Porto (?-1906)

Abolicionista.

Nasceu em Pernambuco, foi modista e costureira, vestindo as mais influentes famílias desta província. Teve grande destaque na luta contra a escravidão, integrando, no início da década de 1880, o renomado Clube do Cupim. Posteriormente, em 20 de abril de 1884, fundou com outras senhoras uma associação de mulheres abolicionistas denominada Ave Libertas, cujos objetivos eram promover, em Recife, a libertação de todos os escravos pelos meios lícitos e legais, bem como proteger os cativos, exigindo de seus senhores o término dos maus-tratos, castigos e torturas.

Entre as várias atividades das associadas, estava a arrecadação de fundos para a libertação dos escravos. Para isso, doavam e recolhiam jóias cuja venda era revertida para a causa. Escondiam negros fugitivos e articulavam seu transporte para a província do Ceará, onde a abolição já havia sido decretada. Em outubro de 1885, a associação lançou um jornal também intitulado *Ave Libertas*, o qual estampava na capa da primeira edição o retrato de Leonor Porto. No ano seguinte, homenagearam a data do primeiro aniversário da libertação dos escravos no Ceará com a publicação de um novo periódico denominado *Vinte e Cinco de Março*. Leonor escreveu artigos conclamando as famílias pernambucanas a aderirem à luta pela abolição. Maria Amélia Queirós* e Inês Sabino* estavam entre as senhoras abolicionistas que participaram desta publicação.

A associação Ave Libertas obteve uma grande vitória ao realizar uma festa na qual conseguiu 200 cartas de alforria assinadas pelos senhores de engenho pernambucanos. Conquistou também, em janeiro de 1888, grande repercussão nos jornais locais ao promover uma passeata em prol da libertação dos escravos. Tal manifestação reuniu mais de uma centena de mulheres e, ao longo do trajeto pelas ruas de Recife, contou com a adesão de muitos homens. Quando a abolição foi proclamada, em 13 de maio de 1888, Leonor e suas companheiras, preocupadas com o destino dos novos libertos, voltaram seus esforços para sua alfabetização e preparo, ensinando-lhes técnicas de trabalhos manuais.

Leonor Porto faleceu no Rio de Janeiro, no ano de 1906. Seu nome foi dado a uma escola pública estadual em Recife.

Fontes: Fernando da Cruz Gouvêa, *Abolição: a liberdade veio do norte*; *Jornal do Commercio* (PE), 12.11.1998; Leonardo Dantas Silva, *A imprensa e a abolição* e *A abolição em Pernambuco*; Luzilá Gonçalves Ferreira, "Mulheres e escravos se entendem: feminismo e abolição em Pernambuco", in *Arrecifes*; Orlando Parahym, *José Mariano*.

Leonor Soares (séc.XVI)

Colonizadora da Bahia.

Nasceu em Portugal e casou-se com Simão da Gama Andrade. Veio para o Brasil com as filhas, em 1550, acompanhando o marido, comandante de uma pequena nau. Com a família vieram, também, duas missões de jesuítas. O casal resolveu ficar no Brasil e recebeu uma sesmaria na capitania da Bahia. O registro histórico da presença de Leonor e suas filhas é um dos mais antigos documentos referentes a mulheres portuguesas na colônia. O padre Manuel da Nóbrega relatou, em 1559, que o exemplo dado por esta família muito o ajudou, ressaltando que o casal esteve, juntamente com as filhas, na Igreja de São Paulo durante todos os dias da celebração dos ofícios da Semana Santa.

Fonte: Colete Callier-Boisvert, "Les femmes au Brésil au début de la colonisation, à travers la correspondance des missionaires jésuites", *Atas*, "O rosto feminino na expansão portuguesa", 1995.

Leopoldina de Habsburgo-Lorena

(1797-1826)

Primeira imperatriz do Brasil.

Nasceu a 22 de janeiro de 1797, em Viena, filha da imperatriz Maria Teresa Carolina de Bourbon Nápoles e Francisco I da Áustria, rei da Hungria, da Baviera, chefe da Santa Aliança e último dos monarcas europeus a ostentar o título de imperador do Sacro Império. A arquiduquesa Maria Leopoldina Josefa Carolina de Habsburgo-Lorena passou, durante a sua infância, pelas inquietações de todo o continente europeu com as sucessivas invasões de Napoleão I da França, que era seu cunhado, casado com Maria Luísa, uma de suas irmãs. Cresceu e se educou na poderosa corte de Viena, onde, desde cedo, se interessou pelas ciências naturais, estudando especialmente mineralogia e botânica. Como todas as herdeiras e herdeiros reais da época, estava destinada a um casamento dinástico, que visava sobretudo benefícios políticos e a preservação da monarquia.

Desde o começo da década de 1810 a corte portuguesa, instalada no Rio de Janeiro, decidira que havia chegado a hora de casar o príncipe. Deveria ser uma união que cumprisse os propósitos diplomáticos e estreitasse as relações entre Portugal e alguma grande potência européia. Após complexas negociações, foi acertado que a esposa de Pedro seria a arquiduquesa da Áustria, pois representaria o espírito e os objetivos da Santa Aliança. Ficando assim decidido, em janeiro de 1817, D. João VI enviou o marquês de Marialva à Viena para concluir o contrato entre as duas casas reais. Leopoldina aceitou o matrimônio, pois esse era o desejo de seu pai e certamente convinha aos interesses austríacos, além de agradá-la a perspectiva da aventura de habitar em uma terra tão distante e diferente da sua. Após a confirmação oficial do pacto, começou a se preparar para a nova vida que teria no Rio de Janeiro. Realizou sucessivas reuniões com os naturalistas que já haviam estado no Brasil, aprendeu português e dedicou-se mais ainda aos estudos de música, pois sabia que era um dos grandes prazeres de seus futuros familiares.

Casou-se então, por procuração, a 13 de maio de 1817, na Igreja dos Agostinhos em Viena, tendo seu tio, o arquiduque Karl, representado o noivo D. Pedro. A Coroa portuguesa não poupou esforços e cifras para a realização de uma suntuosa festa nos jardins imperiais de Angarten, impressionando definitivamente a corte austríaca. Exatamente um mês depois, a 13 de junho, Leopoldina chegava a Florença, de onde partiria, do porto de Livorno, para o Rio de Janeiro. Porém teve que esperar as resoluções diplomáticas para os contratempos que surgiam. Nesse período haviam chegado à Europa as notícias da revolução pernambucana, e tanto a Coroa inglesa quanto Carlota Joaquina* aproveitaram o clima de medo para tentar, de várias maneiras, convencer Francisco I a não deixar a arquiduquesa seguir viagem, pois queriam o retorno da corte portuguesa à Lisboa. Leopoldina foi firme e irredutível em seu propósito de embarcar para o Brasil, o que fez a 13 de agosto, subindo a bordo da nau portuguesa *D. João VI* com sua comitiva e uma bagagem de 42 caixas, contendo especialmente livros.

A esquadra chegou ao Rio de Janeiro na tarde do dia 5 de novembro, sendo saudada com fogos e tiros de canhões de todas as fortalezas. A família real aguardava no Arsenal de Marinha e, segundo relatos da época, Pedro se decepcionou ao ver os traços germânicos da esposa. Haviam planejado uma grande recepção para Leopoldina e toda a população a esperava ansiosamente. Ornamentaram as casas e ruas com flores e arcos magníficos, alguns de autoria de Grandjean de Montigny e Jean-Baptiste Debret. No dia seguinte, a princesa desembarcou, tomou a carruagem luxuosamente preparada e percorreu a cidade, acompanhada por um enorme cortejo até a Capela Real, onde enfim realizou-se a cerimônia de casamento, seguida de comemorações que duraram 2 dias.

Apesar do fascínio pela fauna e flora local e do absoluto encantamento com a paisagem que encontrou, Leopoldina teve de início dificuldades em se adaptar ao Rio de Janeiro, sobretudo ao clima quente, além de ter ficado perplexa com a escravidão e com o hábito de alguns padres freqüentarem tabernas e bordéis. Foi morar no Palácio de São Cristóvão, onde D. João VI e D. Pedro viviam separados de Carlota Joaquina, que habitava o Paço da Cidade com as filhas. Sua correspondência era extensa, mandando sempre notícias para seus familiares na Europa, descrevendo suas impressões e opiniões sobre o país, a natureza e a corte portuguesa. Gostava de andar a cavalo e vestia-se normalmente com trajes de montaria; botas, camisa e gravatas masculinas e, por comodidade ou calor, não usava colete ou espartilhos. Atirava bem, freqüentemente indo caçar e em seus passeios diários colhia flores, folhas, insetos e pedras. Pintava aquarelas, fazia versos, tocava piano e lia constantemente.

Nos primeiros anos, a aproximação com o marido se deu especialmente por sua inteligência e cultura, o príncipe gostando muito de escutar histórias das cortes européias, além de aprender a língua alemã e de ser apresentado aos pensamentos de autores que Leopoldina admirava. Faziam constantemente cavalgadas pela Floresta da Tijuca, visitavam o Jardim Botânico e encontravam-se para horas de música.

D. João VI era um de seus principais interlocutores; logo conquistou a consideração do sogro, o qual convenceu a desapropriar e acabar definitivamente com as fazendas de café que destruíam a floresta em torno da cidade. Usou ainda seu prestígio para estimular o início de um projeto de replantio que mantivesse a preservação sistemática das matas, pois reconhecia nelas uma das maiores riquezas do país. Na área de estudos científicos, foi co-responsável pela vinda de célebres naturalistas como Spix e Martius, entre outros sábios que começaram uma vasta catalogação e classificação da mineralogia, flora e fauna do Brasil. Leopoldina ordenou a reorganização da Casa dos Pássaros, que veio a ser o Museu Nacional, e fundou em uma pequena sala do Palácio de São Cristóvão o Museu de História Natural.

Seu séquito era bem pequeno, pois a maioria dos que vieram em sua comitiva retornou em menos de um ano. Manteve sempre uma atitude cordial com todos da corte e se preservava das intrigas palacianas. Aproximou-se dos artistas e intelectuais, cultivando a amizade de pessoas como José Bonifácio, com quem vivenciou momentos críticos da história brasileira.

No campo político atuou de diferentes maneiras, tanto com a influência que exercia prudentemente no governo monárquico quanto com sua participação decisiva na defesa da soberania do Brasil. Desde 1821, com o retorno da família real à Lisboa, a então princesa, na época grávida, intercedeu para que seu marido permanecesse no país. A partir de então, Portugal agiu para reconduzir o Brasil à condição de colônia, dando mais motivos à indignação popular e aos conseqüentes conflitos de interesses em todo o território nacional. Nos dois episódios históricos de 1822, Leopoldina esteve na defesa da emancipação brasileira. Em 13 de agosto, desse mesmo ano, D. Pedro viajou para São Paulo, e Leopoldina assumiu pela primeira vez a regência do país. Durante esse período, no dia 2 de setembro, presidiu a sessão do Conselho de Estado na qual deliberou a separação entre os dois reinos, fazendo registrar na ata a assinatura de todos os ministros. Documentos afirmam que a independência foi oficialmente decidida nesta ocasião, e alguns dias depois proclamada por D. Pedro às margens do rio Ipiranga. Foi coroada imperatriz do Brasil em 1º de dezembro, sendo considerada por alguns historiadores como a defensora do Fico e a Paladina da Independência.

Durante os nove anos de casamento experimentou a instabilidade amorosa do marido, sofrendo com as situações de humilhação que os romances produziam. Ficou especialmente transtornada depois de janeiro de 1823, quando D. Pedro I levou sua amante, Domitila de Castro do Canto e Melo para a corte. Concedeu-lhe o título de marquesa de Santos*, nomeou-a camareira-mor, contra a vontade da imperatriz, e legitimou posteriormente as filhas que nasceram dessa relação.

Leopoldina teve sete crianças: a primogênita Maria da Glória, nasceu a 4 de abril de 1819 e se tornou a rainha Dona Maria II de Portugal; Miguel, março de 1820, faleceu ao nascer; João Carlos, 6 de março de 1821, morreu ainda bebê; Januária Maria, 11 de março de 1822; Paula Mariana, 17 de fevereiro de 1823; Francisca Carolina, 2 de agosto de 1824 e Pedro de Alcântara, 2 de dezembro de 1825, que se tornou Pedro II, herdeiro da coroa e segundo imperador do Brasil.

Em novembro de 1826, assumiu pela segunda vez a regência do Brasil, enquanto o imperador viajava para o sul, onde foi acompanhar de perto os conflitos cisplatinos. Estava grávida e ficou profundamente doente, tendo convulsões devido a uma febre alta, seguida de eclampsia e aborto, o que causou um processo de septicemia. Padeceu ao todo duas semanas. Durante sua agonia, vários boatos correram na corte; uns diziam que havia sido envenenada, outros comentavam as razões do aborto, que teria acontecido em decorrência de um pontapé dado por D. Pedro I, quando ela se recusara a entrar no mesmo salão do palácio onde Domitila estaria presente. Não existem provas históricas que corroborem tais fatos, porém é certo que o caso amoroso entre o imperador e a marquesa já abalava há muito tempo o estado de ânimo de Leopoldina, sobretudo pela sinistra influência que a amante oficial exercia na corte. O ministro austríaco, barão Mareschal, fez um comovente relato a Maria Graham*. Disse que Domitila teve a brutalidade de querer se fixar nos aposentos da imperatriz quando a infecção se agravou. Em um momento de lucidez, na terrível dor, ao ver a mulher aproximar-se, Leopoldina começou a gritar, chamando o marido, que estava ausente, implorando para livrá-la da detestável criatura. Em seguida, o marquês de Paranaguá segurou a marquesa pelo braço e a conduziu a força para fora do quarto.

Tanto a imprensa quanto a população mobilizaram-se consternadas com a aflição daqueles últimos dias de vida da imperatriz. Pessoas de todas as classes sociais lotaram as igrejas com suas preces, fazendo promessas, procissões e vigílias nos portões do Palácio de São Cristóvão.

A primeira mulher a governar interinamente o Brasil faleceu na manhã do dia 11 de dezembro de 1826, no Rio de Janeiro, sendo sepultada, três dias depois, com todas as honras no Convento de Nossa Senhora da Ajuda. Sua morte causou grande comoção, tendo sido inúmeras as manifestações de dor e pesar pela perda da imperatriz regente. A cidade inteira acompanhou o enterro chorando e muitos se revoltaram, preocupando a polícia, que chegou a montar guarda na casa da marquesa de Santos, temendo possíveis atentados.

Leopoldina está presente no cotidiano de quase toda a população brasileira. Seu nome foi dado a municípios, ruas, praças, avenidas e bairros de grandes e pequenas cidades do país, havendo também uma grande escola de samba carioca chamada Imperatriz Leopoldinense.

Seus restos mortais encontram-se na cripta do Ipiranga, em São Paulo.

Fontes: Glória Kaiser, *D. Leopoldina: uma Habsburg no trono brasileiro*; Januário da Cunha Barbosa, *Oração fúnebre que nas exéquias de Sua Majestade Imperial — a Senhora D. Maria Leopoldina Josefa Carolina, arquiduquesa d'Áustria e primeira imperatriz do Brasil — celebradas na imperial capela, no dia 26 de janeiro deste ano*; Joaquim Pereira dos Reis, *Oração fúnebre que nas exéquias de Sua Majestade Imperial, a Senhora D. Leopoldina, celebradas na vila de Santo Antônio de Sá, no dia 15 de março de 1827*; Johanna Pantner, *Imperatriz Leopoldina do Brasil: uma contribuição da Casa Habsburg-lothiringen e da cultura austríaca ao desenvolvimento do Brasil durante a monarquia no século XIX*; Max Fleiuss, *Páginas de história;* Ministério da Educação e Saúde, *Correspondência entre Maria Graham e a imperatriz D. Leopoldina e cartas anexas*; Octávio Tarquínio de Souza, *A vida de D. Pedro I*; Paulo Napoleão Nogueira da Silva, *Pedro I, O português brasileiro.*

Liberata (c.1780-?)

Escrava, lutou na Justiça por sua liberdade.

Até seus 10 anos, a escrava Liberata pertenceu a Custódio Rodrigues. Foi, então, comprada na vila de Paranaguá por José Vieira Rebelo, morador na enseada das Garoupas, no litoral catarinense.

Seu primeiro filho, João, fruto de abusos de seu senhor, foi reconhecido por José Vieira Rebelo. Liberata passou a ser perseguida pela senhora Rebelo e por seus filhos, pois era a prova inconteste da "vergonha" da família. Não querendo continuar naquela vida com seu senhor, Liberata decidiu procurar um negro para se casar. Não tardou, porém, que tornasse a engravidar de José Vieira e, temendo os castigos da família, declarou seu segundo filho como cativo.

Em quatro ocasiões, Liberata viu Ana Vieira, auxiliada por seu pai, José Vieira, assassinar e sumir com os cadáveres dos filhos que acabara de parir. Um desses bebês era filho de Ana com Joaquim, um negro da casa; pai e filha lançaram-no ao mar, diante de todos os escravos.

Não acreditando na promessa de Vieira de que, quando ele morresse, seria alforriada, Liberata começou a lutar por sua liberdade. Nesta época conheceu o negro José Pinheiro, disposto a se casar com ela. José e Liberata reuniram o quanto puderam e ofereceram mais de 115 contos a Vieira pelo consentimento do casamento e da liberdade. O valor, porém, era muito inferior ao estipulado pelo senhor.

No início de julho de 1813, chegou às mãos do juiz municipal do Desterro um requerimento em que eram mencionadas as promessas de liberdade de Vieira feitas a Liberata e a seus filhos. Tal requerimento fora escrito pelo curador do caso, Francisco Rebelo, e desconhece-se como Liberata conseguiu que este senhor a defendesse.

Vieira ignorou os primeiros chamados de comparecimento à Justiça. Porém, com a recorrência dos mandados, diante da ameaça da abertura de uma ação de liberdade e ainda temendo que fosse denunciado pelos crimes que Liberata havia testemunhado, José Vieira fez uma troca ilegal de escravos com seu enteado, Floriano José Marques. Sendo assim, este, que nenhuma promessa havia feito a Liberata, passou a responder como seu senhor.

De setembro de 1813 até meados do ano seguinte, foram muitos os requerimentos dirigidos ao juiz. Os de Floriano Marques pediam o levantamento do depósito de Liberata e os de Francisco Rebelo denunciavam a farsa da troca de escravos. Até que o curador, com o consentimento de Liberata, resolveu revelar a verdadeira razão pela qual Vieira não queria figurar como réu no processo, relatando os assassinatos ocorridos.

Em julho de 1814, Liberata confirmou na Justiça a versão de seu curador e argumentou que não falara antes por medo. Um mês mais tarde, Rebelo pediu ao juiz que nomeasse outro curador para a ação.

Liberata acabou desistindo da luta judicial em troca da liberdade incondicional oferecida por Floriano Marques. Em acordo privado com José Vieira, garantiu seu silêncio sobre os crimes, recebendo em contrapartida uma doação de terras em nome do filho.

A ex-escrava casou-se com José Pinheiro, com quem teve dois filhos, José e Joaquina.

Fonte: Keila Grinberg, *Liberata: a lei da ambigüidade. As ações de liberdade da Corte de Apelação do Rio de Janeiro, século XIX.*

Lícia Prado Lopes (séc.XX)

Arquiteta.

Nasceu em Minas Gerais. Lícia era filha do engenheiro Antônio do Prado Lopes Pereira, um dos coordenadores do projeto de criação de Belo Horizonte. Formou-se pela Escola Nacional de Belas-Artes, em 1937, e foi estagiária na Secretaria de Obras do Distrito Federal. Pioneira em sua profissão, Lícia foi uma das fundadoras, junto a Carmen Portinho* e a Clara Steinberg*, da Associação Brasileira de Engenheiras e Arquitetas (ABEA), criada no Rio de Janeiro no ano de sua formatura.

Fonte: *Jornal do Clube de Engenharia*, set 1997.

Lida Monteiro da Silva (1920-80)

Vítima de ação terrorista.

Lida Monteiro da Silva nasceu em Niterói no dia 5 de dezembro de 1920, filha de Ludovina Monteiro da Silva e Luiz Monteiro da Silva. Foi casada durante 35 anos com o desembargador Mário Dias, com quem teve seu único filho, Luiz Felipe Monteiro Dias. Era a mais antiga funcionária da Ordem dos Advogados do Brasil (OAB), com 60 anos, e faleceu no dia 27 de agosto de 1980, na sede da OAB no Rio de Janeiro, vítima de uma carta-bomba que explodiu sobre sua mesa. Esse envelope era dirigido por um grupo terrorista à presidência da OAB. Lida, como secretária do então presidente Eduardo Seabra Fagundes e no exercício de suas obrigações funcionais, foi a única vítima fatal. A morte de Lida ficou como símbolo da resistência brasileira na luta pela democracia e seu enterro foi acompanhado de 10 mil pessoas, transformando-se numa verdadeira manifestação, em que a população gritava "abaixo a ditadura". Seu corpo foi levado numa kombi coberta com a bandeira nacional e o cortejo percorreu nove quilômetros desde a sede da OAB no centro da cidade até o cemitério São João Batista, no bairro de Botafogo, no Rio de Janeiro. A notícia da sua morte comoveu o Brasil, chegando a provocar um pronunciamento do então presidente da República, general Figueiredo ("*agora os facínoras matam inocentes*"), e outro do ministro da Justiça da época, Abi-Ackel, ambos vindo à público condenar um dos mais trágicos atos terroristas praticados pelas forças de direita no Brasil.

Fontes: *O Dia* 1.9.1980, 3.9.1980; *Última Hora*, 29.8.1980; *Jornal do Brasil*, 5.12.1987; *IstoÉ*, 20 e 27 de março de 1996; *Jornal do Brasil*, 17.3.1996; Entrevista com Ísis Monteiro Bittencourt.

Liddy Chiaffarelli Mignone (1891-1961)

Professora de música.

Nasceu em São Paulo (SP) em 9 de maio de 1891. Elisa Hedwig Carolina Mankel Chiaffarelli era filha de Luigi Chiaffarelli, um dos mais conceituados professores de piano de sua época em São Paulo. Seu pai foi o grande responsável pela sólida formação de Liddy em piano, música, línguas e humanidades. Estudou também canto com madame Bourron, por volta de 1910. Casou-se com Francisco Mignone, um dos mais importantes compositores brasileiros.

Estimulada pelos métodos inovadores de musicalização infantil do professor Antônio de Sá Pereira e com o auxílio de Naide Jaguaribe de Alencar Sá Pereira, foi pioneira ao fundar, em 1937, o curso de iniciação musical no Conservatório Brasileiro de Música do Rio de Janeiro. Dedicou-se ao ensino de piano e, em 1948, criou no mesmo conservatório um curso de educação musical especificamente para professores. Promoveu, no Rio de Janeiro e em São Paulo, diversos eventos com a intenção de incentivar a iniciação musical.

Compôs algumas peças para jovens pianistas e escreveu o *Guia para o professor de recreação musical*. Liddy representou o Brasil na Conferência Interamericana de Especialidades em Educação Musical, em 1960 na Costa Rica.

Faleceu aos 70 anos, no dia 26 de novembro de 1961 em acidente aéreo no Rio de Janeiro. Dedicou sua vida a propagar os métodos de iniciação musical no Brasil.

Fontes: *Enciclopédia da música brasileira: popular, erudita e folclórica*; Eli Maria Rocha, *Nós, as mulheres*.

Lídia (séc.XX)

Cangaceira.

Nasceu na fazenda Salgadinho, situada entre a cidade de Paulo Afonso e o lugarejo conhecido por Juá, na região nordeste da Bahia. Chamava-se Lídia Figueiredo Vieira de Barros. Sua mãe era conhecida pelo nome de Baló e seu pai chamava-se Luís Pereira. Era considerada a mulher mais bonita do cangaço.

Teve um relacionamento amoroso com o cangaceiro Zé Baiano, pseudônimo do ex-pedreiro Aleixo, de Chorrochó, conhecido pela fama de perverso e pelo terror que sua presença causava. A maneira carinhosa com que ele tratava Lídia chamava a atenção do grupo de cangaceiros. Relatos atestam que lhe dava de comer, limpava seus lábios com guardanapo e ainda cobria-a com jóias, tornando-a a mulher mais rica do bando. O animal que Lídia usou como montaria de 1930 a 1932 era um burro chamado Brinquinho, presente de seu companheiro, que o enfeitou com ricos arreios, obra de um perito e caprichoso artesão.

Lídia despertou a paixão de Bem-Te-Vi, um cangaceiro do bando de Corisco, e passou a manter um romance com ele durante as viagens de Zé Baiano. Foram flagrados por Coqueiro, cabra do grupo de Lampião, que tentou chantageá-la, exigindo que também se deitasse com ele. A proposta foi recusada, e logo que Zé Baiano retornou de sua viagem, o chantagista cumpriu a ameaça, fazendo a denúncia na presença de vários componentes do bando. Sem se acovardar, Lídia argumentou, afirmando que o fato só viera a público porque se negara a manter relações sexuais com Coqueiro. Lampião rapidamente percebeu tudo e fez sinal para que um subalterno matasse o intrigante. O amante, Bem-Te-Vi, sabendo que Zé Baiano jamais os perdoaria, fugiu para Alagoas onde, protegido por seu chefe Corisco, passou a atuar com o nome de Jacaré. Lídia foi amarrada a uma árvore durante toda aquela noite, e ao amanhecer foi morta. Dadá*, que estava presente aos acontecimentos, afirmou que Lídia foi trucidada a pau, tendo braços, pernas e cabeça quebrados.

Fontes: Antônio Amauri Corrêa de Araújo, *Lampião: as mulheres e o cangaço*; *Assim morreu Lampião* e *Gente de Lampião: Dadá e Corisco* • Colaboração especial de Antônio Amauri Corrêa de Araújo.

Lídia Cunha (1921-87)

Ativista do movimento de mulheres.

Nasceu em 27 de janeiro de 1921, no Rio de Janeiro (RJ). Lídia Dias Alves Cunha era filha de Isaura de Oliveira e de Lionel Dias Alves de Oliveira. Diplomou-se como técnica em contabilidade e casou-se em 1941 com o militante comunista José Antônio da Cunha, contabilista e fundador do Sindicato dos Bancários. O casal, que teve quatro filhas, foi morar no município de Duque de Caxias (RJ), onde José foi eleito vereador pelo Partido Comunista Brasileiro (PCB) em 1945.

Durante o Estado Novo, Lídia integrou-se ao movimento feminino pela anistia e foi uma das fundadoras da União Feminina de Duque de Caxias. Esta organização, com forte influência do PCB, foi criada nos anos 1940 com o objetivo de lutar por melhores condições de vida e cidadania para as mulheres. Apesar de Lídia nunca ter se filiado ao PCB, atuou no movimento social sempre em parceria com as militantes comunistas. Teve um relevante papel na Federação de Mulheres do Brasil*, ocupando a secretaria-geral da entidade de 1955 até o seu fechamento no governo Kubitschek.

Em 1953, Lídia foi delegada brasileira no Congresso Internacional de Mulheres de Copenhague, aproveitando para visitar Moscou nesta mesma ocasião. Viajou também à China, participando do intercâmbio entre os movimentos de mulheres dos dois países.

Candidatou-se a vereadora de Duque de Caxias pela legenda do Partido Trabalhista Brasileiro (PTB) nas eleições de 1962, com uma plataforma de luta pela cidadania feminina, porém não conseguiu se eleger. Foi cassada pelo Ato Institucional nº 1 do cargo público que exercia na Secretaria da Fazenda do Rio de Janeiro, obtido por concurso. Com a expansão do movimento de mulheres em 1975, filiou-se ao Centro da Mulher Brasileira (CMB), organização feminista onde atuou com afinco e dedicação até sua morte.

Lídia Cunha faleceu no Rio de Janeiro, no dia 1º de julho de 1987.

Fonte: Entrevista de Dora Cunha, filha de Lídia Cunha, concedida a Hildete Pereira de Melo em 10.5.1999.

Lígia Clark (1920-88)

Artista plástica.

Nasceu em 23 de outubro de 1920, em Belo Horizonte (MG) e fez os primeiros estudos de arte no Rio de Janeiro (RJ), em 1947, com Roberto Burle Marx. No final da década de 1940, viajou para a Europa, onde recebeu orientação de Léger, Arpaz Szenes e Dobrinsky. Em 1952, realizou sua primeira exposição individual, em Paris, no Instituto Endoplástico.

Ao voltar de Paris, realizou muitas outras exposições individuais no Rio de Janeiro, São Paulo, Nova York, Londres, Alemanha, entre outros. Teve direito a uma Sala Especial na I Bienal Nacional de Artes Plásticas, realizada na Bahia em 1966, e na Bienal de Veneza, Itália, em 1968.

Sua pintura, inovadora, mereceu as seguintes palavras do crítico Mário Pedrosa: "Lígia Clark arrebentou a moldura do quadro, passou a integrá-la no retângulo e depois, com as superfícies modulares, rompeu com a noção mesma de quadro, passando a construir planos justapostos ou superpostos, até chegar às constelações suspensas à parede, aos contra-relevos e casulos."

Suas esculturas manipuláveis, que ela denominava "bichos", por serem fundamentalmente orgânicas, foram outra manifestação de seu talento revolucionário.

Lígia acreditava nos poderes transformadores da arte. Quando retornou da Universidade da Sorbonne, França, no final dos anos 1970, construiu em seu apartamento de Copacabana um consultório experimental. Adotou uma atitude terapêutica fundada no contato corporal do "paciente" com os chamados "objetos relacionais": almofadas leves com bolinhas de poliestireno; almofadas pesadas com areia de praia; sacos plásticos cheios de ar, água ou sementes; ou meias-calças com bolas de tênis ou pingue-pongue, pedras e conchas partidas, objetos que, segundo Lígia, ao serem aplicados ao corpo das pessoas, ajudavam-nas a vencer o estresse e conseguir maior integridade.

Faleceu no Rio de Janeiro, em 25 de abril de 1988.

Fontes: Carlos Cavalcanti (org.), *Dicionário brasileiro de artistas plásticos*; *Folha de S.Paulo*, 10.6.1999; Frederico Morais, *Cronologia das artes plásticas no Rio de Janeiro, 1816-1994;* Ricardo Nascimento Fabrini, *O essencial do desejo* e *O espaço de Lígia Clark*; Walmir Ayala, *Dicionário de pintores brasileiros.*

Lígia Doutel de Andrade (1934 -)

Política.

Nasceu em 28 de setembro de 1934, em Florianópolis (SC), filha de Ana Elisa Ribeiro Moelmann e de José Costa Moelmann. Casou-se com o político catarinense Armindo Marcílio Doutel de Andrade, dirigente do Partido Trabalhista Brasileiro (PTB) e deputado federal. Após a cassação de seu marido pelo Ato Institucional nº 2, do dia 27 de outubro de 1965, Lígia iniciou-se na vida política. Candidatou-se a deputada federal no pleito de 1966, concorrendo pela legenda do Movimento Democrático Brasileiro (MDB).

Herdeira do prestígio político do marido, Lígia elegeu-se com a maior votação do estado, obtendo 45.000 votos, numa campanha memorável de resistência ao arbítrio. Assumiu o mandato em 1967, mas sua combatividade no exercício parlamentar, na defesa das liberdades democráticas, incomodou os militares e Lígia foi cassada em 30 de setembro de 1969, tendo seus direitos políticos sustados por 10 anos, com base no Ato Institucional nº 5, de 13 de dezembro de 1968. Sem o mandato e com os direitos políticos suspensos, prestou vestibular e cursou história na Pontifícia Universidade Católica do Rio de Janeiro (PUC-Rio).

Com a mobilização da sociedade na luta contra a ditadura, ingressou no Movimento Feminino pela Anistia e abraçou a causa das mulheres, que ganhava novos espaços e visibilidade naqueles anos no Brasil. Voltou à vida partidária depois da anistia, em 1979, e foi uma das fundadoras do Partido Democrático Trabalhista (PDT), e candidata ao governo de Santa Catarina em 1982, mas não conseguiu se eleger.

Lígia mudou-se para o Rio de Janeiro e, com a vitória de Leonel Brizola para o governo do estado em 1982, assumiu a presidência do Conselho Estadual dos Direitos da Mulher (CEDIM) entre 1991 e 1994. Designada representante do PDT na Internacional Socialista de Mulheres, em 1991 foi eleita, por dois mandatos, vice-presidente desta entidade para a América Latina e, em 1999, assumiu a presidência do Movimento Nacional de Mulheres do PDT. Preside atualmente, pela segunda vez, o CEDIM do Estado do Rio de Janeiro.

Fonte: Alzira Abreu e Israel Beloch, *Dicionário histórico-biográfico brasileiro*; Entrevista com Hildete Pereira de Melo em 2000.

Lígia Fagundes Teles (1923-)

Escritora.

Nasceu em 19 de abril de 1923, em São Paulo (SP). Lígia é filha de Maria do Rosário Azevedo Fagundes e do promotor e delegado de polícia Durval de Azevedo Fagundes. Em 1937 concluiu, no Instituto de Educação, o curso normal e em 1939, o de educação física. Diplomou-se em 1945 pela Faculdade de Direito de São Paulo, onde conheceu Gofredo da Silva Teles Jr., seu professor, com quem veio a se casar em 1947. Nesta época trabalhou na Secretaria de Agricultura do estado de São Paulo para poder se sustentar. Não chegou a exercer a advocacia, dedicando-se inteiramente à literatura. Separada de Gofredo, Lígia viveu durante muitos anos um caso de amor com o escritor e crítico de cinema Paulo Emílio Sales Gomes, falecido em 1977.

Desde sua juventude, lia com paixão as obras de grandes escritores. Iniciou sua carreira como contista escrevendo *Vidoca*, que foi premiado em concurso da revista *A Cigarra*. Seus dois primeiros livros, *Porões e sobrados*, de 1938, e *Praia viva*, de 1944, são coletâneas de contos, gênero que a consagrou como uma das grandes damas da literatura nacional. Em 1949, passou a colaborar semanalmente para o "Suplemento de Letras e Artes" do jornal *A Manhã*, com as "Crônicas do Planalto". Nesse mesmo ano, teve seu talento reconhecido com o primeiro de uma série de importantes prêmios: Afonso Arinos da Academia Brasileira de Letras por *O cáctus vermelho*; Artur Azevedo do Instituto Nacional do Livro por *Histórias do desencontro*, em 1958; I Concurso Nacional de Contos, realizado em Curitiba (PR), em 1968; Concurso Literário de Cannes, pelo conto em francês *Le bal vert,* de 1969, que foi publicado no Brasil em 1970, no livro *Antes do baile verde*.

A produção de Lígia é bastante vasta. Inclui, dentre outras obras: *Histórias escolhidas* (1961), *Verão no aquário* (1963), *Jardim selvagem* (1965), *Selecta* (1972), *As meninas* (1973), *Seminário dos ratos* (1977), *Filhos pródigos* (1978), *A disciplina do amor* (1980), *Mistérios* (1981), *A noite escura e mais eu* (1995).

Alguns de seus trabalhos, como *Já não se faz amor como antigamente*, *A caçada* e *As meninas*, foram adaptados para o cinema e para a televisão. O romance *Ciranda de pedra*, publicado em 1945, foi roteiro de uma novela da TV Globo.

Foi consagrada como uma das maiores escritoras brasileiras contemporâneas ao ser eleita em 1985 para ocupar a cadeira número 16 da Academia Brasileira de Letras. Foi a terceira mulher a integrar esta instituição, depois de Raquel de Queirós* e Dinah Silveira de Queirós*. Lígia foi a grande homenageada na Bienal do Livro de São Paulo de 2000.

Fontes: Carolina Ribeiro de Oliveira, *Biografias de personalidades célebres;* Raimundo de Menezes, *Dicionário literário brasileiro ilustrado.*

Lígia Lessa Bastos (1919-)

Professora e política.

Nasceu em 9 de setembro de 1919, no Rio de Janeiro (RJ). Lígia Maria Lessa Bastos é filha de Maria Flora Lessa Bastos e do coronel José Lessa Bastos. Seu avô materno, o general João Gomes, foi ministro da Guerra de 1935 a 1936.

Lígia é a mulher de carreira política mais duradoura de toda a América Latina. Permaneceu na cena pública por quase 40 anos, exercendo os mandatos de vereadora, deputada estadual e federal. Disputou e ganhou 10 eleições, façanha invejável para qualquer político.

Formou-se no Instituto de Educação, em 1937, e diplomou-se em educação física em 1938, sendo nomeada professora adjunta da Escola Nacional de Educação Física em 1939. Trabalhou como professora dessa disciplina em diversas escolas do Rio de Janeiro. Foi diretora do departamento feminino do Clube de Regatas Vasco da Gama e do Tijuca Tênis Clube. Foi também membro da Cruz Vermelha Brasileira, da União das Professoras Primárias do Rio de Janeiro e da Associação dos Professores de Educação Física do Rio de Janeiro.

Suas atividades políticas iniciaram-se em 1945, quando desempenhou importante papel na campanha da União Democrática Nacional (UDN) à presidência da República. O apoio ao candidato udenista, brigadeiro Eduardo Gomes, gerou forte reação de Dona Santinha, que se sentiu ofendida por ser amiga da família Lessa Bastos e esposa do concorrente general Dutra. Com a vitória de Dutra, Lígia foi transferida para uma escola na Ilha do Governador. Esta espécie de punição teve grande repercussão no meio do professorado e foi a origem da candidatura de Lígia a vereadora nas eleições de janeiro de 1947, pela UDN. Seu enorme prestígio entre os professores cariocas ajudou a elegê-la com expressiva votação. Foi sucessivamente reeleita para a Câmara Municipal nos pleitos de 1950, 1954 e 1958, sempre pela mesma legenda. Em seu segundo mandato (1951-1955), foi membro da Comissão de Educação e 1ª secretária da Mesa da Câmara Municipal do antigo Distrito Federal.

Em 1960, elegeu-se deputada pela UDN, integrando a Assembléia Constituinte do recém-criado estado da Guanabara. Lacerdista convicta, reelegeu-se deputada estadual em 1962. Apoiou o golpe militar de 1964, que instaurou a ditadura no Brasil e extinguiu os partidos políticos, instalando posteriormente o bipartidarismo. Lígia filiou-se então à Aliança Renovadora Nacional (Arena), fazendo parte do diretório nacional desse partido e voltando a se eleger deputada estadual na Guanabara nas eleições de 1966 e de 1970.

Seus principais projetos transformados em lei foram a criação do Banco de Leite Materno, da Escola de Readaptação de Menores, do Conselho Estadual de Educação e da Loteria da Guanabara. Conseguiu também a concessão de aposentadoria aos 25 anos de serviço para os professores primários e a autorização para que a Secretaria de Educação, às expensas do Estado, matriculasse alunos necessitados em colégios particulares.

Em 1974, elegeu-se deputada federal pela Arena e foi, naquela legislatura, a única mulher na Câmara Federal. Teve intensa participação nas atividades parlamentares: foi porta-voz da Arena na Câmara Federal, integrou a Comissão de Educação e Cultura e foi suplente da Comissão de Trabalho e Legislação Social. No ano de 1975, foi relatora substituta da Comissão Parlamentar de Inquérito que investigou o problema da criança e do menor carente no Brasil. Em 1976, encarregou-se da relatoria do Projeto Rondon. Em 1977, presidiu a Comissão Mista sobre o Divórcio, foi relatora do Seminário do Ensino Superior, promovido pela Câmara dos Deputados e da Comissão Mista de Inquérito que examinou a situação da mulher em todos os setores de atividades.

Lígia reelegeu-se deputada federal em 1978. Com o fim do bipartidarismo, filiou-se ao Partido Democrático Social (PDS), e ao término do seu mandato, em 1983, não mais voltou à vida pública. Vive discretamente na cidade do Rio de Janeiro.

Ao longo de sua carreira política, recebeu muitas condecorações, entre as quais, a Cruz do Mérito da Cruz Vermelha Brasileira, a Medalha do Sesquicentenário de Nascimento de

D. Pedro II e a Gran-Cruz da Ordem Estadual do Mérito Estácio de Sá.

Fontes: Alzira Abreu e Israel Beloch, *Dicionário histórico-biográfico brasileiro*; TSE, *Deputados brasileiros, 1979-1983 e Dados estatísticos*; Entrevista concedida a Hildete Pereira de Melo e Teresa Novaes no dia 12.8.1999.

Lígia Maria Salgado Nóbrega
(1947-72)
Ativista política, vítima da ditadura militar.

Nasceu em 3 de julho de 1947, em Natal (RN). Era filha de Nali Ruth Salgado Nóbrega e de Georgino Nóbrega. Estudou no Colégio Estadual Fernão Dias Pais, em São Paulo (SP). Em 1967, entrou para o curso de pedagogia da Universidade de São Paulo (USP), e logo se destacou na liderança do movimento estudantil e também como excelente aluna. Em 1970 tornou-se militante da Vanguarda Armada Revolucionária Palmares (VAR-Palmares), grupo que optou pela luta aberta contra a ditadura. No dia 20 de março de 1972 foi morta, junto com Antônio Marcos Pinto de Oliveira e Maria Regina Lobo Leite de Figueiredo*, em um tiroteio com forças militares na avenida Suburbana (RJ).

Fonte: Maria do Amparo Almeida Araújo et al., *Dossiê dos mortos e desaparecidos políticos a partir de 1964.*

Lila Ripoll (1916-67)
Poetisa.

Nasceu em 12 de agosto de 1916, em Quaraí (RS), filha de Leonor Pinto e de Florentino Ripoll. Concluiu os estudos secundários na capital, Porto Alegre. Matriculou-se no Conservatório de Música, hoje Instituto de Artes da Universidade Federal do Rio Grande do Sul (UFRGS), com o desejo de ser concertista. Casou-se com o engenheiro Alfredo Guedes e pouco tempo depois ficou viúva. O assassinato, por motivos políticos, de seu primo-irmão Waldemar, em abril de 1934, fez com que Lila se voltasse também para a luta por melhores condições de vida para o povo. Lila foi professora de música para crianças, organizou e regeu um coral infantil no Grupo Escolar Venezuela e o Coral dos Metalúrgicos no sindicato da classe em Porto Alegre.

Publicou seu primeiro livro de poemas, *De mãos postas*, em 1938 e em 1941 ganhou o primeiro lugar no concurso promovido pela Academia Brasileira de Letras, com o livro *Céu vazio*. Lançou, em seguida, *Por quê?*, e em 1951 *Novos poemas*, recebendo o Prêmio Pablo Neruda da Paz. Estimulada com a repercussão deste último livro e cada vez mais sensível às causas sociais, Lila escreveu *Poemas e canções* em 1957, *O coração descoberto* (obra mais elogiada pela crítica) em 1961 e *Águas móveis* em 1965. Sua antologia poética foi publicada em 1967.

Foi presidente da Associação Brasileira de Escritores do Rio Grande do Sul. Escreveu, em três atos, a peça de crítica social *Um colar de vidro* apresentada, com sucesso, no Teatro São Pedro, e dirigiu um grupo de atores gaúchos na peça *Orfeu da Conceição*, de Vinícius de Moraes. A poesia, porém, se transformou no seu principal instrumento de luta e, em certos momentos, teve que se sacrificar por ela, como na ocasião em que vendeu seu piano para poder editar um de seus livros.

Lila faleceu em 1967, e os seus poemas sociais ocupam um lugar de destaque na literatura gaúcha e nacional. Em 1968, numa homenagem póstuma, o crítico Walmir Ayala publicou 16 poemas seus em um exemplar dos *Cadernos do Extremo Sul.*

Fontes: Academia Literária Feminina do Rio Grande do Sul, *50 anos de literatura — perfil das patronas*; Ana Montenegro, *Ser ou não ser feminista*; Movimento Feminino do PMDB/RS, *Agenda da mulher 84.*

Lily Lages (1907-)
Primeira deputada estadual de Alagoas.

Maria José Salgado Lages nasceu em 17 de junho de 1907 em Maceió (AL), filha de Maria Salgado Lages e José Gonçalves Lages. Formou-se pela Faculdade de Medicina da Bahia, tendo recbeido o prêmio Alfredo Brito por ter se destacado como aluna de melhor aproveitamento durante o curso. Foi a primeira presidente da Federação pelo Progresso Feminino de Alagoas, entidade fundada em 13 de maio de 1932. Nessa ocasião, proferiu a palestra "A nova mulher e o problema da infância" para o público e autoridades que lotavam o Teatro Deodoro, em Maceió. Lily defendeu a criação de cursos de puericultura e economia doméstica nos estabelecimentos de ensino secundário como forma de minimizar a mortalidade infantil. Pleiteou, ainda, a criação de um "certificado de confissão sanitária", ou seja, um exame pré-nupcial obrigatório. Condenou a prática do aleitamento mercenário e a contratação de amas-de-leite, afirmando que "a mãe que nega o seio ao próprio filho é a mais desprezível das egoístas". A tese defendida em sua conferência foi publicada nos *Anais de Medicina Legal* da Faculdade da Bahia, em 1933.

Eleita para a Assembléia Constituinte do estado de Alagoas em outubro de 1934, tendo sido uma das primeiras do Brasil, participou da elaboração da Carta estadual; contudo não se candidatou nas eleições complementares de 1936 para o mandato regular de deputada estadual, preferindo se dedicar à carreira profissional.

Em junho de 1936, fez o concurso público para o cargo de livre-docente da cadeira de otorrinolaringologia da Faculdade de Medicina da Bahia, da qual já era assistente de clínica desde 1933. Tornou-se, assim, uma das primeiras mulheres a ensinar medicina no Brasil. Posteriormente, mudou-se para o Rio de Janeiro, e começou a lecionar, após concurso, na Faculdade de Medicina da Universidade Federal do Rio de Janeiro (UFRJ). Clinicou como otorrina até os anos 1990 e depois aposentou-se.

Lily Lages inscreve-se no quadro das pioneiras na política, uma vez que fez parte do grupo das nove deputadas estaduais eleitas em 1934, logo após a conquista do voto feminino no Brasil.

Fontes: Arquivo da FBPF, cxs.6 e 2; Federação Brasileira pelo Progresso Feminino, *Boletim*, out/1934, set/1936; Entrevista concedida a Hildete Pereira de Melo em 2.3.2000.

Lina Bo Bardi (1915-92)

Arquiteta.

Estudou no Liceu Artístico Italiano e formou-se em Arquitetura pela Universidade de Roma, cidade onde nasceu. Mudou-se para Milão onde conseguiu estágio com o célebre arquiteto Gió Ponti, com o qual participou de vários projetos urbanísticos.

No início de 1940 organizou um pequeno escritório e passou a trabalhar também como ilustradora de jornais e revistas de Milão, como o *Stile*. De 1941 a 1943 desenvolveu intensa atividade nessa área, colaborando em revistas populares semanais, como *Tempo*, *Grazia* e *Vetrina*, além de editar a coleção *Quaderni di Domus*, sobre artesanato e desenho industrial. Em agosto de 1943, um bombardeio destruiu seu pequeno escritório. Passou, então, a dirigir a revista *Domus*. Em 1944, com outros arquitetos que se reuniam clandestinamente, formou a Organização dos Arquitetos Associados, transformada mais tarde em Movimento Studi Architettura. No ano seguinte, viajou por toda a Itália com um repórter e um fotógrafo, realizando reportagens nas zonas atingidas pela guerra. Mais tarde, em Roma, fundou com Bruno Zevi, conhecido crítico de arquitetura, o semanário *Cultura della Vita* e foi convidada a colaborar com uma coluna sobre arquitetura no jornal *Milano Sera*.

Casou-se com Pietro Maria Bardi, com quem veio para o Brasil em 1956. Na chegada, foram recebidos por arquitetos ilustres como Oscar Niemeyer, Lúcio Costa, Rocha Miranda, Athos Bulcão e Burle Marx. Cinco anos depois, em 1961, naturalizou-se brasileira. Lina e seu marido, junto com o jornalista Assis Chateaubriand, foram os responsáveis pela criação do Museu de Arte Moderna de São Paulo (MASP), cujo projeto é de sua autoria. Também fundou e dirigiu a revista *Habitat* e lecionou na Faculdade de Arquitetura e Urbanismo da USP.

Simpatizante dos comunistas e consciente das necessidades do povo brasileiro, Lina valorizou a arte popular e levou o artesanato aos museus. Deu apoio financeiro ao cineasta Gláuber Rocha e criou a primeira oficina de cinema em São Paulo.

Em Salvador (BA), fundou e dirigiu, de 1959 a 1964, o Museu de Arte Moderna da Bahia. Restaurou o Solar do Unhão, que se tornou o Museu de Arte Popular. Dirigiu projetos de recuperação do centro histórico de Salvador (1986-89), realizando a restauração da Casa do Benin, do Teatro Gregório de Matos, do conjunto arquitetônico da ladeira da Misericórdia e da Casa de Olodum.

Pioneira da "arquitetura industrial" no Brasil, de 1977 a 1986 fez importante trabalho de restauração de uma fábrica do início do século, na cidade de São Paulo, que passou a abrigar o Centro Cultura de Lazer — SESC Pompéia. Restaurou também o Palácio das Indústrias para o conjunto/sede da nova Prefeitura de São Paulo.

Faleceu em 20 de março de 1992, de embolia pulmonar.

Fontes: *Folha de S. Paulo*, 21.3.1992 e 2.10.1999; Instituto Lina Bo Bardi, *Lina Bo Bardi;* Lina Bo Bardi, *Tempos de grossura: o design no impasse.*

Linda Batista (1919-88)
Cantora.

Nasceu em 14 de junho de 1919, em São Paulo (SP). Florinda Grandino de Oliveira, seu nome de batismo, era filha do ventríloquo e humorista João Batista de Oliveira, conhecido no meio artístico por Batista Júnior. Era irmã da também cantora Dircinha Batista*, com quem formou famosa dupla no rádio.

Quando era ainda criança, sua família mudou-se para a cidade do Rio de Janeiro, fixando-se no bairro do Catete. Fez o primário no tradicional Colégio Sion; aos 10 anos, começou a aprender violão com o cantor Patrício Teixeira, e compôs uma canção intitulada "Tão sozinha". Aos 12, passou a freqüentar programas de rádio, acompanhando a irmã Dircinha ao violão.

Concluiu o ginásio no Colégio São Marcelo e iniciou cursos de contabilidade e de corte e costura. Em 1936, Dircinha atrasou-se para o programa da Rádio Cajuti, apresentado por Francisco Alves, e Linda a substituiu. Bem sucedida nessa primeira vez, foi convidada para outras apresentações na emissora. No ano seguinte, foi eleita Rainha do Rádio, num concurso promovido pelo bloco carnavalesco Iate dos Laranjas. Manteve o título de Rainha do Rádio por 11 anos consecutivos.

No dia 31 de março de 1937, casou-se com Paulo Bandeira, de quem se separou menos de seis meses depois. Ainda em 1937, trabalhou no filme *Maridinho de luxo*, de Luís de Barros, e realizou uma excursão pelo Nordeste. Tornou-se *crooner* da orquestras de Kolman, no Cassino da Urca e, ainda em 1937, foi contratada pela gravadora Odeon. Em 1938 participou do filme *Banana da terra*, de J. Rui, e de uma temporada na Rádio Cultura de São Paulo. Neste mesmo ano foi convidada a participar da inauguração do Cassino da Ilha Porchat, em São Vicente, onde trabalhou como *crooner* por seis meses. Retornou ao Rio de Janeiro em abril do ano seguinte e foi atração do Cassino da Urca até 1945. O cassino chegou a contratar um compositor, Chiquinho Sales, especialmente para compor para ela.

Em 1940, transferiu-se para a gravadora RCA Victor. Gravou e excursionou intensamente durante toda a década, além de atuar no filme *Caídos do céu*, de Luís de Barros. Em 1947, foi contratada pela boate Vogue, onde permaneceu até 1952. "Nega maluca", de Fernando Lobo e Evaldo Rui, gravada para o Carnaval de 1950, foi um de seus maiores sucessos, superada pelo samba-canção "Vingança", de Lupicínio Rodrigues, gravada no ano seguinte. Viajou então para a Europa, onde se apresentou na boate Vogue de Portugal, na TV francesa e na boate Open Gate de Roma. Em 1952, atuou nos filmes *Tudo azul* de Moacir Fenelon, *Está com tudo* de Luís de Barros e *É fogo na roupa* de Watson Macedo. Continuou atuando em filmes e viajando. Em 1959, recebeu da União Brasileira de Críticos e da Sociedade Brasileira de Autores, Compositores e Escritores de Música o troféu Noel Rosa, por gravar exclusivamente música brasileira. A partir de 1960, lançou principalmente músicas de carnaval, muitas de sua autoria, e participou de programas de TV. Afastou-se das atividades artísticas no fim dessa década.

Faleceu em 18 de abril de 1988.

Fontes: *Enciclopédia da música brasileira: popular, erudita e folclórica.*

Lota de Macedo Soares (1910-67)
Urbanista.

Nasceu em 1910, em Paris, França. Lota Costallat de Macedo Soares era filha de Adília e José Duarte de Macedo Soares, de uma ilustre família fluminense. O ambiente familiar proporcionou-lhe uma educação aprimorada e estimulou sua curiosidade. Lota foi autodidata em urbanismo.

Conhecendo de perto o bom gosto e o talento de Lota para concepção de espaços públicos, e cumprindo uma promessa de campanha, Carlos Lacerda, governador do então estado da Guanabara, nomeou-a, em 20 de janeiro de 1961, para assessorar, sem ônus para o governo, o Departamento de Parques da Secretaria-Geral de Viação e Obras e a Superintendência de Urbanização e Saneamento (Sursan). Coube a ela a responsabilidade de projetar a urbanização das áreas decorrentes do aterro do Flamengo e de Botafogo, na cidade do Rio de Janeiro. Para executar este trabalho, Lota se uniu a personalidades como Burle Marx, entre outros, contribuindo, assim, para que essa área se tornasse um dos mais belos cartões postais da cidade. Foi superintendente, durante anos, do parque que ajudou a criar.

Ao longo de sua vida, Lota foi reconhecida por sua sensibilidade e inteligência, o que fez com que se tornasse amiga de grandes políticos e intelectuais brasileiros. Rompendo com os preconceitos de sua época, viveu vários anos com a poetisa norte-americana Elizabeth Bishop. Após uma ruptura desse relacionamento, viajou para Nova York na tentativa de uma reconciliação e lá faleceu, em 27 de dezembro de 1967, em circunstâncias mal esclarecidas.

Fonte: Carmen L. Oliveira, *Flores raras e banalíssimas.*

Lourdes Maria Wanderley Pontes (1943-72)

Ativista política, vítima da ditadura militar.

Nasceu em 31 de março de 1943, em Olinda (PE), filha de Teresa Wanderley Neves e de Antônio Araújo Neves. Fez o primário e o ginásio em Recife. Não chegou a concluir seus estudos universitários em virtude de sua atividade política. A partir de 1968 tornou-se militante do Partido Comunista Brasileiro Revolucionário (PCBR).

Em 23 de fevereiro de 1969 casou-se com Paulo Pontes. Para fugir à repressão, mudaram-se para Natal (RN) e, em seguida, para Salvador (BA), onde Paulo foi preso em 1970. Lourdes mudou-se, então, para o Rio de Janeiro, onde foi morta, em circunstâncias não esclarecidas, no dia 29 de dezembro de 1972, junto com Valdir Sales Saboia. Foi enterrada como indigente no Cemitério de Ricardo de Albuquerque (RJ), em 26 de fevereiro de 1973.

Fonte: Maria do Amparo Almeida Araújo et al., *Dossiê dos mortos e desaparecidos políticos a partir de 1964.*

Lourença Correia (séc.XVIII)

Condenada pela Inquisição por bigamia.

Lourença era escrava, moradora da cidade do Rio de Janeiro e servia ao sargento-mor Antônio de Figueira e Almeida, de quem também era concubina. Devido a esta ligação, era severamente castigada pela esposa de seu senhor, Isabel, que insistia para que o marido promovesse logo o casamento da escrava com algum negro da casa.

Em 1739, Lourença uniu-se ao negro Pedro Benguela, cativo do mesmo sargento. Ao que tudo indica, Lourença continuou amante de seu senhor, não se livrando das perseguições e castigos de Isabel. Fugiu para São João do Meriti (RJ), onde se casou com um escravo chamado Amaro. Acusada de bigamia, foi presa pelo Santo Ofício em 1745. Defendeu-se, sem obter sucesso, junto ao inquisidor com o argumento de que sua primeira união se dera unicamente pela vontade de Isabel. Foi condenada ao degredo em Angola.

Fonte: Ronaldo Vainfas, *Trópico dos pecados.*

Lourença Coutinho (1679-c.1757)

Condenada pela Inquisição por judaísmo.

Nasceu em 1679, na cidade do Rio de Janeiro, filha de Baltasar Rodrigues Coutinho, senhor de engenho em São João do Meriti (RJ). Pertencia a uma família de cristãos-novos estabelecida no Rio de Janeiro desde meados do século XVII. Lourença casou-se com o advogado e dono de plantações de cana João Mendes da Silva, formado em Coimbra em 1691, com quem teve seus filhos Baltasar, André e Antônio José. O caçula, Antônio José da Silva, escreveu *A guerra do alecrim e da manjerona*, um clássico das literaturas barroca portuguesa e brasileira, e passou à história com a alcunha de "o Judeu".

12 • *Linda Batista*
Cantora paulista e uma das "rainhas do rádio" na década de 1930.

13 • *Luciana de Abreu*
Educadora gaúcha do séc.XIX que ousou discursar publicamente reivindicando o direito das mulheres à educação.

14 • *Lida Monteiro da Silva*
Vítima do atentado terrorista de direita na Ordem dos Advogados do Brasil.

15 • *Leopoldina de Habsburgo*
Imperatriz do Brasil e primeira mulher a governar interinamente o país.

16 • *Lina Bo Bardi*
Arquiteta e restauradora, fundadora do Museu de Arte de São Paulo.

12

13

14

15

16

17

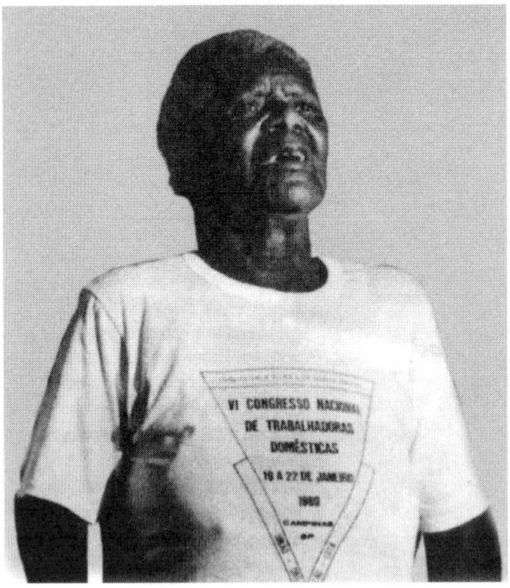

17 • *Laudelina Campos Melo*
Líder sindical e organizadora da associação de empregadas domésticas de Campinas (SP) na década de 1930.

18 • *Leolinda Daltro*
Uma das mais importantes precursoras do feminismo no Brasil, fundadora do Partido Republicano Feminino na década de 1910.

19 • Leolinda, acompanhada de índios Cherente.

20 • *Lígia Clark*
Artista plástica que conquistou reconhecimento internacional.

18

20

19

Em 1712 Lourença foi presa pela Inquisição e levada a Lisboa para interrogatório. Seu marido deixou as propriedades e, juntamente com os filhos do casal, acompanhou a mulher a Portugal. Em Lisboa, Lourença foi submetida a torturas e assistiu ao Auto da Fé realizado no Largo do Rocio, no dia 9 de julho de 1713. Tinha, então, 47 anos. Durante o longo ritual, os condenados permaneciam perfilados e expostos ao achincalhe de populares reunidos em volta do Largo. Eram também obrigados a manter aceso nas mãos um círio de mais de um metro. À medida que a cerimônia ia-se desenrolando, gotas ardentes de cera iam queimando as mãos dos acusados.

Em 1726 Lourença voltou a ser denunciada. Foi presa junto com seu filho mais novo, Antônio José. Mãe e filho foram torturados e interrogados pelo Tribunal do Santo Ofício e submetidos ao Auto da Fé no dia 13 de outubro de 1729. A sentença foi publicada em 16 de outubro daquele ano. Antônio José foi libertado, mas mantido sob observação, enquanto sua mãe, Lourença, foi condenada a novo degredo por três anos na vila de Castro Marim, situada na região do Algarve, sul de Portugal.

Libertado, Antônio José voltou a exercer a carreira de advogado e se casou com Leonor Maria Carvalho, de origem espanhola, que também já havia sofrido uma investigação do Santo Ofício. O casal teve uma filha chamada Lourença, em homenagem à avó.

No dia 12 de outubro de 1737, Lourença, seus filhos e sua nora Leonor foram novamente presos pelo Santo Ofício e submetidos a torturas. Lourença estava viúva e a denúncia tinha sido feita por sua escrava Leonor Gomes. As acusações da escrava eram de que Lourença praticava o judaísmo, jejuava aos sábados e "no dia grande do mês de setembro", passava o dia sem comer nem beber, ceando coisas que não eram carne. Esse terceiro processo sofrido por Lourença e seus filhos foi presidido pelo inquisidor Philippe Maciel. Depuseram, além de Leonor Gomes, mais quatro pessoas. A escrava chegou a fazer cinco depoimentos.

A defesa de Lourença foi de que sua escrava não merecia crédito, era desobediente, soberba e tratava mal seus netos, além de furtar para dar aos homens. O que a escrava queria mesmo era a liberdade.

De fato, Leonor era escrava, havia 18 anos, da família de Lourença e queria ser alforriada ou, em última instância, vendida ou posta ao ganho. A liberdade de Leonor Gomes era a razão da guerra surda entre as duas. Nessa disputa, Leonor associou-se a outros serviçais tanto da família quanto das vizinhanças, para, através da perseguição implacável do Santo Ofício aos cristãos-novos, fazer sua vingança pessoal contra sua senhora.

Lourença foi novamente condenada, além de ter que pagar as custas do processo. Seus filhos também foram submetidos ao Auto de Fé. Antônio José foi condenado ao garrote e à fogueira; André também foi condenado, mas não se conhece a sentença. Leonor, a nora, e ela própria foram condenadas à pena de prisão perpétua em cárcere.

Fontes: Alberto Dines, *Vínculos de fogo*; Antônio Baião, *Episódios dramáticos da Inquisição portuguesa*; Francisco A. Varnhagen, *Excertos de várias listas de condenados pela Inquisição de Lisboa*; Lina Gorenstein Ferreira da Silva, *Heréticos e impuros — a Inquisição e os cristãos-novos no Rio de Janeiro do século XVIII*; Lúcio de Azevedo, *História dos cristãos-novos portugueses*; Meyer Kayserling, *História dos judeus em Portugal*; Torre do Tombo, *Inquisição de Lisboa*, processo nº 3458.

Lourença Tavares de Holanda

(séc.XVII)

Senhora de engenho.

Nasceu em Olinda (PE) no final do século XVII. Naquela época, a elite do açúcar de Pernambuco vivia nesta cidade e via com preconceito os moradores de Recife, a maioria dos quais comerciantes — os mascates. As desavenças entre os olindenses e os recifenses fundavam-se não só no preconceito dos portugueses contra atividades mercantis, mas também na histórica rivalidade econômica entre os produtores de açúcar e os comerciantes desse produto. Tal disputa fez eclodir, em junho de 1710, um movimento no Recife, com o objetivo de elevar a localidade à categoria de vila, libertando-a do jugo dos olindenses.

As autoridades do Estado português tomaram partido dos mascates e elevaram Recife à categoria de vila. Seguiu-se terrível devassa que acabou por levar à prisão cerca de 400 pernambucanos, partidários, em sua maioria, da causa olindense. Desses, 55 pertenciam a categorias sociais que lhes davam privilégios como o de não poderem ser julgados e condenados no Brasil. Foram mantidos na prisão de Cinco Pontas por dois anos, até serem enviados a Lisboa, em outubro de 1713. Lourença teve dois irmãos envolvidos no processo de devassa. Buscou interceder por eles enviando a Portugal numerosas cartas, suplicando a anistia para os irmãos condenados. Seus escritos impressionavam pela qualidade literária e pela pertinência dos argumentos arrolados. O escritor romântico do século XIX José de Alencar valeu-se das cartas escritas por Lourença de Holanda para compor personagens do seu livro *A guerra dos mascates*.

Fonte: Henrique C.P. de Melo, *Pernambucanas ilustres.*

Lúcia Benedetti (1914-98)

Escritora.

Pioneira do teatro infantil, nasceu em 30 de março de 1914 em Mococa (SP). Lúcia Matias Magalhães Benedetti era filha de Leocádia M. Benedetti e de Domingos Benedetti, alfaiate e músico. Aos quatro anos mudou-se com a família para a cidade do Rio de Janeiro e, mais tarde, para Niterói (RJ). No Ginásio Bittencourt Silva, foi colega do escritor Antônio Callado e já escrevia para as revistas escolares.

Em 1932 ingressou na Faculdade de Direito de Niterói e deu aulas no Colégio Bittencourt Silva. Problemas de saúde obrigaram-na a abandonar os estudos. Em 1935 ficou em segundo lugar em um concurso promovido pelo jornal *A Noite*, *A mais bela carta de amor.* No ano seguinte, casou-se com o secretário daquele jornal, o também escritor e membro da Academia Brasileira de Letras Raimundo Magalhães Júnior, com quem teve uma filha, Rosa Magalhães, artista plástica e consagrada carnavalesca.

Passou a colaborar nos jornais *A Noite* e *Carioca*, ambos fundados e dirigidos por Magalhães Júnior. Publicava crônicas sob os títulos de "Diário de uma Professorinha" e "Vamos Ler". Em 1940 viajou com o marido para os EUA, de onde continuou enviando trabalhos para jornais brasileiros. Em 1942 publicou seu primeiro romance, *Entrada de serviço*. Em 1943 lançou, em colaboração com o marido, o volume de contos infantis *Chico vira-bicho e outras histórias*.

No dia 16 de outubro de 1948, no Teatro Ginástico do Rio, estreou sua primeira peça infantil, *O casaco encantado*. Essa encenação foi um marco na história do teatro para crianças no Brasil, pois, até esta época, apenas companhias européias apresentavam espetáculos deste gênero. Quando muito, havia matinês de adaptações de dramas clássicos, representados pelas próprias crianças. Por essa peça recebeu o Prêmio Artur Bernardes da Academia Brasileira de Letras. Escreveu ainda *Aspectos do teatro infantil*, obra considerada verdadeira bíblia para os profissionais desta área.

Em 1950 recebeu o Prêmio Afonso Arinos da Academia Brasileira de Letras pelo livro de contos *Vesperal com chuva*. Seus trabalhos foram traduzidos para as línguas francesa, espanhola, inglesa, italiana e alemã. Teve peças representadas na América do Sul e na Europa.

No ano de 1998, por ocasião da comemoração dos 50 anos do teatro infantil no país, foi homenageada pelo Centro Brasileiro para a Infância e Juventude e pela Funarte, porém não pôde comparecer por estar com a saúde debilitada.

Faleceu em 13 de novembro de 1998 em conseqüência de problemas cardíacos e foi sepultada no mausoléu da Academia Brasileira de Letras, no cemitério São João Batista, no bairro de Botafogo, Rio de Janeiro.

Fontes: *Correio do Povo*, 20.9.1975; *Jornal do Brasil*, 9.9.1989 e 14.11.1998; Raimundo de Menezes, *Dicionário literário brasileiro ilustrado.*

Lúcia Maria de Sousa (1944-73)

Ativista política, vítima da ditadura militar.

Nasceu em 22 de junho de 1944 em São Gonçalo (RJ), filha de Jovina Ferreira e de José Augusto de Souza. De origem humilde, contou com sua persistência e força de vontade para ingressar na Escola de Medicina e Cirurgia do Rio de Janeiro. Participava ativamente do movimento estudantil e era responsável, junto com Jana Moroni, pela impressão e distribuição do jornal *A Classe Operária*, nos anos 1969 e 1970.

Militante do Partido Comunista do Brasil (PC do B), cursava o quarto ano de medicina e era estagiária no Hospital Pedro Ernesto, quando abandonou tudo para viver na região do Araguaia, perto da localidade de Brejo Grande, onde grupos armados preparavam uma guerrilha. Lá atuou como parteira e era muito estimada. Com esforço, adaptou-se ao lugar, chegando a superar muitos companheiros homens no trabalho pesado, na derrubada da mata, no uso do facão e na capacidade de transportar pesos. Integrou o Destacamento A, Helenira Resende, na Guerrilha do Araguaia. Foi ferida e presa em combate, sendo morta em 24 de outubro de 1973.

Fonte: Maria do Amparo Almeida Araújo et al., *Dossiê dos mortos e desaparecidos políticos a partir de 1964.*

Lúcia Miguel Pereira (1903-59)

Escritora e crítica literária.

Nasceu em 12 de dezembro de 1903 em Barbacena (MG), filha do médico Miguel Pereira. Estudou no Rio de Janeiro e iniciou sua carreira literária em 1931, colaborando com a revista *Boletim do Ariel*, dirigida por Agripino Grieco e Gastão Cruls, importantes críticos brasileiros. Em 1933 publicou seu primeiro romance, *Maria Luísa*. Ainda neste ano, lançou *Em surdina*. Foi crítica literária nos jornais *Gazeta de Notícias*, *Correio da Manhã* e *Revista do Brasil*, dirigida por seu marido, o jornalista e historiador Otávio Tarquínio de Sousa. Lúcia destacou-se como ensaísta, obtendo reconhecimento nacional com *Machado de Assis*, trabalho crítico-literário publicado em 1935 em que analisa a obra machadiana do ponto de vista estético. Com este ensaio, obteve no ano seguinte o Prêmio Felipe de Oliveira, do Círculo Literário do Brasil. Em 1939 conquistou também o Prêmio Literatura Infantil do Ministério da Educação. Seu romance mais conhecido, *Cabra cega*, é de 1954. Escreveu, ainda, *A vida de Gonçalves Dias* (1943), *História da literatura brasileira — prosa e ficção: 1870 a 1920* (1950), além de livros de literatura infantil.

Faleceu junto com o marido em um acidente aéreo sobre a baía de Guanabara, em 1959. Lúcia foi uma das intelectuais mais prestigiadas de sua época.

Fontes: Enciclopédia *Delta Universal*; Enciclopédia *Mirador*; *Grande Enciclopédia Delta-Larousse.*

Luciana de Abreu (1847-80)

Educadora e feminista.

Luciana foi colocada na roda dos expostos da Santa Casa de Misericórdia, em Porto Alegre (RS), na noite de 11 de junho de 1847. Foi adotada pelo guarda-livros Gaspar Pereira Viana. Ao terminar o curso primário, em 1859, permaneceu na escola como ajudante. Casou-se com João José Gomes de Abreu, um modesto funcionário público, em 1867.

Em 1869, já com uma filha, foi uma das primeiras a se matricular na recém-inaugurada Escola Normal de Porto Alegre. Diplomou-se em 1872 e foi nomeada professora de uma escola pública no ano seguinte. Mantinha também uma bem-sucedida escola particular.

Luciana foi a primeira mulher em Porto Alegre a ousar discursar em público, tendo subido à tribuna da Sociedade Partenon Literário para defender o direito das mulheres à emancipação. Essa organização, que funcionou de 1868 a 1886, reunia a intelectualidade da capital gaúcha, e seus integrantes, adeptos das idéias republicanas e abolicionistas, defendiam o direito à instrução das mulheres. Arrecadavam fundos para libertar escravos e promoviam saraus literários para aprimorar a educação feminina. Em uma dessas reuniões Luciana discursou, expondo, com veemência, suas idéias a respeito da condição a que a mulher era relegada. Reclamou o direito à instrução superior, o esclarecimento sobre temas até então não permitidos a mulheres e a liberdade de exercerem qualquer profissão para a qual tivessem aptidão. Nesse discurso, Luciana pregava de fato a igualdade de oportunidades, o que necessariamente implicava o direito ao voto feminino.

Foi ovacionada pelos presentes e transformou-se numa heroína da capital gaúcha. Recebeu da sociedade local, sobretudo das mulheres, inúmeras homenagens em vida e, após sua morte, seu nome foi dado a uma rua e a uma escola de Porto Alegre. Morreu de tuberculose no dia 13 de junho de 1880.

Fontes: Maria Lúcia de Barros Mott, "Escritoras negras resgatando nossa história", *Papéis Avulsos*, nº 13, 1989; Pedro Maia Soares, *Feminismo no Rio Grande do Sul*; Valentim Benício da Silva, *A mulher na evolução do Brasil*.

Luciana Teixeira (sécs. XVIII-XIX)

Fundadora da cidade mineira de Araçuaí.

Senhora que tinha como ofício comercializar sal, querosene e rapadura às margens do rio Jequitinhonha. Consta que Luciana fundou a cidade de Araçuaí (MG). Não se sabe quando ela chegou ao vale do Jequitinhonha, mas o naturalista francês Saint-Hilaire, em 1817, relatou sua estadia na aprazível casa da Boa Vista, "da velha mulata Luciana Teixeira, construída sobre o cume de uma colina isolada, com as águas límpidas do Araçuaí deslizando mansamente abaixo". Segundo ele, "era a mais agradavelmente situada de todas as que já vira".

Saint-Hilaire conta, ainda, que passou em Boa Vista o dia de Pentecostes, ocasião em que os colonos da vizinhança se reuniram na casa para assistirem, juntamente com a anfitriã, seus filhos e netos, aos serviços religiosos. O escritor francês ressalta que o padre teve que vir de nove léguas de distância, tendo se impressionado muito com o fato de todos terem lá jantado, sendo a mesma mesa posta e tirada várias vezes.

Uma das versões sobre a fundação do povoado de Araçuaí gira em torno da acolhida que Luciana dera em suas terras a um grupo de mulheres expulsas pelo pároco de Barra do Pontal, oito léguas rio abaixo, sob a acusação de prostituição. Há muitas controvérsias com relação a esta expulsão. Alguns historiadores dizem que foi o padre Carlos Pereira Freire de Moura quem a determinou, por volta de 1830. Outros, que foi o padre Murta, um pouco mais tarde. É certo que um sacerdote baniu um grupo de prostitutas do povoado situado na confluência dos rios Araçuaí e Jequitinhonha, tendo elas ido buscar abrigo nas terras de Luciana Teixeira, na foz do ribeirão Calhau. Atrás das moças e das tabernas, também proibidas pelo pároco em Barra do Pontal, teriam ido os canoeiros, dando origem à povoação do Calhau, mais tarde vila, cidade e sede de comarca com o nome de Araçuaí.

A história de que Luciana, com sua benevolência, teria fundado a povoação, já está consagrada em poesias e peças de teatro populares. Em 1982, Augusta Figueiredo publicou *A mulata Luciana no vale do Jequitinhonha*, e Ronald Claver, em 1988, contou sua versão dos fatos em *Senhora do mando*.

Fontes: Afonso Lopes, Vasco de Olivença e Teófilo Otoni, *A lenda de Luciana Teixeira*; Auguste Saint-Hilaire, *Viagem pelas províncias do Rio de Janeiro e Minas Gerais*.

Lucília Guimarães Villa-Lobos (1886-1966)

Musicista, compositora, professora e poetisa.

Nasceu em 26 de maio de 1886, no município de Paraíba do Sul (RJ). Fez seus estudos no antigo Instituto Nacional de Música. Em 1913, casou-se com o célebre compositor Heitor Villa-Lobos e durante 22 anos foi intérprete de suas músicas. Teve também importante atuação no magistério público como orientadora do Serviço de Educação Musical e Artística, ministrando cursos de canto orfeônico para professores.

Organizou e dirigiu o Coral padre José Maurício na Escola Normal Orsina da Fonseca, que foi premiado pelo Ministério de Educação e Cultura. Em 1935, organizou o coro Apiacás, com crianças necessitadas do bairro do Santo Cristo, no Rio de Janeiro. Sua estréia se realizou, com êxito, na Rádio Tupi, no Natal do mesmo ano, tendo se apresentado por todo o Brasil, gravando até mesmo para o exterior. Lucília criou o conjunto Vozes do Brasil, formado por 15 professores de canto. Com Villa-Lobos, foi a precursora do ensino de música e de canto orfeônico nas escolas públicas.

Como poetisa, escreveu muitas letras para cânticos integrados ao repertório dos orfeões escolares, além de arranjos das cantigas folclórica, de roda e sertanejas. Uma de suas principais obras é o "Hino ao Sol", regida várias vezes por Villa-Lobos, e apresentada em Praga no ano de 1936, em tcheco. Escreveu ainda "Despertar", "Bendita é nossa terra", "Meu sertão", entre outras. Faleceu em 25 de maio de 1966, no Rio de Janeiro.

Fonte: Eli Maria Rocha, *Nós, as mulheres*.

Ludovina Ferreira (séc.XVIII)

Acusada pela Inquisição de feitiçaria.

Natural de Belém (PA), era viúva e morava ao pé do Armazém da Pólvora. O poder de cura das rezas de Ludovina, ou Ludenciana para alguns autores, era amplamente conhecido na província do Grão-Pará. Foi denunciada ao Santo Ofício pela escrava Inês Maria de Jesus por ter feito rezas mágicas em sua senhora Mariana Barreto, também viúva, doente com uma hemorragia uterina. Inês compareceu ao Colégio Santo Alexandre, em 1767, para depor perante Geraldo José de Abranches, o Visitador do Santo Ofício. Em seu relato conta que durante as sessões de cura, a benzedeira era acompanhada de um índio, seu companheiro, de nome Antônio. Nos autos da Visitação, Ludovina foi acusada de mais de quatro curas; além disso, o fato de ser branca e viver com um índio era uma transgressão às normas da sociedade colonial.

Fontes: J.R. Amaral Lapa, *Livro da Visitação do Santo Ofício da Inquisição ao Estado do Grão-Pará — 1763-1769*; Jane Beltrão, *As mulheres que ousam saber.*

Ludovina Portocarrero (1828-1912)

Participante da Guerra do Paraguai.

Nasceu em 8 de novembro de 1828, em Montevidéu, na então província Cisplatina. Era casada com o tenente-coronel Portocarrero, comandante do Forte de Coimbra. Celebrizou-se, ao lado de seu marido, quando da resistência da guarnição desse forte à invasão paraguaia, em dezembro de 1864. Sua bravura foi reconhecida durante a retirada obrigatória que a tropa empreendeu ante a superioridade numérica do inimigo — cerca de 5.500 paraguaios contra 157 brasileiros com armamento precário e sem munição. Ludovina resistiu ao lado do marido e da tropa numa retirada estratégica, episódio dramático da Guerra do Paraguai. Faleceu em 8 de dezembro de 1912.

Fontes: Carlos Augusto de Campos, *As heroínas do Brasil*; Valentim Benício da Silva, "A mulher na evolução do Brasil", *Revista do IHGB*, jul-set/1951.

Luísa (séc.XVIII)

Índia, vítima de doença sexualmente transmissível.

Convertida ao cristianismo, Luísa vivia em Caucaia (CE). Acreditava que serviria melhor a Deus se permanecesse virgem. Porém, seus pais, assim como o padre Rogério Canísio, instigaram-na a se casar, o que veio a acontecer em 1744, com um índio de sua aldeia. Tão logo o casamento foi consumado, seu marido lhe transmitiu doenças venéreas. Conta-se que Luísa passou a ter visões em meio às suas crises de dor, enquanto definhava em virtude da doença. Morreu no ano seguinte ao casamento. A história de Luísa ilustra o quanto as mulheres estiveram expostas, durante séculos, ao perigo de contaminações deste tipo dentro do próprio casamento.

Fonte: Gustavo Geraldo de Almeida, *Heróis indígenas do Brasil — memórias sinceras de uma raça.*

Luísa Augusta Garlippe (1941-73)

Ativista política, vítima da ditadura militar.

Nasceu em 16 de outubro de 1941 em Araraquara (SP). Era filha de Durvalina Santomo Garlippe e de Armando Garlippe. Formou-se em enfermagem pela Universidade de São Paulo (USP) em 1964 e foi trabalhar no Hospital das Clínicas, onde chegou a enfermeira-chefe do Departamento de Doenças Tropicais. Integrou a Associação de Funcionários do Hospital das Clínicas e realizou viagens de trabalho ao Amapá e ao Acre.

Militava no Partido Comunista do Brasil (PC do B) e ingressou no movimento guerrilheiro da região do Araguaia. Atuou na área do rio Gameleira, onde desenvolveu intenso trabalho no campo da saúde, destacando-se como parteira. Pertenceu ao Destacamento B e foi vista viva pela última vez por seus companheiros no dia 25 de dezembro de 1973, em um acampamento próximo à serra das Andorinhas, antes de um ataque das forças do Exército.

Fonte: Maria do Amparo Almeida Araújo et al., *Dossiê dos mortos e desaparecidos políticos a partir de 1964.*

Luísa d'Almeida (séc. XVI)

Senhora de engenho, vítima de estupro.

Em 1589, o poderoso senhor do engenho Jaguaripe, no Recôncavo Baiano, Fernão Cabral de Taíde, coagiu sua comadre Luísa d'Almeida a fazer sexo com ele na capela do engenho. Luísa, que na época tinha 26 anos, procurou dissuadi-lo argumentando que era casada, além de ser sua comadre. Fernão continuou na sua investida, rindo de seus argumentos e dizendo "que com uma bochecha d'água se lavava tudo". Luísa resistiu, o que o irritou. Passou então a ameaçá-la, gritando que amarraria seu marido numa árvore e teria relações com ela na frente dele. Por ocasião da visita do inquisidor Heitor Furtado à Bahia, em 1591/1593, Luísa denunciou o caso, não falando do estupro na capela, mas acusando Fernão de ter afirmado que o compadrio que havia entre eles não era impeditivo canônico para o ato sexual.

Esse é um dos mais antigos relatos sobre estupro sofrido por uma mulher branca no Brasil de que se tem notícia.

Fonte: Ronaldo Vainfas, *A heresia dos índios — catolicismo e rebeldia no Brasil colonial.*

Luísa da Silva Soares (séc. XVII)

Escrava acusada pela Inquisição de feitiçaria.

Nasceu no final do século XVII, em um engenho do Recôncavo da cidade de Olinda (PE). Luísa foi vendida inúmeras vezes, até ser comprada pelo sargento-mor José da Silva, na freguesia da Nossa Senhora de Conceição do Arraial, hoje Mariana (MG).

Quando contava com cerca de 40 anos, sua senhora, Josefa Maria, desejando castigá-la, fora à senzala em seu encalço. Esta foi contida no seu intento por uma forte dor no braço, que atribuiu a poderes mágicos de Luísa. Deste momento em diante, seus senhores passaram a acusá-la de feitiçaria, atribuindo-lhe a responsabilidade por toda sorte de acontecimentos estranhos e culpando-a de provocar doenças em sua senhora.

Luísa foi presa, severamente torturada e denunciada ao pároco local, tio de Josefa Maria, que formalizou a denúncia de feitiçaria ao Santo Ofício. Em 18 de dezembro de 1742, Luísa chegou a Lisboa para ser julgada. Submetida ao inquérito, relatou perante o Tribunal da Inquisição todas as sevícias que havia sofrido tanto por parte de seus proprietários quanto do pároco durante o interrogatório em Minas Gerais. A severidade dos castigos que lhe haviam sido impostos impressionou o Tribunal, que achou por bem que ela fosse posta em liberdade em 1745.

O processo de Luísa durou sete anos, e o Santo Ofício o encerrou por considerar que suas práticas supersticiosas já haviam sido suficientemente punidas.

Fonte: Laura de Mello e Sousa, *O diabo na terra de Santa Cruz.*

Luísa Erundina de Souza (1934-)

Primeira prefeita da cidade de São Paulo.

Nasceu no dia 30 de novembro de 1934 em Uiraúna, no sertão da Paraíba, filha de Enedina de Souza Carvalho e Antônio Evangelista de Souza, este agricultor e seleiro e sua mãe vendedora de café e bolo na feira local. De família numerosa, Luísa Erundina foi com 10 anos para a cidade de Patos (PB) estudar na casa de uma tia e, depois, para Campina Grande (PB) estudar com a Irmã Porto. Graduou-se em serviço social na Universidade Federal da Paraíba no ano de 1966 e fez mestrado em ciências sociais na Fundação Escola de Sociologia e Política de São Paulo, em 1970.

Pioneiramente, fez política na cidade de Campina Grande numa época e região onde a participação política das mulheres era bastante restrita. Sua habilidade e a intensa militância católica permitiram que fosse indicada, em 1958, para diretora de Educação e Cultura da Prefeitura Municipal de Campina Grande, primeiro cargo público por ela assumido. Pela competência e obstinação com que desempenhou a função foi nomeada, em 1964, secretária de Educação e Cultura dessa cidade. Cristã e acreditando na justiça social, Luísa pensava e agia na secretaria em favor dos mais necessitados e acabou perseguida pela ditadura militar, sentindo-se obrigada a deixar a cidade. Foi para São Paulo, destino de tantos outros nordestinos, sendo nomeada assistente social da Prefeitura paulistana, indo trabalhar nas favelas da periferia. Também lecionou em diversas faculdades no interior paulista e na capital.

Prestigiada como profissional, foi eleita em 1979 presidente da Associação Profissional das Assistentes Sociais de São Paulo, e ao lado de lideranças sindicais do ABC paulista fundou o Partido dos Trabalhadores (PT). Uma destacada atuação no partido fez de Luísa Erundina candidata a vereadora pelo PT, sendo eleita em 1982 com 26 mil votos, e na eleição seguinte disputou uma vaga de deputada estadual; vitoriosa, obteve 35 mil votos.

Líder de uma facção do PT, disputou a legenda do partido de forma acirrada, onde pretendia ser indicada como candidata à Prefeitura de São Paulo. Ganhou e foi à luta. Uma nordestina era uma azarão na política paulistana. Jamais se esperou que aquela mulher de feição tinhosa seria eleita prefeita de São Paulo, mas foi; e a cidade que abriga uma das maiores populações de nordestinos do país votou na conterrânea.

Governou a cidade de São Paulo de 1989 a 1992. Sua administração esteve pautada pela defesa e ampliação da cidadania da população; privilegiou a educação, saúde, transporte público e lutou contra os poderosos. Durante a sua gestão foi criado, no Hospital Jabaquara, o primeiro serviço de atendimento aos casos de aborto previstos em lei.

Com o impeachment do presidente Fernando Collor, assumiu seu vice Itamar Franco e, em 1993, Luiza Erundina foi nomeada ministra da Secretaria de Administração Federal. Para assumir esse cargo, Luísa desafiou seu partido, que não queria nenhum filiado participando do governo federal. Depois de uma longa discussão, o PT absorveu sua rebeldia. Desgastada com o episódio, em 1998 deixou o partido que fundara, transferindo-se para o Partido Socialista Brasileiro (PSB), e por esta legenda elegeu-se deputada federal no mesmo ano. Luísa Erundina é o orgulho do povo nordestino, espelho das lutas das mulheres sofridas do sertão que sobrevivem, acima de tudo, porque acreditam na força de ser mulher.

Fontes: Currículo de Luísa Erundina de Souza; Câmara dos Deputados, 1999; Entrevista com Mona Zen concedida a Hildete Pereira de Melo em janeiro de 2000.

Luísa Grimaldi (1551-1636)

Donatária.

Luísa chegou ao Brasil em 1534 com o marido, Vasco Fernandes Coutinho Filho, o segundo donatário do Espírito Santo. Entre 1589 e 1593, após a morte de seu marido, assumiu o governo da capitania. Recebeu, em 1589, os primeiros missionários franciscanos em visita àquela região, doando-lhes terras para a construção de seus conventos. Devido a este ato de Luísa Grimaldi, ou Luísa Grinalda, como a chamam alguns historiadores, pôde-se construir o Convento de Nossa Senhora da Penha, um dos mais belos monumentos arquitetônicos coloniais do Brasil.

Em 1592, auxiliada pelo lugar-tenente Miguel de Azeredo, organizou a defesa da baía de Vitória contra a incursão de corsários ingleses, comandados pelo famoso capitão Thomas Cavendish. No ano seguinte, Luísa se recolheu ao Convento do Paraíso, em Évora, Portugal, onde faleceu aos 85 anos de idade, em 1636.

Segundo o historiador capixaba Renato Pacheco, Luísa provinha da família dos Grimaldi, da Itália, a mesma que hoje reina no Principado de Mônaco.

Fontes: Francisco A. Varnhagen, *História geral do Brasil*; Renato Pacheco, *Notas biográficas.*

Luísa Leonardo (1859-1926)

Musicista, compositora e atriz.

Nasceu em 22 de outubro de 1859, no Rio de Janeiro (RJ), filha de Carolina de Oliveira Leonardo e de Vitorino José Leonardo, professor de música. Sua mãe, que era neta da viscondessa de Nassau, convidou o imperador D. Pedro II para ser padrinho de batismo de Luísa.

Cedo demonstrou grande talento para a música, particularmente ao piano, e aos oito anos deu o seu primeiro concerto, diante do imperador. Entusiasmado com o virtuosismo de sua afilhada, D. Pedro II decidiu enviá-la para se aperfeiçoar na Europa.

Em 1868, aos nove anos, foi estudar na Alemanha, um dos principais centros europeus de música e, em 1873, na França, onde se matriculou no Conservatório de Paris. Ali estudou durante seis anos, convivendo com grandes músicos. Compositora, em 1877 homenageou seu padrinho com uma "Grande marcha triunfal". Entre suas obras mais lembradas, constam uma "Marcha fúnebre" (1892) e o "Hino a Carlos Gomes" (1903).

Casou-se com o pintor português Augusto Roiz Duarte e com ele foi viver em Lisboa, onde continuou atuando como concertista. Voltou ao Brasil em 1885, mas, desiludindo-se com o meio musical nacional, iniciou carreira de atriz. Escreveu o romance *Gazel*, artigos para revistas de teatro, canto, piano e crônicas publicadas em jornais de várias províncias brasileiras. Viúva em 1900, retirou-se do palco e foi morar em Salvador (BA), onde se casou novamente, com o engenheiro Sílvio Boccanera Júnior, em 1903. Faleceu em Salvador no dia 12 de junho de 1926.

Fontes: Eli Maria Rocha, *Nós, as mulheres*; *Enciclopédia da música brasileira: popular, erudita e folclórica*.

Luísa Mahin (séc.XIX)

Ex-escrava e líder de rebelião.

Há controvérsias quanto ao local de nascimento de Luísa. Não se sabe se veio da África, como escrava, para a Bahia, ou se nasceu já em Salvador. Tornou-se livre por volta de 1812.

Pertencia à nação nagô-jeje, da tribo Mahi, e dizia ter sido princesa na África. Fez de sua casa quartel-general de todos os levantes escravos que abalaram a Bahia nas primeiras três décadas do século XIX. Na revolta de 1830, estava grávida de Luís Gama, filho que teve de um português e que se tornaria poeta e um dos maiores abolicionistas do Brasil. Luísa envolveu-se nas articulações que levaram à Revolta dos Malês, como ficou conhecida a maior rebelião de escravos entre as tantas ocorridas na Bahia do século XIX.

O levante se deu na noite de 24 para 25 de janeiro de 1835, liderado por escravos africanos de religião muçulmana, conhecidos na Bahia como malês. Aproveitando-se de seu trabalho como quituteira, Luísa despachava mensagens escritas em árabe para outros rebelados, valendo-se de meninos que simulavam a compra de suas iguarias para levar estes bilhetes. Se os escravos tivessem sido vitoriosos, Luísa Mahin teria sido empossada Rainha da Bahia Rebelde. Porém os planos dos revoltosos foram revelados às forças da repressão. Os líderes do movimento foram perseguidos e castigados brutalmente, mas Luísa conseguiu fugir para o Rio de Janeiro, onde continuou a luta pela liberdade de seu povo. Nesta cidade foi presa e, possivelmente, deportada para a África.

Luís Gama escreveu sobre sua mãe: "Sou filho natural de negra africana, livre, da nação nagô, de nome Luísa Mahin, pagã, que sempre recusou o batismo e a doutrina cristã. Minha mãe era baixa, magra, bonita, a cor de um preto retinto, sem lustro, os dentes eram alvíssimos, como a neve. Altiva, generosa, sofrida e vingativa. Era quitandeira e laboriosa." Outros versos de Luís Gama indicam que Luísa Mahin teve mais um filho, cuja trajetória é ignorada.

Por iniciativa do Coletivo de Mulheres Negras de São Paulo, em 9 de março de 1985, seu nome foi dado a uma praça em Cruz das Almas, bairro da capital paulista.

Fontes: Alzira Rufino, Maria Rosa Pereira e Nilza Iraci, *A mulher negra tem história*; Antônio Monteiro, *Notas sobre negros malês na Bahia*; João José Reis, "O rol dos culpados: notas sobre um documento da rebelião de 1835", *Anais do Arquivo Público do estado da Bahia*, vol.48; Luís Luna, *O negro na luta contra a escravidão*; Nélson Silva de Oliveira, *Vultos negros na história do Brasil*.

Luísa Margarida Borges de Barros

ver CONDESSA DE BARRAL

Luísa Micaela de Vasconcelos (c.1740-?)

Religiosa.

Filha de um militar, Luísa Micaela vivia na capitania do Rio de Janeiro e em meados do século XVIII ficou órfã. Seu dote não era então suficiente para realizar o desejo de ingressar no recém-fundado Convento de Nossa Senhora da Ajuda, construído em 30 de março de 1750. Remontava apenas a 20% do valor exigido.

Era tão grande sua vontade de tornar-se religiosa, que resolveu recorrer ao rei para complementar seu dote, pedindo-lhe que recolhesse donativos na cidade do Rio de Janeiro e ainda, se fosse preciso, no interior da capitania de Minas Gerais. Diante da determinação de Luísa, seus tios Francisco da Mota Leite, tenente-coronel, Inácio José da Mota Leite, advogado, e Micaela Teresa resolveram cotizar-se para perfazer a quantia necessária, pois temiam que tal atitude lhes trouxesse humilhação social. Em maio de 1755, foram ao cartório e fizeram a doação ao procurador do Convento da Ajuda, padre Miguel de Lima Cerqueira. Não tardou um mês para que as portas do convento fossem abertas para Luísa Micaela.

Fonte: Nireu Cavalcanti, "Crônicas do Rio colonial", *Jornal do Brasil*, 5.7.1999.

Luz del Fuego (1917-67)

Dançarina e naturalista.

Nasceu em 21 de fevereiro de 1917, em Cachoeiro de Itapemirim (ES). Dora Vivacqua era filha da capixaba Etelvina Vivacqua e do imigrante italiano Antonio Vivacqua, que tiveram 15 filhos. Seus pais eram grandes proprietários e comerciantes de Cachoeiro de Itapemirim, local onde passou a infância, sempre cuidada pela irmã mais velha, Mariquinha. Posteriormente, a família mudou-se para Belo Horizonte (MG), para um belo casarão onde se reuniam os modernistas na década de 20, Carlos Drummond de Andrade, entre outros.

Em Belo Horizonte, Dora ia sempre visitar o serpentário do Instituto Ezequiel Dias, pois sentia fascinação pelas cobras desde bem menina, quando ia ao circo no Espírito Santo (tinha apenas seis anos quando pegou uma cobra e ficou brincando com ela). Sua família retornou a Cachoeiro de Itapemirim em 1929. Na adolescência, era muito namoradeira e, nos carnavais, vestia fantasias que ela própria confeccionava, todas mínimas e transparentes. Na praia de Marataízes (ES), desfilava de calcinha e bustiê improvisado com lenços.

Em 1932, seu pai foi assassinado numa emboscada, e a mãe, Etelvina, resolveu voltar para a capital mineira com as três filhas que ainda estavam solteiras. Deixou todo o patrimônio para ser administrado pelos filhos e genros. Essa estranha divisão da herança provocou uma rixa familiar. As mulheres solteiras foram as que mais sofreram com essa partilha e com a pobreza da mãe, reagindo cada uma a seu modo a essa situação. Dora, cada vez mais avessa às convenções sociais, sentindo-se descompromissada em relação à família, interrompeu os estudos e veio com Atílio, seu irmão mais velho, para o Rio de Janeiro.

Na capital do país conheceu César Ladeira, locutor da rádio Mayrink Veiga, que a introduziu no meio artístico e cultural. Mais tarde, no Cassino da Urca, conheceu José Mariano Neto, então com 23 anos, e começou a freqüentar com ele lugares da alta sociedade. O fato de José Mariano ser também um Carneiro da Cunha tranqüilizou a família Vivacqua. Pela cidade, porém, corriam rumores nada favoráveis sobre sua conduta. Seu irmão, com quem continuava morando, era então deputado constituinte. Para evitar eventuais escândalos, mandou-a de volta para Belo Horizonte. Foi assim que, em 1936, passou a morar com a irmã Angélica e o cunhado Carlos, que começou a assediá-la. Dora não o denunciou, pois achava que ele seria a única pessoa em condições de ajudá-la a voltar para o Rio de Janeiro.

Um dia, Angélica encontrou o marido assediando Dora e resolveu interná-la no Hospital Psiquiátrico Raul Soares, onde ela ficou por dois meses. Carlos acabou confessando, sob a mira de um revólver, a Aquiles, irmão de Dora, que saíra do sanatório onde se tratava de tuberculose. Dora culpou a família pelos horrores que sofrera no hospício e passou a ser uma presença incômoda, pois relatava a todos o caso de Carlos e de outro cunhado, casado com Abigail.

Foi passar uma temporada na fazenda, e o filho do administrador foi designado para vigiá-la. Num de seus passeios, Dora surgiu do mato com duas cobras-cipó enroladas em seu corpo nu, coberto apenas por algumas folhas. Mandou que o rapaz fosse buscar uma câmara para fotografá-la. O resultado foi uma nova internação, dessa vez na Casa de Saúde Dr. Eiras, no Rio de Janeiro. Estava com 20 anos. Com a ajuda de Aquiles, coadjuvado por Mariquinha, Dora conseguiu sair do hospital e foi morar na casa da irmã mais velha em Campos (RJ). Preparava-se para a grande fuga da família, quando completasse 21 anos.

Em novembro de 1937, viajou escondida para o Rio de Janeiro e se hospedou no pensionato do Colégio Imaculada Conceição, em Botafogo. Reencontrou seu grande amor, José

Mariano, e resolveu viver integralmente sua paixão. Não aceitou seu pedido de casamento, o que foi mais um choque para sua família; ficaram juntos por cinco anos.

Dora queria novas emoções. Com o auxílio do então ministro da Agricultura, Fernando Costa, conseguiu se inscrever no Aeroclube para tirar o brevê e, em seguida, se aventurou no pára-quedismo. José Mariano a proibiu de voar e saltar, e ela acabou aceitando suas exigências, porque ainda estava apaixonada. As divergências passaram a ficar incontroláveis quando resolveu fazer dança na academia de Eros Volúsia e José Mariano se zangou. Ela então descobriu que ele estava tendo um caso com outra mulher. Resolveu se vingar acolhendo uma prostituta adoentada em sua casa.

Depois de separar-se de José Mariano, decidiu ser artista, dançando de maneira sensual com serpentes. Pesquisou em enciclopédias e no Instituto Vital Brazil, chegando à conclusão de que a melhor cobra para seu objetivo era a jibóia. Conseguiu uma, deu-lhe o nome de Anjo e treinou-a por cerca de 12 semanas, mas a cobra morreu quando ensaiava o espetáculo da estréia. Já experiente, domesticou e treinou duas outras cobras. Estreou no Circo Pavilhão Azul e se apresentou em outros circos, nos subúrbios do Rio de Janeiro, pois os teatros não aceitavam o tipo de espetáculo que ela fazia.

Em 1947, publicou *Trágico black-out,* com críticas à sociedade conservadora e hipócrita. Finalmente, conseguiu aparecer no circuito teatral, no espetáculo *Mulheres de todo mundo*, encenado com muito sucesso em um teatro em Copacabana. Crescia o interesse em ver a mulher que dançava nua enrolada em cobras. Aproveitou o lançamento de um batom argentino chamado Luz del Fuego, muito comentado na época, e adotou esse nome artístico, deixando a família Vivacqua aliviada por saber que ela não mais utilizaria o sobrenome. Mas ainda ameaçavam-na com internações, caso o parentesco viesse à tona. Só que seu livro, autobiográfico, revelava fatos picantes. Atílio, eleito senador, sem conseguir proibir a distribuição, comprou cerca de mil exemplares e os queimou, fato que contribuiu para aumentar a fama de Luz del Fuego.

Na década de 1950, ela era a atração maior do Carnaval carioca. Escandalizou a sociedade aparecendo nua na praia de Copacabana, em cima de um carro de sorvete, e indo ao centro da cidade com suas cobras, acompanhada de um travesti. Candidatou-se pelo Partido Naturalista Brasileiro (PNB) e fazia comícios seminua nas escadarias do Teatro Municipal no Rio de Janeiro. Não passou disso, inclusive porque o partido não fora registrado. Teve que pagar várias multas por atentado ao pudor. Resolveu abrir sua própria companhia teatral e ter casos amorosos com pessoas que pudessem garantir-lhe o sustento. Publicou um segundo livro, *A verdade nua,* com o qual fez mais inimizades.

Iniciou uma campanha com o objetivo de conseguir uma ilha para fundar uma colônia de nudismo. Assim foi que a ilha do Sol, na baía de Guanabara, tornou-se uma das grandes atrações do Rio de Janeiro, principalmente na época do Carnaval. Vários artistas de fama internacional passaram por lá, como Ava Gardner, Brigitte Bardot e Steve McQueen. O Clube Naturalista Brasileiro, na ilha, foi o primeiro clube de nudismo da América Latina. Em sua fase áurea, de 1956 a 1961, chegou a ter 240 sócios, apesar dos protestos da Igreja católica.

Como precisava de dinheiro para fazer obras no clube, retornou aos palcos em 1965, mas não foi bem-sucedida. Na ilha, passou a receber apenas poucos amigos e seus casos amorosos, encerrando as atividades do clube. Ao longo da década de 60, criou muitos atritos com os pescadores ao redor da ilha, ameaçando denunciá-los à polícia pela pesca predatória, além de ter sido várias vezes assediada sexualmente. Acabou sendo assassinada, em 1967, por dois pescadores, um dos quais, no relato à imprensa, afirmou: “Aquela puta preferiu me escorraçar a receber os meus carinhos”.

Fontes: Cristina Agostinho, Branca de Paula e Maria do Carmo Brandão, *Luz del Fuego, a bailarina do povo*; Enciclopédia *Nosso Século*; Luz del Fuego, *A verdade nua*; *Naturalismo.*

Luzia Leme (séc.XVII)

Colonizadora.

Casada com Francisco de Alvarenga. Em meados do século XVII, ofereceu suas filhas em casamento para a família Bicudo de Brito, no intuito de assegurar o controle sobre uma área de Santana de Parnaíba, na capitania de São Paulo. Consta que Luzia libertou uma índia de sua propriedade, de nome Madalena, que seus herdeiros tentaram manter em cativeiro. A índia recorreu, então, à Justiça, obtendo ganho de causa, tendo sido estipulado o valor de 20 mil réis de multa no caso de alguém vir a importuná-la. Luzia ainda teria libertado outra índia, chamada Maria, que se livrou de problemas semelhantes ao depositar 32 mil réis em favor dos herdeiros de sua ex-senhora, o equivalente ao seu valor de mercado.

Fonte: John Manuel Monteiro, *Negros da terra: índios e bandeirantes nas origens de São Paulo.*

Luzia Pinto (séc.XVIII)

Condenada pela Inquisição por feitiçaria.

Nasceu em Angola, filha de Miguel da Graça. Negra forra, morava na vila de Sabará (MG). Quando tinha 51 anos, foi denunciada ao Tribunal do Santo Ofício e enviada prisioneira para Portugal, sob as acusações de feitiçaria e de pacto com o demônio. Foi submetida, no dia 21 de junho de 1744, ao Auto de Fé, cerimônia pública marcada por um longo ritual, no Largo do Rocio, em Lisboa, na qual os condenados permaneciam perfilados e expostos ao achincalhe de populares. Eram obrigados a segurar um círio aceso de mais de um metro. À medida que a cerimônia ia se desenrolando, gotas ardentes de cera queimavam suas mãos.

Luzia Pinto foi submetida a esse ritual e recebeu por sentença o encarceramento por quatro anos, em Castro Marim, localidade situada na província do Algarve, sul de Portugal, ficando ainda proibida em definitivo de retornar à vila de Sabará.

Fonte: Francisco A. Varnhagen, *Excertos de várias listas de condenados pela Inquisição de Lisboa.*

M

Madalena Caramuru (séc.XVI)

Índia, primeira mulher brasileira letrada.

Filha da índia Moema*, ou de Catarina Paraguaçu*, segundo Eduardo Bueno, e de Diogo Álvares Corrêa, o Caramuru, Madalena viveu na Bahia em meados do século XVI. Alguns historiadores, como Gastão Penalva e Francisco Varnhagen, atestam que ela foi a primeira mulher brasileira a saber ler e escrever, numa época em que as mulheres eram mantidas na absoluta ignorância.

O casamento de Madalena com Afonso Rodrigues, natural de Óbidos, Portugal, foi celebrado no ano de 1534, na Bahia. Segundo ainda Varnhagen, esse casamento foi registrado em uma inscrição gravada na Igreja da Vitória. Gastão Penalva atribui a Afonso o ingresso de Madalena no mundo das letras. Esse mesmo autor transcreve em sua obra uma carta que teria sido escrita por ela, em 1561, ao bispo de Salvador, pedindo que as crianças escravas, "que se vêem separadas dos pais cativos, sem conhecerem Deus, sem falarem a nossa língua e reduzidas a esqueletos", fossem salvas dos maus-tratos. Oferecia a quantia de 30 peças para o resgate das "pobres crianças", que não tinham forças para o trabalho. Afirmava que os negociantes de negros queriam que a morte as levasse depressa e lamentava que a Bahia, "que ainda ontem era berço de uma geração tão pura" tivesse passado a ser vítima do domínio de negociantes negreiros, "que a cada navio que chega despejam na praia, para serem vendidos em leilão, os inocentes pretos tão dignos de melhor sorte".

A carta atribuída a Madalena Caramuru perdura no tempo como uma construção historiográfica que busca resgatar o papel das mulheres na sociedade luso-brasileira. Madalena Caramuru representa uma notória exceção ao padrão vigente na antiga sociedade colonial, em que as mulheres eram mantidas completamente alijadas dos bens culturais.

Fontes: Adalzira Bittencourt, *A mulher paulista na história*; Eduardo Bueno, *Capitães do Brasil*; Francisco A. Varnhagen, *História geral do Brasil*; Gastão Penalva, *Mulheres: história e fantasia.*

Madalena Pimentel (séc. XVI)

Delatora.

Nascida na capitania de Pernambuco, e moradora de Salvador (BA), Madalena compareceu perante o visitador da Santa Inquisição, Heitor Furtado, no dia 14 de setembro de 1591, para denunciar um certo mestre Afonso e sua mulher por comerem carne às sextas-feiras. As denúncias de Madalena também atingiram a filha do casal, Branca de Leão. Os hábitos à mesa eram, para os inquisidores, fortes indícios de práticas judaizantes, passíveis de severas punições.

Fonte: Antônio Baião, *A Inquisição no Brasil: extratos d'alguns livros de denúncias.*

Madalena Pimentel (c.1545-?)

Acusada pela Inquisição de lesbianismo.

Nasceu em Pernambuco, foi chamada a comparecer perante o visitador do Santo Ofício, Heitor Furtado, em 1591. Consta de sua declaração ter então 46 anos, ser branca e morar na freguesia do Passé, Bahia. Era viúva e proprietária de uma fazenda. Madalena disse ao visitador que, ainda criança, tivera, dos nove aos 11 anos, três parceiras de jogos sexuais: Mícia de Lemos*, Iria Barbosa e Ana Fernandes. Acabou sendo levada a confessar-se culpada de sodomia pelo que fizera 35 anos antes e a denunciar suas antigas companheiras.

Fonte: Lígia Bellini, *A coisa obscura: mulher, sodomia e Inquisição no Brasil.*

Madre Cristina (1916-97)

Religiosa, educadora e psicóloga.

Célia Sodré Dória nasceu em 1916, em Jaboticabal (SP). Foi para a capital paulista fazer o curso de filosofia entre 1936 e 1940. Entrou para a vida religiosa na Congregação de Nossa Senhora — Cônegas de Santo Agostinho, onde começou a lecionar para jovens, com grande entusiasmo. Doutorou-se em psicologia pela Pontifícia Universidade Católica de São Paulo (PUC/SP) em 1954 e, encantada com a obra de Freud, partiu no ano seguinte para a França, onde fez especialização em psicanálise na Sorbonne.

No seu retorno ao Brasil, atuou na Juventude Universitária Católica (JUC). Freira e professora universitária, fazia palestras para jovens e professores, falando em revolução, liberdade, igualdade de direitos e transformação social. Acreditando que os jovens católicos deviam participar da política, incentivou o grupo que criou a Ação Popular (AP), organização que aglutinava a esquerda cristã e combatia a ditadura militar. Seu engajamento político teve grande oposição por parte da hierarquia católica, mas ela manteve-se coerente na defesa de suas idéias. Foi chamada de louca, comunista e radical e recebia ameaças de prisão e de morte. Escondia perseguidos políticos e intermediava encontros entre ativistas. Nunca foi presa, ela mesma afirma não saber por quê.

Fundou, em 1977, o Instituto Sedes Sapientiae — ligado à Pontifícia Universidade Católica de São Paulo (PUC/SP) e destinado a cursos de especialização e formação extracurricular — que definiu como espaço aberto aos que quisessem estudar e realizar um projeto para a transformação da sociedade, visando a atingir um mundo onde a justiça social fosse a grande lei.

Fonte: Isto É/The Times, *1.000 que fizeram o século 20*; Maria Rita Kehl e Paulo Vanucci, "Madre Cristina", in R. Azevedo e F. Maués (orgs.), *Rememória — entrevistas sobre o Brasil do século XX.*

Mãe Aninha (1869-1938)

Ialorixá (mãe-de-santo).

Nasceu no ano de 1869 em Salvador (BA). Eugênia Ana dos Santos, Obá Biyi, era filha de africanos da nação Gruncis. Desde os sete anos tinha visões e falava de sua missão, recebendo de "antigas tias e tios" uma profunda formação religiosa. Iniciada na casa de Bamboché e filha de Xangô, foi convidada por seus conhecimentos a integrar o Ilê Iyá Nassô (Casa Branca do Engenho Velho), o mais antigo terreiro de origem nagô-queto a funcionar regularmente no Brasil. Mãe Aninha resolveu se afastar dessa casa devido à acirrada disputa sucessória após a morte da ialorixá Marcelina da Silva* em 1885.

Fundou um terreiro em um local chamado Camarão, mas lá ficou pouco tempo pois a repressão policial era muito grande. Foi então para o nordeste de Amaralina e depois para a Ladeira da Praça, onde os primeiros rituais de iniciação começaram a ser realizados. Em fins de 1909, sempre em Salvador, Mãe Aninha comprou o terreno no bairro de São Gonçalo do Retiro e, no ano seguinte, assentou definitivamente o Ilê Axé Opô Afonjá. Com sua inteligência e determinação, manteve viva a força e a pureza da milenar tradição africana. Nesse local, recebia intelectuais, pesquisadores e militantes políticos, muitos dos quais escreveram sobre os encontros e a convivência com Obá Biyi, que sempre se colocava cuidadosa na preservação dos fundamentos dos cultos aos orixás. Foi descrita pelo escritor Donald Pierson como uma "preta alta e majestosa, cuja menor insinuação era imediatamente obedecida pelos membros de sua seita".

Era dona de uma quitanda na ladeira do Pelourinho, onde, entre outras mercadorias, vendia artigos brasileiros e africanos. Fazia questão de se manter financeiramente independente, utilizando os recursos do terreiro somente para garantir as obrigações e os rituais e, em alguns casos, auxiliar filhas e filhos de santo que estivessem passando por necessidades.

Soube contornar, com sua peculiar habilidade, os problemas de uma época em que o candomblé era hostilizado. No período do Estado Novo, acolheu em sua casa vários intelectuais acossados pela polícia política de Getúlio Vargas, entre eles o escritor e antropólogo Edson Carneiro, ao mesmo tempo que mantinha seu prestígio junto a Oswaldo Aranha e ao próprio presidente da República. Conseguiu obter deste a assinatura do decreto 1202, que amparou os cultos africanos, pondo oficialmente um fim às perseguições aos terreiros. Alcançou o reconhecimento de diversas instituições católicas, especialmente as que congregavam os descendentes africanos. Foi priora das irmandades do Senhor Bom Jesus dos Martírios e de Nossa Senhora do Rosário, provedora perpétua de Nossa Senhora da Boa Morte, da Barroquinha e Irmã Remida da Irmandade de São Benedito, nas Quintas. Sua sabedoria e sua sensibilidade levaram-na a vários estados. Em 1936, participou do segundo Congresso Afro-Brasileiro, realizado em Salvador, apresentando um trabalho sobre culinária litúrgica baiana.

Considerada a personalidade mais ilustre dos cultos afros em seu tempo, reintroduziu na Bahia, em 1937, uma tradição ancestral de organização político-religiosa nagô: os 12 obás (ministros) de Xangô.

Faleceu em Salvador no dia 3 de janeiro de 1938 e foi sepultada na Quinta dos Lázaros da Irmandade de São Benedito com todas as praxes dos ritos católicos e do culto africano.

A forma de sucessão introduzida por Mãe Aninha no Ilê Axé Opô Afonjá não se dá, como nos outros terreiros, pela herança genética e sim por competência e determinação do orixá Xangô. Foi sucedida por Mãe Bada (Maria da Purificação), que dirigiu o terreiro apenas por um ano. Em seguida assumiu, por 32 anos, Maria Bibiana do Espírito Santo — Mãe Senhora*, já anteriormente preparada por Mãe Aninha. Nos últimos 24 anos, dando continuidade e ampliando a obra religiosa e social de Obá Biyi, está à frente do Ilê Axé Opô Afonjá a ialorixá Maria Stella de Azevedo Santos, Odé Kayode — Mãe Stella*. Em novembro de 1999, o Instituto do Patrimônio Histórico e Artístico Nacional concluiu o processo de tombamento do Ilê Axé Opô Afonjá de São Gonçalo do Retiro, em Salvador.

Fontes: Cida Nóbrega e José Félix dos Santos (orgs.), *Maria Bibiana do Espírito Santo, Mãe Senhora, saudade e memória*; Cléo Martins e Raul Lody (orgs.), *Faraimará, o caçador traz alegria: Mãe Sttela, 60 anos de iniciação*; *Jornal do Brasil*, 16.12.1998; Monique Augras, *O duplo e a metamorfose — a identidade mítica em comunidades nagô*; Nelson Silva de Oliveira, *Vultos negros na história do Brasil*; Pierre Verger, *Artigos*; Vivaldo da Costa Lima, *Os obás de Xangô*.

Mãe Benta (?-1851)

Doceira.

A lendária doceira Benta Maria da Conceição Torres, negra, viveu no Rio de Janeiro no início do século XIX. Inventou a receita de um tipo especial de bolinhos feito com ovos e açúcar, que imortalizou seu nome como parte da culinária típica brasileira.

Era mãe do cônego Geraldo Leite Bastos. Educado à custa do seu trabalho como doceira, seu filho chegou a oficial maior da secretaria do Senado.

Conta-se que, durante o período regencial, o padre Feijó costumava freqüentar a casa de Mãe Benta para conversar com seu amigo, o cônego Geraldo Leite Bastos, e saborear os quitutes preparados pela habilidosa doceira. Muitos procuraram imitar os famosos bolinhos de Mãe Benta, mas as religiosas do Convento da Ajuda no Rio de Janeiro guardavam a sete chaves o segredo da receita.

O folclore em torno dos docinhos criados por Mãe Benta inclui os seguintes versinhos: "Mãe Benta, me fia um bolo?/ Não posso, senhor tenente;/ os bolos são de Iaiá,/ não se fia a toda gente."

Faleceu no Rio de Janeiro, no dia 30 de agosto de 1851, e foi sepultada no Cemitério São Francisco de Paula.

Fonte: José Vieira Fazenda, "D'antiqualhas e memórias do Rio de Janeiro", *Revista do IHGB*, nº 147, 1923.

Mãe Luzia (1854-1954)

Parteira.

Francisca Luzia da Silva foi considerada a primeira "doutora" do Amapá. Nasceu escrava, descendente de Bantos, em 1854, na cidade de Macapá.

Aprendeu com sua mãe a "pegar as crianças" e nesta atividade se consagrou como uma das mais representativas e queridas figuras daquela região amazônica. Após incontáveis partos que fez, foi contratada pela prefeitura, recebendo uma quantia por cada nascimento que assistia, sendo carinhosamente chamada de Mãe Luzia pela população. Era também lavadeira, passando boa parte do dia curvada sobre a tina, nos coradouros, levantando varais e os pesados ferros de engomar.

Sua casa no Beco do Formigueiro, em Macapá, era visitada pelas autoridades do estado, que a procuravam para escutar as histórias da região. Um dos freqüentadores, Janari Gentil Nunes, governador do então território, contava sempre das visitas que fazia a Mãe Luzia, descrevendo a casa de barro socado, onde ela acolhia a todos com muito atenção. Em contraste com a bata branca sempre bem engomada com a qual costumava sair, Mãe Luzia recebia os visitantes vestida nos costumes de seus ancestrais, com seios expostos e saias rodadas.

Inspirou artistas de todas as áreas, que em versos e telas eternizaram sua coragem e dedicação. Foi casada com Francisco Secundino da Silva, um jovem negro, filho de escravos, que com o apoio e a persistência de Mãe Luzia foi eleito vereador em Macapá.

Faleceu aos 100 anos, em 24 de setembro de 1954. Foi velada pela população e por todas as autoridades do estado. Deixou uma sucessora, Vó Juliana, hoje com 96 anos.

O nome de Mãe Luzia foi dado à Maternidade e à Rede de Parteiras Tradicionais do Amapá, que foi criada em 1996 por iniciativa da deputada Janete Capiberibe.

Fontes: *O Liberal*, 4.2.1998; Entrevista com Elizena Roffy e Rita Andréa em fevereiro de 2000.

Mãe Menininha do Gantois

(1894-1986)

Ialorixá (mãe-de-santo).

Maria Escolástica Conceição Nazaré foi ialorixá de um dos terreiros de candomblé mais famosos e representativos do Brasil, o Gantois, em Salvador (BA). Era natural desta cidade, onde nasceu em 10 de fevereiro de 1894, filha única de Maria dos Prazeres Nazaré e bisneta da ialorixá africana Maria Júlia da Conceição Nazaré, fundadora do Gantois, cujo nome original é Ilê Iáomi Axé Iá Massê (Casa da Mãe das Águas).

Foi iniciada no candomblé aos oito anos, como filha de Oxum, por sua tia, madrinha e antecessora, a ialorixá Pulquéria da Conceição Nazaré, que a apelidou de Menininha.

Maria Júlia, bisavó de Menininha, após acirrada disputa sucessória na Casa de Iá Nassô*, desencadeada com a morte de Marcelina da Silva*, Obá Tossi, fundou o terreiro no Alto do Gantois, na casa onde sua família já estava instalada desde a década de 1870. Essa propriedade pertencia anteriormente a uma família francesa, os Gantois, daí a origem do nome. No Gantois a sucessão foi sempre por via dinástica e herança genética. Assim, quando Maria Júlia morreu, foi sucedida pela ialorixá Pulquéria da Conceição Nazaré, sua filha natural; anos depois, após a morte desta, assumiu Maria da Glória Nazaré, que dirigiu o templo somente por dois anos. Com esta perda, Mãe Menininha se afastou dos trabalhos no terreiro, só freqüentando algumas poucas cerimônias. Em uma destas ocasiões, em fevereiro de 1922, quando se celebrava um ritual pela memória de Pulquéria, ela foi designada, pelos orixás, a ocupar a direção do terreiro. Menininha assumiu, então com 28 anos, a dupla função de todas as ialorixás: sacerdotisa do templo e orientadora de sua comunidade.

Nas primeiras décadas à frente do terreiro, viveu os tempos difíceis de perseguição ao candomblé. Soube preservar o culto aos orixás nagôs com sabedoria, carisma e doçura, características que a destacaram ao longo dos 74 anos em que esteve na direção do Gantois.

Recebeu inúmeras homenagens, sobretudo a partir dos anos 60, de várias personalidades de nossa cultura, sendo fonte de inspiração para pesquisadores, poetas e artistas de todas as áreas, que eternizaram essa filha de Oxum como uma das maiores referências de acolhimento e fé na religiosidade e cultura afro-brasileira. Considerada uma das ialorixás mais respeitadas e queridas de sua época, manteve sempre seu prestígio junto à Igreja e foi madrinha de vários grupos sociais, como os Filhos de Gandhi.

Faleceu em 13 de agosto de 1986, com 92 anos, após longa enfermidade, comovendo todo o Brasil. Foi casada com o descendente de ingleses Alvaro McDowell de Oliveira e teve duas filhas: Cleusa e Carmem. Mãe Cleusa assumiu a Casa até a sua morte em 1998. Por iniciativa dos seus incontáveis filhos e filhas de santo e com apoio do governo da Bahia, no início dos anos 90, nas dependências do Gantois, foi fundado um Memorial para preservar a trajetória de Mãe Menininha.

Fontes: Cléo Martins e Raul Lody (orgs.), *Faraimará, o caçador traz alegria: Mãe Stela, 60 anos de iniciação*; *Correio da Bahia*, 11.2.1981; *Jornal da Bahia*, 8.4.1984; *Manchete*, 13.2.1993; Nelson Silva de Oliveira, *Vultos negros na história do Brasil*; Pierre Verger, *Artigos*; *Tribuna da Bahia*, 15.9.1986; Vivaldo da Costa Lima, *Os obás de Xangô*.

Mãe Senhora (1900-67)

Ialorixá (mãe-de-santo).

Nasceu em 31 de março de 1900, na freguesia da Sé em Salvador (BA). Maria Bibiana do Espírito Santo — Oxum Muiwá, chamada Senhora, apelido dado às primogênitas das famílias baianas. Era filha de Claudiana da Silva e de Felix do Espírito Santo, neta de Madalena e bisneta de Marcelina da Silva* — Obá Tossi. Ela e sua irmã Felícia do Espírito Santo trabalhavam desde muito cedo e tinham um tutor que administrava os bens deixados por seus pais. Foram iniciadas no candomblé em 4 de novembro de 1907 por Eugênia Ana dos Santos — Mãe Aninha*, fundadora do terreiro Ilê Axé Opô Afonjá em São Gonçalo do Retiro, Salvador (BA).

Em 1925, por orientação médica, Mãe Senhora mudou-se com seu filho Deoscóredes para a ilha de Itaparica, onde manteve uma quitanda e passou a freqüentar o culto dos eguns da Ponta de Areia. Sem nunca ter abandonado os laços com esse grupo, retornou a Salvador anos mais tarde ao ser chamada por Mãe Aninha.

Maria Bibiana tinha uma personalidade marcante e alcançou o respeito e admiração de toda a comunidade de São Gonçalo do Retiro. Detentora de um profundo conhecimento dos rituais e fundamentos das tradições africanas, assumiu definitivamente a direção do Ilê Axé Opô Afonjá, em 19 de agosto de 1942, tornando-se a terceira ialorixá desse terreiro. Durante toda a sua vida dedicada aos cultos, recebeu vários títulos honoríficos, como os de Iyá Egbé, Ossi Dejan, Iyalode Apetebi e especialmente o de Iyá Nassô, concedido em 1952 pelo Alafin (Rei) de Oió, Adeniram Adeyemi II. Em 1965, num lotado estádio do Maracanã (RJ), foi aclamada a "Mãe Preta do Brasil", recebendo nesse evento inúmeras homenagens.

Acolheu em sua casa personalidades do mundo cultural, como Jorge Amado, Zélia Gattai, Caribé, Roger Bastide, Pierre Verger, Jean-Paul Sartre, Simone de Beauvoir, entre outros. Fortaleceu o sistema dos obás (ministros) de Xangô, concedendo a algumas dessas personalidades esse importante cargo, consolidando assim o prestígio da Casa de São Gonçalo.

Reconhecidamente a maior autoridade dos cultos afro-brasileiros de sua época, Mãe Senhora faleceu em Salvador no dia 22 de janeiro de 1967. Foi sepultada na Quinta dos Lázaros, dentro dos rituais e tradições nagô, com a presença de autoridades religiosas e públicas e celebridades da cultura brasileira. Sucedeu-a na direção do Ilê Axé Opô Afonjá a ialorixá Ondina Valéria Pimentel — Mãezinha, e desde 1976 está à frente do terreiro a ialorixá Maria Stella de Azevedo Santos — Mãe Stella*. Foi condecorada em 1966 pelo governo do Senegal com a Medalha de Cavalheiro da Ordem do Mérito pela sua atuação na preservação da cultura e tradição africana no Brasil. Contudo, a entrega foi realizada, *post-mortem*, ao seu único filho Deoscóredes Maximiliano dos Santos — Mestre Didi, ilustre escultor e autor de importantes obras sobre as comunidades, ritos e contos nagô.

Fontes: Cida Nóbrega e José Félix dos Santos (orgs.), *Maria Bibiana do Espírito Santo, Mãe Senhora, saudade e memória*; Cléo Martins e Raul Lody (orgs.), *Faraimará, o caçador traz alegria: Mãe Stella,*

60 anos de iniciação; *Diário de Notícias*, 24 e 25.1.1967; *Jornal da Bahia*, 21.1.1967, 24.1.1967 e 1.4.1968; Monique Augras, *O duplo e a metamorfose — a identidade mítica em comunidades nagô*; Pierre Verger, *Artigos*.

Mãe Stella (1925-)

Ialorixá (mãe-de-santo).

Maria Stella de Azevedo Santos — Odé Kayode, nasceu a 2 de maio de 1925 na Ladeira do Ferrão, Pelourinho, em Salvador (BA), filha de Thomazia de Azevedo Santos e Esmeraldo Antigno dos Santos. Foi criada por seus tios Archanjá de Azevedo Fernandes e José Carlos Fernandes, bem-sucedidos proprietários de cartório. Estudou no tradicional Colégio Nossa Senhora Auxiliadora de Anfrísia Santiago* e formou-se posteriormente em enfermagem, especializando-se em saúde pública.

Filha de Oxóssi, foi iniciada no dia 12 de setembro de 1939, aos 14 anos, no Ilê Axé Opô Afonjá pela célebre ialorixá Mãe Senhora*, a qual Stella acompanhou durante décadas, até sua morte em 1967.

Foi escolhida por Xangô como ialorixá do terreiro de São Gonçalo do Retiro, em 19 de março de 1976, um ano após o falecimento de Ondina Valéria Pimentel, Mãezinha, que havia sucedido Mãe Senhora. Assumiu, então, definitivamente a responsabilidade do templo e a partir daí passou a ser a depositária do peculiar poder reservado às mulheres na religião dos orixás.

Viajou várias vezes à África para aprofundar ainda mais seus conhecimentos e reintroduziu no Ilê cargos religiosos como o de Agbeni Sàngó, de Ibadan, Nigéria e Ile Ifé. Fiel zeladora dos cultos afros, soube habilmente estimular a transformação de parte da milenar tradição oral em uma herança escrita, possibilitando o acesso e a compreensão de um maior número de pessoas ao rico simbolismo da religião dos terreiros.

Publicou dois livros e prefaciou vários. São seus: *E daí aconteceu o encanto*, em co-autoria com sua filha Cléo Martins, e *Meu tempo é agora*. Escreveu inúmeros artigos para a imprensa, fez conferências em diferentes partes do mundo e colaborou com o texto do vídeo premiado *Este é nosso universo, esta é nossa crença*, de Jacyra Oswald.

Criou, em 1981, o primeiro museu numa casa de candomblé, o Ohun Lailai, que fica no mesmo terreno da Escola Municipal Eugenia Anna dos Santos, onde, em parceria com a prefeitura de Salvador, implantou um projeto especial de ensino que visa preservar a identidade do afro-descendente, formando assim a íntegra cidadania daquela comunidade. Com sua sabedoria e discernimento, foi a primeira grande autoridade do candomblé a se posicionar publicamente contra a prática do sincretismo banal com a religião cristã.

Entre os muitos prêmios, condecorações e homenagens que recebeu, destacam-se: o Troféu Esso para escritores negros, em 1988; a Comenda da Ordem do Cavaleiro, em 1990, dada pelo governo do estado da Bahia; a Comenda Maria Quitéria, em 1995; o grande evento "Faraimará, a Bahia abraça Mãe Stella", em celebração aos seus 70 anos, em 1995; o Troféu Clementina de Jesus, em 1997; e a homenagem prestada pelos participantes do X Encontro de Padres Negros, em 1999, na cidade de Mariana (MG), com a presença histórica do arcebispo da Bahia, Geraldo Magela.

Em comemoração aos 60 anos de iniciação de Mãe Stella, em novembro de 1999, o Instituto do Patrimônio Histórico e Artístico Nacional (IPHAN) concretizou o processo de tombamento do Ilê Axé Opô Afonjá. Nessa mesma ocasião recebeu a Comenda do Mérito Cultural, dada pela presidência da República em uma cerimônia no próprio terreiro de São Gonçalo do Retiro.

Mãe Stella vive em Salvador e é a quinta ialorixá a ocupar a direção do Ilê Axé Opô Afonjá, onde, com grande empenho, preserva a essência religiosa iorubá, que faz parte da memória das grandes contribuições da cultura africana para a formação do Brasil.

Fontes: Cida Nóbrega e José Félix dos Santos (orgs.), *Maria Bibiana do Espírito Santo, Mãe Senhora, saudade e memória*; Cléo Martins e Raul Lody (orgs.), *Faraimará, o caçador traz alegria: Mãe Stella, 60 anos de iniciação*; Entrevista de Cléo Martins a Érico Vital Brazil em 2 de fevereiro de 2000.

Magdalena Tagliaferro (1893-1986)

Pianista.

Magdalena Maria Yvonne Tagliaferro nasceu a 19 de janeiro de 1893, em Petrópolis (RJ), filha de Louise Hergenreder e Paulo Tagliaferro. Aos cinco anos de idade começou a estudar piano com seu pai e aos nove estreou em São Paulo, impressionando a platéia ao tocar um concerto de Mozart. Em 1904, após uma turnê pelo país, seu pai adoece e a família se muda para França, onde estudou com Alfred Cortot no Conservatório de Paris. Aos 13 anos, antes de completar um ciclo completo de aprendizado, concorreu com 46 pianistas, alcançando a medalha de ouro e o primeiro prêmio do concurso anual da instituição. A partir dessa conquista, percorreu vários países realizando recitais e concertos com importantes orquestras e consagrados maestros.

Gravou seu primeiro disco em 1929, no qual interpretou Fauré. Nesse mesmo ano, Villa-Lobos dedicou-lhe o *Álbum nº 4* e o *Momoprecoce*, para piano e orquestra. Foi nomeada pelo governo francês catedrática do Conservatório de Música de Paris, em 1937, quando sucedeu a Isidor Philipp na classe de aperfeiçoamento e virtuosidade. Ainda na área da educação, lecionou durante décadas em vários pontos do mundo e criou, em 1942, a escola Magdalena Tagliaferro em São Paulo, onde se empenhou na transmissão de métodos especiais para o aprendizado musical. Instituiu também, em 1957, o Concurso Internacional Magdalena Tagliaferro em Paris.

No final da década de 1970, escreveu seu livro de memórias, *Quase tudo*, e gravou seu último disco em 1981, em parceria com o pianista Daniel Varsano. Em 1985, aos 92 anos, em plena atividade artística, fez uma grande turnê por várias cidades do Brasil e se apresentou pela última vez tocando com orquestra, no Teatro Cultura Artística em São Paulo.

Magnífica intérprete de música clássica e contemporânea, recebeu inúmeras homenagens e condecorações durante sua vida, em especial: a Legião de Honra da França em 1928; Commendeur da Legião de Honra da França em 1953; a Ordem do Rio Branco, em 1972, e grau de Grande Oficial da Ordem Nacional do Mérito Educativo do governo brasileiro em 1983.

Regressou ao Brasil, onde faleceu no Rio de Janeiro em 9 de setembro de 1986.

Desde 1969 funciona, em São Paulo, a Fundação Magdalena Tagliaferro, onde está preservada a memória da grande pianista.

Fontes: *Enciclopédia da música brasileira: popular, erudita e folclórica*; Publicação comemorativa do centenário de Magdalena Tagliaferro.

Maísa (1936-77)

Cantora e compositora.

Maísa Figueira Monjardim nasceu em 6 de junho de 1936, em São Paulo. Aos 12 anos, estudava piano e compôs sua primeira música, o samba-canção "Adeus". Foi aluna interna do colégio Sacré Coeur de Marie, de onde saiu com 18 anos para se casar com o empresário paulista André Matarazzo. Depois de casada continuou a compor, mas cantava raramente, apenas em festas de amigos. Numa dessas reuniões, em 1956, foi convidada por um produtor de discos para gravar suas composições. O seu primeiro LP, *Convite para ouvir Maísa*, tinha como principal sucesso a música "Ouça" e bateu recordes de vendagem, sendo a renda revertida para a campanha contra o câncer. A partir de então, passou a se apresentar em vários programas de tevê e a realizar shows em boates, consolidando sua carreira como compositora e intérprete.

Em 1960, mudou-se para o Rio de Janeiro, onde passou a escolher músicas da bossa nova, como "Barquinho", "Ah, se eu pudesse!" e "Nós e o mar", todas de Ronaldo Bôscoli e Roberto Menescal. Com esse novo repertório, viajou pelo Brasil e exterior, apresentando-se nos principais palcos dos Estados Unidos e da Europa, transformando-se numa das primeiras divulgadoras da bossa nova. Ainda nessa década, já separada, casou-se pela segunda vez com o industrial espanhol Miguel Azanza, com quem foi viver na Espanha.

Em 1969, retomou a carreira profissional no Brasil, formando com o marido a Guelmay, empresa destinada a produzir seus discos e programas. Nesse mesmo ano, se apresentou para um grande público no Rio de Janeiro e em São Paulo.

Trabalhou ainda em teatro e TV, participando das novelas *O cafona* (1971), para a qual compôs "O tema de Simone", e *Bravo* (1974), ambas da TV Globo.

Maísa construiu uma imagem de compositora e cantora de "fossa". Manuel Bandeira retratou-a num poema, "Estrela da vida inteira", em que confessa que ela o sacode, o comove, o "buleversa" e o hipnotiza.

Maísa morreu em um acidente na ponte Rio-Niterói, dia 22 de janeiro de 1977, deixando um único filho, Jaime Monjardim, e uma legião de fãs.

Fontes: *Enciclopédia da música brasileira: popular, erudita e folclórica*; Sílvio Túlio Cardoso, *Dicionário biográfico de música popular.*

Manha (c.1900-?)

Imigrante russa.

Nascida em Odessa, Rússia, Manha era judia, sem recursos e tinha três filhas quando chegou ao Brasil em 1929. Não podendo provar como iria sustentar as filhas, o que era condição necessária à imigração, Manha pedira ao marido de uma conterrânea e amiga, o qual trabalhava na polícia marítima, que fosse tutor das moças e as liberasse no desembarque no porto. O casal tinha uma pensão e casa de cômodos na rua Henrique Valadares, 44, no centro do Rio de Janeiro, onde Manha e suas filhas foram morar. Manha trabalhou vendendo roupas e escrevendo cartas em iídiche para os amigos enviarem aos familiares na Europa. Também foi caixa de uma padaria e, no final da vida, vendia bilhetes de loteria na rua da Carioca.

Manha e suas filhas foram sócias da Associação Beneficente Funerária e Religiosa Israelita (ABFRI*).

Fonte: Beatriz Kushnir, "As polacas cariocas: mulheres, judias e prostitutas e suas associações de ajuda mútua", *Revista Acervo*, 1996.

Manoela Maria (séc.XIX)

Devota de movimento religioso.

Participou da revolta sebastianista da serra do Rodeador, em Bonito, Pernambuco, em 1820, um dos primeiros movimentos messiânicos de que se tem notícia no Brasil. O sebastianismo foi a crença na volta do antigo rei de Portugal D. Sebastião, morto em 1578 na batalha de Alcácer-Quibir, cujo corpo nunca foi encontrado.

Aproximadamente em 1812, formou-se uma irmandade, liderada pelo irmão de Manoela, Silvestre César ou Silvestre José dos Santos, que inicialmente congregava apenas parentes próximos seus. Passados alguns anos, muitas pessoas das povoações e campos vizinhos dirigiam-se à serra para participar de rezas domésticas e ouvir pregações do líder. Os adeptos eram quase todos de descendência africana e, na sua maioria, analfabetos.

Em 1819, a irmandade já tinha seu oratório próprio, num grande mocambo de palha, para onde foram transferidas diversas imagens, entre elas a da Santa da Pedra (presumivelmente Nossa Senhora da Conceição, padroeira de Bonito) que, segundo acreditavam os fiéis, tinha o dom milagroso da fala. Seria a Santa que transmitia a Silvestre todo o conhecimento e as instruções referentes ao "encanto" de D. Sebastião.

As tropas governamentais saíram de Recife dia 21 de outubro para tomar de assalto a serra do Rodeador, na madrugada do dia 25. O combate durou seis horas e nele morreram, pelas cifras oficiais, cerca de 80 dos 500 fiéis, vários deles queimados pelo fogo que a tropa ateou às choupanas de palha. Os sobreviventes foram presos para responder a processo sumário. Manoela, casada com outro líder da revolta e, como quase todos, analfabeta, tinha 26 anos quando foi interrogada, juntamente com outras cinco mulheres, no dia 22 de novembro de 1820. Foram absolvidas e soltas, porque o conselho de investigação concluiu que, apesar de ocuparem cargos de destaque na associação sebastianista, haviam sido arrastadas pelos homens para entrar naquela "sociedade criminosa". Ignorantes ou não, as mulheres do Rodeador desempenharam papel significativo no episódio, cumprindo tarefas nos rituais, vigiando durante as reuniões e participando na resistência às investidas repressivas.

Fonte: Leonarda Musumeci, *Bonito, Pernambuco e a revolta sebastianista da serra do Rodeador.*

Mara Rúbia (1918-91)

Atriz e vedete.

Osmarina Lameira Cintra nasceu em 3 de fevereiro de 1918, na Ilha de Marajó (PA). Era filha de Cesarina Lameira Cintra e de Alíbio Colares Cintra. Casou-se aos 17 anos com Benedito José de Carvalho, vereador e depois deputado em Belém, com quem teve três filhos: Ronaldo, Osvaldo e Teresinha. Decidiu se separar do marido após o nascimento de sua última filha, permanecendo por algum tempo em Belém, onde manteve relacionamento amoroso com um médico da cidade. A situação de mulher separada vivendo em concubinato escandalizou a sociedade e Osmarina foi alvo de preconceitos, inclusive proibida de freqüentar o clube local.

Em agosto de 1944, mudou-se para o Rio de Janeiro, levando consigo o filho mais velho e a promessa de logo mandar buscar o resto da família. Foi recebida por Nair Vera, que fora sua modista em Belém e morava em Botafogo junto com os 10 filhos. O primeiro emprego que conseguiu foi numa firma de corretagem, na qual utilizou os conhecimentos de taquigrafia e datilografia que adquirira nos dois anos de curso normal. Como o salário era baixo, mal dando para pagar os estudos do filho, Osmarina continuou procurando emprego. Respondeu a um anúncio de "Precisa-se de *girls*", sem saber exatamente do que se tratava. Foi assim que chegou à praça Tiradentes e conheceu Walter Pinto, grande empresário do teatro de revistas, que logo se encantou com sua exótica beleza e decidiu investir na sua formação, contratando professores para ensiná-la a cantar e dançar. Estreou no Teatro Recreio em dezembro de 1944, na peça carnavalesca *Momo na fila*. Em fevereiro do ano seguinte, trouxe o resto da família para o Rio.

Pouco depois de chegar à então capital federal, conhecera Carlos Alberto Campos Seabra, que se tornaria seu companheiro por muitos anos, embora nunca houvessem morado juntos, e depois um grande amigo.

Em 1946, conquistou o título de Rainha das Atrizes. Diante do seu sucesso, Walter Pinto decidiu dar-lhe um nome artístico e, em referência aos seus cabelos louros, batizou-a de Mara Rúbia. Ela trabalhou durante 16 anos no teatro de revista, estrelando diversos musicais, todos no Teatro Recreio.

Mara Rúbia destacou-se principalmente por sua espontaneidade e sua capacidade de improvisar, o que a levou a criar o número de platéia, em que fazia brincadeiras e contracenava com o público. Não se limitou ao teatro de revista, encenando comédias e até tragédias, como *A filha de Iólio*, de D'Annunzio, que fez no Teatro Municipal do Rio de Janeiro. Envolveu-se ainda na criação do Teatro de Bolso.

Pioneira na televisão, participou de programas da TV Tupi no início dos anos 50, quando também dividiu o palco com Bibi Ferreira* e Virgínia Lane*. Com problemas de saúde, afastou-se por mais de 10 anos do público, retornando em 1970. Nesse mesmo ano, conquistou o prêmio Coruja de Ouro de melhor atriz coadjuvante por sua participação no filme *Os deuses e os mortos*, de Rui Guerra. Estrelou várias chanchadas e atuou nos longas *O casamento*, de Arnaldo Jabor, e *Dona Flor*, de Bruno Barreto. Fez também algumas telenovelas.

Em 1971, quando encenava *Liberdade para as borboletas*, teve uma parada cardíaca no palco, sendo socorrida por um médico da platéia. Foi sua última apresentação no teatro.

Acometida de síndrome de Parkinson, afastou-se dos palcos e passou os últimos anos de sua vida ao lado da família. Faleceu no Rio de Janeiro no dia 15 de maio de 1991.

Fontes: Terezinha Marçal, *Depoimentos III*; Entrevista com Terezinha Marçal, filha de Mara Rúbia, em agosto de 1999.

Marcelina da Silva (?-1885)

Ialorixá (mãe-de-santo).

Baiana, segunda ialorixá a dirigir o terreiro Ilê Iá Nassô, o mais antigo terreiro de origem nagô-quêto a funcionar regularmente no Brasil.

Filha de santo e parente consangüínea de Iá Nassô*, Marcelina (Obá Tossi) acompanhou-a numa viagem à África, onde Iá Nassô veio a falecer. Nesta viagem aprofundou seus conhecimentos religiosos e trouxe consigo importantes objetos de culto africanos necessários às cerimônias. Ao regressar e suceder a primeira mãe-de-santo do terreiro, Obá Tossi consolidou a liderança feminina da casa. Sofreu perseguições em uma época em que o exercício do culto era reprimido e as sacerdotisas e sacerdotes, bem como os fiéis, eram constantemente ameaçados. Somente fortes personalidades conseguiram manter os templos e seu prestígio, contornando os inevitáveis conflitos dinásticos, entre outros.

Marcelina é bisavó de Maria Bibiana do Espírito Santo, Mãe Senhora*, que foi a maior autoridade do culto nagô em sua época. Sua morte, em 27 de junho de 1885, acirrou definitivamente as grandes disputas entre as prováveis sucessoras, provocando a saída de duas grandes ialorixás: Maria Júlia da Conceição Nazaré, que fundou o terreiro do Gantois, e, anos mais tarde, Eugênia Ana dos Santos, mais conhecida como Mãe Aninha*, que fundou o terreiro do Ilê Axé Opô Afonjá.

Uma das sucessoras de Obá Tossi mais lembradas é Maximiana da Conceição, Tia Massi, que liderou por vários anos o terreiro, já chamado de Engenho Velho, e que em homenagem a seu orixá adotou o nome Casa Branca do Engenho Velho.

Após imenso esforço, esse templo religioso afro-brasileiro foi tombado no começo dos anos 80 e faz parte do Patrimônio Histórico Nacional.

Fontes: Cléo Martins e Raul Lody (orgs.), *Faraimará, o caçador traz alegria: Mãe Stella, 60 anos de iniciação*; Monique Augras, *O duplo e a metamorfose — a identidade mítica em comunidades nagô*; Pierre Verger, *Artigos*.

Márcia Haydée (1937-)

Bailarina.

Márcia Haydée Salaverry Pereira da Silva é uma das grandes intérpretes da dança deste século. Nasceu em 18 de abril de 1937, em Niterói (RJ), filha de Margaritha Haydée Salaverry Lopes e Alcides Pereira da Silva. Separada, sua mãe casou de novo, quando Márcia tinha quatro anos, com Athayde Gonçalves Lopes, que ela considerava como seu segundo pai. Desses dois casamentos, Márcia tem quatro irmãos. Fez o primeiro grau no Colégio Bennett no Rio de Janeiro.

Estudou balé desde menina no Brasil, seguindo aos 16 anos para Londres, Inglaterra. Em 1957, iniciou sua carreira no Ballet do marquês de Cuevas e, em 1961, conheceu o coreógrafo John Cranko, diretor do Ballet de Stuttgart, que reconheceu seu talento de estrela internacional e passou a criar coreografias especialmente para ela, como *Romeu e Julieta, Eugène Oneguin* e *A megera domada*. Em 1976, três anos depois da morte de Cranko, Márcia, então aclamada como a "Maria Callas da dança", assumiu a direção do Ballet de Stuttgart e passou a ser disputada pelos mais destacados coreógrafos da época, como Maurice Béjart. Seus mais importantes *partners* foram Richard Cragun, com quem esteve casada durante 16 anos, Rudolf Nureyev e Jorge Donn.

Deixou, em 1996, a direção do Ballet de Stuttgart e optou por uma vida tranqüila ao lado de seu novo companheiro Gunther Schoebert, nos arredores da cidade de Stuttgart, na Alemanha.

Eventualmente volta ao palco, como aconteceu em 1999, quando, ao lado do bailarino Ismael Ivo, apresentou, na Alemanha, a peça *Tristão e Isolda*. É considerada uma das maiores estrelas da dança internacional.

Fonte: Isto É/The Times, *1.000 que fizeram o século 20*; Entrevista concedida por sua irmã a Hildete Pereira de Melo em março de 2000.

Margaret Mee (1909-88)

Artista plástica.

Nascida em 1909, em Chesham, na Inglaterra, Margaret iniciou seus estudos de arte na década dc 1940. Chegou ao Brasil para cuidar de uma irmã em 1952, mas, como tantos outros visitantes estrangeiros, deslumbrou-se com a exuberância da paisagem tropical e a visita transformou-se em estada permanente. Primeiro morou em São Paulo e trilhou, com tintas e pincéis, a Mata Atlântica, descobrindo e imortalizando em seus desenhos as mais variadas espécies vegetais. As bromélias, particularmente, foram alvo de sua paixão.

Em 1956, viajou pela primeira vez para a Amazônia. Palmilhou a floresta, e a ela retornou 14 vezes, documentando em seus cadernos centenas de plantas da flora brasileira conhecidas e desconhecidas. Algumas viriam a receber seu nome, numa homenagem a seu trabalho.

Em 1968 recebeu um convite de Roberto Burle Marx e mudou-se para o Rio de Janeiro, onde fixou residência. Na sua última viagem à Amazônia, no ano de sua morte, 1988, Margaret estava em busca de uma espécie rara de cactus, o *Strophocactus*, com suas flores brancas que só florescem à noite e são chamadas de "flor da lua". Como se abrem apenas uma vez no ano, Margaret comemorou seu último aniversário, o 79º, esperando longa e pacientemente, às margens do rio Negro, sua floração. Realizou, então, uma pintura magnífica, talvez a mais bela de toda sua obra.

Sobre a importância de sua obra, assim se expressou: "Sei que minha morte não significará o fim de meu trabalho. Onde quer que esteja, tentarei influenciar aqueles que estão destruindo o planeta para que dêem à natureza uma chance de sobreviver." Para dar continuidade às suas experiências, foram criadas duas fundações: uma no Brasil, a Fundação Botânica Margaret Mee, e outra na Inglaterra, a Margaret Mee Amazon Trust.

Faleceu na Inglaterra, em 1988.

Fontes: *Jornal do Brasil*, 3.8.1999; Museu de Arte Moderna do Rio de Janeiro/Fundação Botânica Margaret Mee, *Margaret Mee: vida e herança* (catálogo da exposição de 1992).

Margarida *ver* Guidinha do Poço

Margarida da Costa (séc.XVI)

Interrogada pela Inquisição.

Natural de Moura, em Portugal. Era casada com o senhor do engenho de Jaguaripe, no Recôncavo baiano, Fernão Cabral de Taide, português de origem nobre, natural de Silves, no Algarve. O registro de sua vida está ligado ao processo movido pelo Tribunal do Santo Ofício contra seu marido, por ter protegido em suas terras "a Santidade do Jaguaripe", homens-deuses da tradição tupi e os fiéis que os conduziam. Em meio a danças, transes, cânticos e fumaça inebriante do tabaco, os índios renovavam a peregrinação à Terra sem Mal, lugar mítico da felicidade eterna. Margarida acolheu a Santidade e permitiu mesmo que duas índias da casa-grande fossem rebatizadas pela seita da "gentia Mãe de Deus", mulher que parecia ser a dirigente das cerimônias no engenho.

Em outubro de 1591, um mês depois que seu marido foi preso pelo Tribunal do Santo Ofício, Margarida Costa se apresentou para depor, admitindo que adotara a seita e recebera com honra seus principais servidores. Margarida não foi intimada pelo Visitador para outros depoimentos porque sua confissão espontânea tinha sido longa e esclarecedora. Fernão Cabral ficou preso quase um ano e recebeu como sentença uma multa de mil cruzados e degredo para fora da capitania por dois anos. Foi para Portugal cumprir sua pena, o que demonstra que a Inquisição reservava aos colonizadores um tratamento bastante brando em relação ao que destinava aos escravos e índios.

Fonte: Ronaldo Vainfas, *A heresia dos índios — catolicismo e rebeldia no Brasil colonial.*

Margarida Joaquina de Sousa

(c.1758-?)

Citada nos autos da Conjuração Baiana.

Margarida era casada com Manoel dos Santos, ela negra, ele branco. Tinha 40 anos quando foi citada nos autos da devassa da Conjuração Baiana, movimento insurrecional reprimido pelas autoridades portuguesas no ano de 1798. A ocupação de Margarida era pedir esmolas para a Igreja do Senhor do Bonfim. Perante o inquisidor, declarou que morava diante da fonte do Xixi, na freguesia do Pilar. Pouco sabia sobre o movimento, repetindo apenas o que se comentava nas ruas a respeito da conspiração.

Respondeu a perguntas sobre as relações da sua família com a do cirurgião José de Freitas Sacoto, que morava em frente a sua casa e estava preso, acusado de participar da revolta. Negou que tivesse tido conhecimento da ordem dada por uma mulher para que fossem queimados os papéis do vizinho. Negou também saber que sua filha de 12 anos tivesse conversado a esse respeito com o filho do cirurgião, um menino de seis anos.

Não foi formada culpa contra Margarida, mas seu depoimento revela os métodos de investigação, baseados na delação, empregados nos julgamentos de crimes de lesa-majestade, como foi o caso da Conjuração Baiana, em cujo processo de devassa houve cerca de 50 pessoas envolvidas, resultando na aplicação da pena de morte a quatro homens.

Fonte: *A Inconfidência da Bahia. Devassas e seqüestros.*

Margarida Lopes de Almeida (1897-?)

Declamadora e escultora.

Nasceu em 1897 na rua Aprazível, bairro de Santa Teresa, na cidade do Rio de Janeiro (RJ). Filha da consagrada romancista Júlia Lopes de Almeida* e do poeta Felinto de Almeida, freqüentou como quase todas as crianças daquele bairro, a escola de Dona Paulina Macedo, mestra de várias gerações, escritora conhecida e admirada sob o pseudônimo de Lia de Santa Clara.

Em sua casa, pai, mãe, irmãos e tias eram artistas e desde a infância Margarida esteve em contato com a poesia. Entre os amigos mais íntimos e freqüentadores assíduos das reuniões de Júlia e Felinto de Almeida estavam Olavo Bilac, Raimundo Correia, Alberto de Oliveira, Artur Azevedo, Paulo Barreto, entre outros. Margarida mal sabia falar e já recitava.

Apresentou-se em público pela primeira vez ainda menina, declamando poemas durante uma conferência, e tomou parte em vários saraus literários, realizados no salão do *Jornal do Commercio*, então muito em voga, e na Escola Nacional de Belas-Artes.

Estudou na Escola Nacional de Belas-Artes, onde ganhou um concurso de escultura, fazendo jus à Grande Medalha de Ouro e a um prêmio de viagem. Partiu para Paris, onde viveu sete anos e freqüentou o ateliê do escultor francês Paul Landowsky, que declarou nada ter a lhe ensinar, uma vez que já dominava todos os segredos do ofício. Nessa época, o escultor francês estava fazendo o monumento do Corcovado e confiou a ela a execução das mãos da grandiosa estátua do Cristo Redentor. Jean Camus era outro grande mestre parisiense, de quem foi aluna. Em 1931, foi premiada no Salão Oficial dos Artistas Franceses.

De volta ao Brasil, Guida — era assim que assinava suas esculturas — deu prosseguimento à sua atividade como declamadora, realizando mais de mil recitais ao longo de sua vida. Foi homenageada com o seu nome gravado em uma placa de bronze afixada à entrada da platéia no Teatro Municipal do Rio de Janeiro. De Portugal, país de origem de toda a sua família, recebeu o colar da Ordem de São Tiago e Espada. Seu talento como declamadora também foi reconhecido na França, onde foi condecorada com a Legion d'Honneur pelo presidente da República francesa, Albert Lebrun. Margarida realizou o sonho da mãe, que queria ter um filho escultor, e para homenageá-la esculpiu o busto de D. Júlia, tornando-se, para sempre, a "sua escultora".

Fonte: *O Cruzeiro*, 16.7.1955.

Margarida Maria Alves (c.1933-83)

Líder sindicalista rural.

Era presidente do Sindicato dos Trabalhadores Rurais de Alagoa Grande, região canavieira da Paraíba, quando foi assassinada por um pistoleiro a mando de latifundiários. Sua morte provocou inúmeras manifestações dos trabalhadores rurais e de grupos de mulheres do Brasil, em protesto contra a impunidade dos senhores de terra nos atos criminosos que cometem na defesa do sistema latifundiário.

Margarida destacou-se como liderança dos trabalhadores rurais na luta pelos direitos sociais, alguns já conquistados pelos trabalhadores urbanos. Lutou pelo registro do trabalho em carteira, pela jornada de oito horas de trabalho, 13º salário, férias, repouso remunerado. Seu empenho na organização dos camponeses vinha se desenvolvendo há 12 anos, e ela já havia feito muitas denúncias contra os proprietários rurais locais. Numa delas, moveu um processo contra o filho de um fazendeiro que havia espancado uma moradora de suas terras, velha e paralítica.

A dedicação e a coragem de Margarida na mobilização dos trabalhadores rurais do brejo paraibano repercutiram na Confederação dos Trabalhadores na Agricultura (CONTAG) e em mais 32 sindicatos rurais. Seu exemplo possibilitou o início de poderosa campanha salarial e a reivindicação de dois hectares de terras para as famílias dos trabalhadores rurais plantarem roças de subsistência.

Por acreditar na educação como forma de transformação, foi uma das fundadoras do Centro de Educação e Cultura do Trabalhador Rural. Afirmava que as mudanças sociais não dependiam só do governo, mas da luta de todos para construir uma sociedade justa e igualitária. "Se a gente se isolar, se a gente faz uma concentração por aí e outra por acolá, se o sindicato é dividido, eles tomam a frente porque eles estão sentindo que estamos desorganizados. É por isso que os poderosos ficam nos ameaçando, nos intimidando e até espionando pra ver qual o trabalhador que faz parte do sindicato (...) Nós não podemos calar diante dessa multidão de famintos e injustiçados, temos que denunciar a situação em que estamos. A gente nunca vai esmorecer, não queremos o que é de ninguém, nós queremos o que é nosso."

Foi assassinada no dia 12 de agosto de 1983.

Sobre a impunidade dos assassinos de Margarida Maria Alves, a TV Globo exibiu o caso no programa *Linha direta*, que foi ao ar em agosto de 1999.

Fontes: Maria Amélia A. Teles, *Breve história do feminismo no Brasil*; Maria do Amparo Almeida Araújo et al., *Dossiê dos mortos e desaparecidos políticos a partir de 1964*; Maria Lucia de Barros Mott, pesquisa para o Conselho Estadual da Condição Feminina de São Paulo, 1986.

Margarida Soares (1920-)

Motorista de taxi.

Nasceu em 1920. Margarida trabalhava como motorista de taxi, ofício caracteristicamente masculino, na década de 50, no Rio de Janeiro. Fazia praça na rua Teixeira Júnior, no bairro de São Cristóvão, com um Plymouth 1939. Nas horas vagas, jogava futebol, fazendo parte do Teixeira Júnior Futebol Clube, onde atuava como ponta-esquerda. Também integrou o time feminino do Vasco da Gama, onde foi campeã invicta.

Apesar do pioneirismo de Margarida, passados 50 anos, as atividades exercidas por ela continuam sendo ocupadas majoritariamente por homens, numa demonstração de que ainda há campos de atuação onde tabus e preconceitos dificultam uma participação mais significativa das mulheres.

Fonte: *O Cruzeiro*, 8.1.1955.

Maria (séc.XVII)

Índia.

Vivia na Bahia e tinha sido batizada com o nome de Maria. Em torno dela há a lenda de que, ao morrer, foi levada à Igreja de Nossa Senhora do Rosário, e que, durante o velório, a fé dos presentes, inclusive de vários indígenas, fez com que ela ressuscitasse e vivesse ainda muitos anos.

Fonte: Gustavo Geraldo de Almeida, *Heróis indígenas do Brasil — memórias sinceras de uma raça.*

Maria (sécs.XVII-XVIII)

Índia escrava.

Maria comprou a sua liberdade pela quantia de 32 mil réis, no ano de 1700, dos herdeiros de Luísa Leme, senhora de engenho na capitania de São Paulo. Este caso é exemplo raro de alforria incondicional na época.

Fonte: John Manuel Monteiro, *Negros da terra: índios e bandeirantes nas origens de São Paulo.*

Maria (séc.XIX)

Escrava.

Eram escassos os escravos na região do Piauí, onde Maria vivia, em meados do século XIX. A maior parte dos proprietários possuía, em média, cinco escravos a seu serviço. Era comum que as famílias partilhassem a propriedade de um escravo, que deveria fazer de tudo um pouco, mudando, de tempo em tempo, de uma casa para outra. Era o caso de Maria, que ora servia ajudando no parto de alguma senhora, ora trabalhava na roça de outro senhor da mesma família. Maria tinha 45 anos quando foi libertada por uma de suas senhoras, que detinha por herança dos seus sogros, o direito a três quartos da sua propriedade. Com esse gesto, Maria ficou desobrigada de lhe prestar serviços, embora ainda tivesse que servir aos demais membros da família pelo resto de sua vida.

Fonte: Miridan Knox Falci, "Mulheres do sertão nordestino", in Mary Del Priore (org.), *História das mulheres no Brasil.*

Maria *ver* TIA MARIA

Maria Amélia de Queirós (séc.XIX)

Poetisa e abolicionista.

Nascida em Pernambuco, Maria Amélia de Queirós Sodré da Mata freqüentava atividades organizadas pelo Clube do Cupim, uma importante associação abolicionista de Recife. Posteriormente, com Leonor Porto* e outras companheiras, fundou, em 1884, a associação de mulheres Ave Libertas, que lutava pela libertação dos escravos na província de Pernambuco. O nome da entidade, justificado nos estatutos da associação, significava uma forma suave de lutar pela abolição dos escravos, sem o uso da violência.

A associação Ave Libertas lançou o jornal *Vinte e Cinco de Março*, em 1885, comemorando o primeiro aniversário da libertação dos escravos no Ceará, com pequenos textos e poesias escritos por homens e mulheres.

Dentre as iniciativas das associadas, estava a arrecadação de fundos, inclusive de jóias, e a cobertura a negros fugidos, escondendo-os e articulando viagens para a província do Ceará, onde a abolição já havia sido oficializada. Promoveram uma festa histórica para celebrar a assinatura de 200 cartas de alforria assinadas pelos senhores de engenho, incentivados pela entidade feminina. As reuniões tinham lugar no Poço da Panela, no bairro de Casa Forte, em Recife, onde, no século XVII, ficava o engenho de Ana Paes*.

Ao longo do ano de 1887, Maria Amélia proferiu palestras que marcaram a luta abolicionista em Pernambuco, levando ao público suas idéias e opiniões. Tornou-se uma das mulheres-símbolo da participação feminina na campanha pelo fim da escravidão no Brasil. Em janeiro de 1888, a Ave Libertas realizou uma passeata em favor da abolição, que contou com a participação de centenas de mulheres.

Fontes: *Jornal do Commercio* (PE), 12.11.1998; Leonardo Dantas Silva, *A imprensa e a abolição* e *A abolição em Pernambuco*; Maria T.C. Crescenti Bernardes, *Mulheres de ontem?*.

Maria Angélica Costa Brandão *ver* NHÃNHÃ DO COUTO

Maria Angola (séc.XVIII)

Ex-escrava.

Maria Angola, que provinha da nação Guiné, foi submetida ao cárcere e a maus-tratos, embora tivesse sido alforriada por seu senhor, Manuel Pinto. Vivia numa situação de semiliberdade, típica das alforrias condicionadas. No ano de 1764, dirigiu uma petição ao capitão-geral da comarca de São João del Rei, reclamando sua liberdade. O governante reconheceu a justiça do pleito de Maria Angola e ordenou sua soltura a 15 de dezembro de 1764.

O caso mostra como, na sociedade escravocrata, a alforria formalmente obtida não representava garantia real. Eram comuns as situações de semiliberdade condicionadas ao puro arbítrio dos senhores.

Fonte: Laura de Melo e Souza, *Os desclassificados do ouro*.

Maria Aparecida *ver* CIDA KOPCAK

Maria Araújo (1863-1914)

Beata.

Maria Madalena do Espírito Santo Araújo, também chamada de Beata Maria do Egito, nasceu em 24 de maio de 1863, em Juazeiro (CE). Filha de Ana Josefa do Sacramento e de Antônio da Silva Araújo, fez sua primeira comunhão aos nove anos de idade, em 1872.

Costureira, negra, pobre e analfabeta, tornou-se conhecida em 1889 devido à notícia que correu os sertões de que a hóstia colocada em sua boca pelo padre Cícero Romão Batista havia se transformado em sangue. Este fato teria se repetido várias vezes, na frente dos fiéis, e a fama de milagreiros tanto de Maria quanto do padre Cícero chegou a Fortaleza. Com isso deixou a casa dos pais e foi morar na casa paroquial.

A notícia se espalhou e teve início uma leva de romeiros a Juazeiro, com o propósito de verem a hóstia sangrar e a santa que processava o milagre. Maria Araújo contou então que desde criança tinha visões e brincava com o Menino Deus. O caso foi debatido pela imprensa cearense e vários médicos a examinaram, um deles tendo passado atestado em cartório de que se tratava mesmo de milagre. Padre Cícero assim o relatou:

> "Era a primeira sexta-feira do mês de março de 1889 (...) Passara Maria de Araújo com outras senhoras em vigília, adorando em espírito de reparação ao S.S. Sacramento. Eram cinco horas da manhã e atendendo eu ao sacrifício que tinham feito aquelas

pessoas passando toda a noite em adoração a Nosso Senhor, julguei conveniente dar-lhes a Comunhão. (...) Pela primeira vez a vi tomada de um rapto extático, resultando segundo ela afirmara a transformação da Sagrada Hóstia em sangue, tanto que além do que ela sorveu, parte caiu na toalha e parte caiu mesmo no chão."

O bispo do Ceará, Dom José Joaquim Vieira, contrário à declaração pública de que aquilo era milagre, abriu um inquérito para averiguação. Realizado por padres, o inquérito confirmou a transformação. O bispo então encomendou um segundo processo, e durante este a hóstia não se transformou em sangue. Diante deste fato, o bispo iniciou uma campanha contra Maria e suspendeu de ordens sacerdotais os padres que haviam acreditado no milagre.

A Igreja acabou excomungando o padre Cícero e o caso de Maria foi oficialmente considerado pelo Santo Ofício de Roma invenções que não mereciam crédito. O povo, porém, continuou em sua crença. Padre Cícero e a beata Maria do Egito foram celebrizados na literatura oral e de cordel; as romarias de nordestinos pobres nunca cessaram. A devoção a padre Cícero continua viva, mas a história da Beata Maria praticamente desapareceu do imaginário popular, restando apenas referências no museu local. Embora os dois tenham tido papel fundamental na formação do movimento sócio-religioso que há décadas acontece e se renova em Juazeiro do Norte, nas palavras de Maria do Carmo Pagan Forti, "com o passar do tempo, o povo e os escritores deram a padre Cícero a autoria do milagre, o que acontecia na verdade pela boca da Beata Maria do Egito".

A escritora cearense Raquel de Queirós* escreveu uma peça de teatro intitulada *Beata Maria do Egito* e o escritor Osvaldo Barroso se baseou na trajetória de Maria Araújo para escrever a peça *Corpo místico*.

Fontes: Maria do Carmo Pagan Forti, *Maria do Juazeiro, a beata do milagre*; Rui Facó, *Cangaceiros e fanáticos — gênese e lutas*.

Maria Augusta Capistrano (1918-)

Ativista política e feminista.

Nasceu a 21 de outubro de 1918 em Bananeiras (PB), filha de Maria Carolina de Sousa Leite e do comerciante Luís Augusto de Oliveira. Aos cinco anos de idade mudou-se com a família para a capital do estado, onde estudou no educandário religioso Colégio das Neves.

Com a eclosão da Revolução de 1930, seu pai, um ferrenho liberal, levava-a para reuniões políticas, o que fez com que Maria Augusta sentisse grande admiração e o desejo de fazer política como ele. Seu irmão Severino filiou-se ao Partido Comunista, participando ativamente da Aliança Nacional Libertadora (ANL) e dos eventos de 1935. Maria Augusta seguiu o irmão e abandonou a Escola Normal para dedicar-se integralmente aos trabalhos de organização do Partido Comunista na Paraíba. Foi escolhida pelos companheiros secretária de finanças do comitê de João Pessoa, o que, na época, era um fato incomum, pois política era um espaço marcadamente masculino.

Com o fim da II Guerra e a convocação para eleições gerais no país, Maria Augusta foi lançada candidata à Assembléia Estadual pelos comunistas, que participaram do processo eleitoral com legenda própria. Ela e Luzia Clerot foram as primeiras mulheres a pleitearem mandatos eletivos no estado. Nenhuma das duas se elegeu, mas Maria Augusta teve uma excelente votação.

Nos anos de legalidade do partido, conheceu o pernambucano David Capistrano da Costa, dirigente do levante de 1935 e que, em 1945, havia sido eleito deputado estadual. Apaixonada pelo líder comunista, numa atitude corajosa para a época, foi morar com ele em Recife, sem se casar.

Em 1947, o registro do Partido Comunista Brasileiro (PCB) foi cassado e seus integrantes perseguidos. David escapou à prisão e ambos fugiram para o sul do país. Na clandestinidade, vivendo com documentos falsos, Maria Augusta teve seus três filhos: David Filho, Cristina e Carolina. Viviam precariamente, dependiam dos amigos e do chamado Socorro Vermelho, organização do partido que auxiliava financeiramente os que estavam na ilegalidade nesses difíceis anos.

Voltando para a capital paraibana, organizou, com outra militante, uma associação de mulheres em João Pessoa, Santa Rita e Cabedelo. Começaram visitando as mulheres dos companheiros, depois foram ao encontro daquelas que viviam nos bairros pobres com o objetivo de escutar suas reivindicações. Assim, a associação, antes mesmo de ser oficializada, já levava demandas para a prefeitura, como por exemplo a construção de lavanderias nos bairros e calçamento de algumas ruas da capital paraibana. A primeira presidente da Associação foi a jornalista Ofélia Ozias, pertencente à Associação de Imprensa da Paraíba.

Maria Augusta e David retornaram para Recife em 1958, onde ele estava encarregado de reorganizar e dirigir o partido no estado. Oradora talentosa, Maria Augusta emocionava as platéias nos palanques e atos públicos. Rebelde, discordava de algumas diretrizes do partido e, temerosa de um golpe iminente, preparou as malas caso necessitasse fugir às pressas. No dia 1º de abril de 1964, sabendo da movimentação militar em Pernambuco, saiu de casa com os filhos, mas naquela manhã ainda discursou no sindicato das tecelãs, tentando dissuadir a platéia de fazer uma passeata, a seu ver descabida. Ela e o filho David acabaram sendo presos, mas em seguida foram soltos sem maiores conseqüências. Seu marido conseguiu mais uma vez fugir ao cerco policial, e a família reuniu-se no início de 1965 no Rio de Janeiro, onde viveram até meados dos anos 70.

David Filho e Cristina foram presos diversas vezes, levando Maria Augusta a desenvolver uma habilidade especial para procurar seus familiares nos corredores burocráticos da repressão. Em 1971, o marido, na ocasião membro do Comitê Central do Partido, foi para a Tchecoslováquia, retornando em 1974, porém desapareceu antes de se comunicar com a família. Maria Augusta uniu-se aos parentes dos demais desaparecidos e, juntos, procuraram o advogado carioca Modesto da Silveira, criando o Grupo de Familiares de Presos Políticos, que buscava, sobretudo, o apoio da sociedade civil e de entidades como a ABI, a CNBB e OAB. Integrou a Comissão Executiva do Comitê Brasileiro pela Anistia e, com Terezinha Zerbine e outras mulheres, o Movimento Feminino pela Anistia. A partir daí, foi incansável na luta por esta causa e pela organização dos familiares dos desaparecidos. Graças à persistência do grupo, o Estado brasileiro acabou reconhecendo a responsabilidade pelas mortes, e muitas famílias conseguiram êxito em processos de indenização.

Com a eclosão do feminismo, passou a fazer parte do Centro da Mulher Brasileira, na capital paulista. No Dia Internacional da Mulher de 1997, a Câmara Municipal de São Paulo fez comovente homenagem a Maria Augusta, num reconhecimento de sua coragem e determinação.

Fontes: José Otávio de Arruda Melo, "Entrevista com Maria Augusta", *Revista do Instituto Histórico e Geográfico Paraibano*, ago/1998; V. Pomar e W. Melleiro, "Entrevistas sobre o Brasil do século XX", *Teoria & Debate*, nº 23, 1994, e *Rememória*, 1997; Entrevista de Maria Augusta a Hildete Pereira de Melo em 2.7.1999.

Maria Augusta de Toledo Tibiriçá Miranda (1917-)

Médica e ativista política.

Nasceu em 6 de maio de 1917 na cidade de São Paulo (SP), filha de Alice Tibiriçá* e de João Tibiriçá Neto. Foi casada durante 36 anos com o militante político e oficial da Marinha Henrique Miranda, com quem teve quatro filhos: Aluísio, Carlos Henrique, Maria Alice e Alberto.

Dedicou-se desde os 10 anos de idade à campanha contra a hanseníase, promovida por Alice, o que a teria influenciado em sua escolha profissional. Cursou o primário e o ginasial em São Paulo e diplomou-se, em 1941, na Faculdade Nacional de Medicina da Universidade do Brasil, atualmente UFRJ. Fez inúmeros cursos na área de sua atuação: organização e administração hospitalares, higiene do trabalho, serviço social, parto sem dor, saúde mental e psiquiatria dinâmica, participando também de congressos e conferências médicas. Maria Augusta exerceu a medicina durante cinqüenta anos, passando da clínica geral à psiquiatria, até aposentar-se em 1992.

Viveu intensamente a agitação política em torno da redemocratização do Brasil nos anos 40. Participou da União Feminina do Flamengo, Catete e Glória (RJ), do Instituto Feminino do Serviço Construtivo e das lides médico-sociais da Instituição Carlos Chagas (RJ). Junto com sua mãe Alice, em maio de 1949, envolveu-se na criação da Federação das Mulheres do Brasil (FMB*). Essa entidade promovia debates sobre questões de interesse das mulheres e buscava a mobilização destas em defesa dos seus direitos, da proteção à infância e da paz mundial.

Maria Augusta empenhou-se fortemente desde 1948 na campanha "O Petróleo é Nosso", em prol do monopólio estatal, viajou por todo o Brasil ao lado de seu marido, que era, na época, uma das lideranças nacionais. Essa mobilização repercutiu em todo o país e resultou na criação da Petrobrás, em 3 de outubro de 1953.

Atuou em várias entidades médicas e, na década de 1960, organizou com Mário Vítor de Assis Pacheco a Comissão em Defesa e pelo Desenvolvimento da Indústria Farmacêutica Nacional.

Durante a Constituinte, integrou a Comissão em Defesa do Monopólio Estatal do Petróleo e contra os contratos de risco, que resultou na inserção de cláusulas nacionalistas no capítulo da ordem econômica da Constituição de 1988.

Desde 1970, Maria Augusta tem sido uma ferrenha ativista na causa permanente da democracia, dos interesses nacionais e da justiça social. O seu engajamento na defesa da economia do país fez com que se unisse ao jornalista Barbosa Lima Sobrinho e fundassem, em 1989, o Movimento em Defesa da Economia Nacional (MODECON), no qual permanece como coordenadora.

Recebeu da Câmara Municipal do Rio de Janeiro, em 4 de setembro de 1986, a Medalha Pedro Ernesto. Foi também homenageada pela Câmara Municipal de São Paulo, por iniciativa da vereadora Lídia Cunha, em 10 de março de 1992.

Maria Augusta publicou *Vamos nacionalizar a indústria farmacêutica?*, *O Petróleo é nosso — luta contra o empreguismo, pelo monopólio estatal* e *Alice Tibiriçá: suas lutas e ideais*.

Fontes: Alzira Abreu e Israel Beloch, *Dicionário histórico-biográfico brasileiro*; Angélica Monteiro e Guaraciara Barros Leal, *Mulher: da luta e dos direitos*; Maria Amélia de A. Teles, *Breve história do feminismo no Brasil*; *Momento Feminino*. Entrevistas concedidas a Hildete Pereira de Melo, em 26.8.1999, e a Carmen Alveal, em 9.11.1999.

Maria Augusta Generoso Estrela

(1860-1946)

Primeira médica brasileira.

Nasceu em 10 de abril de 1860, no Rio de Janeiro (RJ). Maria Augusta era filha de Maria Luísa Estrela e do comerciante Albino Augusto Generoso Estrela, portugueses. O pai, representante comercial de laboratório farmacêutico, propiciou-lhe educação exemplar e sempre a apoiou em suas iniciativas. Recebeu a educação elementar no colégio de Madame Gross, destinado a moças, que funcionava no bairro de Laranjeiras (RJ).

Ingressou no Colégio Brasileiro como aluna interna. Ali pôde amadurecer a idéia de estudar medicina. Contudo, ainda eram fechadas às mulheres as portas das faculdades no Brasil, o que não a impediu mais tarde de se tornar a primeira médica brasileira.

Em março de 1875, partiu para os Estados Unidos a fim de freqüentar o curso preparatório para a escola de medicina, na Academia St. Louis, em Oswego, transferindo-se depois para o colégio Mease, na cidade de Nova York. No dia 8 de setembro de 1876, com 16 anos, matriculou-se na New York Medical College and Hospital for Women, uma faculdade de medicina exclusivamente voltada para mulheres. A banca de seleção da escola não quis aceitar sua matrícula, alegando que ela não tinha a idade mínima para cursar a faculdade. Maria Augusta argumentou com os examinadores que dispunha dos requisitos intelectuais necessários para realizar o curso, apesar da pouca idade. Foi convincente e fez os exames preparatórios no dia 16 de outubro e, aprovada, matriculou-se. Seu pai, que a acompanhava, deixou-a aos cuidados de uma das professoras da escola e sob a responsabilidade legal do cônsul brasileiro em Nova York.

A imprensa brasileira acompanhou-lhe todos os passos desde a sua partida do Rio de Janeiro. Publicadas como folhetins, ao longo de todos os cinco anos em que esteve fora do país, as notícias relativas a Maria Augusta constituem um capítulo de sua biografia. Doenças passageiras, notas no dia do seu aniversário, tudo era assunto nos jornais da Corte, de Pernambuco e, em particular, da Bahia. Nem bem Maria Augusta se matriculara na escola em Nova York, os articulistas brasileiros já anunciavam que ela iria se dedicar "exclusivamente a doenças de senhoras e de crianças". A idéia de que a especialidade da futura médica deveria acompanhar a "natureza" feminina foi recorrente na cobertura jornalísticas. Até as cartas que ela escrevia ao pai foram, sistematicamente, publicadas.

Em fevereiro de 1878, o escritor baiano Belarmino Barreto editou uma biografia de Maria Augusta, ilustrada com retratos da jovem "futura doutora". A imprensa de todo o país saudou a publicação e recomendou a leitura às moças brasileiras, para que se mirassem no seu exemplo de determinação e brilhantismo.

Quando já estava adaptada aos Estados Unidos, à língua inglesa e às exigências do curso, seu pai sofreu um revés nos negócios que o impossibilitou de continuar arcando com os custos de seus estudos no exterior. Restou ao senhor Albino Estrela apelar para o imperador D. Pedro II, que acolheu o pedido e, por meio de decreto, concedeu a Maria Augusta uma mesada em dólares, equivalente a 100 mil réis e uma quantia anual equivalente a 300 mil réis, destinada a vestuário. Através do corpo diplomático, o imperador ficou sabendo, ao final de 1877, que a agraciada continuava a mostrar-se merecedora da proteção imperial. Ao longo de 1879, as despesas se avolumaram e o pai de Maria Augusta recebeu a ajuda de respeitável quantia do fazendeiro fluminense Augusto César de Oliveira Roxo. No início de 1880, um grupo de nobres e comerciantes de destaque no Rio de Janeiro reuniu a quantia de dois contos e quinhentos e cinqüenta mil réis, a título de contribuição extraordinária. O grupo foi organizado pelo barão e baronesa do Bonfim*. Nova ajuda veio em junho de 1880, quando o visconde de Sapucaia decidiu doar uma quantia mensal a seu pai. Foi providencial, já que Maria Augusta havia cortado a mão com um bisturi quando realizava uma autópsia. O ferimento inflamou e, numa época em que ainda não havia antibióticos, a recuperação foi penosa. Mais uma vez, Maria Augusta ocupou a imprensa, que noticiava os gestos generosos dos membros da elite brasileira e a evolução do estado de saúde da futura médica. Em agosto de 1880, Albino Augusto faleceu sem ver a filha formada. Maria Augusta permaneceu nos Estados Unidos, trabalhando arduamente para concluir o último ano do curso.

Em janeiro de 1881, deu vazão ao seu talento como jornalista, ensaiando os primeiros passos na defesa de idéias sobre a emancipação da mulher. Publicou, juntamente com sua colega de curso, a pernambucana Josefa Agueda F. Mercedes de Oliveira*, o jornal *A mulher*, que se anunciava como "um periódico ilustrado de literatura e belas-artes, consagrado aos interesses e aos direitos da mulher brasileira". Redigido em Nova York, o periódico era distribuído para as redações dos principais jornais brasileiros. A iniciativa das duas estudantes chegou a ser noticiada na imprensa norte-americana.

No ano seguinte, recebeu o seu diploma de médica, mas permaneceu em Nova York por mais um ano, sob o patrocínio do imperador, para se aperfeiçoar. Consta dos documentos pessoais de D. Pedro II uma carta enviada no início de 1882 por Maria Augusta em agradecimento aos benefícios recebidos.

O reconhecimento profissional de Maria Augusta Estrela, bem como a repercussão de seu caso na imprensa, foram responsáveis pela pressão da sociedade sobre o poder público para alterar os critérios de ingresso nos cursos superiores. Uma reforma do ensino, aprovada no parlamento em 1879, permitiu finalmente a matrícula de mulheres nas faculdades. Em 1881, matricularam-se na Faculdade de Medicina do Rio de Janeiro Ambrosina Magalhães, Augusta Castelões, que não concluíram o curso, além de Rita Lobato Lopes*, que iniciou os estudos na mesma instituição, em 1884 e, transferiu-se posteriormente para a Faculdade da Bahia, onde se formou.

No dia 10 de novembro de 1882, Maria Augusta desembarcou no Rio de Janeiro e foi recebida calorosamente por amigos e pela família. Em 1884, casou-se com o farmacêutico Antônio da Costa Moraes, com quem teve quatro filhos. Ele era proprietário da Farmácia

Norma, situada na Rua da Quitanda, centro do Rio de Janeiro, onde Maria Augusta exerceu a clínica médica por muitos anos.

Maria Augusta faleceu no Rio de Janeiro em 18 de abril de 1946, aos 86 anos. Em meados da década de 1980, a Prefeitura e a Câmara Municipal do Rio de Janeiro deram o nome de Maria Augusta Generoso Estrela ao Centro Municipal de Saúde de Vila Isabel. Pouco tempo depois, o bairro de Bangu homenageou-a dando seu nome a uma avenida.

Fontes: Arquivo privado da família de Maria Augusta G. Estrela; Guilherme Auler, *Os bolsistas do imperador*; Maria T.C. Crescenti Bernardes, *Mulheres de ontem?* e "Jornalistas brasileiras do século XIX (1840-1890)", in Maria Aparecida Franco Pereira (coord.), *História da mulher na história*; Entrevista com Yvone Moraes Costa e irmãs, netas de Maria Augusta Estrela.

Maria Augusta Meira de Vasconcelos Freire (1872-?)

Escritora.

Nasceu a 9 de maio de 1872 em Pernambuco, filha de Joaquina Coelho Meira de Vasconcelos e do capitão Ascêncio Minervino Meira de Vasconcelos.

Formou-se, em 19 de novembro de 1889, na tradicional Faculdade de Direito de Recife, onde, desde sua criação em 1827, só haviam sido diplomadas, no ano anterior, três mulheres: Delmira Secundina da Costa, Maria Fragoso e Maria Coelho da Silva. Todas tinham ingressado naquela década na faculdade, provavelmente beneficiadas pelas agitações promovidas pelas feministas que lutavam pelo acesso aos cursos superiores no Brasil. A quinta mulher a concluir o curso de direito foi Catarina de Moura, 14 anos depois.

Maria Augusta, embora pioneira, provavelmente não chegou a exercer a profissão. Casou em 1892 com o intelectual Mário Freire e dedicou-se integralmente à literatura.

Usou seus conhecimentos jurídicos para, através dos jornais, polemizar sobre os direitos das mulheres nos negócios e na política. Foi redatora do periódico *O Lyrio* e colaboradora da imprensa feminina local.

Fontes: Arquivo da Biblioteca da Faculdade de Direito de Recife; Luzilá Gonçalves Ferreira, *Em busca de Thargélia.*

Maria Augusta Thomaz (1947-73)

Ativista política, vítima da ditadura militar.

Nasceu em 14 de novembro, em Leme (SP). Era filha de Olga Michel Thomaz e de Aniz Thomaz. Estudante do Instituto Sedes Sapientiae da Pontifícia Universidade Católica de São Paulo, foi indiciada em inquérito policial por sua participação no Congresso da UNE, em Ibiúna (SP), no ano de 1968, invadido pelas forças militares. Passou, então, a viver ilegalmente e, em 1969, partiu para Buenos Aires. Participou do seqüestro de um avião da Varig, que a levou a Cuba, onde Maria Augusta aprendeu técnicas de guerrilha; tempos depois voltou clandestinamente para o Brasil. Foi militante da Ação Libertadora Nacional (ALN) e mais tarde entrou para o Movimento de Libertação Popular (Molipo). Atuou em pelo menos 15 ações armadas, e no dia 14 de janeiro de 1970 foi expedido seu mandado de prisão. Em 29 de janeiro foi condenada, tendo que responder a dois processos, com penas de 17 e de cinco anos de reclusão, consecutivas. Foi morta, juntamente com Mário Beck Machado, em maio de 1973, aos 26 anos de idade, na fazenda Jataí no interior de Goiás.

Segundo reportagens veiculadas pela imprensa, os proprietários da fazenda enterraram os corpos no local em que foram mortos por agentes da repressão.

Fontes: Luís Maklouf Carvalho, *Mulheres que foram à luta armada;* Maria do Amparo Almeida Araújo et al., *Dossiê dos mortos e desaparecidos políticos a partir de 1964.*

Maria Auxiliadora Lara Barcelos (1945-76)

Ativista política.

Dora, como era chamada, nasceu em 25 de março de 1945, em Antônio Dias (MG), filha de Clélia Lara Barcelos e de Waldemar de Lima Barcelos, agrimensor cujo trabalho levou a família a se mudar para São Paulo, Goiás e Rio de Janeiro, tendo Dora, com isso, freqüentado diversas escolas.

1

2

3

4

5

6

7

1 • *Maria Quitéria*
Baiana considerada a heroína da Independência.

2 • Assinatura de Maria Quitéria, em documento datado de 1837.

3 • *Maria Teresa Nogueira de Azevedo*
À esquerda, uma das duas primeiras deputadas estaduais de São Paulo, eleita em 1934; no centro, Maria Teresa de Barros Camargo.

4 • *Maria Bonita*
A "rainha do cangaço".

5 • *Maria Augusta Estrela*
Primeira médica brasileira, formou-se nos Estados Unidos em 1881.

6 • *Maria Luísa Bittencourt*
Advogada, elegeu-se deputada estadual na Bahia em 1934.

7 • *Maria Ester Bueno*
Selo comemorativo do Torneio de Wimbledon (1959-60), vencido cinco vezes por Maria Ester Bueno.

8

9

10

11

12

13

14

8 • *Mãe Menininha do Gantois*
Uma das ialorixás mais queridas do Brasil.

9 • *Maria Lacerda de Moura*
Educadora anarquista e pioneira do feminismo no Brasil.

10 • *Magdalena Tagliaferro*
Pianista brasileira consagrada internacionalmente.

11 • *Maria Lenk*
Primeira atleta sul-americana a participar de uma Olimpíada.

12 • *Margaret Mee*
Ilustradora botânica de origem inglesa que se apaixonou pela flora brasileira.

13 • *Mena Fiala*
Estilista considerada a decana da moda no Brasil.

14 • *Maria da Conceição Tavares*
Economista e política, uma das mais contundentes críticas brasileiras de esquerda.

Organizou junto com os avós uma escolinha num bairro pobre de Belo Horizonte, onde trabalhava com sua irmã Maria Helena. Lecionaram por mais de dois anos, em contato permanente com a miséria dos moradores da favela, imigrantes de zonas rurais.

Começou a estudar medicina na Universidade Federal de Minas Gerais (UFMG), em 1965. Durante o curso, ao peso da miséria que conhecia desde a época da escolinha somaram-se as terríveis cenas que vivenciava nos plantões na área de Psiquiatria no Hospital Galba Veloso e no pronto-socorro. Eram problemas de superlotação, falta de alimentação adequada, além da submissão dos doentes ao penoso tratamento com choque elétrico.

Iniciou sua atuação política em 1967, quando tinha 22 anos, militando basicamente no movimento estudantil. A partir de 1969, mudou-se para o Rio de Janeiro, entrando para a organização Vanguarda Armada Revolucionária (VAR-Palmares), onde passou para a clandestinidade. Usava os nomes de Maria Auxiliadora e Maria Carolina Montenegro e os codinomes Dodora, Maria Alice, Maria Eugênia, Chica e Laura. Mesmo vivendo ilegalmente, continuou enviando notícias, através de cartas para sua família.

Foi detida no dia 21 de novembro de 1969, no Rio de Janeiro (RJ). Com ela foram presos Antônio Roberto Espinoza, integrante do comando nacional da VAR-Palmares e na época seu companheiro, e também o estudante de medicina Chael Charles Schreier. Os três estavam na casa em que moravam na rua Aquidabã, 1053, no bairro carioca de Lins de Vasconcelos, quando foram denunciados por vizinhos. Levados para o quartel da Polícia do Exército na Vila Militar, sofreram muitas torturas. Em conseqüência, Chael morreu em menos de 24 horas de prisão.

Dora foi banida para o Chile, em 23 de janeiro de 1971, juntamente com outros 69 presos políticos brasileiros, trocados pelo embaixador suíço no Brasil, Giovani Enrico Bucher, que fora seqüestrado. Lá, retomou os estudos na Faculdade de Medicina da Universidade do Chile e foi companheira de Reinaldo Guarany Simões.

Em 1973, com a queda de Allende e o golpe militar, Dora conseguiu asilo político na embaixada do México. Nesse país viveu seis meses e trabalhou como intérprete. Do México foi para a Bélgica, e de lá para a França e depois Alemanha onde se aperfeiçoou na língua alemã; finalmente, conseguiu dar prosseguimento ao curso de medicina que, no Brasil, interrompera no 5º ano e no Chile não conseguira concluir.

Dora matou-se em Berlim em 1º de junho de 1976, jogando-se sobre os trilhos do metrô. O governo alemão tomou todas as providências e arcou com as despesas do enterro, além de conceder uma indenização que, a pedido de sua família, foi revertida em benefício dos seus companheiros mais necessitados. Seu corpo foi cremado, as cinzas trazidas para o Brasil e enterradas em Belo Horizonte.

Fontes: Luís Maklouf Carvalho, *Mulheres que foram à luta armada*; Maria do Amparo Almeida Araújo et al., *Dossiê dos mortos e desaparecidos políticos a partir de 1964*.

Maria Auxiliadora Silva (1935-74)

Artista Plástica.

Nasceu em 1935, em Campo Belo (MG). Negra, sua mãe era lavadeira e escultora, e o pai assentava dormentes em estrada de ferro. Pintava desde menina, usando inicialmente, como tela, as paredes de sua casa, depois tábuas. Mudou-se com sua família para São Paulo, onde, por volta dos 32 anos de idade, desenvolveu uma técnica própria, moldando as figuras em gesso no próprio quadro e escrevendo enredos na pintura. Expôs na Praça da República, no centro da cidade de São Paulo e em Embu (SP), no princípio da década de 70, passando daí para as galerias, museus e acervos de colecionadores brasileiros e estrangeiros. Obteve várias premiações em salões.

Faleceu em 1974, de câncer, aos 39 anos de idade.

Fontes: Conselho da Condição Feminina do Estado de São Paulo, *Agenda 1999*; Grupo Criola, www.criola.ong.org/mulheres.htm

Maria Baderna (c.1825-70)

Dançarina e abolicionista.

Maria nasceu na Europa, provavelmente na França, vindo para o Brasil, no início da década de 1850. Participou dos movimentos revolucionários de 1848 no Velho Continente, trazendo consigo o inconformismo político.

Tinha pouco mais de 20 anos quando aportou no Rio de Janeiro, onde alcançou fama como dançarina. As brigas que motivava entre os rapazes, seus admiradores, acabaram por tomar o nome de "badernas", termo de origem francesa que designa desavença, arruaça, tendo sido incorporado ao idioma português a partir do uso que os contemporâneos de Maria dele fizeram para se referir às confusões em torno da moça.

Solidária com a situação dos escravos, Maria envolveu-se profundamente com os movimentos de resistência à escravidão da época, participando da formação de quilombos na província do Rio de Janeiro.

Morreu no interior do Rio de Janeiro no ano de 1870, pobre e doente.

Fontes: Maria Amélia A. Teles, *Breve história do feminismo no Brasil*; *Jornal do Brasil*, 11.7.1987.

Maria Bárbara (sécs.XVIII/XIX)

Senhora de engenho.

Maria Bárbara era portuguesa e emigrou para o Brasil com seu marido. Este, dono do engenho de açúcar Aramaré, na Bahia, foi eleito deputado nas Cortes de Lisboa, tendo que retornar a Portugal. Na ausência dele, Maria Bárbara preferiu não delegar os negócios aos filhos, já adultos, e passou a cuidar da propriedade. Escrevia cartas ao marido dando conta de sua administração. Comprou bois e potros para melhorar o rebanho, supervisionou a produção da aguardente para evitar roubos no alambique e tomou as mais diversas providências. Certa feita mandou drenar o solo para evitar o apodrecimento do canavial devido às chuvas abundantes.

A historiadora Nizza da Silva cita este trecho de uma das cartas: "Se não tinha ficado no engenho Aramaré dentro em pouco era campo onde foi Tróia. E bem que com minhas poucas forças o não possa adiantar, com a minha vista ao menos afugento as harpias que queriam devorá-lo."

A experiência de Maria Bárbara contribui para desfazer o mito de que a função da mulher era apenas cuidar dos afazeres domésticos.

Fontes: Carlos Augusto de Campos, *As heroínas do Brasil*; Maria Beatriz Nizza da Silva, "Mulheres brancas no fim do período colonial", *Anais*, "O rosto feminino da expansão portuguesa".

Maria Barbosa (séc.XVI)

Órfã da Rainha*.

Maria Barbosa chegou ao Rio de Janeiro onde se casou com Manuel Gonçalves. O governador da capitania, Mem de Sá, a título de dote, nomeou seu marido, no dia 22 de setembro de 1567, para o cargo de escrivão do campo, da cidade e da capitania, acenando-lhe ainda com a oferta de roupas e móveis, mas só cumpriu parte de sua promessa. Anos mais tarde, Manuel Gonçalves moveu uma ação judicial contra o espólio do governador, pretendendo receber o restante do que lhe fora prometido.

Fonte: Elysio de Oliveira Belchior, *Conquistadores e povoadores do Rio de Janeiro*.

Maria Benedita Câmara Bormann

ver DÉLIA

Maria Betânia (1946-)

Cantora.

Maria Betânia Viana Teles Veloso nasceu em 18 de junho de 1946, em Santo Amaro (BA). A família mudou-se para Salvador quando ela tinha 13 anos. Desde pequena sonhava em ser atriz, e assim que pôde, passou a freqüentar como ouvinte, juntamente com o irmão Caetano Veloso, aulas da Escola de Teatro.

Em 1962, Caetano convidou-a para gravar a trilha sonora de um curta-metragem. O timbre de sua voz encantou o diretor, que a levou, no ano seguinte, para cantar na peça *Boca de ouro*, de Nelson Rodrigues. Nesse mesmo ano, os dois irmãos conheceram Gilberto Gil e Gal Costa* com quem estreariam, em agosto de 1964, o espetáculo *Nós, por exemplo*, no Teatro Vila Velha, em Salvador. O sucesso garantiu novos convites para os baianos, que, em novembro, estrearam *Nova bossa velha, velha bossa nova*. Ainda naquele ano, Betânia fez, em Salvador, seu primeiro show individual, *Mora na filosofia*.

Em janeiro de 1965, foi convidada para substituir Nara Leão* no espetáculo *Opinião*, no teatro de Arena, no Rio de Janeiro. Sua estréia ocorreu no dia 13 de fevereiro de 1965, e a impactante interpretação de "Carcará" — baião de João do Vale e José Cândido — transformou-a quase imediatamente em ícone da canção de protesto, gênero em voga naqueles tempos de ditadura militar. O show foi apresentado também em São Paulo, Porto Alegre e Salvador. Em maio seguinte, gravou seu primeiro compacto pela RCA, cantando "Carcará" e "É de manhã", de Caetano Veloso.

Em abril de 1966, na boate Cangaceiro, em Copacabana, em show dirigido por Guilherme Araújo, deu uma virada em sua carreira, abandonando as canções de protesto. No repertório, sambas, boleros e sambas-canções. No mesmo ano, participou do espetáculo *Pois é*, ao lado de Gilberto Gil e Vinícius de Moraes. No show *Brasileiro, profissão esperança*, interpretou composições de Antônio Maria e Dolores Duran*; no ano seguinte encenou *Rosa dos ventos*, dirigido por Fauzi Arap, em que cantava, dançava e recitava poemas, e apresentou-se no Mercado Internacional do Disco e da Edição Musical (Midem), em Cannes, França, e no Teatro Sistina, em Roma, Itália.

Em 1972, fez o filme *Quando o carnaval chegar*, de Cacá Diegues, ao lado de Chico Buarque e Nara Leão, realizou novas excursões pela Europa e escreveu a letra da canção "Trampolim", com música do irmão Caetano. Após mais discos e shows, comemorou os 10 anos de carreira apresentando-se, em 1975, no Rio de Janeiro, ao lado de Chico Buarque. Em 1978, seu disco *Álibi* alcançou a marca de um milhão de cópias vendidas. Pode-se destacar, depois, o show *A hora da estrela*, de 1984, baseado no livro homônimo de Clarice Lispector*, e o disco *25 anos*, de 1990, em comemoração aos 25 anos de carreira.

Em 1994, a Escola de Samba Mangueira homenageou Betânia, Caetano Veloso, Gal Costa e Gilberto Gil, dedicando-lhes o enredo do seu desfile de Carnaval. Nesse mesmo ano, gravou *Canções que você fez para mim*, só com músicas de Roberto e Erasmo Carlos, que alcançou a marca de 1,5 milhões de cópias vendidas. Em 1996, comemorando seus 50 anos de idade, apresentou o espetáculo *Âmbar*, com direção de Fauzi Arap, que reuniu sucessos de sua carreira e novas músicas de compositores como Carlinhos Brown e Adriana Calcanhoto. O cantar apaixonado de Maria Betânia transformou-a, nacional e internacionalmente, em uma das grandes cantoras do século XX.

Fontes: Carlos Callado, *Tropicália — a história de uma revolução musical*; *Enciclopédia da música brasileira: popular, erudita e folclórica.*

Maria Bibiana do Espírito Santo

ver MÃE SENHORA

Maria Bonita (1911-38)

Cangaceira, companheira de Lampião, conhecida como a "Rainha do Cangaço".

Nasceu em 8 de março de 1911, na fazenda Malhada do Caiçara, próximo a Santa Brígida (BA). Filha de Maria Joaquina Conceição Oliveira e de José Gomes de Oliveira, seu nome era Maria Gomes de Oliveira. Aos 15 anos casou-se com José Miguel da Silva, chamado Zé do Neném, o sapateiro. O casal vivia brigando e não teve filhos, pois José era estéril.

A cada desavença doméstica ela passava um tempo com os pais. Durante uma dessas estadas, em fins de 1929, conheceu Lampião, que passou com seu grupo pela fazenda da família. A atração foi imediata e recíproca. No ano seguinte, o "Rei do Cangaço" resolveu levar a jovem em sua companhia, abrindo um precedente, já que, até então, nenhuma mulher integrava os bandos.

No mesmo dia em que Maria entrou para o bando de cangaceiros, uma irmã de seu marido, que se chamava Mariquinha, resolveu acompanhar Labareda, chefe de um dos subgrupos de Lampião. No grupo, Maria era tratada por Dona Maria, Maria de Lampião ou Maria do Capitão. Durante os oito anos de vida em comum com o cangaceiro, teve quatro gestações, sobrevivendo apenas uma menina, que nasceu em 8 de setembro de 1932, no sertão de Sergipe, e recebeu o nome de Expedita. Nesse tempo ela foi ferida uma única vez, em Serrinha do Catimbau, em Pernambuco.

Morreu em 28 de julho de 1938, na fazenda Angico, então município de Porto da Folha (SE), quando o bando foi surpreendido, morrendo também Lampião, outra mulher, Enedina*, e oito cangaceiros.

Segundo depoimento do médico Arnaldo Silveira, um dos especialistas que estudaram as cabeças de Lampião e Maria Bonita, esta foi realmente degolada viva.

No dia do ataque ao acampamento, estavam também no local Dulce, companheira de Criança; Sila, mulher de Zé Sereno, chefe de um grupo; e Maria dos Santos, que vivia com Juriti; as três tinham poucos meses de cangaço. Sobreviventes afirmam que havia ainda uma sexta mulher.

Anteriormente, durante combates na caatinga, haviam morrido Maria e seu companheiro Azulão, ela degolada pela polícia, juntamente com mais dois cangaceiros. Geralmente, as mulheres não participavam dos combates, preservadas que eram, em lugar seguro, por seus companheiros. As armas curtas que portavam lhes davam uma aparência guerreira, que a prática não confirmava. Somente Dadá*, que se saiba, entrou efetivamente em combate.

Algumas mulheres eram escolhidas para companheiras dos cangaceiros sem possibilidade de recusa. Outras viam a entrada no bando de Lampião como forma de escapar da vida de opressão familiar, de sair de um mundo limitado para uma vida livre, aventurosa, não medindo os riscos e as dificuldades. Já Maria Bonita acompanhou Lampião de livre e espontânea vontade.

Fontes: Antônio Amauri Corrêa de Araújo, *Lampião: as mulheres e o cangaço, Assim morreu Lampião* e *Gente de Lampião: Dadá e Corisco*; Antônio Narciso Roças, *Vida, aventuras e morte de Lampião e Maria Bonita*; João Bento dos Santos, *Lampião e Maria Bonita: seus crimes, seus amores*; Melchíades da Rocha, *Bandoleiros das caatingas* • Colaboração especial de Antônio Amauri Corrêa de Araújo.

Maria Brandão dos Reis (1900-74)

Ativista política pacifista.

Nasceu em 22 de julho de 1900, em Rio das Contas, na Chapada Diamantina (MG). Negra, era militante política das mais ativas. Influenciada pela passagem da Coluna Prestes, interessou-se pelo Partido Comunista Brasileiro (PCB) e mudou-se para Salvador, onde estabeleceu uma pensão, na Baixa do Sapateiro, que passou a ser reduto da militância política da época. Com a solidariedade que lhe era peculiar, ajudava os que necessitavam de recursos para sobrevivência imediata, buscando conseguir livros e bolsas de estudos para os que queriam estudar, até mesmo para os que professassem ideologia diferente da sua.

Em março de 1947, apoiou as reivindicações das moradoras do bairro do Corta Braço, ameaçadas de perder suas casas, organizando uma vigília noturna e passeata de protesto. Teve destacada atuação na Campanha da Paz organizada pelo PCB em 1950, contribuindo para a formação de Conselhos com esse objetivo em vários municípios. Sua dedicação à causa lhe valeu o prêmio de Campeã da Paz, que deveria receber em Moscou. Contudo, foi preterida pelo partido, que a substituiu por um jovem intelectual, o que lhe causou enorme frustração e descontentamento com os dirigentes comunistas. A mudança do regime político brasileiro a partir de 1964, com os militares no poder, levou Maria a refugiar-se para escapar à prisão. Em 1965 retornou à Bahia, onde foi interrogada pela polícia sobre seu envolvimento com o comunismo, mas o inquérito não foi adiante.

Faleceu em 1974.

Fontes: Alzira Rufino, Nilza Iraci e Maria Rosa Pereira, *A mulher negra tem história*; Conselho da Condição Feminina do Estado de São Paulo, *Agenda 1999*; Grupo Criola, www.criola.ong.org/mulheres.htm.

Maria Caetana da Assunção

(séc.XVIII)

Religiosa franciscana.

Maria Caetana era religiosa do Convento do Desterro (BA) quando foi nomeada abadessa do Convento de Nossa Senhora da Lapa em Salvador, no ano de 1744, pelo arcebispo D. José Botelho de Mattos. Esse novo convento, que seguia as normas franciscanas, foi erguido para recolher as filhas de João de Miranda Ribeiro e Manoel Antunes de Lima, que o financiaram. A provisão de concessão régia destinada à construção data de 25 de outubro de 1733, e limitava a 20 o número de religiosas.

Ao assumir a direção, Maria Caetana contou com o apoio de Maria do Carmo Josefa Clara de Jesus, na função de vigária. Foram recolhidas nesta época 15 noviças, da quais cinco eram filhas do fundador João de Miranda Ribeiro.

Fonte: *Anais do Arquivo do Estado da Bahia*, 1982, vol.46.

Maria Célia Corrêa (1945-c.1974)

Ativista política, vítima da ditadura militar.

Nasceu em 30 de abril de 1945, no Rio de Janeiro (RJ), filha de Irene Corrêa e de Edgar Corrêa. Foi estudante de ciências sociais na Faculdade Nacional de Filosofia, no Rio de Janeiro, e trabalhou como bancária. Militante do Partido Comunista do Brasil (PC do B), em 1971 foi viver na região do Araguaia, sul do Pará, onde já se encontrava seu irmão Elmo e sua cunhada Telma. Pertenceu ao Destacamento A da guerrilha. Tinha 29 anos quando foi vista pela última vez, no dia 2 de janeiro de 1974, na companhia de Nelson Lima Piauhy Dourado, Jana Moroni e Carretel — todos desaparecidos —, antes de um tiroteio com as forças do Exército. Também não se teve mais notícia de seu irmão e de sua cunhada.

Fonte: Maria do Amparo Almeida Araújo et al., *Dossiê dos mortos e desaparecidos políticos a partir de 1964.*

Maria Clara Machado (1921-)

Dramaturga, atriz e educadora.

Nasceu em 3 de abril de 1921, em Belo Horizonte (MG), filha de Aracy Jacob Machado e do escritor Aníbal Machado. Mudou-se, ainda criança, para o Rio de Janeiro, onde concluiu seus estudos no Colégio São Paulo e iniciou suas atividades teatrais com o grupo de bandeirantes a que pertencia. Trabalhou no Conselho Britânico e, ao mesmo tempo, fazia teatro de bonecos no Patronato da Gávea, onde montou uma peça com amigos do Colégio Santo Inácio. Em 1950, recebeu bolsa do governo francês para estudar teatro em Paris.

Retornou ao Brasil, em 1951 e fundou, com um grupo de amadores, o Tablado (Teatro do Patronato da Gávea), um dos mais expressivos empreendimentos teatrais cariocas — importante enquanto equipe, escola de formação de atores e palco para a dramaturgia.

O Tablado ganhou sucessivos prêmios, introduzindo consagrados autores estrangeiros no Brasil. Eram acirradas as disputas pelos ingressos a espetáculos como *O tempo e os Conways* (Priestley), *Nossa cidade* (Thorton Wilder) e *Tio Vânia* (Tchecov), pontos altos dessa fase do Tablado, na qual Maria Clara escrevia, atuava e dirigia.

Quando alguns integrantes do grupo deixaram-no para seguirem como profissionais, ela imprimiu novos rumos ao Tablado, objetivando sobretudo a formação de platéias. Dedicou-se, então, à publicação dos *Cadernos de Teatro d'O Tablado*, que alcançou mais de 100 números editados. Em 1964, deu início ao curso livre de teatro e voltou-se para o público infantil, para o qual escrevia a maioria de suas peças.

Nos anos 1970, época de experimentalismo, o trabalho desenvolvido no Tablado foi alvo de críticas que o apontavam como anacrônico. Depois de 1981, quando a casa comemorou 30 anos, Maria Clara e seu grupo passaram a receber novas avaliações, resgatando o justo prestígio pela quantidade de profissionais ali formados e importância de sua dramaturgia.

Ela revolucionou o teatro infantil com suas montagens e escreveu 23 peças para crianças. Muitos desses textos foram traduzidos para até 10 idiomas e encenados em vários países. Entre suas peças mais encenadas estão *O boi e o burro a caminho de Belém, O rapto das cebolinhas, Pluft, o fantasminha, A bruxinha que era boa,* O *cavalinho azul, Maroquinhas Fru-Fru, O diamante do Grão-Mogol, Tribobó City* e *Camaleão e as batatas mágicas.*

Maria Clara continua dando aulas no Tablado e despertando, com suas montagens, o prazer do teatro nas crianças.

Fontes: Afrânio Coutinho, *Enciclopédia de literatura brasileira*; *IstoÉ*, nº 1.539, 1999.

Maria Cortazzi (c.1925-?)

Operária e ativista política.

Nasceu em Buritama, distrito de Monte Aprazível (SP). Filha de camponeses, passou toda a infância no meio rural, convivendo com as dificuldades que afligem os trabalhadores do campo. Em setembro de 1943, foi para a capital do estado, que na época passava por um vigoroso processo de industrialização. A exemplo de tantas outras migrantes, Maria empregou-se como operária nas fábricas paulistas. Trabalhou durante dois anos em uma indústria de tecidos.

Em meio à agitação provocada pelo término da guerra e com os movimentos pela redemocratização do país, começou sua militância em prol das causas populares, tendo se destacado principalmente na campanha pela Constituição e na luta em favor da imprensa popular. Integrou a diretoria das Mulheres Democráticas de São Paulo, associação que congregava mulheres da esquerda.

Fonte: *Momento Feminino*, 31.10.1947.

Maria Curupaiti (séc.XIX)

Heroína da Guerra do Paraguai.

Maria Francisca da Conceição casou com um cabo de esquadra e o acompanhou na Guerra do Paraguai. Envolveu-se nos confrontos, lutando ao lado dos homens, sempre vestida de soldado. Seu marido morreu no assalto a Curuzu, mas Maria Francisca continuou combatendo junto às tropas brasileiras. Na batalha de Curupaiti foi atingida pela espada de um paraguaio e, só no hospital ficaram sabendo que o bravo soldado, baixo e franzino, era uma mulher. Daí por diante, passou a ser chamada de Maria Curupaiti, respeitada pelos colegas de farda.

Sofreram séria derrota em Curupaiti, em combates que tinham por objetivo tomar a fortaleza de Humaitá, importante fortificação paraguaia que, durante anos, imobilizara as tropas da Tríplice Aliança no seu avanço para o interior do Paraguai. Na segunda batalha do Tuiuti, em novembro de 1867, Maria estava nas fileiras do 42º corpo de Voluntários da Pátria, estimulando os colegas com sua coragem. Sob o comando de Caxias, o Exército partiu para a ofensiva, e Humaitá se rendeu em agosto de 1868. Em janeiro de 1869, os brasileiros entraram em Assunção, comandados pelo conde d'Eu, marido da princesa Isabel*, herdeira do trono imperial. Após vários combates, as tropas aliadas derrotaram um pequeno exército paraguaio, formado por principalmente velhos e meninos. Solano López foi cercado e morto por soldados brasileiros em 1º de março de 1870. A valentia de Maria foi consagrada pela história, que a batizou de Maria Curupaiti.

Terminada a guerra, Maria veio morar no Rio de Janeiro, onde morreu, pobre e sem assistência.

Fontes: Carlos Augusto de Campos, *As heroínas do Brasil*; Valentim Benício da Silva, *A mulher na evolução do Brasil*.

Maria da Conceição da Costa Neves (1908-89)

Política.

Nasceu em 17 de outubro de 1908, em Juiz de Fora (MG), filha de Maria do Espírito Santo Neves e de Manoel da Costa Neves, tendo casado com Mateus Santamaria. Fez seus primeiros estudos nos colégios Santa Catarina e Stela Maris. Foi atriz de comédia, diretora da seção paulista da Cruz Vermelha Brasileira, no período de 1943 a 1945 e fundadora da Associação Paulista de Assistência aos Doentes de Lepra.

Iniciou a carreira política em 1947, quando foi a única mulher eleita para a Assembléia Constituinte de São Paulo. Concorreu pelo Partido Trabalhista Brasileiro (PTB) com expressiva votação, graças a sua atuação junto aos doentes de lepra e seus familiares. Segundo os dados da época, chegava a 10.000 o número de internos nos leprosários paulistas.

Parlamentar atuante, destacou-se pela maneira como encaminhava os debates no plenário, sendo temida por todos e respeitada por muitos. Sempre se saía bem nas polêmicas, porém utilizava métodos bastante questionáveis, como, por exemplo, guardar documentos comprometedores de boa parte dos políticos paulistas e não hesitava em usá-los caso precisasse.

Reelegeu-se consecutivamente por mais cinco mandatos para a Assembléia Legislativa de São Paulo, três deles ainda pelo PTB (1951, 1954 e 1958). Na eleição de outubro de 1962, elegeu-se deputada estadual, mas, dessa vez, pela coligação PSD/PSP, com uma votação muito superior às anteriores.

Com a extinção dos antigos partidos políticos em 1966, Maria da Conceição filiou-se ao Movimento Democrático Brasileiro (MDB), concorrendo mais uma vez à Alesp. Recebeu 45.018 votos no pleito realizado em 3 de outubro de 1965. Foi cassada pelo Ato Institucional nº 5, em 1969, quando exercia seu sexto mandato.

Em todas as legislaturas, defendeu os doentes de lepra, elaborando leis que lhes garantissem alguns direitos. Desde 1944 denunciava pela imprensa escrita, e principalmente pelo rádio a situação dos quatro leprosários do estado. Em 1947, o promotor público pediu licença à Assembléia para processá-la, juntamente com 16 pessoas, por injúria e calúnia, tal era sua veemência nas denúncias contra os maus-tratos aos leprosos. Seu projeto de Lei nº 109, de 1947, dispõe sobre a criação do Serviço de Assistência Social aos Doentes de Lepra, subordinado ao Departamento de Profilaxia da Lepra. Em outro projeto, propôs uma quota de 20% das vagas nos postos de trabalho dos leprosários para os doentes do mal de Hansen que tivessem tido alta hospitalar, inaugurando assim o debate de quotas em concursos.

Faleceu em 15 de julho de 1989. Em sua homenagem a cidade de Campinas (SP) batizou uma escola com seu nome.

Fontes: Assembléia Legislativa do Estado de São Paulo, *Os eleitos do IV Centenário, 1554-1954*; TSE, *Dados estatísticos* • Colaboração especial de Regina Stela Moreira Pires.

Maria da Conceição Tavares (1930-)

Professora, economista e política.

Nasceu em 24 de abril de 1930, em Anadia, Portugal, filha de Maria Augusta de Almeida Caiado Tavares e de Fausto Rodrigues Tavares. Casou-se duas vezes, tem dois filhos e dois netos. Diplomou-se em matemática na Universidade de Lisboa em 1953. Sufocada pelo regime fascista português, veio para o Brasil em fevereiro de 1954. Chegou na época do Carnaval e apaixonou-se pela música e alegria do brasileiro. Viveu a euforia dos anos dourados do governo Juscelino Kubitschek e, acreditando na força do povo, pediu a nacionalidade brasileira. Matriculou-se no curso de economia da Universidade Federal do Rio de Janeiro (UFRJ), onde se graduou, recebendo o Prêmio Visconde de Cairu em 1960. Tornou-se uma voz expressiva entre os economistas brasileiros.

Ainda estudante, trabalhou no Banco Nacional de Desenvolvimento Econômico (BNDE), onde fez um estudo sobre a distribuição de renda no Brasil, experiência que influenciou profundamente sua nova carreira. Cientista rigorosa, de sólida formação intelectual, foi professora de várias gerações de economistas, na UFRJ e na Universidade de Campinas (Unicamp) (SP), função de que muito se orgulha. Foi uma das pessoas responsáveis pela implantação da pós-graduação em economia no Brasil.

Militante da causa democrática, não poupou críticas ao regime militar. Seus livros e artigos escritos ao longo de mais de 40 anos de atividade intelectual demonstram preocupação permanente em pensar o Brasil. Um dos seus ensaios mais brilhantes, *Auge e declínio do processo de substituição de importações*, publicado em 1972, marco no estudo do processo de industrialização do Brasil, tornou-se um clássico na literatura econômica da América Latina. Nesse trabalho, conclui que todas as formas de acumulação inventadas no país, são desequalizadoras, uma vez que seguem o modelo de inserção no capitalismo, dinâmico mas excludente. Na tese apresentada em 1975 para livre-docente na UFRJ — *Acumulação de capital e industrialização no Brasil* — e em 1978 para professor titular da mesma universidade — *Ciclo e crise: o movimento recente da economia brasileira* —, avança na interpretação da realidade brasileira e rompe fundamentalmente com a visão clássica da industrialização. Além desses dois textos — de leitura obrigatória nas faculdades de economia —, vem publicando dezenas de artigos que a credenciam como uma importante estudiosa do desenvolvimento econômico do Brasil. Maria da Conceição foi consultora da CEPAL/ONU e pesquisadora-visitante de inúmeras universidades estrangeiras e órgãos internacionais.

Foi eleita para a Câmara Federal, pela legenda do Partido dos Trabalhadores (PT/RJ), em 1994, com expressiva votação. No parlamento, destacou-se como crítica feroz da estratégia econômica adotada pelo governo, chamando atenção para os riscos da política cambial e para a destruição do patrimônio público nacional. Foi membro da Comissão de Finanças da Câmara Federal. Destacou-se por fazer de sua representação um mandato coletivo, sempre trabalhando com projetos partidários. É professora emérita da UFRJ e diretora da Fundação Perseu Abramo, ligada ao PT.

Recebeu inúmeros prêmios, distinções e títulos: Medalha de Honra da Inconfidência, do governo de Minas Gerais (1986); Grau de Oficial da Ordem de Rio Branco, do Ministério das Relações Exteriores (1986); Grau de Comendador, do governo de Portugal (1987); Ordem ao Mérito do Trabalho, do Ministério do Trabalho (1987); professora emérita, UFRJ (1993); medalha Bernardo O'Higgins, da República do Chile (1998).

Tem, além dos já citados, muitos outros trabalhos publicados, entre eles *Da substituição de importações ao capitalismo financeiro*, de 1972, já com 12 edições brasileiras e duas mexicanas; *A economia política da crise*, coletânea por ela organizada, já na quinta edição; *O grande salto para o caos*, trabalho em colaboração com José Carlos de Assis, de 1985; *Aquarela collorida — a política econômica do governo Collor* (organização e introdução), de 1991; *Japão: um caso exemplar de capitalismo organizado,* em colaboração com Ernani Torres Filho e Leonardo Burlamaqui, no mesmo ano; *(Des)ajuste global e modernização conservadora*, em co-autoria com José Luís Fiori, de 1993; *Lições contemporâneas de uma economista popular*, de 1994; *Poder e dinheiro*, também com José Luís Fiori, de 1997. Além dessas obras, publicou 34 artigos em revistas nacionais e internacionais. É comentarista econômica do jornal *Folha de S. Paulo* desde 1993. Maria da Conceição é conhecida pela forma apaixonada e veemente com que advoga suas idéias em defesa dos excluídos.

Fontes: Sociedade Brasileira para o Progresso Brasileiro, *Cientistas do Brasil: depoimentos*; *Revista Praga*, nº 2, junho de 1997.

Maria da Cruz (séc.XVIII)

Fazendeira.

Natural dos sertões do rio São Francisco, fronteira de Minas com Bahia, Maria da Cruz casou-se com o baiano Salvador Cardoso. Viúva, administrava com o filho Pedro Cardoso sua fazenda do Capão, imensa propriedade com criação de gado. Quando a Coroa portuguesa expediu a ordem da cobrança dos quintos, Maria da Cruz rebelou-se. Ela, o filho e o capitão-mor Domingos Rodrigues do Prado resistiram às investidas das tropas lusas, organizando motins contra as ordens régias. A rebelião foi resultante da insatisfação dos criadores de gado com a cobrança de impostos em atividades econômicas que nada tinham a ver com a exploração aurífera. Essa resistência dos moradores do sertão ao fisco português teve episódios dramáticos, com alguns líderes presos.

Tudo indicava que Maria da Cruz e seu filho haviam sido poupados. No entanto um "amigo" convenceu-a de que seria melhor que ela e Pedro o acompanhassem até a vila mais próxima, onde prestariam um rápido depoimento e ficariam livres de perseguição. Aceita a sugestão, mãe e filho partiram, escoltados pela Companhia dos Dragões. No meio da viagem, a qual fez em sua canoa cheia de flores, pelos rios São Francisco e das Velhas, perceberam que estavam sendo conduzidos presos para Vila Rica (atual Ouro Preto-MG) e não para a vila de São Romão, como fora combinado. Dessa cidade, os dois foram levados presos para o Rio de Janeiro, onde chegaram em 1738, e daí para a Bahia. Maria da Cruz acabou sendo libertada, porém seu filho foi degredado.

Fontes: Diogo Vasconcelos, *História média de Minas Gerais* e *História antiga de Minas Gerais*; Luciano Figueiredo, *O avesso da memória: cotidiano e trabalho da mulher em Minas Gerais no século XVIII*; Paulo Amora, *Rebelião das mulheres em Minas Gerais.*

Maria da Graça Costa Pena Burgos

ver GAL COSTA

Maria da Penha Nascimento Silva (1949-91)

Trabalhadora rural e líder sindical.

Conhecida por Penha, nasceu em 1949 em Alagoa Grande (PB), filha da camponesa

Angélica José do Nascimento, que se tornou empregada doméstica em João Pessoa, e de pai alemão desconhecido.

"Com isso eu ia me revoltando". Essa frase escrita pela própria Penha no livro *Violência rural e reforma agrária*, revela um pouco da infância marcada pelas dificuldades e discriminações. Com a gravidez, sem recursos suficientes e sofrendo com os preconceitos da época, sua mãe tornou-se prostituta e alcoólatra. Penha foi criada pelos avós maternos, que, conservadores, não aceitavam a conduta de sua filha. Aos 7 anos de idade começou a trabalhar no campo, e o fato de só ter conseguido estudar até a 4ª série do 1º grau muito lhe revoltou. Quando tinha 12 anos, sua mãe retornou à cidade doente de tuberculose, mas os patrões a levaram de volta, não permitindo que ela morresse perto dos seus parentes.

Penha só foi registrada aos 15 anos, quando se casou com José Horácio, também camponês. Nessa ocasião, acrescentou quatro anos a mais em sua idade. Nunca soube exatamente o dia e mês de seu nascimento.

Sua trajetória política teve início em 1972 no sindicato dos trabalhadores rurais de Alagoa Grande, que tinha Margarida Maria Alves* como presidente e José Horácio como secretário. Margarida, que se sentia muito sozinha como mulher na atuação sindical, convidou Penha para a luta. Em 1980, participou da reunião nacional para a criação da Central Única dos Trabalhadores (CUT/PB), da qual foi também dirigente. Em 1982, com o assassinato de Margarida, Penha intensificou sua luta contra a violência e a impunidade dos latifundiários. Envolveu-se, ainda, na fundação do Partido dos Trabalhadores (PT), em Alagoa Grande, onde foi candidata a vereadora, tendo conseguido a suplência, e mais tarde a deputada federal. Fundou o Movimento de Mulheres do Brejo (MMB) e integrou a Comissão Estadual de Mulheres Trabalhadoras da CUT/PB.

Durante toda a sua trajetória, Penha surpreendia os que a conheciam por sua sensibilidade e aguçada compreensão das lutas de classe e especialmente da situação das mulheres trabalhadoras rurais. Morreu em 15 de março de 1991 num acidente automobilístico, juntamente com Beth Lobo*. No dia 8 de março deste mesmo ano, participou das atividades comemorativas do Dia Internacional da Mulher no Brejo e em João Pessoa, quando lançou o livro *Por que trabalhar com mulheres*, de autoria da Oxfam, SOS Corpo, MMTR Sertão Central-PE, MMTR Brejo-PB e CEAS.

Costumava dizer: "Só quem luta é que sabe a dor que a gente sente".

Fontes: Depoimentos de Maria da Soledade Leite e Gilberta Santos Soares; *Violência rural e reforma agrária: Um relato de Penha, dirigente do SRT de Alagoa Grande* • Colaboração especial de Estelizabel Bezerra de Souza.

Maria da Piedade e Castro (séc.XIX)

Vítima de violência doméstica.

A fim de se livrar do marido violento, Maria da Piedade fez um requerimento à Santa Casa de Misericórdia no Rio de Janeiro, solicitando ser ali recolhida. No período colonial, a reclusão feminina era um mecanismo masculino de dominação para resolver conflitos familiares. No caso de Maria da Piedade, foi esse o caminho escolhido para se livrar dos tormentos causados pela violência doméstica. Tempos depois, escreveu para a Intendência da Santa Casa solicitando permissão para ir viver com seu pai, uma vez que ali estava apenas para se livrar dos maus-tratos do marido e se curar das doenças "vergonhosas" que havia contraído através dele. Sua argumentação foi considerada suficiente para sustentar um pedido de separação e sua solicitação foi atendida.

Fonte: Leila Mezan Algranti, "À sombra dos círios: o cotidiano das mulheres reclusas no Brasil colonial", in *O rosto feminino na expansão portuguesa*.

Maria da Silva Gonçalves (séc.XVI)

Colonizadora.

Provavelmente a primeira portuguesa a viver no sul do Brasil. Nasceu em Portugal e era casada com João Gonçalves, que exercia o cargo de meirinho — equivalente ao oficial de Justiça dos tempos atuais — na vila de São Vicente. No livro *Memórias da capitania de São Vicente*, publicado em 1797, frei Gaspar da Madre de Deus registra que Maria chegou ali provavelmente no ano de 1537. Um despacho do capitão-mor de São Vicente, Gonçalo

Monteiro, datado de 3 de julho de 1538, cita o pedido de doação de um pedaço de terra em Iriripiranga, feito pelo meirinho, que ali queria estabelecer uma fazenda. Em seu favor, João argumentava que tinha mulher e filhos na terra e era o primeiro homem casado a vir com mulher e com determinação de povoar.

Essa declaração de João foi considerada por frei Gaspar como sendo verdadeira, pois o mesmo não se atreveria a fazer uma falsa afirmação ao padre Gonçalo Monteiro, que acompanhara a armada de Martim Afonso de Sousa, em 1530, a primeira para as novas terras e, portanto, era testemunha de que não havia mulheres nessa expedição.

Fontes: Adalzira Bittencourt, *A mulher paulista na história*; Frei Gaspar da Madre de Deus, *Memórias para a história da capitania de S. Vicente.*

Maria das Dores Pereira da Silva (1906-)

Monja budista.

Nasceu em 1906, no Rio de Janeiro (RJ), formou-se em medicina e em direito. Tornou-se a primeira monja budista brasileira em 1969, aos 63 anos, após dedicar-se, por quase 40 anos, aos cultos e à divulgação do budismo. Em cerimônia realizada num templo em São Paulo, adotou o nome Tenko Shuei-Ni, cortou os cabelos e vestiu os trajes monásticos.

Antes de sua ordenação, Maria das Dores fez uma longa viagem aos três lugares sagrados do budismo: o Lumbini, no Nepal, onde nasceu Buda; o Boddy-Gaya, onde Buda recebeu a iluminação; e o Sarnath, na Índia, onde Buda fez seu primeiro sermão e revelou as quatro nobres verdades do budismo: o sofrimento, a causa do sofrimento, a supressão do sofrimento e os meios para sua eliminação. Recebeu do Dalai-Lama o Buda de Ouro da Eterna Vida quando esteve no Himalaia.

Fonte: *O Cruzeiro*, 4.12.1969.

Maria de Lima Barbosa (séc.XVIII)

Senhora de escravos índios.

Moradora da capitania de São Paulo, deixou testamento datado de 1715, no qual expressava o desejo de que seus 10 escravos índios fossem libertos quando ela morresse. No entanto, os indígenas optaram por permanecer com seu filho, o que se pode atribuir às dificuldades de sobrevivência em São Paulo na época colonial.

Fonte: John Manuel Monteiro, *Negros da terra: índios e bandeirantes nas origens de São Paulo.*

Maria de Lima das Mercês (1800-?)

Promotora de obras sociais.

Negra, pobre e sem família, vivia em Salvador (BA), onde teve que enfrentar as dificuldades de sua condição social e étnica. Desde menina, ficava extremamente penalizada vendo outras crianças, pobres e órfãs como ela, abandonadas, perambulando pelas ruas. Essa preocupação a acompanhou até a vida adulta, quando a compartilhou com o pároco, padre Francisco Gomes de Sousa, que, diante da disposição e dedicação de Maria, envidou todos os esforços para a criação do abrigo com que ela sonhava. Fundaram então a casa, e a direção foi confiada a Maria. Em 1850, com a morte do pároco, ela solicitou ao governo auxílio para sua manutenção, levando o presidente da província a dar-lhe total apoio e nomeando-a oficialmente diretora. Após sua morte, o abrigo ficou sob os cuidados das irmãs de São Vicente de Paula.

Fonte: Inês Sabino, *Mulheres ilustres do Brasil.*

Maria de Lucena (c.1563-?)

Processada pela Inquisição por lesbianismo.

Maria de Lucena morava na casa de uma parenta, Clara Fernandes, mulher de um fazendeiro na Paraíba. Foi denunciada ao primeiro Visitador do Santo Ofício, que chegou ao Brasil quando ela tinha 30 anos, por causa de sua opção sexual. Segundo uma de suas acusadoras, Maria conhecia o amor de homens, pois se casara, porém o que mais lhe aguçava o desejo era o amor das mulheres. Teve uma parceira, durante anos, que chamava Vitória, e também outra relação estável com Margarida. Maria de Lucena foi expulsa da casa de Clara Fernandes e processada pela Inquisição.

Fontes: Lígia Bellini, *A coisa obscura: mulher, sodomia e Inquisição no Brasil*; Ronaldo Vainfas (org.), *História e sexualidade no Brasil.*

Maria de Mariz (séc.XVII)
Senhora de terras.

Filha de Isabel Velho e de Antônio de Mariz, casou-se com Tomé de Alvarenga, com quem teve três filhos: Antônio, Francisco e Maria de Alvarenga. Era proprietária, junto com o marido, de terras às margens do rio Guandu, na Baixada Fluminense. Parte dessa propriedade foi dada ao primogênito Antônio de Alvarenga, que, por sua vez, a legou a Maria Barbosa, sua filha. No dia 13 de maio de 1656, as terras foram vendidas para um colégio da Companhia de Jesus no Rio de Janeiro.

Fonte: Elysio de Oliveira Belchior, *Conquistadores e povoadores do Rio de Janeiro.*

Maria de Miranda Leão (séc.XX)
Primeira deputada estadual do Amazonas.

Maria de Miranda acompanhou de perto a mobilização das mulheres pelo sufrágio feminino no Brasil, o que a levou a ser uma das fundadoras da Federação Brasileira pelo Progresso Feminino* (FBPF), seção Amazonas, em 18 de dezembro de 1932, em Manaus. Desde então ajudou a organizar uma série de atividades com o objetivo de sensibilizar as mulheres para o alistamento eleitoral, direito conquistado pelas brasileiras em fevereiro daquele ano. Participou de todos os eventos nacionais promovidos pela FBPF na década de 1930.

Nas eleições suplementares de 1936, candidatou-se a uma vaga para a Assembléia amazonense. Eleita deputada estadual, exerceu o mandato regular até novembro de 1937, quando Getúlio Vargas fechou o legislativo federal e os estaduais, justificando a necessidade de um governo autoritário, conhecido como Estado Novo, e que durou até 1945.

Fonte: Arquivo da FBPF, *Boletim*, ano I, nº 2, nov/1934.

Maria de Reboredo (séc.XVI)
Órfã da Rainha*.

Maria era natural de Setúbal, Portugal e chegou ao Brasil junto com o terceiro governador-geral, Mem de Sá, no ano de 1558. Casou-se com Antônio Lamego, homem de armas, que veio na mesma esquadra. Por conta do casamento com Maria de Reboredo, foi nomeado escrivão na Colônia. Há registros de que, no ano de 1592, Maria de Reboredo se confessou ao oficial da Inquisição. Estava, então, casada pela segunda vez com Diogo Moniz Barreto e vivia numa propriedade em Paraguaçú.

Fonte: Afonso Costa, *As Órfãs da Rainha.*

Maria de Sousa (séc.XVII)
Símbolo da luta contra os holandeses.

Viúva de Gonçalo Velho, viveu em Pernambuco e, como tantas mulheres da região, teve a família destruída nas lutas de resistência contra o domínio holandês. Maria de Sousa foi lembrada por gerações de historiadores regionais como símbolo de abnegação e de patriotismo por ter ordenado, em 1635, que os dois últimos filhos que lhe restavam — Gil, de 14 anos, e Luiz, de 12 — se engajassem na legião do comandante Matias de Albuquerque. Lutando contra os holandeses, já haviam morrido seus filhos Antônio, Gonçalo e Estevão Velho, além do genro Antônio Lopes Filgueiras.

Fontes: Carlos Augusto de Campos, *As heroínas do Brasil*; Henrique C.P. de Melo, *Pernambucanas ilustres*; Inês Sabino, *Mulheres ilustres do Brasil.*

Maria Degolada (1878-99)
Vítima de crime passional.

Maria Francelina Trenes nasceu em 1878 na Alemanha e emigrou para o Brasil, onde se fixou em Porto Alegre (RS). Namorava o soldado Bruno Bicudo, natural de Uruguaiana (RS). A vida de Maria Francelina encerrou-se de forma brutal, no dia 12 de novembro de 1899, quando Bruno a degolou. A tragédia teve tamanha repercussão que o local onde ocorreu o crime ficou conhecido durante muito tempo como Morro da Maria Degolada, situado numa vila popular com o mesmo nome, no bairro porto-alegrense do Partenon.

O crime aconteceu quando os dois namorados, acompanhados de mais três soldados do 1º Regimento de Cavalaria da Brigada Militar do Rio Grande do Sul e outras mulheres, voltavam de um piquenique. Descontrolado pelo ciúme, depois de violenta discussão, o soldado Bruno, subitamente, sacou uma faca e a matou. As testemunhas até tentaram prender o assassino que, ainda armado, conseguiu se livrar. Logo depois, um dos seus colegas comunicou o acontecido ao comandante do destacamento, que mandou prendê-lo.

O processo judicial teve início logo em seguida. Na sua defesa, Bruno alegou que Maria zombara dele afirmando ter outro homem para passar a noite. Seus argumentos não convenceram o júri, que o condenou a 30 anos de prisão na Casa de Correção. A sentença foi proferida no dia 22 de fevereiro de 1900. O assassino permaneceu encarcerado até 19 de setembro de 1906, quando morreu.

O imaginário popular contribuiu para aumentar a lenda em torno de Maria Degolada. Houve quem afirmasse que Maria era apaixonada pelo soldado e, frustrada por não ser correspondida, enforcou-se num galho de árvore. Seu corpo teria sido enterrado junto à pedreira. A tal árvore era uma figueira que, posteriormente, teria adquirido poderes de cura para várias moléstias. Os populares passaram a arrancar pedaços de casca do tronco da árvore para confeccionar utensílios. As pedras da pedreira, por sua vez, passaram a ser vendidas em pequenos frascos, também sob a alegação de terem poderes medicinais. Nem a figueira nem a pedreira existem mais.

Corre também, entre os habitantes de Porto Alegre, que Maria teria dito numa sessão espírita não gostar de ser conhecida pela alcunha deprimente de Maria Degolada. O povo passou, então, a tratá-la de Maria da Conceição, e o nome da vila também foi alterado. O fato é que todas estas versões servem para alimentar a devoção à "santa" Maria Degolada entre os porto-alegrenses.

Maria Francelina foi sepultada no jazigo nº 741 do Campo da Santa Casa de Misericórdia de Porto Alegre.

Fontes: Antônio Augusto Fagundes, *As santas prostitutas*; Hélio Moro Mariante, *Maria Degolada: mito ou realidade?*; *Zero Hora*, 12.11.1999.

Maria Della Costa (1927-)

Atriz.

Nasceu em 1º de fevereiro de 1927, na cidade de Flores da Cunha (RS), filha de Ermelinda Della Costa e de Amadeu Marchioro. Ao mudar-se para o Rio de Janeiro, aos 15 anos, foi trabalhar no Cassino do Copacabana Palace, onde conheceu seu primeiro marido, Fernando de Barros, homem ligado ao teatro. Descoberta por Bibi Ferreira*, foi convidada para estrear a peça *A moreninha* em 1945.

Durante um ano estudou arte dramática no Conservatório de Lisboa, em Portugal. Retornou ao Brasil e entrou para o grupo teatral Os Comediantes, que tinha como proposta renovar o teatro nacional. Em 1948, junto com Sandro Polloni, produtor e ator, com quem se casaria, criou a Cia. Teatral Popular de Arte, que ficou conhecida como Cia. Maria Della Costa, na qual também trabalhava a atriz Itália Fausta*. Depois de percorrerem o Brasil, fixaram residência em São Paulo, onde, em 1954, inauguraram o Teatro Maria Della Costa, no bairro da Bela Vista.

Sensível às lutas populares e às causas da cidadania feminina, Maria colaborou com o movimento de mulheres brasileiras na década de 1950 e participou das atividades organizadas pela Federação de Mulheres do Brasil*.

Maria Della Costa apresentou para o público brasileiro textos de grandes autores internacionais como Bertolt Brecht e García Lorca. Um dos seus grandes sucessos foi a montagem da peça *O canto da cotovia*, de J. Anouilh, que estreou em 1955 no Teatro Municipal do Rio de Janeiro. Seu nome estava então definitivamente consagrado no cenário teatral brasileiro. Em seguida, excursionou pela Europa e América do Sul, encenando peças de autores nacionais, como *Gimba* de Gianfrancesco Guarnieri.

Com o golpe militar de 1964, participou da luta da classe teatral contra a censura e as tentativas de controlar a expressão cultural no país. A decretação do Ato Institucional nº 5, em dezembro de 1968, acirrou este controle pelos órgãos de repressão, levando Maria Della Costa a refugiar-se em sua pousada em Parati (RJ). Ficou nesta cidade por três anos, retornando ao palco no final da década de 70 com a apresentação de peças de García Lorca e Antunes Filho.

Abandonou o teatro em 1992, passando a dedicar-se ao ramo da hotelaria. Com a morte de seu marido, em 1996, passou a viver definitivamente em Parati.

Fontes: Augusto de Freitas Lopes, *Dicionário histórico e literário do Brasil*; Simon Khoury, *Bastidores III* (entrevistas); Entrevista com Carmen Alveal em 25.4.2000.

Maria Diaz Ferraz do Amaral

(séc.XVII)
Colonizadora e bandeirante.

Mulher do apresador de índios Manuel Martins Bonilha, Maria acompanhou seu marido em incursões pelo interior de Goiás. Durante uma das viagens, o grupo confrontou-se com índios Caiapó, e ela, que sabia manejar armas, lutou lado a lado com os homens, sendo ferida com uma flechada nas costas. Recebeu, então, o apelido de Heroína de Capivari.

Fonte: Maria Lúcia de Barros Mott, *Submissão e resistência — a mulher na luta contra a escravidão.*

Maria Dimpina Lobo Duarte

(1891-1966)
Professora, primeira funcionária pública do estado de Mato Grosso.

Nasceu em Cuiabá (MT) em 15 de maio de 1891. Foi a primeira aluna do tradicional estabelecimento de ensino Liceu Cuiabano, onde até então só estudavam homens, e bacharelou-se em ciências e letras, em 1909, com apenas 16 anos de idade.

Talentosa e inteligente, aproveitou o máximo dos ensinamentos recebidos e no final do curso, além da língua portuguesa que dominava com excelência, possuía larga bagagem das línguas grega, latina, inglesa, alemã e, principalmente, francesa. Desde então, além de fundar o Colégio São Luiz, dedicou-se e exerceu o magistério na Escola-Modelo Barão de Melgaço.

Sua presença como articulista foi marcada pela conquista de dois espaços nos principais jornais do estado. Uma delas, a seção "Crônica", que revelava de maneira clara e objetiva o acompanhamento dos fatos contemporâneos e o espírito de luta pelo progresso da região, tal como a que reivindicava a implantação de uma escola doméstica em Cuiabá, a construção de uma estrada de ferro para o norte de Mato Grosso e outras rodovias, a preocupação pelas questões urbanistas e de saneamento para a capital mato-grossense, a censura à guerra e a defesa do trabalho da mulher fora do lar. Já o outro espaço, batizado de "Correspondência a D. Marta", escrito também no mesmo estilo e publicado esporadicamente, assinalava a preocupação com os fatos circunstanciais, ora registrando as necessidades prementes para o desenvolvimento do estado do Mato Grosso, ora expressando conselhos e incentivos às mulheres.

Em 1916 criou, com um grupo de moças, o Grêmio Literário Júlia Lopes e a revista *A Violeta*, da qual foi várias vezes editora e diretora. Ajudou também na fundação da Escola Doméstica Dona Júlia Lopes de Almeida*. Ousada com suas idéias de igualdade entre os sexos e acreditando no desenvolvimento intelectual da mulher, participou também da Federação Mato-Grossense pelo Progresso Feminino, órgão vinculado à Federação Brasileira pelo Progresso Feminino*.

Resolveu ingressar no funcionalismo público federal para ajudar no sustento da família. Fez curso para postalista dos Correios e Telégrafos, obtendo o primeiro lugar entre os participantes de todo o Brasil e a honra de ser a primeira mulher funcionária pública do estado de Mato Grosso sem, no entanto, abandonar o magistério.

Por essa época, seu marido, também funcionário dos Correios, foi transferido para outra cidade, restando-lhe duas opções: pedir demissão para acompanhar o marido ou ficar em Cuiabá distante dele. Maria Dimpina Lobo endereçou uma carta ao presidente da República, Getúlio Vargas, expondo o seu constrangimento, comum a outras mulheres no Brasil de então.

Sensibilizou e alertou o presidente, e este determinou a permanência do casal em Cuiabá, criando uma lei estendendo o benefício a todas as mulheres funcionárias públicas federais que passaram a ter o direito de acompanhar o marido em caso de transferência, sem a perda do emprego.

Fontes: Instituto Memória do Poder Legislativo de Mato Grosso; Anais da Câmara Municipal de Cuiabá.

Maria do Carmo da Silva e Gama

(séc.XIX)

Educadora.

Nasceu em Lisboa e viveu no Rio de Janeiro. Mantinha uma escola no nº 31 da rua São José, no centro da cidade, estabelecimento, segundo ela, para a educação feminina. Nos anúncios que fez publicar no jornal *Gazeta do Rio de Janeiro*, nas edições de 17.11.1813 e de 2.2.1814, explicitava o que entendia por educação para as filhas das boas famílias, isto é, aprender a costura, o bordado, a arte de fazer toucados, chapeús de palha, de cortar e de fazer vestidos e enfeites, de lavar filós. Além dessas sessões de trabalhos manuais, as meninas também recebiam lições de leitura, escrita, aritmética elementar e gramática portuguesa.

A proposta pedagógica da professora Maria do Carmo representava um avanço em relação ao ensino feminino no Brasil durante o período colonial. Sua iniciativa inseria-se no bojo de um movimento de ampliação de instituições de ensino vivido sobretudo no Rio de Janeiro após a chegada da Corte em 1808.

Fonte: Maria Lúcia de Barros Mott, *Madame Durocher, modista e parteira.*

Maria do Carmo Jerônimo

(1871-2000)

Ex-escrava.

Nasceu em 5 de março de 1871, seis meses antes da promulgação da lei do Ventre Livre, na cidade de Carmo de Minas (MG), onde foi registrada na igreja matriz. Viveu a infância e parte da adolescência como escrava. Consta da certidão de batismo que Maria do Carmo é filha da escrava Sabina e do "reprodutor" Jerônimo. Aos 17 anos passou a experimentar a condição de liberta, mas não deixou de ser uma pessoa excluída da sociedade, pois, durante seus 129 anos de vida, jamais recebeu educação escolar. Dos tempos da escravidão ela trouxe cicatrizes nas costas e um apelido, Maria Pote, devido a sua baixa estatura.

Sem nunca ter se casado, foi levada, em 1942, aos 70 anos, para a cidade de Itajubá, sul de Minas, para trabalhar com a família de José Armelim Bernardo Guimarães, onde foi babá dos 13 filhos do casal.

Na década de 1990, os patrões de Maria do Carmo foram procurados por um representante do *Guinness Book*, propondo que fosse levantada a documentação comprobatória da idade de Maria do Carmo. Embora os trâmites oficiais que podem levá-la a ser incluída na lista de recordes não tenham sido concluídos, ela foi considerada extra-oficialmente a pessoa mais velha do Brasil e do mundo.

Maria do Carmo testemunhou a época da escravidão brasileira e alcançou notoriedade aos 125 anos, quando, em 1995, foi levada ao Rio de Janeiro para conhecer o mar, seu sonho desde criança.

Faleceu em 14 de junho de 2000, na cidade de Itajubá (MG), com 129 anos.

Fonte: *Jornal do Brasil*, 7.3.2000.

Maria do Carmo Melo Franco Nabuco de Araújo (1907-)

Defensora do patrimônio histórico.

Nasceu em 17 de setembro de 1907, no Rio de Janeiro (RJ), filha de Sílvia Cesário Alvim e de Afrânio de Melo Franco, ambos de tradicionais famílias brasileiras. Seu pai foi ministro do Exterior, da Viação e Obras Públicas e embaixador do Brasil junto à Liga das Nações.

Maria do Carmo casou-se com José Nabuco, um dos cinco filhos do escritor e estadista Joaquim Nabuco. Viveu nos bastidores do poder em vários momentos da vida nacional, promovendo encontros entre as personalidades mais notáveis da política, dos negócios e da intelectualidade nos salões de sua casa. Grande anfitriã, sempre se interessou pela política e por diversas vezes recebeu chefes de Estado estrangeiros em visita ao Brasil.

Ao seu modo, fez oposição desde o início ao governo de Getúlio Vargas, mesmo tendo sido um de seus tios, Virgílio de Melo Franco, um ativo conspirador na Revolução de 30. No entanto, ao final do primeiro período de Vargas no poder, este tornou-se um dos fundadores da União Democrática Nacional (UDN), o principal partido de oposição ao governo a partir de 1945.

Simpatizante do ideário da UDN, Maria do Carmo levava seus filhos ao Congresso Nacional toda vez que Carlos Lacerda ou Afonso

Arinos — seu irmão — subia à tribuna para algum pronunciamento importante. Sua veia política liberal revelou-se mais uma vez na oposição discreta que fez ao regime militar, sobretudo depois do AI-5 de dezembro de 1968, que suspendeu as liberdades democráticas e fechou o Congresso. Auxiliou vários políticos perseguidos, inclusive interferindo para tirá-los da prisão.

No campo da cultura destacou-se, ao lado de seu primo Rodrigo de Melo Franco, no empenho em defesa das tradições e arte mineiras. Juntos descobriram tesouros arquitetônicos regionais e participaram da fundação do Serviço do Patrimônio Histórico, que tornou possível o inventário desses monumentos. Maria do Carmo assumiu a tarefa de cuidar da cidade de Tiradentes e, desde então, não parou de usar a sua influência junto às pessoas de poder para a restauração artística e cultural da cidade, deixando o seu trabalho como um legado para Minas Gerais e todo o Brasil.

Fonte: *Veja Rio,* 15-21.9.1997.

Maria do Céu Pereira Fernandes

(1910-)

Primeira deputada estadual do Rio Grande do Norte.

Nasceu em 6 de novembro de 1910, em Currais Novos (RN), filha de Olindina Cortês Pereira de Araújo e de Vivaldo Pereira de Araújo. Estudou em Natal, em 1924, única cidade do estado a oferecer curso secundário. Foi aluna do colégio interno Imaculada Conceição e, em 1928, formou-se em técnica de comércio. Voltou para Currais Novos e, quando sua mãe faleceu em conseqüência de um parto malsucedido, passou a tomar conta da família, não prosseguindo os estudos.

No final da década de 1920, criou na cidade, um ginásio voltado para jovens que não tinham recursos para ir estudar em Natal, nele dando aulas de francês. Fundou o jornal *Galvanópolis*, no qual dava apoio ao líder político da região do Seridó, Juvenal Lamartine, e ao amigo José Augusto Bezerra de Meneses, primeiro senador eleito com o voto feminino.

A Revolução de 1930 colocou Café Filho, adversário de Lamartine e José Augusto, como protagonista da ação política do Rio Grande do Norte. Lamartine, deposto da presidência do estado, e outros iniciaram um movimento de oposição aos revolucionários locais. Lançaram então, como proposta de renovação dos quadros políticos e símbolo de transformação na sociedade, a candidatura de Maria do Céu, pelo Partido Popular, para a Assembléia Constituinte Estadual de 1934. A campanha foi uma guerra, com os dois lados levando a extremos suas idéias e divergências. Das inúmeras cenas de violência, a mais trágica foi o assassinato do filho de Juvenal Lamartine, em Natal, quando grupos da situação invadiram os jornais oposicionistas.

O Partido Popular ganhou a eleição, fazendo 11 deputados, inclusive Maria do Céu. Esse resultado aumentou ainda mais a tensão política, uma vez que a diferença era de apenas um deputado entre os grupos adversários, com vantagem para o partido pelo qual tinha sido eleita. Essa pequena cota era de extrema importância, pois o governador seria eleito por voto indireto. O resultado da eleição foi contestado e a questão foi parar no Superior Tribunal Eleitoral. Os partidários de Lamartine, entre eles Maria do Céu, vinham sendo ameaçados de morte por envenenamento e tiveram que se refugiar em João Pessoa. Resolvida a questão legal, com ganho de causa ao Partido Popular, os políticos voltaram para Natal em maio de 1935, escoltados pelo exército. Rafael Fernandes conseguiu assumir o governo do estado e iniciaram-se os trabalhos da Constituinte estadual.

Durante o mandato, Maria do Céu acumulou intensa experiência pública. Fazia palestras, realizava congressos no interior, defendia a participação política da mulher, apoiava a Federação Brasileira pelo Progresso Feminino (FBPF*), freqüentando todos os eventos que essa entidade promovia no estado. Tornou-se símbolo da causa feminista, embora não questionasse os valores tradicionais femininos na família.

Casou-se em junho de 1935 e, no ano seguinte, nasceu seu primeiro filho, Magnus. Sem conseguir conciliar sua função materna com a vida política, optou pela família e teve mais três filhos.

Com o advento do Estado Novo, fez oposição ao regime, mas sem abandonar sua posição de dona-de-casa. Na década de 1950, sofreu dois duros golpes: em 1956, perdeu seu filho Armando, então com nove anos, vítima de um atropelamento; três anos depois, seu filho Magnus foi assassinado na noite de Natal, numa briga de rua. Abalada com os acontecimentos, resolveu se mudar para o Rio de Janeiro, onde seu marido, que era deputado federal, tinha domicílio.

Quando ficou viúva, em 1965, voltou para o Rio Grande do Norte para administrar os bens da família. Seu esposo havia sido pioneiro na mineração e na pecuária do estado, importando raças bovinas especiais. Depois de alguns anos à frente dos negócios, deixou-os nas mãos de seu filho Paulo e voltou a residir no Rio de Janeiro.

Maria do Céu, como uma das pioneiras, inscreve-se meritoriamente no quadro das nove deputadas estaduais eleitas em 1934, logo após a conquista do voto feminino no Brasil.

Fontes: João Cascudo Rodrigues, *A mulher brasileira: direitos políticos e civis*; Entrevista com Paulo de Tarso Fernandes, filho de Maria do Céu Fernandes, concedida a Carmen Margarida Oliveira Alveal em 27.8.1999.

Maria do Egito (c.1828-?)

Escrava.

Moradora de Aracaju (SE), moveu, no ano de 1858, um processo contra Evaristo José de Santana no qual reclamava sua alforria. Maria do Egito declarou nos autos que deixou seu senhor "levar" a sua virgindade em troca da sua liberdade e que tiveram relações por mais de 14 anos.

Evaristo José era casado, e seu relacionamento com a escrava estava ficando cada vez mais notório. No intuito de disfarçar a situação, arrumou-lhe um casamento com seu sobrinho, do qual Maria acabou engravidando. Quando Evaristo soube, num ato de ciúme descontrolado, rasgou a carta de alforria que lhe havia concedido, espancou-a, causando-lhe o aborto, e impôs seu imediato retorno ao cativeiro. O advogado de defesa alegou que a escrava adquirira a liberdade de direito quando dormiu com seu senhor, independentemente da carta de alforria. O procurador de Justiça assumiu posição totalmente contrária, afirmando não ser possível acreditar na palavra de uma escrava.

Maria do Egito foi mais uma vítima dos casos de concubinato entre homens livres e mulheres cativas.

Fonte: Luís Mott, "Escravidão e homossexualidade", in Ronaldo Vainfas (org.), *História e sexualidade no Brasil.*

Maria do Espírito Santo Arco-Verde (séc.XVI)

Índia caeté.

Filha do cacique da nação indígena que dominava a costa pernambucana, a "Princesa do Arco-Verde" era assim chamada por ser exímia no manuseio do arco e flecha. Seu povo vivia junto ao mar, nas colinas onde é hoje a cidade de Olinda. Em meados da década de 1530, os portugueses envolvidos na tarefa de consolidar sua posição no litoral nordestino rechaçavam expedições estrangeiras e enfrentavam a resistência dos indígenas hostis, afastando-os do local onde pretendiam iniciar um povoamento. O chefe militar, Jerônimo de Albuquerque, irmão de Brites de Albuquerque* e, portanto, cunhado de Duarte Coelho, donatário de Pernambuco, tornou-se prisioneiro da tribo da "Princesa do Arco-Verde". Conta a tradição que Jerônimo foi salvo da morte pela índia, que intercedeu por ele junto ao seu pai, o cacique.

Dessa circunstância decorreu a união do colonizador português com a índia caeté que, batizada no domingo do Espírito Santo, recebeu o nome de Maria do Espírito Santo Arco-Verde. Tiveram oito filhos: Manoel, André, Jerônimo, que depois da conquista do Maranhão passou a assinar Jerônimo de Albuquerque Maranhão, Catarina, Isabel, Antônia, Joana e Brites. Assim, a "Princesa do Arco-Verde" tornou-se símbolo do processo de miscigenação entre brancos e índios nos primórdios do Brasil quinhentista. Seu relacionamento com Jerônimo e a vasta descendência decorrente desse vínculo marcaram a história da região pernambucana, uma vez que do casamento de sua filha Catarina de Albuquerque com o florentino Filipe Cavalcanti formou-se a influente família Cavalcanti de Albuquerque.

Jerônimo abandonou Maria do Espírito Santo por um casamento de conveniência com uma nobre chamada Filipa de Melo, com a qual teve mais 11 filhos. Três filhas do casal se tornaram religiosas, e as outras, como Simoa de Albuquerque, casaram-se com homens da elite e deram origem a outras famílias de prestígio no Nordeste.

Fontes: Gustavo Geraldo de Almeida, *Heróis indígenas do Brasil — memórias sinceras de uma raça*; Henrique C.P. de Melo, *Pernambucanas ilustres*; Horácio de Almeida, *História da Paraíba*; Inês Sabino, *Mulheres ilustres do Brasil*; Jorge Couto, *A construção do Brasil.*

Maria do Sacramento (?-1760)

Religiosa.

Nascida na vila de Santos (SP) foi batizada, Ana Maria de Siqueira, filha de Ana de Siqueira e Mendonça e de Domingos Teixeira de Azevedo. Seu pai, coronel de ordenanças da praça de Santos e da vila de São Vicente, foi também superintendente das minas de Cataguases e provedor real da casa de fundição da vila de Paranaguá. Adotou o nome de Maria do Sacramento e foi uma das 12 fundadoras do Convento de Nossa Senhora da Ajuda na cidade do Rio de Janeiro, ao lado de sua irmã Isabel Maria da Cruz*.

Faleceu no dia 12 de agosto de 1760, tendo sido a primeira das fundadoras a ser enterrada no convento.

Fonte: Pedro Taques de Almeida Paes Leme, *Nobiliarquia paulistana histórica e genealógica.*

Maria do Santíssimo (1890-1974)

Pintora primitiva.

Nasceu em 21 de dezembro de 1890 em São Vicente, no Seridó (RN). Maria Antônia do Santíssimo viveu nessa região toda sua vida, só saindo uma vez, nos anos 1930, para visitar Natal.

Começou a pintar com cerca de nove anos, usando um tipo de pincel muito peculiar feito com palito de coqueiro, denominado hissope, objeto comum e muito utilizado nas igrejas para aspergir água benta. Como tinta, empregava a anilina e papéis de embrulho ou pautados eram suas telas. Pintava galos, cajueiros, flores, tudo muito colorido e alegre, e estes trabalhos tornaram-se populares no interior sertanejo. Casou-se cedo com um homem do Seridó e, com o passar dos anos, os afazeres domésticos foram absorvendo cada vez mais seu tempo, levando-a a parar de pintar.

Na década de 1960, estimulada por artistas regionais, já com 76 anos, voltou à pintura e, com suas velhas anilina e cartolina, fez surgir novos pavões, galos, burros, roseiras e cajueiros, em cores vivas e traços firmes. Embora afirmasse que pintava para espairecer, seus desenhos de arte *naïf* encantam as pessoas.

Sua arte, considerada primitiva e popular, está sendo admirada internacionalmente sobretudo pela ingenuidade do trabalho, expressado por uma mulher que mal sabia escrever.

Ainda nos anos 1960, participou de uma exposição coletiva na Galeria do Município de Natal (1964) e também da II Fenort, no *stand* Natal Ver e Viver. Seus trabalhos, já escassos, podem ser encontrados na pinacoteca de alguns colecionadores.

Faleceu em 4 de dezembro de 1974.

Fonte: Iaperi Araújo, *Maria do Santíssimo — uma pintora popular.*

Maria dos Prazeres (séc.XVIII)

Religiosa.

Era freira do Convento do Desterro, na Bahia. Entre os bens que recebeu de sua família para atender às suas despesas pessoais, estava uma fazenda de gado que arrendava a Francisco de Albuquerque de Câmara. Maria dos Prazeres ingressou na justiça contra o arrendatário quando ele começou a atrasar o pagamento. As custas processuais levaram Maria dos Prazeres a vender a propriedade para madre Leonor Antônia do Salvador, do mesmo convento.

Exemplos como o de Maria dos Prazeres demonstram a importância dos conventos na economia colonial. Alguns concediam empréstimos a produtores agrícolas, outros mantinham-se por vastas propriedades legadas em testamentos.

Fonte: Susan Soeiro, "The social and economic role of the convent: women and nuns in Colonial Bahia, 1677-1800".

Maria Dulce Barbosa (1916-)

Primeira prefeita eleita na Paraíba.

Nasceu em 1916, em Queimadas, na época distrito de Campina Grande (PB), filha de Cecília de Melo Barbosa e de João Barbosa da Silva, próspero agricultor de algodão e cereais na região. Maria Dulce fez o curso pedagógico no tradicional Colégio das Neves na capital do estado e retornou à sua terra natal para lecionar. A agitação política dos anos 1930 e 40, principalmente o movimento de mulheres na Paraíba, atraíram-na para esse campo, entusiasmada com a idéia de que as mulheres também deveriam participar do espaço público. Engajou-se então no movimento pela redemocratização em 1945 e nas eleições municipais de 1947, candidatou-se ao cargo de vereadora no município de Campina Grande pela legenda da União Democrática Nacional (UDN).

Seu reduto eleitoral foi o distrito de Queimadas, onde sua família era importante proprietária de terras. Elegeu-se vereadora por três mandatos consecutivos. Dona Dulce, como era chamada, foi a primeira mulher eleita vereadora na Paraíba e figura entre as mulheres brasileiras de mais longa carreira política. Depois de liderar o movimento emancipatório de Queimadas, assumiu a prefeitura em 1963, tornando-se a primeira prefeita eleita do estado da Paraíba e uma das primeiras no Brasil depois de 1945.

Administrou a cidade de Queimadas até 1967, onde criou uma escola de primeiro e segundo graus, a que deu seu nome, construiu o mercado público e aumentou a rede de estradas vicinais. Apaixonada pela política, não se casou. Terminado o mandato, fez vestibular para o curso de direito em Campina Grande e colou grau em 1971, aos 55 anos. Renovada pelos estudos, tentou novo mandato na prefeitura, mas perdeu as eleições. Desencantada, dedicou-se ao magistério e à advocacia. Não quis mais se candidatar a nenhum posto eletivo, embora continuasse militando na política partidária.

Remanescente do velho estilo nordestino de fazer política, Dulce mantém sua força no reduto eleitoral da pequena cidade de Queimadas, onde é presidente do Diretório Municipal do Partido do Movimento Democrático Brasileiro (PMDB).

Fonte: Entrevista concedida por Maria Dulce Barbosa a Hildete Pereira de Melo em 23.7.1999.

Maria Escolástica da Conceição Nazaré *ver* MÃE MENININHA DO GANTOIS

Maria Ester Bueno (1939-)

Tenista.

Nasceu em São Paulo (SP) a 11 de outubro de 1939 em uma família de desportistas. Seu talento como tenista ficou logo evidenciado, pois começou a competir aos 11 anos de idade, pelo Clube Tietê, e ganhou seu primeiro título nacional aos 13 anos. Sua dedicação aos esportes era tanta, que também foi campeã estadual de natação por duas vezes.

Em 1958, durante um treino para o Foro Itálico, os organizadores italianos a viram jogar e decidiram transferir sua partida para a quadra central. Foi a primeira vez que mulheres jogaram neste local, reservado unicamente ao torneio masculino. Ganhou reconhecimento internacional numa época em que eram raras as mulheres que chegavam a deixar seu país para a prática de esporte. A imprensa a chamava de bailarina, pela leveza com que chegava às bolas e pela perfeição de seus golpes.

Maria Ester tornou-se motivo de orgulho nacional ao vencer o torneio de Wimbledon, na Inglaterra, em 1959, 1960 e 1964. Na temporada de 59-60 foi eleita a maior atleta feminina do mundo. Foi finalista em 1965 e em 1966 e campeã de duplas em 1960, 1962, 1966 e 1968. A melhor lembrança que tem de Wimbledon, no entanto, é de 1967, quando, após ter parado de jogar vários meses por causa de lesões, conseguiu vencer a tenista Margaret Court, número um do mundo.

Permaneceu por 10 anos entre o primeiro e o segundo lugares do *ranking* mundial de tênis. Em 1997, já longe das quadras, era comentarista de esporte da rádio BBC de Londres. Nesse mesmo ano, foi homenageada — juntamente com os principais tenistas do mundo — quando da inauguração da nova quadra principal de Wimbledon. Sua imagem foi colocada ao lado da de outras personalidades internacionais no Museu de Cera Madame Toussaud, em Londres.

Fontes: Isto É/The Times, *1.000 que fizeram o século 20*; *Tennis View*, jun/1997.

Maria Ester Corrêa Ramalho (séc.XX)
Engenheira.

Foi uma das primeiras engenheiras formadas pela Escola Politécnica da Universidade do Brasil, atualmente UFRJ. Logo após sua formatura, em 1927, foi trabalhar na Prefeitura do Distrito Federal, na Diretoria de Viação e Obras.

Maria Ester também participou das lutas feministas dos anos 20 e 30 travadas pela Federação Brasileira pelo Progresso Feminino* (FBPF).

Fonte: SBPC, *Cientistas do Brasil* — depoimento de Carmem Portinho.

Maria Eugênia Celso Carneiro de Mendonça (1886-?)
Escritora e sufragista.

Nasceu a 19 dc abril de 1886, em São João del Rei (MG), filha de Eugênia Batista de Castro e do historiador Afonso Celso, autor de *Por que me ufano do meu país*. Seu avô paterno fora o visconde de Ouro Preto e seu pai recebera o título de conde. Ainda criança, mudou-se com a família para Petrópolis (RJ), onde estudou no Colégio Sion. Em 1917, casou-se com Adolfo Carneiro de Mendonça, alto funcionário do Ministério da Fazenda.

Em 1918, Maria Eugênia publicou seu primeiro livro, *Em pleno sonho*, onde reuniu poemas de amor. Teve um filho, Vicente Afonso, que morreu ainda criança, causando-lhe grande dor e escreveu, em sua homenagem, o livro *Vicentinho*, que foi publicado em 1924 por Monteiro Lobato. Teve ainda uma filha, Maria Vitória.

Na década de 1920, passou a atuar na imprensa carioca e fluminense como colaboradora. Mantinha uma coluna diária no *Jornal do Brasil* e publicou versos em francês na revista *Fon-fon* e na *Revista da Semana*, sob o pseudônimo de Baby-Flirt. Trabalhou nas emissoras de rádio Nacional, Sociedade e Jornal do Brasil onde fazia o programa *Quartos de hora literários*.

No campo do assistencialismo, área de atuação pública preferencial de muitas mulheres que foram de seu tempo, participou do grupo Damas da Cruz Verde*, as principais responsáveis pela fundação da maternidade Pró-Matre, no Rio de Janeiro. Outras contemporâneas suas que também se empenharam na criação da maternidade foram Stela Guerra Duval* e Jerônima Mesquita*, que, como Maria Eugênia, pertenciam à Federação Brasileira pelo Progresso Feminino* (FBPF). Esse grupo teve uma atuação destacada em atividades de assistência social, sobretudo nas diversas iniciativas da Cruz Vermelha Brasileira, da Cruzada Nacional Contra a Tuberculose, da Beneficência dos Lázaros e da Liga dos Cegos do Brasil.

Em maio de 1928, Maria Eugênia inaugurou um ciclo de palestras no Instituto Histórico e Geográfico Brasileiro, então presidido por seu pai, o conde Afonso Celso. A proposta do ciclo de palestras — Tardes no Instituto — era abrir espaço para conferencistas discorrerem sobre vários aspectos da atuação das mulheres brasileiras. Ao todo, foram realizadas quatro conferências entre maio de 1928 e março de 1929.

Na virada da década de 1930, ocupou a vice-presidência da FBPF, atuando como colaboradora direta de Bertha Lutz*. Em julho de 1931, foi nomeada pelo governo brasileiro representante oficial do país no II Congresso Internacional Feminista, promovido pela FBPF. Desse encontro, saiu indicação para que as autoridades públicas promovessem a extensão do direito de voto às mulheres. O documento final do Congresso foi encaminhado ao chefe do Governo Provisório Getúlio Vargas, que prometeu atender à reivindicação das feministas brasileiras e de fato o fez na edição do Código Eleitoral de 1932.

Como forma de registrar solenemente a conquista do sufrágio, a FBPF encaminhou petição ao Tribunal Eleitoral do Distrito Federal solicitando autorização para que, no pleito de maio de 1933, na sede da entidade, fosse instalado um posto de alistamento e voto. O documento enviado ao juiz responsável foi assinado por Bertha Lutz*, Maria Eugênia Celso e Orminda Bastos*, em 10 de fevereiro de 1933. A justiça eleitoral autorizou a instalação da seção na FBPF e as feministas se empenharam em conscientizar as mulheres a tirarem o seu título de eleitora e a votar nas dependências da Federação, como garantia de lisura no processo eleitoral.

Logo depois das eleições de 1933, Maria Eugênia Celso, por motivos de saúde, afastou-se da administração cotidiana da Federação, mantendo, entretanto, durante toda a década de 1930 as atividades naquela entidade. Foi autora da letra dos hinos da FBPF e da Escola de Enfermagem Ana Néri, espaço de formação profissional para as mulheres brasileiras, criado no final da década de 1910.

Além das obras já mencionadas, escreveu poesias humorísticas — *Fantasia e matutadas* (1925); outros livros de poemas — *Alma vária* (1937), *Jeunesse*, em francês (1938), *O solar perdido* (1944) e *Poesias completas* (1955); um volume de contos intitulado *Desdobramentos* (1937); o romance *Diário de Ana Lúcia* (1939); e as crônicas *De relance*. Escreveu também, em 1931, uma peça de teatro em versos — *Ruflos de asas*. Em 1946 publicou a *Síntese biográfica da Princesa Isabel*.

Fontes: Academia Literária Feminina do Rio Grande do Sul, *50 anos de literatura: perfil das patronas*; Ana Amélia Carneiro de Mendonça, *Prosadoras e poetisas brasileiras*; Arquivo da FBPF, cx.7; Maria Eugênia Celso, *O espírito e o heroísmo da mulher brasileira*.

Maria Ferreira (séc.XVIII)

Investigada por concubinato.

Negra e sem recursos, viveu em Minas Gerais, na localidade de Conceição dos Raposos, em meados do século XVIII. Uniu-se a José da Costa, sem passar pelo custoso e burocrático ritual religioso do casamento, o que afrontava as determinações da Igreja e os tornava sujeitos a devassas e punições. Foram denunciados e, durante as investigações, o fato de viverem muito bem e felizes juntos, embora fossem ambos solteiros, escandalizou as autoridades eclesiásticas.

Apesar da forte punição imposta pela Igreja, os casamentos informais eram muito mais freqüentes do que desejava o clero.

Fonte: Luciano Figueiredo, "Mulheres nas Minas Gerais", in Mary Del Priore (org.), *História das mulheres no Brasil*.

Maria Firmina dos Reis (1825-1917)

Escritora e abolicionista.

Maria Firmina nasceu em São Luís (MA), em outubro de 1825. Negra e bastarda, filha de Leonor Felipe dos Reis, foi registrada por João Pedro Esteves. Quando tinha cinco anos foi morar em Guimarães (MA), onde prestou concurso para o ensino primário oficial e foi nomeada em 1847, disputando a vaga com mais duas candidatas.

Autora do primeiro romance abolicionista escrito por uma mulher no Brasil, em 1859-60 publicou, sob o pseudônimo Uma Maranhense, o romance *Úrsula*, em que abordou a questão da escravatura no Brasil e que é considerado pelos críticos um marco na literatura feminina abolicionista. Ainda sobre esse tema escreveu *13 de maio* e o conto *A escrava*, publicado na *Revista Maranhense*, também de denúncias. Publicava poesias e artigos nos jornais locais e compunha músicas para folguedos populares.

Aos 55 anos, Maria Firmina, numa atitude pioneira e ousada para sua época, fundou na sua cidade natal uma escola mista e gratuita para crianças pobres. Lecionou até aposentar-se em 1881 e nunca se casou; contudo, apesar dos poucos recursos, adotou várias crianças e cuidava de numerosos afilhados.

Faleceu no dia 11 de novembro de 1917, na casa de uma amiga que fora escrava. Estava cega e tinha 92 anos.

Especialistas em literatura brasileira consideram Maria Firmina a primeira romancista brasileira, pois as duas outras que poderiam ostentar esse mérito seriam Nísia Floresta* que até 1859, somente teria feito traduções e Teresa Margarida Orta* que, apesar de ter publicado o ensaio político romanceado *Aventuras de Diófanes* em 1752, partiu definitivamente para Portugal ainda muito menina.

Fontes: Luísa Lobo, "A pioneira maranhense Maria Firmina dos Reis", in *Estudos Afro-asiáticos*; Maria Lúcia de Barros Mott, pesquisa do Conselho Estadual da Condição Feminina de São Paulo, 1986, e "Escritoras negras resgatando nossa história", in *Papéis avulsos*; Maria T.C. Crescenti Bernardes, *Mulhe-*

15 • *Mirtes de Campos*
Primeira advogada a conquistar a carteira da Ordem dos Advogados do Brasil.

16 • *Mariana Coelho*
Escritora e feminista paranaense.

17 • *Margarida Maria Alves*
Presidente do Sindicato dos Trabalhadores Rurais de Alagoa Grande (PB).

18 • *Marta Rocha*
Miss Brasil de 1954, tornou-se símbolo da beleza nacional.

19 • *Maria de Araújo*
Religiosa, seus milagres motivaram as primeiras romarias a Juazeiro do Norte (CE).

20 • *Mãe Senhora*
Mãe Senhora rodeada por Zélia Gattai, Jorge Amado, Jean-Paul Sartre e Simone de Beauvoir.

15

16

17

18

19

20

21

22

23

24

25

26

21 • *Marquesa de Santos*
Influente dama do Primeiro Império e amante oficial de D. Pedro I.

22 • *Maria Tomásia Figueira Lima*
Abolicionista, co-fundadora e presidente da Sociedade das Cearenses Libertadoras.

23 • *Maria Sabina*
Declamadora, feminista e quatro vezes presidente da FBPF.

24 • *Maria José de Castro Rebello Mendes*
Primeira diplomata brasileira.

25 • *Mãe Luzia*
Parteira lendária do Amapá.

26 • *Maria do Carmo Nabuco*
Responsável pela recuperação do patrimônio histórico e arquitetônico de Tiradentes.

res de ontem?; Alzira Rufino, Maria Rosa Pereira e Nilza Iraci, *A mulher negra tem história*.

Maria Flor (séc.XX)
Missionária e enfermeira.

Nasceu na localidade de Sete Cabeças (PE). Aos dois anos de idade, seus pais se separaram, e ela e sua irmã Miriam foram morar com a avó e uma tia. Voltaram a viver definitivamente com a mãe quando sua tia se casou e seu marido não as aceitava.

Ainda criança, precisando ajudar no sustento da casa, foi ser babá. Embora lhe custasse muito, era pressionada pela mãe que reafirmava sempre a impossibilidade de prescindir do seu salário para viverem. Mesmo com a jornada pesada de trabalho, Maria Flor conseguiu estudar à noite, chegando a cursar até o segundo ano primário.

Aos 12 anos, mudou-se com a mãe e a irmã para a periferia do Recife e novamente empregou-se como doméstica, porém desta vez viveu a dolorosa experiência do assédio do patrão. Contou o que se passava tanto para a patroa quanto para a sua mãe, mas nenhuma das duas deram crédito a sua queixa.

Dois anos mais tarde, Maria Flor e sua irmã foram abandonadas pela mãe, que havia encontrado um novo companheiro. Graças à vizinha, uma afetuosa costureira chamada Prazeres, as irmãs não ficaram ao desalento, porém ela lembra desse período como um dos mais difíceis em sua vida, sentindo-se só e desamparada. Pouco tempo depois, uma parenta distante propôs interná-las num orfanato de evangélicos norte-americanos. Somente Maria Flor concordou em ir, mas a princípio não se adaptou, levando a diretora da entidade a procurar por sua mãe. O reencontro entre elas durou poucos minutos. Resolveu então ficar cuidando das crianças menores e continuar os estudos. Engajou-se num curso de catequese indígena na Igreja Batista Bíblica do Recife e decidiu dedicar a sua vida ao trabalho com povos indígenas.

Em 1966, depois de se preparar durante três anos, foi estagiar como missionária evangélica e enfermeira com um grupo de índios potiguares, em missão assistencial na Baía da Traição (PB). Foi o início de um período de 13 anos no qual desenvolveu um curso de alfabetização, assistiu aos enfermos e procurou as autoridades e a imprensa para denunciar as péssimas condições de vida dos índios.

Deixou o trabalho como missionária para se casar com o índio Galdino, e, por imposição do juiz que realizou a união, Maria Flor teve que mudar o seu nome para Maria Lima da Silva. Esse relacionamento foi mais uma prova em sua vida, pois Galdino era muito agressivo tanto com ela quanto com os cinco filhos que tiveram. Sentindo-se infeliz, decidiu separar-se e voltou com as crianças para Recife, onde vivia modestamente, vendendo verduras. Assustada com a violência no bairro em que morava, retornou à Paraíba, onde passou a trabalhar na roça. Sustentou e educou os filhos, que atuam como profissionais em diversas áreas. Na comunidade da Baía da Traição, Maria Flor é respeitada e reconhecida como um exemplo de mulher que consegue superar adversidades e construir a vida de forma digna.

Fonte: Entrevista a Kátia Bond e Margarida Magalhães, João Pessoa, 20.3.99.

Maria Frairman
ver ASSOCIAÇÃO BENEFICENTE, FUNERÁRIA E RELIGIOSA ISRAELITA (ABFRI).

Maria Francisca da Conceição *ver* MARIA CURUPAITI

Maria Garcia Betimk (1642-91)
Colonizadora.

Nasceu em 16 de dezembro de 1642 na capitania de São Paulo. Era filha de Maria Betimk e de Garcia Rodrigues Velho. Casou-se com Fernão Dias Paes Leme, com quem teve oito filhos. Seu marido, o lendário bandeirante paulista, descobridor dos metais preciosos das Gerais, ocupou honrosos cargos na capitania de São Paulo. Conta-se que Maria e suas filhas entregaram suas jóias para uma campanha em prol da expedição que tornou seu marido — que não contava com auxílio da Fazenda Real — o "caçador de esmeraldas".

Esse gesto de Maria Garcia Betimk é até os dias atuais lembrado e foi repetido com enorme apelo popular na Revolução Constitucionalista Paulista de 1932.

Fonte: Pedro Taques de Almeida Paes Leme, *Nobiliarquia paulistana histórica e genealógica* e *Notícias das minas de São Paulo e dos sertões da mesma capitania*.

Maria Gomes de Oliveira *ver* MARIA BONITA

Maria Gonçalves Cajado (séc.XVI)

Acusada de feitiçaria.

Viveu em Salvador (BA) ao final do século XVI, e tinha por alcunha "Arde-lhe o Rabo". Foi inquirida pelo Visitador do Santo Ofício, Heitor Furtado, em 1593. Como era corrente entre as adeptas de magia negra a adoração do demônio, Maria Gonçalves relatou manter ardentes relações com o diabo nos rituais que promovia. Disse ao inquisidor: "À meia-noite no meu quintal, com a cabeça no ar, com a porta aberta para o mar, eu enterro e desenterro umas botijas, e fico nua da cintura para cima e com os cabelos soltos, e falo com os diabos, os chamo e estou com eles em muito perigo".

Fontes: Emanuel Araújo, "A arte da sedução: sexualidade feminina na Colônia", in Mary Del Priore (org.), *História das mulheres no Brasil*; Ronaldo Vainfas, *Trópico dos pecados*.

Maria Graham (1785-1842)

Escritora.

É a mais conhecida entre as viajantes estrangeiras que estiveram no Brasil no século XIX. Maria Dundas, filha de George Dundas, vice-almirante e comissário do Almirantado britânico, nasceu em Papcastle, Inglaterra, em 19 de junho de 1785. Já era escritora com diversas obras publicadas quando esteve no Brasil, entre 1821 e 1824, e seus livros sobre o país foram traduzidos para o português, sendo sistematicamente citados pela historiografia.

Casou-se em 1809 com o capitão Thomas Graham, da Marinha de Guerra inglesa, e em 1821 vieram para a América do Sul, a bordo da fragata *Doris*, comandada por ele. Aportaram em Recife, onde foram hóspedes do governador Luís do Rego Barreto, casado com uma filha do visconde do Rio-Seco, homem ilustre na corte do Rio de Janeiro. Esse parentesco propiciou a Maria o acesso à imperatriz. Já viúva, em 1823, ofereceu seus serviços a D. Maria Leopoldina*, que lhe confiou a função de preceptora da princesa D. Maria da Glória. Nessa ocasião, Maria acertou a ida à Londres para trazer livros e material didático.

Retornando ao Rio de Janeiro, instalou-se no Paço Imperial, mas o convívio no palácio ficou difícil, pois havia discordâncias em relação aos métodos didáticos que adotava. Uma rede de intrigas na corte levou-a a deixar sua tarefa e a voltar para a Inglaterra. Nos meses que antecederam sua partida, manteve intensa correspondência com a imperatriz.

De volta a seu país, casou-se com lorde Calcott e continuou a escrever, publicando, em 1824, *Viagem ao Brasil*. Esse livro é um relato elucidativo da vida na corte de D. Pedro I e Dona Leopoldina, e sua coleção de desenhos, uma grande contribuição para o conhecimento de alguns locais do país. Após sua morte, o marido doou ao Museu Britânico os desenhos a lápis que ela fizera no Brasil.

Além de Maria Graham, outras quatro viajantes estrangeiras deixaram consideráveis manuscritos onde retratam suas impressões sobre o cotidiano brasileiro: as francesas Rose de Freycinet, que veio em 1817, permanecendo três anos; Langlet Dufresnoy, que chegou ao Brasil em 1837 e retornou em 1852; baronesa de Langsdorff, que visitou o país entre 1842-1843; e finalmente Ida Pfeiffer, austríaca que passou por aqui durante o ano de 1846.

Fontes: Miriam Lifchitz Moreira Leite, *Livros de Viagem — 1803-1900*; *Correspondência entre Maria Graham e a imperatriz Dona Leopoldina e cartas anexas*.

Maria Heráclia de Azevedo (séc.XIX)

Poetisa.

Nasceu no Recife (PE), em família de poucos recursos, não conseguindo avançar em seus estudos além do curso primário. Mesmo assim, desde cedo se envolveu em atividades intelectuais. Escreveu poemas e artigos para periódicos destinados às mulheres, como *Madressilva* e *A Mulher*, publicado em Nova York pelas brasileiras estudantes de medicina Maria Augusta Generoso Estrela* e Josefa Águeda de Oliveira*. A partir de 1875, tornou-se proprietária e editora do jornal o *Myosotis*, dedicado também ao público feminino. Colaborou ainda com o periódico *O Progresso*, editado pelo poeta Isidoro Martins Júnior.

Fonte: Luzilá Gonçalves Ferreira, *Em busca de Thargélia.*

Maria Iguassiaba (séc.XX)

Participante da Revolução de 1932.

Nasceu no estado de São Paulo e durante muito tempo foi professora rural. As mulheres tiveram intensa participação nas ações assistencialistas durante a Revolução Constitucionalista de 1932; cuidaram da alimentação, vestimentas e de saúde dos combatentes. Cerca de 7.200 mulheres mobilizaram-se em várias instituições, como a Cruz Vermelha Brasileira, a Cruzada Pró-Infância e as Casas de Soldado, que se espalharam pelo estado servindo almoços. Maria Iguassiaba, entre outras, se destacaram na linha de frente, pegando diretamente em armas.

Fontes: Carolina Ribeiro, "A mulher paulista em 1932", *Revista do IHGB/SP*, nº 59, 1961; *Nosso Século*, nº 15.

Maria Joana de Azevedo (séc.XVIII)

Acusada pela Inquisição por feitiçaria.

Nasceu em São Luís do Maranhão, filha de Cristina Medeiros Cafuza. Era solteira e residia na freguesia de Nossa Senhora do Rosário da Campina, em Belém do Pará, quando foi acusada em 1766 de utilizar ladainhas mágicas, de praticar o exorcismo e de receitar, para a população que morava na mata, banhos para afastar forças ocultas. Compareceu ao colégio Santo Alexandre para depor perante o inquisidor apostólico, Geraldo José de Abranches, Visitador do Santo Ofício. Admitiu suas culpas, relatando vários episódios onde atuou como rezadeira de pessoas e afirmou que estava muito arrependida. O Visitador louvou sua confissão e obrigou-a permanecer na cidade, ficando à disposição do Santo Ofício.

Fontes: J.R. Amaral Lapa, *Livro da Visitação do Santo Ofício da Inquisição ao estado do Grão-Pará — 1763-1769*; Jane Beltrão, *As mulheres que ousam saber.*

Maria Joaquina Dorotéia de Seixas

ver MARÍLIA DE DIRCEU

Maria Joaquina Sampaio de Almeida (1803-82)

Fazendeira de café.

Nasceu a 27 de novembro de 1803 em Taubaté (SP). Era analfabeta, como a grande maioria das mulheres de seu tempo. Casou-se em 1825 com o fazendeiro Luciano José de Almeida, que fundou a fazenda Boa Vista em 1790, na região de Bananal (SP), vale do Paraíba.

Com a difusão do cultivo do café, já em meados da década de 1830, a fazenda Boa Vista se tornou um marco na economia da região e do país. O influente latifundiário Luciano José era íntimo de D. Pedro I e foi chefe do Partido Conservador em Bananal, onde seu irmão Antônio José chefiava o Partido Liberal. Em 1854, já comendador, morreu deixando todas as suas propriedades para Maria Joaquina. Nessa época, suas terras representavam a maior produção individual de café do país e a enorme responsabilidade de administrar as propriedades, levou Maria Joaquina a desenvolver um sistema de símbolos para registrar, diariamente, receitas e despesas de cada uma das fazendas da família, pois foi só com a chegada de preceptores, contratados para ensinar seus filhos, que ela pôde aprimorar a sua precária formação intelectual.

Conta-se que Maria Joaquina era administradora severa e atenta aos movimentos do lugar, e que seus escravos — cerca de dois mil — eram conhecidos à distância pelo tilintar das moedas que traziam junto à cintura. As fazendas eram auto-suficientes, na medida em que ali se realizavam as mais diversas atividades: havia marceneiros, boticário e um capelão. Somente o sal, o peixe e o coco eram trazidos em lombos de burros da Corte, que retornavam levando café até o porto do Rio de Janeiro. Na década de 1880, foi concluída a ligação ferroviária entre Bananal e Barra Mansa, obra realizada, em boa parte, com o capital empenhado pela família.

Embora os Almeida representassem a aristocracia do café daquela região, Maria Joaquina era uma mulher de hábitos simples, tendo apenas um luxo pessoal: só usava meias de seda francesas, pois achava as brasileiras grosseiras e machucavam-lhe os pés. Esteve à frente da administração dos negócios durante 28 anos, até a sua morte, ocorrida a 23 de janeiro de 1882. Ordenou em seu testamento que a expressiva quantia de 400 contos de réis fosse distribuída à população carente da região.

Fonte: *O Globo*, 25.1.1982.

Maria José Bezerra (1885-1958)

Enfermeira e revolucionária.

Nasceu em 1885, em Limeira (SP). Com a mobilização das tropas paulistas, em julho de 1932, contra o Governo Provisório de Getúlio Vargas, alistou-se como enfermeira na Legião Negra. Foi destacada para a linha de frente de Itapetininga. Não se limitou a sua função de enfermeira, tendo empunhado o fuzil e combatido em Buri, Ligiana e Itararé, o que lhe valeu a alcunha de Maria Soldado. Sufocada a Revolução pelo governo central, Maria José retornou ao trabalho de empregada doméstica. Nos últimos anos de sua vida vendia doces e salgados na porta do Hospital das Clínicas, na cidade de São Paulo.

Faleceu em fevereiro de 1958.

Fonte: Alzira Rufino, Maria Rosa Pereira e Nilza Iraci, *A mulher negra tem história.*

Maria José de Castro Rebelo Mendes (1891-1936)

Primeira mulher a ingressar no Itamarati.

Nasceu no dia 20 de setembro de 1891 em Salvador (BA). Era filha de Josefina de Castro Rebelo Mendes e do advogado Raimundo Martins Mendes. Recebeu da preceptora alemã Matilthe Schröeder a educação elementar, em sua própria casa. Posteriormente, ingressou no Colégio Alemão, localizado no bairro do Rio Vermelho, em Salvador, onde se formou dominando os idiomas alemão, inglês, francês e italiano.

Em meados da década de 1910, a repentina morte do pai no Rio de Janeiro, em circunstâncias mal esclarecidas, deixou a família em situação financeira difícil. Sua mãe então abriu, com o auxílio de Matilthe Schröeder, uma pequena escola em sua residência, garantindo assim o sustento de seus filhos menores. Maria José se mudou para casa de parentes no Rio de Janeiro, onde estudou e trabalhou dando aulas particulares. Soube através de um primo que haveria concurso no Itamarati e, confiante no seu bom preparo em línguas estrangeiras, resolveu se matricular. Empenhou-se para superar as dificuldades nas matérias que não tinha tanta familiaridade e passou a freqüentar a Escola de Comércio, aperfeiçoando-se na datilografia e ampliando seus conhecimentos de contabilidade e economia. Estudou sozinha as matérias de direito e, após tanto esforço, o Ministério das Relações Exteriores não aceitou seu pedido de inscrição.

A recusa do Itamarati ganhou repercussão pública quando sua família procurou Rui Barbosa para examinar juridicamente o caso. Sensibilizado com o pleito de sua conterrânea, elaborou um parecer sobre a inconstitucionalidade da negativa do Ministério. Pressionado, o ministro Nilo Peçanha acabou deferindo o pedido de inscrição da candidata e o seu ato foi amplamente comentado na imprensa. Os jornais começaram a tomar partido: uns apregoavam o direito de Maria José e das mulheres a ocuparem cargos públicos, outros criticavam severamente o precedente aberto por Nilo Peçanha. No *Jornal do Brasil*, edição de 26 de setembro de 1918, o jornalista Carlos de Laet comentou favoravelmente o desfecho dado e noticiou as manifestações públicas de apoio a Maria José Rebelo organizadas por Leolinda Daltro* e suas colaboradoras.

Maria José teve um desempenho brilhante no dificílimo concurso. A argüição oral foi realizada em sessão aberta, com auditório repleto; discorreu com firmeza sobre todos os assuntos propostos pela banca e classificou-se em primeiro lugar.

Recebeu rasgados elogios, como também críticas vorazes, como a do vespertino carioca *A Rua*, que colocava claramente a preocupação com o que chamou de marcha do feminismo no Itamarati. Um leitor do *Jornal do Brasil*, o militar Turíbio Rabioli, enviou carta se manifestando ferozmente contra a posição assumida pelo articulista Carlos de Laet em defesa de Maria José e indagando aos outros leitores o que sucederia em termos de autoridade no lar se uma funcionária pública viesse a se casar com outro funcionário, inferior na hierarquia. Dizia ainda que os defensores da jovem baiana nada mais desejavam do que "masculinizar o belo sexo".

Alheia a toda essa polêmica, Maria José assumiu as funções no Itamarati, onde sempre manteve seu estilo discreto. Em 1921, entrevistada pelo jornal *A Noite*, respondeu que caso viesse a se casar, só continuaria trabalhando se fosse necessário para complementar o orçamento familiar e enalteceu o papel da mulher companheira, fiel e mãe extremosa. Casou-se, em 1922, com Henrique Pinheiro de Vasconcelos, diplomata que fizera parte da banca de seu concurso para o serviço diplomático.

Logo após o casamento, seu marido foi indicado para a representação brasileira na Alemanha, e Maria José solicitou licença no Ministério para acompanhá-lo. Um ano depois, retornaram ao Brasil, onde viveram por mais 10 anos e tiveram cinco filhos; um deles, Guy, seguiu a carreira diplomática. Em 1934, pediu sua aposentadoria do serviço público, pois Henrique foi nomeado conselheiro da embaixada brasileira na Bélgica e não era permitido a ela, por determinações administrativas, assumir cargo na mesma representação que o marido.

Maria José faleceu no Rio de Janeiro em 29 de outubro de 1936.

Em 1938, o então chanceler Oswaldo Aranha proibiu o ingresso de mulheres nos quadros do Ministério das Relações Exteriores. Somente em 1953, Sandra Maria Cordeiro de Melo obteve uma liminar na Justiça contra esse veto, prestando concurso e ingressando no Instituto Rio Branco, criando, assim, jurisprudência sobre o assunto. O processo de Sandra Maria fez com que, em dezembro de 1954, fosse aprovada pelo Congresso Nacional a lei que garantiu, definitivamente, o acesso das mulheres à carreira diplomática.

Fontes: Arquivo privado da família; *Correio da Manhã*, 2.10.1918 e 7.10.1918; *Jornal do Brasil*, 26.9.1918 e 3.10.1918; *A Noite*, 5.7.1921; *A Rua*, 5.10.1918; Entrevista com Iara e Iolanda Pinheiro de Vasconcelos (filhas) em 13.10.1998.

Maria José de Melo (séc.XIX)

Interna em recolhimento.

Nasceu no Rio de Janeiro (RJ) e era filha de Elena Francisca de Melo e de um oficial português, o coronel Bento Marques. Em outubro de 1823, com a morte de seu pai foi internada no recolhimento da Santa Casa de Misericórdia, por sua mãe, porém poucos dias depois, deixou a instituição alegando problemas de saúde.

O administrador do recolhimento, João Diniz Vieira, suspeitando que a moça estivesse grávida, enviou carta ao Provedor da Santa Casa de Misericórdia, recomendando que Maria José não fosse mais admitida no estabelecimento, pois a "casa de meninas donzelas", poderia cair em descrédito. Elena imediatamente providenciou um atestado, assinado pelo médico Joaquim José Carvalho em dezembro daquele ano, no qual afirmava que o mal de Maria José era uma solitária. Em seguida, solicitou diretamente ao imperador nova internação para sua filha.

Fraude ou verdade, o caso de Maria José retrata a situação das mulheres solteiras, totalmente cerceados pelos valores do pátrio poder e reflete também a hipocrisia daquela instituição, que submetia as moças a condições de vida deploráveis. Há registro de uma petição feita pela direção do Recolhimento da Misericórdia ao rei de Portugal, em 1807, solicitando recursos para pagar às funcionárias responsáveis pelas crianças e jovens, alegando que, com o pouco que ganhavam, muitas deixavam as recolhidas "morrer à miséria, para se ver livres das crianças".

À época em que Maria José foi internada na Santa Casa de Misericórdia, a provedoria acabara de conseguir, em 1822, a transferência do Recolhimento das Órfãs para o Hospício de Religiosos Barbadinhos, ambos no centro do Rio de Janeiro. Os motivos da mudança foram as más condições do prédio, escuro e frio, e que, por estar perto do mar e contíguo ao hospital, sujeitava suas moradoras às exalações do mau cheiro dos dejetos e do lixo despejados na praia. A precariedade das condições de vida das recolhidas não se devia, contudo, à ausência absoluta de recursos, uma vez que as moças que tinham parentes eram mantidas por pagamentos anuais acrescidos de doações voluntárias de jóias. A Santa Casa de Misericórdia dispunha de receitas provenientes do aluguel de imóveis, heranças jacentes, legados, foros, anuidades, direitos sobre o vinho e sobre navios. Um lugar no seu Conselho de Administração era disputado, acirradamente, por homens de famílias respeitáveis, levantando eternas suspeitas no governo de que existia ali malversação de recursos e sonegação de impostos.

Fonte: Santa Casa de Misericórdia, *Ofícios e documentos diversos, 1771-1824.*

Maria José Nogueira Pena (1901-)

Uma das primeiras deputadas estaduais de Minas Gerais.

Nasceu a 4 de dezembro de 1901 em Piumhi (MG), filha de Elódia Nogueira de Sá e de José Nogueira de Sá. Fez o curso secundário no Colégio Sagrado Coração em Belo Horizonte e formou-se pela Escola Normal Baeta Neves de Ouro Preto em 1920. Professora, casou-se com o político mineiro José Ribeiro Pena e foi viver em Itapecerica, no interior de Minas Gerais, voltando para a capital mineira em 1942. Ingressou no Partido Trabalhista Brasileiro (PTB) no final dos anos 50 e foi eleita deputada estadual em 1962. Compartilhou o pioneirismo de ter sido uma das duas primeiras mulheres a ocupar uma vaga na Assembléia mineira, ao lado de Marta Nair Monteiro*.

Maria José foi reeleita para o mandato seguinte, permanecendo na Assembléia Legislativa de 1963 até 1971. Como representante do PTB, ocupou a terceira secretaria e a vice-presidência da Casa. Participou de diferentes comissões durante esse período e, com a extinção dos antigos partidos políticos e a instauração do bipartidarismo pelo regime militar em 1965, passou a integrar os quadros da Aliança Renovadora Nacional (Arena). Maria Pena foi a primeira e única mulher, entre 81 representantes, a assinar a Constituição do estado, promulgada em 1967.

Fontes: Assembléia Legislativa de Minas Gerais, *Dicionário biográfico*; Maria Claret Carneiro Barbosa, *A participação da mulher na história de Minas*; Entrevista de Maria José Nogueira Pena concedida a Jovita Levi Grinja em 13.10.1999.

Maria José Salgado Lages *ver* Lili Lages

ver Lili Lages

Maria José Vilas Boas de Siqueira e Mesquita *ver* Baronesa do Bonfim

Maria Josephina Matilde Durocher (1809-93)

Parteira, escritora e abolicionista.

Nasceu a 6 de janeiro de 1809 em Paris, França. Era filha da costureira e florista Anne Nicolli Colette Durocher, que nunca revelou a paternidade de Maria Josephina. Aos sete anos, veio com a mãe para o Brasil no navio a velas *Dois amigos*, desembarcando no porto do Rio de Janeiro em agosto de 1816.

As modistas estrangeiras não eram vistas com bons olhos pela sociedade da época; entretanto, Anne contou com a ajuda de membros da colônia francesa e abriu uma pequena loja na rua do Ouvidor. Logo prosperou pois tinha tino comercial e era extremamente gentil no trato com as clientes. Maria Josephina cresceu nesse ambiente, ajudando sua mãe na administração do negócio e na confecção das roupas. Recebeu a educação elementar em sua própria casa, indo depois estudar em escolas particulares, onde aprendeu o alemão, o inglês, além de noções de história e geografia.

Vivia maritalmente com o comerciante francês Pedro David quando, em 28 de novembro de 1829, sua mãe morreu e a vida de Maria Josephina começou a passar por uma verdadeira reviravolta. A loja entrou em decadência e, apesar de todo o seu empenho, acabou perdendo o estabelecimento, sendo obrigada a saldar as dívidas com os estoques de tecidos e armarinho. Seu primeiro filho, Vicente João Francisco, nasceu em 19 de julho de 1830, sem ter sido reconhecido pelo pai. Em agosto do ano seguinte foi despejada de sua casa e, em dezembro, nasceu seu segundo filho, Humberto David, este sim legitimado. Seu companheiro Pedro David foi assassinado em julho de 1832 ao ser confundido com um comerciante português que morava na mesma rua.

Aos 23 anos, viúva e com a responsabilidade de criar os dois filhos pequenos, Maria

Josephina decidiu dedicar assistência às parturientes, a exemplo de uma amiga de sua mãe. Começou seus estudos, em 1833, com o médico negro Joaquim Cândido Soares de Meireles e, em 1834, ingressou no curso de obstetrícia prática da Faculdade de Medicina do Rio de Janeiro, onde se destacou como a primeira aluna da turma. Nessa mesma época naturalizou-se brasileira e iniciou uma bem-sucedida trajetória como parteira, alcançando tanto prestígio que acompanhou o nascimento dos netos do imperador D. Pedro II. Adotou uma forma de se vestir muito peculiar, sempre de preto, usava uma saia simples, um casaco de corte masculino, uma pequena cartola pouco afunilada, colarinho e gravata de homem.

Em 12 abril de 1871 foi nomeada titular da Academia Nacional de Medicina, permanecendo durante cinco décadas como a única mulher a pertencer a essa instituição. Ainda nesse ano, Mme. Durocher ousou publicar o livro *Idéias para coordenar a respeito da emancipação dos escravos*, onde expressou seus pensamentos políticos. Foi a primeira mulher no Brasil a escrever textos no campo da medicina: *Conselhos sobre a escolha de amas-de-leite*; *Reflexões sobre a eclâmpsia e convulsões dos recém-nascidos* e *Refutação de alguns artigos do Jornal da Saúde*. Publicou ainda outros trabalhos em anais de congressos: *Deve ou não haver parteiras?* e *Considerações sobre a clínica obstétrica*.

Faleceu em 1893.

Fontes: Alfredo Nascimento, *O centenário da Academia Nacional de Medicina no Rio de Janeiro* e *Mme. Durocher e a obstetrícia do seu tempo*; Ernesto Senna, *Parteira Durocher. Notas de um repórter*; Maria Lúcia de Barros Mott, "Madame Durocher, modista e parteira" e *Parto, parteiras e parturientes*; Maria T.C. Crescenti Bernardes, *Mulheres de ontem?*.

Maria Lacerda de Moura (1887-1945)

Anarquista, escritora e pioneira do feminismo.

Nasceu a 16 de maio de 1887 em Manhuaçu (MG), filha primogênita de uma família modesta. Aos cinco anos foi para Barbacena (MG), onde cursou a Escola Normal Municipal e lecionou pedagogia e higiene. Casou-se com Carlos Ferreira de Moura, adotando uma menina e depois um sobrinho, pois não podia engravidar.

Começou a escrever ainda em Minas Gerais, e seus primeiros livros já revelavam um forte interesse tanto pelas lutas femininas quanto pelo sofrimento da população brasileira. Em um país majoritariamente de analfabetos, publica em 1918 *Em torno da educação*, obra que expressa o seu otimismo na instrução das mulheres como instrumento transformador de suas vidas. No ano seguinte, lança *Renovação*, livro em que apesar de não mais defender com tanto entusiasmo a educação como possibilidade salvadora, dá continuidade ao tema sobre a condição feminina e trata da exclusão do povo no processo sociopolítico.

Colaborou com Bertha Lutz* na fundação da Liga pela Emancipação Intelectual da Mulher, embrião da Federação Brasileira pelo Progresso Feminino* (FBPF). Mudou-se, nessa época, para São Paulo e ficou indignada ao se deparar com as condições de vida do proletariado paulista. Abandonou, então, o discurso ameno e reformista do grupo ligado à FBPF e optou por maneiras mais contundentes de atuar politicamente, envolvendo-se intensamente com o movimento operário anarquista.

Assumiu a presidência da Federação Internacional Feminina, entidade criada por mulheres das cidades de Santos e São Paulo. Em 1921, inseriu em seus estatutos a proposta de modificação do currículo de todas as escolas femininas, incluindo a disciplina "História da mulher, sua evolução e missão social". Nos anos seguintes publica *A mulher e a maçonaria* (1922) e *A mulher hodierna e seu papel na sociedade atual e na formação da civilização futura* (1923).

Deixou o magistério público, mas continuou atuando como educadora através da imprensa operária e da revista *Renascença*, por ela lançada em 1923.

Adepta do amor livre, Maria Lacerda aproveitou todas as oportunidades para manifestar-se a favor da educação sexual e contra a moral vigente. Reconhecia que as relações mantidas pelas mulheres com seu corpo, os homens, a família e o trabalho eram temas mal discutidos no movimento feminista convencional e utilizou seus livros, artigos e conferências como verdadeiros canais de expressão para abordá-los. Defendia o amor, sobretudo o amor plural. Sua obra *A mulher é uma degenerada?* foi editada três vezes desde 1924 e gerou uma forte repercussão na sociedade, provocando polêmicas em vários jornais do país. Ainda sobre esse mesmo assunto publicou *Religião do amor e da beleza* (1926); *Amai e... não vos multipliqueis* (1932) e *Han Ryner e o amor plural* (1933).

Afastou-se do movimento feminista quando passou a acreditar que a luta pelo direito ao voto significava apenas um avanço pontual na condição feminina e que beneficiaria principalmente as mulheres da elite, sem, contudo, abalar as estruturas patriarcais. Separou-se do marido em 1928, mudando-se para a colônia agrícola anarquista de Guararema (SP), onde viveu por sete anos e participou intensamente da vida comunitária. Mesmo rompendo com as organizações femininas de esquerda, durante a Revolução Constitucionalista de 1932 continuou lutando pela emancipação e pelos direitos das mulheres à instrução.

Combateu veementemente as posições da Igreja, publicando *Ferrer, o clero romano e a educação laica* (1934); *Clero e fascismo — horda de embrutecedores* (1934) e *Fascismo, filho dileto da Igreja e do Capital*. Iniciou então, em 1935, uma intensa discussão com os jornais ítalo-brasileiros *Il Piccolo* e *Fanfulla* sobre a infiltração fascista no Brasil, particularmente em São Paulo e no Rio de Janeiro. Nesse mesmo ano, a colônia de Guararema foi invadida, as casas vasculhadas e os livros queimados pela repressão policial do governo Vargas. Muitos membros da comunidade foram presos, entre eles o argentino A. Néblind, companheiro de Maria Lacerda. Ele, tempos depois, foi deportado e ela passou a viver na clandestinidade, mudando-se para o Rio de Janeiro, onde morou na Ilha do Governador e na rua Mem de Sá, no centro da cidade.

Com sua peculiar inteligência e grande coragem, Maria Lacerda desafiou todas as formas de poder enfrentando a opressão da Igreja, do Estado, das leis, da escola e da família. Manteve a integridade de conduta, vivendo de acordo com suas idéias. Escritora engajada política e socialmente, alcançou com sua obra leitores em toda a América Latina.

Em 1940, publicou seu último livro, *Português para os cursos comerciais*. Nos seus últimos anos interessou-se por temáticas metafísicas, dedicando-se ao estudo de teosofia, ciências ocultas e astrologia.

Faleceu em 1945 no Rio de Janeiro. Em 1948, o Departamento Cultural da Fraternidade Rosa-Cruz do Brasil publicou seu livro *O silêncio*.

Fontes: Carmen C. Oliveira, *Trilhas e quintais*; Dulcília Schroeder Buitoni, *Mulher de papel;* Miriam Lifchitz Moreira Leite, "Quem foi Maria Lacerda de Moura?", *Economia e Sociedade*, nº 2, 1979; "Maria Lacerda de Moura: imagem e reflexo"; "Eu, Maria Lacerda de Moura", *Mulherio*, nº 6, 1982; Susan Besse, *Restructuring Patriarchy: the Modernization of Gender Inequality in Brazil.*

Maria Lenk (1915-)

Primeira mulher sul-americana a competir nas Olimpíadas.

Nascida a 15 de janeiro de 1915, em São Paulo, Maria Emma Hulda Lenk é filha de Rosa e Paul Lenk, imigrantes alemães que chegaram no Brasil em 1912. Casou-se com o engenheiro Gilbert Zigler, com quem teve dois filhos.

Iniciou no país a natação feminina competitiva em 1930, ao lado de Marina Cruz. No ano seguinte, conquistou o primeiro lugar da competição interestadual entre as nadadoras do Rio e de São Paulo, realizada na enseada de Botafogo (RJ). A vitória, festejada pela Associação Atlética Paulista, foi fundamental para a aceitação das mulheres esportistas e levou a Federação Paulista das Sociedades de Remo à reconhecer, em 10 de abril de 1932, o primeiro campeonato feminino de natação promovido no estado. Em julho desse mesmo ano, Maria Lenk, com apenas 17 anos, foi incluída na delegação brasileira que embarcava para os jogos olímpicos em Los Angeles (EUA). Essa viagem causou muita polêmica, pois era a única mulher do grupo e foi desacompanhada dos pais. Na Olimpíada seguinte, o número de nadadoras aumentou, cinco atletas representaram o Brasil: sua irmã Siglinda Lenk, Piedade Coutinho, Helena Sales, Sila Venâncio e Marina Cruz.

A partir de 1937, com a instauração do Estado Novo, o governo Getúlio Vargas se aproveitou dos esportes para tentar difundir o perfil nacionalista ao qual se propunha. Criou então, nesse período, o Conselho Nacional dos Desportos. Maria Lenk formou-se em educação física em 1938 e no ano seguinte conquistou o recorde mundial dos 200m e dos 400m nado peito. Seu maior objetivo era ganhar uma medalha de ouro nas Olimpíadas de 1940, porém foi frustrado com o cancelamento dos jogos por causa da guerra. Em 1941, ela e Piedade Coutinho empolgaram o país ao vencerem o sul-americano feminino de natação, sendo aclamadas pela população carioca e recebidas pelo presidente Vargas.

Conquistou mais dois recordes no começo da década de 1950 e, após se retirar das competições, foi convidada para dirigir a Escola de Educação Física no Rio de Janeiro. Fora das raias oficiais, ainda enfrentou preconceitos por ser mulher. Foi excomungada pelo bispo de Amparo (SP), sob a alegação de que dar aulas de natação não fazia parte da natureza feminina.

Na década de 1960 ingressou no Conselho Nacional de Desportos, tornando-se a primeira mulher a integrá-lo. Lutou pela igualdade de direitos para ambos os sexos em todas as modalidades de esportes e competições, porém a liberação total às práticas esportivas para as mulheres só aconteceu em 1975. Maria Lenk ganhou, em 1998, cinco medalhas — três de ouro e duas de prata — no torneio mundial de natação, categoria Masters, no Marrocos. Recebeu a Ordem do Mérito Esportivo e a Cruz do Mérito Nacional. Mora no Rio de Janeiro e a natação faz parte de suas atividades cotidianas.

Fontes: *O Globo*, 26.7.1998; Ludmila Mourão, *A representação social da mulher brasileira na atividade físico-desportiva: da segregação à democratização*; Maria Lenk, *Braçadas e abraços.*

Maria Leonor Antônia do Salvador
(séc.XVIII)
Religiosa.

Viveu na Bahia, onde pertenceu ao grupo de 11 freiras do Convento do Desterro. Essas religiosas, filhas de famílias abastadas, emprestavam somas de dinheiro a juros para pessoas daquela região, sobretudo aos senhores de engenho. Documentos atestam que, em outubro de 1780, Maria Leonor recebeu de seu irmão, Miguel Jerônimo Argolo e Queirós, carregamentos de açúcar, um grande peru, quatro galinhas, seis porcos, ovos e um bezerro como forma de pagamento de um empréstimo. Esse é um dos muitos registros que demonstram parte do cotidiano das mulheres nos recolhimentos, os quais nem sempre representavam a passagem para uma vida pautada exclusivamente pela devoção e ausência de contatos com o mundo exterior.

Fonte: Susan Soeiro, "The social and economic role of the convent: women and nuns in colonial Bahia, 1677-1800".

Maria Leopoldina *ver* LEOPOLDINA DE HABSBURGO-LORENA

Maria Lopes (séc.XX)
Costureira e ativista política.

A operária paulista Maria Lopes foi signatária, junto com Teresa Fabri* e Teresa Carini*, em 1906, de um manifesto dirigido às trabalhadoras de São Paulo, publicado no pioneiro jornal anarquista *A Terra Livre*. Maria Lopes e as duas Teresas faziam um apelo às jovens costureiras para que apoiassem o movimento grevista, desencadeado nos últimos meses em São Paulo, uma vez que as operárias não tinham aderido às paralisações. Elas incentivavam as companheiras a denunciarem, também, as péssimas condições de trabalho, jornadas excessivas e salários aviltantes.

A assinatura de Maria nesse manifesto permite supor que ela tinha naqueles tempos um papel destacado no movimento operário. Nos anos 1920, encontrou-se outro registro sobre Maria Lopes, agora militante do Partido Comunista do Brasil (PCB), no Rio de Janeiro. Não foi possível estabelecer se esta é a mesma Maria de 1906; de semelhante tem-se o mesmo envolvimento com a classe trabalhadora. No Rio de Janeiro, Maria atuava em uma articulação de base junto às mulheres operárias, percorrendo as portas de fábricas e associações. Seu prestígio político no meio partidário é atestado pela organização do Comitê das

Mulheres Trabalhadoras na segunda metade dos anos 1920 e a sua designação como representante deste Comitê, junto ao Bloco Operário Camponês (BOC). Este foi um importante espaço que agrupava associações operárias e camponesas, criado em 1926 sob a direção do PCB, com objetivo de participar do processo eleitoral daqueles anos. O BOC elegeu no Distrito Federal dois vereadores em 1928, o que indica a força política da agremiação na capital federal.

Fontes: Maria Valéria J. Pena e Elce Mendonça de Lima, *Lutas ilusórias: a mulher na política operária da Primeira República*; Otávio Brandão, *Combates e batalhas (memórias)*; Edgard Carone, *Movimento operário no Brasil (1877-1944).*

Maria Lourenço (séc.XVI)

Condenada pela Inquisição por lesbianismo.

Portuguesa de Termo de Viseu, Maria morava na cidade de Salvador, Bahia, e era casada com um caldeireiro. Tinha 40 anos quando foi acusada de manter um romance de quatro anos com Felipa de Sousa*. O caso começara quando os ingleses saquearam Salvador e Maria Lourenço abrigou-se na casa de Felipa. No seu depoimento, ao Santo Ofício, confessou, ainda, que a anfitriã a seduzira falando de amores, dizendo palavras lascivas e dando-lhe muitos beijos e abraços. Foi repreendida e admoestada pela Inquisição, além de receber penas espirituais.

Fontes: Lígia Bellini, *A coisa obscura: mulher, sodomia e Inquisição no Brasil*; Ronaldo Vainfas, Trópico dos pecados.

Maria Lúcia Melo de Araújo (1935-)

Primeira deputada federal pelo Acre.

Nasceu em 17 de abril de 1935, em João Pessoa (PB), filha de Lúcia Lins de Melo e de Sebastião Lins de Melo. Fez seus estudos no Rio de Janeiro, onde se casou com o acreano José Augusto de Araújo; o casal foi morar no então território do Acre. Em 1960 seu marido foi eleito deputado federal e, posteriormente, o primeiro governador do novo estado; um ano depois, foi cassado pelo golpe militar de 1964. Maria Lúcia tornou-se sua herdeira política e elegeu-se, em 1965, deputada federal pelo Acre na legenda do Movimento Democrático Brasileiro (MDB), sendo a mais votada no estado e a primeira mulher a ocupar esse cargo. Apesar de ter tido uma atuação discreta na Câmara Federal, teve seu mandato cassado e seus direitos políticos suspensos em 1969, com base no Ato Institucional nº 5, editado em 13 de dezembro de 1968.

Com a reviravolta na sua carreira política e a doença do marido, voltaram para o Rio de Janeiro. Em 1979 foi anistiada, ingressou no PMDB e, em 1982, retornou a Rio Branco onde assumiu um cargo na Secretaria Estadual do Bem-Estar Social. O reconhecimento pelo seu trabalho foi traduzido nas urnas quando, em 1986, foi eleita deputada federal constituinte. Nas eleições seguintes tentou reeleger-se, mas não foi vitoriosa, e desde então dedica-se às artes plásticas e à militância no Partido Popular Socialista (PPS).

Fontes: Alzira Abreu e Israel Beloch, *Dicionário histórico-biográfico brasileiro*; Entrevista concedida a Carmen Alveal em fevereiro de 2000.

Maria Lúcia Petit da Silva (1950-72)

Ativista política, vítima da ditadura militar.

Nasceu a 20 de março de 1950, em Agudos (SP), filha de Julieta Petit da Silva e de José Bernardino da Silva Júnior. Fez os primeiros estudos em Duartina (SP) e posteriormente mudou-se para a capital paulista, onde em 1968 participou do movimento estudantil secundarista. Ingressou no magistério no ano seguinte e logo começou a trabalhar como professora primária. Eram tempos de grande agitação política; o movimento estudantil ganhara as páginas dos jornais no Brasil e no mundo. Maria Lúcia filiou-se ao Partido Comunista do Brasil (PC do B), e, como tantos outros jovens, sonhava em transformar a sociedade brasileira numa sociedade justa e igualitária. A proposta do seu partido era mudar o regime vigente através da luta armada. Maria Lúcia foi designada para participar da guerrilha na região do Araguaia, no interior do Brasil. Tinha 22 anos quando foi morta a tiros na primeira campanha de cerco e aniquilamento feita pelos militares, realizada entre abril e junho de 1972. Também foram assassinados na Guerrilha do Araguaia seus irmãos Jaime e Lúcio.

Fontes: Ana Maria Colling, *A resistência da mulher à ditadura militar no Brasil*; Maria Amélia A. Teles, *Breve história do feminismo no Brasil*; Maria do Amparo Almeida Araújo et al., *Dossiê dos mortos e desaparecidos políticos a partir de 1964.*

Maria Luísa Bittencourt (1910-)

Primeira deputada estadual da Bahia.

Nasceu em 1910, em Paripe, subúrbio de Salvador (BA), filha de Isaura Dória Bittencourt e de Luis de Lima Bittencourt. Diplomou-se pelo Colégio Pedro II (RJ), ingressando na Faculdade de Direito da Universidade do Rio de Janeiro, onde se formou em 1931. Ainda estudante, foi secretária da União Universitária Feminina e participou do Congresso Penal Penitenciário Brasileiro, onde apresentou a tese "Reformatório de Mulheres Criminosas". Esse mesmo trabalho foi enviado a um evento sobre o tema realizado em Praga em 1930.

Desde seus 20 anos era filiada à Federação Brasileira pelo Progresso Feminino* (FBPB) entidade presidida por Bertha Lutz*, que conhecera na faculdade. Passou a participar das atividades promovidas por essa organização, destacando-se no Congresso Internacional Feminista realizado no Rio de Janeiro em 1931, onde apresentou uma tese sobre o regime de família no Direito Civil Brasileiro, e na II Conferência Nacional de Educação, em 1932, quando expôs seu trabalho acerca do ensino primário, no qual propunha a regulamentação da divisão de competência entre a União e os estados.

Voltou à Bahia e se integrou ao movimento feminista local. Foi secretária-geral da II Convenção Feminista Nacional, realizada em Salvador em 1934, e presidente da Comissão de Trabalho referente ao Direito Constitucional. Presidiu ainda a Liga Eleitoral Independente da Bahia, formada por mulheres, que, como nos outros estados, promovia desde 1933 campanhas eleitorais e acompanhava o desenrolar das eleições.

No pleito de 1934, seu nome foi indicado para concorrer a uma vaga de deputada estadual numa lista tríplice. Apoiada pelo grupo de Juracy Magalhães, interventor da Bahia, candidatou-se às eleições para a Assembléia Legislativa. Elegeu-se como primeira suplente do deputado Humberto Pacheco Miranda e assumiu o mandato em maio de 1935 após seu afastamento, tornando-se uma das nove primeiras deputadas estaduais brasileiras logo após a conquista do voto feminino.

Participou do grupo responsável pela elaboração do texto da Constituinte estadual, sendo relatora dos capítulos referentes à educação e à ordem econômica e social. Após concluir a carta, viajou para fazer uma especialização, em meados de 1935, em direito constitucional e finanças públicas na Universidade de Radcliffe, nos Estados Unidos, voltando a tempo de elaborar outros projetos como a criação do Instituto de Fomento Econômico. Além disso, ainda como membro da FBPF, redigiu a proposta de reformulação do estatuto jurídico da mulher brasileira, defendida no III Congresso Nacional Feminista realizado no Rio de Janeiro em outubro de 1936. Esse documento ficou conhecido como o Estatuto da Mulher e serviu de base para o projeto de lei que Bertha Lutz, eleita deputada federal, apresentou no ano seguinte no Legislativo Federal.

A atuação parlamentar de Maria Luisa foi breve, interrompida pelo golpe do Estado Novo que fechou o Legislativo em novembro de 1937. Considerada por sua inteligência e habilidade, defendeu ardorosamente a democracia no último discurso proferido no plenário da Assembléia Legislativa do estado da Bahia.

Fontes: Ana Alice Alcântara Costa, *As donas no poder — mulher e política na Bahia*; Bahia, *As cartas de ontem, 1891 a 1967*; FBPF, *Boletim*, out/1934, dez/1934, set/1936.

Maria Luiza Fontenelle (1942-)

Primeira prefeita de capital.

Nasceu a 27 de novembro de 1942 em Quixadá (CE), filha de Diva de Menezes Fontenelle e Antonino Fontenelle, vivendo sua infância num ambiente de intensa agitação política. Fez seus estudos em Fortaleza, diplomando-se em serviço social pela Universidade Federal do Ceará (UFCE) em 1965. Presidiu o Diretório Acadêmico da sua faculdade e assumiu a vice-presidência da União Estadual dos Estudantes do Ceará, órgão filiado à União Nacional dos Estudantes (UNE), acompanhando de perto a tensão política da época, que resultou no golpe militar de 1964. Quando terminou a graduação, casou-se no ano seguinte com o também líder estudantil Agamenon Tavares de Almeida.

Em 1967, ingressou na UFCE como professora e, em 1970, foi com o marido fazer pós-graduação nos Estados Unidos, onde passou três anos. Ao retornar, juntou-se a um grupo de mulheres envolvido na luta pela anistia, fundando um núcleo em Fortaleza que, sob sua liderança, se ampliou por todo estado. Em 1978, foi indicada para concorrer a uma vaga para a Assembléia Legislativa cearense, através da legenda do MDB (Movimento Democrático Brasileiro). Reeleita para um novo mandato, rompeu com a antiga legenda, ingressando no Partido dos Trabalhadores (PT).

Além de sua atividade no parlamento estadual, criou com outras companheiras, em 1979, a União das Mulheres Cearenses, entidade feminista com o propósito de lutar pelos direitos de cidadania plena às mulheres e por melhores condições de vida do povo em geral. Esse grupo continuou ao longo destes 20 anos, tendo como plataforma de ação combater a violência doméstica e apoiar os movimentos populares. Durante esse período, Maria Luiza fez parte da direção da organização, integrando também o Fórum Estadual de Mulheres do Ceará.

Sua combatividade no parlamento e atuação nos movimentos populares levou-a a disputar a prefeitura de Fortaleza, em 1985. Foi uma vitória imprevisível, pelo fato de uma mulher vencer os tradicionais chefes políticos locais, além de ser a primeira mulher a governar uma capital no Brasil. Maria Luiza transformou-se num fenômeno político nacional; no entanto, sua gestão na prefeitura sofreu uma enorme pressão dos adversários. Dois meses depois de empossada, os vereadores, sob o pretexto de uma greve dos lixeiros, que o seu governo havia herdado da gestão anterior, tentaram votar seu *impeachment*, sem sucesso. Entretanto, o fato desgastou sua imagem.

Sua administração esteve voltada, prioritariamente, para a educação, através de uma política de aumento salarial para os professores, realização de cursos permanentes de capacitação, bem como eleição direta para os diretores das escolas; na área habitacional, distribuiu 10 mil lotes para moradias populares na periferia da capital, construídas através de mutirões; e empenhou-se na organização do sistema municipal de saúde.

Em 1990, concorreu à Câmara Federal, sendo eleita. Porém, discordando da ação política partidária, saiu do PT e fundou com outros companheiros o Partido Revolucionário dos Trabalhadores (PART), onde ocupa a função de presidente nacional.

Fontes: Câmara dos Deputados, *Repertório biográfico*, 1991; Entrevista com Maria Luiza Fontenelle, concedida a Hildete Pereira de Melo em 10.1.2000.

Maria Marina da Silva (1926-)

Seringueira e parteira.

Nasceu em 24 de maio de 1926, filha de migrantes que trabalhavam no seringal Poronga-ba, às margens do rio Envira, no município de Feijó (AC). Passou sua infância convivendo com as dificuldades enfrentadas por sua família e ajudando, desde muito cedo, seus pais e irmãos na extração do látex e no fabrico da borracha. Nesta época, a crise da borracha no mercado internacional levou inúmeras crianças e jovens ao trabalho nos seringais.

Maria Marina diz ter produzido muitos quilos de borracha, durante a II Guerra Mundial, para atender as necessidades das forças que lutavam contra o nazi-fascismo. Com a vitória dos aliados e a recuperação das plantações de seringueiras do Oriente, a produção amazônica sofreu um forte abalo, levando sua família a abandonar a região onde moravam.

Aos 22 anos, uniu-se a um jovem seringueiro com quem teve seis filhos: cinco mulheres e um homem. Peregrinou por mais de 10 seringais com sua família, aprendendo, nessas andanças, a "pegar criança". Tornou-se, então, uma habilidosa parteira e ajudou no nascimento de inúmeros bebês.

Já sem nenhuma perspectiva de melhora do trabalho nas plantações, Maria Marina mudou-se com seu marido e filhos para Rio Branco em 1974, onde integraram-se no projeto de colonização denominado Humaitá. Destacou-se como líder dessa comunidade e empenhou-se, sobretudo, na organização do movimento sindical e feminista do Acre. Fundou e presidiu a Associação dos Trabalhadores Rurais do Mutum e participou do processo de criação das secretarias de mulher vinculadas aos sindicatos de trabalhadores rurais. Atuou especialmente na resistência à derrubada de florestas e na luta pela conquista do salário-maternidade. Participou de campanhas por melhores estradas, crédito e assistência técnica para a mão-de-obra do campo.

Maria Marina vive em Rio Branco (AC) e, aos 74 anos, continua lutando por melhores condições e dignidade para as trabalhadoras e trabalhadores rurais.

Fontes: Arquivo do Movimento Articulado de Mulheres da Amazônia; Depoimento de Rosali Scalabrin; Entrevista concedida a Francisca Leite Ferreira em 4.9.1999.

Maria Martins (1900-73)
Escultora.

Maria de Lourdes Martins Pereira de Souza nasceu na cidade de Campanha (MG) em 1900. Ainda menina, mudou-se com a família para Petrópolis (RJ), onde estudou no Colégio Sion. Casou-se com o embaixador Carlos Martins Pereira de Souza, com quem viveu longos anos no exterior.

Em 1926, no Japão, veio a se dedicar à escultura, trabalhando inicialmente em madeira, terracota e cerâmica, dominando, com o tempo, outros materiais como o mármore e o bronze. Em Bruxelas, na Bélgica, no ano de 1939, aperfeiçoou-se no atelier de Oscar Jesper. Foi a única artista plástica brasileira a se envolver no surrealismo parisiense, tendo sido incluída no livro *Le surréalisme et la peinture* de André Breton, fundador deste movimento, como um dos nomes entre os grandes da arte da primeira metade do século XX. Começou a apresentar seus trabalhos em 1940 na Filadélfia (EUA), e sua primeira exposição individual foi no ano seguinte na Galeria Corcoran em Washignton.

Nos anos 1950, participou da I, II e III bienais de São Paulo e integrou o Conselho Deliberativo do grupo de fundadores do Museu de Arte Moderna do Rio de Janeiro. Maria Martins recebeu diversos prêmios nas inúmeras exposições coletivas e individuais que fez.

Além da escultura, Maria Martins assinou durante vários anos uma coluna no jornal carioca *Correio da Manhã*, onde entrevistava personalidades de expressão. Publicou, ainda, *A Índia e o Mundo Novo*, *A Ásia Maior*, *O Planeta Clima*, e escreveu sobre a vida dos poetas Rimbaud e Paul Verlaine, com os quais se identificava.

Suas obras alcançaram o reconhecimento internacional e suas esculturas encontram-se nos mais importantes museus e coleções particulares.

Faleceu em 1973.

Fontes: Carlos Cavalcanti (org.), *Dicionário brasileiro de artistas plásticos*; Walmir Ayala, *Dicionário de pintores brasileiros*.

Maria Moreira (séc.XVIII)
Índia escrava.

Era da nação Carijó e viveu cativa em Vila Rica (MG), a despeito da legislação da Coroa portuguesa, que, em junho de 1755, reafirmou a proibição da escravização de índios. Apresentou petição ao governador, datada de 21 de novembro de 1765, solicitando a sua liberdade. Mesmo acolhendo o pedido de Maria Moreira e determinando a sua soltura, o governador advertiu a requerente de que ela seria punida caso "se afastasse de viver com a regularidade devida".

A advertência demonstra que a liberdade dos ex-cativos era um direito condicionado ao que a autoridade considerava bom comportamento, e mostra também a distância entre a letra da lei e seu cumprimento efetivo.

Fontes: Laura de Melo e Sousa, *Os desclassificados do ouro*; Lúcio F. Kowarick, *A constituição do mercado de mão-de-obra livre no Brasil: uma abordagem histórica*.

Maria Ortiz (séc.XVI)
Heroína.

Maria Ortiz vivia na capitania do Espírito Santo, na vila de Vitória, quando uma frota holandesa, comandada pelo almirante Pieter P. Heyn, aproximou-se da costa. Dois dias depois de ancorarem, os holandeses chegaram às praias próximas ao povoado, orientados pelo flamengo Rodrigo Pedro, que residira na capitania anos antes. Os soldados desembarcaram e se puseram a assaltar a vila, mas encontraram resistência dos moradores locais, organizados por Francisco de Aguiar Coutinho, com o apoio do frei Manuel do Espírito Santo, que mandou repicar os sinos, conclamando a população a defender a ilha de Vitória. Há controvérsias entre os historiadores em relação à data desse evento, sendo a mais provável março de 1625.

Segundo a tradição, Maria Ortiz organizou um posto de defesa na ladeira do Pelourinho, nas proximidades da igreja matriz. No momento oportuno, a jovem lançou do alto da casa onde morava tachos de água e óleo ferventes, provocando pânico entre os soldados invasores e facilitando o contra-ataque dos moradores. Após vários dias de conflitos, os holandeses foram expulsos da vila de Vitória com a chegada de uma esquadra comandada por Salvador Correia de Sá e Benevides. No dia 15 de março, os corsários flamengos tomaram o rumo do Norte, em direção à Bahia, saqueando o que encontraram no caminho.

Lenda ou fato histórico, os moradores de Vitória deram o nome de Maria Ortiz à antiga ladeira do Pelourinho, onde ela morava. Há também uma escola municipal com o seu nome, situada na cidade alta da capital do Espírito Santo.

Fontes: Carlos Augusto de Campos, *As heroínas do Brasil*; Carolina Ribeiro de Oliveira, *Biografias de personalidades célebres*; Maria Estela Novaes, *Os holandeses no Espírito Santo*; Renato Pacheco, *Notas biográficas*.

Maria Pessoa (séc. XVII)

Senhora de engenho.

Maria Pessoa, filha de Maria Gonçalves Raposo e de Fernão Martins Pessoa, viveu em Pernambuco em pleno domínio holandês. Era casada com o capitão Francisco Monteiro Bezerro, com quem teve quatro filhos e quatro filhas. Em julho de 1635, as tropas luso-brasileiras sofreram severas perdas com o avanço holandês. Tiveram, então, que abandonar a fortaleza de Nazareth, refúgio da população civil. Os que puderam, empreenderam fuga para o sul, mas alguns, como Maria Pessoa e seus filhos, acabaram prisioneiros. Cerca de dois anos depois, após longas negociações, foram libertados e colocados num navio que os deixou na Bahia.

Fonte: Henrique C.P. de Melo, *Pernambucanas ilustres*.

Maria Prestes (1932-)

Ativista política.

Altamira Rodrigues nasceu no Recife (PE), em 2 de fevereiro de 1932. Era filha do militante comunista João Rodrigues Cabral, conhecido como Camarada Lima. Adotou o nome de Maria e, como seu pai, pertencia ao Partido Comunista Brasileiro (PCB). Durante a sua juventude, teve muitas vezes que se esconder das perseguições políticas e, em 1949, foi presa junto com a irmã Lia, em Recife, durante manifestação pública em apoio às greves que aconteciam na região.

Casou-se pela primeira vez, aos 17 anos, com um integrante do partido, mas deixou-o quando ele entregou vários companheiros ao ser preso em 1951. No ano seguinte, foi designada para integrar a equipe encarregada da segurança de Luís Carlos Prestes em um aparelho na cidade de Jabaquara (PE), onde se apaixonaram. Tornou-se então, a segunda esposa do grande líder comunista brasileiro, com quem teve oito filhos e viveu durante muitos anos, na clandestinidade. Em 1969, Prestes já estava na União Soviética, e Maria conseguiu chegar a Moscou, passando pelo Paraguai, Argentina e França. Mais tarde, seus oito filhos também foram para Moscou, e a família viveu lá por cerca de nove anos, só retornando ao Brasil com a promulgação da anistia, em 1979.

Fonte: Maria Prestes, *Meu companheiro*.

Maria Quitéria (1792-1853)

Heroína da Independência.

Maria Quitéria de Jesus nasceu a 27 de julho de 1792, no sítio Licurizeiro em São José das Itapororocas (Cachoeira), Bahia. Alguns historiadores divergem quanto a sua filiação; é mais provável que tenha sido a filha primogênita dos brasileiros Quitéria Maria de Jesus e Gonçalo Alves de Almeida. Ficou órfã de mãe aos nove anos, em fevereiro de 1802, quando assumiu o comando da casa e o cuidado de seus dois irmãos menores. Seu pai, preocupado com o amparo das crianças, uniu-se em seguida a Eugênia Maria dos Santos, que se relacionou muito bem com os enteados, porém morreu pouco tempo depois. Com a perda da segunda mulher, Gonçalo vendeu o sítio, comprando a fazenda Serra da Agulha, onde acomodou a família e prosperou na criação de gado e no plantio de algodão. Ali se casou pela terceira vez, com Maria Rosa de Brito, e teve mais três filhos. Essa madrasta nunca aprovou o jeito independente de Maria Quitéria, mulher bonita, que montava, caçava, manejava armas de fogo e dançava lundus com os escravos.

Segundo o historiador Bernardino José de Souza, no dia 6 de setembro de 1822, instalou-se na Vila de Cachoeira, a 80 km da Serra da Agulha, o Conselho Interino do Governo da Província, composto de representantes de várias localidades vizinhas. Esse grupo tratou de enviar mensageiros pela região para informar o que se passava no movimento pró-independência na Bahia, visando obter adesões voluntárias para engrossar as tropas que lutavam pela causa. Um desses emissários visitou a fazenda de Gonçalo, que o escutou atenciosamente, lastimando não ter filhos homens em idade para os combates. Maria Quitéria, ouvindo toda a conversa, solicitou ao pai a permissão para se alistar, tendo como resposta a advertência de que as mulheres fiam, tecem, bordam, e não vão à guerra. Determinada, mesmo diante da recusa paterna, deixou a fazenda e foi procurar auxílio na casa de sua irmã Teresa, que a socorreu, providenciando o corte dos cabelos e fazendo com que seu marido, José Cordeiro de Medeiros, lhe emprestasse a farda, levando-a em seguida para Cachoeira, onde os batalhões aguardavam as ordens para lutar.

Adotou então o nome de seu cunhado, soldado Medeiros, e ingressou no Regimento de Artilharia, porém poucas semanas depois foi descoberta, pois seu pai estava a sua procura em todos os cantos daquela região. Com o fim do disfarce, Maria Quitéria foi transferida para o Batalhão dos Periquitos, apelido dado pelo verde dos punhos e golas do uniforme utilizado, e à sua farda acrescentaram um saiote.

Destacou-se desde o começo por sua bravura e destreza no manejo das armas. Seu batismo de fogo aconteceu no combate da Pituba, e em fevereiro de 1823, no confronto em Itapuã, foi citada na ordem do dia por ter atacado uma trincheira inimiga e feito muitos prisioneiros. Segundo a historiadora Consuelo Pondé de Sena, após esse embate recebeu a honra de 1º cadete e, em abril do mesmo ano, foi mais uma vez reconhecida por sua coragem, pois na barra do Paraguaçu, ao lado de outras mulheres, com as águas na altura dos seios, avançou em direção a uma barca portuguesa, impedindo o desembarque dos adversários.

A 2 de julho de 1823, o Exército Libertador entrou na cidade de Salvador, sendo aclamado pela população, que prestou homenagens aos comandantes e à heroína Maria Quitéria de Jesus.

Logo depois, a brava combatente embarcou para o Rio de Janeiro, onde foi receber cumprimentos do imperador, que a condecorou com a insígnia dos Cavaleiros da Imperial Ordem do Cruzeiro, concedendo-lhe também o direito a um soldo de alferes de linha. Nessa mesma ocasião, Maria Quitéria pediu a D. Pedro I uma carta solicitando ao pai que a perdoasse pela desobediência. Durante a sua estada na corte, encontrou-se com a escritora inglesa Maria Graham*, tutora das princesas, que traçou posteriormente uma minuciosa descrição dela. "Maria de Jesus é iletrada, mas viva. Tem a inteligência clara e a percepção aguda. Penso que se a educassem, viria a ser uma personalidade notável. Nada se nota de masculino nos seus modos, antes os possuía gentis e amáveis. (...) Nada notei de peculiar no seu procedimento à mesa, (...) e que fume um cigarro após cada refeição. No mais, muito moderada."

Retornou à fazenda Serra da Agulha, onde foi recebida orgulhosamente por seu pai e que em pouco tempo se transformou em um local de peregrinação, pois a população estava ansiosa para conhecer a heroína do sertão. Meses depois, casou-se com o modesto lavrador Gabriel Pereira de Brito, que, como dote, recebeu um escravo e dois animais. O casal teve uma única filha, Luísa Maria da Conceição, e viveram durante anos naquela região com maior simplicidade. Maria Quitéria, já viúva, em 1835, mudou-se para Feira de Santana, a fim de intervir no inventário de seu pai, porém nunca chegou a usufruir de sua parte na herança, pois esse processo só foi concluído após sua morte. Anos depois, devido à enorme morosidade da Justiça, decidiu ir para Salvador, onde morou pelo resto de sua vida com sua filha, sobrevivendo exclusivamente do seu soldo de alferes.

Faleceu quase cega aos 61 anos, no dia 21 de agosto de 1853, em Salvador.

Ao longo desses anos, inúmeras homenagens foram prestadas a essa mulher soldado: diversas ruas, praças e avenidas em várias cidades brasileiras foram chamadas de Maria Quitéria. Existe uma medalha militar e uma comenda da Câmara Municipal de Salvador com seu nome e por determinação ministerial sua imagem figura em todos os quartéis, estabelecimentos e repartições militares do país. Faz parte do panteão da história como a heroína da Independência do Brasil e Patrona do Quadro Complementar de Oficiais do Exército Brasileiro, segundo o decreto presidencial de 28 de junho de 1996.

Fontes: Bernardino José de Souza, *Heroínas baianas*; Carlos Augusto de Campos, *As heroínas do Brasil*; Consuelo Pondé de Sena, "Joana Angélica e Maria Quitéria, mártir e heroína baianas", *Revista Neon*; Maria Lúcia de Barros Mott, *Submissão e resistência — a mulher na luta contra a escravidão*; Edith Mendes da Gama e Abreu, "Maria Quitéria", *Revista do IHGB/BA*, nº 80, 1956; Fernando Alves, *A biografia de Maria Quitéria de Jesus*.

Maria Rangel (séc.XVI)

Inquirida pela Inquisição.

Nascida na cidade do Porto, em Portugal, era moradora da freguesia de Tasuapina, na Bahia. Casada com um lavrador, declarou ter 24 anos na época da primeira Visitação do Santo Ofício ao Brasil, em 1591. Confessou ter sido amante de Francisca e Isabel por mais de 10 anos. Foi obrigada a levar, pessoalmente, a sua confissão às mãos do Inquisidor e recebeu ameaça de severos castigos, caso viesse a ter novamente relacionamentos como esses.

Fonte: Lígia Bellini, *A coisa obscura: mulher, sodomia e Inquisição no Brasil*.

Maria Regina Lobo Leite Figueiredo (1938-72)

Ativista política, vítima da ditadura militar.

Nasceu em 5 de junho de 1938 no Rio de Janeiro (RJ), filha de Cecília Lisboa Lobo e de Álvaro Lobo Leite Pereira. Formou-se em filosofia pela Faculdade Nacional de Filosofia na então Universidade do Brasil (atual UFRJ) e, no final dos anos 50, integrou a Juventude Universitária Católica. Casou-se com Raimundo Gonçalves Figueiredo e tiveram duas filhas. Após a promulgação do Ato Institucional nº 5 (AI-5), em 1968, alguns grupos de esquerda optaram pela luta armada para o regime militar. Maria Regina e Raimundo engajaram-se no grupo Vanguarda Armada Revolucionária Palmares (VAR-Palmares), que promoveu várias ações contra o regime.

Essa organização, que surgiu em meados de 1969, propunha um trabalho de conscientização popular e uma revisão nas estratégias de enfrentamentos contra os militares. Muitos de seus integrantes foram presos, diversos foram mortos. Raimundo foi morto em 28 de abril de 1971 e Maria Regina foi assassinada quando a casa em que se encontrava foi invadida por agentes do DOI/CODI/RJ, no dia 29 de março de 1972. Nessa ocasião, foram também presos e assassinados Lígia Maria Salgado Nóbrega* e Antônio Marcos Pinto de Oliveira.

Fontes: Ana Maria Colling, *A resistência da mulher à ditadura no Brasil*; Maria do Amparo Almeida Araújo et al., *Dossiê dos mortos e desaparecidos políticos a partir de 1964*.

Maria Regina Marcondes Pinto (1946-76?)

Ativista política, vítima da ditadura militar.

Nasceu em Cruzeiro (SP), em 17 de julho de 1946, filha de Iraci Ivete Marcondes Filho e de Benedito Rodrigues Pinto. Em fins de 1969 viajou para Paris a fim de se encontrar com seu companheiro Emir Sader, professor da Universidade de São Paulo (USP), que tivera problemas com a Justiça Militar no Brasil. Seis meses depois, foram juntos para Santiago do Chile, onde Maria Regina ligou-se ao Movimiento de Izquierda Revolucionario (MIR).

Em 1973, com a queda do presidente Salvador Allende, Maria Regina foi presa no Estádio Nacional, juntamente com centenas de pessoas, outros brasileiros inclusive. Após ter sido libertada, voltou ao Brasil, onde ficou por seis meses. Seguiu depois para Buenos Aires, onde passou a morar com Emir Sader. No dia 10 de abril de 1976, saiu de casa para se encontrar com Edgardo Enriquez, médico ligado ao MIR e filho do ministro da Educação do governo Allende. Desde então, Maria Regina e Edgardo nunca mais foram vistos e, apesar das extensas buscas empreendidas por seu marido e familiares, não se sabe ainda como foram executados.

Fonte: Maria do Amparo Almeida Araújo et al., *Dossiê dos mortos e desaparecidos políticos a partir de 1964.*

Maria Rita Soares de Andrade
(1904-98)
Feminista e primeira juiza federal do Brasil.

Nasceu em Aracaju (SE) a 3 de abril de 1904 e era filha de Filomena Batista Soares e Manoel José Soares de Andrade. Diplomou-se em direito em 1926, na Universidade Federal da Bahia, sendo a única mulher da turma e a terceira a se formar em advocacia naquele estado. Retornou a Aracaju (SE), onde trabalhou na Procuradoria-Geral de Sergipe.

Maria Rita se destacou na luta em defesa dos direitos das mulheres ao lado de outras líderes do movimento feminista. Se uniu a Bertha Lutz*, fundadora da Federação Brasileira pelo Progresso Feminino* (FBPF) e em 1931 participou do II Congresso Internacional Feminista. Criou a seção sergipana da União Universitária Feminina e foi uma das principais responsáveis pela fundação da Associação Brasileira de Mulheres Universitárias, entidade a qual presidiu. Nessa mesma época funda e dirige, de 1931 a 1934, a revista *Renovação.*

Mudou-se em 1938 para o Rio de Janeiro, onde foi secretária e consultora jurídica da FBPF. Na área da educação, lecionou literatura no Colégio Pedro II e foi professora de processo civil na Faculdade Técnica de Comércio. Como advogada, intercedeu a favor dos perseguidos políticos do Estado Novo e posteriormente, na década de 1950, prestou assistência aos militares que haviam participado do movimento rebelde de Aragarças.

Foi a primeira mulher a integrar o Conselho Federal da Ordem dos Advogados do Brasil, representando o Conselho do estado da Guanabara, e em 1967 tornou-se a primeira juíza federal do Brasil, exercendo a magistratura no estado da Guanabara até aposentar-se, em 1974.

Colaborou com o *Jornal do Brasil* no período de 1954 a 1963 e apresentou, entre muitos trabalhos, as seguintes teses: *Admissão da mulher no Tribunal do Júri* (1930); *Dos crimes contra honra, Do adultério como crime de ação pública* e *Polícia feminina* (todos os três de 1931); *Situação jurídica da mulher — reivindicações* (1952).

Faleceu em 5 de abril de 1998, aos 94 anos.

Fontes: Seção de Comunicação Social da Justiça Federal do Rio de Janeiro • Colaboração especial de Marco Antonio Perruso.

Maria Rosa (séc.XVI)
Colonizadora.

Moradora da capitania de Pernambuco, viúva de um rico senhor de terras, decidiu fundar um estabelecimento em que "as moças donzelas de boa família estivessem protegidas do assédio dos colonos enriquecidos". Tornou-se personagem célebre na história de Pernambuco porque doou parte dos seus bens para criar o Recolhimento de Nossa Senhora da Conceição, em Olinda. Concluída a edificação do recolhimento, em 1585, Maria Rosa ingressou na irmandade onde terminou seus dias.

Fontes: Evaldo Cabral de Melo, *O nome e o sangue*; Henrique C.P. de Melo, *Pernambucanas ilustres*; Inês Sabino, *Mulheres ilustres do Brasil.*

Maria Sabina (1898-1991)
Declamadora, feminista e jornalista.

Nasceu a 6 de dezembro de 1898 em Barbacena (MG). Maria Sabina de Albuquerque foi uma aluna exemplar, conquistando prêmios durante toda a sua formação. Após concluir o bacharelado no Colégio Pedro II, viajou para a Inglaterra, onde cursou letras na Universidade de Cambridge. Retornou ao Brasil e se especializou na interpretação de poesia, peças dramáticas e terapia da palavra. Fez, ainda, o aperfeiçoamento da Comédie Française e, em 1921, fundou no Rio de Janeiro o curso *Arte de Dizer Olavo Bilac*. Foi professora de poética no Colégio Universitário e, de 1924 a 1971, apresentou-se em todo o Brasil como declamadora, sempre recebendo da crítica e do público o reconhecimento ao seu talento. Autora de um conjunto de obras expressivo, ao longo de cinco décadas, escreveu: *Na penumbra do sonho,* em 1921; *Alma tropical,* em 1928; *O país sem caminho,* em 1931; *Entusiasmo*, em 1938; *Canto do tempo trágico,* em 1946; *Canto solitário,* em 1964, e *Seqüência poética*, em 1971. Ingressou na Associação Brasileira de Imprensa em 1930 e aceitou ser membro titular da Sociedade de Estudos, embora fosse avessa a grupos literários fechados.

No campo político-social, Maria Sabina mobilizou-se pela igualdade de direitos civis para as mulheres. Em 1928, entrou para Federação Brasileira pelo Progresso Feminino* (FBPF), onde muito colaborou com Bertha Lutz*, e se tornou, nessa época, a principal responsável pela redação do periódico da entidade, o *Boletim*, que começou a circular em maio de 1933. Assumiu a presidência da FBPF por quatro vezes a partir de 1945. Organizou e dirigiu a mesa-redonda sobre educação integral da mulher, foi delegada do Brasil no Congresso da Aliança Internacional de Mulheres em Nápoles e membro da Comissão Interamericana de Mulheres na OEA. Depois de longo período de militância, transformou seu apartamento em Copacabana (RJ), durante as décadas de 60 e 70, em um ponto de encontro das sufragistas. Reuniam-se, inclusive Bertha Lutz, buscando manter acesa a mobilização das mulheres, a fim de dar continuidade ao projeto da FBPF. Em 1979, no Senado federal, fez uma conferência sobre a situação feminina no Brasil e foi eleita a mulher de destaque do ano.

Maria Sabina foi sócia honorária da Academia Carioca de Letras e da Academia de Letras do Rio de Janeiro. Recebeu do governo brasileiro a condecoração da Ordem do Rio Branco.

Faleceu no Rio de Janeiro, aos 92 anos, em 17 de julho de 1991.

Fontes: Afrânio Coutinho, *Enciclopédia de literatura brasileira*; Neide Barros Rêgo, Posse na Academia de Letras; Entrevista de Ligia Lessa Bastos concedida a Hildete Pereira de Melo e Teresa Novaes Marques no dia 12.8.1999.

Maria Sanabria (séc.XVI)

Colonizadora.

Espanhola, filha de Mência Calderón de Sanabria* e João de Sanabria. Chegou ao Brasil com sua mãe e seus irmãos em 1º de janeiro de 1552, na expedição que aportou no litoral de Santa Catarina. Viveu nessa região durante a segunda metade do século XVI e foi uma das primeiras mulheres européias, que se tem registro histórico, a participar do projeto de ocupação das "terras brasílicas". O viajante Hans Staden descreveu o encontro que teve com Maria Sanabria em São Francisco do Sul (SC).

Fonte: Hans Staden, *Duas viagens ao Brasil.*

Maria Teresa Nogueira de Azevedo (sécs.XIX-XX)

Uma das duas primeiras deputadas estaduais de São Paulo.

Nasceu em Campinas (SP), filha de Deoclésia Egídio Nogueira e de Joaquim Teixeira Nogueira Júnior. Iniciou seus estudos no Colégio Progresso Campineiro e cursou a Escola Normal de Campinas, formando-se em dezembro de 1906. Fundou a Associação Cívica Feminina, uma das muitas entidades assistencialistas de orientação política conservadora que compunham o largo espectro ideológico do movimento brasileiro de mulheres nas primeiras décadas do século XX.

Em 1934, logo após a conquista do voto feminino, candidatou-se a uma vaga para a Assembléia Legislativa do estado de São Paulo. Concorreu pela legenda do Partido Constitucionalista e procurou, em sua campanha, sensibilizar as eleitoras divulgando sua plataforma em periódicos voltados para mulheres, como a revista *A Voz Feminina*. Participava ativamente da vida de seu partido, tendo sido responsável pela fundação de um departamento cultural e, posteriormente, de um departamento feminino. Ao ser eleita, ela e Maria Teresa Silveira de Barros Camargo* passaram a ser as duas primeiras deputadas estaduais paulistas.

Durante os trabalhos da Constituinte estadual, Maria Teresa Nogueira integrou as comissões de Saúde Pública e de Assistência Social. Em 16 de maio de 1936, renunciou ao mandato de deputada, alegando motivos particulares.

Fontes: FBPF, *Boletim*, dez/1934; Margarida Cintra Gordinho (org.), *Assembléia Legislativa de São Paulo: um exercício de democracia.*

Maria Teresa Silveira de Barros Camargo (1894-1975)

Uma das duas primeiras deputadas estaduais de São Paulo.

Nasceu a 12 de novembro de 1894 em Piracicaba (SP), filha de Maria Amélia de Morais Silveira e de João Baptista da Silveira Melo. Neta mais velha de Prudente de Morais, nasceu três dias antes de sua posse como presidente da República e foi batizada no Palácio do Itamarati, então sede do governo federal. Passou a infância e adolescência entre Piracicaba e o Rio de Janeiro, onde brincou nos jardins do Palácio do Catete, até o final do mandato do avô, em 1898. Fez a Escola Normal e formou-se professora. Casou, em 1914, com o engenheiro Trajano de Barros Camargo, inventor de máquinas de beneficiamento de café e bem-sucedido industrial. Tiveram nove filhos e viveram compartilhando grandes afinidades, sobretudo na música. Em casa, reuniam a sociedade de Piracicaba para saraus lítero-musicais, onde tocavam, ela ao piano e ele na flauta. Ficou viúva em abril de 1930 e assumiu a presidência da indústria B. Penteado S.A.

Quando irrompeu a Revolução Constitucionalista de São Paulo, em 9 de julho de 1932, Maria Teresa imediatamente resolveu dar seu apoio as tropas paulistas que lutavam contra o governo de Vargas. Entre outras iniciativas, criou e dirigiu a oficina de costura de fardas para os soldados, o Banco de Sangue e o corpo de enfermeiras e auxiliares da Santa Casa de Limeira, onde os combatentes constitucionalistas feridos recebiam tratamento. Seu esforço e dedicação foram reconhecidos pelo então governador de São Paulo, Armando de Sales Oliveira, que a nomeou prefeita de Limeira (SP). Em pouco tempo, sua atuação na Prefeitura revolucionou a política local, que durante anos foi dominada pelo Partido Republicano Paulista (PRP). Aplicava seu próprio salário em benfeitorias para a cidade, entre outras obras importantes; teve o cuidado de mandar construir nas praças públicas jardins idealizados pelo paisagista Diherberguer. Dona Teresinha, como era chamada por todos, fortaleceu politicamente o Partido Constitucionalista (PC), ao qual pertencia. Sua conduta firme e determinada fez com que se tornasse um nome imbatível nas eleições para a Constituinte estadual de 1934, levando o antes poderoso PRP a uma derrota jamais experimentada naquela região. Assumiu, aos 40 anos, seu mandato na Assembléia Paulista, sendo com Maria Teresa Nogueira de Azevedo* uma das duas primeiras mulheres eleitas deputadas no estado de São Paulo.

Enfrentou o Estado Novo de 1937 a 1945, articulando politicamente na clandestinidade. Durante esse período, o PRP local aliou-se à ditadura de Vargas e tentou desfazer todo o trabalho que Teresinha tinha feito em Limeira. Uma das primeiras providências foi o fechamento da Escola Profissional Mista Trajano Camargo, instalada em um prédio de sua propriedade, a qual ela havia criado para preparar mão-de-obra especializada, empregando os formandos nas indústrias da região. Transformaram-na em Escola de Enologia e Pomicultura, alegando que Limeira era agrícola e não industrial, porém essa nova graduação nunca funcionou.

As mudanças partidárias e a redemocratização do Brasil em 1945 levaram Teresinha a se filiar ao Partido Social Democrático (PSD), do qual foi presidente regional até a década de 1960. Nesse período, construiu várias escolas municipais, montou o ginásio estadual de Limeira e cuidou dos interesses da cidade e da região. Reabriu a antiga escola que o PRP havia fechado, instalando-a em um imóvel do governo. Esse núcleo de ensino é hoje a Escola Industrial Dr. Trajano Camargo, ou simplesmente a Trajano, que mantém a região com uma mão-de-obra altamente qualificada e está integrada à Universidade de São Paulo (USP).

Com toda a sua força política e prestígio junto à população, jamais voltou a se candidatar a qualquer cargo eletivo depois de 1945.

Suas maiores paixões eram o piano e o Rio de Janeiro, sobretudo o Carnaval carioca. Conviveu com artistas, os quais freqüentavam tanto sua casa nos Jardins, em São Paulo, quanto sua chácara em Limeira; eram os grandes nomes artísticos das décadas de 30 a 50: Guiomar Novaes*, Carmem Miranda*, Dalva de Oliveira*, Procópio Ferreira, Joraci Camargo, Herivelto Martins, Elza Gomes, Manoel Pêra, Norma Geraldy, Sílvio Caldas, Hekel Tavares, entre outros.

Sua residência sempre foi um núcleo partidário respeitado até por seus opositores políticos, como Ademar de Barros, que por ocasião da ameaça de *impeachment* pelo governo federal, escolheu a casa de Maria Teresa para se reunir com o emissário de Vargas, pois lá se sentia seguro pela integridade de sua anfitriã. Até Getúlio, em 1947, veio a ser seu hóspede, convidado pelo candidato a prefeito da aliança local PTB-PSD. Hospedava, a pedido do governo federal, nomes internacionais em visita ao Brasil, como a poetisa chilena e prêmio Nobel Gabriela Mistral.

Na cidade de Limeira, em tudo há um toque de D. Teresinha. Sua declaração, durante um embate político: "meu partido hoje chama-se Limeira" deu origem à forma como Maria Teresa ficou conhecida na região: "a que serviu Limeira". Hoje na cidade onde ela construiu tantas escolas, há apenas uma de primeiro grau, que leva seu nome.

Faleceu em 1975.

Fontes: FBPF, *Boletim*, dez/1934; Margarida Cintra Gordinho (org.), *Assembléia Legislativa de São Paulo: um exercício de democracia.*

Maria Tomásia (séc.XVII)

Colonizadora.

Portuguesa, chegou em Pernambuco no ano de 1602 com seu marido, o fidalgo português Pero Coelho de Souza. Homem experimentado nas lutas de conquista do Oriente, Pero conseguiu, no início do ano seguinte, a aprovação da Coroa e o apoio da Câmara Municipal de Olinda para empreender expedição de conquista e colonização do território a oeste do Rio Grande do Norte, pretendendo atingir as terras do Maranhão. Essa expedição foi um verdadeiro fracasso; além das baixas nos combates com franceses, enfrentaram índios hostis, uma terrível seca e a falta de alimentos. Conseguiram atingir a serra da Ibiapaba, próximo ao Parnaíba mas, já exaustos, os soldados lusos pressionaram Pero Coelho para retornar à Paraíba. Voltando ao Forte São Lourenço, de onde haviam partido, o capitão embarcou para Pernambuco, deixando um pequeno contingente de homens encarregados de defender o forte. Em Recife, obteve promessa de apoio do governador da capitania e decidiu seguir para o Ceará. Desta vez, levou consigo a mulher Maria Tomásia e cinco filhos de idades variadas a bordo de uma caravela.

Instalados no Forte São Lourenço, Pero Coelho, sua família e os soldados aguardaram em vão, por quase um ano, a chegada de prometidos reforços. O fato é que a embarcação lotada de suprimentos que lhe fora enviada foi desviada pelo próprio comandante, mais interessado em apresar índios no litoral.

Muitos desertaram e, no final de 1606, os 18 soldados que restaram, o frustrado capitão Coelho e sua família saíram em marcha desesperada pelo sertão, com o propósito de retornar às terras do Rio Grande. Sofreram a primeira grande seca que a história registrou no Ceará, caminhando sob o sol abrasador, sem água nem suprimentos, pelos areais da costa. Maria Tomásia afligia-se vendo o sofrimento dos filhos e, pela primeira vez, informam os relatos da expedição, contestou o marido culpando-o pela situação catastrófica de todos. Em silêncio, Pero Coelho pôs nas costas os dois filhos mais novos e continuou a caminhada. Lá pelo sexto dia da caminhada, Maria Tomásia se desesperou: parecia-lhe impossível prosseguir; era janeiro de 1607, quando já se encontravam nas cercanias de Mossoró, avistaram um navio, fizeram acenos, mas não foram notados. Pouco depois, morreu o filho mais velho, de 18 anos, o que causou imenso choque em todos e os soldados recusavam-se a

27 • *Maria Eugênia Celso Carneiro de Mendonça*

Página da *Revista do Lar e da Mulher*, de agosto de 1931, sobre o II Congresso Internacional Feminista, do qual Maria Eugênia Celso Carneiro de Mendonça participou como vice-presidente e delegada do governo brasileiro.

28 • *Maria Josephina Matilde Durocher*

Parteira e a primeira mulher a publicar textos no campo da medicina no Brasil.

29 • *Maria Graham*

Escritora e viajante inglesa, foi preceptora da princesa Maria da Glória.

30 • *Maria Augusta Tibiriçá Miranda*

Ativista política, defensora da campanha "O Petróleo é Nosso".

27

VIDA DOMESTICA
Revista do Lar e da Mulher

AGOSTO — 1931

O 2.º CONGRESSO

A Federação Brasileira pelo Progresso Feminino, sob a inspiração da sua illustre presidente, dra. Bertha Lutz, convocou em fins de Junho o 2.º Congresso Internacional Feminista do Rio de Janeiro, cuja reunião, póde-se dizer, constituiu como que uma manifestação publica da força do ideal feminista no Brasil.

Ao convite da Federação acudiram delegadas, não só dos diversos centros do movimento feminista nos Estados, como no estrangeiro,

Dra. Bertha Lutz, presidente do 2.º Congresso Internacional Feminista.

Em baixo: dra. Carmen Vellasco Portinho, secretaria geral do Congresso.

Em baixo: sra. Mercedes Gomez Velutini, delegada da Alliança das Mulheres da União Pan-Americana.

D. Maria Eugenia Celso Carneiro de Mendonça. 1.ª vice-presidente do Congresso e delegada do Governo do Brasil.

D. Jeronyma Mesquita, chefe das "Bandeirantes" do Brasil e delegada da Cruzada Nacional contra a Tuberculose.

Mme. Madelaine Manuel, representante da Alliança Nacional de Mulheres da França.

Cmte. Mary S. Allen, chefe da Secção da Policia Feminina da Inglaterra e representante da Alliança Internacional de Mulheres da Inglaterra.

Sra. Janine Sweiska, representante da Alliança Nacional de Mulheres da Polonia.

Sra. Joanna Brandt, representante do Conselho Nacional das Mulheres da Dinamarca.

Srta. Zoé Brandt, representante das mulheres russas no Brasil.

28

29

30

32

31

33

34

O LYRIO

Revista Mensal

A UNIVERSIDADE

Maria Augusta Meira de Vasconcellos Freire.

35

36

31 • *Marília de Dirceu*
Folha de rosto da obra que imortalizou Marília de Dirceu, participante da Conjuração Mineira.

32 • *Maria Teresa de Barros Camargo*
Prefeita de Limeira (SP) e uma das duas primeiras deputadas estaduais da Assembléia paulista eleitas em 1934.

33 • *Maria Marina da Silva*
Seringueira e líder sindical acreana.

34 • *Maria Augusta de Vasconcelos Freire*
O Lyrio, periódico do qual Maria Augusta foi redatora.

35 • *Marli Pereira Soares*
Mulher do povo que ousou denunciar os assassinos do irmão.

36 • *Mãe Aninha*
Mãe de Santo e fundadora do Ilê Axé Opô Afonjá.

prosseguir. Desta vez, porém, Maria Tomásia levantou a voz, em meio à loucura da situação, e ordenou a todos que continuassem a caminhar.

Atingiram um vilarejo no Rio Grande, onde foram socorridos pelo pároco local. Alguns dias depois, o capitão, Maria Tomásia e os filhos tomaram um navio em direção à Paraíba. Pero Coelho seguiu em direção a Pernambuco para explicar-se ao governador e, depois, tomou um navio para Portugal no intuito de obter ressarcimento pelos serviços prestados à Coroa. Nada conseguiu. Permaneceu em Portugal pelo resto de sua vida, ficando Maria Tomásia na capitania da Paraíba, sozinha com os filhos.

Fontes: Cruz Filho, *História do Ceará*; R. Batista Aragão, *História do Ceará*; Raimundo Girão, *Pequena história do Ceará*.

Maria Tomásia Figueira Lima

(1826-1902?)
Abolicionista.

Nasceu a 6 de dezembro de 1826 em Sobral (CE). Descendente de tradicional família cearense, Maria Tomásia do Livramento era filha de Ana Francisca Figueira de Melo e José Xerez Furna Uchoa. Aos 15 anos casou-se com Rufino Furtado de Mendonça, com quem teve oito filhos. Ficou viúva e, em 1859, se uniu ao abolicionista Francisco de Paula de Oliveira Lima, com quem teve mais duas crianças. Em 1877, mudaram-se para Fortaleza, onde conviveram com todos os líderes abolicionistas do Ceará.

Maria Tomásia era uma mulher enérgica, hábil articuladora política e excelente oradora, embora não tivesse muitos estudos. Dedicou-se de corpo e alma à luta pela abolição, participando, em dezembro de 1882, da fundação da Sociedade das Cearenses Libertadoras. Foram 22 mulheres, na maioria filhas de famílias influentes da província, que se uniram para redigir os estatutos e eleger Maria Tomásia como presidente. Ao término dessa reunião, concederam 12 cartas de alforria como símbolo do início das atividades das Cearenses Libertadoras e marcaram a cerimônia solene de instalação da Sociedade para o dia 6 de janeiro de 1883, nos salões do Clube Cearense. Nesse evento, contaram com a presença de José do Patrocínio e conseguiram conquistar mais 72 cartas de alforria. Dias depois, D. Pedro II fez uma remessa de um conto de réis para ajudá-las. O imperador já havia dado seu apoio à iniciativa de outras entidades cearenses, que tinham conseguido, naquela mesma época, promover a libertação dos escravos da pequena localidade de Acarape, onde os líderes abolicionistas do Ceará decidiram realizar um grande evento para registrar e homenagear majestosamente a primeira comarca livre da escravidão em todo o Brasil. Prepararam festejos na praça da Matriz, mandaram rezar missa solene e providenciaram magníficos banquetes, onde houve o revezamento de ilustres oradores durante os dois dias de confraternização. Maria Tomásia estava entre eles, ocupando sempre lugares de honra e junto à Maria Correia do Amaral, uma de suas companheiras da Sociedade; recebia menções nos discurso e congratulações pela atuação das Senhoras Libertadoras.

Entusiasmadas com essa vitória, na mesma semana fizeram publicar na imprensa um manifesto conclamando a abolição geral na capital da província. Logo em seguida, Maria Tomásia participou de uma comitiva composta por vários presidentes de sociedades libertadoras, que promoveram um encontro aberto com a população no Paço Legislativo. Nessa reunião, debateram sobre o quão oportuno era aquele momento para se decretar, também em Fortaleza, o fim do cativeiro. A partir daí, Maria Tomásia e essa comissão percorreram diversos povoados, libertando escravos nas localidades onde as pessoas acolhiam as idéias abolicionistas. Foram a Pacatuba, Baturité, Icó, Tauá, Maranguape, Messejana, Aquirás e muitas outras.

Finalmente, em 25 de março de 1884, na sala lotada da Assembléia Legislativa, foi realizado o ato de libertação oficial dos escravos em toda a província do Ceará, causando um forte impacto no restante do país. O quadro *Fortaleza liberta,* do artista cearense José Irineu de Souza, retrata esse momento histórico, onde registra a presença tanto de Maria Tomásia quanto de sua amiga Elvira Pinho*.

Não se sabe ao certo a data de sua morte. Alguns afirmam que teria sido no ano de 1902, em Recife (PE). Porém o periódico *A Capital*, editado em Sobral, registra seu falecimento no Rio de Janeiro, em 22 de julho de 1903.

Fontes: Gisela Paschen Schimmelpfeng, *A mulher e a abolição* e *Maria Tomásia — o amor à liberdade*; Leonardo Dantas Silva, *A abolição em Pernambuco*; Padre João Mendes Lira, *A escravatura e a abolição dos escravos em Sobral*; Raimundo Girão, *A Abolição no Ceará*.

Maria Úrsula de Abreu e Lencastre

(1682-?)

Mulher soldado.

Nasceu na capitania do Rio de Janeiro, em 1682, filha de João de Abreu. Aos 18 anos fugiu da terra natal, disfarçada de homem, para Lisboa, onde assentou praça como soldado em 1º de novembro de 1700. Embarcou para a Índia, destacou-se em numerosos combates, sem jamais revelar o sexo. Em 1714, resolveu tirar o disfarce, obteve baixa e casou-se com o oficial militar Afonso Teixeira Arraes de Melo. Mereceu honras e distinções do rei português, D. João V, que a beneficiou com uma renda regular. Nunca mais voltou ao Brasil, tendo morrido em Goa, na Índia, cercada de muita consideração.

Fontes: Carlos Augusto de Campos, *As heroínas do Brasil*; Inês Sabino, *Mulheres ilustres do Brasil*; J. Norberto S.S., *Brasileiras célebres*; Joaquim Manoel de Macedo, *Mulheres célebres*; Maria Eugênia Celso, *O espírito e o heroísmo da mulher brasileira*.

Maria Urtiz *ver* MARIA ORTIZ

Maria von Paumgartten Deane

(1917-)

Cientista.

Nasceu em 1917 no Pará, onde se formou pela Faculdade de Medicina e Cirurgia em 1937. Casou-se com o colega de turma Leônidas de Melo Deane e com ele percorreu o país de ponta a ponta. Profundos conhecedores das doenças endêmicas de origem parasitária, dedicaram-se tanto às pesquisas de campo quanto às de laboratório. Parasitologista de reconhecimento internacional, Maria participou da fundação do Instituto de Patologia Experimental do Norte, do Instituto Evandro Chagas, do Serviço de Malária do Nordeste e do Serviço Especial e Saúde Pública. Em 1953, transferiu-se junto com seu marido para a Faculdade de Medicina da Universidade de São Paulo. Exilada em 1973, devido a perseguições sofridas durante a ditadura militar, foi para Portugal e depois para a Venezuela, onde reestruturou o departamento de parasitologia da Faculdade de Ciências e Saúde daquele país. Voltou com a anistia em 1979 e, desde 1980, trabalha no Instituto Oswaldo Cruz, onde foi vice-diretora e exerce a chefia do departamento de protozoologia. Ao longo de sua brilhante trajetória, publicou mais de 100 trabalhos científicos, tornando-se uma cientista de renome internacional.

Fontes: Maria von Paumgartten Deane, *Cientistas do Brasil — depoimentos*; Sociedade Brasileira para o Progresso da Ciência (SBPC).

Maria Werneck (1909-94)

Ativista política.

Nasceu em 9 de outubro de 1909 no Rio de Janeiro (RJ), filha de Hermínia Cresta Mendes de Moraes e Justo Rangel Mendes de Moraes. Casou-se com Luís Werneck de Castro, jornalista, advogado e professor, que foi o principal responsável pela fundação da Confederação do Professorado Brasileiro na década de 1920. O casal teve quatro filhos: Elan, Luís, Antônio e Hermínia.

Maria de Moraes Werneck de Castro ingressou na Faculdade de Direito no início dos anos 1930, período em que se entusiasmou com a luta feminista pelo direito ao voto. Fez parte da Federação Brasileira pelo Progresso Feminino* (FBPF), integrou a União Universitária Feminina e a Liga Antifascista, freqüentando os congressos e reuniões promovidos por estas entidades.

Engajou-se na Aliança Nacional Libertadora (ANL), criada em março de 1935 por vários setores da sociedade brasileira que combatiam o fascismo, o imperialismo e o latifúndio. Nessa mesma época, começa a ficar insatisfeita com a FBPF, pois considerava que a posição política adotada por esse grupo tinha um cunho burguês. Une-se então a outras mulheres, entre elas Armanda Álvaro Alberto* e Eugênia Álvaro Moreira*, e fundam a União Feminina do Brasil (UFB), onde foi secretária-jurídica e sua representante junto a ANL. Acompanhou o fechamento dessa entidade pelo governo Vargas e passou a fazer parte das reuniões clandestinas promovidas por seus membros. Nessa mesma ocasião, ainda pela UFB, participou da fundação de uma nova associação, a Aliança Popular por Pão, Terra e Liberdade.

Em novembro de 1935, na derrota da Revolução Comunista, Maria Werneck, então advogada da Caixa Econômica Federal, foi detida e processada como uma das líderes do movimento. No cárcere, testemunhou a prisão e extradição da mulher do líder comunista Luís Carlos Prestes, Olga Benario*, que estava grávida de sete meses. Nessa época perdeu seu emprego e só foi readmitida 10 anos depois.

Foi julgada pelo Tribunal de Segurança Nacional em julho de 1937, e mesmo tendo se recusado a fazer sua defesa, por considerar essa corte ilegal, foi absolvida. Com a decretação do Estado Novo, em novembro desse mesmo ano, Maria Werneck e seu marido resolveram exilar-se por um ano na Argentina, apreensivos com a possibilidade de uma nova prisão.

Com a anistia em 1945, filiou-se ao Partido Comunista Brasileiro (PCB), legalizado em novembro daquele ano, e teve destacada participação na organização de comitês nos bairros da cidade do Rio de Janeiro. Mesmo com a volta do PCB à ilegalidade em 1947, Maria Werneck continuou promovendo as organizações de base através do Movimento Unitário dos Trabalhadores e Intelectuais (Muti), que lutava pelas liberdades democráticas. Militou no PCB até 1952, quando resolveu afastar-se das atividades políticas. Com o advento do golpe militar em 1964, foi arrolada para depor, mas não chegou a ser convocada.

Faleceu em 8 de abril de 1994.

Fontes: Alzira Abreu e Israel Beloch, *Dicionário histórico-biográfico*; Maria Werneck de Castro, *Sala 4*; Entrevista de Hermínia Werneck de Castro a Carmen Alveal em 8.2.2000.

Maria Zélia Mota (séc.XX)

Primeira deputada estadual do Ceará.

Nasceu na cidade de Pentecostes (CE), em uma tradicional família de políticos da região.

Em meados de 1974, seu irmão, José Gomes da Silva, não quis deixar o cargo de prefeito de Pentecostes para disputar uma vaga na Assembléia Legislativa do Ceará e um outro irmão, Raimundo Gomes da Silva, na época deputado estadual, visava disputar uma vaga na Câmara Federal. Foi articulado um acordo familiar para fazer de Zélia a sucessora de Raimundo na Assembléia. A campanha eleitoral transcorreu com sucesso e ela se tornou a primeira mulher a ocupar uma cadeira na Assembléia Legislativa do Estado do Ceará. Exerceu o cargo entre 1975 e 1978, apresentando à apreciação da casa legislativa oito projetos de lei. Após o término do mandato, retornou à sua atividade junto ao cartório de propriedade da família em Itapajé, no interior do estado.

Fonte: *Plenária, o Parlamento em Revista*, jun-jul/1996.

Mariana (séc.XIX)

Escrava.

Vivia em Iguaçu, Baixada Fluminense, no Rio de Janeiro, onde era escrava da viúva Gertrudes. Tinha um filho, Adão, que pertencia a um fazendeiro local. Fugindo à vigilância de sua senhora, Mariana, apesar da idade avançada, colaborava ativamente com os negros da região que se organizavam em quilombos. Por volta de 1845, seu filho passou a fazer parte de uma dessas numerosas comunidades de escravos que aproveitavam a topografia da área para se abrigar nas matas e nas montanhas do vale. Quando acossados pela polícia, evadiam-se pelos muitos rios da Baixada, atingindo os manguezais onde as milícias da Guarda Nacional não ousavam ingressar. Sustentavam-se com pequenas roças de mandioca e verduras, com a extração de madeira e furto de gado das fazendas próximas.

Mariana recebia dos integrantes do quilombo de Adão o sebo com que fazia o sabão que comercializava na vila. Usava o dinheiro obtido com a venda para comprar tecidos, sal, farinha, aguardente e outros gêneros necessários aos quilombolas.

Seu gesto representava tanto o elo de ligação entre os muitos quilombolas com os taberneiros, barqueiros e homens brancos livres — que se beneficiavam da relação comercial estabelecida com os escravos fugitivos — quanto o elo afetivo que unia a comunidade dos negros cativos às de negros fugitivos.

Fonte: Flávio dos Santos Gomes, *História de quilombolas.*

Mariana Coelho (1857-1952)

Escritora, educadora e feminista.

Nasceu em 10 de setembro de 1857 na Vila de Sabrosa, Portugal. Emigrou para o Brasil em 1892, fixando-se em Curitiba (PR), onde trabalhou como educadora por várias décadas, participando da fundação e direção do Colégio Santos Dumont e Escola Profissional República Argentina, na capital paranaense.

Era também escritora, publicando desde finais do século XIX até 1918, em jornais do seu estado, artigos sobre a violência e inserção das mulheres no mercado de trabalho. Interessada na situação das mulheres e seus avanços, foi formando um arquivo particular com notícias relativas às conquistas femininas nos campos de atuação que lhes eram inéditos. Todo esse material propiciou-lhe escrever, em 1933, o livro *A evolução do feminismo*, um dos primeiros trabalhos de análise e reflexão sobre a trajetória das mulheres brasileiras.

Mariana Coelho não ficou apenas no discurso. Integrou a Federação Brasileira pelo Progresso Feminino e esteve presente nos congressos feministas de 1922, 1933 e 1936, promovidos por essa entidade, como representante do Paraná.

Foi uma das principais responsáveis pela criação do Centro Paranaense Feminino de Cultura, fundado na década de 1930. Embora Mariana tenha recebido o respeito do meio intelectual paranaense, a causa do feminismo pela participação das mulheres no mundo público que tanto defendeu não foi prontamente abraçada pela população de seu estado. Só em meados da década de 1970, o Paraná veio a eleger a sua primeira representante no Congresso Nacional.

Escreveu ainda, entre outros, os livros: *O Paraná mental* (1908), *Linguagem* (1937) e *Cambiantes* (1940).

Fontes: Etelvina Maria de Castro, *Clotildes ou Marias: mulheres de Curitiba na Primeira República*; Wilfredo Piloto, *Um século de poesia.*

Mariana Crioula (séc.XIX)

Escrava quilombola.

Viveu em Pati do Alferes, distrito da vila de Vassouras, região do Vale do Paraíba (RJ), nas primeiras décadas do século XIX. Era mucama e costureira de Francisca Xavier, senhora das fazendas cafeeiras Maravilha e Freguesia. Embora fosse casada com o negro José, escravo que trabalhava na lavoura, Mariana vivia na casa-grande.

Na madrugada do dia 5 de novembro de 1838, houve uma das maiores fugas de escravos registradas na história fluminense, cujo foco se concentrou na fazenda Maravilha, de propriedade do marido de Dona Francisca, o capitão Manuel Francisco Xavier. Dali partiu a primeira leva de escravos, liderada pelo ferreiro Manuel Congo, que foi arrebanhando revoltosos nas propriedades vizinhas, até chegar à fazenda Freguesia, também do capitão Xavier. Mariana juntou-se aos fugitivos, que já eram cerca de 200. Tomaram a direção da floresta nas montanhas da Mantiqueira e ela assumiu a liderança do grupo ficando conhecida como a "rainha" do quilombo, fazendo par com Manuel Congo, o "rei".

Encontravam-se em uma região conhecida como as matas de Santa Catarina, nas fraldas da serra da Mantiqueira, quando foram atacados por tropas comandadas por um coronel da Guarda Nacional, que relatou nos autos do processo que a negra Mariana, com seus 30 anos, pusera-se à frente dos revoltosos, resistindo ao cerco da polícia e esbravejando: "Morrer, sim, entregar não!".

No dia 12 de novembro, Mariana Crioula e Manuel Congo foram feitos prisioneiros, juntamente com outros líderes da revolta e o grupo se dispersou. Aqueles que conseguiram fugir ao cerco policial tentaram retornar às fazendas de seus senhores buscando, antes, refúgio em fazendas próximas. Pretendiam conseguir o chamado "padrinho", ou a intervenção do fazendeiro vizinho junto ao seu senhor, na tentativa de evitar castigos severos.

Presos os líderes, teve início o julgamento sumário. Dezesseis escravos, sete mulheres e nove homens, foram indiciados. Mariana, que havia demonstrado grande valentia nos combates na mata, quando interrogada, procurou dissimular o seu verdadeiro papel nos acontecimentos alegando que havia sido induzida por outros a fugir. Mesmo tendo sido apontada por vários réus interrogados como a rainha do quilombo, acabou sendo absolvida. O Código Criminal do Império distinguia a mulher escrava do homem escravo quanto à aplicação das penas, inclusive a de morte, em função de considerarem-na inferior ao homem. Dos homens, sete foram condenados pelo crime de insurreição e receberam como pena o castigo de 650 açoites, ministrados à razão de 50 por dia, além de serem obrigados a andar com gonzo de ferro no pescoço por três anos. O único acusado de homicídio foi Manuel Congo, cuja sentença de morte por enforcamento foi executada no início do mês de setembro de 1839.

Fontes: Flávio dos Santos Gomes, *História de quilombolas*; João Luís Pinaud, *Insurreição negra e justiça: Paty do Alferes*; Martin Lienhard, "A insurreição de Manoel Congo", in *O mar e o mato.*

Mariana da Silveira (séc.XVIII)
Colonizadora.

Nasceu no arquipélago dos Açores, na ilha de São Jorge, e era casada com o também açoriano Manoel Pereira Soares. Emigraram para o Brasil acreditando na promessa do rei de receberem terras e auxílio. Fixaram-se no vale do Viamão, no Rio Grande do Sul, onde Mariana deu à luz o primeiro filho de açorianos nascido no Brasil de que se tem notícia: um menino, batizado com o nome de Mateus, no dia 8 de dezembro de 1752. Foram padrinhos Manoel e Teresa de Ornelas, sesmeiros que já estavam há mais tempo no Rio Grande.

A posse de uma sesmaria não era comum entre os povoadores do sul, representando um sinal de distinção social. O ato de oferecer o filho Mateus como afilhado ao casal Ornelas revela que Mariana e Manoel procuravam proteção e benefícios para o menino.

Fonte: João Borges Fortes, *Casais.*

Mariana Pinto (séc.XVII)
Índia.

Mariana Pinto, índia catequizada, enfrentava os guardas da prisão no Pará, onde estava preso o defensor dos índios e grande orador padre Antônio Vieira, a fim de levar-lhe comida. Quando os guardas ameaçavam lhe queimar a casa pelo atrevimento, respondia que poderia viver na rua tranqüilamente.

A Companhia de Jesus, à qual pertencia o padre Vieira, em reconhecimento a Mariana pela sua atitude, proporcionou a ordenação do seu único filho, que veio a ser pároco em Belém. Além disso, os jesuítas teriam lhe dado um documento tornando-a participante de todas as orações e serviços religiosos da Companhia.

Foi enterrada na igreja dos jesuítas.

Fontes: Gustavo Geraldo de Almeida, *Heróis indígenas do Brasil — memórias sinceras de uma raça*; José Feliciano Oliveira, *Comemorações do 4º centenário do descobrimento.*

Mariana Salusse (1806-1900)
Imigrante suíça, negociante.

Nasceu em 1806, em Courfaivre, no Jura (Suíça), filha de Marie Françoise Bandelier e do agricultor Joseph Joset. Veio com a família para o Brasil em 1820, aos 13 anos e aqui chegaram completamente desprovidos de recursos. Sua mãe e um irmão haviam morrido na travessia. Instalaram-se com os demais imigrantes suíços, mais de 1.800, no local aprovado por D. João VI para a instalação da colônia: a fazenda Morro Queimado, núcleo primário de Nova Friburgo, na então província do Rio de Janeiro. A adolescência de Mariana foi extremamente difícil e com seu pai e irmãos plantou e cuidou de gado, passando por muitas privações.

O pai morreu em 1829 e, em junho do ano seguinte, Mariana casou-se com o francês Guillaume Marius Salusse, capitão de longo curso da Marinha Mercante francesa, que, chegando ao Rio de Janeiro, em 1823, adoecera gravemente e não voltara mais para seu país. Ainda com a saúde debilitada, mudara-se para Nova Friburgo, lá conhecendo a jovem Mariana Joset. Educado e culto, Guillaume logo tornou-se figura influente na cidade. Ela, incansável no trabalho, instalou o Hotel Salusse e ganhava dinheiro com compra e venda de imóveis urbanos e rurais. O casal teve oito filhos, todos nascidos em Friburgo. Em 1875 Mariana ficou viúva; na ocasião já era conhecida na cidade como Grand-Maman (grande mãe). Dotada de acurado tino administrativo, era ela quem geria a fortuna amealhada no trabalho vigoroso ao longo daquelas décadas, mesmo quando o marido era ainda vivo.

Faleceu em Nova Friburgo em 1900. De certa forma, ela e o marido foram, em virtude das atividades na compra e venda de imóveis em Friburgo, responsáveis pela urbanização da cidade ao longo do século XIX; a partir de suas iniciativas, ruas foram abertas e incorporadas à paisagem urbana.

Fontes: Bittencourt-Sampaio e Sérgio Ioset Salusse, *O Hotel Salusse — em Nova Friburgo*; Inventário de Guilherme Mário Salusse, 1875.

Marieta Alves (1892-1981)

Historiadora.

Nasceu em 22 de outubro de 1892, na cidade de Salvador (BA). Maria Amália de Carvalho Santos era filha de Capitolina Neves dos Santos e de Isaías de Carvalho Santos, conhecido advogado em seu tempo. Recebeu primorosa educação intelectual, tendo estudado no Instituto Maria Gomes e se especializado em francês, desenho e piano.

Começou a escrever em 1915, na revista *A Voz*, periódico fundado e dirigido por Amélia Rodrigues*, do qual foi secretária de redação. Entre 1933 e 1945, colaborou para a revista ilustrada *Excelsior*, do Rio de Janeiro, usando o pseudônimo de Maria Betânia. Lecionou no Colégio Nossa Senhora Auxiliadora, da educadora Anfrísia Santiago*, e no colégio da Soledade, voltando seus interesses para o campo da história. Em 1942, já conhecida por seus trabalhos nessa área, foi convidada pela Mesa da Ordem Terceira de São Francisco para escrever a história da instituição, trabalho que resultou em importante livro, publicado em 1947 com o título *História da Venerável Ordem Terceira da Penitência do Seráfico Padre São Francisco da Congregação da Bahia.*

Entre 1957 e 1961, escreveu cerca de 300 artigos para o jornal baiano *A Tarde*. Além de numerosos trabalhos apresentados em congressos e seminários, participou intensamente da vida intelectual da Bahia e do Rio de Janeiro, publicando obras de referência, dentre elas *Mestres e ourives de ouro e prata da Bahia*, editado pelo Museu do Estado da Bahia em 1962, *História, arte e tradições da Bahia* (1974), *Folhas mortas que ressuscitam* (1975), o *Dicionário de artistas e artífices da Bahia* (1976), bem como *Intelectuais e escritores baianos — breves biografias* (1978). Escreveu ainda um livro sobre a Associação Comercial da Bahia.

Marieta Alves, além de sócia do Instituto Geográfico e Histórico da Bahia e titular da cadeira nº 22 do Instituto Genealógico da Bahia, foi correspondente do Instituto Histórico e Geográfico de São Paulo, que lhe conferiu a Medalha Cultural Imperatriz Leopoldina. Participou ativamente das atividades do Instituto Feminino, fundado e dirigido pela educadora baiana Henriqueta Martins Catharino*. Foi professora, secretária e oradora dessa instituição, contribuindo para a organização dos museus de Arte Antiga e de Arte Popular, hoje Museu Henriqueta Catharino, importante patrimônio cultural da cidade de Salvador.

Por sua intensa atividade intelectual, o governo do estado concedeu-lhe a Medalha do Mérito da Bahia, no grau de Cavaleiro.

Faleceu em 10 de fevereiro de 1981, no Rio de Janeiro.

Fontes: *A Tarde*, 12 e 22.2.1981, 10.3.1981, 21 e 22.10.1992 • Colaboração especial de Maria Júlia Alves de Sousa.

Marilene Vilas-Boas Pinto (1948-71)

Ativista política, vítima da ditadura militar.

Nasceu em 8 de julho de 1948, no Rio de Janeiro (RJ). Cursava o segundo ano de psicologia na Universidade Santa Úrsula, quando, por sua participação no movimento estudantil, foi obrigada a viver na clandestinidade. Era da Ação Libertadora Nacional (ALN) e, posteriormente, ligou-se ao Movimento Revolucionário Oito de Outubro (MR-8).

Foi ferida e presa no dia 2 de abril de 1971, no bairro de Campo Grande, no Rio de Janei-

ro. Sem receber cuidados médicos, foi conduzida às câmaras de tortura do DOI/CODI/RJ, sendo assassinada algumas horas depois. Tinha 22 anos, e em seu atestado de óbito consta que sua morte foi no dia 3 de abril de 1971, no Hospital Central do Exército (HCE).

Seus familiares, após intensas buscas e intermediações, conseguiram resgatar o corpo do HCE para enterrá-lo, no dia 5 de abril de 1971, no cemitério São Francisco Xavier. Seu caixão foi entregue à família lacrado, e durante o enterro vários militares à paisana fizeram provocações aos presentes.

Fonte: Maria do Amparo Almeida Araújo et al., *Dossiê dos mortos e desaparecidos políticos a partir de 1964.*

Marília de Dirceu (1767-1853)

Participante da Conjuração Mineira.

Nasceu a 8 de novembro de 1767, em Vila Rica, atual Ouro Preto (MG). Maria Joaquina Dorotéia de Seixas era filha de Maria Dorotéia Joaquina de Seixas e de Baltasar Joad Mayrink. O pai, ao enviuvar, entregou os cinco filhos menores aos cuidados de suas cunhadas solteiras, Teresa Matilde e Catarina Leonor. Tinha 15 anos quando conheceu o poeta Tomás Antônio Gonzaga, uma das principais figuras da Conjuração Mineira, de quem ficou noiva em 1789, quando tinha 22 anos. Lutou a seu lado pela liberdade e acabou sendo vítima de várias injustiças. Tomás Antônio foi preso e condenado ao degredo na África. Com autorização do marquês de Barbacena, governador da capitania de Minas, o casamento foi marcado para 30 de maio de 1792, pouco antes da data de partida do condenado. Logo em seguida, despediu-se dele e, por decisão da família, retirou-se para a fazenda Fundão. Voltou para Vila Rica somente em 1815, quando morreu seu pai. Nos três anos que se seguiram, Marília perdeu muitos parentes. Dominada pela tristeza, não saiu mais de casa. Morreu no dia 9 de fevereiro de 1853, aos 83 anos, na mesma casa em que nascera. Foi imortalizada como Marília de Dirceu na obra de Tomás Antônio Gonzaga.

Fontes: Augusto de Lima Júnior, *O amor infeliz de Marília e Dirceu*; Chiquinha Neves Lobo, *Vultos célebres*; J. Norberto S.S., *Brasileiras célebres*; Joaquim Manoel de Macedo, *Mulheres célebres*; Maria Eugênia Celso, *O espírito e o heroísmo da mulher brasileira.*

Marina de Vasconcelos (1912-73)

Professora universitária e pioneira nas ciências sociais.

Marina Delamare São Paulo de Vasconcelos nasceu em 25 de março de 1912, na cidade do Rio de Janeiro, então Distrito Federal, filha de Dinorá Delamare São Paulo de Vasconcelos e do médico Aleixo de Vasconcelos. Com a morte precoce de sua mãe, Marina foi criada por seus avós paternos, Francisca e Aureliano Nóbrega de Vasconcelos.

Estudou no tradicional Colégio Jacobina — apenas de mulheres — e no início dos anos 1930 ingressou no curso de direito da Universidade do Rio de Janeiro, onde conheceu e casou-se com Antônio Andrade Pacheco. Seu jovem marido, entretanto, ao contrair pneumonia numa época de ausência de tratamento eficaz, faleceu antes que tivessem completado um ano de casamento. Apesar de formada em direito, voltou para a faculdade e, em 1936, fazia parte de uma das primeiras turmas de ciências sociais da extinta Universidade do Distrito Federal (UDF), idealizada por educadores progressistas dentre os quais se destaca a figura de Anísio Teixeira. A jovem universitária participou com colegas da criação da *Revista dos Estudantes da UDF* e testemunhou a arbitrariedade das autoridades governamentais que encerraram as atividades da UDF, com menos de quatro anos de existência, para fundar a Universidade do Brasil sob a égide do Estado Novo. Em 1939, todos os alunos da UDF foram transferidos para a Universidade do Brasil. Marina, entre outros, foi absorvida pela Faculdade Nacional de Filosofia (FNFi) e nesta fundou, com colegas, o diretório acadêmico. Na FNFi titulou-se bacharel licenciada em ciências sociais, com especialização em antropologia e etnografia. Ingressou na vida acadêmica trabalhando como assistente de ensino do antropólogo e catedrático professor Artur Ramos. Durante os anos 40 foi sua substituta nas aulas e preciosa auxiliar na fundação da Sociedade Brasileira de Antropologia e Etnologia, um dos primeiros esforços de institucionalização desses campos do saber no país. Ao mesmo tempo lecionava na Escola Sousa Aguiar, no antigo Instítulo Lafayette e no Colégio de Aplicação da Universidade do Brasil.

Com o falecimento de Artur Ramos, defendeu, em 23 de maio de 1950, sua tese de livre-docência "Alguns Movimentos Contra-Aculturativos do Nordeste", onde dissertava sobre a resistência das comunidades de Pedra Bonita, Canudos e Juazeiro à imposição violenta de um projeto de cultura nacional. A defesa da tese e os exames escritos e orais aos quais foi submetida garantiram-lhe a cadeira de antropologia e etnologia, que ocupou por 18 anos.

Assim, veio a desempenhar um papel raro para a mulher brasileira dos anos 50 e início dos anos 60. Foi em torno de sua cátedra que se formaram os mentores dos sistemas de pós-graduação em ciências sociais no Rio de Janeiro, responsáveis pela institucionalização definitiva desta área de conhecimento. Todavia, ficou mais conhecida como firme administradora universitária e formadora de gerações de pesquisadores.

Quando da reforma universitária que substituiu a Universidade do Brasil pela Universidade Federal do Rio de Janeiro (UFRJ), a qual desmembrou a antiga Faculdade Nacional de Filosofia em institutos, Marina compôs com espírito de liderança a comissão de criação do Instituto de Filosofia e Ciências Sociais (IFCS), para o qual foi indicada, em novembro de 1967, como diretora. Teve início o curto, ainda que dramático, período de sua vida, quando foi alçada de sua discreta mas nunca desprezível participação no âmbito da construção da vida acadêmica para um posto de visibilidade pública. Como diretora do IFCS no ano de 1968, Marina administrou um "barril de pólvora", uma vez que reunia no interior da escola diversas correntes opostas ao regime militar que "golpeara" o país. Era a instância de ensino superior público que mantinha viva a tradição da pesquisa científica nas áreas de ciências sociais, história e filosofia no Rio de Janeiro. Dona Marina fez vigílias para evitar a invasão do Instituto pelas forças da repressão e salvou vidas de colegas e alunos, cumprindo o papel de defensora da Universidade e de sua autonomia.

Não ficou mais do que um ano na direção do IFCS. Cassada pelo AI-5 de dezembro de 1968, foi presa, em sua residência, em abril de 1969, quando da visita da Missão Rockefeller ao Brasil. Encaminhada para a prisão comum de mulheres, foi identificada criminalmente, com número e fotografia. As policiais despiram-na, cobrindo-a com o uniforme das presidiárias e cortaram seus cabelos. As acusações da polícia política a ela restringiam-se a insinuar conivência com organizações da "esquerda" no interior do IFCS.

Permaneceu no presídio por seis dias, sendo retirada por influência de um primo de alta patente militar. Já separada de seu segundo marido, fechou-se em casa, aceitando poucas visitas, dado o quadro depressivo que se instalara no país.

Marina retirou-se da história tão discreta quanto entrou: tendo desenvolvido um aneurisma cerebral, foi operada com seqüelas, vindo a falecer em função de problemas decorrentes da anestesia geral, numa enfermaria comum, com poucos cuidados, em 12 de fevereiro de 1973, já sem reconhecer os que amou e longe daquilo em que acreditou: a Universidade e a Ciência.

Fontes: Acervo do Proedes/FE/UFRJ: UDF e FNFi (1941-1966); Acervo IFCS; L.J.B. De Vincenzi, *A graduação em ciências sociais e sociologia e política nas universidades do Rio de Janeiro: estudo comparativo*; Maria de Lourdes Fávero (org.), *Faculdade Nacional de Filosofia*; P.R. Azeredo, *Antropólogos e pioneiros: a história da Sociedade Brasileira de Antropologia e Etnologia*; Entrevista com Sílvia de Vasconcelos (irmã) concedida a Adélia Miglievich • Colaboração especial de Adélia Miglievich.

Marlene (1924-)

Cantora.

Nasceu em 18 de novembro de 1924, em São Paulo (SP), sendo registrada com o nome de Vitória Bonaiutti. Dos quatro aos 17 anos, foi interna no Colégio Batista Brasileiro, na capital paulista, onde trabalhava para custear seus estudos. Era poupada de serviços mais pesados por ser atleta da escola. Começou a cantar em 1941, no programa *Hora do Estudante*, na Rádio Bandeirantes. Estreou como profissional em 1942, na Rádio Tupi, adotando o nome artístico de Marlene, inspirado em Marlene Dietrich, atriz e cantora alemã em enorme evidência na época. Em 1943, mudou-se para a cidade do Rio de Janeiro, indo trabalhar no Cassino Icaraí, de Niterói, por dois meses, e depois no Cassino da Urca, onde permaneceu até o fechamento dessa casa, em abril de 1946.

Marlene teve carreira fulgurante. Gravou inúmeros discos e, em 1948, assinou contrato com a Rádio Nacional, passando a participar do programa de César de Alencar, que a projetou nacionalmente. Foi eleita Rainha do Rádio em 1950 e 1951, título de enorme prestígio. Marlene quebrava, assim, o ciclo de vitórias das irmãs Linda* e Dircinha Batista* como eternas rainhas do rádio brasileiro. Nessa época, a produção dos programas radiofônicos estimulava a organização de fã-clubes de cantoras e cantores por todo o Brasil. Esses grupos eram verdadeiras torcidas organizadas. Ficaram célebres as disputas entre Marlene e Emilinha Borba*, estimuladas e promovidas pela imprensa e pela própria Rádio Nacional, que exploravam a rivalidade entre as torcidas. Emilinha foi transformada em cantora exclusiva do programa César de Alencar e Marlene foi para o programa Manuel Barcelos.

Na década de 50 gravou um de seus maiores sucessos, o samba "Lata d'água" de Luís Antônio e Jota Junior. Casou-se com o ator Luís Delfino, passando a se dedicar também à carreira teatral e cinematográfica. Embora tenha feito inúmeros filmes e peças na década de 1950, retirou-se dos palcos. Reapareceu em 1965-68, a convite de Paulo Afonso Grisolli e Sidney Miller, como estrela de *Carnavália*, um show de grande sucesso que apresentava antologia de músicas de carnaval, com texto de Eneida* e participação de Blecaute e Nuno Roland, no Teatro Casa Grande, no Rio Janeiro.

Em 1970, Hermínio Belo de Carvalho convidou-a para fazer outro espetáculo — *É a maior* —, em que interpretava Caetano Veloso, Gilberto Gil e Milton Nascimento. Depois desses sucessos Marlene continua se apresentando em todo o país, sempre aclamada como uma das grandes estrelas da música popular brasileira e a eterna rainha do rádio.

Fontes: *Enciclopédia da música brasileira: popular, erudita e folclórica*; Teresa Cristina Tesser, *De passagem pelos estúdios. A presença feminina no início do rádio no Rio de Janeiro e São Paulo.*

Marli Pereira Soares (1954-)

Símbolo da luta contra a violência.

Nasceu em 25 de outubro de 1954, na favela da Praia do Pinto, zona sul da cidade do Rio de Janeiro (RJ), onde moravam seus pais. Quando tinha 12 anos, a favela foi criminosamente incendiada e anos depois, no dia 12 de outubro de 1979, testemunhou o assassinato de seu irmão, Paulo, pela polícia. Mulher, negra, corajosa, denunciou os criminosos. Empregada doméstica, peregrinou por delegacias e quartéis, lutando para ser ouvida. Marli Coragem, como ficou conhecida, na madrugada seguinte ao dia do crime, foi com seu pai à delegacia de Belford Roxo, Baixada Fluminense, onde foram atendidos pelo delegado adjunto de plantão, Jairo Campos. Tomando conhecimento do ocorrido — sua casa havia sido duas vezes invadida, por policiais das polícias militar e civil —, o delegado acompanhou-os até o 20º Batalhão, na área de Belford Roxo. Jornalistas de *O Dia*, *O Globo* e *Jornal do Brasil* que estavam na delegacia acompanharam Marli e seus parentes até o quartel. Lá chegando, enquanto o delegado conversava com tenentes, Marli viu passarem pelo pátio do batalhão três dos policiais militares que haviam invadido sua casa, inclusive um dos que haviam matado seu irmão. Era mais um passo na longa jornada por justiça. Marli compareceu mais de 30 vezes à polícia para fazer reconhecimentos e passou a ir todos os dias a delegacias. Não conseguiu mais emprego e sua garantia de vida foi a cobertura que a imprensa deu ao caso.

No dia 12 de maio de 1980, o juiz da 4ª Vara Criminal de Nova Iguaçu, Oscar Martins Silvares, decretou a prisão preventiva de cinco matadores de Paulo Pereira Soares Filho. A OAB deu apoio ao advogado da família, Luís da Rocha Braz. O caso virou manchete na imprensa em todo o país, e até o presidente da República se manifestou em seu favor, através de seu porta-voz.

Pressionada, Marli manteve-se escondida por muito tempo. Nos anos 1980, foi chamada para trabalhar como auxiliar de escritório na sede do Partido do Movimento Democrático Brasileiro (PMDB). Anos mais tarde, teve um filho assassinado pela polícia e desde então seu paradeiro é desconhecido. Seu gesto de coragem permanece na memória das mulheres fluminenses.

Fonte: Marli Pereira Soares, *Marli mulher. Tenho pavor de barata, de polícia não.*

Maroquinha Rabelo (1877-1957)

Educadora e poetisa.

Nasceu em 26 de abril de 1877, em Campinas (SP). Maroquinha Jacobina Rabelo era filha de Francisca Ilídia Barbosa de Oliveira Jacobina e de Antonio de Araújo Ferreira Jacobina. Casou-se, em 1898, com César Rabelo; o casal chegou a festejar as bodas de ouro, cercado das três filhas, Carmem, Marília e Branca. Maroquinha viveu na cidade do Rio de Janeiro e, embora participasse de associações femininas cariocas, tinha uma opinião bastante conservadora a respeito da emancipação social e política das mulheres. Em agosto de 1922, proferiu palestra, a pedido da Associação das Senhoras Brasileiras, sobre o papel ocupado pela mulher na sociedade. Sua posição divergia inteiramente daquela das feministas da Federação Brasileira pelo Progresso Feminino* (FBPF), pois considerava imprópria a luta pelo sufrágio feminino. Segundo ela, caberia à mulher brasileira, que supunha de "caráter pouco afeito à instrução e ao exercício da vida política", transmitir aos filhos elevados valores morais para fazer deles bons cidadãos. O exercício do direito de voto pelas mulheres traria a divergência para o interior dos lares.

Por muitos anos, Maroquinha ensinou literatura aos cegos no Instituto Benjamim Constant. Faleceu, aos 80 anos, em 14 de abril de 1957.

Fonte: Maroquinha Rabelo, *A mulher.*

Marquesa de Santos (1797-1867)

Dama da corte e amante do imperador D. Pedro I.

Domitila de Castro Canto e Melo nasceu a 27 de dezembro de 1797, em São Paulo (SP), filha de Escolástica Bonifácia de Toledo Ribas e do visconde João de Castro Canto e Melo. Casou-se aos 16 anos com o militar mineiro Felício Muniz Pinto Coelho de Mendonça, com quem teve três filhos: Francisca, Felinto e João. Em 1819 Felício, numa briga, esfaqueou Domitila, então grávida do seu terceiro filho. Ferida, ela voltou para a casa do pai, onde nasceu o filho João, que morreu com poucos meses de vida. Separada do marido, Domitila pleiteou em juízo a guarda das crianças, reclamando a D. João VI o seu direito de mãe. Em 1820, conseguiu uma ordem real para que elas lhe fossem entregues, e em 1824 obteve o divórcio.

Desde 1822, Domitila e D. Pedro viviam um caso de amor. Ela passou a morar no Rio de Janeiro e tornou-se a amante oficial. Sua influência era tão grande que foi designada primeira dama da imperatriz Leopoldina*. Teve cinco filhos com o imperador: um menino natimorto em 1823; e Isabel Maria d'Alcântara Brasileira de Bragança, nascida em 1824, legitimada em 4 de maio de 1826, que recebeu o título de duquesa de Goiás; Pedro d'Alcântara Brasileiro de Bragança, morto em 1825; Maria Isabel d'Alcântara Brasileiro de Bragança, nascida no Rio de Janeiro em 13 de agosto de 1827, tornada duquesa do Ceará. Esta, porém, morreu no ano seguinte ao nascimento e o mesmo nome foi dado à filha seguinte, nascida em São Paulo em 25 de fevereiro de 1830, depois do rompimento de Domitila com o imperador.

Domitila de Castro recebeu do imperador o título de marquesa de Santos, numa provocação a José Bonifácio de Andrada, que pertencia a uma família santista. Enfrentou séria oposição na corte, mesmo depois de nomeada camarareira-mor da imperatriz. Seu poder se manteve até que a morte de D. Maria Leopoldina em 1826, em circunstâncias relativamente misteriosas, possibilitou uma maior investida dos seus inimigos, que viram no episódio uma forma de se livrarem da intrusa. A relação entre Domitila e D. Pedro era um empecilho para que o imperador fizesse outro casamento nobre e, assim, a marquesa de Santos foi afastada da corte, apesar da tentativa do imperador de esposá-la.

Voltou para São Paulo e, em 1842, casou-se com o rico e influente brigadeiro Rafael Tobias de Aguiar, com quem teve mais cinco filhos: Rafael, João Tobias, Gertrudes, Antônio Francisco e Brasílico. Reconstruiu sua vida na província, onde se dedicou a obras beneméritas, e, grande anfitriã, fez de sua casa o ponto de encontro da sociedade paulista, promovendo saraus literários e bailes de máscaras. Morreu em São Paulo em 3 de novembro de 1867, sendo sepultada no cemitério da Consolação (SP), cujas terras foram doadas por ela ao Estado.

Fontes: Adalzira Bittencourt, *A mulher paulista na história*; Laurênio Lago, *Nobliarquia brasileira. Titulares do sexo feminino*; Marcelo Duarte, *O guia dos curiosos*; *Correspondência entre Maria Graham e a imperatriz Dona Leopoldina e cartas anexas*; Vicente Azevedo, "Domitila de Castro, Marquesa de Santos", *Revista do IHGB*, abr-jun/1973.

Marquesa Ferreira (séc.XVI)
Colonizadora do Rio de Janeiro.

Marquesa, cujo nome incomum não é título honorífico, mas sim nome próprio, feminino de Marques, nasceu na capitania de São Vicente. Era filha de Joana Ramalho e de Jorge Ferreira, capitão-mor de São Vicente e um dos fundadores do Rio de Janeiro, e neta de João Ramalho e Bartira*. Casou-se com Cristóvão Monteiro, que ocupou o cargo de ouvidor da cidade do Rio de Janeiro entre 1568 e 1572. Tiveram quatro filhos: Cristóvão Zuzarte, Antônio, Eliseu e Catarina Monteiro.

Na cidade do Rio de Janeiro, morou em uma pequena propriedade, situada onde hoje é o bairro do Cosme Velho. Após o falecimento de seu marido, por volta de 1574, herdou e tomou posse das sesmarias Iguaçu e Guaratiba, atual Baixada Fluminense, obtidas por ele através de cartas de doação do rei, datadas de 1565 e 1567.

Em testamento lavrado a 8 de dezembro de 1589, já doente, doou à Companhia de Jesus metade das terras que detinha em Guaratiba. Mas só dez anos depois o porteiro da cidade, Manuel Fernandes, deu posse da gleba aos jesuítas, sendo a Companhia de Jesus representada pelo padre Estevão da Grã. Outra parte das terras foi, posteriormente, doada ao Mosteiro de São Bento, em 1596, em documento escrito e assinado a seu pedido.

Fontes: Elysio de Oliveira Belchior, *Conquistadores e povoadores do Rio de Janeiro*; Francisco A. Varnhagen, *História do Brasil*.

Marta (séc.XVIII)
Índia cativa.

A mãe de Marta foi escravizada, por volta de 1683, numa expedição empreendida por João da Cunha ao sertão dos Guarulhos, São Paulo, e posteriormente vendida para Pedro Fernandes Aragonês, pai de Maria Leme do Prado. Em 1723, Maria Leme procurou justificar, perante o juiz, o seu direito de posse sobre Marta. Na época do litígio, ela encontrava-se refugiada na aldeia de Conceição dos Guarulhos e, ao se defender, alegava pertencer ao aldeamento em virtude de sua ascendência guarulha. Após ouvir testemunhas, o juiz deu ganho de causa a Maria Leme do Prado, obrigando Marta a retornar ao cativeiro.

Fonte: John Manuel Monteiro, *Negros da terra: índios e bandeirantes nas origens de São Paulo*.

Marta (séc.XVI)
Colonizadora da Bahia.

Vivia na capitania de Ilhéus, casada com o senhor de engenho Henrique Luís. Abrigou em sua propriedade a missão jesuíta, e foi elogiada pelo padre Rui Pereira em carta à congregação, datada de 1561. Este expressou a sua admiração por Marta, em razão de sua atitude piedosa. O sobrenome de Marta, uma das primeiras mulheres brancas na colonização da América portuguesa, não é citado nas cartas dos missionários jesuítas, exemplificando a pouca importância dada às mulheres nos registros históricos.

Fonte: Colete Callier-Boisvert, "Les femmes au Brésil au début de la colonization, à travers la correspondance des Missionaires Jésuites", in *O rosto feminino na expansão portuguesa*.

Marta Alonso Veado Alvarez de Castro Abranches (c.1800-55)
Pioneira na educação feminina.

Marta Abranches nasceu nas Astúrias, Espanha, provavelmente por volta de 1800. Fundou na cidade de São Luís em 1844, o Colégio Nossa Senhora da Glória, conhecido como o Colégio dos Abranches, primeira escola feminina da província do Maranhão.

Os costumes de então no país colocavam as mulheres mergulhadas na ignorância, o que, para a culta Marta, era uma selvageria. Assim, de forma pioneira, fez uma proposta de ensino avançada; alfabetizar e dar noções de aritmética e bons costumes às mulheres da elite local.

Marta Abranches era oriunda da nobreza espanhola expulsa pelas forças napoleônicas. Sua mãe era casada em segundas núpcias com um militar francês anti-Napoleão Bonaparte, e a família veio morar no Maranhão. Lá, Marta casou-se com o viúvo português Garcia de Abranches, proprietário rural e monarquista convicto, escritor e jornalista, proprietário do jornal *O Censor Maranhense*. Como Abranches se posicionou contra a Independência do Brasil, teve problemas políticos, o que o fez viajar para a África e para Portugal. Ela permaneceu no Maranhão e, de forma ousada, assumiu os negócios familiares na ausência do marido. As dificuldades enfrentadas por Marta para gerir esses negócios, e como professora preocupada com a educação para as mulheres, foram objeto de uma intensa correspondência trocada entre ela e seu marido refugiado.

Faleceu em 1855.

Fonte: Maria de Lourdes M. Janotti, *Três mulheres da elite maranhense.*

Marta de Sousa Lobo (séc.XVI)

Órfã da Rainha*.

Marta foi mandada para o Brasil em 1551, juntamente com duas outras irmãs, Mécia Lobo de Mendonça* e Joana Barbosa Lobo*, na armada de Antônio Oliveira Carvalhal. As irmãs foram enviadas pelo rei ao governador Tomé de Sousa para que aqui se casassem com colonos. Marta e suas irmãs eram filhas do general português Baltasar Lobo de Sousa, irmão do conde de Sortelha. Casou-se com João Gonçalves Dormundo, fazendeiro na capitania de Ilhéus. Com ele teve três filhos, que adotaram a grafia inglesa do nome do pai, assinando Drummond, em vez de Dormundo.

Fonte: Afonso Costa, *As Órfãs da Rainha.*

Marta Fernandes (séc.XVI)

Condenada pela Inquisição por bigamia.

Marta era escrava do padre Francisco Fernandes, com quem vivia amasiada em São Miguel, Portugal. Tinha cerca de 15 anos quando engravidou do seu senhor que, temeroso do que lhe faria o bispo, tratou de lhe arranjar um marido. O escolhido foi um certo Fernão Gonçalves, homem pobre que, durante os dez anos de casamento, esteve várias vezes preso por pequenos furtos. Marta, porém, continuava escrava e amante do padre. Como continuaram se encontrando regularmente, Marta teve ainda dois filhos dele depois de casada, como afirmou perante os inquisidores. Contou também que, certa ocasião, enciumada por ver que o padre tinha outra mulher, agrediu-o com um vidro de tinta no rosto. Teve, então, que fugir para a ilha da Madeira, onde ficou pelo período de dois anos até resolver migrar para o Brasil. A viagem foi cheia de contratempos, inclusive com assalto de piratas ao navio.

Em 1590, encontrava-se em Pernambuco, casada com o marinheiro André Duarte, quando foi vista por um homem que estivera presente ao seu casamento com Fernão em São Miguel (Portugal), 20 anos antes. Acusada por ele de bigamia, Marta foi presa pela Visitação Inquisitorial, separada do segundo esposo e degredada para Angola.

Fonte: Ronaldo Vainfas, *Trópico dos pecados.*

Marta Nair Monteiro (1913-)

Uma das duas primeiras deputadas estaduais de Minas Gerais.

Nasceu em 24 de dezembro de 1913, em Nossa Senhora das Candeias, distrito de Campo Belo, atual cidade de Candeias (MG), filha de Maria Barreto Maia e de Gastão Demétrio Maia.

Começou seus estudos secundários em Campo Belo e concluiu-os em Belo Horizonte (MG), onde diplomou-se, em 1943, em administração escolar. Respeitada por suas colegas de magistério, iniciou cedo sua militância na Associação de Professoras Primárias de Minas Gerais, na qual exerceu os cargos de vice-presidente e conselheira, antes de assumir a presidência. Em 1959, liderou a primeira greve de professores de Minas Gerais e do Brasil, por melhores salários. Vitoriosa a mobilização, elegeu-se deputada estadual em 1962 pelo Partido Democrata Cristão (PDC). Na mesma eleição uma outra mulher, Maria José Nogueira Pena*, conseguiu uma cadeira na Assembléia Legislativa de Minas.

Marta Nair integrou a Comissão de Educação e Cultura e liderou a bancada do PDC até a extinção dos partidos pelo regime militar instaurado pelo golpe de 1964. Continuou com sua militância sindical, assumindo, em 1966, a vice-presidência da Confederação dos Professores Primários do Brasil. Depois de um tempo de afastamento da política, elegeu-se vereadora da Câmara Municipal de Belo Horizonte em 1993, exercendo seu mandato até 1996.

Fontes: Assembléia Legislativa de Minas Gerais, *Dicionário biográfico*; *Diário de Minas*, 6.11.1962; Entrevista concedida a Jovita Levi Grinja em 11.10.1999.

Marta Rocha (1935-)

Miss Brasil.

Maria Marta Hacker Rocha nasceu a 19 de setembro de 1935, em Salvador (BA), filha de Hansa Hacker Rocha, descendente de imigrantes alemães e de Álvaro Pereira Rocha. Preparava-se para fazer o vestibular para medicina, em 1954, quando concorreu a Miss Bahia. Eleita, representou seu estado no concurso de Miss Brasil, realizado na cidade do Rio de Janeiro. Mais uma vez vencedora, passou a ser considerada como o ideal de beleza da mulher brasileira. Chegou à etapa final do concurso de Miss Universo, realizado no mesmo ano nos Estados Unidos, ficando com o segundo lugar. A imprensa atribuiu sua derrota à medida de seus quadris, com duas polegadas a mais que o padrão norte-americano do concurso. O assunto teve tal repercussão que, no Carnaval de 1955, o grande sucesso foi a marchinha de Pedro Caetano e Alcir, gravada pela própria Marta, que dizia: "Por duas polegadas a mais,/ Passaram a baiana pra trás./ Por duas polegadas,/ E logo nos quadris./ Tem dó, tem dó, seu juiz."

Em 1956, casou-se com Álvaro Piano, português, com quem teve dois filhos. Ficou viúva em 1959 e posteriormente se uniu a Ronaldo Xavier de Lima, com quem teve uma filha, separando-se dele mais tarde. Marta Rocha tem seis netos e vive no Rio de Janeiro.

A candidatura de Marta Rocha e sua derrota deram projeção aos concursos de beleza no Brasil. Durante vários anos eles tiveram muita repercussão, conferindo às eleitas ascensão social e prestígio nacional, como é o caso de Teresinha Morango, Adalgisa Colombo, Ieda Vargas, Marta Vasconcelos e Vera Fischer. Marta Rocha, porém, ficou como o símbolo dessa era dos concursos de beleza.

Fontes: Enciclopédia *Nosso Século*, 1945/1960; Entrevista de Marta Rocha concedida a Hildete Pereira de Melo em 5.2.2000.

Marta Suplicy (1945-)

Sexóloga, feminista e política.

Marta Teresa Smith de Vasconcelos Suplicy nasceu em São Paulo (SP) no dia 18 de março de 1945. Filha de Noemia Smith de Vasconcelos e Luiz Affonso Smith de Vasconcelos. É casada com o também político Eduardo Suplicy, com quem tem três filhos: Eduardo, André e João.

Formou-se em psicologia pela Pontifícia Universidade Católica de São Paulo, (PUC/SP) especializando-se em psicologia infantil pela Michigan State University, com pós-graduação na Standford University e mestrado em psicologia novamente na Michigan State University, ambas nos EUA.

Na volta ao Brasil, imbuída do ideário de libertação, juntou-se ao primeiro grupo de reflexão composto por acadêmicas paulistas que trocavam experiências intelectuais e vivências cotidianas. Esse grupo foi o embrião do pensamento feminista surgido nas ciências sociais na universidade brasileira. Seu envolvimento com a causa das mulheres e sua vasta experiência como psicóloga deu origem ao convite para trabalhar na Rede Globo, no programa *TV Mulher*, com três horas de transmissão e 22 esquetes. Coube a Marta a responsabilidade pelo quadro *Comportamento sexual*, que estreou no dia 7 de abril de 1980.

O assunto tratado por Marta foi pioneiro na TV brasileira: até então ninguém havia falado de desejo, masturbação, orgasmo e camisinha num espaço televisivo. A seriedade e naturalidade com que ela abordava esses assuntos tabus fizeram do seu quadro um sucesso, tornando-a conhecida nacionalmente como sexóloga e, sobretudo, como defensora de uma nova mulher, livre e mais atuante. Esse espaço existiu até 1986, quando foi tirado do ar pela emissora. Marta foi para a TV Manchete fazer um programa semelhante, apresentando-o durante os anos de 1987 e 1988.

Com a carreira de sexóloga no auge, paralelamente à sua intensa participação no movimento feminista, uma centena de convites levou-a a percorrer o Brasil inteiro, fazendo conferências e divulgando suas idéias. Publicou os livros *Conversando sobre sexo*; *De Mariazinha a Maria*; *Reflexões sobre o cotidiano*; *Sexo para o adolescente*; *Papai, mamãe e eu*; *Guia de orientação sexual*; *Sexo se aprende na escola*.

Filiada ao PT desde 1983, foi eleita deputada federal na legislatura 1995-99, com 76 mil votos. Sua passagem pelo Congresso Nacional foi marcada por uma corajosa atuação feminista, onde discutia temas considerados tabus no país, entre os quais homossexualismo e aborto. É de sua autoria o projeto que trata do casamento entre pessoas do mesmo sexo, que provocou uma enorme polêmica na sociedade e levou esta a encarar de frente a questão das diferentes orientações sexuais.

Foi uma das principais articuladoras da campanha "Mulheres sem medo do poder" e da aprovação da Lei de Cotas para as eleições municipais de 1996, posteriormente estendida para as eleições de 1998 e 2000. Também elaborou um projeto autorizando a interrupção da gravidez quando o feto não tiver condições de sobreviver devido à má formação ou doença degenerativa incurável.

Participou como representante da Câmara dos Deputados na IV Conferência Mundial sobre a Mulher, promovida pelas Nações Unidas e realizada em Beijing, na China, em 1995.

Na eleição de outubro de 1998, candidatou-se a governadora do estado de São Paulo; embora tenha tido uma espantosa votação, não se elegeu, porém consagrou-se definitivamente como uma das lideranças políticas mais expressivas do país, e é hoje uma referência da luta das mulheres na conquista por espaços públicos.

Fonte: *Jornal Fêmea*, nº 23; Câmara dos Deputados, *Deputados brasileiros, repertório biográfico*, 1995-1999; *Revista Imprensa*, nº 138.

Marta Vannucci (1921-)

Cientista.

Nasceu em Florença, Itália, e emigrou com a família para o Brasil em 1930. Seu pai, antifascista militante, era médico-cirurgião e livre-docente das universidades de Pádua e de Florença.

No Brasil, cursou história natural na Faculdade de Filosofia, Ciências e Letras de São Paulo e, aos 25 anos, defendeu a sua tese de doutorado, sob a orientação de Ernest Marcus, zoólogo de renome internacional. Após a defesa da tese, foi trabalhar como assistente desse professor na cadeira de zoologia da mesma escola.

Quando o Instituto Paulista de Oceanografia estava em formação, Marta foi convidada a fazer parte da equipe de pesquisadores dessa entidade, que foi integrada posteriormente à Universidade de São Paulo (USP) com o nome de Instituto Oceanográfico, sob a direção do professor Besnard. Como a instituição não dispunha de um barco grande para pesquisas em alto mar, os trabalhos foram concentrados nos mangues da região lacustre de Cananéia (SP), o que ofereceu a Marta a oportunidade de se especializar no ecossistema dos mangues.

Marta dirigiu o Instituto Oceanográfico da USP nos anos 60, quando se dedicou ao estudo do plâncton; negociou e acompanhou a construção do navio de pesquisas Professor Wladimir Besnard, que ainda hoje faz expedições aos mares antárticos.

Em 1969, foi contratada pela Unesco para trabalhar em Cochin, no Instituto Oceanográfico da Índia, onde permaneceu até 1971, sempre estudando plâncton. De 1972 a 1974, dirigiu um laboratório no México, retornando para a Índia para coordenar um projeto de estudo de manguezais. Publicou mais de 100 trabalhos científicos.

Casou-se duas vezes e teve dois filhos. Em entrevista recente, afirmou que foi difícil conciliar a vida de esposa e mãe com a de cientista, e que não teria conseguido fazê-lo sem a ajuda de seus familiares.

Fonte: *Ciência Hoje*, agosto de 1993.

Matilde (séc.XVIII)
Interna, acusada de adultério.

Interna do Recolhimento de Nossa Senhora do Parto, fundado na cidade do Rio de Janeiro, em 1754, pela escrava Rosa Maria Egipcíaca da Vera Cruz*, para abrigar prostitutas em busca de recuperação espiritual. Com o tempo, os propósitos da entidade foram alterados e o Recolhimento passou a abrigar aquelas que eram abandonadas pelos maridos ou pelos pais, ocupando um lugar de terror na vida das mulheres da cidade, sempre ameaçadas, a qualquer desavença, de para lá serem enviadas. Foi o caso de Matilde, internada por seu marido, Gil Soares, sob a acusação de adultério.

Na madrugada do dia 23 de agosto de 1789, o prédio do recolhimento ardeu em um incêndio que levou à morte uma centena de mulheres, chocando os moradores da cidade. No dia seguinte, o vice-rei Luís de Vasconcelos determinou que fossem apuradas as responsabilidades pela tragédia. Matilde e outra interna, Ana Campista*, foram acusadas de atear fogo aos móveis para, em meio ao tumulto, conseguirem fugir, no que foram bem-sucedidas.

Ainda hoje, no local onde se localizava o famigerado Recolhimento, próximo à atual rua da Assembléia, existe a Igreja de Nossa Senhora do Bom Parto.

Fonte: Joaquim Manoel de Macedo, *Um passeio pela cidade do Rio de Janeiro.*

Matilde Huberger *ver* ASSOCIAÇÃO BENEFICENTE FUNERÁRIA E RELIGIOSA ISRAELITA

Maurina Dunshee de Abranches Pereira Carneiro *ver* CONDESSA PEREIRA CARNEIRO

Mécia Lobo de Mendonça (séc.XVI)
Órfã da Rainha*.

Nascida em Portugal, Mécia foi mandada para o Brasil em 1551, juntamente com duas outras irmãs, Marta de Sousa Lobo* e Joana Barbosa Lobo*, na armada de Antônio Oliveira Carvalhal. As irmãs foram enviadas pelo rei ao governador Tomé de Sousa, para que aqui se casassem com colonos. Mécia e suas irmãs eram filhas do general português Baltasar Lobo de Sousa, irmão do conde de Sortelha. Casou-se com Jerônimo Moniz Barreto e com ele teve duas filhas.

Fonte: Afonso Costa, *Genealogia baiana.*

Mena Fiala (1908-2001)
Estilista.

Nasceu em 5 de julho de 1908, em Petrópolis (RJ). Philomena Paganani Selleri é filha de Argia Pagani Selleri e de Caetano Selleri, imigrantes italianos. Desde menina se interessou e conviveu com a moda na chapelaria e no ateliê de alta costura das estilistas da época, Marietta Pongetti e as irmãs Falconi.

Em 1928, casou-se com o austríaco Anton Fiala, mudou-se para a cidade do Rio de Janeiro e abriu um ateliê de chapéus na rua Sete de Setembro. Sua primeira cliente foi Darci Vargas*. Em 1933, sua irmã, Cândida, também mudou-se para o Rio de Janeiro, junto com o marido, para ajudar Mena a cuidar da filha Lucianita. A partir de então, as irmãs Mena e Cândida começaram a vestir a alta sociedade da então capital federal. Em 1935, Mena foi trabalhar na Casa Canadá, a maior casa de moda do Brasil, naqueles tempos. Lidando com criações parisienses, Mena Fiala apurou o gosto e o estilo, passando a desenvolver métodos de trabalho e de criação que a tornaram pioneira em diversos segmentos ligados à alta costura no Brasil.

Decana do estilismo no país, atua nessa área há 70 anos. Foi diretora da Casa Canadá por 35 anos, tendo sido a responsável pela introdução, no Brasil, dos desfiles de moda e do *prêt-à-porter.* Coube-lhe escolher e treinar as primeiras manequins profissionais do Brasil. Preocupava-se com a qualificação e valorização da mão-de-obra nacional no setor. O ateliê da Canadá transformou-se em verdadeiro centro de pesquisa e de treinamento de pessoal.

Mena e Cândida criaram a primeira etiqueta nacional, que lançou técnicas inovadoras de bordar, usada em vestidos de noiva, com fios de ouro, prata e pedrarias, num trabalho minucioso e magnífico sempre admirado e copiado.

Entre outras homenagens, recebeu o título de Cidadã Benemérita do Rio de Janeiro, outorgado pela Assembléia Legislativa do Estado e o Prêmio Multimoda, conferido pela Multifabril. Foi eleita a Mulher do Ano da Moda pelo Conselho Nacional de Mulheres do Brasil e ingressou na Academia Brasileira de Moda.

Vestiu diversas primeiras-damas*, Mena Fiala marcou época e criou um estilo próprio, tornando-se um símbolo de bom gosto. Em outubro de 1996, o Museu Histórico Nacional do Rio de Janeiro realizou a exposição "Mena Fiala, um nome na história da moda", que apresentou ampla retrospectiva do trabalho da estilista. Como prova de que não há tempo nem idade para se criar, ainda hoje, aos 91 anos, é sempre procurada e consultada quando o assunto é moda.

Faleceu em 1º de janeiro de 2001 na cidade do Rio de Janeiro.

Fontes: Acervo da Interfashion, Assessoria, Eventos & Marketing; Acervo fotográfico particular de Lucianita de Carvalho e Mena Fiala • Colaboração especial de Cristina Seixas.

Mência Calderón de Sanabria (séc.XVI)

Colonizadora.

Nascida na Espanha, Mência casou-se com João de Sanabria, a quem o rei espanhol prometera o governo de metade do Rio da Prata. Quando os preparativos para a viagem estavam em curso, seu marido morreu. O filho, Diogo de Sanabria, assumiu a direção da expedição. Deixaram a Espanha em três embarcações que traziam cerca de 300 pessoas, dentre as quais 50 mulheres, casadas e solteiras. O navio em que viajavam Mência e suas filhas chegou ao litoral de Santa Catarina no dia 1º de janeiro de 1552. Seus ocupantes (80 homens e 40 mulheres e crianças) estavam exaustos, doentes e sem água potável. Outro navio da mesma expedição foi abordado no Atlântico por corsários franceses, mas os viajantes alcançaram a ilha de Santa Catarina pouco tempo depois.

A expedição foi dividida em duas, uma parte das pessoas seguindo por terra até Assunção, no Paraguai, e a outra parte, em que estavam Mência e as filhas, em uma embarcação ágil e veloz, um bergantim, até a baía de São Francisco do Sul. Lá, novamente, o grupo se dividiu: uma parte subiu o litoral em direção à capitania de São Vicente, e a outra permaneceu em São Francisco do Sul. Mência pertencia a esse segundo grupo e ficou vivendo no litoral catarinense, sob a liderança de Fernando de Trejo, até o ano de 1556.

Mência deixou um relato de suas experiências no Novo Mundo, reproduzido por Carlos Morla Vicuña no livro *Estudio historico sobre el descubrimiento de la Patagonia y la Tierra del Fuego*, editado em Leipzig, em 1903.

Fonte: Francisco de Assis Carvalho Franco, "Introdução", in Hans Staden, *Duas viagens ao Brasil.*

Mência de Moura (séc.XVII)

Senhora de engenho.

Mência era viúva de Cosme Dias da Fonseca e irmã de Isabel de Moura*. No dia 3 de julho de 1635, as tropas portuguesas sofreram severas perdas com o avanço dos invasores holandeses em Pernambuco, sendo obrigadas a abandonar a Vila Nova do Serinhaém, último refúgio da população civil. Os que puderam, empreenderam fuga para o sul. Mência de Moura juntou-se à multidão que fugia da ameaça dos holandeses.

Fonte: Henrique C.P. de Melo, *Pernambucanas ilustres.*

Mendecha Ferreira *ver* Francisca Ferreira

Mestre Inhola *ver* Pacífica Josefina de Castro

Micaela (sécs.XVII-XVIII)

Índia escrava.

Micaela, a Bastarda, viveu na vila de Itu, província de São Paulo. Embora tivesse sido alforriada no ano de 1703 por seu antigo senhor, Gonçalo de Pedrosa, recorreu à Justiça em 1721 para obter a liberdade. No seu recurso denunciou o prior do Carmo, que a forçava a trabalhar no Convento de São Luís, alegando que a viúva de Gonçalo legara seus índios ao convento, em escritura posterior ao testamento. Depois de várias audiências, o juiz Claudio Furquim de Abreu proferiu sentença favorável a Micaela, deixando-a livre e obrigando os padres a lhe pagarem pelos anos em que trabalhou. A indenização não foi paga, mas Micaela ganhou a liberdade.

Em fins do século XVII, a chegada de um ouvidor permanente a São Paulo permitiu que os próprios índios passassem a ser autores de petições, buscando a liberdade baseados na legislação em vigor, que proibia, então, o cativeiro de índios.

Fonte: John Manuel Monteiro, *Negros da terra: índios e bandeirantes nas origens de São Paulo.*

Mícia de Lemos (séc.XVI)

Acusada pela Inquisição de Lesbianismo.

Moradora de Salvador, casada, Micia tinha 46 anos na época da primeira visitação inquisitorial, em 1591, quando foi acusada de lesbianismo pelo Tribunal do Santo Ofício, por ter sido amante de Madalena Pimentel* durante 36 anos.

Fonte: Lígia Bellini, *A coisa obscura: mulher, sodomia e Inquisição no Brasil.*

Minas Horizontina (1897-1985)

Primeira criança nascida em Belo Horizonte.

Filha de uma costureira e do operário Luigi Canfora, de descendência italiana, Minas Horizontina nasceu na madrugada seguinte ao 12 de dezembro de 1897, dia em que a capital mineira, que até então era Ouro Preto, foi transferida para a vila em construção, ainda chamada oficialmente de Cidade de Minas, só recebendo o nome de Belo Horizonte em 1901. A vida de Minas não foi fácil, e é emblemática da trajetória de tantas crianças pobres desse país. Só freqüentou o curso primário e, aos 16 anos, casou-se com Generoso, descendente de índios e motorista em Belo Horizonte, com quem teve cinco filhas. Acabou mudando-se para a cidade do Rio de Janeiro, em busca de vida melhor.

Morreu em 1985, aos 87 anos, no Rio de Janeiro.

Fontes: Jô Moraes, *Rasgando o véu da Belo Horizonte mulher, Jornal do Brasil,* 12.12.1997.

Mira Schendel (1919-88)

Artista plástica.

Nasceu em Zurique, na Suíça, em 1919, descendente de família judia. Seu pai morreu na II Guerra Mundial. Estudou filosofia em Milão, Itália, onde iniciou sua carreira artística. Casou-se com um iugoslavo, com quem veio para o Brasil em 1949, com o nome de Mira Hargersheimer, naturalizando-se brasileira. Morou em Porto Alegre (RS) e depois transferiu-se para São Paulo (SP), em 1952, onde conheceu seu segundo marido, Knutt Schendel, com quem teve uma filha, Ada.

Mira enfrentou dificuldades até alcançar reconhecimento por seu trabalho. Além de ter que cumprir as tarefas domésticas, trabalhava como costureira para poder comprar as tintas e outros materiais de que precisava para pintar. Foi a partir de sua premiação na primeira exposição de arte moderna de Santa Maria (RS), em 1952, que pôde se dedicar inteiramente à atividade artística. Participou das bienais de São Paulo de 1951, 1955, 1963, 1965 e 1967, e da Bienal de Veneza de 1968, na qual foi aclamada por seus trabalhos. Hoje é referência obrigatória quando se fala em artes plásticas no Brasil.

Faleceu de câncer, em 24 de julho de 1988.

Fontes: Carlos Cavalcanti (org.), *Dicionário brasileiro de artistas plásticos*; Revista *Veja*, 13.4.1994; Walmir Ayala, *Dicionário de pintores brasileiros.*

Míriam Lopes Verbena (?-1972)

Ativista política, vítima da ditadura militar.

Militante do Partido Comunista Brasileiro Revolucionário (PCBR), Míriam foi morta no dia 8 de março de 1972, juntamente com Luís Andrade de Sá e Benevides, perto de Caruaru, em Pernambuco, por agentes da Polícia Federal. Segundo a versão do DOPS de Pernambuco, os dois teriam morrido em acidente de carro.

Fonte: Maria do Amparo Almeida Araújo et al., *Dossiê dos mortos e desaparecidos políticos a partir de 1964.*

Mirtes de Campos (c.1875-?)

Feminista, primeira mulher a advogar no Brasil.

Nasceu em Macaé (RJ) e estudou no Liceu de Humanidades de Campos (RJ), onde começou a se interessar pelo aprendizado das leis.

Enfrentou a oposição da sociedade e de sua família, que não aceitava a idéia de a filha fazer um curso superior, uma vez que naquela época o papel legado às mulheres era o de esposa e mãe. Mirtes, corajosamente, mudou-se para a então capital federal e entrou na Faculdade Livre de Ciências Jurídicas e Sociais do Rio de Janeiro, bacharelando-se em 1898.

Depois de formada, para ser reconhecida como advogada, era preciso obter o registro do diploma na Secretaria da Corte de Apelação do Distrito Federal e a inscrição no Tribunal da Relação do Estado. Com muita tenacidade enfrentou as resistências, sobretudo a do presidente da corte, o desembargador José Joaquim Rodrigues. A discriminação era muito forte e Mirtes levou anos para finalmente conquistar, em 1906, o direito a ingressar na Ordem dos Advogados do Brasil (OAB). Nesse mesmo ano teve sua primeira oportunidade de atuação no Tribunal de Júri, como advogada de defesa. O fato, totalmente inusitado para a época, foi amplamente divulgado e comentado nos jornais, gerando uma enorme expectativa em torno de seu desempenho profissional. Durante esse julgamento, Mirtes surpreendeu o juiz, os jurados e a platéia, com seu profundo conhecimento do Código Penal e sobretudo pelo seu poder de argumentação. Conseguiu a absolvição do réu, vencendo o promotor, que era tido como imbatível. Durante os anos seguintes, trabalhou como advogada da Assistência Judiciária e, na década de 1910, foi nomeada inspetora de ensino do então Distrito Federal.

Sua preocupação com o aprimoramento profissional levou-a a participar dos congressos jurídicos realizados no Rio de Janeiro em 1905, 1908 e 1922. Esse último foi dedicado às comemorações do centenário da Independência do Brasil e, como já estava engajada nas lutas feministas, aproveitou a oportunidade para defender seu trabalho sobre a constitucionalidade do voto feminino. Sua apresentação foi magnífica e sensibilizou os juristas presentes, que não só aprovaram sua tese como transformaram-na em resolução do congresso a favor da concessão do direito de voto às mulheres brasileiras. Meses depois, Mirtes se destacou no I Congresso Feminista Internacional, promovido pela recém-criada Federação Brasileira pelo Progresso Feminino* (FBPF) em 1922. O maior resultado desse encontro foi a deflagração, em todo o país, de uma campanha pelo sufrágio feminino.

A fama de Mirtes como brilhante advogada cresceu e, em 1924, assumiu o cargo de encarregada da jurisprudência do Tribunal de Apelação do Distrito Federal, no qual se aposentou em 1944. Colaborou intensamente com jornais e revistas, escrevendo sobre assuntos jurídicos, abordando especialmente a situação legal das mulheres. Suas principais obras são: *O voto feminino* (1929), *A propósito da mulher jurada* (1933) e *Os advogados brasileiros e a advocacia feminina* (1937).

Mirtes de Campos foi a pioneira no exercício de sua profissão no Brasil, porém outras mulheres se formaram antes dela. Foi o caso de Maria Fragoso, Maria Coelho e Delmira Secundina da Costa, em 1888, e Maria Augusta C. Meira Vasconcelos, em 1889, todas na Faculdade de Direito de Recife (PE).

Fontes: Mariana Coelho, *Evolução do feminismo*; Olmio Barros Vidal, *Precursoras brasileiras*; *Revista em Direito*, set-out/1998.

Moema (séc.XVI)

Índia.

Viveu nas terras da Bahia e consta que foi uma das mulheres índias do português Diogo Álvares Correia, o Caramuru. Reza a tradição que Moema suicidou-se por amor, pois quando Caramuru viajou para a França levando consigo a outra esposa, a sua irmã Catarina Paraguaçu*, jogou-se ao mar e nadou atrás do navio até se esgotarem suas forças. Os relatos históricos afirmam que Moema teve vários filhos com Caramuru, entre os quais Madalena Caramuru*, sua primogênita, uma das primeiras mulheres letradas do Brasil. Uma neta de Moema (filha de Madalena), chamada Isabel, casou-se no dia 22 de abril de 1582 com João Amarantes de Camões, sobrinho do poeta Luís de Camões.

Fonte: Gustavo Geraldo de Almeida, *Heróis indígenas do Brasil — memórias sinceras de uma raça.*

Moema Toscano (1927-)

Feminista e professora universitária.

Nasceu a 3 de janeiro de 1927 em Garibaldi (RS), filha de Adília de Oliveira Toscano e de José Toscano Netto. Fez o curso normal na cidade de Monte Negro (RS), formando-se em 1944 e indo lecionar em cidades do interior gaúcho. No final dos anos 40, foi fazer, em Porto Alegre, um curso de especialização em educação física para professoras primárias, conquistando o primeiro lugar, e como prêmio ganhou uma bolsa de estudos para a Escola Superior de Educação Física no Rio de Janeiro. Inquieta intelectualmente, após se formar, matriculou-se em ciências sociais na antiga Faculdade Nacional de Filosofia da Universidade do Brasil hoje (UFRJ).

Em sua turma havia 15 mulheres e três homens, mas, apesar de serem maioria, a representação do grupo era uma prerrogativa masculina. Moema, que já lia textos sociológicos abordando a condição feminina, resolveu se dedicar ao aprofundamento desse tema. Diplomou-se, em 1959, apresentando uma monografia sobre a inferioridade do papel feminino na sociedade, que serviu de base para o trabalho defendido um ano mais tarde no Congresso Nacional de Ciências Sociais, em Belo Horizonte (MG), intitulado "Mulher e subdesenvolvimento".

Lecionou sociologia na Faculdade de Filosofia até a promulgação do Ato Institucional nº 5, em dezembro de 1968, quando foi afastada sumariamente junto com outros colegas. Foi trabalhar, então, no Departamento de Sociologia da Pontifícia Universidade Católica do Rio de Janeiro (PUC/RJ), onde deu continuidade às pesquisas sobre a questão feminina. Em julho de 1975, quando várias cariocas organizaram a famosa semana de debates sobre o papel das mulheres na Associação Brasileira de Imprensa (ABI), Moema foi convidada para ser uma das palestrantes, sendo reconhecido seu esforço em desvendar a condição feminina no Brasil. A partir de então, engajou-se como militante do movimento de mulheres e, ao lado de Mariska Ribeiro, Branca Moreira Alves, Comba Marques Porto, Maria Luiza Heilborn, Maria do Espírito Santo (Santinha) e outras, fundou o Centro da Mulher Brasileira.

A partir da Conferência sobre a Mulher, organizada pelas Nações Unidas no México, o Congresso Nacional resolveu instalar uma Comissão Parlamentar de Inquérito (CPI) para levantar a real situação das mulheres brasileiras na família e no trabalho. Essa comissão funcionou durante dois anos e Moema, além de ter suas pesquisas usadas como referências bibliográficas dos trabalhos, foi uma das depoentes. Em 1976, defendeu sua tese de livre-docência, "Mulher, trabalho e política", na PUC/RJ.

Desde então, seu engajamento na luta feminista tem sido marcante no Centro da Mulher Brasileira, no Fórum Feminista do Rio de Janeiro e como conselheira do Conselho Estadual dos Direitos da Mulher (CEDIM).

Escreveu, em co-autoria com Miriam Goldenberg, *A revolução das mulheres*; com Fanny Tabak, *Mulher e política*. Publicou também *Um balanço do feminismo do Brasil*; *Igualdade na escola: preconceitos sexuais na educação*; e *Introdução à sociologia educacional*.

Moema Toscano é uma das precursoras dos estudos sobre a mulher brasileira na segunda metade do século XX.

Fonte: Entrevista de Moema Toscano concedida a Carmen Alveal em 1º de fevereiro de 1999.

Mônica e Felipa (séc.XVII)

Índias cativas.

Viviam na capitania de São Vicente. O registro de vida das irmãs Mônica e Felipa foi feito através de uma petição de Margarida Gonçalves, moradora daquela região e proprietária das índias, que em 1681 solicitava às autoridades coloniais a revogação da carta de alforria concedida por ela às duas irmãs. Nessa petição, Margarida alegava a ingratidão delas, que em posse da carta de libertação haviam abandonado o cativeiro e partido para a vila de São Paulo. Mônica e Felipa não quiseram esperar a morte da senhora para afinal viverem a tão sonhada alforria. Como tantas outras índias escravizadas, no século XVII, elas preferiram romper os laços com sua antiga proprietária e usufruírem imediatamente da liberdade.

Fonte: John Manuel Monteiro, *Negros da terra: índios e bandeirantes nas origens de São Paulo.*

N

Nair de Teffé (1886-1981)

Caricaturista e primeira-dama* do país.

Nasceu no Rio de Janeiro (RJ) em 10 de junho de 1886. Era filha de Joana Cristina von Hoonholtz e Antônio Luiz von Hoonholtz, barões de Teffé. Tinha dois irmãos mais velhos, Oscar e Álvaro.

Foi apresentada à sociedade aos sete anos de idade, em Roma, durante as comemorações da Independência, em 7 de setembro de 1893. Seu pai ocupava, então, o cargo de ministro plenipotenciário do Brasil. Aos nove anos de idade foi estudar em um internato de freiras, na França. Foi lá que começou a fazer as primeiras caricaturas, dando mostras de sua veia satírica. Posteriormente, estudou em quatro outros conventos localizados no sul da França e completou seus estudos em Paris.

Gostava de fazer *charges* de pessoas da alta sociedade: damas, cavalheiros, políticos, diplomatas, nobres e artistas, assinando-os com o nome de Rian, anagrama do seu prenome. Foram estas, ao que tudo indica, as primeiras caricaturas feitas por uma mulher brasileira na história do desenho nacional.

De volta ao Brasil, tornou-se amiga íntima de Laurinda Santos Lobo*, a "marechala da moda". Passou a colaborar com os periódicos cariocas *A Careta*, *O Malho*, *Vida Doméstica*, *Fon-Fon*, *Revista da Semana*, *Excelsior* e *Gazeta de Notícias*, além da *Gazeta* de Petrópolis. Também colaborou com várias revistas francesas.

Em 1910, foi apresentada pelo poderoso político Pinheiro Machado ao filho do presidente da Argentina, Fernan Saens Peña, que passou a freqüentar sua casa, na condição de noivo. Pouco depois ele partiu para a Europa, passando os dois a se corresponder intensamente. Mas Nair soube que Fernan estava levando uma vida desregrada em Paris e resolveu terminar o noivado.

Em 1912, começou a estudar canto com uma ex-cantora chamada Pallermine. Nair foi censurada pela professora por ter se apresentado no Jeremias Café e Restaurante. Nesse mesmo ano expôs suas caricaturas pela primeira vez nos salões do *Jornal do Commercio*.

Em janeiro de 1913, durante uma estada em Petrópolis com sua família, foi pedida em casamento pelo presidente da República, Hermes da Fonseca, que havia recentemente perdido a esposa, Orsina da Fonseca*. Seu irmão Álvaro, grande amigo do marechal Hermes, era secretário da presidência da República. No dia 6 de setembro daquele ano, o noivado tornou-se público em uma festa no Palácio Monroe. No dia seguinte, em pleno Campo de Santana, no palanque presidencial armado para o desfile militar de 7 de setembro, Nair foi apresentada ao mundo oficial e diplomático como a noiva do presidente da República. Anunciou-se então o casamento para 8 de dezembro daquele ano. A cerimônia realizou-se em Petrópolis, no Palácio Rio Negro.

Como primeira-dama do país, promoveu, no Palácio do Catete, numerosos saraus. Ali se apresentavam artistas que tocavam ritmos e instrumentos populares, como o violão, considerado, pelos críticos, "instrumento inseparável de boêmios e baderneiros". Um desses artistas convidados por Nair foi Catulo da Paixão Cearense, o grande seresteiro nordestino. Os eventos sociais promovidos por Nair quase sempre geravam críticas ácidas a ela, que partiam, principalmente, de Rui Barbosa, então senador. Um desses eventos memoráveis foi a famosa noite do "Corta-jaca", quando o maxixe composto pela maestrina Chiquinha Gonzaga* foi executado nos salões do palácio presidencial. Sobre essa noite, Nair escreveu, anos depois:

> "Naquele tempo, a música popular brasileira (o xote, o maxixe e as modinhas) ainda não havia explodido na sua autêntica manifestação folclórica. Predominavam as valsas, polcas, canções e trechos de óperas e operetas, cantadas em alemão, italiano, francês e outros idiomas. Eu mesma só cantava músicas estrangeiras. Catulo, depois do estrondoso sucesso alcançado no recital realizado no Palácio do Catete, pediu-me para interpretar alguma música nossa. Não havia partitura para piano e violão das músicas de nossos compositores daquela época. Catulo falou com Chiquinha Gonzaga (...) que compôs especialmente para mim o famoso 'Corta-jaca', com partitura para violão e piano. Tive como mestre de violão o professor Emílio Pereira. (...) Preparada por ele, caprichei um repertório bem brasileiro e convidei os nossos amigos para um recital de lançamento do 'Corta-jaca'. Chiquinha Gonzaga não compareceu porque estava adoentada. Lancei o 'Corta-jaca' entre os aplausos alegres dos convidados. Foi uma noite 'prafrentex'! No dia seguinte, foi aquele Deus nos acuda... a turma do 'contra' usou o 'Corta-jaca' numa girândola de pilhérias sediças e bombásticas, contra mim e o marechal, numa campanha injusta e abominável sob a 'batuta' do oráculo do civilismo. As críticas eram envolvidas em escabrosas piadas de mau gosto. O movimento da música popular brasileira, de ontem e de hoje, deve a Catulo da Paixão Cearense, poeta e seresteiro, o ingresso nos salões da sociedade a partir do 'Corta-jaca' de Chiquinha Gonzaga. A nossa música tem as suas origens e raízes nas danças e cânticos dos escravos. Sua adoção na sociedade era quase impossível. (...) Rui Barbosa aproveitou o lançamento do 'Corta-jaca' para inserir nos anais do Senado a sua costumeira verborragia, na sessão do dia 11 de novembro de 1914, babando contra mim a sua orgulhosa catilinária de insopitável ódio ao governo. As pedras que ele me atirou não me atingiram. Elas (...) só serviram para assinalar a luta que enfrentei contra os preconceitos de então."

Pouco depois de deixar o Catete, com o término do mandato de Hermes da Fonseca, Nair sofreu um acidente que lhe causou esmagamento do fêmur e foi fazer tratamento na Europa. Depois do mandato presidencial, Hermes da Fonseca, pressionado pelo amigo Pinheiro Machado, candidatou-se ao Senado com o intuito de derrotar o candidato de Rui Barbosa. Quando seu amigo foi assassinado, Hermes da Fonseca renunciou e partiu para a Europa com Nair e os pais dela.

Retornaram ao Brasil em 1920, quando Hermes da Fonseca foi eleito presidente do Clube Militar. Inimigo político do governo, foi preso, dia 3 de julho de 1922, a mando do presidente Epitácio Pessoa. Nair pediu para ser presa junto com ele, mas não foi atendida. Hermes conseguiu um *habeas corpus* a 6 de janeiro de 1923 e morreu logo em seguida.

Com a morte do marido, Nair deprimiu-se e perdeu o entusiasmo pelas artes. Começou a participar de festas de caridade e só voltou a fazer caricaturas em 1926. Pouco tempo depois, perdeu, também, o pai e a mãe. Sentindo-se sozinha, decidiu adotar três crianças, Carmem, Tânia e Paulo, com as quais foi morar em um sítio em Pendotiba, Niterói. No final dos anos 70, embora muito idosa, ainda encontrava ânimo para participar das comemorações do 8 de março — Dia Internacional da Mulher —, organizadas pelo movimento feminista de Niterói.

Escreveu seu livro de memórias quando estava com 88 anos.

Faleceu em 10 de junho de 1981.

Fontes: Nair de Teffé Hermes da Fonseca, *A verdade sobre a revolução de 1922*; Enciclopédia *Nosso Século*; Herman Lima, *Nossa primeira caricaturista: Nair de Teffé*.

Nair Teodora de Araújo (1931-84)

Atriz, ativista do movimento negro e produtora cultural.

Nasceu em 22 de junho de 1931, em Dores do Indaiá (MG). Mais tarde, mudou-se com a família para São Paulo. Fez o Curso Normal e optou por estudar canto lírico e arte dramática, integrando os corais Corbi e o da Igreja Metodista. Como atriz, participou da organização do Teatro Experimental do Negro de São Paulo, atuando no musical *O cordão* e na peça *África*. Também atuou em *Os ossos do Barão* e em *Vereda da salvação*, nesta dirigida por Antunes Filho, e no Teatro de Arena, onde fez *Arena canta Zumbi*.

Dirigiu o Departamento de Cultura da Associação Cultural do Negro, fundada por José Correia Leite. Escreveu para *O Clarim da Alvorada*, jornal da entidade, e foi sistematicamente convidada para debates no rádio e na televisão, além de proferir palestras sobre a questão racial em escolas e universidades. Teve uma intensa militância no movimento negro, lutando por dignidade e melhores condições de vida para seus integrantes. Tornou-se livreira, fazendo da livraria Contexto, em São Paulo (SP), ponto de encontro de amigos e intelectuais. Escreveu poemas que permanecem ainda inéditos.

Faleceu em 20 de maio de 1984.

Fonte: Marta Helena Araújo Ferreira, *Olhar o futuro sem barreiras.*

Nara Leão (1942-89)

Cantora.

Nasceu em Vitória (ES) em 19 de janeiro de 1942, filha do casal capixaba Altina Loffego Leão e Jairo Leão. Quando tinha um ano de idade, Nara Loffego Leão mudou-se com a família para o Rio de Janeiro.

Em 1954, aprendeu violão com o violonista e cantor Patrício Teixeira, passando em seguida a estudar com Roberto Menescal. Entre 1957 e 1959, ainda como amadora, participou de shows universitários com o pessoal da bossa nova, movimento que estava se iniciando. Trabalhava, ao mesmo tempo, como repórter no jornal *Última Hora*. Seu apartamento na Avenida Atlântica tornou-se um ponto de encontro de compositores e cantores. Nara só estreou como profissional em 1963, ao lado de Vinícius de Morais e Carlos Lira, na comédia musical *Pobre menina rica*. Ainda nesse ano, fez suas primeiras gravações para a trilha sonora do filme *Ganga Zumba*, de Cacá Diegues, e teve participação no disco *Depois do Carnaval*, de Carlos Lira.

Em 1964, gravou o primeiro LP (*Nara*) lançando músicas que se tornariam sucessos: "Diz que eu fui por aí" (Zé Keti e H. Rocha) e "O sol nascerá" (Cartola e Élton Medeiros), entre outras. No segundo LP (*Opinião de Nara*) gravou a música de Zé Keti que deu origem ao célebre show *Opinião*, de Gianfrancesco Guarnieri e Augusto Boal, que Nara fez ao lado de Zé Keti e João do Vale. O espetáculo denunciava a pobreza das massas desvalidas e foi uma atitude ousada para 1964, ano da chegada dos militares ao poder. Foi um sucesso retumbante que revelou ao país a cantora Maria Betânia*, quando esta substituiu Nara.

Em 1965, participou da peça *Liberdade, liberdade* de Flávio Rangel e Millor Fernandes. No auge da carreira, interpretou, com Chico Buarque, a música "A banda", composta por ele para o II Festival da Música Popular Brasileira da TV Record, ganhando o primeiro lugar, em empate com "Disparada", de Geraldo Vandré e Téo de Barros.

Entre 1966 e 1967, com o sucesso nos festivais, teve, com Chico Buarque, um programa semanal na TV Record, *Pra ver a banda passar*. Aderiu ao movimento tropicalista que surgia em 1968, gravando o LP *Tropicália ou Panis et circenses*, ao lado de Gal Costa*, Caetano Veloso e Gilberto Gil.

Nara estava no ápice da carreira e do engajamento político. Suas declarações na imprensa irritavam os militares, que ameaçaram prendê-la. Foi defendida por artistas de todas as áreas. O poeta Carlos Drummond de Andrade escreveu um poema bem-humorado, com o título de "Apelo", no *Jornal do Brasil*, mostrando o absurdo desta prisão.

As ameaças fizeram Nara viajar para Paris em 1969. Na França, continuou a gravar discos. Dois anos depois retornou ao Brasil e, em 1972, atuou, ao lado de Maria Betânia e Chico Buarque, no filme *Quando o carnaval chegar*, de seu marido Cacá Diegues.

Com mais de dez LPs gravados, Nara participou de todos os movimentos musicais brasileiros de seu tempo, sendo considerada a musa da bossa nova. Um dos seus grandes méritos foi o trabalho coletivo com compositores e cantores.

Faleceu no Rio de Janeiro em 7 de junho de 1989, em conseqüência de um tumor no cérebro.

Fontes: *Enciclopédia da música brasileira: popular, erudita e folclórica*; *Jornal do Brasil*, 7/5/1999; Artur da Távola, *Nara Leão — o canto da resistência*.

Narcisa Amália de Campos
(1852-1924)
Poetisa e jornalista.

Nasceu em São João da Barra, região norte fluminense, em 3 de abril de 1852, filha de Narcisa Inácia de Campos, professora primária, e do poeta Jacome de Campos. Ainda criança, mudou-se com a família para Resende, também no estado do Rio de Janeiro. Foi aí que Narcisa casou-se, aos 14 anos, com João Batista da Silveira, artista ambulante. O casamento não durou muito tempo.

No ano de 1872, Narcisa publicou o seu primeiro e único livro de poesia, o romântico *Nebulosas*, que recebeu excelente acolhida nos meios literários brasileiros. Casou-se novamente com Francisco Cleto da Rocha, proprietário de uma padaria na mesma cidade. Ao lado de suas atividades domésticas, ela colaborava com a imprensa local, nos jornais *A Imprensa* e *A República*. Dirigiu o periódico *A Gazetinha: folha dedicada ao belo sexo*. Foi precursora na defesa dos direitos da mulher e da abolição da escravidão na imprensa local.

A poesia de Narcisa foi tão reconhecida por sua qualidade, que o imperador D. Pedro II, em visita a Resende, manifestou o desejo de conhecer a escritora pessoalmente. Contaram os cronistas que o imperador caminhou até a padaria onde Narcisa morava e trabalhava, para ouvir de sua própria voz alguns de seus poemas.

Com o fracasso do segundo casamento, Narcisa deixou Resende e foi morar no Rio de Janeiro. Passou a viver de seu trabalho, ensinando e escrevendo para jornais e revistas. Formou um novo círculo de amizades e foi uma das primeiras mulheres a se profissionalizar como jornalista. Era conhecida e admirada pelos meios literários, embora não tivesse publicado outro livro. Contudo, alguns críticos acusaram-na de não ser a verdadeira autora de *Nebulosas*. Um estudo aprofundado, publicado em 1949, portanto, 25 anos após sua morte, deu a Narcisa o justo crédito pela obra.

Faleceu no Rio de Janeiro, em 24 de junho de 1924, cega e paralítica.

Fontes: Heloísa Buarque de Holanda e Lúcia Nascimento Araújo, *Ensaístas brasileiras*; Sílvia Paixão, *A fala-a-menos*; Zahidé L. Muzart, *Escritoras brasileiras no século XIX*; Maria T.C. Crescenti Bernardes, *Mulheres de ontem?*.

Narcisa Ribeiro (séc.XVIII)
Escrava.

Viveu em Vila Rica de Ouro Preto (MG) e pertencia ao sacristão Diogo Pereira.

Entre 1748 e 1749 foi submetida a uma devassa, em razão do escândalo que causavam seus modos e por andar pela cidade "bem tratada com saias de camelão e chinelas, como se fosse senhora". A condenação às atitudes de Narcisa Ribeiro se explica pelos altos preços da comida e das vestimentas nos núcleos urbanos, paradoxalmente pobres, das Minas Gerais no auge da extração de ouro.

Os autos do processo de devassa movido contra Narcisa Ribeiro afirmam também que a mesma não costumava ouvir missas, "ao mesmo tempo que tem vestidos e está rindo e folgando". Em outros termos, Narcisa conseguiu, com os poucos meios de que dispunha, contornar a opressão social a ela imposta por sua condição de mulher negra escrava.

Fonte: Laura de Mello e Sousa, *Os desclassificados do ouro*.

Natércia da Silveira (séc.XX)
Sufragista e advogada.

Natércia Silveira Pinto da Rocha nasceu no Rio Grande do Sul, mas viveu boa parte de sua vida no Rio de Janeiro, onde participou do movimento em prol do voto feminino nas primeiras décadas do século XX.

No final da década de 1920, disputou com Bertha Lutz* a liderança do movimento de mulheres, mas foi sobretudo o apoio irrestrito de Natércia ao candidato da Aliança Liberal à presidência da República, em 1929, que provocou a ruptura entre ambas. Durante a campanha, Natércia participou de um comício da Aliança Liberal, em apoio a Getúlio Vargas e João Pessoa, quando discursou contra o governo de Washington Luís. Bertha considerou que este tipo de engajamento partidário poderia comprometer a luta feminina pelo voto. A divergência aberta entre as duas feministas levou Natércia a deixar a Federação Brasileira pelo Progresso Feminino* (FBPF) e fundar uma associação, a Aliança Nacional de Mulheres, em 1931, pouco depois de ter representado o estado do Rio Grande do Sul no segundo congresso da Federação, no Rio de Janeiro.

Segundo relatou Natércia em depoimento anos depois, a Aliança Nacional de Mulheres chegou a ter cerca de três mil sócias e teve grande repercussão entre as mulheres operárias, graças à assistência jurídica prestada a elas. Entre as atividades promovidas pela entidade, houve um congresso feminista, realizado em Belo Horizonte (MG) em 1931, no qual se destacou também a advogada mineira Elvira Komel*. A Aliança Nacional de Mulheres foi muito ativa no cenário político até novembro de 1937, quando o decreto do Estado Novo fechou o Congresso Nacional e os partidos políticos. A partir de então, o movimento de mulheres não teve mais a mesma força e organização. Natércia deu continuidade a sua vida profissional atuando como advogada no fórum carioca. Em 1945, tentou retornar à vida política, candidatando-se à Câmara dos Deputados pelo estado do Rio Grande do Sul, na legenda do Partido Libertador (PL), mas não se elegeu. De fato, nem Natércia, nem qualquer outra mulher, conseguiu se eleger para o legislativo federal no pleito de 1945.

Fontes: TSE, *Dados estatísticos*; Mariana Coelho, *Evolução do feminismo — subsídio para sua história*; Branca Moreira Alves, *Ideologia e feminismo — A luta da mulher pelo voto no Brasil*; Conselho Nacional dos Direitos da Mulher, 1986.

Neci Novais (1908-)

Política.

A professora Neci dos Santos Novais nasceu na cidade de São Paulo em fevereiro de 1908, filha de Francisca Junqueira dos Santos e de Filipe dos Santos. Professora, foi casada com o político baiano Manuel Cavalcanti de Novais, deputado em várias legislaturas desde o ano de 1934. Em 1965, Neci concorreu pela primeira vez a uma vaga na Câmara dos Deputados como representante da Bahia. Elegeu-se deputada federal para a legislatura de 1966/1970. Com a extinção dos partidos políticos pelo Ato Institucional nº 2, de 27 de outubro de 1965, e a instituição do bipartidarismo, ingressou na Aliança Renovadora Nacional (Arena), partido de sustentação das forças militares, acompanhando a atitude política de seu marido. Reelegeu-se por essa legenda para a legislatura de 1970/74. Voltou a se candidatar em 1974, mas obteve apenas a 18ª suplência.

Fonte: Alzira Abreu e Israel Beloch, *Dicionário histórico-biográfico brasileiro*.

Negras

Analisar os diferentes papéis desempenhados pelas mulheres negras ao longo da história do Brasil é acima de tudo louvar a abrangente e definitiva herança africana na formação do país.

O tráfico negreiro se organizou inicialmente em torno da crescente demanda de mão-de-obra dos numerosos engenhos de açúcar do Nordeste. Eram freqüentes as viagens triangulares entre a Europa, a costa ocidental da África e o Brasil. Desde o século XVI, essa rota esteve, principalmente, sob o domínio de navegadores portugueses e espanhóis, sendo adotada em seguida por holandeses, que disputavam com franceses e ingleses a rentável atividade escravista.

Transportavam, sucessivamente, mercadorias de resgate. As moedas de troca na África eram, nos primeiros tempos, miçangas, vidrilhos, panos, armas e utensílios de ferro, substituídas depois pelo fumo e aguardente de cana, já produzidos no Brasil. Traziam então homens e mulheres como escravos e levavam açúcar. Os horrores destas travessias estão descritos em numerosos relatos de época. As mortes atingiam até 40% dos embarcados, que sucumbiam à fome, sede, doenças e crueldades. Os muitos naufrágios por excesso de peso refletiam a ambição e os conseqüentes erros de cálculo dos comandantes.

1

2

3

4

5

6

- *Negras*
  Algumas atividades urbanas das mulheres negras no séc.XIX, por Debret.

- Uma vendedora de doces do séc.XIX, por Debret.

- Uma vendedora de folhas de bananeira do séc.XIX, por Debret.

- Cenas de uma fazenda carioca do séc.XIX, por Debret.

- *Nicolina de Assis*
  Uma das primeiras escultoras do Brasil.

- *Nair de Teffé*
  Caricaturista e primeira-dama do país, introduziu a música popular brasileira no Palácio do Catete na década de 1910.

7

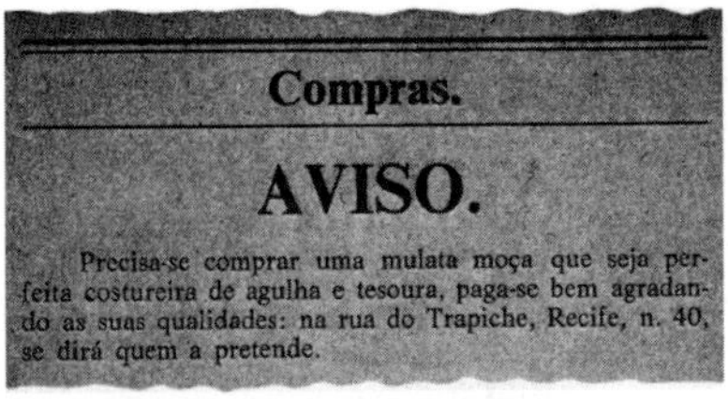

Compras.

AVISO.

Precisa-se comprar uma mulata moça que seja perfeita costureira de agulha e tesoura, paga-se bem agradando as suas qualidades: na rua do Trapiche, Recife, n. 40, se dirá quem a pretende.

8

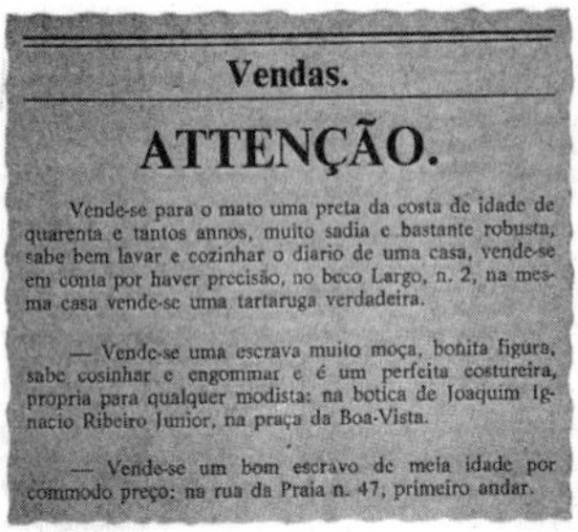

Vendas.

ATTENÇÃO.

Vende-se para o mato uma preta da costa de idade de quarenta e tantos annos, muito sadia e bastante robusta, sabe bem lavar e cozinhar o diario de uma casa, vende-se em conta por haver precisão, no beco Largo, n. 2, na mesma casa vende-se uma tartaruga verdadeira.

— Vende-se uma escrava muito moça, bonita figura, sabe cosinhar e engommar e é um perfeita costureira, propria para qualquer modista: na botica de Joaquim Ignacio Ribeiro Junior, na praça da Boa-Vista.

— Vende-se um bom escravo de meia idade por commodo preço: na rua da Praia n. 47, primeiro andar.

9

10

11

12

7 e 8 • *Negras*
Anúncio de compra e venda de escravas nos jornais do séc.XIX

9 • Foto em anúncio de compra e venda de escravos nos jornais do séc.XIX.

10 • Mães-de-santo baianas.

11 • *Nara Leão*
A musa da bossa nova.

12 • *Natércia da Silveira*
Advogada e sufragista gaúcha do começo do séc.XX.

Para garantir o tráfico ao longo de quatro séculos, o governo português construiu na costa africana várias fortalezas e impôs inúmeras regulamentações, determinando as condições e responsabilidades sobre esse comércio. Pressionado pela Igreja, igualmente beneficiada, estabeleceu e elevou reiteradas vezes os valores dos direitos cobráveis pela Fazenda Real. Em 1755, o marquês de Pombal proibiu o encaminhamento de escravos para o próprio Reino, mas não para o Brasil, onde, ao contrário, financiou novas companhias. A primeira promessa oficial de abolição foi feita no Tratado de Aliança e Amizade, celebrado com a Inglaterra em 1810.

Documentos de 1660 registram que a população brasileira contava com 184.000 habitantes: 74.000 brancos e 110.000 negros. Em 1816 calcula-se em 3.358.500 indivíduos: 1.428.500 livres, inclusive forros e forras, e 1.930.000 cativos. Chegaram ao Brasil, durante o período de escravidão, mais de 3.600.000 africanos, provenientes de diferentes nações. Sobre essa variedade cultural, Roger Bastide afirmou que "a África enviou ao Brasil criadores e agricultores; homens e mulheres das florestas e das savanas; membros de civilizações de casas redondas e de casas retangulares; sociedades totêmicas, matrilineares e patrilineares; nobres de vastos reinados e outros que pertenciam a simples organizações tribais; sistemas religiosos politeístas, islamizados, animistas e sobretudo adoradores de ancestrais de linhagens".

Os primeiros grupos de mulheres africanas desembarcaram na Bahia por volta de 1550. Eram de origem banto e procediam, em sua maioria, dos Reinos do Congo, Dongo e Benguela. Trouxeram com seus companheiros um riquíssimo patrimônio civilizatório, transmitiram e expandiram tradições ancestrais que influenciaram, entre outros, a língua, os costumes, a alimentação, a medicina e a arte no Brasil. Introduziram métodos agrícolas aperfeiçoados, transplantaram vários produtos que, graças aos seus cuidados, se aclimararam perfeitamente e foram assimilados na culinária de toda a população. Com seus fortíssimos valores coletivos marcaram toda a formação social brasileira.

A mão-de-obra escrava dos primeiros tempos serviu, principalmente, ao ciclo açucareiro. Sofreram com a falta de roupa e alimentos, foram marcados a ferro quente e subjugados a açoites e mutilações. Diante das péssimas condições de vida que lhes impunham os colonizadores e o tratamento desumano a que eram submetidos, logo empreenderam escapadas e rebeliões. Conflitos pessoais transformados em coletivos levaram, já no ano de 1572, a revoltas e fugas em massa. Inspirados na resistência comandada pela Rainha Nzinga Mbandi Ngola Kiluanji do Ndongo — a Rainha Ginga, eternizada nas congadas — contra os portugueses, um grupo de negros e negras fugitivos se juntaram ao líder Ganga Zumba e, em 1604, subiram a Serra da Barriga (AL), lançando ali as bases do primeiro estado negro livre brasileiro, o Quilombo dos Palmares, onde habitaram durante quase todo o século XVII. A história registrou Aqualtune* como uma das grandes lideranças desta região, símbolo das centenas de mulheres negras anônimas que viveram livres nos muitos quilombos formados no interior do país.

As quilombolas se destacaram no comando e na luta pela manutenção da nova realidade comunitária conquistada, enquanto as escravas permaneciam sem direito a uma existência própria. Segundo Sônia Giacomini, as mulheres cativas, apesar de estarem inseridas, como os homens, em tarefas produtivas, tinham a função de reprodutoras, o que não permitia a realização do lucro esperado. Desta forma eram freqüentemente destinadas às necessidades e solicitações da casa-grande, servindo, entre outras atribuições, como objeto sexual e ama-de-leite.

Em uma sociedade patriarcal, onde o poder e a vontade dos homens era imperativo e os desejos sexuais no casamento cerceados por regras morais e valores religiosos, as escravas eram obrigadas a satisfazer a libido tanto do senhor quanto de seus filhos, sendo submetidas a todo tipo de fantasias. As senhoras, por sua vez, sentiam os laços abençoados e sacramentados da família ameaçados por este tipo de prática, tornando-se por vezes mais cruéis do que os feitores. Essa condição deu origem ao mito da negra ultra-sexualizada, que ardilosamente seduz a todos.

As mulheres negras alimentaram gerações e gerações de crianças brancas, sendo, muitas vezes, forçadas a abandonar os próprios filhos em favor daqueles das sinhás. Dessas amas-de-leite nasceu a tão popular imagem das mães pretas.

Durante o século XVIII, o ciclo do ouro estimulou nas zonas de mineração e nos núcleos urbanos o crescimento do comércio ambulante de gêneros alimentícios. A documentação colonial comprova que esta era uma atividade preponderantemente feminina. As mulheres vendiam sobretudo leite, aguardente, refrescos, bolos, mel e pastéis. As forras o faziam para seu próprio sustento e as cativas para seus senhores, sendo denominadas escravas de ganho. Na capitania de Minas Gerais foram perseguidas sob a acusação de facilitar o contrabando de ouro e diamantes, devido ao contato direto que mantinham com os escravos mineradores. O historiador Luciano Figueiredo afirma que, tal como acontecia na metrópole, "o pequeno comércio incorporou — e o estado protegeu — numerosas mulheres com dificuldades de sobrevivência interessadas em escapar do meretrício". As chamadas negras do tabuleiro tornaram-se um dos maiores ícones de brasilidade, pois são as ancestrais das baianas vendedoras de acarajé.

O final do século XVIII e início do século XIX registra a chegada de grande quantidade de negras e negros daomeanos, nagôs e haúças. Estes povos foram os principais responsáveis pela estruturação dos cultos africanos que predominaram no Brasil. Apesar das permanentes perseguições que sofreram e da imposição do cristianismo aos escravos, souberam sustentar e popularizar suas crenças. Especialmente o modelo nagô permeou todos os outros grupos, consolidando assim os valores da tradição iorubá, onde as mulheres ocupam o lugar de uma peculiar liderança. A Bahia viu nascer em torno de 1830 o primeiro terreiro de candomblé a funcionar regularmente no país. Pierre Verger descreve que "várias mulheres enérgicas e voluntariosas, originárias de Kêto, antigas escravas libertas, pertencentes à Irmandade de Nossa Senhora da Boa Morte da Igreja da Barroquinha, teriam tomado a iniciativa de criar um terreiro chamado *Iyá Omi Asè Aira Intilé*". Esse recebeu posteriormente o nome de Ilê Iyá Nassô e foi a origem de todos os grandes terreiros nagôs do Brasil, sendo tombado pelo Patrimônio Histórico como Casa Branca do Engenho Velho, na década de 1980. Três africanas conduziram a fundação desta casa: Iá Nassô*, Iá Calá e Iá Adetá. As mães em santidade, ditas ialorixás, além de sacerdotisas, representam a memória e a resistência da milenar cultura negra.

Na segunda metade do século XIX foram assinadas, pelas mãos de uma mulher, as principais leis que enterraram oficialmente a escravidão no país: a Lei do Ventre Livre em 28 de setembro de 1871 e a Lei Áurea em 13 de maio de 1888. A Princesa Isabel* proclamou finalmente a vitória das gerações de brasileiras que durante séculos conspiraram com bravura pela abolição.

As mulheres negras e livres saíram da senzala para os cortiços, continuaram dignamente cozinhando, alimentando, costurando, bordando, plantando, colhendo, lavando, passando, limpando, esfregando, criando, cuidando, abençoando, curando, sambando, cantando e gerando com dor e alegria novas esperanças para seus descendentes.

Entraram no século XX viabilizando a emancipação de tantas outras mulheres que, como elas, eram responsáveis pelas tarefas domésticas. Eram em sua grande maioria analfabetas, pois não tinham acesso à educação, e subempregadas, uma vez que as imigrantes ocupavam o mercado de trabalho industrial. Contudo, marcaram presença, mesmo em minoria, nos principais acontecimentos da recém-instaurada República. Estiveram representadas nas primeiras eleições onde o voto feminino foi legitimado. A catarinense Antonieta de Barros* assumiu um mandato popular, após ser uma das nove deputadas estaduais eleitas em 1934.

O Ano Internacional da Mulher, 1975, foi um divisor de águas também para as mulheres negras. Formularam e divulgaram um extenso documento que evidenciava a opressão e a exploração a que ainda estavam sujeitas. A partir daí proliferaram movimentos específicos que reuniam diferentes grupos em torno das reivindicações feministas. Destacaram-se, entre outros, a Casa de Cultura Dandará (MG); o Coletivo de Mulheres Negras da Bahia (BA); o Grupo de Mulheres Mãe Andrezza (MA); o Aqualtune (1979); o Luiza Mahin* (1980) e o Grupo de Mulheres Negras do Rio de Janeiro (1982).

Em 16 de junho de 1983, Lélia Gonzalez*, Jurema Batista, Geralda Alcântara e muitas outras fundaram o Nzinga Coletivo de Mulheres Negras que, no Rio de Janeiro, agrupou mulheres do movimento negro, das associações de moradores e do movimento de favelas. Em São Paulo, no mesmo ano, Thereza Santos cria o Coletivo de Mulheres Negras. Em Santos, Alzira Rufino organiza, em 1986, o Coletivo de Mulheres Negras da Baixada.

Surge em São Paulo (1988) o Geledés Instituto da Mulher Negra, cuja proposta é a atualização e adequação de matrizes culturais negro-africanas frente às necessidades contemporâneas da luta das mulheres negras. Sua estratégia de ação foi estruturada em torno de três programas básicos: Programa de Direitos Humanos/SOS Racismo, Programa de Saúde e o Programa de Comunicação.

A 30 de junho de 1990 foi inaugurada a Casa de Cultura da Mulher Negra de Santos. Esta entidade promoveu o I e II Encontro das Mulheres Negras da Baixada Santista e foi ainda o representante não governamental do Brasil na Conferência Mundial dos Direitos Humanos (1993) em Viena, na Áustria.

Em 2 de setembro de 1992, foi fundado no Rio de Janeiro o Crioula, instituição que é conduzida por mulheres negras de diferentes formações. Trabalham com adolescentes e meninas negras e promovem oficinas, cursos e treinamentos; desenvolvem projetos de saúde; fazem publicações; ministram cursos de profissionalização e mantêm programas que visam a defesa e a garantia dos direitos humanos. Em abril de 1997, nasceu, em São Paulo, o Fala Preta! Organização de Mulheres Negras, cujo objetivo principal é a promoção do desenvolvimento sustentável, buscando a eliminação de todas as formas de discriminação e violência.

Fontes: Benedita da Silva, *Nós, mulheres negras*; Helena Theodoro, *Mito e espiritualidade: mulheres negras*; Henrique Cunha Júnior, "História africana, para educadores" *Revista do CNTE*, 1998; Marco Aurélio de Oliveira Luz, *Agadá: dinâmica da civilização africano-brasileira*; Monique Augras. *O duplo e a metamorfose. A identidade mítica em comunidades nagô*; Pierre Verger, *Bori, primeira cerimônia de iniciação ao culto dos òrìsà nàgó na Bahia*; Roger Bastide, *Estudos afro-brasileiros*; Sônia Maria Giacomini. *Mulher e escrava. Uma introdução histórica do estudo da mulher negra no Brasil* • Elaborado por Helena Theodoro, doutora em filosofia, professora de cultura brasileira, UGF, Rio de Janeiro, e Érico Vital Brazil.

Nélida Piñon (1935-)

Escritora e primeira mulher a presidir a Academia Brasileira de Letras.

Nélida Cuiñas Piñon nasceu no Rio de Janeiro (RJ) em 3 de maio de 1937, filha dos imigrantes espanhóis Olívia Cuiñas Piñon e Lino Piñon Muiños, radicados no Brasil desde a década de 1920. Quando tinha 10 anos, mudou-se com a família para a região da Galícia, Espanha, onde viveu por dois anos. Ao regressar ao Rio, estudou jornalismo na Pontifícia Universidade Católica e fez estágio no jornal *O Globo*. Lecionou na Faculdade de Letras da Universidade Federal do Rio de Janeiro, onde inaugurou a disciplina de criação literária.

Estreou nas letras escrevendo o romance *Guia-mapa de Gabriel Arcanjo*, publicado em 1961. Além desse, escreveu *Madeira feita cruz* (1963), *Fundador* (1969) e *A força do destino* (1978), entre outros livros de contos, crônicas e histórias infantis, sendo seu maior sucesso *A República dos sonhos* (1984). Várias obras escritas por Nélida — pertencente ao movimento que, depois de Guimarães Rosa, se orientou pela renovação formal da prosa, mas distinguindo-se pela tendência psicológica e existencialista — foram traduzidas em outros países. Seu ensaio sobre a criação literária, *O ritual da arte* (1998), está entre os mais importantes sobre teoria literária. Inúmeras vezes premiada, pertence ao PEN Clube Internacional e Instituto Brasileiro de Cultura Hispânica.

Foi correspondente da revista *Mundo Nuevo*, editora-assistente da revista *Cadernos Brasileiros* e membro de inúmeros conselhos consultivos, entre os quais o da revista *Tempo*

Brasileiro, entre 1976 e 1993. Presidiu a Associação de Amigos da Casa de Cultura Laura Alvim*.

Em 1990, candidatou-se a uma vaga na Universidade de Miami, ficando entre os cinco finalistas, dentre 80 concorrentes. Assumiu a cátedra no ano seguinte, sempre ministrando o curso de literatura comparada para alunos de pós-graduação. Ainda pela Universidade de Miami, participou de inúmeros debates, encontros e palestras.

Nomeada em 1993 pelo presidente da República, Fernando Henrique Cardoso, participou do extinto Conselho Nacional de Política Cultural. Em 1995 conquistou, no México, o Prêmio Juan Rulfo, considerado o Nobel da literatura latino-americana. Ainda nesse ano, integrou o Conselho Nacional dos Direitos da Mulher. Pertencente à Academia Brasileira de Letras (ABL) desde 1989, foi eleita presidente dessa instituição em 1996, afastando-se temporariamente da Universidade de Miami. Ao assumir a presidência da ABL, tornou-se a primeira mulher a ocupar esse posto. Em seu discurso de posse, afirmou: "é como mulher, escritora, cidadã brasileira que hoje, com ajuda de Deus, dos brasileiros amantes das causas nobres, dos membros desta casa que, libertos de preconceitos, confiaram na minha condição feminina, assumo, comovida, a presidência da Academia Brasileira de Letras".

Fonte: *Isto É*, 5.9.1984; *Folha de S. Paulo*, 4.6.1997; Academia Brasileira de Letras, *Anuário 1993-1997*; Afrânio Coutinho, *Enciclopédia de literatura brasileira.*

Neuma Gonçalves (1922-2000)

Sambista e líder comunitária, um dos símbolos da Escola de Samba da Mangueira.

Nasceu no dia 8 de maio de 1922 no Rio de Janeiro (RJ), filha de Orestalina e Saturnino Gonçalves. Seu pai foi um dos fundadores da Escola de Samba Estação Primeira de Mangueira, em abril de 1928, e seu primeiro presidente. Após a morte de Saturnino, em 29 de abril de 1935, Cartola, sambista do morro, passou a "tomar conta" de Dona Orestalina e suas três filhas, Neuma, Ulisséia e Dalila, conforme prometera ao amigo.

Pastora da Mangueira, Neuma se apresentou com Cartola, músicos do morro e outras baianas-pastoras, em 1939, no show de *reveillon* do Cassino Atlântico, uma das casas noturnas mais importantes da cidade. O espetáculo foi pioneiro na apresentação de integrantes de uma escola de samba nos palcos da zona sul carioca. Tamanho foi o sucesso que permaneceu em cartaz até o carnaval de 1940.

Nesse mesmo ano, Neuma participou, juntamente com os músicos da All American Youth Orchestra, da gravação de músicas brasileiras recolhidas pelo maestro Leopold Stokowski em sua estada no Brasil. O Departamento de Estado americano o encarregara de gravar um disco com músicas populares do continente e Stokowski solicitou ajuda de Villa-Lobos para selecionar os músicos. O maestro brasileiro reuniu, entre outros, Cartola, Donga, Pixinguinha, Luís Americano, Zé com Fome, Jararaca e Ratinho, João da Baiana e um coro de pastoras da Mangueira, do qual faziam parte Neuma, Cesséia, Nadir, Ornélia, Guiomar, Nesília e Neguinha.

Graças a sua atuação junto à Escola, a casa de Dona Neuma — como ficou conhecida — tornou-se um ponto de reunião dos sambistas do morro e um importante reduto da cultura do Rio, comparado, segundo pesquisadores, à casa de Tia Ciata* nas primeiras décadas do século. Diretora da Escola, fez parte dos Baluartes da Mangueira, grupo formado por 22 integrantes que desfilam durante o carnaval no carro abre-alas.

Faleceu em 17 de julho de 2000 no Rio de Janeiro.

Fontes: Marília T. Barbosa da Silva e Artur L. de Oliveira Filho, *Cartola: os tempos idos*; Sérgio Cabral, *Mangueira, a nação verde-e-rosa.*

Nhanhã do Couto (1880-1945)

Musicista e promotora cultural.

Maria Angélica Costa Brandão, conhecida como Nhanhã, nasceu em Ouro Preto (MG) em 20 de agosto de 1880. Iniciou seus estudos musicais com o pai, Francisco Vicente Costa, maestro em Ouro Preto. Casou-se muito jovem com Luís do Couto Brandão e transferiu-se para a cidade de Goiás Velho (GO). Ali montou, em 1914, a primeira orquestra da cidade. Nhanhã compunha os fundos musicais para os filmes mudos que eram exibidos nos cinemas locais. Foi idealizadora e fundadora da Caravana Smart, um clube carnavalesco de mulheres, e da primeira orquestra feminina do Brasil que, além de participar da folia, fazia promoções culturais durante todo o ano.

Nhanhã criou grupos de teatro e música por várias localidades do estado de Goiás. Seu maior sonho era fundar uma escola de música na nova capital do estado — a cidade de Goiânia. Este sonho foi realizado por sua neta e aluna Belkiss Spencière Carneiro de Mendonça, que fundou o Conservatório de Música de Goiás. As realizações culturais de Nhanhã foram as marcas dessa mulher empreendedora e adiante de sua época, quando a vida no interior dos lares era o destino de quase todas as mulheres.

Faleceu no Rio de Janeiro, dia 30 de setembro de 1945.

Fontes: Maria José Pereira Rocha e Elisabeth Bicalho (coord.), *Luta e resistência de mulheres em Goiás (1930-1993)*; *Enciclopédia da música brasileira: popular, erudita e folclórica*; Belkins Spencière Carneiro de Mendonça, "Breve retrospectiva da música em Goiás", *Revista da Academia Nacional de Música.*

Nicolina de Assis (1874-1941)

Escultora.

Nicolina Vaz de Assis nasceu em Campinas (SP), em 18 de dezembro de 1874. Filha de Benvinda da Silva Vaz e do médico Luís Gonçalves da Silva, desde criança já demonstrava talento para a escultura. Aos 16 anos, casou-se com o médico Benigno de Assis. Após o falecimento do marido, começou a esculpir estátuas e túmulos em mármore, vendendo-os, para sustentar os filhos.

Em 1887, ganhou uma subvenção do governo de São Paulo e foi estudar na Escola de Belas-Artes do Rio de Janeiro, onde foi aluna de Henrique Bernardelli e de Amoedo. Expôs assiduamente no Salão Nacional de Belas-Artes, de 1899 a 1935, recebendo em 1901 a menção honrosa; por timidez, não foi receber o prêmio. Em 1903, o governo paulista concedeu-lhe nova bolsa de estudos, agora para a França. Como naquela época esse tipo de auxílio só era dado a homens, o assunto foi discutido no Congresso, que decidiu a favor de Nicolina. Ela permaneceu em Paris de 1904 a 1907, aperfeiçoando-se com os melhores mestres. Em 1908, recebeu a medalha de ouro na Exposição Nacional do Rio de Janeiro. Casou-se pela segunda vez, em 1911, com o escultor português Rodolfo Pinto do Couto. Junto com o marido inaugurou, em 1929, a Exposição dos Salões do Esplanada Hotel (SP), com cerca de 500 esculturas. Faleceu em 20 de setembro de 1941. Seu nome foi dado a uma das ruas do bairro Jardim Leonor, em Campinas.

Ela foi uma das primeiras escultoras do Brasil, e suas obras podem ser admiradas em praças, jardins e cemitérios de diversas cidades, como a fonte da praça Júlio Mesquita, em Campinas; *Canto das sereias*, na Quinta da Boa Vista, e *Fonte*, no Passeio Público (RJ), entre outras.

Fontes: Mariana Coelho, *Evolução do feminismo*; Olmio Vidal Barros, *Precursoras brasileiras*; *Correio Popular*, 22.11.1999.

Niède Guidon (1933-)

Arqueóloga.

Nasceu em Jaú (SP), em 12 de março de 1933. Filha de Cândida Viana de Oliveira Guidon e Ernesto Francisco Guidon. Cursou História Natural na Universidade de São Paulo (USP), onde se especializou em zoologia. Começou a carreira profissional em 1959 como professora e, posteriormente, transferiu-se para a seção de arqueologia do Museu Paulista. Com o intuito de prosseguir os estudos, viajou a Paris, onde realizou especialização em pré-história, doutorado e livre-docência em arqueologia pela Sorbonne, sendo contratada como pesquisadora do Centro Nacional de Pesquisa Científica (CNRS) em 1966.

Niède notabilizou-se pela descoberta, em 1991, em São Raimundo Nonato (PI), de artefatos de pedra lascada que comprovariam a presença de culturas pré-colombianas no Brasil há 25 mil anos. Anos mais tarde, encontrou resíduos de carvão oriundos de uma fogueira, datados de 48 mil anos. Suas descobertas suscitaram intensa polêmica na comunidade científica, pois até então se admitia que o homem só teria chegado à América do Sul há cerca de 12 mil anos. Condecorada com o título de *Cavaleiro da Ordem Nacional do Méri-*

to, do governo francês, aposentou-se em 1998 como mestre de conferências da Escola de Altos Estudos em Ciências Sociais de Paris. Atualmente dirige a Fundação Museu do Homem Americano, em São Raimundo Nonato. Ainda em fevereiro de 2000 anunciou a descoberta dos restos humanos mais antigos das Américas.

Fontes: *Jornal do Brasil*, 4.11.1990, *Livro do Ano* da Enciclopédia Barsa, 1992.

Nieta Campos da Paz (1911-90)

Ativista política.

Antonieta Hampshire Campos da Paz nasceu em São Paulo (SP) em 18 de outubro de 1911. Era filha de Alzira Rudge Hampshire e do comerciante inglês David Copperfield Hampshire. Em 1918 mudou-se com a família para o Rio de Janeiro e depois para Petrópolis, onde completou o primário. Adolescente, subia os morros da cidade como catequista, aproximando-se da pobreza e vendo a miséria de perto.

Casou-se, em 1931, com Manoel Venâncio Campos da Paz Jr., médico urologista, e tiveram três filhos.

Na casa dos sogros, onde foram morar, as idéias de Marx eram lidas e discutidas. Nieta foi-se identificando com o pensamento socialista. Após a frustrada revolta comunista de 1935, seu sogro, Manoel Venâncio Campos da Paz, um dos dirigentes da Aliança Nacional Libertadora (ANL), e seu marido foram presos. Nieta começou, então, a atuar no Partido Comunista do Brasil (PCB), já na clandestinidade, e participou de uma intensa campanha de solidariedade aos presos políticos e suas famílias. Junto com outras mulheres, elaborou um documento assinado por 180 intelectuais e militares encarcerados, onde denunciavam as arbitrariedades cometidas contra os presos políticos. Mais tarde, fez parte da comissão de Mulheres Pró-Anistia, que depois se transformou no Comitê de Mulheres Pró-Democracia, embrião do trabalho político do PCB com mulheres, no Rio de Janeiro. Com a eclosão da II Guerra Mundial, em 1939, engajou-se na Liga de Defesa Nacional, fazendo campanhas em prol dos pracinhas brasileiros.

Quando foi lançado o Apelo pela Paz de Estocolmo, em 1948, que deveria angariar assinaturas a favor da paz mundial, dedicou-se com entusiasmo a essa campanha. Datam desta época suas prisões em Bangu, Copacabana e em frente ao Itamarati, segurando uma faixa contra a participação do Brasil na Guerra da Coréia. Fez parte do Movimento em Defesa do Petróleo e da Soberania Nacional, cujo célebre *slogan*, "O Petróleo é Nosso", acabaria por promover, em 1953, a criação da Petrobrás.

Em 1957, Nieta foi incumbida pelo PCB de criar uma página feminina no jornal *Imprensa Popular*. Após rápido curso na Associação Brasileira de Imprensa (ABI), a seção dedicada ao segmento feminino começou a ser publicada semanalmente. O trabalho foi interrompido em 1960, com o fechamento do jornal. Como militante comunista, ajudou a criar vários núcleos de mulheres, chegando a presidir a Associação Feminina do então Distrito Federal. Essa proposta, como política do partido, se multiplicou pelo país afora e da reunião de várias associações estaduais surgiu a Federação de Mulheres do Brasil, em 1949, tendo sido arbitrariamente fechada pelo governo de Juscelino Kubitscheck.

Integrou a diretoria da Liga Feminina do Estado da Guanabara (entidade que substituiu a Federação de Mulheres do Brasil), que teve em 1964 suas atividades interrompidas pelo golpe militar. Nieta, como as demais companheiras da diretoria, foram perseguidas — umas exilaram-se; ela optou pela clandestinidade.

Depois da morte de seu marido, em 1968, descontente com a linha política do PCB, começou a participar das atividades da Ação Libertadora Nacional (ALN), liderada pelo seu velho companheiro Carlos Marighela. Emprestava a casa para reuniões e cursos, abrigava militantes clandestinos e realizava pequenos atos de sabotagem. Em janeiro de 1970, a repressão invadiu sua residência, destruindo e roubando pertences seus. Nieta escapou de ser presa, pois não se encontrava lá no momento da invasão; mas seu filho mais velho, que tinha 36 anos, ao tomar conhecimento da violência, sofreu um infarto, vindo a falecer. Em

13 • *Nise da Silveira*
Médica e uma das maiores referências do tratamento psiquiátrico no Brasil, fundadora do Museu do Inconsciente.

14 • *Nélida Piñon*
Escritora e primeira mulher a presidir a Academia Brasileira de Letras.

15 • *Nuta Bartlett James*
Política e uma das fundadoras da União Democrática Nacional (UDN) e da Frente Única de Mulheres.

16 • *Dona Neuma*
Diretora da Escola de Samba da Estação Primeira de Mangueira e uma das maiores incentivadoras das comunidades de sambistas cariocas.

17 • *Nieta Campos da Paz*
Ativista política desde a década de 1930, lutou como militante do PCB ao lado de outras mulheres por causas e direitos humanos.

13

14

15

16

17

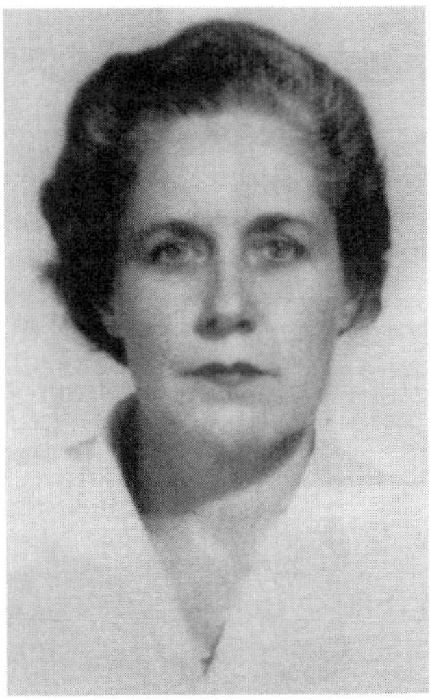

18

19

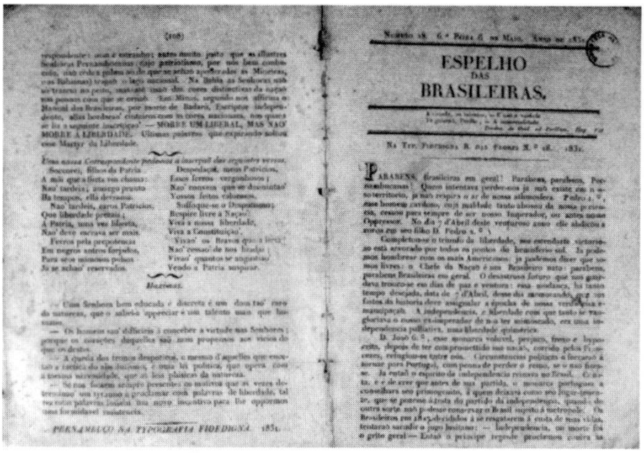

ESPELHO
DAS
BRASILEIRAS.

PERNAMBUCO NA TYPOGRAFIA FIDEDIGNA 1831.

20

21

22

23

18 • *Nísia Floresta*
Escritora e precursora do feminismo no Brasil.

19 • Periódico *Espelho das Brasileiras*, fundado em 1831, para o qual Nísia Floresta colaborava.

20, 21 e 22 • *Negras*
Escravas brasileiras do séc.XIX na fotografia de Christiano Jr.

23 • *Narcisa Amália de Campos*
Poetisa fluminense e defensora dos direitos das mulheres no séc.XIX.

março de 1972, sua casa foi novamente invadida, e Nieta foi presa e torturada. Mas, ao ser posteriormente julgada, foi absolvida.

Mesmo assim, continuou participando de comícios, panfletagens, colagens de cartazes. Em 1978, filiou-se ao Movimento Feminino pela Anistia, chegando a colaborar com os movimentos pela mesma causa no Uruguai, contra a ditadura de Pinochet no Chile, a favor de Cuba, da Nicarágua e de El Salvador, contra o apartheid na África do Sul e pela libertação de Nelson Mandela.

Nieta também participava das atividades promovidas pelas feministas cariocas, depois da criação do Centro da Mulher Brasileira em 1975.

Engajou-se ainda no movimento pelas eleições diretas em 1984, pela Constituinte, contra a política nuclear, a favor dos índios e dos negros. Ocupava o cargo de presidente da Federação das Associações em Defesa da Anistia (FADA), que lutava para estender a anistia aos marinheiros punidos pela ditadura militar.

O reconhecimento de sua participação nas lutas pelas liberdades democráticas e pela construção de uma sociedade justa foi dado pela Câmara Municipal do Rio de Janeiro que, em 11 de junho de 1987, concedeu-lhe o título de Cidadã Honorária da cidade. Faleceu no Rio de Janeiro, em 18 de junho de 1990, aos 78 anos.

Fontes: Guia do Arquivo de Memória Operária do Rio de Janeiro (AMORJ); Coleção Antonieta Campos da Paz.

Niomar Muniz Sodré (c.1916-)

Jornalista e empresária.

Niomar Muniz Sodré Bittencourt nasceu em Salvador (BA), filha de Maria Argolo Muniz e Antônio Muniz Sodré de Aragão. Aos 14 anos, quando estudava no Rio de Janeiro, Niomar começou a escrever crônicas, contos e a colaborar em jornais. Aos 15 anos, fugiu de casa para se unir a um primo-irmão, Hélio, com quem teve seu único filho, Antônio.

Em 1936, seu pai era diretor do importante jornal carioca *Correio da Manhã* e apresentou-a a Paulo Bittencourt, o proprietário. Ela imediatamente pediu para colaborar no jornal; seis meses depois separava-se do marido para se casar com Paulo, vinte anos mais velho.

A fundação do Museu de Arte Moderna (MAM) do Rio de Janeiro, em 1948, foi uma tarefa a que Niomar se dedicou com toda sua energia. Foi diretora-executiva do MAM durante dez anos e depois presidente de honra e membro do conselho. Em 1963, com a morte de Paulo Bittencourt, Niomar assumiu a direção do *Correio da Manhã*. Embora tenha apoiado o golpe militar de 1964, o jornal foi o primeiro a lutar pela restauração da democracia no país e a denunciar arbitrariedades e torturas a presos políticos. Em conseqüência, Niomar foi presa e teve seus direitos políticos cassados. Sua resistência às ingerências dos militares no *Correio da Manhã* ficou conhecida nos meios jornalísticos e, em decorrência, foi processada pela Justiça Militar em 1970, mas conseguiu ser absolvida.

Em setembro de 1969 já havia desistido do jornal, submetido então a tremendas pressões políticas e econômicas; arrendou-o a um grupo empreiteiro e despediu-se com um artigo que terminava assim: "(...) não tenho no momento mais lugar neste país para continuar minha missão, pois entre nós é proibido ser gente". Em 1974, depois de longas temporadas em Paris, Niomar recusou-se a receber o jornal, muito endividado, antes que terminasse o contrato, e o *Correio da Manhã* fechou.

Em 1985, Niomar recebeu a Medalha Pedro Ernesto, da Câmara de Vereadores do Rio de Janeiro, e o título de Cidadã do Rio de Janeiro, da Assembléia Legislativa do Estado. O Museu de Arte Moderna preparou-lhe uma grande homenagem, à qual estiveram presentes expressivas autoridades do cenário político nacional.

Fontes: Alzira Abreu e Israel Beloch (coord.), *Dicionário histórico-biográfico brasileiro*; *Jornal do Brasil*, 14.3.1969; *Correio da Manhã*, 7.6.1969, 11.9.1969, 9.6.1974; *O Globo*, 9.7.1978; *Isto É*, 27.11.1985.

Nise da Silveira (1905-99)

Médica psiquiatra.

Nasceu a 15 de fevereiro de 1905 em Maceió (AL). Filha da pianista Maria Lídia da Silveira e do professor de matemática Faustino Magalhães da Silveira. Casou-se com o médico sanitarista Mário Magalhães.

Aos 16 anos foi admitida na Faculdade de Medicina da Bahia, sendo a única mulher da turma. Com 21 anos concluiu o curso, apresentando uma monografia sobre a criminalidade entre as mulheres baianas: estudou os casos de assassinas, ladras e prostitutas no presídio de Salvador.

Começou a trabalhar em psiquiatria, mas estava verdadeiramente interessada na pesquisa de outros métodos terapêuticos para o tratamento da esquizofrenia. Mudou-se para o Rio de Janeiro, onde permaneceu seis anos como médica interna no Hospital da Praia Vermelha. Militante da Aliança Nacional Libertadora (ANL), foi denunciada como comunista depois da revolta de 1935 e presa por 16 meses na Casa de Detenção da rua Frei Caneca. Nise amargou o desemprego depois que saiu da prisão. Com a anistia, oito anos depois, foi reintegrada no serviço público, mas não se adaptou aos métodos violentos postos em prática no tratamento dos doentes mentais. Em 1946, atendendo a uma proposta sua, o diretor do Centro Psiquiátrico Pedro II, no bairro do Engenho de Dentro, incumbiu-a de fundar no hospital a Seção de Terapêutica Ocupacional.

Este seu trabalho pioneiro de pesquisa no tratamento da doença mental, através da terapia ocupacional ou arteterapia, é hoje reconhecido internacionalmente. Recebeu, nos anos 1950, elogios de um dos mais famosos psiquiatras, o suíço Carl Gustav Jung, que se tornou seu correspondente. Tanto reconhecimento e admiração não poupou Nise de sofrer críticas de sucessivas direções do Centro Psiquiátrico, onde trabalhou até 1974.

A produção artística dos internos, resultante do trabalho desenvolvido por Nise, foi reunida no Museu de Imagens do Inconsciente, fundado por ela em 1952. O museu é um importante centro de pesquisa e possui um acervo de mais de 300 mil obras; alguns artistas internos alcançaram prestígio internacional, como Emígdio de Barros, Rafael Domingues e Fernando Diniz. Nise também fundou e se dedicou durante décadas à Casa das Palmeiras, instituição para egressos de hospitais psiquiátricos, onde as oficinas de arte eram dirigidas por voluntários.

Para a doutora Nise, a esquizofrenia não é propriamente uma doença, mas uma manifestação de vários "estados de ser" desencadeados por situações extremas, que desagregam o ego.

Em abril de 1988, recebeu o título de doutor *honoris causa* da Universidade Estadual do Rio de Janeiro (UERJ).

O filme *Imagens do inconsciente*, do cineasta Leon Hirszman e com roteiro da própria Nise, feito com os quadros pintados pelos internos, foi visto por milhares de pessoas, popularizando ainda mais seu trabalho revolucionário na humanização do tratamento psiquiátrico no Brasil.

Faleceu, aos 94 anos, na cidade do Rio de Janeiro, em 30 de outubro de 1999, de insuficiência respiratória.

Fontes: Ferreira Gullar, *Nise da Silveira, uma psiquiatra rebelde*; V.M. Carvalho e V.R. Costa (coords.), *Cientistas do Brasil — depoimentos;* Universidade Estadual do Rio de Janeiro (UERJ), *Nise da Silveira, doutor* honoris causa.

Nísia Carone (1928-)

Política.

Nísia Coimbra Flores Carone nasceu em Muriaé (MG) no dia 16 de outubro de 1928. Era filha de Maria Coimbra Flores e de Orlando Barbosa Flores.

Trabalhou como contadora e escrevente juramentada. Casou-se com Jorge Carone, membro de tradicional família de políticos mineiros, que exerceu mandatos de vereador, deputado estadual e prefeito de Belo Horizonte, e tiveram dois filhos. Acusado de corrupção, Jorge Carone foi destituído da prefeitura de Belo Horizonte em 1965. Deposto, candidatou-se à Câmara dos Deputados em 1966 e, a quatro dias das eleições, teve seus direitos políticos suspensos com base no Ato Institucional nº 2. Com a cassação de seu marido, Nísia lançou-se na política em seu lugar. Candidatou-se a deputada federal na legenda do Movimento Democrático Brasileiro (MDB); foi eleita com 14.226 votos.

Pautou sua atuação na Câmara Federal pela defesa dos direitos das pessoas punidas pelos atos institucionais, mas acabou sendo cassada no dia 1º de outubro de 1969. Teve seus direitos políticos suspensos por 10 anos, com base no Ato Institucional nº 5 de 13 de dezembro de 1968.

Fonte: Alzira Abreu e Israel Beloch, *Dicionário histórico-biográfico brasileiro*; TSE, *Dados estatísticos*; Biblioteca da Câmara dos Deputados, *Deputados brasileiros*.

Nísia Floresta Brasileira Augusta

(1810-85)

Escritora, educadora, feminista e tradutora.

Nasceu Dionísia Gonçalves Pinto no dia 12 de outubro de 1810 no sítio Floresta, localizado no povoado de Papari (RN). Filha de Antônia Clara Freire e de Dionísio Gonçalves Pinto Lisboa. A mãe pertencia a uma tradicional família do Rio Grande do Norte, proprietária de vastas extensões de terra. Já o pai, um advogado português, homem culto e liberal, chegara ao Brasil nos primeiros anos do século XIX.

Com a Revolução de 1817, cresceu o sentimento antilusitano em todo o Nordeste, levando sua família a deixar o Rio Grande do Norte para residir em Goiana (PE), centro desenvolvido econômica e intelectualmente. Nessa cidade, no Convento das Carmelitas, que possuía rica biblioteca, Dionísia foi iniciada nos estudos clássicos, no trabalho manual e no canto. Sob a influência do pai, tomou contato com a cultura européia; anos após, passou a dominar os idiomas francês e italiano.

Contra a sua vontade casou-se aos 13 anos, em Papari, com Manoel Alexandre Seabra de Melo, jovem proprietário de terras, união que pouco durou. Voltou a viver com os pais em Goiana e, posteriormente, Olinda, onde seu pai exerceu a advocacia. As revoltas e os antagonismos entre Dionísio e membros da elite local resultaram na depredação e saque do sítio da família em Papari, por volta de 1824, e no seu trágico assassinato quatro anos após, em Recife, a mando do capitão Uchôa Cavalcanti, seu oponente em uma causa jurídica.

Nessa época, Dionísia passou a residir com Manoel Augusto de Faria Rocha, jovem acadêmico da Faculdade de Direito de Olinda. Sua atitude foi extremamente corajosa para a época, pois seu primeiro marido, inconformado com a separação, ameaçava-a constantemente, acusando-a de adultério. Em 1830 nasceu sua primeira filha; e, em seguida, um segundo filho que não sobreviveu.

Ainda em 1830, Dionísia publicou seus primeiros artigos já abordando a condição feminina e comparando-a com diversas culturas da antigüidade, no *Espelho das Brasileiras*, jornal dedicado às mulheres pernambucanas, do tipógrafo francês Adolphe Emile de Bois Garin.

Publicou no Recife a obra *Direitos das mulheres e injustiça dos homens*, tradução livre de *Vindication of the Rights of Woman*, da feminista inglesa Mary Wollstonecraft, assinando com o nome que adotou definitivamente: Nísia Floresta Brasileira Augusta. Esta publicação de 1832 deu-lhe o título incontestável de precursora dos ideais de igualdade e independência da mulher em nosso país.

Após a conclusão do bacharelado em direito do seu marido, a família mudou-se para Porto Alegre (RS), onde nasceu, em 1833, Augusto. No ano seguinte, Nísia aí iniciou a atividade de preceptora de moças.

Seu companheiro faleceu repentinamente, em 29 de agosto de 1835, aos 25 anos, deixando-a com dois filhos pequenos. Nísia permaneceu alguns anos na capital gaúcha, onde se dedicou ao magistério e à direção de um colégio. Desse mesmo período, encontram-se artigos seus assinados com o pseudônimo de "Quotidiana Fidedigna" nos jornais *O Recompilador Federal* e *O Campeão da Legalidade*.

Em 1837, partiu para a cidade do Rio de Janeiro com a família, divulgando, no ano seguinte, no *Jornal do Commercio*, um anúncio do estabelecimento de ensino que estava inaugurando, onde colocou em prática suas idéias, pouco ortodoxas, em matéria de educação feminina. O Colégio Augusto, aberto em fevereiro de 1838, existiu por 17 anos, funcionando no centro da cidade. Na ocasião em que abriu seu educandário, o Rio de Janeiro vivia uma verdadeira febre de novas escolas, quase sempre dirigidas por europeus. Nísia respondeu à diversidade dos métodos pedagógicos adotados e ao caráter explicitamente comercial da maioria das escolas cariocas, oferecendo um projeto educativo voltado para meninas, que combinava o tradicional ensino de trabalhos manuais com sólidos conhecimentos do português e de línguas estrangeiras, além de noções de geografia. Sua proposta, bem acolhida pelo público, recebeu, contudo, severas críticas de educadores concorrentes.

No Rio de Janeiro, em 1839, foi reeditado pela terceira vez o livro *Direitos das mulheres e injustiça dos homens*. Passou também a realizar conferências defendendo a emancipação dos escravos, a liberdade de cultos e a federação das províncias, com o sistema de governo republicano.

Na década de 1840, sua atividade literária foi fértil, publicando várias obras: *Conselhos à minha filha*, dedicado à filha Lívia; *Daciz ou a jovem completa, Fany ou o modelo das donzelas* e *Discurso que às suas educandas dirigia Nísia Floresta Brasileira Augusta* e, posteriormente, *A lágrima de um Caeté*, poema que trata da degradação do índio brasileiro e do drama dos liberais sufocados pela derrota da Revolução Praieira pernambucana.

Nísia deixou a direção do Colégio Augusto e partiu com os dois filhos, em julho de 1849, para sua primeira estada na Europa, onde fez contato com o positivismo de Augusto Comte. Continuou escrevendo e lançou, no Brasil, seu romance histórico *Dedicação de uma amiga*, de 1850. De maio a junho do ano seguinte, o jornal carioca *O Liberal* publicou uma série de artigos de Nísia, intitulados *A emancipação da mulher*, nos quais a autora reafirmava a necessidade de se oferecer boa educação às mulheres.

Regressou ao Brasil no início de 1852 e voltou a escrever em jornais resultando na obra *Opúsculo humanitário*, composta por artigos sobre a educação da mulher. Outro livro, de 1855, *Páginas de uma vida obscura*, conta a trajetória de um escravo. Nesse mesmo ano, em meio a uma epidemia de cólera que assolou a cidade do Rio de Janeiro, Nísia trabalhou voluntariamente como enfermeira.

No ano seguinte, voltou à Europa para uma segunda temporada, que duraria até 1872. Nesses 16 anos, aproximou-se de Augusto Comte, recebendo-o e freqüentando sua casa, e com ele se correspondendo. Viajou pela Itália e Grécia e publicou, em francês, *Trois ans en Italie, suivis d'un voyage en Grèce*. Em 1871 publicou *Le Brésil*. Outras obras de Nísia seriam traduzidas e publicadas no continente europeu.

Com o cerco de Paris pelos prussianos nos anos de 1870 e 1871, bem como a Comuna, revolta popular que tomou o governo da cidade, decidiu mudar-se para casa de amigos em Bourg-la-Reine, fora da capital e longe dos conflitos.

Derrotada a Comuna, retornou a Paris, seguindo depois para Inglaterra e Portugal e, enfim, regressando ao Brasil em 1872. Três anos mais tarde, ainda retornaria à Europa, morando em Londres, Lisboa e Paris. Na França, publicou seu último trabalho, *Fragments d'un ouvrage inédit — notes biographiques*.

Faleceu no dia 24 de abril de 1885, na Normandia, em Bonsecour, cidade em que vivia na França e onde foi enterrada. Em 1948, o povoado de Papari mudou de nome, passando a se chamar Nísia Floresta, que recebeu em 1954 seus restos mortais.

Fontes: Constância Lima Duarte, *Nísia Floresta: vida e obra*; Adauto da Câmara, *Nísia Floresta*; Nísia Floresta, *Itinerário de uma viagem à Alemanha*; Zélia Maria Bezerra Mariz, *Nísia Floresta Brasileira Augusta*; Nathalie Bernardo da Câmara, *Da aurora ao crepúsculo*; Maria T.C. Crescenti Bernardes, *Mulheres de ontem?*; *Correio da Manhã*, 17.5.1949.

Nita Costa *ver* LEOLINA COSTA

Nuta Bartlet James (1885-1976)

Ativista política.

Benevenuta Monteiro nasceu no dia 8 de maio de 1885, em Alegrete (RS), filha de Sarah Chermont Monteiro e do militar Vitorino Ribeiro Carneiro Monteiro. Educada no Colégio Sion de Petrópolis (RJ), casou-se em 1911 com George Bartlet James, eleito deputado federal pelo então Distrito Federal. No Rio de Janeiro, o casal participou da Aliança Republicana fundada por Nilo Peçanha em 1919, transformando sua casa, no bairro suburbano de Todos os Santos, no foco da resistência ao governo de Epitácio Pessoa, recém-eleito.

Já no governo Artur Bernardes, a polícia tentou invadir sua casa a pretexto de procurar bombas e explosivos. Nessa época, seu marido cumpria pena de 26 meses na prisão da ilha Rasa. Nuta reagiu a bala à invasão e foi levada presa para a Casa de Detenção da rua Frei Caneca, onde ficou encarcerada dois meses e meio.

Nuta apoiou o movimento tenentista de 1924 em São Paulo. Desde então, até a eclosão da Revolução de 1930, conspirou sempre contra o regime da República oligárquica, apoiando todas as reações oposicionistas. Seu marido, eleito novamente deputado federal, foi preso às vésperas da Revolução de 1930 e levado para o cárcere. Derrubado o presidente Washington Luís a 24 de outubro de 1930, Nuta dirigiu-se com o filho à Casa de Detenção para resgatar seu marido. Ao chegarem, foram recebidos com tiros, e o diretor do presídio, acreditando ter atingido Nuta, fugiu. Ela habilmente invadiu a prisão e, desafiando os guardas de plantão, liberou seu marido que, junto com outros detentos, assumiu o controle da penitenciária. Essa extraordinária façanha provocada por Nuta levou à nomeação de George como diretor do presídio.

Com o fim da República Velha, o casal aliou-se a Getúlio Vargas, porém cortaram relações com ele quando aderiram ao Movimento Constitucionalista Paulista, passando a fazer oposição ao governo federal. A decretação do Estado Novo reprimiu os movimentos de contestação, influenciando na decisão do casal de retirar-se momentaneamente da cena política.

Em 1939, quando seu marido morreu, Nuta enfrentou muitas privações para educar os nove filhos. Com a redemocratização do país, fundou a União Democrática Nacional (UDN) com outros aliados políticos. Concorreu a uma cadeira na Câmara Federal, mas não se elegeu, principalmente devido a uma campanha desencadeada pela Igreja Católica, rotulando-a de comunista, por suas relações com Luís Carlos Prestes e outros comunistas como Arcelina Mochel*.

Nuta foi presidente do Centro Antifascista da Tijuca e, como tal, protagonista de uma tragédia em 1949. Enquanto discursava na Esplanada do Castelo, no centro do Rio de Janeiro, contra a lei de Segurança Nacional, enviada pelo governo Dutra ao Congresso, a polícia chegou para dissolver o comício a bala. Aos primeiros tiros, Nuta, no palanque, afirmava que o comício não seria interrompido. Mas o tiroteio se generalizou e as tropas de choque da polícia invadiram o local. A jovem Zélia Magalhães* foi baleada, morrendo em conseqüência do ferimento.

Udenista radical e nacionalista, Nuta participou da campanha "O Petróleo é Nosso". Sensível, também, às lutas pela cidadania das mulheres, fez parte da Frente Única de Mulheres e colaborava levantando fundos e arregimentando simpatizantes no seio dos partidos conservadores para apoiar as iniciativas do movimento feminista ao longo dos anos 1940-50.

Concorreu novamente às eleições para a Câmara Federal em 1950, conseguindo apenas a suplência pela legenda da UDN. Contudo, por seu trabalho partidário no início da década de 1950, foi eleita membro do Diretório Nacional do seu partido. Com o golpe militar de 1964, apoiou o movimento por ser contrária à situação em que o país se encontrava, mas desencantou-se com o rumo tomado e afastou-se da política. Viu um de seus filhos, Vitorino James, ser eleito inúmeras vezes deputado para a Assembléia Legislativa do estado do Rio de Janeiro.

Faleceu no Rio de Janeiro em 6 de abril de 1976, deixando 30 netos e bisnetos.

Na memória das militantes do movimento de mulheres dos anos 40 e 50, Nuta permaneceu como uma figura contraditória: embora de postura liberal-conservadora, era defensora dos direitos da mulher. No município de Nilópolis (RJ) há uma escola com seu nome, assim como uma rua na Barra da Tijuca, bairro do Rio de Janeiro.

Fontes: *Dona Nuta, um símbolo*, editado pela família James; *Correio da Manhã*, 17.11.1949.

O

Odette Ernst Dias (1929-)

Flautista.

Marie Thérèse Odette Ernst Dias nasceu em 2 de fevereiro de 1929 em Paris, França. Filha de Marie Antoinette Keith e Louis Régis Eole Ernst. Estava com 16 anos quando a II Guerra Mundial acabou. Formou-se pelo Conservatório de Paris em 1951. No ano seguinte veio para o Brasil, onde se apresentou no Teatro Municipal do Rio de Janeiro. Em 1955 instalou-se definitivamente no Rio, quando o maestro Eleazar de Carvalho, viajando pela Europa com o objetivo de trazer músicos para a Orquestra Sinfônica Brasileira, contratou-a. Ela já havia ganho vários prêmios no Conservatório no qual se formara e um concurso em Genebra, na Suíça.

Fez parte da orquestra da Rádio Nacional, onde conheceu a música popular brasileira. Casou-se com o bancário Geraldo Waldomiro Dias e tiveram seis filhos: Maria Elisabeth, Jaime, Irene, Claudia, Andréa e Carlos. O gosto pela música foi transmitido aos filhos, dos quais apenas um não toca instrumento. Participou da gravação de discos de Elisete Cardoso* e Tom Jobim.

Convidada para lecionar na Universidade de Brasília (UnB), fixou residência na capital federal onde permaneceu até 1990. Apaixonada pela música, vivia rodeada de compositores e instrumentistas, e foi na sua casa que nasceu o Clube do Choro, com a presença de Waldir Azevedo e Avena Castro. Tem feito apresentações musicais por todo o país e desde 1993 divide-se entre o Rio de Janeiro e Brasília, recebendo convites para lecionar como professora-visitante da UnB ou para se apresentar como solista.

Fonte: *O Globo*, 29.1.1999; Jornal *Patáppio*, 1º bimestre/1999.

Odila Schmidt (séc.XX)

Líder sindical.

Funcionária da empresa de energia elétrica Light, envolvida com as lutas sindicais, elegeu-se vereadora do antigo Distrito Federal, hoje município do Rio de Janeiro, na eleição de 19 de janeiro de 1947. Concorreu pela legenda do Partido Comunista do Brasil (PCB) e recebeu 2.129 votos. Nessa eleição outras seis mulheres se candidataram, sendo quatro eleitas vereadoras, duas delas pelo PCB, Odila e Arcelina Mochel*.

Sua carreira foi interrompida em maio do mesmo ano quando o registro do PCB foi cassado e o Partido posto na clandestinidade. Seu nome aparece nos documentos referentes aos eventos promovidos pela Federação Brasileira pelo Progresso Feminino*, após a redemocratização do país, em 1945.

Fontes: Fanny Tabak e Moema Toscano, *Mulher e política*; TSE, *Dados estatísticos — eleições federal, estadual e municipal realizadas no Brasil a partir de 1945*.

Olegarinha da Gama Carneiro da Cunha (1859-98)

Abolicionista.

Nasceu em 18 de setembro de 1859 em Recife (PE). Era filha de Olegária Duarte da Costa

Gama e de José Eustáquio Fernandes Gama. Casou-se com José Mariano em 6 de março de 1875 e teve dois filhos: os escritores Olegário Mariano e José Mariano Filho.

Participou ativamente do movimento abolicionista pernambucano, assim como seu marido, que foi sócio do Clube do Cupim, uma das mais importantes associações abolicionistas da época em Recife. Mesmo sem ser filiada a qualquer entidade, Olegarinha compareceu a vários atos em prol da abolição. No dia 25 de setembro de 1880, esteve nas comemorações do primeiro aniversário da Sociedade Emancipadora, quando foram distribuídas 35 cartas de alforria. Trabalhou na organização do Clube do Cupim e do memorável evento por ele promovido em 1884, ocasião em que foram libertados 70 escravos do engenho São João, pertencente ao barão de Muribeca. Em 21 de julho de 1887, empenhou suas jóias para ajudar a eleição de Joaquim Nabuco, importante líder abolicionista nacional. Contudo, destacou-se na remessa de escravos fugidos, roubados das senzalas ou alforriados, para a província do Ceará, onde a escravidão já havia sido abolida desde 25 de março de 1884. Os negros iam em barcaças, encobertos por um carregamento de capim. Essas barcaças saíam do Poço da Panela, bairro de Recife onde o casal residia e que se tornou reduto dos abolicionistas pernambucanos.

Olegarinha morreu em 24 de abril de 1898, em Recife, e seu enterro, realizado no dia seguinte, foi acompanhado por uma multidão até o cemitério de Santo Amaro, onde várias pessoas fizeram discursos emocionados.

Fontes: Fernando da Cruz Gouvêa, *Abolição: a liberdade veio do norte*; *Jornal do Commercio* (PE), 12.11.1998; Luís Luna, *O negro na luta contra a escravidão*; Orlando Parahym, *José Mariano*; *Revista do Arquivo Público do Estado de Pernambuco*, n°s 7 e 8.

Olga Benario (1908-42?)

Ativista política.

Militante comunista entregue aos nazistas pelo governo brasileiro, Olga Gutmann Benario nasceu em Munique, Alemanha, em 1908, filha de Eugénie Gutmann Benario e Leo Benario, família judia sem recursos. Já aos 15 anos entrou para uma organização clandestina vinculada à Juventude Comunista, onde conheceu o escritor Otto Braun, importante líder do Partido Comunista Alemão (PCA), com quem se uniu.

Com o objetivo de ampliarem sua participação política, mudaram-se, em 1926, para Berlim, onde passou a atender pelo nome de Frieda Wolf Beherendt, por exigência do partido. Tornou-se secretária de Agitação e Propaganda da base operária do PCA no bairro no qual viviam e, em seguida, de toda a capital alemã.

Nesse mesmo ano foi presa por dois meses, enquanto seu companheiro permaneceu até abril de 1928, sendo libertado por Olga e outros membros do partido, que tomaram de assalto a prisão em que estava. Fugiram para Moscou, onde recebeu o codinome Olga Sinek e trabalhou no Comitê Central da Juventude Comunista Internacional, além de freqüentar cursos paramilitares.

No ano de 1931, em sua primeira missão internacional para escolher novos dirigentes para a organização Juventude Comunista Francesa, embarcou para Paris com o nome de Eva Krueger; na ocasião, separou-se de Otto. Na França foi presa e solta em seguida, cena que se repetiria na Inglaterra por envolver-se em manifestações políticas.

Ao regressar a Moscou, tomou conhecimento da Coluna Prestes e, em 1934, foi escolhida pelo partido para levar o líder Luís Carlos Prestes de volta ao Brasil em segurança. Foram até a França, onde receberam documentos falsos de nacionalidade portuguesa. Ela passou a se chamar Maria Bergner Vilar e ele, Antonio Vilar. Seu objetivo era encontrar outros líderes da Internacional Comunista (Komintern) e prepararem uma insurreição no país.

O Partido Comunista do Brasil (PCB) organizou a Aliança Nacional Libertadora (ANL), amplo movimento de massa antifascista e anti-imperialista criado em março de 1935. Ao chegarem, Olga e Prestes, embora na clandestinidade, participaram da articulação e direção do movimento, que eclodiu como uma revolta armada nas cidades de Natal, Recife e Rio de Janeiro em novembro de 1935, conhecido como Intentona Comunista.

Derrotado o levante, o governo reprimiu duramente os comunistas. Olga e Prestes acabaram sendo presos em uma casa no subúrbio carioca do Méier. Grávida, Olga assumiu que era a mulher de Prestes e foi para a Casa de Detenção da rua Frei Caneca. Lá, recebeu solidariedade dos outros presos, que protestaram duramente para que ela fosse internada num hospital devido às dores de que se queixava e à falta de tratamento adequado. Porém, nem os protestos dos presos nem uma corrente de solidariedade que se formou no país sensibilizou o governo, que, em setembro de 1936, deportou Olga Benario e Elisa Berger, a outra militante alemã detida, para a Alemanha. Presa em um campo de concentração, Olga deu à luz, em novembro, a sua filha Anita Leocádia Prestes.

Desconhece-se a data precisa de sua morte. A dúvida quanto ao crime só foi esclarecida quando encontraram, escondido na barra da saia de uma prisioneira assassinada no mesmo campo de concentração, um pequeno bilhete anunciando a morte de Olga, asfixiada na câmara de gás. A família Prestes fez uma intensa campanha internacional, sobretudo Dona Leocádia, mãe de Luis Carlos Prestes, para libertar a pequena Anita da prisão, o que só aconteceu em 1942.

Fontes: Alzira Abreu e Israel Beloch, *Dicionário histórico-biográfico brasileiro*; Fernando Moraes, *Olga*.

Olga Breno *ver* ALZIRA ALVES CAMPOS

Olga de Paiva Meira (séc.XX)

Feminista e ativista política.

Nasceu em São Paulo (SP). Em 1919 representou o Brasil, juntamente com Bertha Lutz*, no Conselho Feminino Internacional, órgão da Organização Internacional do Trabalho. Lá foram aprovados os princípios de salário igual para ambos os sexos e a inclusão da mulher no serviço de proteção aos trabalhadores.

Participou das ações assistencialistas ao lado de outras mulheres da elite paulista, principalmente durante a Revolução Constitucionalista de 1932. Coordenou os trabalhos de centenas de outras companheiras que se empenharam em organizar suprimentos e fardas para as tropas do estado de São Paulo. Na ocasião, presidia a Assistência às Famílias dos Combatentes, uma seção da Liga das Senhoras Católicas, de São Paulo. Deve-se ressaltar a atuação das mulheres nesse episódio, já que foram elas que cuidaram de toda a alimentação, vestuário e saúde dos combatentes. Foram cerca de 7.200 mulheres em diversas instituições, como as Casas do Soldado, espalhadas pelo estado, a Cruz Vermelha Brasileira, a Cruzada Pró-Infância, entre outras.

Fontes: Carolina Ribeiro de Oliveira, "A mulher paulista em 1932", *Revista do Instituto Histórico e Geográfico de São Paulo*, nº 59, 1961; Enciclopédia *Nosso Século*, nº 15; Susan Besse, *Restructuring Patriarchy*.

Olímpia de Araújo Camerino (1900-?)

Enfermeira da Força Expedicionária Brasileira (FEB).

Filha de Olímpia de Araújo Camerino e José Jacinto Camerino. Nasceu em Alagoas, em 19 de novembro de 1900. Médica, fez curso de enfermagem para voluntária socorrista e manipuladora de raio X, no Rio de Janeiro (RJ).

Chefiou um grupo de 33 enfermeiras que embarcou para Itália, em 19 de outubro de 1944. Serviu no Serviço Hospitalar Brasileiro, junto aos seguintes hospitais na Itália: 7th Station Hospital, em Livorno, 35th Field Hospital, Sparinise, Nápoles.

Atuou como intermediária entre o grupo de 20 colegas e a secretaria brasileira anexa ao 7th Evacuation Hospital. Foi designada para enfermeira de ligação entre a Administração Brasileira e o hospital em Livorno.

Foi condecorada com a Medalha de Guerra e Campanha e com a Medalha Mascarenhas de Moraes. Publicou um livro sobre a experiência das Brasileiras na II Guerra Mundial* intitulado *A mulher na II Guerra Mundial*.

Fontes: Altamira Pereira Valadares, Pesquisa sobre a II Grande Guerra Mundial; Centro de Documentação Histórica do Brasil, *Álbum biográfico das febianas*.

Oliva Enciso (1909-)

Primeira deputada do estado de Mato Grosso.

Nasceu em Corumbá (MT) em 17 de abril de 1909. Filha de Martinha Enciso e Santiago Enciso. Aos 14 anos, com o falecimento de seu pai, mudou-se com a família para Campo Grande. Professora normalista, trabalhou no

Departamento Municipal de Educação, além de proferir palestras sobre o tema. Sua atuação à frente de programas educacionais levaram-na a candidatar-se para a Câmara Municipal de Campo Grande, na época município de Mato Grosso, no pleito de 1953. Ao vencer, foi a primeira vereadora da cidade, exercendo o mandato no período de 1954 a 1958.

Na eleição seguinte, concorreu para a Assembléia Legislativa. Novamente eleita, tornou-se a primeira deputada estadual em 1958, sob a legenda de União Democrática Nacional (UDN), sendo a quarta mais votada do estado para a legislatura de 1959 à 1963. Apresentou vários projetos de lei, requerimentos, indicações, sempre visando melhores condições de vida para o povo mato-grossense e mostrando muita preocupação com o sistema educacional no que se refere ao conteúdo curricular, à ampliação de vagas nas escolas públicas e à valorização dos professores. Criou o Instituto Previdenciário do Estado de Mato Grosso (IPEMAT), que beneficiou todos os servidores públicos do estado, bem como assegurou a implementação de escolas profissionalizantes mantidas pelo SENAI e SESI.

Fundou a Sociedade Miguel Couto dos Amigos do Estudante, onde trabalha até hoje. Criada em 21 de janeiro de 1949 com apoio dos poderes públicos, essa instituição abriga crianças com o objetivo de dar assistência e educação.

Também é membro da Academia Sul Mato-grossense de Letras, com várias obras publicadas.

Fontes: Instituto Memória do Poder Legislativo de Mato Grosso; Anais da Câmara Municipal de Cuiabá; Oliva Enciso, *Mato Grosso do Sul: minha terra.*

Olívia Guedes Penteado (1872-1934)

Promotora cultural.

Olívia Guedes de Souza nasceu em Campinas (SP), em 12 de março de 1872. Seus pais eram os barões de Pirapingui, Carolina Leopoldina de Almeida Lima e José Guedes de Sousa, ele um importante fazendeiro de café em Mogi-Mirim. Passou a infância na propriedade da família, estudando em casa com professores particulares e tendo apenas uma passagem rápida pelo Colégio Bajonas. Em seguida, a família se transferiu para a cidade de São Paulo, onde Olívia continuou os estudos particulares. Passou também a freqüentar saraus de canto lírico e espetáculos teatrais.

Aos 16 anos, casou-se com seu primo Inácio Penteado, que acabava de regressar da Europa. Moraram por cerca de cinco anos em Santos (SP), onde Inácio possuía uma Casa Comissária de Café. Ao começar o surto de febre amarela naquela cidade portuária, voltaram para São Paulo e construíram uma casa na rua Conselheiro Nébias, no elegante bairro dos Campos Elíseos. Este palacete foi inaugurado em 1898 e transformou-se no local de encontro de artistas e intelectuais da época. O bom gosto e o refinamento de seus proprietários os fizeram dele um verdadeiro museu.

Nessa época, o casal, com as filhas Carolina e Maria, ia quase todo ano para o exterior. Em 1902, Inácio adoeceu gravemente e a família resolveu mudar-se definitivamente para a Europa em busca de tratamento adequado, tendo para tanto percorrido vários países. Quando ele deu sinais de melhora, estabeleceram-se em Paris. Lá abriram seu salão, que logo se tornou famoso, sendo bastante conhecidos "os *mardis* de Mme. Penteado". A casa era uma verdadeira embaixada brasileira extra-oficial. Para lá convergiam todos os intelectuais e artistas em passagem pela grande capital do mundo e os maiores valores culturais franceses da época, assim como diplomatas brasileiros. Os convidados permaneciam apenas até as 20 horas, para preservar a saúde do anfitrião. Pela mesma razão, Olívia só aceitava convites para reuniões que se realizassem à tarde.

Voltaram definitivamente em 1913, para São Paulo quando o estado de saúde de Inácio não tinha mais solução. Ele faleceu em 8 de fevereiro de 1914.

Olívia retornou para Paris quando acabou a guerra, em 1918, e sua casa se tornou, novamente, um grande centro cultural, onde ela passou a receber um seleto grupo de pessoas, sempre às terças-feiras.

Em 1922, regressou para São Paulo e aproximou-se dos modernistas brasileiros. Resolveu investir em projetos de divulgação da cultura. Foi nomeada membro do Conselho de Orientação Artística, fundou a Sociedade de

Concertos Sinfônicos e constantemente fazia cursos especiais na Europa para melhor compreender a arte. Viveu a efervescência dos ateliês de Picasso, Léger e a Academia lhote. Foi numa dessas viagens que trouxe um quadro de Léger, pintor incompreendido mesmo em Paris. Também rejeitado no Brasil, Olívia foi ridicularizada ao realizar uma grande festa para apresentar sua nova aquisição.

Com um pequeno grupo de amigos, fez várias excursões pelo interior do Brasil, recolhendo aqui e ali preciosidades artísticas. Foi ela quem alertou ao governo paulista da necessidade de proteção aos monumentos históricos e religiosos, que aos poucos desapareciam pela ação do tempo ou da ignorância.

Em 1925, construiu ao lado de sua casa um pavilhão, que ficou conhecido como Pavilhão de Arte Moderna. Foi decorado pelo pintor Lasar Segall para abrigar suas obras e para ser seu ateliê. Lá promoveu reuniões com artistas, sendo Tarsila do Amaral* e Mário de Andrade seus convidados, além de grandes amigos.

Olívia não se contentava em reunir apenas nomes consagrados. Descobria valores novos e lançava-os em seu salão, e suas reuniões caracterizavam-se pela absoluta isenção partidária. No início da década de 1930, as reuniões diminuíram de freqüência, devido à crise que antecedia a Revolução.

Com o advento da Revolução Constitucionalista de 1932, engajou-se na Assistência à População Civil. Foi a primeira presidente da Associação Cívica Feminina e ajudou Pérola Byington na sua Cruzada Pró-infância. Mesmo nesse período conturbado, ao lado de alguns artistas, fundou a Sociedade Paulista de Arte Moderna (SPAM) que marcou época na história da arte no Brasil.

Quando passava uma tempoada em Santos, teve uma crise de apendicite. Foi operada e, em seguida, adquiriu uma infecção hospitalar. Foi transferida para São Paulo, onde a médica Carlota Pereira de Queiroz* foi atendê-la, sem sucesso.

Faleceu em 9 de junho de 1934, no Instituto Paulista.

Fontes: Arruda Dantas, *Dona Olívia;* Lígia Torres, *Damas paulistas.*

Oneyda Alvarenga (1911-?)

Folclorista.

Oneyda Paoliello de Alvarenga nasceu em Varginha (MG), em 06 de dezembro de 1911. Diplomou-se em 1934 no Conservatório Dramático e Musical de São Paulo (SP), onde foi aluna de Mário de Andrade. Teve premiada sua tese do curso de história da música sobre a linguagem musical.

Oneyda organizou e dirigiu, desde a fundação, em setembro de 1935, a Discoteca Pública Municipal de São Paulo; aposentou-se do cargo em abril de 1968. Em 1937, fez curso de etnografia e folclore com a francesa Dina Lévi-Strauss, recebendo ao final um prêmio pelo trabalho *Cateretês do sul de Minas Gerais*. Foi Membro fundador e do Conselho Técnico da Sociedade de Etnografia e Folclore de São Paulo (1937-38).

Em 1938, estreou na literatura com o livro de poesia *A menina boba*. Alguns de seus poemas foram musicados por Francisco Mignone, Cláudio Santoro, Clorinda Rosato, Camargo Guarnieri, Koellreuter e outros. Em 1945, recebeu o prêmio Fábio Prado pelo livro *Música popular brasileira*.

Participou da fundação da Academia Brasileira de Música e da União Brasileira de Escritores; integrou, depois de uma longa campanha em defesa das tradições e crenças populares, a Comissão Nacional de Folclore, criada em 1947 e substituída em 1961 pelo Conselho Nacional de Folclore. Formou e deu orientação inicial à Comissão Paulista de Folclore, fundada em 1948. É membro correspondente do International Folk Music Council (Londres, Inglaterra) e da Association Internationale des Bibliotèques Musicales (Paris, França). Recebeu, da prefeitura do Rio de Janeiro, a medalha Sílvio Romero, em 1958.

Fontes: Arquivo Folclórico da Discoteca Pública Municipal de São Paulo; *Enciclopédia de música brasileira: popular, erudita e folclórica* .

Órfãs da Rainha (séc.XVI)

Denominação conferida às mulheres portuguesas enviadas pelo rei para as colônias de Portugal a fim de que elas aí se casassem. Em sua grande maioria, eram descendentes da pequena

1

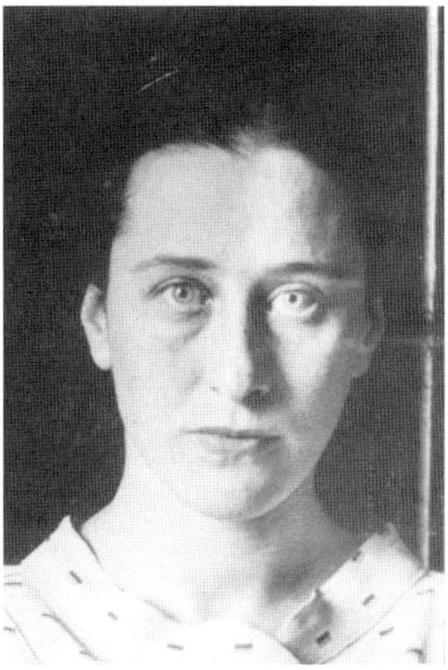

2

3

4

5

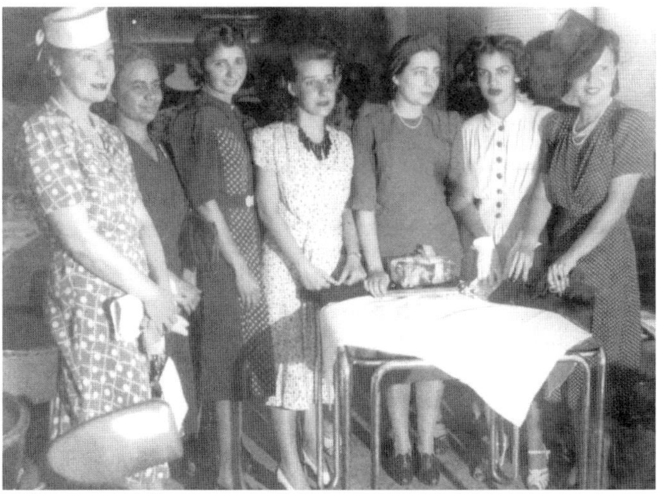

1 • *Olga Benario*
Militante comunista entregue aos nazistas pelo governo brasileiro.

2 • *Olegarinha Gama da Cunha*
Abolicionista pernambucana.

3 • *Orsina da Fonseca*
Primeira-dama, mulher do presidente Hermes da Fonseca, auxiliou o movimento de mulheres.

4 • *Olívia Guedes Penteado*
Mulher influente da sociedade paulista do começo do séc.XX e fundadora de sociedades culturais.

5 • *Orminda Ribeiro Bastos*
Reunião da União Universitária Feminina, da qual Orminda Ribeiro Bastos foi uma das fundadoras, em 1929.

nobreza engajada na conquista do além-mar; mas com a morte dos pais, as moças eram recolhidas em conventos ou casas de famílias de onde saíam para contrair matrimônio. Como dote, as moças levavam aos futuros maridos a promessa de um cargo público na administração colonial portuguesa. E ainda, segundo apurou o historiador Coates, ser enviada para o além-mar para se casar era considerado uma honra. Essa foi uma política adotada em Portugal, com maior ênfase no século XVI, especialmente para as possessões na Ásia, à razão de três a quatro mulheres embarcadas anualmente.

Em 1549, chegou ao Brasil o padre jesuíta Manuel da Nóbrega, acompanhando a esquadra de Tomé de Sousa. Vinha com o propósito de zelar pela vida espiritual dos súditos do rei instalados nos trópicos, o que incluía alertar seus superiores para o comportamento desregrado de membros da Igreja quando no Brasil e, do mesmo modo, alertar para a moralidade vigente entre os habitantes em matéria de casamento. Neste particular, dada a escassez de mulheres brancas, constatou Nóbrega que era comum a prática das uniões não formais entre homens brancos — reinóis — e mulheres índias (chamadas de negras da terra).

Escandalizado com os costumes da sociedade colonial, Manuel da Nóbrega escreveu ao rei de Portugal, D. João III, solicitando que este enviasse para o Brasil mulheres solteiras para que elas aqui se casassem. O pedido de Nóbrega pretendia expandir para o Brasil a experiência que Portugal vinha empregando, com sucesso, na colonização de Goa, Índia. Contava com que fossem trazidas ao Brasil jovens órfãs, filhas de nobres que tivessem morrido a serviço da Coroa nas aventuras da empresa ultramarina. Sua preocupação era tão grande que foi o assunto inicial de sua carta:

> "Nesta terra ha um grande peccado, que é terem os homens quasi todos suas Negras por mancebas, e outras livres que pedem aos Negros por mulheres, segundo o costume da terra, que é terem muitas mulheres. E estas deixam-n'as quando lhes apraz, o que é grande escandalo para a nova Egreja que o Senhor quer fundar. Todos se me escusam que não têm mulheres com que casem, e conheço eu que casariam si achasse com quem; em tanto que uma mulher, ama de um homem casado que veiu nesta armada, pelejavam sobre ella a quem a haveria por mulher, e uma escrava do Governador lhe pediam por mulher e diziam que lh'a queriam forrar. Parece-me cousa mui conveniente mandar Sua Alteza algumas mulheres que lá têm pouco remedio de casamento a estas partes, ainda que fossem erradas, porque casarão todas mui bem, com tanto que não sejam taes que de todo tenham perdido a vergonha a Deus e ao mundo. E digo que todas casarão mui bem, porque é terra muito grossa e larga, e uma planta que se faz dura dez annos aquella novidade, porque, assim como vão apanhando as raízes, plantam logo ramos, e logo arrebentam. De maneira que logo as mulheres terão remedio de vida, e estes homens remediariam suas almas, e facilmente se povoaria a terra."

Não admira que o casamento se apresentasse como uma necessidade imperiosa na vida da mulher portuguesa, tão logo surgissem os primeiros sinais da puberdade. Ser mulher solteira, ou por outra, mulher sem marido, era sinônimo de desprezo social, resvalando nas fronteiras da prostituição. No lugar ocupado pela mulher da elite na rígida sociedade portuguesa, o ato de se casar representava uma garantia de respeitabilidade.

Se pelo lado da vida privada, o casamento legítimo, sacramentado pela Igreja e reconhecido pela sociedade, cumpria o propósito de proteger as mulheres da elite contra o preconceito, assim como lhes oferecia a alternativa de acesso ao usufruto do patrimônio de seus maridos, do ponto de vista da política, a idéia de se promover a colonização do Brasil com mulheres brancas reinóis apresentava vantagens reconhecidas pelos contemporâneos. A principal delas era a de se constituírem, com os casamentos, descendências legítimas, diga-se, de famílias brancas, para ocupar o território e preencher o vasto emaranhado de cargos na administração colonial.

Assim, no ano de 1551 desembarcou na Bahia a primeira leva de jovens órfãs de que se tem registro. Chegaram do reino para se casar no Brasil as órfãs Mécia Lobo de Mendonça*, Joana Barbosa Lobo* e Marta de Sousa Lobo*, três irmãs, filhas de um nobre que havia morrido na conquista das Índias.

Entre 1553 e 1558, novas levas de órfãs chegaram à Bahia, recomendadas para se casarem com "homens de bem" locais. Ao todo, têm-se notícia da vinda de 18 mulheres órfãs para o Brasil, das quais temos conhecimento do nome e paradeiro de quinze: Apolônia de Góis*, Ana de Paiva*, Catarina de Almeida*, Catarina Fróis*, Catarina Lobo, Clemência Dória*, Damiana de Góis*, Inês da Silva*, Jerônima de Góis*, Maria Barbosa*, Maria de Reboredo*, Violante de Eça*, e as três irmãs acima citadas. Essas mulheres formaram a base de linhagens de famílias do Nordeste colonial, algumas das quais mantiveram influência social por longo tempo.

Os estudos realizados até o momento não revelam um fluxo expressivo de mulheres órfãs para as terras brasileiras. Existem registros de pedidos de moradores de algumas capitanias ao rei, para que fossem enviadas órfãs brancas para gerar descendências legítimas. Foi o caso da carta enviada pela Câmara Municipal de Piratininga, no ano de 1561, como mencionou o cronista Serafim Leite, e um documento régio de 1603 que autorizou o envio de três órfãs para o Brasil. Em 1611, os poderosos da Paraíba também manifestaram desejo de receber mulheres brancas casadoiras.

Ao que parece, a denominação "Órfãs da Rainha", consagrada na historiografia genealógica brasileira, não surgiu entre os contemporâneos da chegada das levas de órfãs. Como foi o rei D. João III o principal incentivador do envio de mulheres reinóis para colonizar e embranquecer a população do Império no além-mar, com a sua morte, em 1551, assumiu a regência do trono por cinco anos a rainha Catarina d'Áustria, que manteve a mesma política do marido e foi a destinatária de várias petições de moradores brasileiros solicitando órfãs. Dessa forma, é possível, as mulheres que aqui aportaram foram estigmatizadas como as "Órfãs da Rainha".

Fontes: Afonso Costa, *As Órfãs da Rainha*; Manoel da Nóbrega, *Cartas do Brasil, 1549-1560*; Orlando da Rocha Pinto, *Cronologia da construção do Brasil, 1500-1889*; Timothy Coates, *Degredados e órfãos*. • Elaborado por Teresa Cristina Novaes Marques.

Orminda Ribeiro Bastos (1899-1971)

Feminista e jornalista.

Nasceu em Manaus (AM) em 12 de abril de 1899. Era filha de Antonia Ribeiro Bastos e Pedro Rodrigues Bastos. Ainda criança, foi com os pais para Belém (PA), onde estudou e formou-se pela Faculdade Livre de Direito do Pará, em 1922.

Era jornalista, professora de grego e de latim do Colégio Estadual Paes de Carvalho, espírita praticante e advogada no Fórum de Belém. Até 1925, sua atuação sufragista no Pará manteve-se diretamente ligada ao jornalismo impresso, além de conferências proferidas às mulheres na Liga Cooperativa das Operárias de Fábrica.

Seus artigos escritos na imprensa paraense causavam polêmica na sociedade tradicional do estado, que não aceitava o fato de a mulher votar porque seria chamada de "mulher pública". "O voto feminino no Brasil", publicado na *Folha do Norte* de Belém, em novembro de 1922, foi o mais questionado e "A emancipação da mulher", de novembro de 1923, causou *frisson* entre os que consideravam perigosas as mudanças que viriam a ocorrer a partir da concessão do direito do voto feminino.

Transferiu-se para o Rio de Janeiro (RJ) em 1925 e, como advogada, passou a fazer parte da equipe de Evaristo de Moraes. Assessora jurídica da Federação Brasileira pelo Progresso Feminino*, engajou-se no movimento nacional sufragista e, em 1929, junto com outras companheiras profissionais liberais, fundou, no Rio de Janeiro, a União Universitária Feminina.

Ao integrar a equipe jurídica da Federação, contribuiu substancialmente para os projetos da entidade, sendo responsável pela redação final das reivindicações da mulher brasileira incluídas no ante-projeto da Constituição de 1934 e apresentadas por Bertha Lutz*.

Orminda Ribeiro Bastos manteve até sua morte um escritório de advocacia no Rio de Janeiro. Seu vínculo com o Pará mantinha-se através dos amigos que a procuravam na casa que compartilhava com a irmã Henori Bastos.

Faleceu em 5 de fevereiro de 1971, aos 72 anos.

Fonte: Luzia Álvares, *Projeto Cidadania, Participação Política e Gênero* • Colaboração especial de Luzia Álvares.

Orsina Francione da Fonseca (1858-1912)

Primeira-dama*.

Nasceu em 17 de dezembro de 1858. Foi casada com seu primo-irmão, o marechal Hermes da Fonseca, presidente da República de 1910 a 1914. Era amiga íntima de Leolinda Daltro*, recebendo-a na casa presidencial e aprovando a causa feminista por ela sustentada.

Preocupada com os problemas sociais, ajudou o marechal Mallet na fundação do Orfanato Osório, em cujo benefício prosseguiu trabalhando. Atuou, junto ao marido, com suas idéias e influência, colaborando nas ações de assistência aos mais necessitados. Por essa razão, seu nome foi dado a uma vila operária, hoje extinta. Como homenagem póstuma, a prestigiosa escola tijucana, fundada em outubro de 1898, Liceu Artes e Ofícios — Instituto Profissional Feminino, recebeu seu nome, passando a se chamar, a partir de 1948, Ginásio Industrial Orsina da Fonseca. Foi um internato feminino gratuito até o ano de 1960 e atualmente é a Escola Municipal Orsina da Fonseca.

Morreu em 30 de novembro de 1912. Está enterrada no cemitério São Francisco Xavier, na cidade do Rio de Janeiro.

Fontes: Galeria da Fundação Osório, *Mulheres brasileiras; Jornal do Brasil*, 25/10/98.

Osmarina Lameira Cintra *ver* MARA RÚBIA.

Ozelita Cascudo Rodrigues (1907-96)

Educadora.

Nasceu em Areia Branca (RN), em 27 de janeiro de 1907, filha de Francisca Bezerra Cascudo e Olinto Florêncio de Almeida, comerciante que adotou o nome de Cascudo. Também um primo de Ozelita, o folclorista Câmara Cascudo, adotou esse nome como fizera Olinto. Vivendo entre as pequenas cidades de Areia Branca, Luís Gomes e Mossoró, a jovem Ozelita integrou a primeira turma formada pela Escola Normal de Mossoró em 1924. Foi professora de gerações e gerações nessa cidade e em Luís Gomes. Estudou desenho com a professora Celina Guimarães Viana*, a primeira eleitora brasileira, mas não participou do movimento sufragista que agitou Mossoró nos anos de 1927 à 1932.

Casou-se em 1932 com Adolfo Rodrigues de Lima, comerciante, e acabou indo morar definitivamente em Mossoró, onde exerceu uma forte liderança política até sua morte. O casal teve quatro filhos. Era a professora Ozelita quem, aliada do líder político potiguar Aluísio Alves, comandava as campanhas eleitorais dos Alves em Mossoró. Criou, com outras mulheres da cidade, um grupo intitulado O Senado das Mulheres, que teve participação ativa na efervescente campanha eleitoral de 1960 que elegeu Aluísio Alves governador do Rio Grande do Norte. Durante a campanha, as mulheres do "Senado" mantiveram encontros para discutir e participar da movimentação política local e estadual; a condição para pertencer ao Senado das Mulheres era que a militante seguisse a orientação política de Aluísio Alves.

A trajetória de Ozelita é emblemática da condição feminina. Tão talentosa para a política e com muita energia para o exercício do poder, jamais disputou um cargo eletivo e sempre se manteve dentro do eterno ideário feminino da mãe e esposa exemplar, sem ter participado ao longo de sua vida das lutas das mulheres pela ampliação da sua cidadania. Faleceu em Mossoró, no dia 1º de abril de 1996. Seu nome está gravado no Memorial dos Mossoroenses, como homenagem da cidade aos seus cidadãos ilustres. Sua família criou uma fundação com seu nome. O filho João Batista Cascudo Rodrigues é autor da obra *A mulher brasileira — direitos políticos e civis*; ele afirma ter se interessado em estudar os problemas das mulheres por influência da mãe.

Fontes: Augusto S. de Medeiros, *As senadoras do cigano feiticeiro*; Memorial dos Mossoroenses.

P

Pacífica Josefina de Castro

(1846-1932)
Educadora.

Nasceu em 21 de setembro de 1846, na antiga cidade de Vila Boa (GO). Seu pai era um poderoso senhor de terras e de escravos, os quais tratava com bastante rigor.

Passou a infância na fazenda Santo Antônio. Sensibilizava-se com as condições de vida na senzala e os maus-tratos a que os negros eram submetidos. Cada escravo recebia sua ração semanalmente. Ele próprio é quem deveria administrá-la para que durasse até a próxima distribuição. Na maioria das vezes, porém, a comida era insuficiente. Pacífica, então, ludibriava o encarregado do celeiro e invadia o depósito de alimentos para dar novas provisões aos escravos.

Estudou na escola de propriedade de sua mãe, tornando-se professora. Recebeu, por isto, o apelido de Mestre Inhola. Contudo, segundo a escritora Célia Coutinho, o apelido teria sido dado pelos escravos como um tratamento carinhoso. Já adulta, fundou uma escola modesta, onde os alunos poderiam iniciar-se nas primeiras letras e cálculos que lhes conferissem aptidão para a vida prática ou para tentar o Liceu. Quase autodidata, nunca fez um curso especializado, mas desenvolveu um método próprio de ensino. Seu Jubileu de Ouro no magistério foi bastante comemorado, sendo Mestre Inhola homenageada com uma procissão e uma sessão lítero-musical, em 15 de novembro 1919.

Faleceu em 11 de fevereiro de 1932, aos 86 anos.

Fontes: Célia Coutinho Seixo de Brito, *A mulher, a história e Goiás*; Elisabete Bicalho e Maria José Pereira Rocha (coords.), *Luta e resistência de mulheres em Goiás (1930-1993)*.

Pagu (1910-62)

Poetisa, jornalista e ativista política.

Patrícia Rehder Galvão nasceu no dia 9 de junho de 1910 em São João da Boa Vista (SP), filha de Adélia e Thiers Galvão de França.

Cursou a Escola Normal e, aos 15 anos de idade, já colaborava com o jornal de seu bairro, o *Jornal do Brás*. Colocou sua vida a serviço dos ideais de igualdade e justiça. Participou ativamente do movimento modernista, no qual se engajou aos 18 anos e, aos 19, do movimento antropofágico, na ala dissidente, esquerdista, de Oswald de Andrade, Raul Bopp, Osvaldo Costa e Geraldo Ferraz, oposta à ala católica de Mário de Andrade, Alcântara Machado e Yan de Almeida Prado. Fazia desenhos para a *Revista da Antropofagia*, na época em que esta era veiculada como página especial do jornal *Diário de São Paulo*, fase mais radical do movimento. Casou-se com o pintor Waldemar Belisário, mas o casamento durou pouco. Foi companheira do escritor Oswald de Andrade durante vários anos e com ele teve um filho, Rudá.

Era uma mulher corajosa. Num incidente ocorrido em 1931, no porto de Santos, durante um choque entre trabalhadores e a polícia, recolheu o corpo agonizante do estivador negro

Herculano de Sousa, enfrentando a cavalaria. Por conta desse incidente, o Partido Comunista do Brasil (PCB), receoso de ser responsabilizado, chamou-a de "agitadora individual, sensacionalista e inexperiente". Filiada ao PCB, tanto ela como Oswald eram mal vistos pelos militantes do partido. Em março do mesmo ano, lançaram o tablóide *O Homem do Povo*, pasquim político que circulou por apenas dois meses. A polícia proibiu a circulação do jornal em abril, por pressão dos estudantes de direito do Largo de São Francisco (SP). Ainda em 1931, foi presa pela primeira vez por participar de um comício do partido em protesto contra a execução, nos Estados Unidos, dos anarquistas italianos Sacco e Vanzetti, acusados de homicídio. Tornou-se, assim, uma das primeiras mulheres brasileiras a serem presas por motivos políticos no século XX.

O romance *Parque industrial*, que escreveu em 1933 com o pseudônimo de Maia Lobo, provocou intensa polêmica por suas críticas à sociedade paulistana. Neste romance, Pagu denunciou as condições socioeconômicas em que viviam os proletários e desmistificou a figura feminina para além do espaço doméstico.

Depois da prisão e da publicação de *Parque industrial*, Patrícia fez uma viagem de volta ao mundo, enviando, como correspondente, reportagens para os jornais do Rio de Janeiro e de São Paulo. Visitou os Estados Unidos, Japão, Mandchúria. Nesse país presenciou a coroação do imperador Pu-Yi. Na China, entrevistou, no navio, um passageiro ilustre: Freud. Entrou na Europa pelo trem transiberiano, indo de Moscou a Paris. Na capital francesa, participou do PC francês e travou amizade com os intelectuais Aragon, André Breton e Paul Éluard. Acabou presa pelo governo de Laval e foi salva pelo embaixador brasileiro Sousa Dantas. Voltou ao Brasil e foi novamente presa em 1935 por um período de quatro anos e meio. Retornou à liberdade em 1940 e desvinculou-se do PCB, passando a criticar o partido, especialmente com relação à política cultural.

O combativo jornal *Vanguarda Socialista* contou com sua colaboração durante o ano de 1945, paralelamente ao lançamento do seu romance, *A famosa revista*, em parceria com Geraldo Ferraz. Espírito irriquieto e criativo, Pagu fez a primeira tradução do dramaturgo Ionesco e entrou para a Escola de Arte Dramática.

Sua inquietação política traduz-se nas eleições de 1950, quando concorreu a uma vaga de deputada estadual pelo PSB (Partido Socialista Brasileiro), não se elegendo.

Sob o pseudônimo de Gim, escreveu pioneiramente artigos sobre televisão no jornal *A Tribuna*, da baixada santista. Sua relação com a arte dramática a fez traduzir e dirigir a peça *Fando e Lis*, do dramaturgo espanhol Arrabal. Impulsionou grupos amadores e estudantis de teatro, envolveu-se com a produção cultural e assumiu a presidência da União do Teatro Amador de Santos, até então ocupada por homens.

Faleceu no dia 12 de dezembro de 1962.

Fontes: Augusto Campos, *Pagu, vida e obra*; Maria Aparecida Franco Pereira (coord.), *História da mulher na história*.

Partido Republicano Feminino

Fundado no Rio de Janeiro, no dia 23 de dezembro de 1910, pela professora Leolinda de Figueiredo Daltro*, sua primeira presidente e um grupo de mulheres cariocas, muitas delas professoras e uma conhecida escritora, Gilka Machado*.

O partido tinha por fim congregar as mulheres brasileiras, promovendo a cooperação feminina na defesa das causas relativas ao progresso do país. No programa do partido destacava-se a luta pelo sufrágio feminino como forma de incorporar plenamente a mulher à sociedade. Vale lembrar que, no momento da fundação do partido, a controvérsia em torno do direito de voto para as mulheres vinha-se arrastando desde a década de 1880. As discussões sobre o tema se encontravam em um estágio de apatia, se tomarmos por parâmetro a intensa movimentação que as feministas promoveriam na década de 20. No entanto, ainda que as mulheres não fossem eleitoras e estando, por isso, impossibilitadas de candidatarem-se a cargo eletivo, as ousadas companheiras de Leolinda deram um passo importante no sentido de trazer a questão feminina para o centro do debate político.

Os estatutos do partido foram publicados no *Diário Oficial* do dia 17 de dezembro de 1910, e deles constava:

"§2º Pugnar pela emancipação da mulher brasileira, despertando-lhe o sentimento de independência e de solidariedade patriótica, exalçando-a pela coragem, pelo talento e pelo trabalho, diante da civilização e do progresso do século.

§4º Pugnar para que sejam consideradas extensivas à mulher as disposições constitucionais da República dos Estados Unidos do Brasil, desse modo incorporando-a na sociedade brasileira.

§7º Combater, pela tribuna e pela imprensa, a bem do saneamento social procurando, no Brasil, extinguir toda e qualquer exploração relativa ao sexo."

No dia 18 de agosto de 1911 o Partido Republicano Feminino (PRF) recebeu o registro oficial. Com a professora Daltro sempre à frente, realizou manifestações políticas até oito anos após sua fundação.

O destino do PRF e a forma como o grupo articulava ações em defesa da causa feminina ainda aguarda pesquisadores. A própria Federação Brasileira pelo Progresso Feminino*, surgida no ano de 1918, e que ocupou o papel de maior destaque no movimento feminista brasileiro até 1937, só veio a formular uma plataforma política e um programa de ação sistemático após a conquista do sufrágio feminino, garantido pelo Código Eleitoral de 1932.

Fontes: *Diário Oficial*, 17.12.1910; Registros de Sociedades Civis 18.8.1911. • Elaborado por Teresa Cristina Novaes Marques e Hildete Pereira de Melo.

Páscoa (séc.XVIII)

Índia.

Viveu na capitania de São Paulo. No ano de 1713, comprou sua alforria por 200 mil réis. Sebastiana de Oliveira, sua senhora, assim justificou ter aceito o pagamento: "Que me deu por agradecida de a deixar por forra e livre."

Fonte: John Manuel Monteiro, *Negros da terra: índios e bandeirantes nas origens de São Paulo.*

Páscoa do Espírito Santo (séc.XVIII)

Colonizadora de Santa Catarina.

Vinda dos Açores, fixou-se em Laguna, Santa Catarina, com seu companheiro João da Costa Azevedo. No ano de 1746 recebeu confirmação do pedido de sesmaria, em nome de ambos. O lote de terra que o casal recebeu foi chamado de sesmaria dos Ferreiros.

Páscoa do Espírito Santo fez parte dos primeiros colonizadores portugueses do Sul do Brasil, que para lá se dirigiram atraídos pela promessa de lotes de terra e pela ilusão de encontrar ouro. Seu caso ilustra o movimento isolado de imigrantes vindos de várias regiões de Portugal, mas sobretudo dos Açores, para a ilha de Santa Catarina e arredores. É certo que o deslocamento de casais em direção ao sul da colônia já contava, ao tempo de Páscoa, com o incentivo da Coroa portuguesa. Desde meados da década de 1730 cabia ao governo do Rio de Janeiro a criação de núcleos de povoamento entre São Paulo e Sacramento como forma de consolidar o domínio português sobre esse território. Foi, porém, a partir de 1748 que se deu o grande fluxo de imigrantes açorianos como resposta a uma política de incentivo à imigração de casais. Prometiam-se concessões e favores aos que desejassem emigrar para Santa Catarina e Rio Grande. Vieram, então, os chamados "casais de número".

Não era, porém, usual a concessão de sesmarias, como no caso de Páscoa, sendo mais freqüente os casais receberem datas de terra, com dimensões bem inferiores às das sesmarias. Estas costumavam medir, no mínimo, três léguas, ou cerca de 13 mil hectares, enquanto as datas não passavam de um quarto de légua, ou cerca de 272 hectares.

Fontes: João Borges Fortes, *Casais*; Oswaldo Cabral, *Os açorianos.*

Patrícia Rehder Galvão *ver* PAGU

Paula de Sequeira (c.1551-?)

Condenada pela Inquisição.

Nasceu em Lisboa, Portugal. Morava em Salvador, Bahia, e pertencia à elite colonial, pois seu marido era o contador da Fazenda d'El Rei.

Seu nome entrou pela primeira vez nos autos da Inquisição por uma denúncia do padre Baltasar de Miranda, que a acusou de possuir livros proibidos. Um desses livros teria sido *Diana*, do escritor espanhol Jorge de Monte Mayor, romance pastoril de 1559, relatando o amor entre duas moças, classificado de "desonesto" pelo *Index*, lista de publicações vetadas a leitura pela Reforma católica do século XVI.

Teria sido a própria Paula quem, dias depois de ser denunciada pela posse dos livros, resolveu procurar o Santo Ofício e confessar seu caso de amor com Felipa de Sousa*. Segundo os autos, seu caso com Felipa durara um ano, embora elas já tivessem trocado cartas de amor, carícias e presentes havia mais de dois anos. Paula, porém, confessou ao visitador que elas só tiveram ajuntamento carnal em um dia, num domingo ou dia santo, e nada mais. Relatou, ainda, alguns fatos que se passaram em Lisboa, mais de 20 anos antes. Lá, ela havia experimentado certas práticas mágicas para "amansar seu marido". Mais tarde, quando já vivia no Brasil, procurou Isabel Rodrigues*, a Boca-Torta, conhecida em Salvador pelos feitiços amorosos que recomendava às mulheres.

As transgressões com que se envolveu lhe valeram seis dias de prisão, duas aparições públicas como ré do Santo Ofício e o pagamento de alta quantia, além de penas espirituais e abjuração na casa do Inquisidor. Foi sentenciada, em setembro de 1591, a aparecer na missa de domingo com vela na mão e cumprir as penas espirituais pela posse de livros proibidos. Apesar disto, em janeiro de 1592, recebeu mandado de prisão pelas "culpas nefandas" por ela confessadas e confirmadas na primeira sessão do interrogatório de Felipa. O fato de Paula de Sequeira ser casada com um importante funcionário da administração real e de sua conduta em nada condizer com o estereótipo de mulher branca e recatada da época, tornava-a mais evidente ao olhar do Santo Ofício, que a tratou com rigor.

Fontes: Lígia Bellini, *A coisa obscura: mulher, sodomia e Inquisição no Brasil*; Ronaldo Vainfas (org.), *Sodomia, mulheres e Inquisição: notas sobre sexualidade e homossexualismo feminino no Brasil colonial.*

Paula do Rosário (séc. XVIII)

Sesmeira.

Morava em Vila Nova da Rainha de Caeté, comarca do Rio das Velhas (MG), quando requereu uma sesmaria ao governador. Justificou seu pedido com o argumento de que, vivendo com a família e mais quarenta escravos e pagando impostos à Coroa, achava-se no direito de obter uma gleba de terra. No período de 1728 e 1745, em Minas Gerais, ocorreram 739 doações de sesmarias, sendo que, deste total, apenas 21 foram obtidas por mulheres.

Fonte: Luciano Figueiredo, *O avesso da memória — cotidiano e trabalho da mulher em Minas Gerais no século XVIII.*

Paulina D'Ambrósio (1890-1976)

Professora e violinista.

Nasceu em São Paulo, capital, em 19 de março de 1890. Formou-se em violino pelo Conservatório Real de Bruxelas, na Bélgica, sob a orientação de César Thomson, recebendo o Grande Prêmio do Conservatório. De volta ao Brasil, dedicou-se ao ensino, formando toda uma geração de músicos. Consagrou-se como solista, apresentando-se, muitas vezes, acompanhada por Villa-Lobos, Artur Napoleão, Antonieta Rudge*, Glauco Velásquez e Lorenzo Fernandes, entre outros.

Paulina foi catedrática de violino do Instituto Nacional de Música (atual Escola Nacional de Música), professora da Academia Lorenzo Fernandes e da Academia de Música do Rio de Janeiro. Tocou como *spalla* na Orquestra Sinfônica do Rio de Janeiro e na Sociedade de Concertos Pró-Música, da qual foi uma das fundadoras. Colaborou por longo período com Villa-Lobos, inclusive durante a Semana de Arte Moderna de 1922, e este lhe dedicou diversas composições, assim como outros grandes músicos brasileiros. Seu nome foi dado a uma das salas da Escola Nacional de Música da Universidade Federal do Rio de Janeiro.

Faleceu em 1976.

Fontes: *Enciclopédia da música brasileira: popular, erudita e folclórica*; Mariana Coelho, *A evolução do feminismo*; Vasco Mariz, *Figuras da música brasileira contemporânea.*

Pauline Philippe Reichstul (1947-73)

Ativista política, vítima da ditadura militar.

Nasceu em 18 de julho de 1947, na Tchecoslováquia, filha de Ethel e Selman Reichstul. Chegou ao Brasil ainda muito menina, quando sua família, judia, imigrou fugindo dos horrores da guerra.

Teve como companheiro o francês Ladislau Dowbor, conhecido como Jamil, que era ideólogo e militante da Vanguarda Popular Revolucionária (VPR). Viveram um tempo em Lausanne, Suíça, onde Pauline teve oportunidade de estudar com o grande pedagogo Jean Piaget. Participaram, em Paris, dos protestos de maio de 1968, e logo depois, de volta ao Brasil, se envolveram em ações de luta armada contra a ditadura militar instalada em 1964.

Ladislau atuou na linha de frente, enquanto Pauline tinha um papel mais discreto na organização. Ele foi preso duas vezes e torturado, sendo libertado quando o governo trocou prisioneiros pelo embaixador alemão, que havia sido seqüestrado. Foi, então, encontrar-se com Pauline, que estava na Argélia; ele desistiu da luta armada e ela continuou com sua militância, fazendo treinamento de guerrilha em Cuba e voltando ao Brasil em 1972 como uma das encarregadas de reerguer a VPR no Nordeste.

Em 8 de janeiro de 1973, aos 26 anos, Pauline foi assassinada sob torturas, no Massacre da Chácara São Bento, município de Paulista, em Pernambuco, pela equipe do delegado Sérgio Fleury, com a ajuda do infiltrado ex-cabo Anselmo. Ela havia trazido para o Brasil justamente o documento que apontava o cabo Anselmo como traidor e que ordenava seu julgamento. Na ocasião foram assassinados também os militantes Eudaldo Gomes da Silva, Jarbas Pereira Marques, José Manoel da Silva, Soledad Barret Viedma e Evaldo Luiz Ferreira.

Em julho de 1997, foi reconhecida a responsabilidade do Estado por sua morte. A Comissão de Mortos e Desaparecidos Políticos aprovou uma indenização, que, segundo seu irmão Henri Philippe Reichstul declarou, será utilizada para criar uma instituição para crianças carentes, a Fundação Pauline.

Fontes: Luís Maklouf Carvalho, *Mulheres que foram à luta armada*; Maria do Amparo Almeida Araújo et al., *Dossiê dos mortos e desaparecidos políticos a partir de 1964*.

Peregrina (?-1858)

Escrava, condenada à forca.

Vivia em Sabará (MG) e pertencia ao brigadeiro Jacinto Pinto Teixeira e à esposa Maria do Carmo Pinto Teixeira. Foi condenada e executada na forca, pela morte de Maria do Carmo, sua senhora.

O crime ocorreu no dia 5 de junho de 1856, na residência do casal, na rua Direita, em Sabará, a golpes de machado e mão de pilão. Peregrina e mais as escravas Rosa*, Luísa, Tecla, Balbina, Quitéria e Jesuína, uma vez cometido o crime, refugiaram-se na casa do advogado padre José Marciano Gomes Batista, onde foram presas.

Peregrina, motivada pelos maus-tratos infligidos por Maria do Carmo, no momento em que a escrava Quitéria encontrava-se presa no tronco, atacou-a com golpes de machado. Foi uma vingança pelos infortúnios por elas vividos nas mãos de sua senhora.

No dia 12 de agosto de 1856, o juiz Quintiliano José da Silva lavrou a sentença de condenação à morte das escravas Peregrina e Rosa, como autoras do homicídio. Balbina, Tecla, Jesuína, Quitéria e Luísa foram condenadas a 60 açoites cada uma, além de trazerem por dois anos, como sinal de infâmia, uma gola de ferro soldada ao pescoço. No dia 12 de fevereiro de 1858, o presidente da Província, Carlos Carneiro de Campos, comunicava ao juiz de direito de Sabará que as rés Peregrina e Rosa não haviam obtido clemência imperial e por isto ordenava ao chefe de polícia que expedisse ordens para a execução da pena a que estavam condenadas.

Assim, no dia 14 de abril do mesmo ano, a sentença foi executada. O patíbulo foi armado entre as catacumbas da Igreja do Carmo, em Sabará. Peregrina foi a primeira a ser enforcada, e Rosa a segunda. Os cadáveres foram entregues à Irmandade da Misericórdia, que providenciou o enterro numa vala comum do cemitério.

Fonte: João Dornas Filho, "As enforcadas de Sabará", *Investigação*, vol.3, nº 26.

Polacas *ver* ASSOCIAÇÃO BENEFICENTE FUNERÁRIA E RELIGIOSA ISRAELITA (ABFRI)

Potira (?-c.1698)

Índia cariri.

Filha de Caturité, chefe da tribo dos índios Kuriry, ou Cariri, situada no Maranhão, além da serra da Borborema.

Em 1698, essa tribo foi atacada por uma bandeira chefiada por Garcia D'Ávila. Tendo pai e filha lutado até o fim, lado a lado, já prestes a serem feitos prisioneiros, fugiram para a planície. O pai, com Potira nos ombros, jogou-se de uma pedra alta, preferindo a morte a serem tomados como prisioneiros dos brancos.

Fonte: *O Cruzeiro*, 30.7.1955.

Potira (?-1567)

Índia tamoio.

Filha do chefe indígena tamoio Aimberê. Casou-se ainda menina com um francês, Ernesto, que havia se apaixonado por ela. O europeu integrou-se de tal maneira na vida tribal que se tornou um verdadeiro tamoio.

Potira morreu em 1567 ao lado do marido e do pai, combatendo as tropas de Estácio de Sá, que tentavam expulsar os franceses da capitania do Rio de Janeiro. A resistência dos Tamoio, aliados dos franceses, contou com a presença de várias índias, como foi o caso de Iguaçu*, também morta nessa batalha.

Fontes: Francisco A. Varnhagen, *História geral do Brasil*; Gustavo Geraldo de Almeida, *Heróis indígenas do Brasil — memórias sinceras de uma raça*; Hans Staden, *Duas viagens ao Brasil*.

Presciliana Duarte de Almeida (1867-1944)

Escritora e feminista.

Nasceu em Pouso Alegre (MG), a 3 de junho de 1867. Foi iniciada nas primeiras letras em sua cidade, dedicando-se à poesia e à literatura. Começou sua carreira de jornalista fundando um quinzenário manuscrito chamado *O Colibri*, com a colaboração de sua amiga Maria Clara da Cunha Santos. Em 1890 publicou o seu primeiro livro de poesias, intitulado *Rumorejos*, seguido de outro, *Pirilampos*. Mais tarde passou a colaborar com o periódico *Imprensa Liberal*, da cidade do Rio de Janeiro, e *A Família*, editado por Josefina Álvares de Azevedo*.

Em 1892, casou-se com o professor Sílvio de Almeida e se mudou para a cidade de São Paulo, onde, no ano de 1897, lançou um periódico voltado para o público feminino chamado *A Mensageira*. Veiculava poemas, notícias relativas à situação da mulher no Brasil, além de relatos sobre os avanços do movimento feminista no exterior. Os eloqüentes editoriais dessa publicação criticavam os preconceitos enfrentados pelas mulheres em vários campos. Foi o caso da campanha realizada pela revista em prol da autorização para o exercício da advocacia por mulheres, levada a público nas edições de dezembro de 1899 e janeiro de 1900. Embora admitisse a contribuição de artigos redigidos por homens, a revista manteve a linha editorial nos seus três anos de duração, defendendo a libertação feminina.

Em 1898, publicou o livro didático *Páginas infantis* e, em 1914, o *Livro das aves*. Foi admitida na Academia Paulista de Letras "como representante do sexo feminino".

Faleceu em 1944.

Fontes: Jan Korybut-Woroniecki, *Eles construíram a grandeza de São Paulo*; Maria T.C. Crescenti Bernardes, *Mulheres de ontem?*; *A Mensageira*.

Primeiras-damas

Denominação que se dá correntemente às esposas dos presidentes da República, dos governadores e dos prefeitos.

Algumas destas mulheres tiveram influência na vida política e social do país, mas a maior parte apenas cumpriu papéis de representação social. Do ponto de vista da carreira política dos pretendentes a cargos executivos, o casamento estável com uma mulher que domine as regras da etiqueta social tem sido sempre um requisito importante.

Das primeiras-damas espera-se um conjunto de atitudes e um comportamento que contribua para a boa imagem do governo. É o

2

São Paulo — 15 de Dezembro de 1899 — Anno II, N. 35

A MENSAGEIRA

Revista literaria dedicada á mulher brazileira

Directora — Presciliana Duarte de Almeida

Publica-se no dia 15 de cada mez

Pagamento adiantado	Preço da assignatura, 12$000 por anno Endereço: Rua de Sta. Iphigenia, N. 37.	Numero avulso Rs. 1$000

Summario: — Direitos da mulher; — Almeida Junior, poesia, Perpetua do Valle; — Passarinhos, poesia, Zalina Rolim; — A solidariedade feminina, Potonié Pierre; — Traducção de uma ode de Sapho, Silvio de Almeida; — Soneto, Aurea Pires; — A legenda da rosa branca, conto, Pelayo Serrano; — A' memoria de Almeida Junior, soneto, Trajano Pires; — Selecção; — A' minha mulher, poesia, Martins Junior; — Storia breve, poesia, C. Bruneto; — Notas pequenas.

Direitos da Mulher

A decisão tomada ante-hontem no Tribunal do Jury pelo Dr. Montenegro, negando a uma senhora diplomada o direito de defender um réo, mostra a necessidade indeclinavel do pronunciamento do Congresso sobre o assumpto. Na corporação dos magistrados ha espiritos favoraveis ao exercicio da advocacia pela mulher, e ha outros contrarios a semelhante concessão, de modo que, conforme o juiz, ellas podem ou não defender um accusado. Ha pouco tempo, o Dr. Viveiros de Castro, intelligencia lucidissima e emancipada de preconceitos, fundamentava em razões do mais logico liberalismo a competencia da mulher para o desempenho dessa funcção social e logo depois, no Tribunal Civil e Criminal, a mesma doutrina encontrou na maioria de seus membros completa approvação. Esse duplo reconhecimento do direito da mulher a competir com o homem em novo ramo de actividade pareceu a toda gente a consagração definitiva da sua capacidade para mais essa fórma de concurrencia. Se alguma surpresa podia surgir em tal materia, depois da confirmada deliberação, era a do voto em contrario formulado pelo Dr. Montenegro.

Diante do desaccordo, que pretende firmar-se em disposições constitucionaes, ficam em situação irregular e penosa as senhoras diplomadas, por não saberem ao certo qual o magistrado que presidirá ao julgamento da causa, cujo patrocinio lhes pretendem confiar e se portanto valerá a pena o estudo dos autos, o tempo empregado na urdidura da defeza. Ora, se para

3

4

5

- *Presciliana Duarte de Almeida*
  Escritora e abolicionista mineira, precursora da imprensa feminista.

- Periódico *A Mensageira*, dirigido por Presciliana Duarte de Almeida.

- *Primeiras-damas*
  Charge de E. Ayres retratando a primeira-dama e caricaturista Nair de Teffé em 1911.

- *Patrícia Galvão (Pagu)*
  Jornalista e ativista política que participou do movimento antropofágico na década de 1920.

- Da esq. para a dir.: Pagu, Anita Malfati, Benjamin Peret, Tarsila do Amaral, Oswald de Andrade, Elsie Houston e Álvaro e Eugênia Moreira, na Central do Brasil.

7

10

6

8

9

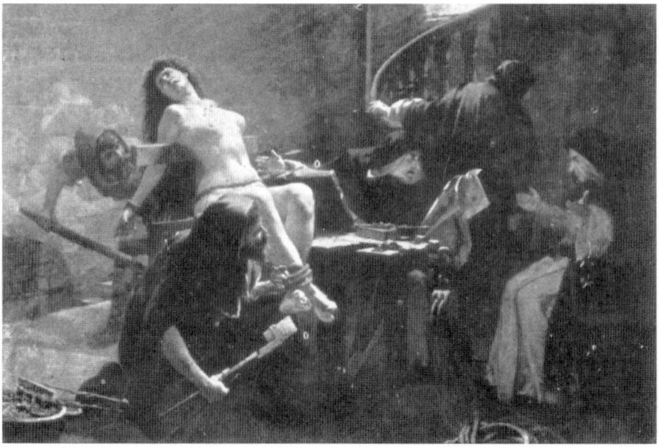

6 • *Princesa Isabel*
"A Redentora", primeira brasileira a governar interinamente o país.

7 • Cercada pelos filhos, tendo atrás a Condessa de Barral.

8 • *Paulina D'Ambrósio*
Musicista e fundadora da Sociedade de Concertos Pró-Música.

9 • *Paula de Sequeira*
Exemplo de punições impostas pela Inquisição, como as sofridas por Paula de Sequeira.

10 • *Quintina Diniz de Oliveira Ribeiro*
Primeira mulher eleita para um cargo político no estado de Sergipe, em 1934.

que ocorre na cultura política norte-americana, que veio a servir de inspiração para os republicanos brasileiros. Assim, a postura de mulher dedicada e guardiã da harmonia do lar deve sempre transparecer nas recepções oficiais, momentos em que se espera que a primeira-dama exerça com discrição o papel de anfitriã, em nome do país.

A promoção de obras de caridade e assistência aos mais necessitados é também um papel bastante desempenhado pelas mulheres dos governantes. Essas campanhas, efêmeras e marcadas pela oportunidade do momento, são políticas ainda recorrentemente empregadas por muitas.

Algumas mulheres de presidentes superaram a condição de anfitriãs e assumiram outros papéis. Exerceram o poder por meio de instrumentos que enfatizaram a atitude maternal e de protetora do povo. Especialmente aquelas que, como Darci Vargas*, empregaram o aparato administrativo do governo para criar entidades permanentes de assistência social.

Outras romperam com o papel tradicional de anfitriãs da residência oficial inovando nas recepções ali oferecidas. A jovem Nair de Teffé*, segunda esposa do marechal Hermes da Fonseca, ousou introduzir nos salões do Palácio do Catete o maxixe "Corta-jaca", para escândalo dos contemporâneos. Outras, como Sarah Kubitschek* e Risoleta Neves, deram uma substantiva contribuição ao capital político de seus maridos em razão de seus vínculos familiares com a elite política de seus estados.

Ruth Cardoso — antropóloga, professora universitária prestigiada, feminista com uma importante trajetória no movimento de mulheres brasileiro — vem tentando diferenciar sua atuação no governo, na busca de um novo significado para o tradicional papel de primeira-dama. No exercício do mandato de Fernando Henrique Cardoso, seu marido, preside o conselho da Comunidade Solidária desde 1995. Nesta função tem preservado sua identidade política e questionado publicamente o estereótipo que o termo de primeira-dama carrega.

Desde a proclamação da República, em novembro de 1889, foram estas as primeiras-damas do país, sucessivamente:

Mariana Cecília de Sousa Meireles: esposa de Deodoro da Fonseca.

Josina Vieira Peixoto: esposa de Floriano Peixoto.

Adelaide Benvinda da Silva Gordo: esposa de Prudente de Morais.

Ana Gabriela de Campos Sales: esposa de Manoel de Campos Sales.

Ana Guilhermina de Oliveira: esposa de Francisco Rodrigues Alves.

Maria Guilhermina de Oliveira Pena: esposa de Afonso Pena.

Anita Belisário Peçanha: esposa de Nilo Peçanha.

Orsina Francione da Fonseca*: primeira esposa do marechal Hermes da Fonseca.

Nair de Teffé von Hoonholtz: segunda esposa do marechal Hermes da Fonseca.

Maria Carneiro Pereira: esposa de Venceslau Brás.

Francisca Ribeiro de Abreu: esposa de Delfim Moreira.

Francisca Chagas: primeira esposa de Epitácio Pessoa.

Maria da Conceição Manso Saião: segunda esposa de Epitácio Pessoa.

Clélia Vaz de Melo Bernardes: esposa de Artur Bernardes.

Sofia de Oliveira Barros: esposa de Washington Luís.

Darci Sarmanho Vargas: esposa de Getúlio Vargas.

Luzia Cavalcanti Linhares: esposa de José Linhares.

Carmela Leite Dutra (Dona Santinha): esposa do general Eurico Gaspar Dutra.

Jandira Carvalho de Oliveira Café: esposa de Café Filho.

Maria José Dantas Luz: primeira esposa de Carlos Luz.

Gracilma Junqueira da Luz: segunda esposa de Carlos Luz.

Beatriz Pederneiras: esposa de Nereu Ramos.

Sarah Gomes de Lemos Kubitschek: esposa de Juscelino Kubitschek.

Eloá do Vale Quadros: esposa de Jânio Quadros.

Maria Teresa Goulart: esposa de João Goulart.
Argentina Viana: esposa do general Castelo Branco.
Iolanda Barbosa Costa e Silva: esposa do general Artur Costa e Silva.
Scila Gaffrée Nogueira: esposa do general Emílio Garrastazu Medici.
Luci Markus Geisel: esposa do general Ernesto Geisel.
Dulce Maria de Guimarães Figueiredo: esposa do general João Batista de Oliveira Figueiredo.
Risoleta Tolentino Neves: esposa de Tancredo Neves.
Marli Macieira Sarney: esposa de José Sarney.
Rosane Collor: esposa de Fernando Collor de Mello.
Ruth Cardoso: esposa de Fernando Henrique Cardoso.

Fonte: Sueli Braga da Silva (coord.), *Os presidentes da República*. • Elaborado por Teresa Cristina Novaes Marques.

Princesa do Arco Verde *ver* MARIA DO ESPÍRITO SANTO ARCO-VERDE

Princesa Isabel (1846-1921)

Princesa imperial, única brasileira a governar o país.

Nasceu no palácio de São Cristóvão, na cidade do Rio de Janeiro, em 29 de julho de 1846. Filha de Dona Teresa Cristina e D. Pedro II, Isabel Cristina Leopoldina Augusta Micaela Gabriela Gonzaga de Bragança e Bourbon sucedeu aos irmãos Afonso e Pedro, falecidos respectivamente em 1847 e 1850. Recebeu o título de princesa imperial pela Constituição do Império. Teve como aia Rosa de Sant'ana, posteriormente baronesa de Sant'Ana, como sua preceptora a condessa de Barral* e, por fim, a Condessa de Pedra Branca, Luísa Margarida Borges de Barros. Adquiriu profundo conhecimento de latim, francês, inglês e alemão com seus mestres Joaquim Manuel de Macedo e o visconde de Sapucaí, entre outros.

A corte acertou a união de Isabel com o príncipe francês Luís Felipe Maria Gastão de Orléans, conde D'Eu, e o casamento foi realizado a 15 de outubro de 1864. O casal teve três filhos: Pedro de Alcântara, Luís e Antônio.

Embora a historiografia oficial trate com pouco destaque a regência da princesa Isabel, o período em que ela esteve à frente do governo reveste-se de grande importância. A princesa substituiu o imperador durante três viagens que ele fez ao exterior. Tornou-se, assim, a única brasileira a administrar o país, e foi exatamente durante o seu governo que as principais leis do combate à escravidão foram promulgadas.

A primeira regência estendeu-se de 7 de maio de 1871 a 31 de março de 1873, durante o ministério do visconde de Rio Branco. Nessa ocasião, a princesa sancionou a chamada Lei do Ventre Livre, de 28 de setembro de 1871, declarando livres os nascituros de mulher escrava a partir daquela data, como também a libertação de todos os escravos que pertenciam ao governo. A segunda regência ocorreu de 26 de março de 1876 a 27 de setembro de 1877, e assumiu pela terceira vez o governo no período de 5 de janeiro de 1887 a 22 de agosto de 1888. Nessa época, as campanhas abolicionistas estavam no seu auge, principalmente após os governos do Ceará e Amazonas já terem libertado seus escravos desde 1884. As numerosas fugas de nativos eram cada vez mais constantes e o exército se recusava a persegui-los, gerando uma crise que levou à demissão do ministro escravocrata barão de Cotegipe. Isabel nomeou para o governo o conselheiro João Alfredo, que encaminhou rapidamente o projeto que abolia a escravidão no Brasil, resultando na lei sancionada pela princesa Isabel a 13 de maio de 1888, a Lei Áurea. Este ato, bastante festejado pela população, conferiu à princesa Isabel o título de "A Redentora". Recebeu, também, a condecoração Rosa de Ouro, oferecida pelo papa Leão XIII, em 28 de setembro de 1888.

Proclamada a República, em 15 de novembro de 1889, a princesa Isabel foi banida com a família para a Europa. A partir de 1905, passou a residir no Castelo D'Eu, em Dieppe, na França, onde faleceu a 14 de novembro de 1921. Embora a lei de banimento tivesse sido revogada em 1920, a Princesa Isabel foi enterrada no mausoléu dos Orléans, em Dreux, território francês.

Em 1953, seu corpo foi trasladado para o Brasil e depositado na Catedral Metropolitana do Rio de Janeiro; por fim, removido para a capela imperial da Catedral de Petrópolis em 13 de maio de 1971.

Fontes: Henriqueta Galeno, *Mulheres admiráveis*; Pedro Calmon, *Princesa Isabel, a redentora.*

Pró-Matre *ver* DAMAS DA CRUZ VERDE

Q

Quintina Diniz de Oliveira Ribeiro

(1878-1942)

Primeira deputada estadual de Sergipe.

Nasceu em 18 de junho de 1878 em Laranjeiras (SE), filha de Maria Petrina de Oliveira Gonçalves e Vitor Diniz Gonçalves. Fez seus estudos elementares no Colégio Inglês e cursou o normal no Colégio Nossa Senhora de Santana em Laranjeiras, uma das instituições de ensino mais antigas do estado, criada em 1849 e pertencente a sua família, na qual trabalhou como professora.

Mudou-se para Aracaju, onde em 1906 fundou o primeiro educandário feminino, Colégio Nossa Senhora de Santana, do qual foi diretora por muitos anos. Paralelamente as suas funções no educandário, em 1912 tornou-se catedrática de pedagogia e psicologia da Escola Normal Rui Barbosa. Quintina não se casou, dedicou-se à família e ao trabalho de educar gerações e gerações de moças sergipanas. O reconhecimento da sociedade foi expresso através de muitas homenagens e das urnas eleitorais.

Adepta das idéias feministas, aproximou-se de Cesartina Regis e Maria Rita Soares de Andrade*, lideranças sergipanas que integravam a Federação Brasileira pelo Progresso Feminino* (FBPF). O prestígio como educadora possibilitou tornar-se candidata a deputada estadual constituinte nas eleições de 1934, a primeira no Brasil em que as mulheres podiam votar e ser votadas. A FBPF e a União Universitária Feminina envolveram-se na campanha e assim apresentavam Dona Quintina: "vêm concitar todo o eleitorado feminino do estado e todos aqueles que não julgam que o voto da mulher foi consignado em lei só para aumentar o quociente eleitoral dos homens, a sagrar nas urnas o nome da única mulher candidata. [...] Pela mulher, para a mulher e com a mulher." No pleito de 16 de outubro, Quintina foi eleita a primeira deputada estadual de Sergipe e uma das primeiras do Brasil. Participou dos trabalhos constituintes, mas não se reelegeu para o pleito regular de 1936, que confirmaria seu mandato para aquela legislatura. Voltou ao magistério, aposentando-se em 1941 da Escola Normal.

Faleceu no dia 22 de julho de 1942.

Fontes: *Boletim da FBPF*, ano I, nº 2; Maria Lígia Madureira Pina, *A mulher na história.*

Quitéria Lopes Moreira (séc.XIX)

Tropeira.

Viveu nas cercanias de São Paulo e exerceu o ofício de condutora de tropas de burros. Era uma atividade tipicamente masculina e de grande importância para a distribuição e circulação de mercadorias e gêneros alimentícios no interior do Sudeste brasileiro, do período colonial ao século XIX. Os documentos históricos não revelam trajetórias como a de Quitéria com muita freqüência. Contudo, o registro encontrado em um "livro de barreira" de Caraguatatuba (SP), onde se anotavam os impostos pagos por condutores de tropas em passagem por estradas e caminhos, demonstra que esta atividade também era exercida por mulheres na ausência temporária ou definitiva de seus companheiros. Nesse livro constava que, em abril de 1847, Quitéria Moreira pagou ao poder público a quantia de 3$600 (três mil e seiscentos) réis referente ao transporte de 18 bestas.

Fonte: Maria Odila S. Dias, *Quotidiano e poder em São Paulo no século XIX.*

Quitéria Marques (séc.XVIII)

Colonizadora do Rio Grande do Sul.

Vinda dos Açores, estabeleceu-se no vale do Viamão com seu companheiro Leiro Antônio Simões, tendo antes passado pela vila de São Vicente.

Quitéria Marques fez parte do movimento dos primeiros colonizadores portugueses do sul do Brasil, imigrantes vindos de várias regiões de Portugal, a partir de 1742, atraídos pela promessa de lotes de terra e pela ilusão de encontrar ouro.

Foi, porém, a partir de 1748 que se deu o grande fluxo de imigrantes açorianos como resposta a uma política de incentivo à imigração. Prometiam-se concessões e favores aos que desejassem emigrar para Santa Catarina e Rio Grande do Sul.

Não era, porém, usual a concessão de sesmarias, como no caso de Quitéria, que recebeu, no ano de 1744, uma doação em nome do casal. Era mais freqüente os casais receberem datas de terra, com dimensões bem inferiores às das sesmarias. Estas costumavam medir, no mínimo, três léguas, ou cerca de 13.000 hectares, enquanto as datas não passavam de um quarto de légua, ou cerca de 272 hectares.

Fontes: João Borges Fortes, *Casais*; Oswaldo Cabral, *Os açorianos.*

R

Ranúsia Alves Rodrigues (?-1973)

Ativista política, vítima da ditadura militar.

Nasceu em Garanhuns (PE), filha de Áurea Alves Siqueira e Moisés Rodrigues Vilela. Militante do Partido Comunista Brasileiro Revolucionário (PCBR), teve uma filha, Vanúsia, quando estava na clandestinidade.

Era estudante de enfermagem da Universidade Federal de Pernambuco (UFPE), quando foi presa pela primeira vez, em 1968, ao participar do XXX Congresso da UNE em Ibiúna (SP); foi expulsa da universidade no ano seguinte.

Ranúsia foi assassinada em 28 de outubro de 1973, juntamente com Almir Custódio de Lima, Ramirez Maranhão do Vale e Vitorino Alves Moitinho. Teve sua morte reconhecida pelo I Exército, mas a certidão de óbito foi negada à família. Seu corpo foi encontrado enterrado como indigente.

As informações do Exército, porém, foram que Ranúsia e seus companheiros estavam sendo seguidos desde o dia 8 de outubro, sendo presos na manhã do dia 27, quando com ela teria sido encontrada farta documentação política; sua morte resultara de resistência à prisão e conseqüente tiroteio.

Fonte: Maria do Amparo Almeida Araújo et al., *Dossiê dos mortos e desaparecidos políticos a partir de 1964.*

Raquel de Queirós (1910-)

Escritora, primeira mulher a ingressar na Academia Brasileira de Letras.

Nasceu em Fortaleza (CE), a 17 de novembro de 1910, numa família de intelectuais. É prima do escritor José de Alencar e teve como tataravó uma das líderes da revolta republicana deflagrada no Nordeste em 1817, Bárbara Pereira de Alencar*.

Sua trajetória literária foi iniciada em meados dos anos 20, na forma de cartas que enviava, sob o pseudônimo de Rita de Queluz ou R. de Q., para o jornal *O Ceará*, de Fortaleza. As cartas fizeram sucesso e, contra sua vontade, acabou tendo sua identidade revelada. Embora tivesse apenas 16 anos, foi contratada como colunista do jornal. Em 1930, antes dos 20 anos, publicou seu primeiro romance, *O Quinze*, mostrando o drama dos flagelados da seca e a pobreza dos nordestinos. Muito bem recebido pela crítica, *O Quinze* já vendeu mais de 500 mil exemplares, representando um marco no ciclo do romance nordestino.

Na década de 1930, Raquel militou no Partido Comunista Brasileiro. Nessa época escreveu o romance *João Miguel* (1932), que narra o drama de um presidiário e foi considerado pela crítica superior a *O Quinze*. Em *Caminho de pedras* (1937), relata os problemas de um casal comunista sob perseguição policial em uma sociedade provinciana. Consolidava-se sua posição como escritora vigorosa no movimento regionalista do Nordeste. Seguiu-se o romance *As três Marias* (1939). Abandonou a militância comunista no início dos anos 40, mas continuou a atuar politicamente, tendo vivido intensamente os acontecimentos mais marcantes da história do Brasil neste século.

Participou da campanha que levou à derrubada de Getúlio Vargas em 1945 e ajudou nas articulações do golpe de 1964, que depôs o presidente João Goulart. Sobre este momento da vida nacional, manifestou-se certa vez: "Já o que nós fazíamos era conspiração mesmo: saber onde estava a tropa, se o coronel fulano tinha se manifestado, se o coronel beltrano era de confiança... eles me usavam como jornalista, eu opinava muito e era muito lida." Inscrita no partido do governo, a Arena, Raquel chegou a ser consultada pelos militares para ser ministra da Educação. Em 1966, foi convidada para ser embaixadora do Brasil junto à ONU. Recusou ambos os convites.

Mudou-se para o Rio de Janeiro após publicar seu quinto livro, *O galo de ouro* (1950), e deu início a uma intensa colaboração com jornais e revistas cariocas; a seção "Última página", que assinava em *O Cruzeiro*, fez grande sucesso durante décadas. Como dramaturga, escreveu as peças *Lampião* (1953) e *A beata Maria do Egito* (1958). Em 1977, tornou-se a primeira mulher a ingressar na Academia Brasileira de Letras. Em 1992, publicou o romance *Memorial de Maria Moura*, que chegou rapidamente às listas dos mais vendidos. *Maria Moura* trouxe para Raquel de Queirós numerosos prêmios, como o de Romance do Ano, conferido pela Associação Paulista de Críticos de Arte, o de Intelectual do Ano, conferido pela União Brasileira de Escritores e, por fim, o Prêmio Camões, concedido em Lisboa para o melhor autor do ano em língua portuguesa. O romance foi adaptado para a televisão, com enorme sucesso, sendo a personagem de Maria Moura interpretado por Glória Pires.

No final do ano de 1998, a escritora, junto com sua irmã Maria Luíza, publicou o livro de memórias *Tantos anos*.

Fontes: *O Estado de São Paulo*, 15.11.1990, 10.7.1993 e 14.6.1995; *Folha de S. Paulo*, 21.5.1990; *Gazeta Mercantil*, 23.10.1998; *O Globo*, 22.4.1977; *Jornal do Brasil*, 28.12.1984 e 19.6.1994; *Jornal do Brasil*, Revista Domingo, 1.11.1998; *Visão*, 31.5.1989.

Rebecca Freedman (1881-1984)

Imigrante polonesa.

Natural da pequena aldeia de Zacrichi, veio sozinha para o Brasil em 1916 e tornou-se líder das "polacas" cariocas, denominação dada a mulheres imigrantes de origem judaica que tiveram como opção de vida no Brasil a prostituição.

Solteira, tomou o vapor *São Paulo* no porto de Nova York, com uma passagem de terceira classe e afirmando que era americana. Becca, como era chamada, foi uma ativa sócia da ABFRI — Associação Beneficente Funerária Religiosa Israelita*. Por 68 anos esteve à frente desta associação, tendo sido sua última presidente; eleita em 1970 para um mandato de quatro anos, nunca foi substituída.

Durante os anos 70, as obras do metrô na área do Mangue, no centro do Rio de Janeiro, causaram a destruição da sede da associação. Ainda que as prostitutas tivessem ensaiado, em 1979, uma reação à perda de seu espaço na cidade, não encontraram, na sociedade, eco às suas reivindicações. Uma das poucas vozes que se levantaram em sua defesa foi a do Centro da Mulher Brasileira, entidade feminista que redigiu um manifesto protestando contra as arbitrariedades praticadas pelo governo estadual. As feministas do Centro da Mulher Brasileira foram até o Palácio Guanabara entregar ao governador Chagas Freitas um manifesto. O governador não recebeu a delegação e a carta foi protocolada.

Apesar da expulsão, Becca continuou vivendo próximo à zona do Mangue, à rua Pereira Franco, 48, em um sobrado onde sublocava quartos. Teve enorme influência na zona do meretrício e auxiliava todas as companheiras. Foi reverenciada pelas mulheres e mesmo por membros da elite da comunidade judaica, como o jornalista Zevi Ghivelder, que a visitou algumas vezes. Com a saúde abalada, Becca mudou-se para uma de suas casas no subúrbio de Ramos, onde faleceu em novembro de 1984, aos 103 anos, sendo enterrada no Cemitério Comunal do Caju.

Fontes: Beatriz Kushnir, *Baile de máscaras*; Entrevista com Comba Marques Porto em 31.1.1999.

Revocata Heloísa de Melo

("1862-1944)

Escritora, editora e abolicionista.

Nasceu em Porto Alegre (RS), provavelmente no dia 31 de dezembro de 1862. Sua mãe foi a professora, escritora e poetisa Revocata Passos Figueirôa e Melo, conhecida no mundo das letras do estado pelo pseudônimo de Americana, membro da Sociedade Partenon Literário de Porto Alegre; o pai era o negociante João Corrêa de Melo.

Uma origem familiar ligada às letras fez de Revocata e sua irmã Julieta de Melo Monteiro* nomes importantes no cenário literário do Rio Grande do Sul. Ainda menina, foi morar na cidade de Rio Grande. Diplomou-se professora e fundou em parceria com a irmã Julieta, em 1885, a revista *Corymbo*, primeiro órgão literário da imprensa feminina no Sul do país.

Este periódico circulou por mais de meio século na cidade de Rio Grande; só se extinguiu com a morte de Revocata, em 1944. Era um tablóide de quatro páginas, com periodicidade variada, e que tratava não só de assuntos literários mas das artes em geral. Foi uma importante fonte de divulgação da obra de novas escritoras e propiciou a formação de uma rede de apoio para as mulheres literatas, ajudando-as a vencer os preconceitos contra a produção feminina no mundo masculino da literatura. A maior parte da produção literária de Revocata e Julieta foi veiculada por este jornal. Inúmeros escritores e poetas nacionais colaboraram com o *Corymbo*: Olavo Bilac, Múcio Teixeira, Lobo da Costa, Inês Sabino*, Maria Lacerda de Moura*, Damasceno Ferreira e Ana Castro.

Revocata foi também uma abolicionista militante. Fazia conferências e, com o dinheiro arrecadado com a venda dos ingressos, comprava escravos e os alforriava. Mobilizou-se igualmente com o problema econômico e social da seca no Nordeste, e chegava a percorrer as ruas de Rio Grande angariando donativos para os flagelados do Ceará.

Foi ativa participante da Sociedade Partenon Literário e, utilizando os pseudônimos de Sybilla e Hermengarda, colaborou em várias publicações, como a revista *O Contemporâneo*, o jornal *Diário de Pelotas*, a revista literária *Violeta*, que ajudou a criar, e *A Ventarola*. Em 1901, fundou em Rio Grande uma organização feminina, o Clube Beneficente de Senhoras, que funcionou até sua morte. Nunca publicou um livro de poesias exclusivamente suas; a grande parceira foi a irmã Julieta. Revocata afirmava que "poetisa é Julieta, eu faço versos".

Suas obras editadas são: *Folhas errantes* (crônicas) (1882), *Coração de mãe* (drama, co-autoria de Julieta) (1893), *Berilos* (prosa, co-autoria de Julieta) (1911), *Grinalda de noiva* (drama), *Mário* (co-autoria de Julieta). Ficaram inéditas: *Marinhas* (poesias) e *Missal de ternura* (diário da dor) em colaboração com Emílio Léo.

Faleceu na cidade de Rio Grande no dia 23 de fevereiro de 1944.

Fontes: Academia Literária Feminina do Rio Grande do Sul, *50 anos de literatura — perfil das patronas*; Dulcília Helena Schroeder Buitoni, *Mulher de papel*; Maria T.C. Crescenti Bernardes, *Mulheres de ontem"*; Míriam Steffen Vieira, *Atuação literária de escritoras no Rio Grande do Sul: um estudo do periódico* Corymbo, *1885-1925*; Raimundo de Menezes, *Dicionário literário brasileiro ilustrado*; Sacramento Blake, *Dicionário bibliográfico brasileiro.*

Ricarda de Almeida Brito (1837-?)

Participante da Guerra do Paraguai.

Nasceu no dia 6 de janeiro de 1837 na província do Amazonas. Jovem, casou-se com o oficial de artilharia Paulino de Almeida Brito. Com a eclosão da Guerra do Paraguai, Ricarda acompanhou o marido para o local dos conflitos, levando consigo dois filhos pequenos.

Foi esta uma das formas pelas quais as mulheres brasileiras tomaram parte nos conflitos sangrentos da Guerra do Paraguai, atuando na retaguarda das tropas, atendendo aos feridos, cozinhando para os maridos e filhos. Outras poucas, como Filisbina Rosa* e Jovita Feitosa*, engajaram-se voluntariamente para lutar na frente brasileira. Todavia, o caso de Ricarda e da maioria das mulheres que estiveram no cenário da guerra é diferente. Fosse porque desejavam acompanhar seus maridos ao território de uma guerra que ninguém sabia quanto tempo ia durar, fosse porque seus maridos as obrigassem a seguir junto a eles. Mulheres como Ricarda Brito testemunharam as agruras da guerra e sofreram as conseqüências dos acontecimentos nas suas vidas pessoais. As Ricardas da Guerra do Paraguai jamais contaram com o apoio do Estado para reconstituir suas vidas, uma vez que nem mesmo combatentes como Jovita foram amparadas na sua reinserção na sociedade após o término dos conflitos.

Terminada a guerra e já viúva, Ricarda empreendeu uma longa viagem pelo interior do Brasil com o propósito de retornar a sua terra natal. Com grande esforço, conseguiu passar da região de Asunción, no Paraguai, alcançando o Pará. Nessa jornada, levando os dois filhos, contou com a ajuda de um irmão.

Chegando ao Amazonas, enfrentou dificuldades para educar os filhos: Paulino tornou-se poeta e gramático; Heliodoro, bancário. Ricarda então ingressou em uma instituição religiosa, onde trabalhava como voluntária preparando comida para os pobres.

Fonte: Valentim Benício da Silva, *A mulher na evolução do Brasil.*

Rita Barém de Melo (1840-68)

Poetisa.

Nasceu em 30 de abril de 1840, em Porto Alegre (RS). Era filha de Severina Augusta Barém e do funcionário público João Pedro Freire Barém. Pela falta de recursos de seu pai, Rita só teve uma educação primária. Porém, inteligente e precoce, aos 15 anos de idade publicou seu primeiro livro, *Lira dos 15 anos* (1856), pela revista literária *O Guaíba* de Porto Alegre, sob o pseudônimo de Jurity.

Casou-se aos 17 anos com José Correa de Melo, tio das poetisas Revocata Heloisa de Melo* e Julieta de Melo Monteiro*. Teve dois filhos, que morreram ainda crianças. Na adolescência, Rita celebrou em seus poemas a alegria de viver; porém, com a morte dos filhos, sua poesia passou a refletir a dor que essa perda lhe causou.

Em 4 de abril de 1861, foi para a cidade de Rio Grande. Lá continuou sua trajetória poética, publicando, em 1868, o livro *Sorrisos e prantos*. Escrevia sobre a vida simples, usando temas que expressavam sua realidade cotidiana. O barão de Santo Ângelo escreveu sobre sua poesia: "A falecida Barém, cujos versos li cheio de admiração, foi uma das expressões mais perfeitas e mais elevadas que é possível para a poesia. Há nas suas obras o cunho do verdadeiro engenho."

Faleceu na cidade de Rio Grande, em 1868.

Fontes: Academia Literária Feminina do Rio Grande do Sul, *50 anos de literatura — perfil das patronas*; Maria T.C. Crescenti Bernardes, *Mulheres de ontem"*; Míriam Steffen Vieira, *Atuação literária de escritoras no Rio Grande do Sul: um estudo do periódico* Corymbo, *1885-1925*; *Revista do IHGB/RS*, 1932; Rita Teresinha Schmidt, "Rita Barém de Melo", in Zahidé L. Muzart, *Escritoras brasileiras do século XIX.*

Rita Joana de Sousa (1696-1719)

Escritora.

Nasceu em Olinda (PE) no dia 12 de maio de 1696, filha de João Teixeira Mendes. Contrariando a história da imensa maioria das mulheres de seu tempo, Rita tornou-se, desde cedo, um exemplo raríssimo de mulher instruída no Brasil colonial. Escrevia poemas e pintava com desenvoltura. Escreveu *Memórias históricas* e *Tratados de philosophia*, obras nunca publicadas.

O padre Manuel Tavares fez dela uma menção honrosa no livro *Portugal illustrado pelo sexo feminino: notícia histórica de muitas heroínas portuguesas, que floresceram em virtudes, letras e armas*, publicado em Lisboa, em 1734, sob o nome de Diogo Manuel Aires de Azevedo. Rita Joana foi ainda mencionada na obra de Loreto Couto, *Desagravos do Brasil e glórias de Pernambuco*, e pelo viajante francês Ferdinand Denis, em seu *Résumé d'histoire litéraire du Brésil*, embora nenhum dos seus escritos tenha sido preservado.

Este fato fez com que Domingos Carvalho da Silva, em *Vozes femininas da poesia brasileira*, de 1959, escrevesse: "É um nome apenas, mas pode simbolizar o de muitas poetisas ignoradas cuja voz alegrou os salões coloniais das casas-grandes."

Rita faleceu aos 23 anos de idade, em abril de 1719.

Fontes: Eliane Vasconcelos, "Rita Joana de Souza", in Zahidé L. Muzart, *Escritoras brasileiras do século XIX*; Francisco A. Varnhagen, *História geral do Brasil*; Henrique C.P. de Melo, *Pernambucanas ilustres*; Inês Sabino, *Mulheres ilustres do Brasil.*

Rita Lee (1947-)

Compositora e cantora.

Rita Lee Jones nasceu em São Paulo (SP) em 31 de dezembro de 1947, filha de Romilda e Carlos Fenley Jones, brasileiro de ascendência americana. Conviveu com a música desde pequena, pois sua mãe tocava piano e cantava canções napolitanas. Aos 13 anos, montou seu primeiro conjunto, o Teenager Singers. Como presente de formatura do ginásio, pediu ao pai uma bateria, que passou a tocar com o grupo nas festinhas do colégio.

Em 1963, conheceu Arnaldo Dias Batista, integrante do grupo Wooden Faces. Arnaldo ensinou Rita a tocar baixo elétrico e ela deu-lhe noções de canto. A convivência transformou-se em namoro e, mais tarde, em casamento. Os conjuntos Teenager Singers e Wooden Faces se uniram, formando o Six Sided Rockers. Em maio de 1966, já com o nome de O Seis, gravaram o primeiro compacto; mudaram o nome outra vez para Os Mutantes e tornaram-se atração fixa do programa de Ronnie Von, na TV Record, apresentando covers dos Beatles e sucessos dos Rolling Stones e The Mamas and the Papas.

Gilberto Gil convidou o grupo para participar do III Festival da Música Popular Brasileira da TV Record, em 1967, quando fizeram o coro para a gravação de *Bom dia*, com Nana Caymmi, e acompanharam Gil em *Domingo no parque*, com a introdução pioneira de guitarras e baixos elétricos em festivais de MPB. A música não escapou das vaias da platéia, chocada com o som dos instrumentos e com o visual do grupo, muito diferente dos usuais trajes de gala. O primeiro compacto dos Mutantes, *O relógio*, foi lançado nesse mesmo ano.

Em 1968, participaram do disco-manifesto do movimento tropicalista *Tropicália ou panis et circenses*, ao lado de Gilberto Gil, Caetano Veloso, Gal Costa, Nara Leão e Tom Zé, e lançaram o primeiro LP do grupo, *Mutantes*. Em setembro desse mesmo ano, acompanharam Caetano na música *É proibido proibir*, na eliminatória paulista do III Festival Internacional da Canção. Foram recebidos com vaias e tomates. Nesse mesmo festival, Os Mutantes defenderam *Caminhante noturno*, composição do grupo. Rita Lee estava vestida de noiva, Sérgio e Arnaldo em becas de formatura. Surpreendidos pelo apoio de parte da platéia, conquistaram o sexto lugar, além do prêmio de melhor interpretação. No festival seguinte, com a música *2001*, de Rita Lee e Tom Zé, conquistaram o quarto lugar.

No ano seguinte, participaram de um show ao lado de Gil e Caetano, lançaram o segundo LP, *Mutantes*, estiveram em Cannes, Lisboa e Paris. De volta ao Brasil, estrearam o espetáculo *O planeta dos Mutantes*, no Rio de Janeiro. Em 1970, Rita Lee gravou seu primeiro LP individual, *Build up*, produzido por Arnaldo Batista. Em 1972, o grupo se desfez com a saída de Rita Lee, que passou a dedicar-se à carreira solo, já com seu segundo LP gravado.

Apresentou-se no show *Phono 73*, junto com Lúcia Turnbull, com quem formou o conjunto Tutti Frutti; em 1975, já sem Lúcia, o Tutti Frutti gravou o LP *Fruto proibido*, que vendeu 150 mil cópias; o conjunto se desfez em 1977, ano em que Rita Lee gravou com Gilberto Gil o disco *Refestança*. Em 1976, Rita Lee foi presa por uso de maconha, permanecendo um ano em prisão domiciliar. A prisão, porém, não a fez abandonar o comportamento rebelde e desafiador dos padrões estabelecidos.

Em 1979, lançou o LP *Rita Lee*, com duas composições dela em parceria com Roberto de Carvalho, *Mania de você* e *Chega mais*. Alcançou grande sucesso em 1980, com as músicas *Lança-perfume* e *Caso sério*, também em parceria com Roberto de Carvalho. No início dos anos 80, gravou *Joujou*, com João Gilberto; seguiram-se vários LPs e excursões por todo o país. Nessa época, Rita já se caracterizava como uma compositora irreverente e aparece no cenário musical brasileiro cantando músicas que questionam a condição feminina, como *Cor de rosa choque*, *Tatibitati*, *Bem-me-quer*, *Ovelha negra* e *Menopower*. Em 1988, participou do filme *Dias melhores virão*, de Cacá Diegues. Em 1996, a cantora Ná Ozzetti gravou o CD *Lovelee Rita*, só com músicas de Rita Lee.

Em maio de 1997, foi a primeira mulher a receber o Prêmio Sharp de personalidade da música brasileira, pelo conjunto de sua obra. Em julho seguinte, lançou o disco *Santa Rita de Sampa*.

Considerada a maior roqueira do Brasil, vive em São Paulo (SP) com seu companheiro

Roberto de Carvalho e seus três filhos, Beto, João e Antônio.

Fontes: Abril Cultural, *Nova história da música popular brasileira*; Carlos Callado, *Tropicália — a história de uma revolução musical*; *Enciclopédia da música brasileira: popular, erudita e folclórica.*

Rita Lobato Velho Lopes (1867-1954)
Primeira médica formada no Brasil.

Nasceu em São Pedro do Rio Grande (RS), em 9 de junho de 1867. Filha de Rita Velho Lopes e de Francisco Lopes, rico estancieiro, teve 13 irmãos.

A formação de Rita Lobato teve início quando, ainda jovem, desistiu do curso preparatório para a instrução pública em Porto Alegre e decidiu estudar medicina. Havia três anos que um decreto imperial facultara às mulheres a matrícula nos cursos superiores do país, embora a Faculdade de Medicina da Bahia — a primeira escola de ensino superior no Brasil — datasse de 1808. Para estudar Medicina, havia então apenas duas escolas: a da Bahia e a do Rio de Janeiro. A primeira opção recaiu sobre a do Rio de Janeiro, onde Rita se matriculou em 1884. Após concluir os exames do primeiro ano do curso, decidiu transferir-se para a Bahia, devido a problemas de relacionamento entre seu irmão Francisco e a direção da faculdade do Rio, da qual ele também era aluno. Rita obteve matrícula na Bahia no mês de maio de 1885. O pai, que a incentivava, acompanhou-a na mudança para Salvador. Formou-se com distinção no dia 10 de dezembro de 1887, defendendo a tese *O paralelo entre os métodos preconizados na operação cesariana.*

Rita voltou para o Rio Grande do Sul nesse mesmo ano e começou a clinicar no ano seguinte. Em 1889, no dia 18 de julho, Rita se casou com um primo, o agricultor Antônio Maria Amaro de Freitas. Teve com ele uma única filha, Ísis. Entre 1891 e 1909, não exerceu a profissão, só retornando em 1910. Em 1925, aos 59 anos, encerrou suas atividades como médica e passou a dedicar-se à política. Elegeu-se vereadora da cidade de Rio Pardo, aos 70 anos.

Fontes: Alberto Silva, *A primeira médica do Brasil*; Francisco Bruno Lobo, in *Jornal do Brasil*, 24.8.1987; *Rita Lobato: a primeira médica formada no Brasil*; *Revista de História*, abril de 1971.

Rita Maria (sécs.XIX-XX)
Curandeira.

Rita Maria foi personalidade marcante da ilha de Florianópolis no final do século XIX até a segunda década do XX. Descendente de pais escravos libertos, Rita Maria permaneceu na mesma vida miserável em que fora criada, mesmo depois da abolição da escravatura. Naquele tempo, Florianópolis ainda não havia passado pelas transformações urbanísticas que iriam marcá-la no transcurso das três primeiras décadas do século XX. O centro urbano da cidade compreendia as imediações da Praça XV de Novembro que, por sua vez, era circundada por uma dezena de bairros, dentre eles o bairro Rita Maria, que abrigava uma pequena comunidade de mais ou menos 30 casas de madeira bruta e teto coberto por telhas nativas. Sua dimensão ia desde o alto do Morro do Cemitério, fronteiro à Fortaleza e à beira-mar, deslocando-se até as imediações do Arataca, na antiga vila do Desterro.

Segundo algumas fontes, o nome foi adotado pela comunidade local em homenagem a uma senhora negra, de pequena estatura, que residia rente à praia e que era muito procurada por suas rezas, chás e benzeduras, tornando-se famosa pelos muitos benefícios que levou à comunidade florianopolitana.

Famosa era também sua aptidão culinária, a qual rendia o sustento de sua vida, fornecendo pratos feitos aos marítimos dos pontos mais distantes da ilha, que, trazendo botes, lanchões, baleeiras e canoas repletas de mercadorias e pescados diversos, vinham comerciar na cidade.

Autores como Oswaldo Cabral indicam a figura de Rita Maria como sendo proprietária de casa de tolerância naquelas imediações, onde os marinheiros e pescadores de toda sorte e destinos buscavam o aconchego feminino após um dia de trabalho. Já por volta de 1950, quando as últimas casinhas estavam desaparecendo, a área ainda era conhecida como Rita Maria.

Embora as notas coletadas não sejam comprovadas, o certo é que Rita Maria popularizou-se e imortalizou-se perante a comunidade local, chegando como figura lendária até os dias atuais.

Foi homenageada em 7 de setembro de 1982, quando seu nome foi concedido ao Terminal Rodoviário Rita Maria. A idéia das autoridades públicas na época era, mais que simplesmente homenagear a mulher Rita Maria, torná-la perene na vida da cidade, uma vez que ainda resistia na memória da população através de seus poderes de cura.

Naquela mesma data, foram erigidos dois monumentos: um, em ferro sucata, estilizando a figura de Rita Maria, e outro, em concreto armado, simbolizando sua mão espalmada.

Rita Maria teria falecido na década de 1920.

Fontes: Alzira Rufino, Nilza Iraci e Maria Rosa Pereira, *A mulher negra tem história*; Eliane V. da Veiga, *Florianópolis: memória urbana*; Hernetes Reis de Araújo, *A invenção do litoral: reformas urbanas e o reajustamento social em Florianópolis na Primeira República*; Ivonete Pereira, *As decaídas: mulheres e o quotidiano de Florianópolis*; Oswaldo Rodrigues Cabral, *Nossa Senhora do Desterro*; *Jornal* AN *Capital*, 23.7.1997 • Colaboração especial de Eliane Veiga.

Romana (séc.XVIII)

Índia escrava.

Moradora da capitania de São Paulo, apresentou, por volta de 1720, à Justiça real um pedido de liberdade. A petição, encaminhada ao procurador dos índios, pleiteava, além de sua libertação, a de seu filho Joaquim, da mulher deste, Marcela de Oliveira, e dos índios Vicente, José e Inácio. O documento acusava o colono Antônio Pedroso de mantê-los "com rigoroso trato de escravos".

O caso de Romana revela o conflito de interesses entre índios, os colonos paulistas e a Coroa que prevaleceu por todo o século XVII e se estendeu ao seguinte. A política da Coroa portuguesa para com a população indígena consistia em discriminar o tratamento conferido às nações que se sujeitavam à cristianização e admitiam ser controladas pelos jesuítas, daquele oferecido às nações que hostilizavam os portugueses. Aos primeiros, a legislação colonial previa a liberdade formal, no âmbito das aldeias, e o tratamento brando, embora os índios aldeados, trazidos de distantes regiões do território para localidades próximas aos núcleos urbanos sob o controle de religiosos, pudessem ser requisitados para trabalhar para os colonos, mediante remuneração. Para os segundos, os hostis, a política portuguesa admitia a guerra de extermínio.

Formalmente livres, os índios aldeados foram submetidos, de fato, a trabalhos forçados, uma vez que os meandros legais que previam alguma proteção aos nativos, como períodos alternados de trabalho, entre dois a seis meses por vez, eram costumeiramente desobedecidos no dia-a-dia das populações coloniais, onde apenas a mão-de-obra indígena estava disponível para lavrar o solo e cuidar das criações. Tal era a situação da capitania de São Paulo quando, em fins dos seiscentos, a Coroa mandou que um funcionário da Justiça lá permanecesse e se certificasse de que os índios não estavam sendo submetidos a cativeiro ilegal e maus-tratos.

Assim, a petição encaminhada por Romana e sua família alegava que eles não poderiam ser cativos porque eram descendentes dos "antigos povoadores das aldeias". Obtiveram uma sentença favorável, sendo restituídos à aldeia dos Pinheiros, exceto Romana e um dos homens do grupo. Ele foi alistado nas milícias que deveriam combater os temidos índios Paiaguá, que viviam em uma região que hoje compreende o Paraguai e o Mato Grosso. A velha Romana, por sua vez, foi devolvida ao senhor como pagamento de uma fiança, outra mostra de violência e da condição ambígua dos indígenas: livres na letra da lei, mercadoria e mão-de-obra compulsória na prática.

Fontes: Beatriz Perrone-Moisés, "Índios livres e índios escravos: os princípios da legislação indigenista do período colonial", in Manuela Carneiro da Cunha (org.), *História dos índios no Brasil*; John Manuel Monteiro, *Negros da terra: índios e bandeirantes nas origens de São Paulo*.

Romy Martins Medeiros da Fonseca (1921-)

Advogada e feminista.

Nasceu em 30 de junho de 1921, no Rio de Janeiro (RJ). Formou-se bacharel em ciências jurídicas pela Faculdade Nacional de Direito da Universidade do Brasil (atual UFRJ). Casou-se com o professor Arnoldo Medeiros da Fonseca, catedrático de direito civil da mesma faculdade. Ao participar com o marido, nos EUA, do VII Congresso da Federação Interamericana de Advogados, em maio de 1949, foi convidada a proferir uma palestra sobre a condição da mulher brasileira. Este foi o ponto de partida de seu engajamento na luta pelos direitos da mulher casada no Brasil. Retornando, apresentou, em dezembro de 1949, sua proposta ao Instituto dos Advogados Brasileiros para que este encaminhasse ao Congresso Nacional uma "indicação", no sentido de que se aprovasse um projeto de lei que acabasse com a capacidade relativa da mulher casada. Com base nesse estudo, elaborou, com a também feminista Orminda Ribeiro Bastos*, um novo estatuto jurídico da mulher casada.

Em 1950, Romy apresentou, em parceria com Orminda Bastos, um anteprojeto de reforma do Código Civil ao comitê brasileiro da Comissão Interamericana de Mulheres. Ao ser designada pelo governo para representar o Brasil na VII Assembléia da Comissão Interamericana de Mulheres da OEA, em Santiago do Chile, necessitou de autorização do marido para realizar a viagem, que a concedeu depois de muita insistência e porque seu irmão a acompanharia. Esse anteprojeto tinha um enorme significado para a vida das mulheres casadas, até então comparadas aos "silvícolas" na tutela de sua cidadania pelo marido, uma vez que permitia a ampliação de seus direitos.

Em 1952, Romy apresentou à VII Assembléia da Comissão Interamericana de Mulheres da OEA, reunida no Rio de Janeiro, o referido anteprojeto de reforma do Código Civil. As propostas contidas no trabalho ganharam o apoio unânime das delegadas presentes. Diante da repercusssão do assunto na sociedade, o senador carioca Mozart Lago apresentou o anteprojeto ao Senado, que tomou o nº 29/52 e permaneceu engavetado por 10 anos. A insistência do movimento de mulheres e o trabalho político realizado pelas associações permitiram, finalmente, que em 27 de agosto de 1962 o Congresso Nacional aprovasse o texto, logo sancionado pelo presidente João Goulart com a lei nº 4.121. Foi um longo e tortuoso percurso até que o Código Civil brasileiro fosse modificado e os direitos da mulher casada ampliados. A principal alteração referia-se ao direito ao trabalho fora do lar, que até então dependia da autorização do marido.

Após essa conquista, Romy continuou participando da vida política, realizando conferências, apresentando trabalhos em congressos, sempre em defesa dos interesses da mulher. Em 1966, como presidenta do Conselho Nacional de Mulheres do Brasil (CNMB), cria o evento anual que presta homenagem às "Dez Mulheres do Ano". O Conselho já laureou centenas de mulheres que se destacaram em diversos setores da vida nacional, à luz do critério de terem trabalhado em prol da integração feminina no processo de desenvolvimento sócio-político-econômico do país.

Em 1971, o Conselho Nacional de Mulheres do Brasil criou o Dia Nacional da Mulher, comemorado em 30 de abril, dia do aniversário de Jerônima Mesquita*, importante líder feminista brasileira, fundadora do Conselho Nacional de Mulheres do Brasil. A data foi oficializada pelo Congresso Nacional – lei nº 6.791 de 9 de junho de 1980.

Ainda em 1971, Romy encaminhou um documento ao presidente da República solicitando-lhe a criação do serviço cívico feminino. Este seria destinado a jovens de 18 a 21 anos, para que atuassem nos setores de educação e de saúde. Em 1972, engajou-se na defesa de um Programa Nacional de Planejamento Familiar, destinado especialmente aos casais de baixa renda. Sua proposta envolve o fornecimento à população-alvo de meios e informações sobre os métodos anticoncepcionais. No mesmo ano, Romy organizou e presidiu o I Congresso Nacional de Mulheres, em pleno regime ditatorial, reunindo no Rio de Janeiro as mulheres mais ilustres e batalhadoras deste país.

Em 1973, a convite de empresários portugueses, pronunciou, em Lisboa, uma conferência sobre o tema "Condição da mulher na comunidade luso-brasileira". Participou da I Conferência Inter-Hemisférica de Advogadas em Washington (1975), cujo tema principal foi "A condição da mulher, direito e população". Em 1977, prestou depoiomento na Comissão Parlamentar de Inquérito sobre a condição da mulher, no Congresso Nacional, em Brasília. Nesse mesmo ano, a convite da The Fletcher School of Law and Diplomacy, vinculada à Tufs University de Masssachusets, EUA, escreveu o artigo "A mulher brasileira: direitos e discriminações", uma análise de nossa legislação sobre os direitos da mulher, que foi publicado pela Columbia Human Rights Law Review.

Como relatora da Ordem dos Advogados do Brasil, defendeu a descriminalização do aborto, tese apresentada à IX Conferência Nacional da OAB, realizada em Florianópolis (SC), no ano de 1982. Desde então, tem sido muito importante sua participação na defesa da mais polêmica reivindicação feminina: o direito ao aborto.

Em 1985, participou da conferência de encerramento da Década das Nações Unidas para a Mulher, realizada em Nairóbi, no Quênia, e no ano seguinte, a convite do governo do Iraque, esteve presente na XII Conferência da Federação das Mulheres Iraquianas, realizada em Bagdá. Em 1988, tomou parte, em Washington, das reuniões promovidas em comemoração aos centenários do Conselho Internacional de Mulheres e do Conselho Nacional de Mulheres dos Estados Unidos. Participou, também, da IV Conferência das Nações Unidas sobre a Mulher (1995), em Pequim, na China, representando o Conselho Nacional de Mulheres do Brasil. Atualmente, encontra-se na Divisão Hispânia da Biblioteca do Congresso dos Estados Unidos, em Washington, o "Arquivo Romy Medeiros da Fonseca e o Movimento de Mulheres no Brasil". O referido arquivo reúne um imenso acervo sobre a condição feminina no Brasil, colecionado por Romy durante mais de 40 anos.

Fonte: Entrevista concedida a Carmen Margarida Oliveira Alveal, em 28.1.1999.

Rosa (?-1858)

Escrava condenada a forca.

Negra da nação cassange, Rosa pertencia ao brigadeiro Jacinto Pinto Teixeira e à sua esposa Maria do Carmo Pinto Teixeira, que viviam na rua Direita, em Sabará (MG). Junto com as escravas Peregrina*, Luísa, Tecla, Balbina, Quitéria e Jesuína, Rosa foi acusada e condenada pela morte de Maria do Carmo, no dia 5 de junho de 1856. O assassinato deu-se a golpes de machado e mão de pilão. A causa do crime foram os maus-tratos por elas sofridos nas mãos de Maria do Carmo; no momento do assassinato, a escrava Quitéria encontrava-se presa ao tronco.

Logo após o crime, as escravas refugiaram-se na casa do padre e advogado José Marciano Gomes Batista, onde foram presas. No dia 12 de agosto de 1856, o juiz Quintiliano José da Silva deu a sentença que condenava à morte as escravas Rosa e Peregrina, como autoras do homicídio, e à pena de 60 açoites cada uma as escravas Balbina, Tecla, Jesuína, Quitéria e Luzia, que tiveram também que trazer, por dois anos, como sinal de infâmia, uma golinha de ferro soldada ao pescoço.

No dia 12 de fevereiro de 1858, o presidente da província, Carlos Carneiro de Campos, comunicava ao juiz de Sabará que Rosa e Peregrina não haviam obtido clemência imperial e ordenava ao chefe de polícia que providenciasse a execução.

Rosa e Peregrina foram enforcadas no dia 14 de abril do mesmo ano, em patíbulo armado entre as catacumbas da Igreja do Carmo em Sabará. Um fato inusitado ocorrido com a escrava Rosa fez com que esta passasse à história como inocente do crime. Depois do enforcamento, o cirurgião-mor constatou que Rosa ainda estava viva, e esta foi novamente alçada ao cadafalso para completar-se a sentença. Foi enterrada, pela Irmandade da Misericórdia, numa vala comum do cemitério.

O enforcamento de Rosa gerou uma lenda na cidade de Sabará, de que se ouviam gemidos e protestos de inocência vindos do local da força. Assim, Rosa passou a ser considerada santa pela população escrava de Sabará, operando milagres entre eles, socorrendo os pobres nas aflições e doenças.

Fonte: João Dornas Filho, "As enforcadas de Sabará", *Investigação*, vol.3, nº 26.

- *Romy Medeiros da Fonseca*
Advogada e feminista, autora do projeto do Estatuto da Mulher Casada.

- *Rosa da Fonseca*
Enviou seus sete filhos para combater na Guerra do Paraguai.

- *Rita Lobatò Velho Lopes*
Diploma de Rita Lobato, primeira médica formada no Brasil, em 1887.

- *Revocata Heloísa de Melo*
Fundadora do primeiro órgão literário feminista no sul do país, o periódico *Corymbo*, tendo à esquerda Julieta de Melo Monteiro.

- *Raquel de Queirós*
Primeira mulher a ingressar na Academia Brasileira de Letras.

- *Ruth Escobar*
Atriz e primeira presidente do Conselho Nacional dos Direitos da Mulher.

- *Rose Marie Muraro*
Escritora e socióloga, uma das responsáveis pelo ressurgimento das idéias feministas no final do séc.XX.

- *Ruth de Souza*
Uma das grandes atrizes brasileiras.

1

2

3

4

5

7

8

Rosa da Fonseca (1802-73)

Heroína.

Mãe do primeiro presidente da República do Brasil, Rosa Maria Paulina da Fonseca é considerada heroína pelos historiadores porque incentivou a ida de seus filhos para a Guerra do Paraguai. Nasceu na vila de Alagoas no dia 18 de outubro de 1802, descendendo da família Barros Cavalcanti, de Pernambuco. Em 1822 casou-se com o capitão de infantaria Manuel Mendes da Fonseca, que foi comandante das forças da província de Alagoas e, durante a revolta da Cabanada, também comandou as tropas em Pernambuco. Em 1839, opôs-se à mudança da capital da cidade de Alagoas para Maceió, chegando a prender o presidente da província, Agostinho Dias das Neves. Teve que acatar a decisão e foi mandado para o Rio de Janeiro, onde ficou preso por 10 meses.

Ao sair da prisão, Manuel mandou vir a família — Rosa e 10 filhos, sendo oito rapazes e duas moças. O marido de Rosa morreu em 24 de agosto de 1859, deixando os filhos adultos: três eram capitães de artilharia, quatro oficiais subalternos, um médico militar; uma das filhas estava casada e a outra solteira.

Os filhos militares de Rosa da Fonseca foram todos combatentes na Guerra do Paraguai. Dois morreram em luta na desastrosa derrota de Curupaiti, em 2 de setembro de 1866, e outro na batalha de Itororó, em 6 de dezembro de 1868. A notícia da vitória em Itororó fez o povo do Rio de Janeiro explodir de alegria. Recebendo o boletim noticiando a morte do filho Eduardo e os ferimentos de Deodoro, Rosa escondeu a notícia da família e preparou a comemoração pela vitória, içando a bandeira nacional em uma janela da casa; os amigos chegavam para os pêsames mas, diante da alegria dela pela vitória brasileira, nada diziam. Para um deles, ela teria dito: "Sei o que houve; talvez até Deodoro mesmo esteja morto. Mas hoje é dia de gala pela vitória; amanhã chorarei a morte deles." Nos três dias seguintes ficou encerrada em seu quarto, chorando seus mortos. Deodoro da Fonseca voltou do Paraguai e, em 1889, tornou-se o primeiro presidente da República do Brasil.

A frase de Rosa da Fonseca publicada pela revista *Escrínio* lembra relatos semelhantes sobre matronas romanas que sacrificaram seus filhos pela Pátria e é um modelo ideal para caracterizar a mãe do proclamador da República.

Rosa da Fonseca faleceu no dia 11 de julho de 1873, na sua residência na rua da Ajuda, no Rio de Janeiro.

Fontes: Antônio da Rocha Almeida, *Vultos da pátria*; Carlos Augusto de Campos, *As heroínas do Brasil*; *Escrínio*, nº 9, 1909; Valentim Benício da Silva, *A mulher na evolução do Brasil*.

Rosa Dias Moreira (séc.XVIII)

Índia carijó.

Lutou contra a escravidão. Era mantida como cativa por Francisco Xavier de Almeida, de Jundiaí (SP). Por volta de 1720, entrou com um processo contra ele na Câmara, alegando que, por ser descendente de índios carijós (forma usada na região para se referir aos Guarani), seu cativeiro era ilícito. Na mesma época, caso semelhante aconteceu com a índia Romana*.

Fonte: John Manuel Monteiro, *Negros da terra: índios e bandeirantes nas origens de São Paulo*.

Rosa Maria de Siqueira (1690-?)

Heroína dos mares.

Nasceu na capitania de São Vicente, filha de Isabel da Costa Siqueira e de Francisco Luís Castelo Branco, ambos cristãos-velhos. Casou-se com o desembargador Antônio da Cunha Souto Maior.

Em viagem a Portugal a esquadra em que estava foi assaltada por piratas argelinos no meio do oceano Atlântico. A 20 de março de 1714, destacou-se com bravura na defesa das naus Nossa Senhora do Carmo e Santo Elias, carregadas com açúcar, tabaco e corantes, além de 120 passageiros. Entre estes, havia um grupo de cristãos-novos acusados de judaizantes, levados presos para os cárceres da Inquisição, em Lisboa. Enquanto muitos passageiros ameaçados refugiaram-se nos porões dos navios, os prisioneiros incentivavam a batalha, pois nela viam a possibilidade de escaparem do Tribunal do Santo Ofício.

Rosa Maria dirigiu o movimento de resistência ao ataque, encorajando os combatentes, distribuindo armas e pólvora. Repelidos os corsários, a esquadra seguiu viagem normalmente até Portugal, atingindo o rio Tejo no dia 22 de março de 1714. Seus feitos no mar, noticiados e referenciados na cidade de Lisboa, foram reconhecidos pela Corte portuguesa.

Fontes: Adalzira Bittencourt, *A mulher paulista na história*; Carlos Augusto de Campos, *As heroínas do Brasil*; Charles Boxer, *A mulher na expansão ultramarina ibérica*; Chiquinha Neves Lobo, *Vultos célebres*; Inês Sabino, *Mulheres ilustres do Brasil*; Lígia Torres, *Damas paulistas*; Valentim Benício da Silva, *A mulher na evolução do Brasil.*

Rosa Maria Egipcíaca da Vera Cruz (1719-?)

Escrava, acusada pela Inquisição de bruxaria.

Nasceu na Costa da Mina, na África, e foi trazida para o Rio de Janeiro no ano de 1725, com cerca de seis anos de idade. Foi então comprada como escrava e viveu no Rio de Janeiro até os 14 anos, quando foi novamente vendida e levada para Minas Gerais.

Em Minas, trabalhava para a mãe do poeta e frade Santa Rita Durão, como escrava de ganho; era obrigada por seus senhores a se prostituir. Um certo dia, entrou em transe e julgaram-na possuída por um espírito maligno. O bispo de Mariana mandou-a examinar por um conjunto de teólogos, que a consideraram culpada de heresia. Rosa Maria foi açoitada em praça pública, tendo ficando paralítica de um braço.

O padre Gonçalves Lopes, um exorcista, acreditou em sua sinceridade e levou-a para o Rio de Janeiro. Juntos fundaram, em 1754, o Recolhimento de Nossa Senhora do Bom Parto, com o propósito de abrigar mulheres pobres, em sua maioria negras e prostitutas. Em homenagem a uma santa oriental, que de prostituta se tornara eremita, Rosa adotou o nome de Rosa Maria Egipcíaca da Vera Cruz. Aprendeu a ler e escrever e passou a registrar as suas visões e experiências místicas, iniciando o livro *Sagrada teologia de amor de Deus luz brilhante das almas peregrinas*.

O período de liberdade em sua vida logo chegou ao fim. Rosa foi novamente acusada de heresia e de bruxaria pela Igreja. Presa, foi enviada a Lisboa para ser interrogada pelo Tribunal do Santo Ofício. Como o seu processo não foi concluído, suspeita-se que ela tenha morrido nas masmorras da Inquisição.

Fontes: Luís R.B. Mott, *Rosa Egipcíaca: uma santa africana no Brasil*; Maria Lúcia de Barros Mott, *Submissão e resistência — a mulher na luta contra a escravidão* e *Papéis Avulsos,* nº 13; Nilza Iraci, Alzira Rufino e Maria Rosa Pereira, *A mulher negra tem história.*

Rosa Pereira (séc.XX)

Primeira deputada estadual do Pará.

Rosa Carvalho Rebelo Pereira nasceu em Marapinim (PA). Fez o curso de magistério na Escola Normal e exerceu o cargo de professora primária no ensino público. Como suas colegas, participou da campanha eleitoral do interventor Joaquim de Magalhães Cardoso Barata (Partido Liberal do Pará), em 1934. Com o descenso desse líder, em 1935, juntou-se a outras professoras primárias e criou a Legião Feminina Magalhães Barata. A promulgação do Estado Novo, em 1937, tirou de cena essa agremiação até janeiro de 1946, quando foi novamente instalada como força auxiliar do Partido Social Democrático (PSD) no Pará. Rosa Pereira foi indicada presidente da Legião, exercendo ao mesmo tempo o cargo de secretária de Ensino do Estado.

As eleições estaduais de 1947 trouxeram novidades para as "legionárias": Rosa foi indicada pelo presidente do PSD para concorrer a uma vaga na Assembléia Legislativa. Outras três mulheres candidataram-se a deputada estadual pela coligação UDN-PRP, sendo duas delas, Guiomar Celeste de Moraes Nobre e Enedina de Figueiredo Milhomens, também professoras do ensino público elementar. O PSP, aliado ao PTB, também apresentou candidata própria, Hilda Vieira. Rosa Pereira foi a única a eleger-se para o mandato de 1947 a 1950.

Logo após as eleições, a deputada Rosa Pereira reuniu as agremiadas e a executiva do PSD, expondo as atividades desenvolvidas pela Legião, na capital e no interior. Na ocasião, Magalhães Barata, presidente do partido, sugeriu que a agremiação criasse estatuto próprio, com itens relativos a assistência social, beneficência e educação à população pobre. A vitória eleitoral das legionárias, muito festejada em Belém, acarretou-lhes um tempo de glórias.

A atividade de alistamento eleitoral constituiu, nessa fase, a maior responsabilidade política da Legião Feminina Magalhães Barata. Em 1946, havia a perspectiva de um maior contingente de eleitores nas eleições gerais (majoritárias 1945/1946; estaduais e municipais de 1947-48). Também a implantação do multipartidarismo fez crescer o número de concorrentes e de adversários partidários. Para enfrentar essas tarefas de alistamento, foram credenciadas mais duas organizações ligadas ao PSD: revitalizou-se o Departamento Feminino de Propaganda Eleitoral (criado no final de 1947) e criou-se o Posto Eleitoral Magalhães Barata, ambos coordenados por mulheres ligadas ao partido.

A Legião manteve-se em atividade até dezembro de 1950, quando, derrotado nas eleições para o governo estadual, Magalhães Barata acusou Rosa Pereira — eleita para um segundo mandato de deputada estadual — de traição e dissolveu a Legião, da qual ela era ainda presidente. Rosa Pereira filiou-se então ao PTB.

Fontes: Luzia Álvares, *Projeto: cidadania, participação política e gênero: Pará, 1932-1998*; TSE, *Dados estatísticos. Eleições federal, estadual e municipal realizadas no Brasil a partir de 1945* • Colaboração especial de Luzia Álvares.

Rosalina Coelho Lisboa Larragoiti

(1900-75)

Poetisa e jornalista.

Nasceu na cidade do Rio de Janeiro (RJ), em 15 de julho de 1900, filha de Luzia Gabizo Lisboa e de João Gonçalves Coelho Lisboa. Seu pai, um republicano histórico, foi deputado e senador pela Paraíba, além de professor do Colégio Pedro II e da Faculdade de Direito do Rio de Janeiro.

Rosalina foi educada em casa, por professores estrangeiros, tendo sua vocação literária surgido cedo: aos 14 anos escrevia poemas e teve um deles publicado na revista *Fon-Fon*; aos 15 anos, tornou-se colaboradora assídua da revista *Careta*. Seu livro de poemas *Rito pagão*, de 1922, foi premiado pela Academia Brasileira de Letras.

Casou-se com o comandante Van Rademaker, com quem teve um filho, mas ficou viúva aos 19 anos. Em situação financeira difícil, começou a lecionar inglês no Instituto Benjamin Constant. Entusiasta dos movimentos revolucionários da década de 20, Rosalina fez discursos e escreveu artigos a favor dos tenentes. Consta que manteve um relacionamento estreito com um deles, Antônio Siqueira Campos. Em 1929, em frente às escadarias do Palácio Tiradentes, onde então funcionava a Câmara dos Deputados, pronunciou um discurso contra a política de Washington Luís. Apoiou desde o início a revolução de outubro de 1930. Defendia a participação da mulher na política e a igualdade de direitos entre os sexos. Em 1930, representou a Paraíba no Congresso Feminino Internacional, realizado no Rio Grande do Sul. Foi a primeira mulher brasileira a ser designada pelo governo para uma missão cultural no exterior (Montevidéu, 1932).

Casou-se pela segunda vez com o norte-americano James Irvin Miller. No início dos anos 40, conseguiu a anulação deste casamento para se casar com o principal acionista da companhia de seguros Sul América, o poderoso empresário Antônio Sanchez Larragoiti, simpatizante do general espanhol Franco. Ferrenha opositora dos comunistas, Rosalina fez campanha contra o perigo vermelho e apoiou abertamente as medidas tomadas por Filinto Muller na repressão aos comunistas. Ingressou na Ação Integralista Brasileira; defendeu em 1937 a candidatura de Plínio Salgado a presidente da República e foi ativa conspiradora no golpe do Estado Novo.

Ao longo da administração Vargas, Rosalina manteve uma estranha relação com o governo, pois, mesmo quando esteve envolvida em conspiração contra o Catete (no início de 1943), manteve aberto o canal de comunicação com o presidente Vargas, sendo freqüentemente sua interlocutora em negociações com os integralistas. Participou de três conferências internacionais como delegada brasileira: Conferência Interamericana de Consolidação da Paz (Buenos Aires, 1936), VIII Conferência Interamericana (Lima, 1938), VI Assembléia

Geral da Organização das Nações Unidas (ONU) (Paris, 1951).

Colaborou em vários jornais da imprensa brasileira; em 1945, passou a ocupar a diretoria dos Diários Associados, encarregada das sucursais de Lisboa, Madri e Paris. Durante a campanha do senador Nelson Carneiro pelo divórcio, em 1951, escreveu artigos apoiando-o.

Além de *Rito pagão* (poesia, 1922), tem os livros: *O desencantado encantamento* (ensaios, 1927), *Conferências* (1927), *Passos no caminho* (poesia, 1932), *El mensaje cosmico del Quijote* (ensaios, 1950), *Almafuerte* (ensaios, 1951) e *A seara de Caim* (romance, 1952).

Faleceu no Rio de Janeiro no dia 13 de dezembro de 1975.

Fontes: Alzira Abreu e Israel Beloch, *Dicionário histórico-biográfico brasileiro*; *Jornal do Brasil*, 15.12.1975.

Rose Blanche de Freitas Corrêa
(1909-)
Primeira prefeita no Pará.

Nasceu em São Luís do Maranhão, em 4 de fevereiro de 1909. Filha de Estelita Reis de Freitas e do auditor de guerra José Carneiro de Freitas. Casou-se aos 18 anos com João Jorge Corrêa, com quem teve um filho.

Foi a primeira mulher eleita prefeita no Pará, na cidade de Vigia, em novembro de 1935. O estado do Pará era governado pelo interventor Joaquim de Magalhães Cardoso Barata desde novembro de 1930; em dezembro de 1931, foi criado o Partido Republicano Liberal, sob a liderança do interventor. Em 1932, havia sido promulgado o decreto que deu direito ao voto às mulheres; arregimentando votos para as eleições de 1934, esse partido deu espaço para candidaturas de mulheres, mas nenhuma conseguiu se eleger.

Em abril de 1935, houve uma crise de poder no Congresso do Estado, que ia indicar o interventor do Pará. Um grupo de deputados do Partido Liberal (PL) recusou-se a indicar novamente Magalhães Barata para o cargo e seus correligionários responderam a bala, causando mortes e a não-investidura de Barata no governo estadual.

O marido de Rose, o industrial paraense João Jorge Corrêa, liderança do PL na cidade de Vigia, era candidato a prefeito. Mas não pôde concorrer, pois fora indiciado no processo que apurava as mortes de abril de 1935. Nessas circunstâncias Rose foi indicada candidata no lugar do marido. Elegendo-se, esteve à frente da prefeitura de Vigia por dois anos, deixando o cargo com a implantação do Estado Novo, em 1937.

Em 1946, com a redemocratização e o pluripartidarismo, Rose passou a fazer parte da Legião Feminina Magalhães Barata. Esta associação, que existia desde 1935, congregava as esposas das lideranças do Partido Social Democrata (PSD) e as professoras primárias. Mantinha atividades partidárias na arregimentação de eleitores e garantia a plataforma política do quadro de candidatos aos pleitos eleitorais. Entre estes, encontrava-se uma outra "legionária", Rosa Carvalho Rebelo Pereira*, que se elegeu deputada estadual. Rose, agora aliada de seu velho adversário, não aceitou candidatar-se, permanecendo nos bastidores partidários e conquistando eleitores para os partidos políticos onde estivesse Magalhães Barata. Atualmente com 90 anos, orgulha-se de ter construído uma ponte quando foi prefeita de Vigia e de ser muito querida na cidade.

Fonte: Luzia Álvares, *Projeto cidadania, participação política e gênero. Pará, 1932-1998* • Colaboração especial de Luzia Álvares.

Rose Marie Muraro (1930-)
Socióloga, feminista, escritora e editora.

Rose Marie Gebara nasceu no Rio de Janeiro em 11 de novembro de 1930. Casou-se com Aldo Muraro e teve cinco filhos.

Diplomada em física pela Universidade Federal do Rio de Janeiro, nunca exerceu a profissão. Mas foi ao estudá-la que Rose começou a refletir sobre a tecnologia e o papel das mulheres para humanizar esta questão — e assim o feminismo entrou em sua vida.

Desde jovem, escrevia para jornais estudantis. Em 1960, começou a trabalhar na União Católica de Imprensa, na Conferência Nacional de Bispos do Brasil. Em 1961 foi para a Editora Vozes de Petrópolis, como responsável pela organização do catálogo de livros nacionais. Ligada aos setores progressistas da Igreja Católica, Rose foi responsável, na Vozes, pela publicação de inúmeros títulos oriundos desses setores em pleno regime militar. Entre 1965 e 1967, fundou a Editora Forense Universitária, da qual foi diretora editorial; publicou *Automação e o futuro do homem*. A partir de 1969, assumiu o cargo de editora-chefe da Vozes, continuando, ao mesmo tempo, sua profissão de escritora. Em 1970, publicou *Libertação sexual da mulher*, *As mais belas orações de todos os tempos* e *As mais belas orações do nosso tempo*, este em parceria com frei Raimundo Cintra. Estes livros venderam, até 1997, cerca de 200 mil exemplares.

Em 1971, promoveu a vinda ao Brasil da escritora feminista norte-americana Betty Friedan. A passagem de Betty pelo Rio de Janeiro teve uma enorme repercussão; ficou na história do feminismo a antológica entrevista de Rose sobre os escritos de Betty Friedan no jornal *Pasquim*, símbolo da resistência ao regime militar. A matéria com Rose Marie publicada em suas páginas popularizou o debate sobre a condição feminina, apesar da atitude machista de seus jornalistas no tratamento da entrevista. A palavra e os escritos de Rose Marie Muraro reacenderam a chama da luta pela igualdade de direitos da mulher no país. Em 1975, Rose foi membro fundador do Centro da Mulher Brasileira (CMB), entidade pioneira do novo feminismo no Brasil.

Como represália às atitudes políticas de Rose Marie, os militares censuravam seus livros como pornográficos, apesar dos mesmos estarem sendo adotados em universidades. Nesses anos começou sua carreira de conferencista nacional e internacional, já tendo visitado mais de uma vez todos os estados brasileiros, fazendo palestras e conferências sobre a condição feminina. Sua autoridade intelectual sobre o assunto foi consolidada com a publicação, em 1983, do livro *A sexualidade da mulher brasileira: corpo e classe social no Brasil*. Durante seis meses na lista dos mais vendidos, foi tema de mais de 60 reportagens na imprensa nacional.

Com a criação, em 1985, do Conselho Nacional dos Direitos da Mulher (CNDM), Rose Marie foi nomeada uma de suas conselheiras. Ainda em 1985, escreveu, junto com outros teólogos, *Sexualidade, libertação e fé: por uma erótica cristã*. No ano seguinte foi expulsa da Editora Vozes, junto com frei Ludovico de Castro e frei Leonardo Boff, devido a suas posições avançadas sobre política e sexualidade. Continuou o trabalho de livreira, fundando, em 1986, a editora Espaço e Tempo, onde ficou até 1988. Depois, junto com Laura Civita, Neuma Aguiar, Ruth Escobar* e a Editora Record fundaram, em 1990, Rosa dos Tempos, primeira editora de mulheres do Brasil, considerando-se que a experiência da Avenir Mulher Edições teve curta duração.

Rose Marie disputou duas vezes uma cadeira na Câmara Federal, mas não chegou a se eleger. A primeira, em 1986, pelo Partido Democrático Trabalhista (PDT) e a segunda, em 1994, pelo Partido dos Trabalhadores (PT). De sua primeira experiência como candidata, publicou um livro relatando a dificuldade para a atuação das mulheres no espaço político, intitulado *Os seis meses em que fui homem* (1990). Em 1966, recebeu a Medalha Tiradentes (Assembléia Legislativa do estado do Rio de Janeiro) e, em 1987, a Medalha de Ouro Alvorada (Governo Federal). Foi indicada nove vezes como Mulher do Ano e, em 1990, a revista *Desfile* a relacionou como uma das mulheres do século XX. Em 1994, foi a Intelectual do Ano escolhida pela União Brasileira de Escritores.

Seu livro mais recente, de 1999, é *Memórias de uma mulher impossível*.

Fonte: Entrevista concedida a Carmen Alveal em 4.2.1999.

Rosely Roth (1959-90)

Liderança do movimento lésbico-feminista.

Nasceu em 21 de agosto de 1959, em São Paulo, de família judia. Diplomou-se em filosofia pela Pontifícia Universidade Católica (PUC/SP) em 1981 e concluiu a pós-graduação em antropologia em 1986, com as teses "Vivências Lésbicas — Investigação acerca das vivências e dos estilos de vida das mulheres lésbicas a partir da análise do funcionamento dos bares freqüentados predominantemente por elas" e "Mulheres e Sexualidade".

Iniciou seu contato com o movimento de mulheres no primeiro semestre de 1981, quando começou a participar simultaneamente dos grupos Lésbico-Feminista (LF) e SOS-Mulher. Em outubro do mesmo ano fundou, com Míriam Martinho Rodrigues, o GALF — Grupo de Ação Lésbica-Feminista, com o propósito de dar continuidade ao trabalho anterior e, no decorrer de sua existência, por quase 10 anos, desenvolveu características próprias tanto em termos políticos quanto de atividades.

A partir de 1984, deixou de atuar no coletivo SOS-Mulher, vindo a dedicar-se exclusivamente ao GALF, do qual foi figura de destaque, seja por seus artigos nas duas publicações da entidade, o boletim *Chanacomchana*, editado durante cinco anos, e posteriormente o periódico *Um Outro Olhar*, seja pela atuação nos debates, manifestações e simpósios organizados pelo seu grupo ou em parceria com outros movimentos — feminista, homossexual e negro.

Entre as inúmeras atividades que realizou, destaca-se, pelo impacto político causado, a manifestação ocorrida em 19 de agosto de 1983, junto aos proprietários do Ferro's Bar (o mais antigo e tradicional bar lésbico de São Paulo) que proibiram a venda do boletim *Chanacomchana* em seu recinto, apesar de este ser sustentado fundamentalmente por mulheres lésbicas. O protesto, que reuniu ativistas do movimento homossexual e feminista, parlamentares e representantes da Ordem dos Advogados do Brasil, ocupou lugar de destaque nos jornais e televisão.

Sua presença constante, declarando corajosamente sua orientação sexual na mídia, garantiu-lhe dois convites, em 1985 e 1986, para participar dos programas da apresentadora Hebe Camargo, em cadeia nacional, falando aberta e tranqüilamente sobre lesbianidade, com grande repercussão na imprensa. Rosely Roth foi pioneira no que se convencionou chamar de "política da visibilidade" na década de 1980, época em que, com raras exceções, ninguém mais o fazia, aliando aparições públicas, geralmente marcantes, a uma fundamentação teórica que lhe permitia ir além do ramerrão vitimista e reformista que muitas vezes caracteriza o discurso e as atividades dos grupos sociais discriminados. Produziu e publicou dezenas de artigos e textos acadêmicos, concedeu inúmeras entrevistas, sempre com enfoque especial para a questão da homossexualidade e seus desdobramentos político e sociocultural.

As profundas crises emocionais que a levaram ao suicídio, em 28 de agosto de 1990, em nada ofuscam o brilho de sua trajetória política, que se destacou pela coragem, pelo dinamismo e pela coerência discursiva. O trabalho da Rede de Informação Um Outro Olhar, entidade de São Paulo que atua pela saúde e direitos humanos das mulheres (em particular, lésbicas) e das minorias sexuais é dedicado à sua memória.

Fonte: Arquivo da Rede de Informação Um Outro Olhar • Colaboração especial de Míriam Martinho.

Ruth de Sousa (1928-)

Atriz.

Nasceu no Rio de Janeiro (RJ), filha da lavadeira Alaíde e de um lavrador chamado Sebastião, e, ainda criança, foi morar em uma fazenda em Minas Gerais.

Quando seu pai faleceu, voltou ao Rio de Janeiro com sua mãe e seus três irmãos. Aprendera as primeiras letras com a mãe e, mais tarde, estudou em um colégio interno. Foi também D. Alaíde quem a levou às primeiras sessões de teatro e cinema. Ruth logo se apaixonou pela arte e sempre recebeu incentivo da família.

Aos 17 anos, fundou com Abdias do Nascimento e Agnaldo Camargo o Teatro Experimental do Negro (TEN), e estreou com a peça *O imperador Jones*, no Teatro Municipal do Rio de Janeiro, tendo sido a primeira atriz negra a representar naquele palco. Trabalhou por cinco anos com o TEN, atuando em clássicos do teatro como *Otelo*, de Shakespeare — foi a primeira negra a interpretar Desdêmona no Brasil — e *Todos os filhos de Deus têm asas* e *O moleque sonhador*, de Eugene O'Neil.

Já como profissional, estreou a peça *Terras do sem fim*, de Jorge Amado. Essa peça virou roteiro de um filme, e o próprio Jorge Amado indicou Ruth para viver, no cinema, o papel que foi seu no teatro. O filme chamou-se *Terra violenta* e foi produzido pela Atlântida em 1947.

Seu talento e a dedicação à arte cênica foram premiados quando recebeu uma bolsa de estudos da Fundação Rockefeller para estudar teatro nos Estados Unidos. Na Karamu House, em Cleveland, aprendeu tudo que se relacionava aos palcos: dramaturgia, iluminação, som, vestuário, dança e música. Durante o estágio, encenou as peças *Dark of the moon* e *S-treet scene*, também dirigindo as peças *Porgy and Bess* e *Shadows of a gunman.* Como continuidade do curso de especialização, fez um estágio de um mês na Howard University, em Washington, partindo depois para Nova York, onde ficou dois meses na Academia Nacional do Teatro Americano.

Ruth também faz parte da história do cinema brasileiro, tendo participado de filmes como *Falta alguém no manicômio* e *Somos irmãos*, ambos com Grande Otelo, *Sinhá Moça*, *Terra é sempre terra*, *Fronteiras do inferno* e *Ângela*. Recebeu muitas vezes o Prêmio Saci e outros, mas sempre como melhor atriz coadjuvante, embora na Mostra Internacional de Veneza, pelo trabalho em *Sinhá Moça*, tenha sido indicada ao prêmio de melhor atriz, ao lado de atrizes como Katherine Hepburn e Lili Palmer. Estreou na televisão em 1952, na TV Tupi, com o teleteatro *O filho pródigo.* Sua estréia em novelas foi na TV Globo, em 1965, com *A deusa vencida*, atuando também em *A cabana do Pai Tomás*, na TV Excelsior. Participou de casos especiais, como *Quarto de despejo*, na Globo.

No teatro, deve-se destacar ainda seu trabalho nas peças *Réquiem para uma negra*, de William Faulkner (1983), *Orfeu da Conceição*, de Vinícius de Moraes (1990), *Zumbi*, de Guarnieri, Augusto Boal e Edu Lobo (1993), e *O anjo negro*, de Nelson Rodrigues (1994).

Em 8 de abril de 1988, recebeu, em Brasília, a comenda do Grau de Oficial da Ordem do Rio Branco da República Federativa do Brasil, por sua contribuição às artes cênicas brasileiras; em 1999, o Prêmio Ministério da Cultura.

Reconhecida como uma grande atriz por seus pares e pelo público brasileiro, Ruth de Souza, interpertou vários papéis que expressam o lugar historicamente destinado às mulheres negras: papéis secundários na trama, empregada doméstica, escrava, mulher pobre.

Fontes: Helena Theodoro, *Mitos e espiritualidade — mulheres negras*; Sandra Almada, *Damas negras.*

Ruth Escobar (1936-)

Atriz, empresária cultural, política e feminista.

Maria Ruth dos Santos nasceu em 31 de março de 1936, na cidade do Porto, Portugal, filha de Maria do Carmo Santos e pai desconhecido. Ao longo de sua vida, casou-se cinco vezes: em 1952 com Jean Sauveur; em 1957 com o intelectual Carlos Henrique Escobar, com quem teve dois filhos (Christian e Patrícia); em 1962 com o arquiteto e cenográfo Wladimir Pereira Cardoso — dessa união nasceram duas filhas (Ana Ruth e Inês); em 1970 com o artista plástico Nelson Aguilar, com quem teve um filho (Nelson); em 1992 com o engenheiro norte-americano Dearryll Paffenroth; o matrimônio durou até 1999. Tem seis netos.

Veio para o Brasil em 1952, aos 16 anos de idade; radicou-se em São Paulo e começou a trabalhar vendendo anúncios para jornais. A experiência como vendedora possibilitou que despontasse o talento empresarial de Ruth. Assim, no ano seguinte, fundou uma revista voltada para a colônia portuguesa, chamada *Ala Arriba* (1953), dedicada a entrevistar gente famosa. Fazendo cobertura para a revista, em 1955, Ruth deu a volta ao mundo entrevistando desde Arafat, Bulgarin, Kruschev a outros dirigentes políticos asiáticos e africanos. Voltando ao Brasil em 1957, Ruth, influenciada pelo maestro Diogo Pacheco, mudou a linha editorial de sua revista para cobrir a poesia concretista, e este empreendimento foi um tremendo fracasso, ocorrendo então sua primeira falência. Estava já casada com Escobar; seguiu com ele para Paris, França, onde estudou teatro no final dos anos 50.

Esta temporada em Paris mudou sua vida e a partir de então o teatro passou a ser seu instrumento de atuação artística e política. Voltando ao Brasil, depois de algumas atuações em peças teatrais, criou junto com a atriz Nilda Maria o Teatro Popular Nacional — um caminhão com palco que percorria a periferia de São Paulo, apresentando espetáculos gratuitos de autores brasileiros, cujo objetivo era popularizar o teatro. Fazia parte do grupo de atores, entre outros: Fauzi Arap, Ari Toledo, Claúdio Mamberti. Esta experiência e o tino empresarial de Ruth levaram-na à construção de um espaço próprio, e assim, em 15 de dezembro de 1964, inaugurou na capital paulista o Teatro Ruth Escobar (originalmente Gil Vicente) com a peça de Brecht *A ópera dos três vinténs*, espetáculo em benefício do Natal da criança pobre.

A partir de então, sucederam-se inúmeras montagens revolucionárias do teatro brasileiro. Em 18 de julho de 1968, na encenação da peça *Roda viva*, de Chico Buarque de Holanda, Ruth assistiu a um dos acontecimentos mais violentos de que se tem noticia no cenário teatral mundial. Policiais militares invadiram o teatro, os atores — entre eles Marília Pera — e parte do público foram espancados e o teatro depredado. Apesar da reação da classe artística e dos intelectuais na defesa da liberdade de expressão, o Teatro Ruth Escobar continuou sendo atacado pelas forças do arbítrio. Mas Ruth estava definitivamente comprometida com essas questões e foi uma ativa participante do movimento de resistência ao regime militar, ao mesmo tempo em que passou a se envolver progressivamente com o movimento de libertação feminina.

Detida pela primeira vez após a decretação do AI-5 em dezembro de 1968, foi levada para as dependências do DOI-CODI de São Paulo, de onde saiu por intervenção da atriz Cacilda Becker* e do então prefeito da capital paulista, Faria Lima. Seria ainda várias vezes detida pelas forças militares na resistência ao regime.

Continuando sua intensa atividade cultural, em 1969, em São Paulo, estreou *O balcão*, de Jean Genet, produção que consolidou, de um vez por todas, o nome de Ruth Escobar como produtora e ativista cultural de vanguarda internacional. Para realizar esta encenação, a casa de espetáculos foi praticamente desmontada, num arrojo sem precedente no teatro brasileiro. Foram seis os prêmios recebidos por esta montagem, que ficou dois anos em cartaz. Uma de suas atrizes, Nilda Maria, que fazia o papel de uma revolucionária na peça, foi presa por seis meses, obrigando a produção a substituí-la. Seguiram-se os espetáculos: em 1970, no Rio de Janeiro, *Cemitérios de automóveis*, de Arrabal; em 1971, em São Paulo, *Missa leiga*, de Chico de Assis; e *A viagem*, adaptação de *Os Lusíadas* de Camões, com o cantor Nei Matogrosso, em 1972.

Particularmente nos duros anos de 1974, 1975 e 1976, o seu engajamento com atividades políticas da resistência acirrou-se: organizou dois festivais internacionais de artes cênicas, percorreu os continentes europeu e africano com espetáculos teatrais e, na sua volta em 1977, produziu *Torre de Babel*, de Arrabal, outra grande montagem teatral brasileira. Durante a encenação deste texto, Ruth foi novamente presa na saída do aeroporto. Nunca se soube concretamente o motivo, mas, como na peça havia um burro que se chamava Ernesto e este era o prenome do general presidente da República, foi sussurrado que seria interessante trocar o nome do burro.

O Teatro Ruth Escobar estava definitivamente engajado na luta pela anistia e, em 1978, nas suas dependências, foi organizado o primeiro congresso pela Anistia no Brasil, com a participação de importantes personalidades internacionais. Ruth produziu no mesmo ano a peça *Revista do Henfil*, uma pregação cênica em prol da anistia, levada, inclusive, no Presídio de Itamaracá (Pernambuco), na Penitenciária Lemos de Brito (Bahia) e na Casa de Detenção de São Paulo. Implacável na defesa da liberdade, Ruth produziu seu 37º espetáculo em 1979: a peça *Fábrica de chocolate*, de Mário Prata, que abordava a história do assassinato do jornalista Wladimir Herzog, morto nas dependências do DOI-CODI paulista em 1975, um libelo contra a tortura e o arbítrio.

A irreverência de Ruth irritava os militares e, em 1982, em plena campanha eleitoral, como candidata a deputada estadual, estes iniciaram um processo contra ela, enquadrando-a na Lei de Segurança Nacional, por ofender o presidente Figueiredo. Julgada em 1986, foi condenada a um ano de reclusão, pena que não foi obrigada a cumprir por possuir naquele momento imunidade parlamentar. Foi a última pessoa a ser condenada pela Lei de Segurança Nacional no país.

Ainda como promotora cultural, Ruth teve um momento marcante quando coordenou a realização do primeiro Festival Nacional de Mulheres nas Artes, com o apoio da revista *Nova*, em setembro de 1982. Esse festival mobilizou mais de dez mil participantes com a apresentação de mais de 600 espetáculos, presença de importantes convidadas internacionais, feministas e artistas. Fez ainda um trabalho pioneiro e inédito nas penitenciárias paulistas de desenvolvimento de peças teatrais baseadas nos depoimentos dos próprios prisioneiros.

Ativista do movimento político paulista e, agora, do de mulheres, em 1978 Ruth, junto com Eva Blay*, Irene Cardoso, Anésia Pacheco Chaves, Maria Carneiro da Cunha, Carmen Barroso, Fúlvia Rosemberg, Sílvia Pimentel, Heleieth Saffioti*, Cristina Bruschini, Elsa Berquó, Inês Castilhos, Maria Morais, Zulaiê Cobra, Ruth Cardoso, Marta Suplicy, Leilah Assunção e muitas outras, fundou a Frente de Mulheres Feministas do Estado de São Paulo. Havia ingressado no partido Movimento Democrático Brasileiro (MDB), que depois foi renomeado PMDB — Partido do Movimento Democrático Brasileiro. Por esta legenda foi eleita deputada estadual por São Paulo por duas vezes, nas legislaturas 1983-86 e 1987-90. Engajada no movimento de mulheres, participou da organização, no âmbito do PMDB, de um grupo feminino chamado PMDB Mulher. Esse grupo alcançou, rapidamente, grande difusão pelo Brasil inteiro. No rastro do processo de redemocratização da sociedade brasileira, ocorrido na primeira metade dos anos 1980, o PMDB Mulher, juntamente com o restante do movimento de mulheres, foi responsável pela criação dos primeiros conselhos estaduais de direitos da mulher.

O Teatro Ruth Escobar foi ainda um espaço para a realização de inúmeros seminários, congressos e encontros, como o I Congresso da Mulher Paulista, em 8 de março de 1979, o Encontro Brasileiro de Homossexuais, em abril de 1980, e o Fórum Debate sobre a Mulher, que de março a novembro de 1980 reuniu quinzenalmente mulheres militantes na discussão da condição feminina.

Ainda no feminismo, Ruth foi uma das idealizadoras e a primeira presidente do Conselho Nacional dos Direitos da Mulher (CNDM), criado em agosto de 1985 por proposta do movimento de mulheres ao governo José Sarney. O Conselho foi a entidade-símbolo, na época, da luta das mulheres brasileiras pela construção de sua cidadania em meio à Nova República.

Por proposição do ministério das Relações Exteriores do Brasil, Ruth Escobar foi eleita para um mandato de quatro anos na Organizações das Nações Unidas (ONU), para participar do Comitê pela Emancipação e pela Eliminação da Discriminação contra a Mulher (CEDAW) desta instituição, com mandato de 1986 a 1990. Em 1998, doou à comunidade de Ubatumirim, no estado de São Paulo, um terreno para a criação do Instituto A Criança e o Mar, para abrigar crianças carentes.

Foi agraciada no Brasil com a comenda da Ordem do Rio Branco, em Portugal com o grau de oficial de Ordem do Mérito e da Ordem do Infante D. Henrique e, na França, com a Ordre des Arts et des Lettres e a Légion d'Honneur, por sua contribuição nas áreas da política e das artes cênicas.

Fontes: Rofram Fernandes, *Teatro Ruth Escobar, 20 anos de resistência*; Ruth Escobar, *Maria Ruth*; Entrevista concedida a Schuma Schumaher em 17.2.2000.

S

Sabina (c.1726-?)

Índia, acusada pela Inquisição de feitiçaria.

Sabina foi acusada pelo Tribunal do Santo Ofício de práticas religiosas populares em 1766. Escrava liberta, provavelmente casada, era moradora da Vila dos Colares, no Grão-Pará. Amaral Lapa cita duas índias Sabina, uma moradora da Vila de Colares e outra residente no Bairro da Campina, acusadas dos mesmos delitos. Jane Beltrão refere-se tanto à moradora da Vila dos Colares como a do Bairro da Campina como sendo a mesma mulher.

A acusação que pesou sobre Sabina, de utilizar rezas mágicas, praticar o exorcismo e os banhos para afastar as forças ocultas que atormentavam seu povo, desconsiderava a riqueza da religiosidade popular. O poder de cura das rezas de Sabina era amplamente conhecido na província do Grão-Pará, pois três pessoas a denunciaram ao inquisidor Geraldo José de Abranches. Em 1767, Raimundo José Bittencourt foi um dos que compareceram ao Colégio Santo Alexandre para depor. Perante o inquisidor, assim descreveu o ritual de cura dos seus olhos:

> "Chegando pediu logo um cachimbo com tabaco e fogo, fez cruzes com o dedo polegar na testa e falando Padre, Filho, Espírito Santo e a Virgem Maria... Defumou o olho direito do paciente e lhe introduziu a própria língua, andando com ela a rodado do dito olho pela parte interior e depois desta diligência fez ação de vomitar e lançou na sua mão um bicho com forma de 'lairas' pela parte do rabo... E lavar os olhos com água benta para mais depressa sarar".

Sabina aparece nos autos como uma feiticeira que era procurada pelos poderosos da província para tirar malefícios, curando as pessoas.

Fontes: J.R. Amaral Lapa, *Livro da visitação do Santo Ofício da Inquisição ao estado do Grão-Pará — 1763-1769*; Jane Beltrão, *As mulheres que ousam saber.*

Sabina da Cruz (séc.XIX)

Ex-escrava.

Vendia comida na Cidade Baixa, em Salvador, tendo sido apontada como cúmplice na delação da Revolta dos Malês. Em 24 de janeiro de 1835, ao retornar à casa, não encontrou seu companheiro, o também liberto Vitório Sule. Soube pouco depois que este se encontrava, com outros negros, em uma casa na rua de Guadalupe, onde estava havendo uma reunião. Lá ficou acertado que seria deflagrada a maior das rebeliões de escravos entre as tantas outras ocorridas na Bahia do século XIX. Esta ficou conhecida como a Revolta dos Malês, negros de origem muçulmana. Sabendo das intenções desses africanos, Sabina teria incentivado sua comadre Guilhermina Rosa de Sousa* a delatar os rebelados, mesmo ciente da participação de seu companheiro na conspiração.

No entanto, no livro do historiador Antônio Monteiro, Sabina da Cruz aparece como a provável sucessora da que seria a "rainha rebelde" Luísa Mahin*, além de comandante de outras rebeliões na Bahia. Segundo este autor, o marido de Sabina seria o marceneiro Duarte Mendes, delator do levante. Monteiro afirma, ainda, em uma versão contraditória, que Sabina e Duarte foram beneficiados e recompensados pela Assembléia Provincial em agosto de 1850. Especula-se que essa recompensa teria sido dada em troca da delação dos rebelados.

Fontes: Antônio Monteiro, *Notas sobre negros malês na Bahia*; Arquivo Público do Estado da Bahia, *Anais*, vol.48; João José Reis, *Rebelião escrava no Brasil*.

Salvadora Lopes Peres (séc.XX)

Operária e ativista política.

Nasceu no interior de São Paulo, de uma família camponesa. Aos 11 anos de idade, ingressou em uma fábrica de tecidos como operária tecelã. Trabalhou muitos anos nesta fábrica até ser despedida, em 1938, por se recusar a assinar o compromisso da jornada de trabalho de 10 horas seguidas. Sua demissão, devida à defesa da jornada de oito horas, gerou mal-estar no ambiente fabril. Após uma negociação tensa, Salvadora foi readmitida em 1939, no entanto continuou resistindo à exploração dos operários. No final da década de trinta e ao longo dos anos quarenta, participou de vários movimentos grevistas. Tornou-se uma líder sindical, reconhecida pelos colegas por seu comprometimento com as causas trabalhistas e por seu empenho em prol da melhoria das condições de vida da classe trabalhadora.

Fonte: *Momento Feminino*, ano I, nº 15, 31.10.1947.

Sancha Coutinho (c.1615-46)

Figura mítica. Símbolo do amor impossível.

A resistência do povo pernambucano ao domínio holandês no século XVII custou a vida de muitos homens e mulheres, deixou muitos ao desabrigo e também desfez sonhos. Alguns personagens desta guerra foram lembrados pelos historiadores que recuperaram a memória da resistência pernambucana. Já outras figuras, como Sancha Coutinho, permaneceram na memória popular.

Sua história começa no engenho Andirobeira, nas proximidades de Recife, onde ela vivia com a mãe, o irmão Nuno e o pai, João Paulo Vaz Coutinho. Pernambuco caíra em 1630 sob o domínio militar holandês. Pouco depois, Sancha, então com 15 anos, conheceu o jovem Antônio Homem Saldanha de Albuquerque. Este viu recusado, pelo pai da moça, seu pedido de casamento. Afirmaram os escritores românticos do século XIX que Antônio Homem engajou-se com fúria na luta de resistência contra os holandeses, nos combates na Paraíba, morrendo na batalha do Rio Formoso, em março de 1633.

Ao perder também seus pais, Sancha passou a viver com o irmão na ilha de Itamaracá. Um dia, no ano de 1646, bateu-lhe à porta pedindo pouso o padre Aires Ivo Correia. Diz a tradição popular que o padre Aires tinha a mesma fisionomia do falecido Antônio Homem e, por conta disso, Sancha teve um mal súbito e morreu. Outra versão corrente afirma que o padre Aires era o noivo de Sancha, Antônio Homem, que teria sobrevivido à batalha. Ainda segundo a tradição oral, o padre Aires teria plantado uma mangueira sobre a sepultura da jovem. Diz-se no Nordeste que a doçura das mangas de Itamaracá — conhecidas como as mangas do jasmim — deve-se a Sancha.

A figura de Sancha Coutinho encantou os escritores pernambucanos, especialmente a geração romântica, que a imortalizou como "a mártir do amor contrariado". Em 1854, o escritor Luís Vicente Simoni escreveu um drama lírico em quatro atos intitulado *Marília de Itamaracá ou a donzela da mangueira*. Na mesma época, o poeta pernambucano José Soares de Azevedo escreveu o poema "As mangas de Itamaracá".

Fonte: Henrique C.P. de Melo, *Pernambucanas ilustres*.

Sandra Cavalcanti (1927-)

Educadora e política.

Sandra Martins Cavalcanti de Albuquerque nasceu em Belém (PA), no dia 30 de agosto de 1927. Seus pais eram Conceição Martins Cavalcanti de Albuquerque e Djalma Cavalcanti de Albuquerque. Fez seus estudos no Rio de Janeiro e diplomou-se em letras clássicas pela Pontifícia Universidade Católica (PUC/RJ).

Cursou, na França, pós-graduação em desenvolvimento e urbanismo.

Participou ativamente do movimento estudantil universitário ligado à Ação Católica, um grupo de inspiração democrata-cristã. Ligada, por afinidades políticas, ao deputado federal Carlos Lacerda, elegeu-se vereadora em 1954, pelo Distrito Federal, na legenda da União Democrática Nacional (UDN). Durante este mandato, apresentou um substitutivo à Lei de Diretrizes e Bases da Educação, defendendo os interesses das escolas privadas. Deixou a Câmara de Vereadores do Distrito Federal em 1958 e, em 1962, elegeu-se deputada estadual do recém-criado estado da Guanabara, novamente pela UDN. Nessa época, foi delegada do Brasil no Congresso de Educação Primária, realizado na Suíça, apresentando uma tese sobre educação e desenvolvimento.

Deixou a Assembléia Legislativa da Guanabara para ocupar, de dezembro de 1963 a outubro de 1964, o cargo de secretária de Serviços Sociais da Guanabara, sob o governo de Carlos Lacerda. Neste cargo, Sandra implementou um programa de remoção de favelas da cidade do Rio de Janeiro que teve enorme repercussão nacional, devido à resistência da população favelada em transferir-se para lugares distantes no subúrbio. Favorável ao movimento político-militar que depôs o presidente João Goulart em 1964, foi nomeada, a 17 de outubro desse ano, presidente do Banco Nacional de Habitação (BNH), por indicação do general Castelo Branco, tornando-se a primeira e única mulher a presidir essa instituição. No BNH, Sandra iniciou um ambicioso plano de construção de habitações populares no Rio de Janeiro, ocasião em que mais de 30 mil pessoas inscreveram-se no programa. Como Sandra não concordava com a aplicação do mecanismo da correção monetária aos empréstimos feitos pelo BNH, acabou pedindo demissão da presidência do banco a 11 de novembro de 1965.

Com a dissolução dos partidos então existentes e a adoção do bipartidarismo em 1965, Sandra Cavalcanti filiou-se à Aliança Renovadora Nacional (Arena), governista. Carlos Lacerda, no entanto, afastava-se progressivamente do regime militar no poder e criava a Frente Ampla. Diante disso, Sandra, em 1966, voltou ao magistério e em 1974, elegeu-se deputada estadual para a Assembléia Legislativa do estado do Rio de Janeiro, tendo sido a mais votada dos candidatos de seu partido àquela eleição.

Em 1978, candidatou-se ao Senado pelo Rio de Janeiro, mas não se elegeu. Com a volta do pluripartidarismo, tentou articular o Partido Democrata Cristão (PDC) para concorrer ao governo estadual nas eleições de 1982. Depois, quis obter uma sublegenda no Partido do Movimento Democrático Brasileiro (PMDB), mas foi recusada pela comissão executiva nacional. Finalmente, em outubro de 1981, fez um acordo com Ivette Vargas*, líder do Partido Trabalhista Brasileiro (PTB), para concorrer à sucessão do governador Chagas Freitas. Na campanha pelo governo estadual Sandra estava nas pesquisas bem à frente de todos os candidatos, mas ao final, sua candidatura amargou o quarto lugar. A derrota eleitoral levou-a a retornar ao magistério, lecionando português na PUC do Rio de Janeiro.

Na década de 1980, manifestou-se diversas vezes pelo restabelecimento das prerrogativas do Congresso Nacional, defendendo a convocação de uma Assembléia Nacional Constituinte. Apresentava programas de rádio e de televisão e tinha uma coluna diária no jornal carioca *Última Hora*, que era transcrita em dez jornais de outros estados. Foi eleita, em 1986, pelo Partido da Frente Liberal (PFL), para a Constituinte, com grande votação.

Desde 1993, vem participando dos governos municipais nas gestões de César Maia e Luís Paulo Conde, no Rio de Janeiro.

Fontes: Alzira Abreu e Israel Beloch, *Dicionário histórico-biográfico brasileiro*; Fanny Tabak, *A mulher brasileira no Congresso Nacional*; *Brasil Nuclear*, ano 6, nº 19, abr-jun/1999.

Santa Dica (1906-70)

Líder religiosa e de movimento social.

Benedita Cipriano Gomes nasceu em Lagolândia, distrito de Pirenópolis (GO), no dia 13 de abril de 1906. Era a mais velha de uma família de oito filhos. Apresentou manifestações espirituais ainda em criança. Apesar da oposição da família, essas manifestações intensificaram-se na adolescência, revelando seu suposto dom de cura. Aos 16 anos sofreu uma crise de ausência. Seus familiares julgaram-na morta e iniciaram os procedimentos para sepultá-la. Benedita, então, despertou do sono profundo, surpreendendo a todos. A fama de milagreira espalhou-se rapidamente pela região, começando uma intensa peregrinação de populares a Lagolândia.

Em 1923, Benedita decidiu assumir publicamente seus poderes espirituais. Liderou um grupo de fiéis e formou uma comunidade agrícola, que chamou de Corte dos Anjos, numa referência aos guias espirituais que, ela afirmava, davam-lhe proteção. Nesta época, segundo sua irmã Bernarda, ela teve um envolvimento amoroso com um fiel do grupo, o negro Cacheado.

A comunidade foi instalada em terras da fazenda Mozondó, que não estavam demarcadas. Muitos dos antigos ocupantes dessas terras decidiram deixá-las, incomodados com o número crescente de romeiros que lá chegavam. Da mesma forma, cada vez mais trabalhadores de fazendas da região abandonavam seus empregos para se juntarem à comunidade de Santa Dica. Em questão de meses, viviam já cerca de 500 pessoas no local. Nas festividades, que seguiam o calendário religioso católico, estima-se em seis mil o número de pessoas que por lá passavam.

Benedita assumiu o controle dos fiéis e a organização da vida comunitária. Instituiu o não-pagamento de impostos ao governo e a utilização coletiva das terras para produção de alimentos, determinando também os rituais das celebrações. Com isto, os grandes fazendeiros da região, a Igreja e a imprensa ligada ao partido dominante pediram ao governo do Estado que controlasse a situação em Lagolândia. Alertavam para o risco de repetir-se uma Canudos em Goiás, ou, talvez, de surgir uma nova comunidade nos moldes dos Mucker do Rio Grande do Sul, cuja líder, Jacobina Maurer*, era de péssima memória para eles. Os opositores, então, começaram a chamá-la com ironia de Santa Dica, como ficou conhecida.

Santa Dica assumiu uma posição ambígua no trato de questões delicadas como a distribuição de terras e a manutenção da ordem religiosa e política. Chegou a organizar e liderar um grupo de 400 homens armados e treinados para rechaçar os tenentes da Coluna Prestes, que, em meados de 1925, aproximavam-se de Goiás. A tropa de Santa Dica integrou o Batalhão Patriota, parte da Coluna Caiado, governista. Mesmo não tendo havido combates, ela demonstrou sua disposição de não afrontar o poder constituído. Gestos como este levaram o governador Brasil Caiado a hesitar em tomar uma atitude repressiva contra a comunidade de Santa Dica. Mas a partir de outubro de 1925, as pressões da oligarquia, da Igreja e do próprio partido do governador levaram à organização de uma expedição militar para dar fim à comunidade messiânica.

O jornal *O Democrata* era o órgão do partido da situação em Goiás. Em sua edição de 14 de outubro de 1925, às vésperas do ataque, anunciava o destino próximo de Santa Dica. Afirmava que ela era uma mulher doente e histérica, acrescentando: "Dica se tornou uma espécie de Lênin de sexo diferente. Prega a partilha equitativa das terras pelo povo". Embora a imprensa lhe atribuísse um propósito político contrário à ordem instituída, não era esta a motivação primordial de Santa Dica. Lutou pela adoção da propriedade comunal porque esta lhe parecia uma forma de organização adequada a uma comunidade cristã.

Na madrugada do dia 14 para o dia 15 de outubro de 1925 a polícia cercou a fazenda Mozondó e abriu fogo contra os fiéis. Santa Dica conseguiu escapar a nado pelo rio do Peixe, o que só aumentou a mística em torno de sua pessoa. Perseguida pela polícia, acabou se entregando. Levada a julgamento, foi condenada a um ano e dois meses de prisão, a ser cumprida na capital goiana. A população se sublevou e pressionou o governo para realizar um novo julgamento. Julgada pela segunda vez, mesmo recebendo uma sentença mais branda, que lhe possibilitaria a liberdade meses após a prisão, Santa Dica se recusou a sair enquanto os demais adeptos e simpatizantes de sua comunidade não fossem também libertados. Mas a tentativa não surtiu resultado e ela foi banida de Goiás.

1

3

2

4

• *Sabina da Cruz*
Exemplo de vendedoras como Sabina da Cruz, que vendia comida em Salvador na década de 1830.

• *Stella Guerra Duval*
Feminista e uma das fundadoras da Pró-Matre, no Rio de Janeiro.

• *Sofia Jobim de Carvalho*
Museóloga, fundadora do Museu de Indumentária Histórica e Antigüidades.

• *Santa Dica*
Religiosa e fundadora de comunidade messiânica em Goiás.

Levada em 1926 para o Rio de Janeiro e São Paulo por membros da Federação das Associações Espíritas do Brasil, ela conheceu pessoas da vanguarda cultural, como a pintora Tarsila do Amaral*, que fez um belo retrato seu. Decidiu, no mesmo ano, retornar a Lagolândia e refazer sua comunidade. Voltou com o jornalista Mário Mendes, com quem passou a viver e com quem teve uma filha, Maria Quitéria.

Em 1932, diante da eclosão da Revolução Constitucionalista de São Paulo, Santa Dica, a pedido do interventor estadual Pedro Ludovico Teixeira, formou um batalhão de 84 soldados que se incorporou às tropas legalistas lideradas por Siqueira Campos. Santa Dica seguiu com a tropa, prestando assistência aos feridos, com medicamentos e passes espirituais.

Em 1934, Santa Dica acabou sendo novamente presa e a comunidade se desfez. Mesmo assim, ela continuava a atender aos fiéis que a procuravam, como fez em toda a sua vida. Neste mesmo ano, seu então companheiro, Mário Mendes, assumiu a Prefeitura da cidade de Pirenópolis, que deixaria após a decretação do Estado Novo, em 1937. Dica separou-se dele e se uniu a Francisco Teixeira, que passou a ser conhecido como o Chico da Dica. Esta nova união durou mais de 30 anos, até a morte dela.

Dica continuou exercendo a liderança espiritual e política do povoado de Lagolândia, atendendo a todos que iam a seu encontro com pedidos de cura e de conselhos e acabou exercendo também a liderança política da região. Por décadas seguidas após a redemocratização de 1945, ela foi um cabo eleitoral imbatível. Seu apoio era indispensável a todos os que desejavam alcançar sucesso nas eleições e ela, por sua vez, buscava obter benefícios para a sua comunidade. Seu antigo companheiro, Mário Mendes, beneficiando-se do carisma de Dica, chegou a ser deputado estadual em Goiás.

Mas a pessoa de Dica nem sempre foi bem vista pelos poderosos da região. No final do ano de 1950, um rapaz, chamado Zeca Mendonça, dirigiu-se à sua casa e começou a ameaçá-la de morte. Acabou sendo alvejado por um tiro, disparado não se soube por quem. A família do rapaz vingou-se, assassinando um filho de Dica, Pedro. Ela e seu companheiro Chico foram presos e levados para Goiânia, onde permaneceram encarcerados cerca de um ano e depois soltos, pois nenhuma queixa foi formalizada contra eles.

Nos anos 1960, Dica caiu doente. Pediu ao seu companheiro que, ao morrer, fosse sepultada somente após três dias. Era o aviso que seus guias espirituais lhe haviam feito, pois durante este tempo pretendiam fazer-lhe revelações importantes. Dica acabou falecendo no hospital de Pirinópolis (GO), dia 9 de novembro de 1970, vítima do mal de Chagas, mas a sua vontade não foi cumprida, para desgosto de seus familiares mais próximos.

O caso de Santa Dica inspirou várias teses acadêmicas e romances.

Fontes: Eleonora Zicari Costa Brito, *A construção de uma marginalidade através do discurso e da imagem: Santa Dica e a corte dos anjos*; *Jornal de Brasília*, 25.4.1982; Lauro de Vasconcelos, *O encantamento do mundo ou coisa do povo: um estudo do movimento social e religioso de Goiás — Santa Dica*; Maria José Pereira Rocha e Elisabete Bicalho (coords.), *Luta e resistência de mulheres em Goiás (1930-1993)*.

Sebastiana de Albuquerque (séc.XVII)

Senhora de engenho.

Viveu em Pernambuco no século XVII, em meio ao domínio holandês. Era mulher de Jacinto de Freitas e Silva.

No dia 3 de julho de 1635, as tropas portuguesas sofreram severas perdas em face do avanço holandês. Foram obrigadas a abandonar a Vila Nova do Serinhaém, último refúgio da população civil. Aqueles que puderam, empreenderam fuga para o sul. Sebastiana de Albuquerque juntou-se a essa multidão.

Fonte: Henrique C.P. de Melo, *Pernambucanas ilustres*.

Sinhá Braba *ver* Joaquina do Pompéu

Sofia Jobim Magno de Carvalho
(1904-68)

Educadora, indumentarista e museóloga.

Nasceu em Avaré (SP), em 19 de setembro de 1904. Era filha de Quita Pinheiro Machado e do magistrado Francisco Antenor Jobim. Fez os estudos primários no colégio das freiras marcelinas, concluindo, em seguida, a Escola Normal.

Casou-se, em 1927, com o engenheiro Waldemar Magno de Carvalho. Foi professora de história na Escola Normal de Santos Dumont, em Palmira (MG). Mais tarde, no Rio de Janeiro (RJ), lecionou no Instituto Orsina da Fonseca e no Conservatório Nacional de Teatro, regendo a cadeira de Usos e Costumes.

Em seus estudos de aperfeiçoamento pedagógico, dedicou-se à psicologia experimental, com ênfase na psicologia do adolescente. Fundou o Liceu Império, uma escola de artes profissionalizantes para moças, que se tornou uma das mais conceituadas escolas profissionais no Rio de Janeiro e da qual foi diretora por 22 anos.

A partir de 1949, passou a reger a disciplina de indumentária histórica na Escola Nacional de Belas Artes.

Indicada por Bertha Lutz*, presidiu, por quatro anos, o Clube Soroptimista do Rio de Janeiro, que ajudara a fundar em 1947. Participou de associações internacionais de defesa da mulher e representou as brasileiras em vários congressos, como: Congresso da Liga Internacional de Mulheres (Luxemburgo, 1946), Congresso do Conselho Internacional de Mulheres (Atenas, 1951), XVII Congresso da Aliança Internacional de Mulheres (Ceilão, 1955).

Fez cursos de artes plásticas em Londres e em Nova York. Estudou e pesquisou indumentária histórica no South Kensington Museum de Londres, no Carnavalet de Paris, no Metropolitan Museum de Nova Iorque e no Museu Benaki, em Atenas. Estudou arte bizantina no Museu Bizantino de Atenas e arqueologia no Museu do Cairo, no Egito, onde esteve em missão cultural, e temas arqueológicos no British Museum. Ao longo de sua vida colecionou inúmeras peças, constituindo um grande acervo com o objetivo de fundar o Museu de Indumentária Histórica e Antiguidades. Esse acervo foi postumamente doado ao Museu Histórico Nacional, instituição em que concluíra o curso de museologia em 1963. Faleceu em 2 de julho de 1968.

Fonte: Arquivo do Museu Histórico Nacional, Inventário de Sofia J. Magno de Carvalho.

Sônia Maria Lopes de Moraes

(1946-73)

Ativista política, vítima da ditadura militar.

Nasceu em 9 de novembro de 1946, em Santiago do Boqueirão (RS). Era filha de Célia Lopes de Moraes e de João Luís Moraes. No Rio de Janeiro, estudou na Faculdade de Economia e Administração da Universidade Federal do Rio de Janeiro (UFRJ). Sônia não chegou a se formar, pois foi desligada da faculdade em setembro de 1969.

Trabalhou como professora de português no Curso Goiás. Casou-se com Stuart Edgar Angel Jones, militante do Movimento Revolucionário 8 de Outubro (MR-8), e filho da estilista Zuzu Angel*. Foi presa no dia 1º de maio de 1969 em uma manifestação na praça Tiradentes, centro do Rio de Janeiro, com mais três estudantes. Foi levada para o DOPS e, posteriormente, para o presídio feminino São Judas Tadeu. Foi julgada e absolvida por unanimidade pelo Superior Tribunal Militar, sendo libertada em 6 de agosto de 1969. Desde então, passou a viver na clandestinidade e para sua segurança, em maio de 1970, exilou-se na França, onde se matriculou na Universidade de Vincennes. Lecionava português na escola de línguas Berlitz.

Quando Sônia soube da prisão e desaparecimento de Stuart, decidiu voltar ao Brasil para retomar a luta de resistência. Ingressou na Ação Libertadora Nacional (ALN) e viajou para o Chile, onde trabalhou como fotógrafa. Em maio de 1973, voltou clandestinamente ao Brasil, indo morar em São Paulo e, em novembro, alugou um apartamento em São Vicente, junto com Antônio Carlos Bicalho Lana, a quem se unira. Contudo, seu apartamento passou a ser vigiado e, no mesmo mês, foi presa com seu companheiro por agentes do DOI-CODI/SP, tendo o II Exército divulgado a notícia de que morrera em combate. Foi assassinada sob tortura no dia 30 de novembro de 1973, aos 27 anos, juntamente com Antônio Carlos.

Durante quase 20 anos, a família investigou os fatos relacionados à prisão, tortura e assassinato de Sônia e Antônio Carlos. Como resultado dessas investigações, foi produzido o vídeo *Sônia morta e viva*, dirigido por Sérgio Waismann.

Fonte: Maria do Amparo Almeida Araújo et al., *Dossiê dos mortos e desaparecidos políticos a partir de 1964.*

Stella Guerra Duval (1879-1971)

Feminista e assistencialista.

Stella de Carvalho Guerra Duval nasceu em 1º de dezembro de 1879. Era filha de Simy Anzalak de Carvalho e do almirante José Carlos de Carvalho. Casou-se com Fernando Guerra Duval, com quem teve uma filha, Ana.

Fez parte do grupo das Damas da Cruz Verde*, que fundou no Rio de Janeiro, em 1918, a Pró-Matre, entidade de assistência à maternidade e à infância da qual foi tesoureira por quase duas décadas.

Foi candidata a intendente municipal pelo Partido Autonomista, no pleito de 14 de outubro de 1934. Na mesma chapa, concorria Bertha Lutz* a deputada federal, ambas com o apoio da Federação Brasileira pelo Progresso Feminino* (FBPF). O objetivo político destas candidaturas era conclamar as mulheres a exercerem seu direito de voto, conquistado no Código Eleitoral de 1932, após décadas de luta. Embora Stella não tenha conseguido se eleger, sua candidatura fazia parte da estratégia das feministas de dar visibilidade às causas que defendiam. Continuou participando das atividades da FBPF, além de prosseguir na direção da maternidade Pró-Matre, da qual foi uma das fundadoras e presidente perpétua. Faleceu em 2 de fevereiro de 1971.

Fontes: *Boletim da FBPF*, out/1934; Entrevista de Adèle Lynch concedida a Teresa Novaes em 13.1.1999.

Sueli Gomes de Oliveira (1915-?)

Primeira deputada estadual no Rio Grande do Sul.

Nasceu em 5 de março de 1915, em Osório (RS), filha de Maria Gomes de Oliveira e Amado Gomes de Oliveira. Professora da rede pública estadual, foi eleita deputada pelo Partido Trabalhista Brasileiro (PTB), em 3 de outubro de 1950, com 5.582 votos; reelegeu-se por mais quatro mandatos: em 1954 com 4. 800 votos, em 1958 com 8.198 votos e em 1962 com 10.516 votos. Em 1965, com a extinção dos partidos existentes e o estabelecimento do bipartidarismo, ingressou no Movimento Democrático Brasileiro (MDB), legenda pela qual concorreu, mais uma vez com sucesso e expressiva votação, mantendo-se, assim, na Assembléia Legislativa de 1951 a 1967.

Fontes: Assembléia Legislativa do Rio Grande do Sul, Setor de Documentação e Pesquisa; TSE, *Dados estatísticos.*

Suely Yumiku Kanayama (1948-74)

Ativista política, vítima da ditadura militar.

Nasceu em Coronel Macedo (SP) em 25 de maio de 1948. Em 1967, ingressou na Universidade de São Paulo (USP), no curso de licenciatura em línguas portuguesa e germânica. Na mesma universidade, estudou também a língua japonesa.

Em fins de 1967 e nos anos que se seguiram, tornou-se uma liderança estudantil, engajando-se no movimento comunista. Quando o Partido Comunista do Brasil (PC do B) optou pela luta armada, Suely integrou o grupo que se dirigiu ao interior do centro-oeste brasileiro para preparar o levante. Foi para a região do Araguaia em fins de 1971, sendo uma das últimas a integrar o Destacamento B da guerrilha. No início do ano de 1974, num cerco promovido pelo Exército, recusou-se à rendição e foi metralhada, morrendo aos 25 anos de idade.

Fonte: Maria do Amparo Almeida Araújo et al., *Dossiê dos mortos e desaparecidos políticos a partir de 1964.*

Sura Pesa Gdanska *ver* ASSOCIAÇÃO BENEFICENTE FUNERÁRIA E RELIGIOSA ISRAELITA

T

Taba Abaetê (séc. XVII)
Índia viriago.

Pertencia à nação dos Viriago, do Maranhão. Esses índios realizavam grandes trocas de mercadorias com os franceses. Estes, tendo sido derrotados na tentativa de fundar a França Antártica na região do Rio de Janeiro, estavam no Maranhão tentando se estabelecer. Taba Abaetê e seu grupo lutaram ao lado dos franceses contra os colonizadores portugueses.

Fonte: Gustavo Geraldo de Almeida, *Heróis indígenas do Brasil — memórias sinceras de uma raça.*

Tarsila do Amaral (1886-1973)
Artista plástica.

Nasceu em 1º de setembro de 1886 numa fazenda cafeeira no município de Capivari (SP). Sua mãe, dona Lídia, e uma professora belga foram as responsáveis pela educação européia que Tarsila teve na infância, contrastando com a vida interiorana no final do século XIX.

Conforme os costumes da época, Tarsila casou-se ainda jovem com seu primo André Texeira Pinto, com quem teve sua única filha, Dulce. Logo após o nascimento da menina, separou-se do marido, causando escândalo para além do círculo familiar.

Na capital paulista estudou escultura com Zadiz e Matoviani. Em 1917, passou a receber orientação de Pedro Alexandrino em desenho e pintura. O academicismo, no entanto, logo a enfastiou e seu caminho artístico dirigiu-se para as características impressionistas da pintura do alemão Georg Fischer Elpoms, que residia em São Paulo.

Em junho de 1920, viajou para Paris, onde continuou seus estudos e freqüentou ateliês de pintores como André Lhote, Albert Gleizes e Fernand Léger. Sua pintura foi fortemente influenciada por Léger, passando a evidenciar claras tendências cubistas. Em 1922, apresentou uma tela no Salão dos Artistas Franceses, em Paris, e em junho veio ao Brasil, aqui ficando até dezembro. Integrou-se ao movimento modernista em curso na cidade de São Paulo, formando com Anita Malfati*, Menotti del Picchia, Oswald e Mário de Andrade, o chamado "grupo dos cinco". Tarsila posteriormente ficou sendo um dos símbolos do movimento.

Ao encerrar seus estudos em Paris, com Lhote e Gleizes, voltou mais uma vez a São Paulo em 1923. Na Semana Santa de 1924, em companhia de Oswald de Andrade, com quem se casaria em 1926, de Mário de Andrade, de Olívia Guedes Penteado* e do poeta francês Blaise Cendrars, que conhecera pouco antes na França, fez uma importante viagem pelas cidades históricas de Minas Gerais. Essa viagem marcaria fundamentalmente sua obra. O contato com o barroco brasileiro fez com que formas e cores se amalgamassem em seu espírito, definindo seu estilo puramente nacional. No ano anterior já executara, em Paris, o quadro *A negra*, que refletia muito as cores de sua pátria. Mas foi a viagem a Minas (como também o contato com o carnaval carioca) que lhe proporcionou uma vivência mais direta, instrumentando-a na fixação da vital brasilidade de sua pintura.

Data de 1924 a ilustração que fez para a coletânea de poemas *Feuilles de route* e *Le formose*, de Blaise Cendrars, sobre a viagem dele ao Brasil. Ao fazer a ilustração do livro *Pau-brasil*, de Oswald de Andrade, publicado em 1925, Tarsila identificou sua pintura com o movimento que tomou esse nome. Em 1926, além de uma viagem pelo Oriente Médio, realizou sua primeira exposição individual, em Paris, na Galeria Percier. Em 1928, já novamente no Brasil, pintou o *Abaporu*, obra que iria inspirar a emergência do movimento antropofágico, lançado por Oswald de Andrade e Raul Bopp. Novas viagens à Europa e novas exposições individuais foram se acrescentando à sua carreira. Em 1931, em Moscou, apresentando seus trabalhos no Museu de Arte Moderna Ocidental, teve adquirida sua obra *O pescador*.

No Brasil, em 1933, deu início a uma nova fase em sua pintura, caracterizada pela abordagem dos temas sociais, em telas como *Operários* e *2ª classe*. Entre março de 1936 e dezembro de 1938, escreveu uma série de artigos semanais sobre arte e cultura para o *Diário de São Paulo*, jornal no qual continuou colaborando eventualmente até 1952. Em 1954 pintou, a convite da comissão organizadora das comemorações do IV Centenário de São Paulo, um painel sobre a Procissão do Santíssimo para o Pavilhão de História, no Parque Ibirapuera.

Participou de mostras coletivas nos principais museus do Brasil, em Paris, Nova York e diversas outras cidades dos Estados Unidos. De suas exposições individuais, as mais importantes foram as retrospectivas que realizou no Palace Hotel, no Rio de Janeiro (1931), no Museu de Arte Moderna de São Paulo (dezembro de 1950 a janeiro de 1951), no Museu de Arte Moderna do Rio de Janeiro (1969) e no Museu de Arte Contemporânea da Universidade de São Paulo (1969). As duas últimas foram organizadas por Araci Amaral, que preparou minucioso catálogo biobibliográfico ilustrado sobre a obra diversificada de Tarsila. Em 1953, o Museu de Arte Moderna de São Paulo editou uma pequena publicação ilustrada de sua obra, com texto analítico de Sérgio Milliet. Entre os que se dedicaram a analisar sua produção, cabe salientar Mário da Silva Brito, que inclui o capítulo "O itinerário de Tarsila" em seu livro *Ângulo e horizonte* (1969).

Suas obras figuram no acervo de museus, instituições e coleções particulares, como o Museu de Arte Contemporânea da Universidade de São Paulo, a Pinacoteca estadual e a Biblioteca Mário de Andrade, todos na capital paulista. O *Abaporu* foi arrematado em um leilão em Nova York por um colecionador argentino, que pagou por ele mais de um milhão de dólares, o maior valor obtido por uma obra de arte brasileira.

Faleceu 17 de janeiro de 1973.

Fontes: Enciclopédia *IstoÉ* & *The Times*; *Nova enciclopédia ilustrada Folha de S.Paulo*, vol. I; Roberto Pontual, *Dicionário das artes plásticas no Brasil*; Walmir Ayala (org.), *Dicionário brasileiro de artistas plásticos*.

Tejucupapo *ver* HEROÍNAS DE TEJUCUPAPO

Telma Regina Cordeiro Corrêa

(1947-74)

Ativista política, vítima da ditadura militar.

Nasceu no Rio de Janeiro (RJ) em 23 de julho de 1947. Seus pais eram Celeste e Luiz Durval Cordeiro. Estudou geografia na Universidade Federal Fluminense, sendo expulsa em 1968 pelo Decreto-lei 477. Sua atividade estudantil e a saída da universidade levaram Telma para a clandestinidade como filiada do Partido Comunista do Brasil PC do B.

A opção pela ação armada para derrubar o governo militar e instaurar um regime socialista levou o partido a preparar um levante no interior do país. Designada para esta ação, Telma foi para a região do Araguaia em 1971, com seu marido Elmo Corrêa. Foi morar às margens do rio Gameleira e ingressou no Destacamento B da guerrilha do Araguaia. Foi presa em janeiro de 1974 e, segundo relatório do Ministério da Marinha, foi morta no mesmo mês.

Fonte: Maria do Amparo Almeida Araújo et al., *Dossiê dos mortos e desaparecidos políticos a partir de 1964*.

Teodosina Ribeiro (1925-)

Primeira deputada negra de São Paulo.

Teodosina Rosário Ribeiro foi a primeira deputada negra da Assembléia Legislativa de São Paulo. Nasceu em 29 de maio de 1925 em Barretos (SP). Era filha de Rosa Rosário e José Inácio do Rosário. Casou-se com José Alves Ribeiro, com quem teve um filho, Marcus José. Formou-se em ciências jurídicas e sociais, pelas Faculdades Metropolitanas Unidas (FMU) e em pedagogia e letras pela Universidade de Mogi das Cruzes (SP).

Combatendo a frase "negro não vota em negro", conseguiu uma consagradora votação, em 1970, como vereadora da capital paulista. Em 1974 e 1978 foi deputada estadual também por São Paulo. Foram inúmeras suas iniciativas consubstanciadas em leis, emendas, projetos, indicações e pronunciamentos em benefício da educação, saúde da infância e da mulher. Há que se destacar, também, seu comprometimento político com a questão racial, voltado para o exercício da cidadania, participação e defesa dos interesses da comunidade afro-brasileira. Instituiu a realização anual de Sessão Solene, no plenário da Assembléia Legislativa, para reflexão sobre as datas de 13 de maio (Dia da Comunidade Afro-Brasileira) e de 20 de novembro (Dia da Consciência Negra), e a Semana da Educação. Elaborou a Emenda nº 28 à Constituição do Estado, aplicando ao magistério público estadual a aposentadoria especial por tempo de serviço aos 25 anos para a mulher e aos 30 anos para o homem, e a Emenda nº 31, obrigando a instalação de creches em repartições públicas estaduais onde trabalhem 30 ou mais servidoras.

Fontes: Assembléia Legislativa do Estado de São Paulo, *Atividade parlamentar*; Eduardo de Oliveira, *Congresso Nacional Afro-brasileiro*; CNAB, Curriculum vitae • Colaboração especial de Regina Stella Moreira Pires.

Terebê (séc.XVI)

Índia guainá.

Era filha de Tibiriçá, poderoso chefe indígena do planalto de Piratininga, provavelmente o mais importante líder tupiniquim à época da chegada dos portugueses.

O chefe Tibiriçá comandou guerreiros de várias aldeias para combater os Tupinambá, seus inimigos. É nesta guerra intertribal que se encontra explicação para a estratégia de Tibiriçá de aliar-se aos portugueses. Em muitas sociedades, uma das formas de se estabelecerem alianças tem sido o casamento. Assim, muitas mulheres índias foram destinadas a casar com europeus.

Terebê não foi das primeiras a serem casadas com lusos. Bartira* havia desposado João Ramalho, um dos artífices da conquista das terras paulistas. Parece, no entanto, que o caso de Terebê fugiu à regra. Apaixonada pelo clérigo Pero Dias, uniu-se a ele depois de muita resistência. A historiografia não registrou se a resistência foi indígena ou por parte da comunidade lusa. No batismo recebeu o nome de Maria da Grã. Era comum, na América portuguesa, os índios batizados receberem nomes cristãos.

Fonte: Gustavo Geraldo de Almeida. *Heróis indígenas do Brasil — memórias sinceras de uma raça.*

Teresa Cristina Maria (1822-89)

Terceira imperatriz do Brasil.

Nasceu a 14 de março de 1822 em Nápoles, Itália, filha de Maria Isabel de Bourbon, infanta de Espanha, e Francisco I, rei das Duas Sicílias. Cresceu e se educou na corte de Nápoles, uma das mais prestigiadas casas reais da Europa. Desde cedo demonstrou sua sensibilidade pelas artes e teve como preceptor um religioso, monsenhor Olivieri. A princesa Teresa Cristina Maria de Bourbon das Duas Sicílias, como todas as outras herdeiras e herdeiros reais, estava destinada a um casamento que deveria representar a aliança de interesses dinásticos e políticos entre os monarcas.

Após a declaração de maioridade de D. Pedro II, em 1840, e contornadas as diversas rebeliões espalhadas pelo país, havia chegado a hora de consolidar o trono brasileiro, especialmente através do contrato de união entre o jovem governante e uma nobre herdeira européia.

O conselheiro Bento da Silva Lisboa partiu para Viena, Áustria, onde representou o Brasil na assinatura do acordo de aliança entre o imperador Pedro II e a princesa italiana Teresa Cristina, em 20 de maio de 1842. O casamento por procuração foi celebrado em 30 de maio de 1843 na capela real do Palácio de Nápoles. No dia 2 de julho, Teresa Cristina embarcava para o Brasil, acompanhada de uma comitiva formada por vários intelectuais, cientistas, artistas e artesãos italianos. Chegaram em 3 de setembro de 1843 no Rio de Janeiro, onde D. Pedro II, sua irmã Dona Januária e todo o ministério aguardavam. Haviam preparado uma grandiosa recepção e a cidade estava toda enfeitada para recebê-los. No dia seguinte Teresa Cristina desembarcou e percorreu as ruas com um enorme cortejo, sendo saudada pela população, que a acompanhou até a capela real do Paço, onde foi celebrada a união do casal imperial.

Todos os historiadores se referem à grande estatura moral com que Teresa Cristina ocupou o trono brasileiro. Esteve sempre ao lado do imperador D. Pedro II, tanto em suas viagens quanto em suas decisões, mantendo-se permanentemente atenta aos acontecimentos políticos nacionais e internacionais. Tiveram quatro filhos: D. Pedro, em 1845, que faleceu no ano seguinte; a princesa Isabel*, em 1846, que foi regente do Brasil durante três períodos; a princesa Leopoldina, em 1847, que viveu até os 24 anos, falecendo em 1871, e D. Afonso, em 1848, que faleceu dois anos depois, em 1850.

Sua atuação na corte foi muito discreta, e a terceira imperatriz do Brasil ficou conhecida como a "A Mãe dos Brasileiros". Deu início a várias entidades assistenciais e ajudou silenciosamente inúmeras famílias no país inteiro, especialmente aquelas que passavam por necessidades; sem nunca se identificar, enviou durante anos envelopes contendo quantias em dinheiro para socorrê-las. Em várias ocasiões intercedeu decisivamente pela ida de artistas brasileiros para a Itália, onde aperfeiçoariam seus estudos, entre eles: Carlos Gomes, Pedro Américo, Victor Meirelles, Belmiro Almeida e Rodolfo Bernardelli.

Toda a família imperial foi banida dois dias depois de proclamada a República, em 15 de novembro de 1889. A imperatriz Teresa Cristina ficou extremamente abalada e profundamente triste por deixar o país, parou de se alimentar e repetia: "Que mal fizemos nós ao Brasil? Nunca mais verei o meu Brasil!". Antes de embarcar para o exílio, a imperatriz, aos 67 anos de idade, ajoelhou-se e beijou o chão. Fato que a imprensa da época registrou, comparando a diferença de atitude entre Teresa Cristina e Carlota Joaquina*, que ao sair do país atirou seus sapatos como símbolo de um enorme desejo de deixar o país.

A imperatriz Teresa Cristina morreu em 28 de dezembro de 1889, na cidade do Porto, quatro dias após o desembarque em Portugal. Foi enterrada no convento de São Vicente de Fora, em Lisboa. Revogada a lei de banimento em 1920, os restos mortais de D. Teresa Cristina e de D. Pedro II foram trasladados no ano seguinte para o Brasil, a bordo do encouraçado *São Paulo*. Depositados primeiramente na catedral do Rio de Janeiro, foram transferidos, em 1925, para a catedral de Petrópolis.

Várias homenagens foram prestadas à imperatriz Teresa Cristina, e seu nome foi dado a municípios, avenidas, praças e ruas em todas as regiões do país.

Fontes: Frederico Gavazzo Perry Vidal, *Genealogias reaes portuguesas — descendência de S.M. El-Rei o Senhor D. João VI*; Lilia Schwarcz, *As barbas do imperador*; Pedro Calmon, *O rei filósofo: a vida de D. Pedro II*.

Teresa de Marzo (1903-86)

Aviadora.

Nasceu em 4 de agosto de 1903, em São Paulo (SP). Filha de Maria Riparullo e Affonso de Marzo, imigrantes italianos. Aos 17 anos manifestou o desejo de pilotar aviões; contudo, sofreu resistências por parte da família. Para pagar as 10 horas de vôo inicial, sabendo que não contaria com a ajuda do pai, rifou sua vitrola. Ao ingressar na escola de aviação, teve como instrutores João e Enrico Robba, ex-aviadores da I Guerra Mundial. Porém, eles viviam viajando, e, assim, Teresa pediu para que Fritz Roesler se tornasse seu instrutor. Começou a voar em 8 de março de 1921, e seu primeiro vôo solo ocorreu em 17 de março do ano seguinte. Seu exame fora marcado para 8 de abril do mesmo ano, no Aeródromo Brasil, no Jardim América (SP). Voou por 40 minutos, realizando aterrissagem perfeita em um biplano. Aprovada, recebeu o brevê nº 76 da Federação Aeronáutica Internacional, tornando-se a primeira brasileira a possuir um brevê. Logo em seguida, abandonou seu sonho de adolescente. Aceitou o pedido de casamento de seu instrutor de vôo Fritz Roesler e casou-se em 1926. Fritz, mesmo sendo piloto, não lhe deu apoio para continuar na aviação e, apesar de ainda voar por cinco anos, Teresa abandonou a carreira.

Fonte: Lucy Lúpia Pinel Balthazar, *Vôo proibido*; Encarte produzido pelos Correios: *Homenagem às mulheres aviadoras pioneiras da aviação no Brasil.*

Teresa Delta (1919-93)

Política.

Nasceu em 2 de novembro de 1919 no bairro de Santo Amaro, na capital paulista. Filha da grega Brasiliana Delta e de Edmundo Manzini. Era adolescente quando sua mãe faleceu e Teresa, aos 13 anos, empregou-se na fábrica de fiação. A dura vida de operária a fez desistir do emprego, indo em seguida trabalhar como enfermeira na Santa Casa de Misericórdia de São Paulo.

Aos 18 anos casou-se com Luís Rivelino, mas o casamento durou pouco tempo. Anos mais tarde, trabalhou na oficina tipográfica da *Revista dos Tribunais*, mas problemas de saúde devido à poeira fizeram-na deixar o emprego. Respondeu a um anúncio de jornal que solicitava uma babá e nessas circunstâncias conheceu seu segundo marido Maurício Caetano de Castro. Este tinha uma criança de 3 anos e precisava de alguém para cuidá-la; Teresa assumiu o cargo e os dois se apaixonaram. Assim, em 1940, casou-se com Maurício, com quem teria dois filhos: Olítia e Maurício. Mudaram-se para São Bernardo do Campo, um município da região metropolitana de São Paulo, onde Maurício instalou a indústria Casa Castro de Máquinas Industriais.

Teresa tornou-se muito popular num episódio ocorrido em 1946, ao liderar uma multidão de mulheres e operários que lutavam contra a carestia e exigiam a queda dos preços dos gêneros de primeira necessidade. O evento foi um sucesso e Dona Tereza Delta, como era chamada, saiu aclamada pela multidão.

Devido às denúncias de irregularidade praticadas na prefeitura de São Bernardo, o governador Ademar de Barros interveio e, reconhecendo a popularidade de Teresa, nomeou-a prefeita. Esse fato foi o início de sua carreira como chefe política local. Tomou posse na Prefeitura de São Bernardo do Campo, em 1947. No ano seguinte houve eleições municipais, mas Teresa não podia concorrer pois a legislação não permitia reeleição.

Candidatou-se a vereadora pela legenda do Partido Social Progressista (PSP) e obteve uma votação estrondosa, até hoje a maior registrada na cidade, como também fez seu sucessor na prefeitura, pelo mesmo partido. Como vereadora mais votada, assumiu a presidência da Câmara Municipal de São Bernardo do Campo.

Tinha fama de durona e vestia-se sempre com calças de montaria e botas de cano longo e logo ficou conhecida como a "caudilha de São Bernardo". A forma contundente de enfrentar os inimigos políticos e os interesses contrários aos seus fizeram com que sofresse quatro tentativas de assassinato. A principal foi em 1949, quando acabou morrendo Gumercindo da Silva, assessor do delegado, que se atirou na frente de Tereza para que ela não recebesse o tiro dado por um outro vereador.

Candidatou-se nas eleições de 1950, assumindo o cargo de deputada estadual, junto com Maria da Conceição da Costa Neves*, para o período de 1951 a 1955. Na legislatura seguinte não se candidatou, pois seu marido ficara gravemente enfermo e necessitava de cuidados.

Foi novamente candidata a deputada estadual na eleição de 1958, garantindo a primeira suplência, assumindo o cargo por duas vezes durante essa legislatura. Um pouco desencantada com sua derrota, foi aos poucos abandonando a vida pública, mas deixou como herdeiro político seu filho Maurício, que foi por três vezes vereador e atualmente é vice-prefeito da cidade. Nos anos que se seguiram ao seu afastamento da cena política, dedicou-se às atividades de corretagem em São Bernardo do Campo. Embora Teresa Delta tenha rompido com o tradicional papel feminino, no exercício do poder não lutou pela ampliação da cidadania para as mulheres.

Faleceu em 6 de agosto de 1993.

Fontes: *Folha da Manhã*, 1.5.1949; Entrevista com Olítia de Castro, filha de Tereza Delta, em 12.2.2000.

Teresa do Quariterê (séc.XVIII)

Líder quilombola.

Teresa foi rainha do quilombo Quariterê durante duas décadas no século XVIII. Seu local de nascimento é controvertido; uns dizem que teria nascido em Benguela, Angola, outros dizem que existe a possibilidade de ter nascido no Brasil. Liderou um grupo de negros e índios instalados próximos a Cuiabá, não muito longe da fronteira de Mato Grosso com a atual Bolívia. Impôs tal organização a Quariterê, que o quilombo sobreviveu até 1770. Contava com um parlamento, um conselheiro da rainha e um sistema de defesa com armas trocadas com os brancos ou roubadas nas vilas próximas. Teresa exercia grande controle e influência sobre o quilombo, que mantinha uma agricultura de algodão e alimentos muito desenvolvida. Possuía teares com os quais fabricavam-se tecidos que eram comercializados fora dos quilombos, bem como os alimentos excedentes.

Quariterê caracterizou-se pelo uso da forja, pois transformava em instrumentos de trabalho os ferros utilizados contra os negros.

Fontes: Marco Aurélio de Oliveira Luz, *Agadá: dinâmica da civilização africano-brasileira*; Benedita da Silva, *Nós, mulheres negras* • Colaboração especial de Helena Theodoro.

Teresa Escobar (séc.XX)

Ativista política anarquista.

Defensora de idéias socialistas, editava o jornal *Clarté*, juntamente com Evaristo de Moraes, Pontes de Miranda e Maurício de Lacerda. O Grupo Clarté, como era conhecida a Liga Intelectual para o Triunfo da Causa Internacional, era uma dissensão do movimento socialista internacional, surgida na França, facção do movimento anarquista no país. No Brasil, o Grupo Clarté fez publicar, pela primeira vez em setembro de 1921, o jornal de mesmo nome, cuja linha editorial condenava o fascismo italiano, o nacionalismo argentino e a exclusão de políticos socialistas, como Maurício de Lacerda, do parlamento brasileiro. O Grupo Clarté recebeu pesadas críticas da direção do Partido Comunista Brasileiro.

Fontes: J.W.F. Dulles, *Anarquistas e comunistas no Brasil*; Maria Valéria J. Pena, *As condições do trabalho feminino na indústria têxtil (1900-1920).*

Teresa Fabri (séc.XX)

Ativista política.

Militante anarquista, assinou um apelo à união das costureiras, publicado, em sucessivas edições, no jornal *A Terra Livre*, durante o ano de 1906. O manifesto, também assinado por Teresa Maria Carini* e Maria Lopes*, conclamava as costureiras a se unirem em defesa de melhores condições de trabalho, redução da jornada, mais lazer e acesso à educação.

Fonte: Valéria Pena e Elça Lima Mendonça, *Lutas ilusórias: a mulher na política operária da Primeira República.*

Teresa Inácia de Moraes Borges (séc.XIX)

Senhora de engenho.

Participou da devassa da insurreição de Viana, no Maranhão, como proprietária da fazenda onde funcionava o engenho São José do Timbó. Este foi cercado por escravos, que levaram todo o armamento, pólvora, chumbo, além de roupa e tecido.

A insurreição de Viana ocorreu em 1867 e pode ser vista como uma continuação da Balaiada, revolta maranhense entre 1838 e 1841. Eclodiu como uma reação ao recrutamento de guardas nacionais para a Guerra do Paraguai. O estado de insatisfação e revolta que ainda perdurava no meio popular explodiu nos primeiros dias de julho de 1867, liderado por dois escravos que queriam a liberdade e recusavam a convocação. Vários negros aquilombados saíram de seus refúgios com o intuito de ocupar fazendas da região. Houve uma fuga em massa dos lavradores e os insurretos transformaram a fazenda Santa Bárbara no quartel-general e daí enviaram cartas com suas pretensões.

Com a repressão, os quilombolas — entre 600 e 800 insurretos — trataram de retornar aos quilombos ou de formar novas povoações. Apesar de seu propalado fim em 15 de julho, a perseguição durou até novembro. O testemunho de Teresa Inácia no processo movido pela Justiça imperial levou à condenação de 22 escravos.

Fonte: Mundinho Araújo, *Insurreição de escravos em Viana — 1867.*

Teresa Joaquina Caldeira Brant

(séc.XVIII)

Senhora de terras.

Pertencia a uma importante família da região aurífera mineira. Em 1732, a administração colonial promulgou uma série de medidas para controlar a produção de ouro e diamantes da região das Gerais. Criou a Demarcação Diamantina ou Distrito Diamantino, lugar onde haviam sido descobertos diamantes, tendo como núcleo o Tejuco (atual Diamantina), sede administrativa da Demarcação. A Coroa Portuguesa, para aumentar a receita proveniente da exploração de metais preciosos, decretou um severo controle sobre a zona demarcada. Entre os que poderiam facilitar o contrabando estavam as negras de tabuleiro e os escravos. Assim, para melhor controlar essa população, a administração local expulsou todas as mulheres libertas negras ou mulatas de seus limites, só restando algumas mulheres brancas da elite local e umas poucas escravas.

Embora Teresa Joaquina fosse uma mulher da elite, o intendente quis expulsá-la da zona demarcada porque ela discutiu com os soldados que estiveram em sua casa com ordem de prender uma escrava. Mas a ameaça não chegou a se concretizar.

O caso de Teresa Joaquina é elucidativo das tensões que cercaram a exploração de ouro e diamantes no século XVIII. Também ilustra o fato de que o zelo de Portugal em proteger seus ganhos com um excesso de fiscalismo não poupava ninguém dos abusos do poder discricionário da administração colonial ou dos membros do clero.

Fontes: Ângela V. Botelho e Liana M. Reis, *Dicionário histórico Brasil — Colônia e Império*; Luciano Figueiredo, *O avesso da memória — cotidiano e trabalho da mulher em Minas Gerais no século XVIII.*

Teresa Margarida da Silva e Orta

(c.1711-93)

Primeira mulher, no mundo português, a escrever um romance.

Nasceu na cidade de São Paulo, provavelmente em 1711 ou início de 1712. Era filha de Catarina Orta, da nobreza paulistana e de José Ramos da Silva, português que enriqueceu como fornecedor dos bandeirantes. Viveu no Brasil e, aos seis anos, foi para Portugal na companhia dos pais, de uma irmã e do irmão mais velho, Matias Aires, nunca retornando.

O pai de Teresa Margarida era um dos homens mais poderosos de Portugal na época. José Ramos da Silva foi, por cerca de vinte anos, provedor da Casa da Moeda, em Lisboa, sucedendo-o o filho, Matias Aires, autor das *Reflexões sobre a vaidade dos homens* e um destacado filósofo do século XVIII em Portugal.

Teresa Margarida teve uma boa educação no convento das Trinas, mas aos 16 anos abandonou o Convento para casar-se. Seu pai desconfiava que o noivo, Pedro Jansen Moler, de origem flamenga, só tinha olhos para os seus milhões, e por isso a deserdou. Teresa Margarida rompeu com a família, e só depois da morte do marido, em 1753, reconciliou-se com o irmão Matias Aires.

O gosto de Teresa Margarida pelas ciências e pelas artes tornou-a uma das mais célebres mulheres de seu tempo, como atesta sua correspondência com Alexandre de Gusmão, frei Manuel do Cenáculo, Furtado de Mendonça, entre outros. Em 1752, com cerca de 40 anos, Teresa publicou, sob o pseudônimo de Dorotéia Engrássia Tavareda Dalmira, o livro *Máximas de virtude e formosura*, reeditado sob o nome de *Aventuras de Diófanes* no ano de 1777. Nele, a autora critica os abusos da monarquia absolutista, propugna a escolha de ministros honestos e competentes, defende a autonomia das terras dos ex-bárbaros (provavelmente a colônia portuguesa na América) e reivindica a educação da mulher. Este é o mais antigo texto ficcional escrito por uma mulher em língua portuguesa e o primeiro de um autor brasileiro. O pseudônimo é um perfeito anagrama de seu nome, com a grafia e tratamento da época: "Dona Teresa Margarida da Silva Orta" originando "Dorotea Engrassia Tavareda Dalmira".

Teresa Margarida foi uma divulgadora das teses iluministas em Portugal e seu engajamento foi além do espaço literário, tendo participado ativamente da campanha do marquês de Pombal contra a Companhia de Jesus. Em 1770, porém, foi presa no mosteiro de Ferreira Aves, por ordem do mesmo marquês de Pombal. O motivo da prisão foi ela ter mentido em testemunho ao rei D. José. A mentira referia-se a que seu filho, Agostinho Jansen Moler e Pamplona, havia engravidado Teresa José Xavier da Cunha Melo, de rica família portuguesa, a fim de apressar o casamento. Teresa Margarida foi presa, seu filho Agostinho degredado para a África e a noiva deserdada pela família. Todavia, o casamento de Agostinho e Teresa Melo acabou se realizando e Teresa Margarida foi libertada, após sete anos de reclusão, pela rainha D. Maria I, depois de lhe ter dirigido uma petição.

Na prisão, Teresa Margarida escreveu três textos: uma novena a São Bento e dois poemas que se mantiveram inéditos até a edição de suas obras completas, feita no Brasil em 1993.

Só no século XX o nome de Teresa Margarida da Silva Orta veio à tona nas pesquisas literárias de Portugal e do Brasil. Uma das possíveis explicações foi o fato de a terceira edição de seu livro *Aventuras de Diófanes*, em 1790, ter sido publicada com o nome de Alexandre Gusmão, morto trinta e sete anos antes. Teresa Margarida, que ainda vivia, não se interessou em revelar a verdadeira autoria do livro, que ela própria havia publicado sob pseudônimo. Esse livro teve grande repercussão, entre os séculos XVIII e XIX, com edições em 1752, 1777, 1790 e 1818, e várias autorias lhe foram atribuídas. O silêncio de Teresa Margarida é interpretado por seus comentadores como possível receio de assumir, depois da prisão, a autoria de um texto inovador e sofrer novas perseguições. No Brasil, o livro só foi publicado em 1945, com o título de *Aventuras de Diófanes* e o nome de Teresa Margarida da Silva Orta.

Faleceu em 1793.

Fontes: Charles Boxer, *A mulher na expansão ultramarina ibérica*; Lígia Torres, *Damas paulistas*; Teresa Margarida da Silva Orta, *Obra reunida*.

Teresa Maria Carini (1863-1951)

Ativista política da Luta Operária.

Teresina, como era chamada, nasceu na aldeia de Fontanellato, Itália, a 27 de agosto de 1863. Era filha de Virginia Pasquale e do engenheiro Anacleto Carini. Seu pai trabalhava para a família Sanvitale, nobres proprietários do castelo onde Teresa passou a infância e parte da juventude.

Perdeu a mãe muito cedo e foi criada por uma avó severa. Teve dois irmãos, Camilo e Anacleto Carini; o primeiro tornou-se general e o segundo, agrônomo. Quando estava com 26 anos, perdeu o pai, e seus irmãos, em acordo com a família Sanvitale, decidiram casá-la com o músico Guido Rocchi. Após o casamento, que não resultou em filhos, Teresa mudou-se com o marido para Milão, onde ele tocava violoncelo na orquestra do Teatro Scala.

Em 1890, a orquestra em que Guido Rocchi trabalhava chegou ao Rio de Janeiro para uma série de apresentações pelo Brasil. Vários músicos contraíram febre amarela e acabaram morrendo. Os Rocchi, no entanto, decidiram permanecer no Brasil por mais algum tempo. De fato, nunca mais retornaram à Itália.

Estabeleceram-se primeiramente em Santos (SP) e mais tarde na capital do estado. Rocchi dedicava-se a diversas iniciativas culturais, como a fundação do Conservatório Dramático e Musical, e adquiria renome como instrumentista e professor. Enquanto isso, Teresa se envolvia com a luta operária e anarquista: tomou parte na fundação de ligas operárias, apoiou movimentos grevistas e interessou-se, sobretudo, pela questão da emancipação feminina. Fez de sua casa um ponto de encontro de correligionários da causa operária e de artistas, a despeito da oposição do marido. Em 1906, assinou um manifesto, destinado às costureiras paulistas, que foi sendo publicado ao longo do ano em várias edições do jornal *A Terra Livre*. O manifesto conclamava as costureiras a se unirem em defesa de melhores condições de trabalho, redução da jornada, mais lazer e acesso à educação, como se lê no trecho seguinte:

1

2

3

4

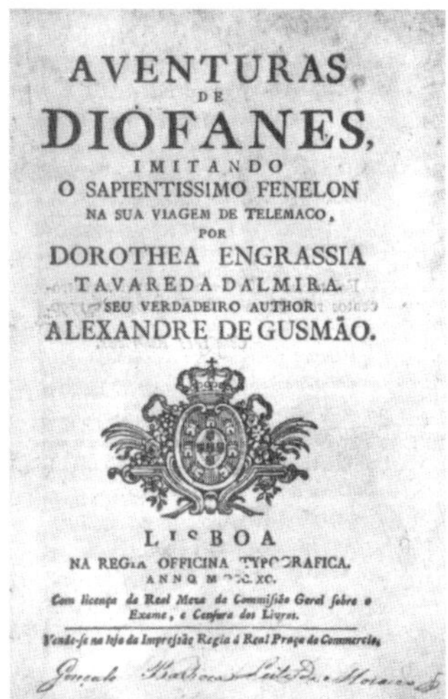

AVENTURAS
DE
DIOFANES,
IMITANDO
O SAPIENTISSIMO FENELON
NA SUA VIAGEM DE TELEMACO,
POR
DOROTHEA ENGRASSIA
TAVAREDA DALMIRA.
SEU VERDADEIRO AUTHOR
ALEXANDRE DE GUSMÃO.

LISBOA
NA REGIA OFFICINA TYPOGRAFICA.
ANNO M.DCC.XC.
Com licença da Real Meza da Commissão Geral sobre o Exame, e Censura dos Livros.
Vende-se na loja da Impressão Regia á Real Praça do Commercio.

5

- *Teresa Cristina Maria*
  Terceira imperatriz do Brasil.
- *Tomie Ohtake*
  Imigrante japonesa que se tornou uma das mais importantes artistas plásticas no Brasil.
- *Tarsila do Amaral*
  Artista plástica, uma das maiores referências do movimento modernista na década de 1920.
- *Teresa Margarida Orta*
  Folha de rosto de um livro de Teresa Margarida publicado sob pseudônimo; ela foi a primeira mulher a escrever uma obra em língua portuguesa no séc.XVIII.
- *Úrsula das Virgens*
  Uma das muitas mulheres religiosas que, durante o séc.XVIII, tiveram como única opção de vida o ingresso em conventos.

> "E nós também queremos as nossas horas de descanso para dedicarmos alguns momentos à leitura, ao estudo, porque, quanto à instrução, temos bem pouca; e se esta situação continua, seremos sempre, pela nossa inconsciência, simples máquinas humanas manobradas à vontade pelos mais cúpidos .assassinos e ladrões. Como se pode ler um livro, quando se vai para o trabalho às 7 da manhã e se volta para casa às 11 da noite? Das 24 horas, só nos ficam 8 de repouso, que nem bastam para recuperar no sono as forças exaustas! Nós não temos horizontes, ou antes, temos um horizonte sem luz: nascemos para que nos explorem e para morrer nas trevas como brutos."

O destaque dado à leitura como prática necessária para elevar o nível cultural do indivíduo era muito caro ao movimento socialista brasileiro naqueles tempos. A própria Teresa era uma leitora voraz. Apreciava os poetas italianos e estava atualizada com a literatura socialista e anarquista; simpatizava com as posições políticas dos anarquistas, mas nutria especial admiração pela Revolução Russa.

Por volta de 1910, Teresa decidiu se separar do marido e mudar para o interior. Optou pela pequena cidade de Poços de Caldas (MG), onde passou a dar aulas de tricô, italiano e francês. Em Poços, encontrou novos amigos e viveu até sua morte. Mesmo afastada do calor da luta operária na capital paulista, cultivou por toda a vida amizades com ativistas do movimento, como Edgard Leuenroth. Manteve sempre, e acima de tudo, uma atitude revolucionária.

Participou das iniciativas socialistas também em Poços de Caldas, embora discordasse da forma como o movimento estava organizado. Expressou isto em uma carta escrita em novembro de 1915 à direção da Liga Operária Internacional, organização fundada em Poços, no ano de 1914, composta, majoritariamente, por funcionários dos hotéis, muitos deles imigrantes, anarquistas e socialistas. No documento, Teresa recusa o convite para discursar na solenidade promovida pela Liga em memória dos mártires de Chicago, alegando motivos de saúde. De fato, Teresa não perdeu a oportunidade para fazer uma crítica severa ao pouco espaço reservado às mulheres no movimento operário: "Não sou operária e, mesmo que fosse, não poderia fazer parte da Liga, pois desgraçadamente as mulheres são excluídas dela; mas sempre fui e permaneci simpatizante do movimento operário, sempre que este representa, como no caso (da Liga), o início de uma luta civil que os operários combatem no mundo inteiro pelo direito à existência."

Na década de 1920, antes mesmo do fascismo mostrar toda a sua face repressora do movimento operário na Itália, Teresa escrevia e falava sobre os rumos dos acontecimentos na Europa, alertando contra o perigo do regime mussolinista.

Faleceu em Poços de Caldas, a 12 de agosto de 1951.

Fontes: Antônio Cândido de Melo e Souza, *Teresina e seus amigos*; Conselho Nacional dos Direitos da Mulher, *Mulheres e a Constituinte de 1988* (cartilha); Valéria Pena e Elça Lima, *Lutas ilusórias: a mulher na política operária da Primeira República.*

Thargélia Barreto de Meneses
(1879-1909)

Poetisa.

Nasceu a 7 de junho de 1879, no Recife (PE). Era filha de Grata Barreto de Meneses e do filósofo Tobias Barreto. Casou-se aos 17 anos com o primo Jonas Barreto de Meneses, com quem teve cinco filhos.

Com apenas 14 anos de idade, publicava poesias no periódico *Diário de Pernambuco*. Fundou, ao lado de seus dois irmãos João e Francisco, o grêmio literário Tobias Barreto. Fez parte da equipe de redação do periódico *A Gazetinha* durante o ano de 1898, e também publicou poemas no *Almanach Litterário de Pernambuco* e no *Jornal de Domingo*, ambos de Recife. Sua carreira literária foi prematuramente interrompida com o casamento.

Tinha 30 anos quando faleceu em conseqüência de um "parto laborioso", em 1909.

Fontes: *Jornal do Brasil*, 27.8.1991; Luzilá Gonçalves Ferreira, *Em busca de Thargélia.*

Tia Ciata (1854-1924)

Líder comunitária e incentivadora do samba.

Hilária Batista de Almeida, conhecida como Tia Ciata, nasceu em Salvador (BA) no dia 14 de janeiro de 1854. Chegou ao Rio de Janeiro em 1876, em busca de melhores oportunidades de vida. Instalou-se inicialmente na rua General Câmara, mudando-se, pouco depois, para a rua da Alfândega, 304, na vizinhança de um dos líderes da colônia baiana na cidade, Miguel Pequeno.

Casou-se com João Batista da Silva, negro baiano com boa situação de vida, que freqüentara a Escola de Medicina da Bahia, e com quem teve 15 filhos. No Rio, João Batista trabalhou como linotipista no *Jornal do Commercio* e funcionário público na Alfândega. Graças à mulher, obteve um posto no gabinete do chefe de polícia. Segundo depoimento de seu neto Bucy Moreira, Tia Ciata curou o presidente Venceslau Brás de um ferimento na perna, que os médicos não conseguiam fazer cicatrizar. Foi um amigo da família chamado Bispo, investigador e chofer do chefe de polícia, que intermediou o encontro de Tia Ciata com o presidente. De início, porém, a baiana se havia recusado a ir, argumentando: "quem precisa de caridade que venha cá". Convencida, afinal, foi ao encontro do paciente e receitou-lhe um medicamento à base de ervas que deveria ser colocado sobre o ferimento durante três dias. Curado, Venceslau Brás perguntou-lhe o que desejava. Tia Ciata pediu-lhe um emprego para o marido. Como possuísse instrução, João Batista foi nomeado para um posto no gabinete de polícia.

Iniciada no santo ainda na Bahia, Tia Ciata tinha grande importância na casa de Alabá, candomblé situado na rua São Félix. Dessa força no candomblé proviria, segundo seu biógrafo Roberto Moura, o papel central que representou junto à comunidade negra do Rio de Janeiro.

Tia Ciata gostava de festas, comemorando em sua casa as datas dos orixás. Após as cerimônias religiosas, as reuniões se transformavam em "pagodes", na época sinônimo de festas com música. As manifestações das comunidades negras, como o samba e o candomblé, eram reprimidas pela polícia. Na casa da Tia Ciata, entretanto, o emprego de seu marido garantia a possibilidade dessas famosas festas e reuniões, livres das batidas policiais, transformando o endereço num lugar de afirmação da cultura negra.

Quituteira, preparava os doces em casa e depois ia vendê-los nas ruas. Ajudada por um grupo de mulheres, também costurava roupas de baiana, alugadas para os teatros e para as prostitutas que, no carnaval, saíam nas associações carnavalescas dos Democráticos, Tenentes e Fenianos. Para sua casa dirigiam-se pessoas vindas de outros bairros, fosse para alugar suas roupas, assistir a um pagode ou para fazer consultas.

Por volta de 1910, morreu João Batista. Tia Ciata continuou desempenhando seu papel central na vida da comunidade negra. Mudou-se para uma casa à rua Visconde de Itaúna 117, nos arredores da Praça Onze. Residência ampla, com espaçosa sala de visitas e quintal, o novo endereço de suas festas era freqüentado por importantes figuras do ambiente musical carioca, como Pixinguinha, Donga, João da Baiana e Heitor dos Prazeres. As principais comemorações eram o dia de São Cosme e Damião e de Nossa Senhora da Conceição, festa de Oxum. Os festejos duravam vários dias e a eles compareciam negros, mulatos, brancos de classe baixa e média e até alguns "doutores", atraídos pela animação. Durante o carnaval, também eram muitas as festas na casa da Tia Ciata — a família saía no rancho Rosa Branca e no bloco de sujos O Macaco é Outro, fundado pelo pessoal da casa. Tia Ciata participava dos preparativos, mas permanecia em casa aguardando a chegada dos cortejos que passavam embaixo de sua janela para saudá-la. A casa da Tia Ciata se tornou a capital dessa "pequena África" no Rio de Janeiro, local onde se reuniam africanos e baianos, reforçando seus laços de solidariedade e afirmando sua cultura.

A casa da Tia Ciata é ainda uma referência para o surgimento do samba. Ali surgiu aquele que se consagraria como o primeiro samba gravado com esta designação, a música "Pelo telefone", cantado como partido alto, portanto, aberto a improvisações. Em 1916, Donga lhe deu uma forma definitiva, com letra fixada pelo jornalista Mauro de Almeida, registrada na Biblioteca Nacional e gravada pela Casa Edison. O sucesso da música trouxe à tona a questão de sua autoria, considerada por Tia

Ciata como criação coletiva, o que motivou seu rompimento com Donga.

Desde sua chegada ao Rio de Janeiro, ela participou das festividades da Penha, realizadas durante os fins de semana de outubro. Nesses dias, as mulheres e crianças saíam de casa antes do amanhecer, com destino à Central do Brasil, onde tomavam o trem para a Penha. Lá chegando, assistiam à primeira missa do dia e depois reverenciavam os orixás. Armada a barraca, Tia Ciata e as mulheres iniciavam então o preparo dos quitutes, sempre cantando. Os homens chegavam à tarde, trazendo os instrumentos de percussão, pandeiro e tamborins. Todos os anos, era preparada uma moqueca de peixe, servida aos familiares e amigos e vendida aos visitantes. Ao redor das barracas, corria solto o samba, reunindo trabalhadores e a fina flor da malandragem. A festa atraía milhares de visitantes, entre portugueses, negros e mesmo representantes da burguesia, constituindo um local de encontro da comunidade negra com as demais classes urbanas. Lá eram lançadas as músicas que seriam popularizadas no carnaval. A barraca de Tia Ciata foi montada todos os anos, até sua morte.

Hilária Batista de Almeida faleceu no Rio de Janeiro, em 1924.

Fontes: Francisco Guimarães, *Na roda do samba*; Jota Efegê, *Figuras e coisas do carnaval carioca*; Roberto Moura, *Tia Ciata e a Pequena África no Rio de Janeiro*; Sérgio Cabral, *As escolas de samba no Rio de Janeiro*.

Tia Maria (séc.XX)

Vivandeira.

Por esta forma eram denominadas, pelos integrantes da Coluna Prestes, as mulheres que acompanharam a marcha de cerca de 24 mil quilômetros realizada pelo interior do Brasil e parte da América do Sul, entre 1925 e 1927. Tia Maria era negra e foi cozinheira da Coluna, até ser capturada pela polícia paraibana, que a degolou, obrigando-a antes a abrir a própria cova.

Contam-se em número aproximado de 50 as mulheres que se agregaram às tropas rebeldes desde o início, no Rio Grande do Sul, ou que se foram incorporando a ela ao longo do trajeto. Destas 50 que integravam a Coluna no auge do movimento, restavam apenas 10 quando a tropa atingiu a Bolívia em 1927.

A 29 de abril de 1925, a Coluna Prestes, liderada pelos tenentes Miguel Costa e Luís Carlos Prestes, encontrava-se em Porta Adela, no Paraguai, preparando-se para iniciar a longa marcha em direção ao Mato Grosso, no Brasil, por caminhos cheios de atoleiros e travessia de rios. Não bastassem as dificuldades da empreitada, as vivandeiras eram tratadas com rigor pelos comandantes, que não permitiam a incorporação de novas voluntárias. Na passagem do rio Uruguai, Prestes proibiu que elas continuassem a acompanhá-los, mas, pela manhã, quando a coluna se pôs em marcha, foi surpreendido ao ver que as mulheres já haviam cruzado o rio e estavam montadas. Siqueira Campos também não as tolerava. Chegou a expulsá-las de seu destacamento, não admitindo, sequer, que chegassem perto de suas forças. Tomava-lhes os animais e as deixava a pé no meio da estrada quando suas ordens eram desobedecidas.

Durante os combates, muitas prestavam serviços de enfermagem e preparavam a comida dos soldados. Algumas demonstraram extraordinária valentia e fizeram ligações entre as tropas em momentos críticos dos combates. Uma mulata rio-grandense apelidada de "a onça", dançarina de maxixe, conseguiu alertar uma pequena tropa tenentista da aproximação de forças inimigas. Outra, chamada Santa Rosa, do destacamento Cordeiro, servia de polícia no destacamento secreto do comandante, controlando as outras mulheres. Conta-se que Santa Rosa, 20 minutos após ter dado à luz um menino, montou em um cavalo e saiu marchando com a tropa. Segundo Lourenço Lima, um dos integrantes da Coluna, "a resistência dessas mulheres foi admirável na marcha, andando longos tempos a pé e sofrendo toda sorte de privações". Era comum que conduzissem as armas dos soldados para que estes descansassem.

Havia uma enfermeira austríaca, de nome Hermínia, que acompanhou a marcha de São Paulo à Bolívia. Valente e devotada, tirou vários feridos da linha de fogo. No cerco de Teresina (PI), Hermínia foi às trincheiras inimigas tratar dos feridos. Marchava a pé durante muitos dias, cavalgava e caçava. Acabou casando-se com o tenente negro paranaense Firmino.

Tia Maria foi a vivandeira que teve um fim trágico.

Fontes: Edgard Carone, *A Primeira República (1889-1930)*; Isabel C. Campoi, "Donas guerreiras: a presença feminina na Coluna Prestes: um levantamento bibliográfico e documental", in Roberto Lambo e José Leandro (orgs.), *História e cultura. Lourenço* Moreira Lima, *A Coluna Prestes — marchas e combates*; Maria Aparecida Franco Pereira (coord.), *História da mulher na história.*

Tomie Ohtake (1913-)

Artista plástica.

Nasceu em Kioto, no Japão, no ano de 1913. Veio para o Brasil em 1936, naturalizando-se brasileira e fixando residência em São Paulo.

Começou a pintar em 1952, e 10 anos depois já recebia a medalha de ouro por sua participação no Salão Paulista de Arte Moderna. Realizou exposições no Museu de Arte Moderna (MAM) e na cidade de São Paulo, como também em diversas galerias brasileiras.

Em 1968, expôs suas pinturas em Washington e Nova York e, quatro anos mais tarde em Porto Rico. No ano de 1983, como reconhecimento pela sua obra que inclui, além de telas, gravuras, cartazes, esculturas, cenários e painéis, foi realizada uma exposição retrospectiva organizada pelo MASP (Museu de Artes de São Paulo), com 150 obras, e publicou-se o livro *Tomie Ohtake*. Um dos seus principais painéis pode ser visto no Teatro do Memorial da América Latina, em São Paulo, onde vive.

Fontes: Carlos Cavalcanti (org.), *Dicionário brasileiro de artistas plásticos*; Walmir Ayala, *Dicionário de pintores brasileiros*; Catálogo da exposição na Thomas Cohn Arte Contemporânea, 1987.

Trindade Sanches Garcia (1926-)

Operária e pacifista.

Nasceu em São Paulo, a 9 de julho de 1926, em uma família de operários. Estudou apenas até os 11 anos e logo começou a trabalhar em uma fábrica de doces. Mais tarde passou a trabalhar como tecelã. Engajou-se na causa operária, participando de entidades de defesa dos trabalhadores, como a União das Mulheres Democráticas de Sorocaba. Nos anos 1940, foi ardente defensora da paz mundial, posicionando-se contra a guerra e pela democracia.

Fonte: *Momento Feminino*, nº 15.

U

Úrsula (séc.XVII)

Índia cativa.

Viveu na capitania de São Paulo. No período em que vigorou a escravidão indígena, ao contrário das revoltas coletivas, relativamente raras, as fugas eram bastante freqüentes. Alguns índios buscavam refúgio em outras propriedades da mesma região. Havia casos, porém, em que os índios eram coagidos a servir outros senhores, ficando difícil para a Justiça atuar nessas situações.

Em 1682, Catarina do Prado moveu um processo sobre a posse da índia Úrsula, alegando que esta teria sido raptada por homens de Bartolomeu Bueno Cacunda. No entanto, ao ser interrogada, Úrsula declarou que fugira por conta própria, pois era "somente do capitão Bartolomeu pelo haver trazido da sua terra até as suas plantas de Sapucaí, adonde a deixara". A Justiça deu ganho de causa ao capitão Bartolomeu.

Fonte: John Manuel Monteiro, *Negros da terra: índios e bandeirantes nas origens de São Paulo.*

Úrsula das Virgens (1734-?)

Religiosa.

Viveu na Bahia na segunda metade do século XVIII. Ingressou no Convento do Desterro aos quatro anos, sob a guarda de duas tias que lá viviam como freiras. Aos seis anos, fez uma petição junto à direção do convento para se tornar uma "educanda", ou seja, uma interna secular como tantas outras que viviam sob a tutela da congregação.

O caso de Úrsula das Virgens ilustra o universo social presente nos conventos brasileiros nos tempos da Colônia, uma vez que, além das mulheres religiosas, eram habitados por "educandas", geralmente mulheres brancas e pobres, órfãs e crianças mantidas sob a tutela das freiras. Além dessas, as recolhidas, quando filhas de famílias ricas, quase sempre levavam escravas negras para servi-las no convento

Fontes: Susan Soeiro, "The social and economic role of the convent: women and nuns in colonial Bahia, 1677-1800"; Riolando Azzi, *A vida religiosa feminina no Brasil: síntese histórica.*

Úrsula de Bezerra (séc.XVIII)

Senhora de engenho.

Era a única dona de engenho açucareiro em Mato do Seixas, Recôncavo Baiano, onde se contavam 25 outros fazendeiros em 1759. Úrsula era provavelmente viúva, porque esta era uma das circunstâncias em que as mulheres apareciam nos registros históricos como administrando suas propriedades. Esse fato ajuda a construir uma memória feminina diferente do mito da mulher branca ociosa.

Fonte: José Antônio Caldas, *Notícia geral de toda esta capitania da Bahia desde o seu descobrimento até o presente ano de 1759.*

Úrsula Dias (séc.XVII)

Índia.

Viveu na capitania de São Paulo. Era casada com Francisco Dias. Ambos eram índios da aldeia de Escada, hoje Guararema, e se declararam "livres de nascimento". Úrsula procurou a Justiça para reaver a filha mantida em poder de um certo Marcos da Fonseca, de Mogi das Cruzes, que tratava a menina como escrava. Úrsula e o marido pediram ao juiz que restituísse a filha à aldeia, "para gozar da liberdade a que tinha direito". No entanto, a investigação concluiu que a menina era bem tratada e nada foi feito para atender ao pleito dos pais.

Fonte: John Manuel Monteiro, *Negros da terra: índios e bandeirantes nas origens de São Paulo.*

Úrsula Luísa de Montserrate

(séc.XVIII)
Religiosa.

Era filha de Mariana de Espinosa e do coronel Pedro Barbosa Leal, homem de posses. Fundou o Convento das Ursulinas das Mercês, na Bahia, no ano de 1735. Durante esse século foram fundados vários recolhimentos nessa capitania, a maioria na cidade de Salvador, que se tornou o maior centro de formação da vida religiosa feminina na Colônia.

Com a morte do pai, Úrsula tornou-se herdeira de um grande patrimônio. Solicitou ao governo português permissão para levantar, com seus próprios recursos, um convento para senhoras. Apesar das restrições da Coroa a esse tipo de instituição, que retirava do convívio social mulheres brancas destinadas à procriação na Colônia, a autorização foi concedida pelo alvará de 23 de janeiro de 1735.

Para as mulheres, a vida nos conventos tinha um sentido mais complexo que não se baseava só no fervor religioso. Podia também representar uma estratégia, por parte das famílias, para solucionar a vida das filhas e mulheres sem dote ou transgressoras.

Em 24 de setembro, o convento abrigava regularmente religiosas, sendo Úrsula nomeada a primeira superiora pelo arcebispo da Bahia, D. José Fialho. Foi ele também o autor do primeiro regulamento de funcionamento dessa instituição. Com a intenção de propagar sua religião, Úrsula criou um internato e um externato para crianças, além de um noviciado. Em 18 de fevereiro de 1746, o convento teve a proteção especial da rainha, o que significava a gravação das armas reais no frontispício da igreja, ligando-a ao Estado. Desde então Úrsula foi nomeada abadessa.

Fontes: Arquivo do Estado da Bahia, *Anais*, vol.46; Laura de Melo e Sousa (org.), *História da vida privada no Brasil*, vol.1; Riolando Azzi, *A vida religiosa feminina no Brasil: síntese histórica*; *Revista do IHGB/BA*, nº 80.

V

Valentina Biosca (séc.XX)

Feminista.

Participou das iniciativas promovidas pela Federação Brasileira pelo Progresso Feminino* (FBPF) no decurso das décadas de 1920 e 1930.

Durante o I Congresso Internacional Feminista, realizado no Rio de Janeiro em dezembro de 1922, apresentou uma tese sobre o Trabalho Feminino nas Fábricas, que criticava de maneira contundente a realidade vivenciada pelas mulheres e menores nas fábricas. O estudo de Valentina resumia a posição da FBPF a respeito das condições de trabalho do operariado feminino, e foi aprovado pelo congresso.

Valentina denunciou especialmente a situação das operárias da indústria têxtil, principal empregadora de mão-de-obra feminina e infantil. Relatou as péssimas condições de higiene do ambiente de trabalho, além dos abusos de toda sorte, desde os de horários até os sexuais. Criticou também a política discriminatória dos salários, que prejudicava as mulheres, segundo ela, mão-de-obra mais dócil à exploração dos empregadores. A situação mais grave, dizia, estava no trabalho por encomenda. Este era um arranjo muito usual entre as mulheres, que executavam as tarefas em sua própria casa sem qualquer vínculo empregatício, não gozando, portanto, da mínima proteção, além de receberem menor remuneração.

Como presidente, no evento, da comissão de Proteção da Mulher na Indústria, Valentina encaminhou os trabalhos de forma a que fossem aprovadas as seguintes propostas para divulgação no meio social: o fim dos trabalhos noturnos e dominicais; a interdição dos trabalhos pesados e perigosos para as operárias; medidas de proteção ao aleitamento materno durante a jornada de trabalho; fiscalização por parte das autoridades responsáveis das instalações físicas das unidades industriais, bem como coibição do assédio sexual nos locais de trabalho. Foram também apresentadas medidas visando reduzir o tempo em que as operárias permanecessem de pé e, por fim, propôsse que o Brasil adotasse as recomendações da Convenção das Confederações Internacionais do Trabalho, elaborada em 1919.

A repercussão destas propostas foi prejudicada pela ausência do presidente da Associação dos Operários da Indústria Têxtil do Distrito Federal. Embora tivesse sido convidado por Bertha Lutz* a integrar a comissão de Trabalho Feminino, alegou outros compromissos. De toda forma, ficou explícito para a sociedade brasileira o posicionamento das feministas em defesa das operárias da indústria, contemplando questões específicas que afetavam o cotidiano das mulheres trabalhadoras.

Fonte: Arquivo da FBPF.

Vanja Orico (c.1932-)

Cantora e atriz.

Filha do escritor e diplomata Osvaldo Orico, viveu em diversos países da Europa e conquistou sucesso como cantora de músicas folclóricas. Participou, em 1952, do filme *Mulheres e luzes*, de Alberto Lattuada e Frederico Fellini, produção italiana onde aparece cantando *Meu limão, meu limoeiro*. No Brasil, destacou-se por sua atuação em *O cangaceiro*, de Lima Barreto (1953), premiado no Festival de Cannes, onde cantou *Sôdade* e *Muié rendera*. Participou de vários outros na França, na Alemanha e no Brasil. Em 1973, escreveu, dirigiu e atuou em *O segredo da rosa*; foi argumentista e atriz de *Ele, o boto*, dirigido por Walter Lima Jr. (1986).

Foi detida mais de uma vez durante a ditadura militar, por participar de passeatas e por ter celebrado, com Geraldo Vandré, em 1970, uma alegoria da crucificação de Cristo *Paixão brasileira*, na Igreja de Saint-Germain des Prés, em Paris.

Fontes: Cinema Brasileiro 90 anos, catálogo de exposição; Heloísa Buarque de Hollanda (org.), *Realizadoras de cinema nacional (1930-1988)*; Jean Tulard, *Dicionário de cinema — os diretores*; Luiz F.A. Miranda, *Dicionário de cineastas brasileiros*.

Vanuire (sécs.XIX-XX)

Índia caingangue.

Vanuire fazia parte dos Caingangue que habitavam o oeste paulista, divisa com o Paraná. Ganhou a alcunha de "A pacificadora", porque na primeira década do século XX foi intermediária do diálogo com os Caingangue do Paraná, promovendo sua aproximação com os brancos. Como o cacique Iacri resistia aos contatos, ganhou relevo o papel por ela desempenhado no episódio.

Vanuire, naquela época, já era uma mulher madura e falava mal o português. Tinha, porém, a função de relatar as lendas e tradições da tribo através de cantos e histórias. Cansada dos conflitos entre índios e brancos, causados pela construção de uma estrada de ferro, Vanuire dispôs-se a colaborar nos esforços de pacificação. No posto de Ribeirão dos Patos, fincou-se um tronco de jequitibá de uns 10 metros. Do alto desse púlpito, todo dia, Vanuire bradava pela paz, enquanto numerosos presentes eram colocados na borda da floresta com o objetivo de atrair a confiança dos Caingangue. Meses se passaram até que os índios começaram a recolher os presentes, deixando mel e flechas no local. Um dia, afinal, o chefe Iacri e outros índios vieram ao acampamento e selaram o acordo de paz.

O Serviço de Proteção ao Índio rendeu homenagem a Vanuire colocando seu nome em um posto indígena. A cidade de Tupã (SP) também a considera a heroína do oeste paulista. O registro da expedição de pacificação dos Caingangue foi escrito pelo inspetor Luís Bueno Horta Barbosa, que esteve à frente das negociações.

Fontes: Gustavo Geraldo de Almeida, *Heróis indígenas do Brasil — memórias sinceras de uma raça*; Luís Bueno Horta Barbosa, *A pacificação dos índios caingangue paulistas*; Paulo Nathanael Pereira de Souza, *Vanuire — uma heroína do oeste paulista*.

Vera Janacopoulos (1886-1955)

Cantora lírica.

Nasceu em Petrópolis (RJ), em 20 de dezembro de 1886. Iniciou seus estudos de canto aos 16 anos, com Reja Bauer. Estudou na Europa com Georges Enesco e Lili Lehmann, conceituados intérpretes de música de câmara. Dedicou-se a interpretar compositores contemporâneos, como Debussy, Schoenberg, Ravel e Manuel de Falla. Este a considerava uma de suas maiores intérpretes. Retornou ao Brasil durante a II Guerra e passou a ministrar aulas em São Paulo e no Rio de Janeiro, sempre dedicando-se à difusão da música erudita contemporânea. Desenvolveu método próprio de ensinar canto, muito valorizado na época, pelo qual os alunos interpretavam as obras em um teatro de fantoches.

Faleceu em 5 de dezembro de 1955, no Rio de Janeiro. Em 1956, o ex-ministro da educação Gustavo Capanema e ex-alunos da cantora fundaram nesta cidade o Círculo de Artes Vera Janacopoulos.

Por iniciativa do Círculo, foi colocado na praça Paris, em 1958, um busto seu, em bronze, obra de Adriana Janacopoulos*, sua irmã. Vera está representada em traje de gala, como se estivesse interpretando uma obra.

Fontes: *Enciclopédia de música brasileira: popular, erudita e folclórica*; Mariana Varzea, *Mulheres de bronze*.

Veridiana Valéria da Silva Prado

(1825-1910)

Anfitriã de salões culturais.

Nasceu em São Paulo e era filha de Maria Cândida de Moura Vaz e Antônio da Silva Prado. Seu pai provinha de uma família de origem portuguesa estabelecida em São Paulo desde finais do século XVIII, dedicada ao comércio de açúcar e de escravos e, posteriormente, ao cultivo e comercialização do café. Como indício da ascensão social da família, o pai de Veridiana tornou-se membro da nobreza imperial, recebendo o título de barão de Iguape.

Aos 13 anos, casou-se com um meio-irmão do pai, Martinho da Silva Prado, de 27 anos. Nos primeiros tempos, o casal viveu em uma fazenda situada em Mogi-Mirim, onde Veridiana assumiu, apesar da pouca idade, a administração do lar, a supervisão dos escravos e outras atividades típicas de uma dona de casa da elite. Também os cuidados com os filhos ocuparam, desde cedo, o seu dia, pois o primeiro dos seis filhos do casal nasceu quando ela tinha 15 anos. Os filhos de Veridiana e Martinho Prado foram: Antônio, Martinho Júnior, Anésia, Eduardo, Ana Blandina e Antônio Caio.

Em 1848, a família transferiu-se para a capital paulista, em busca de uma melhor educação para os filhos. Instalaram-se numa chácara ao lado da primeira capela de Nossa Senhora da Consolação, no antigo caminho da Consolação, ou caminho dos Pinheiros, que atualmente corresponde à rua da Consolação. A mansão dos Prado tornou-se um lugar de intensa movimentação social, onde Veridiana promovia festas para os estudantes do Largo de São Francisco, colegas de seus filhos.

Em 1874, escandalizou a elite paulista ao se separar do marido. A essa época, todos os filhos já estavam casados, à exceção de Eduardo, que continuou a morar com a mãe. No período que se seguiu à separação, Veridiana visitou diversas vezes Paris, onde mantinha um apartamento. Este era freqüentado por intelectuais portugueses e brasileiros, amigos do filho Eduardo. Dentre os que compunham este círculo estavam Eça de Queiroz, Oliveira Martins, Graça Aranha, Ramalho Ortigão e o barão do Rio Branco.

De volta a São Paulo, decidiu construir um palacete na chácara Vila Maria, no elegante bairro de Higienópolis, mudando-se para lá no ano de 1884. A casa trouxe inovações até então desconhecidas na cidade de São Paulo, como modernos jardins planejados por paisagistas, obras de arte, uma máquina de fazer gelo, uma sorveteira, uma máquina de passar roupas, fogareiros a gás e uma vitória (tipo de carruagem que tinha cobertura dobrável) com rodas de borracha, uma grande novidade. A mansão ficou conhecida como a Chácara de Dona Veridiana e se tornou o mais importante salão literário e político da cidade no seu tempo, reunindo políticos, intelectuais, artistas e cientistas em festas requintadas e debates políticos e literários.

Uma parte dos jardins que circundavam a casa de Veridiana era franqueada aos moradores do bairro, que usufruíam, entre outras coisas, de uma gruta bastante conhecida e pitoresca, onde havia um leão de pedra. Ao lado da estátua, havia uma placa com uma longa inscrição iniciada em letras grandes e visíveis que, aos poucos, diminuíam de tamanho e forçavam o leitor a se aproximar da placa. Ao final, o leitor curioso era surpreendido por um jato d'água que saía da boca do leão direto para o seu rosto.

Dona Veridiana é usualmente citada pelos memorialistas como exemplo de não-conformismo com o estereótipo da mulher paulista da elite. Apesar de separada do marido, ela ainda se declarava casada em seu testamento, escrito em 1884, e nomeava como testamenteiro o marido Martinho da Silva Prado. O mesmo ocorreu no testamento dele, que se declarava casado em comunhão de bens. Ele morreria em 1891 e ela em 1910, deixando uma extensa lista de legados a filhos, netos, instituições de caridade e algumas palavras: "A todas as pessoas a quem eu possa ter ofendido ou escandalizado peço humildemente perdão, assim como perdôo de todo o coração aos que me tenham ofendido ou caluniado (...)."

Seus descendentes atuaram na política e exerceram cargos de expressão no Império e na República. O mais notável deles foi o filho mais velho, Antônio Prado, que chegou a ser ministro da Agricultura e das Relações Exteriores e conselheiro do Império e deputado constituinte em 1890.

Faleceu em São Paulo no ano de 1910.

Fontes: Adalzira Bittencourt, *A mulher paulista na história*; Boris Fausto, *Expansão do café e política cafeeira*; Darell Levi, *A família Prado*; Enciclopédia *Nosso Século*; Laura de Oliveira Rodrigo Octávio, *Elos de uma corrente*; Maria Luísa Albiero Vaz, *Mulheres de elite: conciliação e resistência (1890-1930)*; Pedro Nava, *Baú de ossos*; Inventário de Veridiana Prado • Colaboração especial de Maria Luísa Albiero Vaz.

Victoria Rossetti (1917-)

Cientista, primeira engenheira agrônoma de São Paulo.

Veridiana Victoria Rossetti nasceu em 14 de outubro de 1917 em Santa Cruz das Palmeiras (SP). Sua família tinha tradição em estudos agronômicos: seu avô foi professor nessa área na Itália e seu pai formou-se em agronomia antes de emigrar para o Brasil.

Victoria, seguindo a tradição paterna, estudou na Escola Superior de Agricultura Luiz de Queiroz, em Piracicaba (SP) e foi a primeira mulher a se formar como engenheira agrônoma no estado de São Paulo e a segunda no Brasil, no ano de 1939. Uma geração de feministas havia lutado pelo acesso das mulheres aos cursos superiores no Brasil, e Victoria foi uma beneficiária desse movimento. Concluído o curso, foi estagiar no Instituto Biológico do estado de São Paulo, com Agesilau Bittencourt, um dos maiores fitopatologistas do país.

Começou com sucesso a carreira, encontrando um porta-enxerto resistente à gomose de *Phytophthora*, doença dos vegetais caracterizada por produzir secreções e acabou publicando 415 trabalhos, recebendo 55 prêmios nacionais e 12 internacionais ao longo de sua atividade de pesquisadora. Seus estudos sobre as doenças das laranjeiras e limoeiros revolucionaram a fitopatologia dos citros, inclusive descobrindo a cura para as doenças típicas desses vegetais. Foi presidente, entre 1963 e 1966, da Organização Internacional de Virologistas de Citros. Optou por não casar. Aposentou-se compulsoriamente em 1987, ao completar 70 anos, mas continuou na ativa, pesquisando e orientando novas gerações.

Fontes: Instituto Biológico de São Paulo, Currículum vitae; *Kalunga*, nº 87, março de 1998; www.kalunga.com.br

Violante Atalipa Ximenes Bivar e Velasco (c.1816-74)

Pioneira no jornalismo.

Nasceu na Bahia, em 1º de dezembro de 1816 ou 1817. Seus pais eram Violante Lima de Bivar e o conselheiro imperial Diogo Soares da Silva de Bivar.

Recebeu uma educação refinada e bem cedo aprendeu o francês, o italiano e o inglês. Mudou-se com a família para o Rio de Janeiro, onde se tornou figura de projeção social nos salões da Corte. Com cerca de 20 anos, traduziu a peça *O xale de casemira verde*, de Alexandre Dumas e Eugênio Sue, o que lhe valeu a entrada no grêmio do Conservatório Dramático do Rio de Janeiro.

Casou-se com um oficial da marinha, o tenente João Antônio Boaventura Velasco. Em meados da década de 1840, conheceu a argentina Joana Paula Manso de Noronha*, que lançou, em 1852, o primeiro jornal redigido por mulheres, *O Jornal das Senhoras*. Violante começou como colaboradora, mas seis meses depois já o dirigia. Em 1855, deixou o jornal.

Publicou, em 1859, uma coletânea, *Algumas traduções das línguas francesa, italiana e inglesa*, com prefácio de Beatriz Francisca de Assis Brandão*. Em 1865, sofreu a perda de seu pai e, pouco depois, também seu marido faleceu. Retornaria ao mundo das letras, oito anos depois, ao criar o jornal *O Domingo*, seguindo a linha do antigo periódico. O último número de *O Domingo* foi o de 9 de maio de 1874.

Violante foi considerada por Joaquim Manuel de Macedo e Afonso Costa como a primeira jornalista brasileira, já que Joana Paula era de nacionalidade argentina. O historiador Barros Vidal no livro *História e evolução da imprensa brasileira* afirma que: "Com Violante Bivar nasceu também a primeira compreensão, entre nós, do problema da emancipação feminina."

Faleceu a 25 de maio de 1875, no Rio de Janeiro.

Fontes: Eliane Vasconcelos, in "Violante de Bivar e Velasco", in Zahidé L. Mozart, *Escritoras brasileiras do século XIX*; Maria T.C. Crescenti Bernardes, *Mu-*

lheres de ontem?; Olmio Barros Vidal, *Precursoras brasileiras.*

Violante de Eça (?-1602)

Órfã da Rainha*.

Violante foi uma das tantas moças portuguesas enviadas ao Brasil pela Corte para se casarem com colonizadores.

Veio para a Bahia na armada do governador Duarte da Costa, no ano de 1553. Era filha de João de Eça, capitão em Goa. Casou-se em Cairu, próximo a Ilhéus, com o fazendeiro João de Araújo de Sousa, fidalgo de procedência galega. Teve seis filhos.

Fontes: Afonso Costa, *As Órfãs da Rainha*; Fina D'Armada, *As mulheres nas naus da Índia* (séc.XVI); Timothy J. Coats, *Degredados e Órfãs: colonização dirigida pela coroa no império português, 1570-1755.*

Violante de Távora (séc.XVI)

Sesmeira.

Recebeu do governador-geral Tomé de Sousa uma sesmaria, título de concessão de terras, compreendendo toda a extensão da ilha de Itaparica, na Bahia.

Violante era tia paterna de Tomé de Sousa e mãe do conde de Castanheira, homem influente na Corte portuguesa, que ocupava o cargo de ministro quando se deu a concessão da sesmaria, por volta de 1550. Contudo, nem Violante de Távora nem seus herdeiros tomaram posse da terra concedida ou deram início a seu beneficiamento, mesmo após o rei ter-lhe outorgado outras confirmações régias. Contra o ato de concessão levantou-se a Câmara de Salvador, alegando que a cada pessoa só se deviam dar terras que pudessem ser cultivadas, além da exigência de o proprietário residir na terra dentro de três anos, contados a partir da data da concessão, o que não foi cumprido por Violante.

Fonte: Francisco A. Varnhagen, *História geral do Brasil.*

Violeta (séc.XX)

Imigrante barbadiana.

Negra, veio da ilha de Barbados, no Caribe, para o Brasil. Fugindo das precárias condições de vida em sua terra natal, Violeta migrou com um irmão para a Amazônia no auge do ciclo da borracha. Chegando a Manaus, foi trabalhar como empregada doméstica nas casas da elite local. A efervescência provocada pela construção da ferrovia Madeira-Mamoré e a possibilidade de encontrar conterrâneos atraiu Violeta para Porto Velho, em Rondônia. Nessa cidade conheceu Jaime Alleyne, também imigrante. Casaram-se e tiveram três filhos: Manoel, Afonso e Letícia Edna. O falecimento de seu marido logo após o nascimento de Letícia deixou-a com uma pensão da companhia da estrada de ferro. Com o dinheiro da pensão, pôde criar os filhos. Segundo depoimento de Letícia, Violeta morreu aos 100 anos.

Fonte: Nilza Menezes, *Chá das cinco na floresta.*

Violeta Moreira Sirotheau (1913-)

Política, primeira prefeita de Santarém.

Nasceu em 3 de junho de 1913, em Belém do Pará. Filha de Isabel Moreira Sirotheau e de Fabrício Sirotheau, passou sua infância na vila de Bacuritiba, às margens do rio Tapajós, próximo à cidade de Boim. Formou-se em guarda-livros — hoje, contabilidade — no Instituto Educacional do Pará, em Belém.

Por volta de 1930, fixou residência em Santarém, onde prestou concurso para a Receita Federal e para a administração municipal, com êxito. Na prefeitura, veio a exercer a função de secretária-contadora.

Quando o prefeito, major João Nogueira da Silva, de quem ficara amiga fiel durante a enfermidade, veio a falecer, Violeta ocupou o cargo. A posse se realizou sob a presidência do juiz de direito da comarca, Climério de Mendonça, dia 7 de dezembro de 1935, perante numeroso auditório. O mandato durou apenas até fevereiro de 1936.

O jornal *O Momento* registrou um ato oficial da prefeita Violeta, no mesmo mês da posse:

> "Violeta Moreira Sirotheau, prefeita municipal de Santarém por nomeação legal, usando das atribuições que por Lei lhe são conferidas e considerando o estado de verdadeiro abandono a que se acha relegado o imposto de caridade, por parte dos contribuintes; considerando que a cobrança do referido imposto no corrente exercício é re-

presentada por uma quantia irrisória; considerando que é dever do bom administrador zelar pela fiel execução das leis e regimentos fiscais em que está apoiada a lei orçamentária do município. Resolve determinar ao Sr. Fiscal Geral do município que escale por rodízio, para cada noite de função no Cinema Olympia, Theatro Victoria ou em qualquer parte onde se torne necessária a presença do fisco, um fiscal municipal, para receber dos espectadores, na entrada, os ingressos correspondentes ao imposto acima referido, devendo no 1º dia útil do mês imedato, recolhê-lo à Thesouraria da Prefeitura. Registre-se, cumpra-se e publique-se. Prefeitura Municipal de Santarém, 23 de dezembro de 1935. Violeta Moreira Sirotheau, Prefeita Municipal."

Violeta nunca se casou e vive hoje de forma discreta na cidade de Belém. Era dotada de grande beleza, segundo relato de parentes, e serviu de modelo para o artista João Fona, que a pintou simbolizando a Justiça, em quadro que ficou durante anos no Tribunal do Júri na antiga Prefeitura de Santarém, hoje Museu João Fona.

Fontes: Depoimentos de Nilza Serique e Sebastião Nogueira Sirotheau; Instituto Cultural Boanerges Sena; *O Momento*, nº 27, 14.12.1935.

Virgilina de Sousa Sales (?-1918)

Jornalista e editora de revista feminina.

Nasceu em São Paulo e era filha de Antônia Barbosa de Sousa e de Claudio Justiniano de Sousa, da elite paulista.

Virgilina foi a fundadora e editora da primeira publicação comercial feminina do Brasil e de um empreendimento editorial de sucesso. Publicada entre 1914 e 1927, a revista, intitulada *A Luta Moderna*, começou com quatro páginas. No segundo número, em janeiro de 1915, recebeu o nome de *Revista Feminina*, sendo publicada mensalmente; tinha 4.325 assinantes. No final de 1916, esta revista, já com cem páginas, tinha cerca de duzentas ilustrações e artigos assinados por intelectuais e escritores como Olavo Bilac, Coelho Neto, Afrânio Peixoto, Monteiro Lobato, Júlia Lopes de Almeida* e Presciliana Duarte de Almeida*. O prestígio da revista deveu-se em grande parte a uma bem-sucedida campanha publicitária: os anunciantes conheciam o número preciso da tiragem, porque esta era contada em público. A editora afirmava que sua revista era "o primeiro grande trabalho para o nosso sexo". O *Jornal do Commercio* classificou-a como "a melhor publicação feminina que já apareceu na América do Sul".

Foi uma precursora das atuais revistas brasileiras para o público feminino e defendia a emancipação das mulheres sob a ótica da tradicional cultura católica brasileira.

O prestígio de Virgilina como editora foi enorme. O Primeiro Congresso Brasileiro de Jornalistas, em 1918, fez uma homenagem a seu pioneirismo. Virgilina foi a mãe do teatrólogo Claúdio de Sousa, que escreveu inúmeros artigos para a revista com o pseudônimo de Ana Rita Malheiros, defendendo com vigor a emancipação das mulheres.

Fontes: Adalzira Bittencourt, *A mulher paulista na história*; Susan K. Besse, *Restructuring Patriarchy.*

Virgínia Lane (1920-)

Atriz, vedete e cantora.

Nasceu no Rio de Janeiro em 28 de fevereiro de 1920 e seu nome era Virgínia Giacone. Era filha de Ruth Giacone, francesa e Luís Orestes Giacone, italiano. Sua mãe, Ruth separou-se do marido com a filha ainda pequena e foi artista no teatro popular de variedades entre 1923 e 1929. Aos seis anos de idade, Virgínia foi internada no Colégio Regina Coeli, onde permaneceu até os 14 anos. Em seguida, concluiu seus estudos no Instituto Lafayette, chegando a cursar o primeiro ano de direito.

Freqüentou a escola de bailado do Teatro Municipal e iniciou sua carreira em 1943, como corista do cassino da Urca. Convidada pelo maestro Vicente Paiva, tornou-se, pouco depois, cantora da orquestra do Cassino, além de estrear na Rádio Mayrink Veiga, onde recebeu o título de "A garota bibelô". Em 1945, foi contratada para uma temporada na Rádio Splendid e na boate Tabaris, em Buenos Aires, onde permaneceu durante três anos. De volta ao Brasil, em 1948, foi convidada por Chianca de Garcia para estrear como vedete na revista *Um milhão de mulheres*, no Teatro Carlos Gomes, no Rio de Janeiro. Obteve grande sucesso com o espetáculo, o que levou Walter Pinto a contratá-la como vedete de sua companhia. Apresentou-se nos anos seguintes no Teatro Recreio, em espetáculos como *Estou com tudo e não estou prosa* e *Muié macho, sim sinhô.*

Em 1950, recebeu do presidente Getúlio Vargas o título de "A vedete do Brasil", em homenagem realizada no Palácio do Catete. Foi uma das primeiras mulheres a usar biquíni no teatro e a primeira a aparecer completamente nua no cinema, em 1951, no filme *O anjo no lodo*, baseado no romance *Lucíola*, de José de Alencar. Virgínia fazia o papel de uma prostituta. Nesse mesmo ano, estrelou a revista *Eu quero sassaricá*, onde cantava a marcha *Sassaricando*, que foi o grande sucesso do carnaval de 1952. Ainda nesse ano, foi eleita Rainha das Atrizes. Dois anos depois, estreou *É fogo na pipoca*; deste espetáculo, gravou para o carnaval de 1955 a *Marcha da pipoca*, que se transformou em mais um grande sucesso.

Nos anos seguintes, produziu e estrelou diversas peças e programas de televisão. Em meados de 1950, casou-se com o empresário Gânio Ganeffi, que produziu seus shows na década de 1960. Viajou o Brasil inteiro de caminhão, apresentando-se em diversas cidades ao lado das "virginetes". Nos anos 80, foi jurada de programas na televisão; em março de 1987, apresentou-se no Teatro Rival, no espetáculo *A gargalhada do peru*, em homenagem a seus 50 anos de carreira. Atualmente vive no interior do estado do Rio de Janeiro.

Fontes: *Enciclopédia da música brasileira: erudita, folclórica e popular*, IBAC, *Dossiê Virgínia Lane; Correio da Manhã*, 4.10.1959, 16.8.1970 e 10.6.1971; *O Globo*, 22.12.1971, 18.3.1987; *Jornal do Brasil*, 29.5.198.

Virgínia Rau (1907-73)

Historiadora.

Nasceu em Portugal em 4 de dezembro de 1907. Virgínia Rau foi a primeira mulher a ser admitida no quadro de sócios do Instituto Histórico e Geográfico Brasileiro (IHGB), no ano de 1965.

Profissional renomada nos meios universitários europeus, Virgínia Rau produziu importantes trabalhos no campo da história agrária e econômica de Portugal dos séculos XVI e XVII, como o livro *Feiras medievais portuguesas*, de 1943, *Holandeses e a exportação do sal* e *Exploração e comércio do sal em Setúbal*, ambos de 1951, além de numerosos artigos em revistas especializadas européias.

Seu ingresso no IHGB, em outubro de 1965, deu-se em meio a forte polêmica entre os homens. Os estatutos, remanescentes do período de constituição da entidade (1838), impediam a entrada de mulheres no quadro de sócios. Os mais ardentes opositores ao ingresso de mulheres no Instituto foram o historiador Pedro Calmon e o embaixador José Carlos de Macedo Soares, que manifestaram seus votos contrários. Coube ao historiador Américo Jacobina Lacombe defender a admissão de Virgínia Rau. A questão foi levada a votação e decidiu-se pela reforma nos estatutos da entidade. Assim, a historiadora Virgínia Rau foi admitida como sócia correspondente do IHGB em Portugal.

A demanda de Virgínia para ser reconhecida como sócia desta prestigiada associação acadêmica, que relutava em admitir a presença intelectual das mulheres, foi parcialmente derrotada ao ficar ela como sócia correspondente em Portugal. Mas, a partir de sua luta, não foi mais possível recusar a solicitação feminina e, assim, em 1968, a historiadora Isa Adonias* foi admitida como sócia da instituição.

Faleceu em Portugal no dia 2 de fevereiro de 1973.

Fonte: *Revista do IHGB*, out-dez/1965.

Vitória da Conceição (séc.XVIII)

Ex-escrava.

Viveu em São Luís do Maranhão e, já livre, casou-se com o escravo João, propriedade de Antônio Gomes Pires e foi viver com ele em um quarto na residência do senhor. Lutou para conseguir a liberdade do marido.

No ano de 1774, Vitória iniciou uma luta para comprar a alforria do marido, oferecendo ao seu senhor a quantia de 140$000 (cento e quarenta contos). Na época, embora fosse costumeiro que os senhores, em face de uma oferta de dinheiro no valor aproximado do preço de compra do escravo, aceitassem vendê-lo a quem desejasse alforriá-lo, a prática nem sempre era cumprida. No caso de Vitória, o senhor de seu marido recusou-se terminantemente a

2

1

O JORNAL DAS SENHORAS

Modas, Litteratura, Bellas-Artes, Theatros e Critica.

3

5

4

1 • *Violante Atalipa Ximenes Bivar e Velasco*
Periódico *O Jornal das Senhoras*, fundado em 1852, do qual Violante foi diretora.

2 • *Valentina Biosca*
Reunião da FBPF, instituição na qual Valentina Biosca teve intensa participação nos anos 1920 e 1930.

3 • *Veridiana Prado*
Senhora do café e grande mecenas paulista.

4 • *Vanuire*
Índia caingangue que intermediou o diálogo dos brancos com os índios na fronteira de São Paulo e Paraná.

5 • *Yara Vaz*
Professora e pioneira na divulgação da ginástica no Brasil.

vendê-lo, alegando que havia treinado João para ser pedreiro e, portanto, ele valia bem mais do que o preço de compra. Afirmava que Vitória de fato desejava viver sob sua proteção, na mesma casa onde vivia João. Era uma forma de desqualificar o pedido de Vitória e insinuar que sua vontade não era compartilhada pelo negro João, o qual não desejaria deixar a casa do senhor, muito menos alcançar a liberdade.

Ao longo do processo judicial, em que Vitória contou com o auxílio de uma pessoa livre e letrada para impetrar a ação, foram apresentados argumentos contundentes que refutaram a versão apresentada por Antônio Gomes Pires. Em primeiro lugar, afirmou Vitória, nos autos do processo, não ser verdade que desejasse viver sob a proteção do senhor de seu marido, uma vez que já era forra e possuía casas próprias. Em outros termos, possuía bens que havia ganho "com a sua indústria e negócio". Em segundo lugar e definitivamente, a liberdade, afirmou o procurador de Vitória no processo, não é tão pouco estimada a ponto de o marido da suplicante não a desejar; tampouco fora necessário persuadir o negro João a solicitar sua alforria.

O ouvidor encarregado do caso decidiu em favor de Antônio Pires, que, a essa altura, já concordava em libertar o negro João mediante condições, isto é, que ele permanecesse lhe prestando serviços. Entendeu o ouvidor que não cabia ao Estado restringir o domínio que competia a cada um nos bens que lhe pertencessem.

O caso foi parar nas mãos do governador do Maranhão, que intercedeu em favor de Vitória, alegando que não havia motivo justo para que o senhor se recusasse a vender o escravo a alguém que oferecia um preço razoável por ele. Se acaso o senhor Antônio Pires não concordasse com o preço estipulado para o escravo, então o preço seria arbitrado por avaliadores, na presença do próprio governador.

As informações contidas no processo não permitem concluir de forma precisa se Vitória da Conceição teve sucesso em sua luta para libertar o marido, pois a decisão final cabia ao proprietário. O limite da intervenção da Coroa na esfera privada foi sempre preservado na administração portuguesa. Havia caminhos legais e até costumes sociais que amparavam um escravo para obter a liberdade mediante a compra de sua alforria. São raros, contudo, casos como o de Vitória, pois era preciso muita determinação e trabalho para que uma ex-escrava reunisse um pecúlio suficiente para comprar a liberdade de um companheiro.

Além de revelar a questão moral contida na instituição da escravidão, o caso de Vitória demonstra, também, que havia casamentos estáveis entre escravos.

Fontes: Arquivo Histórico Ultramarino (Maranhão, cx. 870); Maria Beatriz Nizza da Silva, *História da família no Brasil colonial.*

Vitória de Sá (?-1667)

Colonizadora do Rio de Janeiro.

Nascida no Rio de Janeiro, em uma família de grande importância e poder no século XVII, descendia de Salvador Corrêa de Sá e Benevides, sendo, provavelmente, filha de Gonçalo de Sá, da linhagem do governador-geral do Brasil, Mem de Sá.

Nessa época, Portugal vivia sob o domínio da Espanha, e Vitória, no final dos anos de 1620, casou-se com o capitão-general do Paraguai, Don Luiz de Céspedes Xeria, governador da rica região de extração de prata no sul do continente. Esse casamento selava uma cooperação entre poderosos do Rio de Janeiro e as autoridades espanholas.

Vitória, acompanhada do sertanista paulista André Fernandes, varou as terras pantaneiras, numa viagem arriscada e cansativa, para encontrar o marido.

Recebeu como herança o Engenho D'Água de São Gonçalo, em Camorim, na capitania do Rio de Janeiro e, ao falecer em 1667, deixou-o em legado, com seus escravos, aos padres beneditinos. A herança de Vitória foi uma importante contribuição ao patrimônio da Igreja.

Fontes: Afonso Taunay, *Relatos monçoeiros*; Fania Fridman, *Donos do rio em nome do rei*; Janina Z. Klave, *O papel da mulher nos descobrimentos e na expansão portuguesa.*

W/Y

Walkíria Afonso Costa (1947-73)

Ativista política, vítima da ditadura militar.

Nasceu em Uberaba, no Triângulo Mineiro, a 2 de agosto de 1947 e era filha de Odete Afonso Costa e de Edwin Costa. Fez o curso normal em Pirapora (MG) e foi admitida no magistério estadual, por concurso público, em 1966.

Mudou-se para Belo Horizonte, onde lecionava. Ingressou no curso de pedagogia da Universidade Federal de Minas Gerais e nesta época começou sua militância política. Participou da fundação do diretório acadêmico da Faculdade de Educação, em 1968, chegando a ocupar o cargo de vice-presidente. Filiou-se ao Partido Comunista do Brasil (PC do B) e, em 1971, com o marido Idalísio Soares Aranha Filho, também filiado ao PC do B, foi viver na região do Gameleira, sul do Pará. Fez parte do destacamento B da guerilha do Araguaia, comandado por Oswaldo Orlando da Costa. Presa pelas forças da repressão, foi julgada em junho de 1973, mas acabou sendo absolvida por absoluta falta de provas sobre sua atuação política. Mesmo assim, foi dada como desaparecida na região do Araguaia, desde 25 de dezembro de 1973.

Fontes: Maria Amélia A. Teles, *Breve história do feminismo no Brasil*; Maria do Amparo Almeida Araújo et al., *Dossiê dos mortos e desaparecidos políticos a partir de 1964*.

Yara Vaz (1917-)

Pioneira na difusão da ginástica.

Nasceu no bairro da Tijuca, no Rio de Janeiro, em 20 de outubro de 1917. Sua mãe era Olga da Silva Jardim e seu pai, o funcionário público Gabriel da Silva Jardim.

Começou a praticar ginástica aos 11 anos de idade, no quintal de sua própria casa, passando depois a treinar em espaços abertos, nas praias de Ipanema e Leblon, numa época em que não era costume as mulheres fazerem exercícios físicos em público.

Aos 19 anos, foi morar com o operário Francisco José Vaz, com quem se casaria três anos depois. Tiveram um filho, Gilliatt Vaz.

Formou-se em Educação Física pela antiga Universidade do Brasil (atual UFRJ) em 1941, e lecionou em escolas particulares. Durante três anos trabalhou no antigo Parque Proletário da Gávea, desenvolvendo atividades com crianças e, a partir de 1945, após prestar concurso, se dedicou ao ensino através de atividades rítmicas para cegos, no Instituto Benjamin Constant, lá permanecendo até 1970. Essa experiência levou-a, em 1948, a escrever a tese: "Atividades rítmicas na educação das crianças deficitárias da visão". No ano seguinte, abriu uma escola de ginástica no Leblon, a Escola Rítmica Yara Vaz.

Em 1952, durante três meses, manteve um programa de ginástica na TV Tupi. Apesar de sua curta duração, marcou o início dessas atividades na televisão brasileira. Duas décadas depois estreou na TV Educativa, um outro programa, que durou sete anos, de 1977 a 1984, tornando-se referência nacional nessa área.

Nessa época, havia uma lei que obrigava as emissoras comerciais de televisão a retransmitirem programas da TV Educativa em sua programação. A maioria das emissoras escolhia as aulas de Yara, que eram, assim, exibidas em vários canais e vistas nacionalmente. Em 1982, esse programa foi considerado pelo *Jornal do Brasil* um dos 10 melhores da televisão brasileira. Seu trabalho foi divulgado em várias universidades norte-americanas.

Yara Vaz vive no Rio de Janeiro, onde administra sua academia, e continua a dar aulas.

Fontes: Ludmila Mourão, *A representação social da mulher brasileira na atividade físico-desportiva: da segregação à democratização*; Entrevista com Yara Vaz, concedida a Erika Arantes em 30.6.1999.

Yolanda Lederer Mohalyi (1909-78)

Artista plástica.

Nasceu na Hungria, em 1909. Freqüentou a Academia Real de Belas-Artes de Budapeste. Em 1931, emigrou para São Paulo (SP) naturalizando-se brasileira. Integrou o movimento de renovação da arte no Brasil, consagrando-se como um dos grandes nomes da pintura abstrata. Também se dedicou à formação de novos artistas, tendo sido professora da Fundação Armando Álvares Penteado, de 1960 a 1962.

Teve seus trabalhos expostos em Buenos Aires, Nova York, Paris e Tóquio. Concebeu o mural da Igreja do Cristo Operário e os vitrais do batistério da Igreja de São Domingos, na capital paulista. Suas obras fazem parte dos acervos dos museus de Arte Contemporânea e de Arte Moderna de São Paulo e do Museu Nacional de Belas-Artes e Museu de Arte Moderna do Rio de Janeiro.

Faleceu no dia 23 de agosto de 1978, em São Paulo (SP).

Fontes: Carlos Cavalcanti (org), *Dicionário brasileiro de artistas plásticos*; Museu de Arte Contemporânea da USP, *In Memoriam*; Walmir Ayala, *Dicionário de pintores brasileiros.*

Yvone Monteiro da Silva (c.1910-?)

Primeira mulher diplomada pelo Colégio Pedro II.

O nome de Yvone Monteiro da Silva está relacionado à luta das mulheres pelo direito de ingressarem na mais importante instituição de ensino secundário do Brasil.

No Colégio Pedro II, criado por decreto em 1837, funcionou o primeiro curso completo de humanidades no país. Ali se formaram gerações e gerações de políticos e intelectuais brasileiros, ao longo dos séculos XIX e XX. Nessa época, como a educação era bastante restrita, o acesso ao colégio ficou limitado ao sexo masculino. No entanto, houve algumas tentativas para que mulheres estudassem no Pedro II. Em 1883, o professor de medicina Cândido Barata Ribeiro requereu a inscrição de suas filhas Cândida e Leonor Borges Ribeiro. O pedido foi deferido pelo ministro de Estado, senador Pedro Leão Veloso, que autorizou o reitor a admitir no externato "alunos do sexo feminino", considerando que não havia disposição legal proibitiva. Com essa autorização, foram matriculadas, além das irmãs Cândida e Leonor, Maria Júlia Picanço da Costa, Maria Olímpia e Zulmira de Moraes Kohn.

Em 1885, o reitor pediu ao ministério que nomeasse uma inspetora para o Pedro II, o que se justificaria pela presença de 15 alunas na instituição. A solicitação foi negada pelas autoridades ministeriais que, para evitar tal despesa, determinaram que elas fossem encaminhadas para a Escola Normal ou para o Liceu de Artes e Ofícios. A entrada de mulheres nesse prestigioso colégio foi, assim, mais uma vez dificultada.*

No início do século XX, a luta pela educação feminina tinha reconhecimento social, mas o Pedro II continuava fechado às mulheres. Com a reforma educacional Carlos Maximiliano, de 1915, o colégio foi elevado à condição de escola de referência nacional. Aos seus alunos era facultada a matrícula imediata, sem exames, em qualquer instituição de ensino superior do país, enquanto os outros, dos demais educandários, públicos ou privados, para terem seus diplomas de segundo grau reconhecidos, deviam submeter-se a exames de equiparação, elaborados pelo corpo docente do Pedro II. Porém, tanto essa reforma quanto as do código dos Institutos Oficiais de Ensino Superior e Secundário de Epitácio Pessoa, em 1901; de Rivadávia Correia, de 1911 e a de Juvenil da Rocha Vaz, de 1925, não garantiam o acesso das mulheres ao colégio, o que tornou imperioso reforçar a luta para romper o preconceito ainda vigente no Pedro II. Assim, no I Congresso Internacional Feminista, de dezembro de 1922, realizado no Rio de Janeiro, foi aprovada uma indicação especial sobre essa questão, tornando-se uma das bandeiras do movimento de mulheres.

O clamor das feministas repercutiu na sociedade e Yvone foi matriculada no ano de 1927, em virtude da interpretação oferecida pelo diretor-geral do Departamento Nacional do Ensino ao decreto 16.782-A. Para ele, a legislação em vigor não excluía as mulheres. A matrícula de Yvone Monteiro da Silva marcou a entrada definitiva do segmento feminino naquela escola. Seu ingresso e conclusão do curso no Pedro II significou o fim da discriminação para com as mulheres.

Fontes: Arquivo da FBPF, cx.2; Luís Antônio Cunha, *A universidade temporã*; Otacílio Pereira, *O Colégio Pedro II nos últimos 10 anos;* Raimundo Moniz de Aragão, *A instrução pública no Brasil.*

Z

Zeferina (séc.XIX)

Escrava quilombola.

Participou de uma revolta de escravos ocorrida em 16 de dezembro de 1826 nas cercanias de Salvador (BA).

Essa revolta foi protagonizada pelos negros quilombolas de Urubu, um dos muitos quilombos localizados nos arredores da capital baiana. O grupo, composto de cerca de 50 pessoas, entre homens e mulheres, atacou sítios e casas da região, matou e surrou os homens brancos que encontrava. Zeferina incentivava os companheiros com gritos de guerra, causando admiração até em soldados inimigos.

Armada, acabou sendo presa e, no interrogatório, disse à polícia que o levante estava previsto para acontecer na véspera do Natal, para que o grupo pudesse receber a adesão de escravos vindos de Salvador. Contudo, um incidente acontecido quando os revoltosos se abasteciam num sítio vizinho precipitou a ação. Zeferina foi condenada a trabalhos forçados.

Fontes: Luiz Luna, *O negro na luta contra a escravidão*; *Revista Trabalhadores*, 1990.

Zélia Magalhães (1926-49)

Ativista política, assassinada pela repressão policial.

Zélia Marques Magalhães nasceu em Ubá (MG) a 9 de janeiro de 1926, filha da trabalhadora doméstica Maria Anselmo Marques e do operário Sebastião Marques. Muito cedo começou a trabalhar, primeiro em um escritório comercial e depois como costureira. Participou da campanha de anistia aos presos políticos e dos movimentos em defesa da liberdade de expressão. Casou-se com Aristeu, jornalista da *Tribuna Popular*, que era, na ocasião, preso político; o noivo teve permissão para sair da prisão no dia do casamento, voltando em seguida.

Era funcionária do quadro do Ministério da Fazenda, lotada no Tribunal de Contas, quando foi assassinada em 16 de novembro de 1949 num comício promovido por militantes comunistas e pela Liga de Defesa das Liberdades Democráticas contra a Lei de Segurança Nacional, na Esplanada do Castelo, no centro do Rio de Janeiro.

No comício, após o pronunciamento da senhora Nuta Bartlet James*, presidente do Centro Antifascista da Tijuca, os manifestantes foram dispersados violentamente a tiros pelas forças policiais. Zélia, grávida, e seu marido, Aristeu Magalhães, se retiravam quando, já dentro de um bonde, ele foi arrancado de lá pela polícia. Zélia se interpôs, levando um tiro mortal na carótida quando abraçava seu companheiro para evitar que ele fosse morto.

No livro de ponto da seção onde Zélia trabalhava, o chefe escreveu a seguinte nota na manhã do dia 17 de novembro de 1949: "É com o mais profundo sentimento de saudade que comunico aos funcionários em exercício neste Protocolo o assassinato, ontem, nesta capital, da nossa querida Zélia Magalhães." Seu enterro foi uma das maiores manifestações de protesto realizadas naquele ano na cidade do Rio de Janeiro.

Fontes: *Correio da Manhã*, 17.11.1949; *Imprensa Popular*, 17.11.1957; Maria Amélia A. Teles, *Breve história do feminismo no Brasil*; Ana Montenegro, *Ser ou não ser feminista* e *Mulheres — participação nas lutas populares*; Documentação de Antonieta Campos da Paz, Arquivo do Movimento Operário do Rio de Janeiro; Movimento Feminino do PMDB/RS, *Agenda Mulher 84*.

Zica (1913-)

Líder comunitária e símbolo da Escola de Samba Estação Primeira de Mangueira.

Euzébia Silva do Nascimento nasceu no dia 6 de fevereiro de 1913, domingo de Carnaval, na Piedade, subúrbio da cidade do Rio de Janeiro. A mãe, Gertrudes Efigênia dos Santos, era lavadeira; o pai, Euzébio da Silva, era guarda-freios da Estação Ferroviária Central do Brasil. Euzébio morreu num acidente de trem em abril de 1914, deixando Efigênia com cinco filhos para criar.

Aos quatro anos, Zica mudou-se com a mãe e os irmãos para a Mangueira. Com sete anos foi morar em Copacabana, na casa de uma freguesa de sua mãe, onde fazia o serviço doméstico. Queixava-se, muitas vezes, de ser maltratada pela patroa. Quando contava 12 anos, a mãe sofreu uma extensa queimadura no braço; para ajudá-la, Zica voltou para casa.

Zica casou-se aos dezenove anos com Carlos Dias do Nascimento. Foi morar com o marido e a sogra no bairro da Abolição. A primeira filha, Glória Regina, nasceu em 1933 e os demais, Reginaldo, Reinaldo, Ruth e Vilma, a intervalos de aproximadamente dois anos. Os três filhos do meio morreram ainda crianças. Depois de casada, continuou lavando e passando para fora, até obter um emprego de tecelã em uma fábrica na Mangueira. Mais tarde, após um período como lavadora de pratos no Clube Embaixada do Sossego, passou a ajudante de cozinha.

Separou-se do marido — que se tornara boêmio e gastador — e voltou para a Mangueira. Pouco depois, Carlos faleceu de tuberculose e Zica viu-se com a responsabilidade de cuidar sozinha das duas filhas. Vilma, então, adoeceu e passou a precisar de cuidados constantes. Zica deixou o trabalho como cozinheira de restaurante e voltou a lavar e passar para fora. Vilma faleceu aos 22 anos.

Zica e o compositor Cartola se conheciam desde crianças. Quando se reencontraram, ele estava desempregado e suas músicas, outrora grandes sucessos nas rádios, estavam esquecidas. Foram morar juntos em 1953. Zica tentou em vão reaproximá-lo do meio musical, da imprensa, arrumar-lhe um emprego e afastá-lo da bebida. Em 1956, o jornalista Sérgio Porto reconheceu Cartola, que lavava carros numa garagem em Ipanema, e conseguiu-lhe um trabalho na rádio Mayrink Veiga. No final dos anos 50, Zica conseguiu, junto com o presidente da Associação das Escolas de Samba, uma sede para a entidade. Era um velho casarão na rua dos Andradas, no centro do Rio, desapropriado pela prefeitura. Zica e Cartola mudaram-se para lá, como zeladores.

De dia, o lugar funcionava como pensão; à noite, Zica fornecia quentinhas para os motoristas da Praça Mauá. Nos dias de reunião da Associação, Zica preparava sopa para vender aos sambistas; às sextas-feiras, os amigos apareciam para cantar um samba com Cartola e aproveitar as delícias da cozinha de Dona Zica. Surgiu então a idéia de criar um restaurante, o Zicartola, na rua da Carioca.

O endereço tornou-se importante reduto de compositores e músicos: Ataulfo Alves, Elizeth Cardoso, Ciro Monteiro, Sérgio Porto, Araci de Almeida*, Zé Keti, Paulinho da Viola, entre outros. Dona Zica — como ficou conhecida — cuidava da cozinha, preparando pratos especiais como xinxim de galinha, feijoada, caruru, vatapá. No dia 24 de outubro de 1964, o restaurante foi palco de seu casamento civil com Cartola. Apesar do enorme sucesso, o restaurante, atolado em dívidas, fechou as portas em 1965.

Em 1974, o casal foi morar numa casinha em Jacarepaguá. Cartola morreu em 1980, vítima de câncer. D. Zica voltou para a Mangueira, onde mora até hoje, participando ativamente da comunidade. Diretora da Escola, faz parte dos Baluartes da Escola de Samba Estação Primeira Mangueira, grupo de 22 personalidades que desfilam durante o carnaval no carro abre-alas.

Fontes: Marília Barbosa T. da Silva e Arthur L. de Oliveira Filho, *Cartola — os tempos idos*; Odacy de Brito Silva, *Na passarela de sua vida: biografia de Dona Zica da Mangueira.*

Zilda do Zé (1919-)

Sambista e compositora.

Zilda Gonçalves nasceu no Rio de Janeiro a 18 de março de 1919, filha de Maria Severina Fernandes e Francisco Severino Fernandes. Iniciou sua carreira artística apresentando-se na Rádio Transmissora, onde conheceu o compositor José Gonçalves, com quem formou a Dupla de Harmonia.

Em 1938 se casaram e, no ano seguinte, passaram a atuar na Rádio Cruzeiro do Sul, no programa de Paulo Roberto, que rebatizou a dupla com o nome de Zé da Zilda e Zilda do Zé. Estrearam em disco em 1944, na RCA Victor, gravando dois choros do Zé da Zilda: "Fim de eixo" e "Levanta José".

A partir de 1945 passaram a lançar, com grande êxito, músicas para o carnaval. As últimas gravações da dupla foram "Império do samba" e a marcha "Ressaca", de autoria do casal com Valdir Machado. Estas composições foram apresentadas no Carnaval de 1955, após a morte de Zé da Zilda, juntamente com o maior sucesso de Zilda: a música "Saca-rolha" (As águas vão rolar). Nesta época, já estava contratada pela Rádio Mayrink Veiga.

Após a morte do marido, compôs, em sua memória, os sambas "Vai, que depois eu vou", em 1956, e "Vem me buscar", em 1959, em parceria com Adolfo Macedo e Aírton Borges, seguindo carreira solo. Passou a ser figura presente em todos os carnavais, o que lhe valeu o título de "cigarra do carnaval". Compôs, em 1964, o samba "Meu patuá", em parceria com Carvalhinho e Jorge Silva, também cantado por Orlando Dias. Na década de 1980, com o samba perdendo espaço para outros estilos músicais, Zilda se retirou da vida pública. Ao todo gravou 40 músicas e teve dois filhos. Mora atualmente em Ramos, bairro do subúrbio carioca, região onde sempre viveu.

Fontes: *Enciclopédia da música brasileira: erudita, folclórica e popular*; Entrevista com Mariska Ribeiro e André Severino Fernandes em janeiro de 2000.

Zuleide Bogéa (1897-1984)

Uma das duas primeiras deputadas do Maranhão.

Zuleide Violeta Fernandes Bogéa nasceu em 13 de outubro de 1897 em São Luís (MA), filha de Mônica Virgínia Fernandes e de Leonel Fernando Cardoso Bogéa. Professora normalista, fundou em 1920 o Colégio São Luís de Gonzaga, onde trabalhou até o seu fechamento, 50 anos depois. Reconhecida educadora, foi conselheira estadual de Educação.

Elegeu-se deputada para a Constituinte estadual em 1934, sendo a primeira deputada estadual do Maranhão, juntamente com Rosa Castro, em um dos períodos mais agitados do estado, na crise provocada pela cassação do governador Aquiles Lisboa. Não retornou à vida política.

Faleceu em 10 de junho de 1984.

Fontes: Nilson Coutinho, *Poder Legislativo no Maranhão*; Entrevista de Ilda Marques Bogéa concedida à Carmen Alveal em 8 de fevereiro de 2000.

Zuleika Alambert (1922-)

Política, feminista e jornalista.

Nasceu em 23 de dezembro de 1922, na cidade de Santos (SP). Seus pais foram Josefa Prado Alambert e Juvenal Alambert. Viveu com o dirigente comunista Armênio Guedes por 27 anos, mas não teve filhos.

A II Guerra Mundial despertou seu senso político, com o bombardeio de navios brasileiros por submarinos alemães, em 1942. Nessa época foi formada a Liga de Defesa Nacional, contra o Estado Novo, pela libertação dos presos políticos e pelo rompimento com o Eixo, formado por Alemanha, Itália e Japão. Zuleika integrou-se a este movimento em Santos, ajudando a organizar a primeira greve de portuários com o objetivo de impedir a chegada de mercadorias espanholas, já que a Espanha estava sob o governo autoritário de Franco, e tomando parte nas manifestações pelo envio da Força Expedicionária Brasileira (FEB) à Europa.

A Liga de Defesa Nacional também coletava remédios para enviar ao continente europeu, através do Comitê de Ajuda aos pracinhas. Este tipo de ação era conhecido como "esforço de guerra".

2

3

4

• *Zuzu Angel*
Estilista, que lutou incansavelmente para esclarecer a morte do filho pela ditadura militar.

• *Zuleika Alambert*
Foi eleita deputada estadual paulista pelo PCB em 1947, aos 25 anos de idade.

• *Zilda do Zé*
Sambista e compositora carioca das décadas de 40 e 50.

• *Dona Zica*
Diretora e um dos maiores símbolos da Escola de Samba Estação Primeira de Mangueira.

Quando as tropas brasileiras retornaram em março de 1945, outra luta começou, pela legalidade plena, contra a ditadura do Estado Novo, formando-se comitês populares pela democracia e contra a carestia. No desenvolvimento deste trabalho, Zuleika teve os primeiros contatos com os comunistas.

Nesse mesmo ano envolveu-se intensamente na campanha eleitoral para escolha dos representantes na Constituinte federal. Na eleição de 2 de dezembro de 1947, para a Constituinte estadual, candidatou-se por Santos, pela legenda do Partido Comunista Brasileiro (PCB). Com 4.654 votos, chegou a primeira suplente. Tinha cerca de 25 anos.

Dias depois da proclamação dos resultados, o PCB excluiu da sua lista preferencial o deputado eleito Clóvis de Oliveira Neto, acusado de envolvimento sexual com uma menor. Assim, Zuleika assumiu o mandato, de 26 de setembro a 14 de novembro de 1947, destacando-se na luta pela causa operária e das mulheres. Com a renúncia do deputado Mantílio Muraro, passou a ocupar efetivamente o cargo a partir de 15 de novembro. Entre outros, apresentou um projeto de lei defendendo o abono de Natal, que seria o embrião do 13º salário, e outro em defesa de salários iguais sem distinção de sexo. Ao defendê-lo, afirmou:

"Para trás ficaram os dias em que as mulheres de todas as categorias sociais viviam, em nossa pátria, exclusivamente para seu lar e para seus filhos, sem participar diretamente da vida política, social e econômica da Nação."

Seu mandato, no entanto, foi declarado extinto em 12 de janeiro de 1948 com base na Lei Federal nº 211, de 7 de janeiro de 1948, que cassava o PCB. Zuleika despediu-se da Assembléia com um discurso forte em que chamava "golpe" a cassação dos mandatos de 11 deputados.

Na fase da ilegalidade do PCB, teve que sair de São Paulo. Mudou-se para o Rio de Janeiro e continuou atuando clandestinamente, inclusive redigindo documentos para o partido, como por exemplo a Carta do Amazonas, manifesto de protesto em defesa da Floresta Amazônica. Zuleika trabalhou na área cultural, principalmente com mulheres e jovens, e como conseqüência dessa atividade foi designada secretária-geral da Juventude Comunista. Levou delegações para os Festivais da Juventude de 1952 (Alemanha) e 1961 (Romênia). Além disso, participava intensamente nos Congressos da União Nacional dos Estudantes (UNE). Contribuiu para a construção do Centro Popular de Cultura (CPC) da UNE, movimento de vanguarda que alavancou as atividades culturais do Brasil nos anos 60.

Por sua forte ligação com os estudantes, foi perseguida depois do golpe de 1964. No entanto, nunca foi presa, chegando a ajudar muitos estudantes a saírem do país. Em 1969, foi para a Hungria como secretária da Federação Democrática Mundial da Juventude. No Chile, em 1971, ajudou a organizar os exilados brasileiros e promoveu a Associação de Mulheres no Exílio, para que não perdessem os vínculos com o Brasil.

Depois do golpe que depôs e assassinou o presidente Allende (1973), passou quatro meses em Caracas, na Venezuela, indo depois para a União Soviética. O objetivo desta viagem foi tratar da saúde; estava subnutrida e com problemas renais graves. Ficou por lá cerca de um ano e, em seguida, foi para Paris participar da organização do Comitê Europeu de Mulheres Brasileiras. Esse comitê teve um programa de rádio e um jornal, formando uma rede de solidariedade, para com as exiladas.

Com a anistia, em 1979, retornou ao Brasil e fixou-se no Rio de Janeiro. Nessa época, considerava-se uma marxista que estudava os problemas das mulheres, recusando-se a ser identificada como feminista. A partir da palestra, intitulada "A democracia e a mulher", que proferiu em vários locais do Brasil, e instigada pela reação contrária do público feminista às idéias que expusera, ocorreu uma mudança na forma de pensar de Zuleika, e assim aproximou-se desse movimento.

Membro do órgão máximo do seu partido, o Comitê Central, propôs a elaboração de uma política específica para as mulheres, aprovada pelo PCB em 1980. Zuleika foi uma das fundadoras do Conselho Estadual da Condição Feminina do Estado de São Paulo, criado pelo governo Franco Montoro em 1983, e presidente do órgão em 1985-86. Desde então, tem-se dedicado ao trabalho de difundir a luta das mulheres pelo país. Recebeu o título de Cidadã Paulistana em 1986.

A partir de 1989, quando participou de uma reunião internacional, em Porto Alegre, onde foi discutido o problema do meio ambiente e da mulher e inspirada pela ECO-92, Zuleika passou a atuar na vertente ecofeminista, pensando a questão de gênero ligada às macropolíticas. Escreveu, entre outras obras, *Uma jovem brasileira na URSS* (1953); *Estudantes fazem História* (1964); *A situação e a organização das mulheres* (1980); *Feminismo — o ponto de vista marxista* (1986); *Metodologia de trabalho para as mulheres* (1990); *Mulher — uma trajetória épica.* (1997).

Fontes: Zuleika Alambert, *A situação e a organização das mulheres*; TSE, *Dados estatísticos*; Entrevista concedida a Carmen Alveal, em 10.11.1999.

Zuzu Angel (1921-76)

Estilista.

Zuleika de Sousa Netto nasceu em Curvelo (MG), a 5 de junho de 1921. Era filha de Francisca e Pedro Netto. Em 1943, casou-se com o viajante comercial norte-americano Norman Angel Jones, passando a chamar-se Zuleika Angel Jones. Teve os seguintes filhos: Stuart, nascido em 1946, Ana Cristina, em 1948, e Hildegard, nascida em 1949. Mudou-se para o Rio de Janeiro em 1947 e, dez anos depois, instalou seu ateliê de costura em Ipanema, conquistando a elite carioca pela criatividade do seu trabalho.

Nos anos 60, ganhou projeção internacional como estilista, exportando seus modelos para os EUA e conquistando admiradores naquele país. Sobre moda, Zuzu disse em entrevista pouco antes de morrer: "Gosto que a mulher fale, que se expresse (...) os costureiros homens masculinizaram a mulher. Mas quando se diz, no Brasil, costureiro, o que se visualiza? Um criador, um artista. Já costureira, o que se visualiza? Uma mulher debruçada sobre uma máquina, que faz modelinhos ao gosto do freguês, enfim, uma coitadinha."

Zuzu insubordinou-se contra a moda colonizadora e procurava valorizar o modo de vestir brasileiro. Suas criações tinham um forte sentido de brasilidade, misturando matérias-primas nacionais, como rendas do Ceará, chitas, estampas de pássaros e borboletas, motivos tropicais. Tudo isso em uma época em que as questões ecológicas ainda não estavam em voga. Segundo a estilista Ruth Joffily, Zuzu fez uma moda brasileira, calcada em características típicas do Brasil.

Nos anos 70, os mais duros do regime militar, a estilista teve sua vida transformada a partir do momento em que seu filho Stuart Angel foi preso, torturado e morto nas dependências de uma unidade da Aeronáutica, no Rio de Janeiro. Zuzu viu-se impotente para apurar o que de fato havia acontecido com seu filho e sequer conseguiu encontrar o corpo dele para enterrá-lo. Iniciava-se, então, sua luta contra o regime político autoritário. Ao mesmo tempo em que sua fama de estilista ganhava os mercados norte-americano e europeu, travava uma intensa luta pela verdade sobre o desaparecimento de Stuart.

No dia 21 de fevereiro de 1976, Zuzu Angel entregou pessoalmente um pacote ao então secretário de Estado dos EUA, Henry Kissinger, que estava de passagem pelo Rio de Janeiro. Esse pacote continha documentos, a foto de seu filho Stuart, o livro *História da República brasileira 1964-1974*, de Hélio Silva, e uma carta onde Zuzu explicava a Kissinger o caso Stuart. Este episódio teve grande repercussão na imprensa nacional e internacional.

A busca desesperada de Zuzu Angel pelo corpo de Stuart levou-a se vestir de preto, com um *écharpe* de organza estampada com a figura de um anjo nu, rodeado por flores. Além disto, trazia ao colo e à cintura, como ornamento, muitas cruzes, símbolo do martírio de Jesus Cristo e da sua dor. Em uma entrevista, em 1973, afirmou:

"Está tudo tão claro, meu Deus! Primeiro eles disseram que ele fora preso. A mim e ao cônsul. Depois disseram que ele fugiu. Foragido, uma palavra que a gente conhece bem, que significa: morto sob tortura."

Na tarefa a que se dedicou de denunciar o assassinato de Stuart, Zuzu procurava autoridades, provocava escândalos com poemas mimeografados, depoimentos, cartas, bordava símbolos militares em seus figurinos, sóis presos e pombas negras à procura da paz. Procurava incomodar e não deixava ninguém em sossego, esquecendo a insegurança que rondava a vida brasileira. Em um bilhete escrito em 1975, destinado ao cantor e compositor Chico Buarque, Zuzu afirmou: "Se algo vier a me acontecer, se eu aparecer morta por acidente, assalto ou outro meio qualquer, terá sido obra dos mesmos assassinos de meu amado filho." O jornal *O Estado de S. Paulo* publicou em 1976, a seguinte declaração feita por ela; "O julgamento da prisão preventiva do meu filho pela 2ª Auditoria da Marinha é uma farsa. Ele foi morto na Base Aérea do Galeão."

As denúncias de Zuzu continuavam, sobretudo nos EUA, criando situações diplomáticas constrangedoras para o governo brasileiro, e ela começou a receber telefonemas ameaçadores. No dia 14 de abril de 1976, voltando para casa, às três horas da manhã, Zuzu sofreu um desastre com seu carro e morreu no local do acidente, na saída do túnel Dois Irmãos, zona sul do Rio de Janeiro.

Este misterioso acidente de automóvel nunca foi devidamente esclarecido; pairam suspeitas de um atentado. Até hoje o Estado brasileiro não reconheceu sua morte como um assassinato político e suas filhas lutam para restabelecer a verdade.

Em 1996, foi criado o Instituto Zuzu Angel de Moda, em convênio com a École Supérieure de Mode (EMOD), da França, com o propósito de promover, prestigiar e impulsionar a moda feita no Rio de Janeiro.

Fontes: Maria do Amparo Almeida Araújo et al., *Dossiê dos mortos e desaparecidos políticos a partir de 1964*; Catálogo da exposição *Zuzu Angel — a força do anjo*, realizada no Museu Nacional de Belas-Artes, no Rio de Janeiro, em 1996.

BIBLIOGRAFIA

ABRAMO, Lélia. *Vida e arte. Memórias de Lélia Abramo*. São Paulo: Fundação Perseu Abramo/Unicamp, 1996.

ABRANCHES, J. Dunshee. *Atas e atos do Governo Provisório*. Rio de Janeiro: Imprensa Nacional, 1907.

——. *O cativeiro: documentos maranhenses*. São Paulo: Alumar, 1992.

ABREU, Alzira Alves & BELOCH, Israel. *Dicionário histórico-biográfico brasileiro*. Rio de Janeiro: Nova Fronteira, 1983.

ABREU, Brício. "A precursora do sucesso popular", *O Cruzeiro*, 1956, p.31-3.

——. "Morreu Itália Fausta", *Boletim da Sociedade Brasileira de Autores Teatrais*. Rio de Janeiro, mai-jun 1951, nº 261.

ABREU, Edith Mendes da Gama e. "Ana Nery", *Revista do Instituto Geográfico e Histórico da Bahia*. Salvador, nº 83, 1961-67.

——. "Maria Quitéria", *Revista do Instituto Geográfico e Histórico da Bahia*. Salvador, nº 80, 1956.

ABREU, J. Capistrano de. *Caminhos antigos e povoamento do Brasil*. Rio de Janeiro: Sociedade Capistrano de Abreu/Livraria Briguiet, 1960.

ACADEMIA BRASILEIRA DE LETRAS. *Anuário*, 1993-1997.

ACADEMIA LITERÁRIA FEMININA DO RIO GRANDE DO SUL. *50 Anos de literatura, perfil das patronas*. Porto Alegre: IEL, 1993.

ACCIOLI, Ignácio. *Memórias históricas e políticas da província da Bahia* (anotado por Brás do Amaral). Bahia: Imprensa Oficial do Estado, 1919-1949, 6 vols.

AGOSTINHO, Cristina; PAULA, Branca de & BRANDÃO, Maria do Carmo. *Luz del Fuego: a bailarina do povo*. São Paulo: Best-seller, 1994.

ALAMBERT, Zuleika. *A situação e a organização da mulher*. São Paulo: Global/Cadernos CMB, 1980.

ALENCASTRO, Luiz Felipe de (org.). *História da vida privada no Brasil*, vol.2: *Império: a corte e a modernidade nacional*. São Paulo: Companhia das Letras, 1997.

ALEXANDRE, C.A. "O filho da lavadeira", in *Cartilha histórica da Bahia*. Salvador: Assembléia Legislativa da Bahia, 1990.

ALGRANTI, Leila Mezan. *Honradas e devotas: mulheres na Colônia. Condição feminina nos conventos e recolhimentos do sudeste do Brasil, 1750-1822*. Rio de Janeiro: José Olympio; Brasília: EdUnb, 1993.

——. "À sombra dos círios: o cotidiano das mulheres reclusas no Brasil colonial", in *O rosto feminino da expansão portuguesa: Congresso Internacional. Actas I e II. Cadernos Condição Feminina* nº 43: Comissão para a igualdade e para os direitos das mulheres. Lisboa: Fundação Calouste Gulbenkian/Negócios/Artes Gráficas, 1995.

ALMADA, Sandra. *Damas negras: sucesso, lutas, discriminação: Chica Xavier, Léa Garcia, Ruth de Souza, Zezé Motta*. Rio de Janeiro: Mauad, 1995.

ALMEIDA, Antônio da Rocha. *Vultos da Pátria: os brasileiros mais ilustres do seu tempo*. Porto Alegre: Globo, 1961.

ALMEIDA, Elpídio. *História de Campina Grande*. João Pessoa: Imprensa Universitária, 1957.

——. *História de Campina Grande*. Campina Grande: Livraria Pedrosa, 1962.

ALMEIDA, Gustavo Geraldo. *Heróis indígenas do Brasil — memórias sinceras de uma raça*. Rio de Janeiro: Cátedra, 1988.

ALMEIDA, J.G. *O sertão dos Araxás e os amores de Dona Beja*. São Paulo: J. Bignardi, 1965.

ALMEIDA, Horácio de. *História da Paraíba*. João Pessoa: Imprensa Universitária, 1966.

——. *Brejo de Areia: memórias de um município*. João Pessoa: Imprensa Universitária, 1962. [2ª ed.: João Pessoa: Editora Universitária/UFPb, 1980]

ÁLVARES, Luzia. *Projeto Cidadania, Participação Política e Gênero*. Belém: GEPEM/UFPA, 1998.

ÁLVARES, Luzia M. & SANTOS, Eunice Ferreira. *A literatura em prosa e verso na obra de Eneida de Morais*. Belém: GEPEM/UFPA, 1998.

ALVES, Branca Moreira. *Ideologia & feminismo. A luta da mulher pelo direito ao voto no Brasil*. Petrópolis: Vozes, 1980.

ALVES, Ívia & VIEIRA, Nancy Rita. "Ana Ribeiro", in MUZART, Zahidé Lupinacci (org.), *Escritoras brasileiras do século XIX*. Florianópolis: Ed. Mulheres/Santa Cruz do Sul: Edunisc, 1999.

ALVES, Lizir Arcanjo (org.). *Mulheres escritoras na Bahia, as poetisas (1822-1918)*. Salvador: Étera, 1999.

ALVES, Marieta. *História, arte e tradição da Bahia*. Salvador: Prefeitura Municipal/Departamento de Cultura, 1974.

AMADO, Janaína. *Conflito social no Brasil. A revolta dos "mucker". Rio Grande do Sul, 1868-1898*. São Paulo: Símbolo, 1978.

AMADOR, Paulo. "História e preconceito", *Palmares*, nº 3, mar 2000.

AMORA, Paulo. *Rebelião das mulheres em Minas Gerais*. Rio de Janeiro: GRD, 1968.

A mulher e a Constituinte. Rio de Janeiro: CEMINA, 1985, folheto, mimeog.

Anais do I Congresso Sul-Americano da Mulher em Defesa da Democracia. Promovido pela Camde — Campanha da Mulher pela Democracia. Rio de Janeiro: AGGS, 1967.

ANDRADE, Maria José de Souza. *A mão-de-obra escrava em Salvador, 1811-1860*. São Paulo: Corrupio, 1988.

ANDRADE, Ana Isabel & REGO, Carmem. *Catálogo da correspondência de Joaquim Nabuco, 1865-1884*. Recife: Instituto Joaquim Nabuco, 1978.

ANTIPOFF, Daniel. *Helena Antipoff: sua vida, sua obra*. Rio de Janeiro: José Olympio, 1975.

ANTONIL, André João (Giovanni Antônio Andreoni). *Cultura e opulência do Brasil*. Belo Horizonte: Itatiaia/São Paulo: Edusp, 1982, 3ª ed. [1ª ed: 1711]

ARAGÃO, Raimundo Moniz. *A instrução pública no Brasil*. Rio de Janeiro: FGV/IESAE, 1985.

ARAGÃO, R. Batista. *História do Ceará*. Fortaleza: Barraca do Escritor Cearense, 1986-1994.

ARAÚJO, Antonio Amaury Corrêa de. *Lampião: as mulheres e o cangaço*. São Paulo: Traço, 1984.

ARAÚJO, Hermetes Reis de. "A invenção do litoral. Reformas urbanas e o reajustamento social em Florianópolis na Primeira República". São Paulo: PUC. 1989 (dissertação de mestrado).

——. *Assim morreu Lampião*. São Paulo: Traço, 1982.

——. *Gente de Lampião: Dadá e Corisco*. São Paulo: Traço, 1982.

ARAÚJO, Emanuel. "A arte da sedução: sexualidade feminina na colônia", in PRIORE, Mary Del (org.), *História das mulheres no Brasil*. São Paulo: Contexto, 1997.

ARAÚJO, Iaperi. *Maria do Santíssimo: uma pintura popular*. Natal: Secretaria de Educação e Cultura, 1966.

ARAÚJO, Lúcia N. & HOLLANDA, Heloísa Buarque de. *Ensaístas brasileiras: mulheres que escreveram sobre literatura e artes de 1860 a 1991*. Rio de Janeiro: Rocco, 1993.

ARAÚJO, Maria do Amparo Almeida et al. *Dossiê dos mortos e desaparecidos políticos a partir de 1964*. Recife: Companhia Editora de Pernambuco, 1995.

ARAÚJO, Mônica da Silva. "O PCB e as eleições de 1945". Rio de Janeiro: 1999 (mimeo).

ARAÚJO, Mundinho. *Insurreição de escravos em Viana — 1867*. São Luís: SIDGE, 1994.

ARQUIVO FOLCLÓRICO DA DISCOTECA PÚBLICA MUNICIPAL. *Melodias registradas por meios não mecânicos*. São Paulo: Prefeitura de São Paulo, 1946.

ARRUDA, Angela. & HEILBORN, Maria Luiza. "Legado feminista e ONG de mulheres: notas preliminares" in *Mulher e políticas públicas*. Rio de Janeiro: IBAM/UNICEF, 1991.

ATHAYDE, Tristão de. "Teresa Margarida da Silva Orta, precursora do romance brasileiro", in ORTA, Teresa Margarida da Silva, *Obra reunida*. Rio de Janeiro: Graphia, 1993.

AUGRAS, Monique. *O duplo e a metamorfose — a identidade mítica em comunidades nagô*. Petrópolis: Vozes, 1983.

AULER, Guilherme. *Os bolsistas do Imperador*. Petrópolis: Tribuna de Petrópolis, 1956.

AYALA, Walmir (org.) *Dicionário brasileiro de artistas plásticos*. Brasília: INL, 1980.

AZEREDO, P.R. "Antropólogos e pioneiros: a história da Sociedade Brasileira de Antropologia e Etnologia". São Paulo: FFLCH/USP, 1986 (tese de doutorado).

AZEVEDO, Francisca L. Nogueira. "Carlota Joaquina, infanta de Espanha e princesa do Brasil (1808-1814)". Rio de Janeiro: UFRJ, 1997 (tese de doutorado).

AZEVEDO, Lúcio de. *História dos cristãos-novos portugueses*. Lisboa: A.M. Teixeira, 1921.

AZEVEDO, Vicente. "Domitila de Castro, Marquesa de Santos", *Revista do Instituto Histórico e Geográfico Brasileiro*. Rio de Janeiro: IHGB, abr-jun 1973.

AZZI, Riolando. *A vida religiosa feminina no Brasil. Síntese histórica*. Rio de Janeiro: Ceris, 1969.

BAIÃO, Antônio. *Episódios dramáticos da Inquisição Portuguesa: homens de letras e de ciência por ela condenados*. Rio de Janeiro: Anuário do Brasil, 1924, 2 vols.

BAGGIO, Viviane Maria. "Escrita feminina no século XIX: A poetisa Júlia da Costa", in LAMB, Roberto & LEANDRO, José (orgs.), *História e cultura*. Anais do V Encontro Regional de História/Associação Nacional de História (ANPUH) — Núcleo Regional do Paraná. Ponta Grossa, 1997.

BAHIA. Assembléia Legislativa do Estado da Bahia. *Deputados estaduais. 10ª legislatura*. 1983-1987. Salvador: Diretoria de Pesquisas e Informação Parlamentar, 1986.

——. *As cartas de ontem: 1891-1967*. Salvador: Assembléia Legislativa: Assessoria de Comunicação Social, 1989.

BALTHAZAR, Lucy Lúpia Pinel. *Vôo proibido: os apuros de uma pioneira*. Rio de Janeiro: L.L. Pinel Balthazar, 1992.

BARBALHO, Alexandre & BARROSO, Oswaldo. *Letras ao sol. Antologia da literatura cearense*. Fortaleza: Fundação Demócrito Rocha, 1998.

BARBOSA, Carmencita Gibson. *Eunice Weaver, um símbolo*. Rio de Janeiro: Federação das Sociedades Eunice Weaver, s/ed., 1965.

BARBOSA, Januário da Cunha. *Oração fúnebre que nas exéquias de Sua Majestade Imperial — a Senhora D. Maria Leopoldina Josefa Carolina, Arquiduquesa d'Áustria, e primeira Imperatriz do Brasil — celebradas na Imperial Capela, no dia 26 de janeiro deste ano*. Rio de Janeiro: Tip. Imperial e Nacional, 1827.

BARBOSA, Luís Bueno Horta. *A pacificação dos índios Kaingang paulistas*. CNPI., Publicação nº 88, 1947.

BARBOSA, Maria Claret Carneiro. *A participação da mulher na história de Minas Gerais*. Belo Horizonte: Imprensa Oficial, 1986.

BARDI, Lina Bo. *Tempos de grossura: O design do impasse*. Rio de Janeiro: ILBB, 1994.

BAREIRO, Line. "El Estado, las mujeres y la politica a traves de la historia latinoamericana". Rio de Janeiro, Seminário DAWN-REPEN, out 1999 (mimeo).

BARONCELLI, Nilcéia Cleide da Silva. *Mulheres compositoras*. São Paulo: INL, 1987.

BARROS, Luitgarde Oliveira Cavalcanti (org.). *Octávio Brandão: centenário de um militante na memória do Rio de Janeiro*. Rio de Janeiro: Cultural/UERJ, 1996.

BARROSO, Oswaldo. *Tristão Araripe: a alma afoita da Revolução*. Fortaleza: Secretaria de Cultura e Desporto do Estado do Ceará, 1993.

——. *Reis do congo*. Brasília: Ministério da Cultura; Fortaleza: Faculdade Latino Americana de Ciências Sociais/Museu da Imagem e do Som, 1996.

——. *Corpo místico & outros textos para teatro*. Ceará: Casa de José de Alencar/Programa Editorial: UFC, 1997.

BASTIDE, Roger. *Estudos afro-brasileiros*. São Paulo: Perspectiva, 1975.

BATISTA, Marta Rossetti. *Anita Malfati e seu tempo*. Rio de Janeiro: Centro Cultural Banco do Brasil, 1996 (catálogo da exposição).

BELCHIOR, Elysio de Oliveira. *Conquistadores e povoadores do Rio de Janeiro*. Rio de Janeiro: Liv. Brasiliana Editora, 1965.

BELINNI, Lígia. *A coisa obscura: mulher, sodomia e inquisição no Brasil*. São Paulo: Brasiliense, 1989.

BELTRÃO, Jane Felipe. "As mulheres que ousam saber: um estudo etnográfico da Visitação do Santo Ofício da Inquisição ao Estado do Grão-Pará", *Cadernos do Centro de Filosofia e Ciências Humanas*. Belém: UFPA, abr-jun 1990.

BERNARDES, Maria Thereza Caiuby Crescenti. *Mulheres de ontem? Rio de Janeiro — século XIX*. São Paulo: T.A. Queiroz, 1996.

——. "Jornalistas brasileiras do século XIX (1840-1890)", in PEREIRA, Maria Aparecida Franco (coord.). *História da mulher na história*. Santos: Leopoldiarum, 1997.

——. "Mulher e libertação dos escravos". Trabalho apresentado no III Simpósio de História do Vale do Paraíba, 1976 (mimeo).

BESSE, Susan K. *Restructuring Patriarchy: The Modernization of Gender Inequality in Brazil, 1914-1940*. Chapel Hill: The University of North Carolina Press, 1996.

BESSELAAR, José Van den. *Maurício de Nassau: este desconhecido*. Rio de Janeiro: Funadação de Amparo à Pesquisa do Rio de Janeiro, 1982.

BEVILÁCQUA, Adriana Magalhães. *Clementina cadê você?* Rio de Janeiro: LBA/Funarte, 1988.

BEVILÁCQUA, Clóvis. *História da Faculdade de Direito do Recife*. Brasília: INL/Conselho Federal de Cultura, 1977.

BICALHO, Elizabete & ROCHA, Maria José Pereira (coord.). "Luta e resistência de mulheres em Goiás (1930-1993)", *Cadernos de Pesquisa*, nº 18. Goiânia: UCG, 1999.

BITTENCOURT, Adalzira. *Dicionário biobibliográfico de mulheres ilustres, notáveis e intelectuais do Brasil*. Rio de Janeiro: Pongetti, 1969-72, 3 vols.

——. *A mulher paulista na história*. Rio de Janeiro: Livros de Portugal, 1954.

BITTENCOURT, Maria Clara Mariani. Introdução. *Longos serões do campo*. Rio de Janeiro: Nova Fronteira, 1992, 2 vols.

BITTENCOURT, Raul. "A educação brasileira no Império e na República", *Revista Brasileira de*

Estudos Pedagógicos. Rio de Janeiro: vol.XIX, jan-mar 1963.

BITTENCOURT-SAMPAIO, Sérgio Ioset Salusse. *O Hotel Salusse — Em Nova Friburgo*. Rio de Janeiro: ZMF, 1997.

BLAKE, Augusto Vitorino Alves Sacramento. *Dicionário bibliográfico brasileiro*. Rio de Janeiro: Imprensa Nacional, 1893, 7 vols.

BLAY, Eva Alterman. *As prefeitas*. Rio de Janeiro: Avenir, s/d.

BOAVENTURA, Edivaldo M. *Edith Mendes da Gama e Abreu*. 1984.

BÖBEL, Maria Thereza. "Lista de imigrantes", *Boletim do Arquivo Histórico de Joinville*, nº 7, nov 1990.

BOLÉO, Luísa de Paiva. "Ana Pimentel — a primeira mulher à frente de uma capitania no Brasil", in *O rosto feminino da expansão portuguesa: Congresso Internacional. Actas I e II*. Cadernos Condição Feminina n.º 43: Comissão para a igualdade e para os direitos das mulheres. Lisboa: Fundação Calouste Gulbenkian/Negócios/Artes Gráficas, 1995.

BORBA, Ângela.; FARIA, Nalu. & GODINHO, Tatau (orgs.). *Mulher e política: gênero e feminismo no Partido dos Trabalhadores*. São Paulo: Ed. Fundação Perseu Abramo, 1998.

BORBA, Angela; PEREIRA, Hildete; PITANGUY, Jacqueline & SANT'ANNA, Wania. "O feminismo no Brasil de hoje", *Estudos Feministas*, vol.2, nº 2. Rio de Janeiro: CIEC/ECO/UFRJ, 1994.

BOSCOLI, Geysa. *A pioneira Chiquinha Gonzaga*. Natal: Departamento Estadual de Imprensa, 1971.

BOSI, Alfredo. *História concisa da literatura brasileira*. São Paulo: Cultrix, 1974.

BOTELHO, Ângela Vianna & REIS, Liana Maria. *Dicionário histórico. Brasil — Colônia e Império*. Belo Horizonte: Dimensão, 1998.

BOXER, Charles. *A mulher na expansão ultramarina ibérica, 1415-1815*. Lisboa: Livros Horizonte, 1977.

——. *A idade de ouro no Brasil: dores de crescimento de uma sociedade colonial, 1695-1750*. São Paulo: Cia. Editora Nacional, 1963.

BRANDÃO, Otávio. *Combates e batalhas (memórias)*. São Paulo: Alfa-Ômega, 1978.

BRASIL, Assis. *Democracia representativa: do voto e do modo de votar*. Rio de Janeiro: Imprensa Nacional, 1931.

——. *Dicionário prático de literatura brasileira*. Rio de Janeiro: Tecnoprint, 1979.

——. *Nassau, sangue e amor nos trópicos*.

BRASIL. Arquivo Nacional. Santa Casa de Misericórdia. Ofícios e documentos diversos, 1771-1824.

BRASIL. Biblioteca Nacional. *A Inconfidência da Bahia. Devassas e seqüestros*. Rio de Janeiro: Biblioteca Nacional, 1931. 2 vols.

——. Biblioteca Nacional. *Documentos históricos: Tombo das Cartas de Sesmarias do Rio de Janeiro dadas por Cristóvão de Barros (1573-74), dadas por Salvador Correia de Sá (1578-79)*. Rio de Janeiro: Fundação Biblioteca Nacional/Deptº Nacional do Livro, 1997 (1928).

BRASIL. Câmara dos Deputados. *Deputados brasileiros: repertório biográfico dos membros da Câmara dos Deputados*. 1979-83. Brasília: Centro de Documentação e Informação, 1979.

——. Câmara dos Deputados. *Deputados brasileiros: repertório biográfico*. 1991-95. Brasília: Centro de Documentação e Informação, 1991.

——. Câmara dos Deputados. *Relação dos Deputados brasileiros: repertório biográfico*. 1995-99. Brasília: Centro de Documentação e Informação, 1995.

——. Câmara dos Deputados. *Deputados brasileiros*. Brasília: Centro de Documentação e Informação, 1968.

BRASIL. Conselho Nacional dos Direitos da Mulher (CNDM). *A mulher e a Constituinte*, Ministério da Justiça: Brasília, 1985.

BRASIL. *Decisões do Governo Provisório — Ministério do Interior (1º* de abril a 30 de junho de 1891). Rio de Janeiro: Imprensa Nacional, 1892.

BRASIL. Ministério da Educação e Saúde/Biblioteca Nacional. *Correspondência entre Maria Graham e a Imperatriz Dona Leopoldina e cartas anexas*. Rio de Janeiro: Serviços Gráficos do Ministério da Educação e da Saúde, 1940.

BRASIL. Senado Federal. Legislação eleitoral no Brasil: do século XVI a nossos dias. Nelson Jobim, Walter Costa Porto (org.). Brasília: Senado Federal, Subsecretaria de Biblioteca, 1996.

BRASIL. Tribunal Superior Eleitoral. *Dados estatísticos*. Rio de Janeiro: Imprensa Nacional, 1964 a 1982. [vários volumes]

BRITO, Célia Coutinho Seixo. *A mulher, a história e Goiás*. Goiânia: Departamento Estadual, 1974.

BRITO, Eleonora Zicari Costa. "A construção de uma marginalidade através do discurso e da imagem: Santa Dica e a corte dos anjos. Goiás — 1923 a 1925". Brasília: Universidade de Brasília, 1992 (dissertação de mestrado).

BRITTO, Chermont de. *Vida luminosa de Dona Darcy Vargas*. Rio de Janeiro: Academia Brasileira de Arte, 1984.

BRUSCHINI, Cristina & SORJ, Bila (org.). *Novos olhares: mulheres e relações de gênero no Brasil*. São Paulo: Marco Zero/Fundação Carlos Chagas, 1994.

BUENO, Eduardo. *Capitães do Brasil — A saga dos primeiros colonizadores*. Rio de Janeiro: Objetiva, 1999.

——. *Náufragos, traficantes e degredados*. Rio de Janeiro: Objetiva, 1998.

BUITONI, Dulcília Helena Schroeder. *Mulher de papel. A representação da mulher pela imprensa feminina brasileira*. São Paulo: Loyola, 1981.

CABALLERO, Mara. *Dina Sfat, Palmas para que te quero*. Rio de Janeiro: Nórdica, 1988.

CABRAL, Oswaldo. *Os açorianos*. Florianópolis: 1951.

——. *Nossa Senhora do Desterro*. Florianópolis: Ed. da UFSC. 1972.1989.

CABRAL, Sérgio. *As escolas de samba no Rio de Janeiro*. Rio de Janeiro: Lumiar, 1996.

——. *Mangueira, a nação verde e tosa*. São Paulo: Prínio, 1998.

——. *No tempo de Ari Barroso*. Rio de Janeiro: Lumiar, s/d.

CAFEZEIRO, Edwaldo & GADELHA, Carmem. *História do teatro brasileiro: um percurso de Anchieta a Nelson Rodrigues*. Rio de Janeiro: UFRJ/Eduerj/Funarte, 1996.

CALDAS, José Antônio. *Notícia geral de toda esta capitania da Bahia desde o seu descobrimento até o presente ano de 1759*. Salvador: Tipografia Beneditina, 1951, edição fac similar.

CALLADO, Ana Arruda. *Adalgisa Néri*. Rio de Janeiro: Relume-Dumará, 1999.

CALLADO, Carlos. *Tropicália: a história de uma revolução musical*. São Paulo: Editora 34, 1997.

CALLIER-BOISVERT, Colete. "Les femmes au Brésil au debut de la colonization, a travers la correspondence des missionaires jesuites", in *O rosto feminino da expansão portuguesa: Congresso Internacional. Actas I e II*. Cadernos Condição Feminina nº 43: Comissão para a igualdade e para os direitos das mulheres. Lisboa: Fundação Calouste Gulbenkian/Negócios/Artes Gráficas, 1995.

CALMON, Pedro. *A princesa Isabel, "a redentora"*. São Paulo: 1941. [Col. Brasiliana, 207].

——. *O rei filósofo: a vida de D. Pedro II*. São Paulo: Nacional, 1938.

——. *História da Casa da Torre*. Rio de Janeiro: José Olympio, 1939.

——. "Luzes da Corte", in *História do Brasil*, vol.5. São Paulo: Companhia Editora Nacional, 1939.

——. *Introdução e Notas ao Catálogo Genealógico das Principais Famílias, de Frei Jaboatão*. Salvador: EGBa, 1985, vol.I.

——. *A bala de ouro: história de um crime romântico*. Salvador: Assembléia Legislativa do Estado da Bahia/Academia de Letras da Bahia, 1998.

CÂMARA, Adauto da. "Nísia Floresta": conferência realizada sob os auspícios da Federação das Academias de Letras, em 18 de março de 1938, no Club Militar. Rio de Janeiro: Mensário de o '*Jornal do Comércio*', tomo II, vol.II, mai 1938.

CÂMARA, Nathalie Bernardo. *Da aurora ao crepúsculo*. Natal: Fundação José Augusto, s/d.

CAMERINO, Olímpia de Araújo. *A mulher brasileira na II Guerra Mundial*. Rio de Janeiro: Capemi, 1983.

CAMPOI, Isabel. "Donas guerreiras — a presença feminina na coluna Prestes: um levantamento bibliográfico e documental". In: LAMB, Roberto & LEANDRO, José (orgs.). *História e Cultura*. Anais do V Encontro Regional de História. Associação Nacional de História (ANPUH) — Núcleo Regional do Paraná. Ponta Grossa, 1997.

CAMPOS, Augusto. *Pagu — vida e obra*. São Paulo: Brasiliense, 1982.

CAMPOS, Carlos Augusto. *As heroínas do Brasil: perfis biográficos da história militar do Brasil*. São Paulo: 1917.

CAMPOS, Léa. *Rules can be Broken — The Léa Campos biography — A Brazilian Sports Beauty Pionner*. Nova York, 1999.

CAPUANO, Yvonne. *De sonhos e utopias... Giuseppe e Anita Garibaldi*. São Paulo: Melhoramentos, 1999.

CARDIM, Fernão. *Tratados da terra e gente do Brasil*. São Paulo: Ed. Nacional/Brasília: INL, 1978.

CARDOSO, Sílvio Túlio. *Dicionário biográfico de música popular*. Rio de Janeiro: Gráf. Ouvidor, 1965.

CARDOSO, Wanda Stylita. *Laura Alvim: Anjo barroco*. Rio de Janeiro: Rosa dos Tempos, 1997.

CARLI, Gileno De. *O açúcar na formação econômica do Brasil*. Rio de Janeiro: Instituto de Açúcar e do Álcool, 1937 (separata do *Anuário Açucareiro*)

CAROLLO, C. Lacerda (col.) *Dicionário histórico-biográfico do Estado do Paraná*. Curitiba: Livraria do Chaim/Banestado, 1991.

CARONE, Edgard. *A Primeira República (1889-1930)*. São Paulo: Difel, 1976.

——. *Movimento operário no Brasil (1877-1944)*. São Paulo: Diefl, 1984.

CARVALHO, Delgado de. *História da cidade do Rio de Janeiro*. Rio de Janeiro: Secretaria Municipal de Cultura/Departamento Geral de Documentação e Informação Cultural, 1994.

CARVALHO, Luiz Maklouf. *Mulheres que foram à luta armada*. São Paulo: Globo, 1998.

CARVALHO, V.M. & COSTA, V.R. (coords.) *Cientistas do Brasil — depoimentos*. São Paulo: Sociedade Brasileira pelo Progresso da Ciência, 1998.

CASCUDO, Luís da Câmara. *Vida breve de Auta de Souza, 1876-1901*. S/ed, 1961.

CASÉ, Rafael. *Programa Casé — o rádio começou aqui*. Rio de Janeiro: Mauad, 1995.

CASTRO, A. O. Gomes & CASTAGNINO, A. Souto. *O Senado Federal de 1890 a 1927. Relação dos senadores desde a Constituinte até a 13ª*. Rio de Janeiro: 1927.

CASTRO, Ruy. *Estrela solitária: um brasileiro chamado Garrincha*. São Paulo: Companhia das Letras, 1997.

CASTRO FARIA, Luiz de. *Antropologia. Espetáculo e excelência*. Rio de Janeiro, Ed. da UFRJ/Tempo Brasileiro, 1993.

CAVALCANTI, Carlos (org.). *Dicionário brasileiro de artistas plásticos*. Brasília: MEC/INL, 1973, 1974.

CAVALCANTI, Cláudia. *Leila Diniz*. São Paulo: Brasiliense, 1983.

CAVALCANTI, Nireu. Coluna "Crônicas do Rio Colonial", *Jornal do Brasil*, 28.6.99, 5.7.1999, 12.7.99.

CEDIM. "Bertha Lutz — uma pioneira. Homenagem ao centenário de nascimento". Rio de Janeiro: 1994, folheto.

CENTRO CULTURAL LAURA ALVIM. *Laura Alvim*. Folhetim, 1999.

CERNICCHIARO, Vicenzo. *Storia della musica nel Brasile, daí tempi coloniali sino ai nostre giorni (1549-1925)*. Milão: Fraselli Riccieni, 1926.

CERQUEIRA, Marcelo. "Leila Diniz". Discurso apresentado na Câmara dos Deputados em 11.8.1982 (folheto).

CERQUEIRA, Paulo de Matos Pedreira de. "D. Pedro II e a Condessa de Barral", *Revista do Instituto Histórico e Geográfico Brasileiro*, nº 83. Salvador: IHGB/BA, 1967.

CHEKE, Marcus. *Carlota Joaquina: a rainha intrigante*. Rio de Janeiro: José Olympio, 1949.

Cinema Brasileiro 90 anos. Catálogo da Exposição.

CHALHOUB, Sidney. "Classes perigosas", *Trabalhadores*. Campinas: Unicamp, 1997.

Club Coritibano. Curitiba: Tip. Dezenove de Dezembro, Anno VII e XI, 1896 e 1900.

CLAVER, Ronald. *Senhora do Mundo*. Belo Horizonte: Imprensa UFMG, 1988, 2ª ed.

COARACY, Vivaldo. *O Rio de Janeiro no século dezessete*. Rio de Janeiro: José Olympio, 1965.

COATES, Timothy J. *Degredados e órfãs: colonização dirigida pela coroa no império português, 1550-1755*. Lisboa: Comissão Nacional para as Comemorações dos Descobrimentos Portugueses, 1999.

COELHO, Mariana. *O Paraná mental*. Curitiba: Tip. da Livraria Econômica, 1908.

——. *A evolução do feminismo: subsídios para a sua história*. Curitiba: Imprensa Moderna, 1931.

COLLING, Ana Maria. *A resistência da mulher à ditadura militar no Brasil*. Rio de Janeiro: Record/Rosa do Tempos, 1997.

Compêndio da história e cultura de Rondônia. Fundação Cultural de Rondônia. História e Cultura de Rondônia. Porto Velho: FUNCER, 1995.

CONDAMINE, Charle de La. *Relation abrégée d'un voyage de l'Amérique méridionale, depuis la Côté de la mer du Sud, jusqu'aux côtes du Brésil & de la Guyane*. Maestricht: Dufour & Roux, 1778.

CONRAD, Robert. *Os últimos anos da escravatura no Brasil, 1850-1888*. Rio de Janeiro: Civilização Brasileira, 1978, 3ª ed.

CONRADO, Aldomar. *Glauce Rocha: uma vida interrompida*. Rio de Janeiro: Relume-Dumará: Rioarte, 1996.

CONSELHO NACIONAL DOS DIREITOS DA MULHER (CNDM). *A mulher e a Constituinte*. Brasília: Ministério da Justiça, 1985.

——. *Mulheres e a Constituinte de 1988* (cartilha).

CORRÊA, M. "Dona Heloísa e a pesquisa de campo", *Revista de Antropologia*, vol.40, nº 1. São Paulo: FFLCH/USP, 1997.

CORRÊA, Mariza. "Os índios do Brasil elegante & a professora Leolinda Daltro", *Revista Brasileira de História*, vol.9, nº 18. São Paulo": ago-set 1989.

COSTA, Afonso. *As Órfãs da Rainha: base da formação da família brasileira*. Rio de Janeiro: Gráfica Sauer, 1950.

——. "Centenários de nomes ilustres da Bahia", *Revista do Instituto Histórico e Geográfico Brasileiro*. Rio de Janeiro: IHGB, abr-jun 1951.

——. "As Órfãs da Rainha", *Revista do Instituto Histórico e Geográfico Brasileiro*. Rio de Janeiro: IHGB, jan-mar 1946.

——. "Genealogia baiana", *Revista do Instituto Histórico e Geográfico Brasileiro*, vol.191. Rio de Janeiro: IHGB, 1946.

COSTA, Albertina. "É viável o feminismo nos trópicos?", *Cadernos de Pesquisa*, nº 66. São Paulo, ago 1988.

COSTA, Ana Alice Alcântara. *As donas no poder — mulher e política na Bahia*. Salvador: Núcleo de Estudos Interdisciplinares sobre a Mulher/FFCH/UFBA/Assembléia Legislativa da Bahia, 1998.

COSTA, Francisco Augusto Pereira. "Obras completas. Mosaico pernambucano", *Revista de História de Pernambuco*. Recife: 1924.

——. *Cronologia histórica do Estado do Piauí*. Recife: Jornal do Recife, 1909.

COSTA, Jucinelma da Silva & RAVENA, Nírvia. *As raízes do mando na Amazônia*. Belém: GEPEM/CFCH/UFPA, 1999.

COSTA, Luiz Monteiro da. "Memórias da fundação do Convento de Ursulinas da cidade da Baia que fundou D. Luiza de Monteserrate...", *Revista do Instituto Geográfico e Histórico da Bahia*, nº 80. Salvador: IHGB/BA, 1956.

COUTINHO, Afrânio; SOUZA, J. Galante (orgs.). *Enciclopédia de literatura brasileira*. Rio de Janeiro: OLAC/Brasília: FAE, 1990.

——. (dir.). *Brasil e brasileiros de hoje*. Rio de Janeiro: Ed. Sul-Americana, 1961.

COUTINHO, José Lino. *As cartas para a educação de Cora, seguidas de um catecismo moral, político e religioso*. Salvador: Ponggetti, 1849.

COUTINHO, Nilton. *Poder Legislativo no Maranhão*. São Luís: Assembléia Legislativa, 1988, 2 vols.

COUTO, Domingos do Loreto. *Desagravos do Brasil e glórias de Pernambuco*. Rio de Janeiro: Off. Typ. da Biblioteca Nacional, 1904.

COUTO, Jorge. *A construção do Brasil*. Lisboa: Cosmos, 1998.

CUNHA, Luís Antônio. *A universidade yemporã: da colônia a era Vargas*. Rio de Janeiro: Francisco Alves, 1986.

CUNHA, Manuela Carneiro da. "Política indigenista no século XIX", in *História dos índios no Brasil*. São Paulo: Companhia das Letras/Secretaria Municipal de Cultura/Fapesp, 1992.

CUNHA JÚNIOR, Henrique. "História africana para educadores", *Revista do CNTE*, 1998.

CRUZ FILHO. *História do Ceará: resumo didático*. Fortaleza: Secretaria da Cultura e Desporto, 1987.

D'ABBEVILLE, Claude. *História da missão dos padres capuchinhos na ilha do Maranhão e terras circunvizinhas*. Belo Horizonte: Itatiaia/São Paulo: USP, 1975 (1ª ed.: 1614).

DANTAS, Arruda. *Dona Olívia*. São Paulo: Sociedade Impressora Pannartz, 1975.

D'ARMADA, Fina. "As mulheres nas naus da Índia (séc.XVI)", in *O rosto feminino da expansão portuguesa: Congresso Internacional. Actas I e II*. Cadernos Condição Feminina nº 43: Comissão para a igualdade e para os direitos das mulheres. Lisboa: Fundação Calouste Gulbenkian/Negócios/Artes Gráficas, 1995.

DE VINCENZI, L.J.B. "A graduação em ciências sociais e sociologia e política nas universidades do Rio de Janeiro: Estudo comparativo". Rio de Janeiro: FE/CFCH/UFRJ, 1984 (dissertação de mestrado).

DIAP (Departamento Intersindical de Assessoria Parlamentar). *Quem foi quem na Constituinte nas questões dos interesses dos trabalhadores*. São Paulo: Cortez, 1988.

DIAS, Everardo. *História das lutas sociais no Brasil*. São Paulo: Alfa-Ômega, 1977.

DIAS, Maria Odila Leite da Silva. *Quotidiano e poder em São Paulo no século XIX*. São Paulo: Brasiliense, 1995.

Dicionário de música. Rio de Janeiro: Zahar, 1985.

DIDIER, C. & MÁXIMO, J. *Noel Rosa: uma biografia*. Brasília: Editora da UnB/Linha Gráfica Editora, 1990.

——. *História do samba*. São Paulo: Globo, 1997.

DINES, Alberto. *Vínculos de fogo — Antônio José da Silva, o Judeu e outras histórias da Inquisição em Portugal e no Brasil*. São Paulo: Companhia das Letras, 1992.

DINIZ, Edinha. *Chiquinha Gonzaga: Uma história de vida*. Rio de Janeiro: Rosa dos Tempos, 1991.

DITTRICH, Regina I. *O deputado catarinense. Assembléia Legislativa no período de 1947 a 1965*. Florianópolis: Ed. da UFSC, 1981.

Dona Nuta — um símbolo. Rio de Janeiro: Editado pela Família James, 1978.

DÓRIA, Afonso de Escrangnolle. *Memória histórica, comemorativa do 1º Centenário do Colégio Pedro II (1837-1937)*. Rio de Janeiro: Ministério da Educação, 1937.

DORIA, Escragnolle. "O Álbum da Candiani", *Revista da Semana*, 9.12.1922.

DORIA, Francisco Antônio. *Os herdeiros do poder*. Rio de Janeiro: Revan, 1995.

DORNAS FILHO, João. "As enforcadas de Sabará", *Investigação*, vol.3, nº 26. São Paulo: fev 1951.

"Dossiê Leila Diniz", *Estudos Feministas*, vol.2, nº 2, Rio de Janeiro: CIEL/ECA/UFRJ, 1994.

DUARTE, Constância Lima. *Nísia Floresta: vida e obra*. Natal: Editora Universitária da UFRN, 1995.

——. "Izabel Gondim", in MUZART, Zahidé Lupinacci (org.), *Escritoras brasileiras do século XIX*. Florianópolis: Ed. Mulheres/Santa Cruz do Sul: Edunisc, 1999.

DULCE, O.S. (org.). *Belo Horizonte: poder, política e movimentos sociais.* Belo Horizonte: Editora Com Arte, 1996.

DULLES, John W.F. *Anarquistas e comunistas no Brasil.* Rio de Janeiro: Nova Fronteira, 1977.

EDMUNDO, Luiz. *O Rio de Janeiro no tempo dos vice-reis (1763-1808).* Rio de Janeiro: Imprensa Nacional, 1932.

EFEGÊ, Jota (João Ferreira Gomes). *Figuras e coisas do carnaval carioca.* Rio de Janeiro: Funarte, 1982.

Enciclopédia da música brasileira: popular, erudita e folclórica. São Paulo: Art Editora, 1978 (1ª ed.); 1998 (2ª ed.).

Enciclopédia Mirador Internacional. São Paulo: Encyclopaedia Britannica do Brasil Publicações, 1980.

Enciclopédia Nosso Século. São Paulo: Abril Cultural, 1980.

ENCISO, Oliva. *Mato Grosso do Sul: minha terra.* São Paulo: Resenha, 1986.

ENNES, Ernesto. "Uma escritora brasileira do século XVII", in ORTA, Teresa Margarida da Silva, *Obra reunida.* Rio de Janeiro: Graphia, 1993.

ERVEN, Herbert Munhoz van. *Júlia Wanderley. Uma vida que igualou o seu destino.* Curitiba: Edição do Autor, 1945.

ESCOBAR, Ruth. *Maria Ruth.* Rio de Janeiro: Guanabara, 1987.

ESTEVES, Martha de Abreu. *Meninas perdidas: os populares e o cotidiano do amor no Rio de Janeiro da Belle Époque.* Rio de Janeiro: Paz e Terra, 1989.

FABBRINI, Ricardo Nascimento, "O essencial do desejo", *Folha de S.Paulo,* 10.7.1999.

FACO, Rui. *Cangaceiros e fanáticos: gênese e lutas.* Rio de Janeiro: Civilização Brasileira, 1963.

FAGUNDES, Antonio Augusto. *As santas prostitutas.* Porto Alegre: Martins Livreiro, 1987.

FALCI, Miridan Konx. "Mulheres do sertão nordestino", in PRIORE, Mary Del, *História das mulheres no Brasil* (org.). São Paulo: Contexto, 1997.

FARIA, Maria Juscelina. "Mosteiro Nossa Senhora da Conceição de Macaúbas: um recolhimento mineiro do século XVIII", *Análise e Conjuntura.* Fundação João Pinheiro, jan-abr 1987.

FAUSTO, Boris. "Expansão do café e política cafeeira", in *História geral da civilização brasileira,* tomo III, vol.1. São Paulo: Difel, 1985.

——. *História do Brasil.* São Paulo: Universidade de São Paulo/Fundação do Desenvolvimento da Educação, 1995.

FÁVERO, Maria de Lourdes (org.). *Faculdade Nacional de Filosofia.* Rio de Janeiro: PROEDES/FE/UFRJ, 1992, 5 vols.

FAZENDA, José Vieira. "Antiqualhas e memórias do Rio de Janeiro", *Revista do Instituto Histórico e Geográfico Brasileiro,* nº 147. Rio de Janeiro: IHGB, 1924.

FEDERAÇÃO DAS BANDEIRANTES DO BRASIL. *Edição Comemorativa: 65 anos.* Rio de Janeiro: mai-jun 1984.

FEDERAÇÃO DE MULHERES DO BRASIL. *Atravessando as fronteiras da URSS.* Rio de Janeiro: Editorial Vitória, 1954.

FERNANDES, Ana Maria. *A construção da ciência no Brasil e a SBPC.* Brasília: UnB/Anpocs/CNPq, 1990.

FERNANDES, Hêlle & SABÓIA, América da C. *Antologia didática de escritores paranaenses.* Curitiba: Imprensa Oficial, 1976.

FERNANDES, Jorge Batista. "Ordenando a República, construindo o Progresso. O primeiro Congresso Constituinte da República, 1890-1891". Rio de Janeiro: UFRJ, 1997, 2 vols. (dissertação de mestrado).

FERNANDES, Rofram. *Teatro Ruth Escobar: 20 anos de resistência.* São Paulo: Global, 1985.

FERREIRA, Batista. *Vultos e episódios do Brasil.* São Paulo: Companhia Editora Nacional, s/d.

FERREIRA, Luzilá Gonçalves. *Em busca de Thargélia.* Recife: Fundarpe, 1991.

——. "Mulheres e escravos se entendem: feminismo e abolição em Pernambuco", *Arrecifes,* nº 5, jan-jun 1992.

FERREIRA, Marta Helena Araújo. *Olhar o futuro sem barreiras.* São Paulo: Conselho Estadual da Condição Feminina, 1999.

FEYDIT, Júlio. *Subsídios para a história dos Campos dos Goitacazes.* Rio de Janeiro: Esquilo, 1979.

FICKER, Carlos. *História de Joinville, subsídios para a crônica da Colônia Dona Francisca.* Joinville: Fundição Tupy/Impressora Ipiranga, 1965.

FIGUEIREDO, Augusta. *A mulata Luciana no Vale do Jequitinhonha.* Rio de Janeiro, 1982.

FIGUEIREDO, Luciano Raposo de Almeida. *Barrocas famílias. Vida familiar em Minas Gerais no século XVIII.* São Paulo: Hucitec, 1995.

——. *O avesso da memória. Cotidiano da mulher em Minas Gerais, século XVIII.* Brasília: UnB/Rio de Janeiro: José Olympio, 1993.

——. "Mulheres nas Minas Gerais", in PRIORI, Mary Del (org.), *História das mulheres no Brasil.* São Paulo: Contexto, 1997.

FLORES, Hilda Agnes Hübner. "Ensaio introdutório à segunda edição do livro de BARRANDAS,

Ana Eurídice Eufrosina de: *O Ramalhete*". Porto Alegre: Nova Dimensão, 1990.

FLORESTA, Nísia. *Itinerário de uma viagem à Alemanha.* Natal: Editora Universitária, 1982.

FLORINDA, Taís. "Júlia Lopes de Almeida", in *Academia Literária Feminina do Rio Grande do Sul- 50 anos de literatura: perfil das patronas.* Porto Alegre: IEL, 1993.

FONSECA, Célia Freire da. *A economia européia e a colonização do Brasil: a experiência de Duarte Coelho.* Rio de Janeiro: Conselho Federal do IHGB, 1978.

FONSECA, João Elísio. *A estrela Dalva.* Rio de Janeiro: Espaço e Tempo, 1987.

FONSECA, Nair de Teffé Hermes da. *A verdade sobre a Revolução de 1922.* Rio de Janeiro: Cavalcanti, 1974.

FONTAINHA, Afonso. *História dos monumentos do Rio de Janeiro — biografias.* Rio de Janeiro: 1963.

FORTES, João Borges. *Casais.* Rio de Janeiro: s/ed, 1932 (edição do Centenário Farroupilha).

FORTI, Maria do Carmo Pagan. *Maria do Juazeiro, a beata do milagre.* São Paulo: Annablume, 1999.

FRANCO, Francisco de Assis Carvalho. "Introdução", in STADEN, Hans. *Duas viagens ao Brasil.* Belo Horizonte: Itatiaia, 1974.

——, *Dicionário de bandeirantes e sertanistas do Brasil.* Belo Horizonte: Itatiaia/São Paulo: Edusp, 1989.

FREIRE, Gilberto. *Sobrados e mucambos.* Rio de Janeiro: Record, 1990.

——. *Casa grande e senzala: formação da família brasileira sob o regime da economia patriarcal.* Rio de Janeiro: José Olympio, 1964 [1931].

FREIRE, Gilberto & LOPES, Waldemar. *Pernambucanidade consagrada.* Recife: FUNDAJ/Massangana, 1987.

FREITAS, Gomes de. "Índia Jucá, bisavó de Padre Cícero", *Revista do Instituto do Ceará.* 1968.

FRIDMAN, Fania. *Donos do Rio em nome do Rei.* Rio de Janeiro: Jorge Zahar/Garamond, 1999.

FUEGO, Luz del. *A verdade nua.* Rio de Janeiro: 1950.

FUNDAÇÃO CARLOS CHAGAS. *Mulher brasileira, bibliografia anotada.* São Paulo: Brasiliense, 1979.

FURTADO, Júnia Ferreira. "Nem escrava, nem rainha: a história documentada de Chica da Silva", *O Estado de Minas*, 14.9.1998.

GAGLIARDI, José Mauro. *O indígena e a República.* São Paulo: Hucitec/Edusp/Secretaria de Estado de Cultura, 1989.

GALENO, Henriqueta. *Mulheres admiráveis.*

GALERIA DA FUNDAÇÃO OSÓRIO. *Mulheres brasileiras.* Rio Grande do Sul: Galeria Fundação Osório, 1950.

GALERIA NACIONAL. *Vultos proeminentes da história brasileira.* Rio de Janeiro: Tip. Jornal do Brasil, 1932.

GALVÃO, Walnice Nogueira. "As mandonas brasileiras nos textos literários", in *O rosto feminino da expansão portuguesa: Congresso Internacional. Actas I e II.* Cadernos Condição Feminina nº 43: Comissão para a igualdade e para os direitos das mulheres. Lisboa: Fundação Calouste Gulbenkian/Negócios/Artes Gráficas, 1995.

GARCIA, Elizabeth de Souza Lobo. *A classe operária tem dois sexos: trabalho, dominação, resistência.* São Paulo: Brasiliense, 1981.

GARIBALDI, Anita. *Anita Garibaldi: a mulher do general.* São Paulo: Martins Fontes, 1989.

GHELLER, Elza Maria (org.). *Josefa: A resistência de uma camponesa brasileira.* São Paulo: Paulinas, 1996.

GIACOMINI, Sônia Maria. *Mulher e escrava. Uma introdução histórica do estudo da mulher negra no Brasil.* Petrópolis: Vozes, 1988.

GIFFONI, O. Carneiro. *Dicionário bibliográfico de escritores médicos.* São Paulo: Nobel, 1972.

GIRÃO, Raimundo. *A Abolição no Ceará.* Fortaleza/ Prefeitura Municipal de Maracanaú, s/ed., 1988, 4ª ed.

——. *Pequena história do Ceará.* Fortaleza: A. Batista Fontenelle, 1953.

GIRÃO, Raimundo & SOUZA, Maria da Conceição. *Dicionário de literatura cearense.* Fortaleza: Imprensa Oficial do Ceará, 1987.

GOMES, Ângela de Castro (coord). *Velhos militantes.* Rio de Janeiro: Jorge Zahar, 1988.

——. (org). *Regionalismo e centralização política. Partidos e Constituinte nos anos 30.* Rio de Janeiro: Nova Fronteira, 1980.

GOMES, Ângela de Castro. "A guardiã da memória", *Acervo*, vol.9, nº 1/2. Rio de Janeiro: Arquivo Nacional, jan-dez 1996,.

GOMES, Flávio dos Santos. *Histórias de quilombolas. Mocambos e comunidades de senzalas no Rio de Janeiro — século XIX.* Rio de Janeiro: Arquivo Nacional, 1995.

GONÇALVES, Augusto de Freitas Lopes. *Dicionário histórico e literário de teatro no Brasil*, vol.III. Rio de Janeiro: Cátedra, 1979.

GORDINHO, Margarida Cintra (org.) *Assembléia Legislativa de São Paulo: um exercício de democracia.* São Paulo: Marca d'Água, 1991.

GORENDER, Jacob. *A escravidão reabilitada.* São Paulo: Ática, 1991.

GOUVÊA, Fernando da Cruz. *Abolição: a liberdade veio do norte.* Recife: FUNDAJ/Massangana, 1988.

GRAHAM, Sandra Lauderdale. *Proteção e obediência: criadas e seus patrões no Rio de Janeiro, 1860-1910.* São Paulo: Companhia das Letras, 1992.

Grande Enciclopédia Delta-Larousse. Rio de Janeiro: Ed. Delta, 1972.

GRINBERG, Keila. *Liberata: a lei da ambigüidade. As ações de liberdade da Corte de Apelação do Rio de Janeiro no século XIX.* Rio de Janeiro: Relume Dumará, 1994.

GUIAS PRÁTICOS NOVA CULTURAL. *Astros e Estrelas.* São Paulo: Nova Cultural, 1990.

GUIMARÃES, Francisco (Vagalume). *Na roda do samba.* Rio de Janeiro: MEC/Funarte, 1978.

GULLAR, Ferreira. *Nísia da Silveira: uma psiquiatra rebelde.* Rio de Janeiro: Relume Dumará, 1996.

HAHNER, June E. *A mulher brasileira e suas lutas sociais e políticas: 1850-1937.* São Paulo: Brasiliense, 1981.

HELENA, Raimundo Santa. *Clara Nunes.* Rio de Janeiro: Literatura de Cordel, 1984.

HELLER, Agnes. *O cotidiano e a história.* São Paulo: Paz e Terra, 1992. 4ª ed.

HERENHOFF, Elly. "Era uma vez um simples caminho", in *Fragmentos da história de Joinville.* Joinville: Prefeitura Municipal de Joinville/Fundação Cultural de Joinville/AHJ, 1987.

História do Brasil. Rio de Janeiro: Bloch Editores, 1972. Enciclopédia Ilustrada do Brasil. Rio de Janeiro: Bloch Editores, 1982, 2 vols.

História do Samba, vol.14. São Paulo: Globo, 1997.

HOLLANDA, Heloísa Buarque de. (org.) *Realizadoras de cinema no Brasil: 1930-1988.* Rio de Janeiro: CIEC, 1989.

HOLLANDA, Sérgio Buarque. *Visões do paraíso. Os motivos edênicos no descobrimento e colonização do Brasil.* São Paulo: Cia. Editora Nacional, 1969. [col. Brasiliana, vol.333]

HOORNAERT, Eduardo. "Catequese e aldeamento", in SOUZA, Simone (coord.), *História do Ceará.* Fortaleza: Fundação Demócrito Rocha, 1995, 4ª ed.

INSTITUTO LINA BO BARDI. *Lina Bo Bardi.* Rio de Janeiro: ILBB, 1993.

IRACI, Nilza; PEREIRA, Maria R. & RUFINO, Alzira. *A mulher negra tem história.* Rio de Janeiro: Coletivo de Mulheres Negras da Baixada Santista, s/d.

Isto É & The Times. *1.000 que fizeram o século 20.* São Paulo: Editora Três, 1995.

Isto É & The Times. *Nova enciclopédia ilustrada — Folha.* São Paulo: Folha de S.Paulo, 1996.

JAMUNDÁ, Theobaldo Costa & MEIRINHO, Jali. *Nomes que ajudaram a fazer Santa Catarina.* Florianópolis: EDEME, 1971.

JANOTTI, Maria de Lourdes M. "Três mulheres da elite maranhense", *Revista Brasileira de História*, vol.16, nº 31 e 32. São Paulo: ANPUH/Contexto, 1996.

JESUS, Erildo Antônio Nascimento. "Chica que manda", *Revista Palmares.* Brasília: mar 2000.

JOFFILY, Geraldo. "Branca Dias, legendária vítima da Inquisição", *Revista de História*, nº 86. São Paulo: USP, 1971.

JOFFILY, José. *Anayde — Paixão e morte na Revolução de 30.* Rio de Janeiro: Record, 1983.

KAISER, Glória. *Dona Leopoldina: uma Habsburg no trono brasileiro.* Rio de Janeiro: Nova Fronteira, 1997.

KAYSERLING, Meyer. *História dos judeus em Portugal.* São Paulo: Pioneira, 1971.

KEHL, Maria Rita & VANUCCI, Paulo. "Madre Cristina", in POMAR, V. & Melleiro, W. *Rememória — Entrevistas sobre o Brasil do século XX.* São Paulo: Fundação Perseu Abramo, 1997.

KEHL, Maria Rita & VENCESLAU, Paulo de Tarso. "Clara Charf". In AZEREDO, R. & MAUÉS, F. (orgs.), *Rememória — entrevistas sobre o Brasil do século XX.* São Paulo: Fundação Perseu Abramo, 1997.

KLAVE, Janina Z. "O papel da mulher nos Descobrimentos e na expansão portuguesa, in *Rosto Feminino da Expansão Portuguesa: Congresso Internacional. Actas I e II.* Cadernos Condição Feminina nº 43: Comissão para a igualdade e para os direitos das mulheres. Lisboa: Fundação Calouste Gulbenkian/Negócios/Artes Gráficas, 1995.

KIDDER, Daniel P. *Reminiscências de viagens e permanências nas províncias do norte do Brasil.* Belo Horizonte: Itatiaia/São Paulo: USP, 1980 [1845].

KOOGAN & HOUAISS. *Enciclopédia e dicionário ilustrado.* Rio de Janeiro: Delta, 1998.

KORYBUT-WORONIECKI, Jan. *Eles construíram a grandeza de São Paulo.* São Paulo: Sociedade Brasileira de Expansão Comercial, 1954.

KOWARICK, Lúcio F. "A constituição do mercado de mão-de-obra livre no Brasil: uma abordagem histórica", 1977 (mimeo).

KUSHNIR, Beatriz. *Baile de máscaras — mulheres judias e prostituição: as polacas e suas associações de ajuda mútua.* Rio de Janeiro: Imago, 1996.

——. "As polacas cariocas: mulheres judias prostitutas e suas associações de ajuda mútua". *Acervo.*

Rio de Janeiro: Arquivo Nacional, 1997. [vol.9, 1-2, jan/dez, 1996]

L'ABBATE, Maria de Lourdes Patrine. "A presença de Eneida na cultura do Nordeste", *Anais do 5º Seminário Nacional Mulher e Literatura*. Natal: UFRN, 1995.

LACERDA, Carlos. *O Quilombo de Manuel Congo*. Rio de Janeiro: Lacerda, 1998, 2ª ed.

LACERDA, Luís Carlos. *Leila para sempre Diniz*. Rio de Janeiro: Record, 1987.

LAGES, Lili. *A nova mulher e o problema da infância*. Salvador: Livraria Científica, 1933.

LAGO, Laurênio. *Nobliarquia brasileira. Titulares do sexo feminino*. Rio de Janeiro: Imprensa Militar, 1949.

LAMEGO, Alberto Ribeiro. *A terra goytacá à luz de documentos inéditos*. Bruxelas: L'Édition d'Art, 1913.

——. *O homem e o brejo*. Rio de Janeiro: IBGE, 1945.

Langenscheidts. Taschnwaterbuch der batugilsischen und deutschensprache. Berlim: Langenscheidts, 1971.

LAPA, J.R. Amaral (apresentação). *Livro da Visitação do Santo Ofício da Inquisição ao Estado do Grão Pará, 1763-1769*. Petrópolis: Vozes, 1978 (coletânea de documentos primários).

LARGMAN, Esther R. *Jovens polacas*. Rio de Janeiro: Rosa dos Tempos, 1993.

LAVINAS, Lena & MELO, Hildete Pereira de. *Mulheres sem medo do poder: Chegou a nossa vez!* Cartilha para mulheres candidatas a vereadoras. Rio de Janeiro: Dipes/IPEA, Brasília: Bancada Feminina no Parlamento Nacional/IBGE/Senado Federal, 1996.

LEAL, Guaraciara B. & MONTEIRO, Angélica. *Mulher; da luta e dos direitos*. Brasília: Instituto Teotônio Vilela, 1998.

LEAL, Maria das Graças de Andrade. *A arte de ter um ofício: Liceu de Artes e Ofícios da Bahia (1872-1996)*. Salvador: Fundação Odebrecht/Liceu de Artes e Ofícios da Bahia, 1996.

——. "Joana: um palácio e dois casamentos", *A Tarde Cultural*, Salvador, 19.4.1997.

LEÃO, Veloso. *Eneida... simplesmente Eneida*. Rio de Janeiro: Livraria São José, 1973.

"Lembrando Carmen da Silva", *Impressões*, nº zero, Rio de Janeiro: dez 1987.

LEITE, Aureliano. "A figura feminina da Inconfidência Mineira", *Revista do Instituto Histórico e Geográfico Brasileiro*. Rio de Janeiro: IHGB, abr-jun 1952.

LEITE, Míriam Lifchitz Moreira. "Quem foi Maria Lacerda de Moura?", *Economia e Sociedade*, nº 2, 1979.

——. "Eu, Maria Lacerda de Moura", *Mulherio*, nº 6, ano 2, 1982.

——. "Maria Lacerda de Moura: imagem e reflexo". Projeto de pesquisa apresentado à Fundação Carlos Chagas (SP) em 1982.

——. *Livros de Viagem: 1803/1900*. Rio de Janeiro: Ed. da UFRJ, 1997.

LEITE, Serafim. *História da Companhia de Jesus no Brasil*, tomo V. Rio de Janeiro: INL, 1945.

LEME, Pedro Taques de Almeida Paes. *Nobiliarquia paulistana histórica e genealógica*, 4 vols. São Paulo: Comissão do IV Centenário da Cidade de São Paulo, 1953.

——. *Notícias das minas de São Paulo e dos sertões da mesma capitania*. Belo Horizonte: Itatiaia, 1998.

LENK, Maria. *Braçadas e abraços*. Rio de Janeiro: Bradesco, 1986.

LÉRY, Jean de. *Viagem à terra do Brasil*. Belo Horizonte: Itatiaia/São Paulo: USP, 1980.

LEVI, Darell. *A família Prado*. São Paulo: USP/Belo Horizonte: Itatiaia, 1980.

LEVINE, Robert M. & MEIHY, José Carlos Sebe Bom. *Cinderela Negra: a saga de Carolina Maria de Jesus*. Rio de Janeiro: Ed. da UFRJ, 1994.

LEVY, Jim. *Juana Manso. Argentine Feminist*. Bundoora: La Trobe University/Institute of Latin American Studies, 1977.

LIENHARD, Martin. "A insurreição de Manoel Congo", in *O mar e o mato*. Salvador, EDUFBA/CEAO, 1998.

LIMA, Álvaro Gonçalves da Costa; LIMA, Francisco de Assis & SAMICO, Armando Hermes Ribeiro. "Aspectos da atividade do comunismo em Pernambuco". Trabalho apresentado à II Conferência Nacional de Política, 1975.

LIMA, Herman. "Nossa primeira caricaturista: Nair de Teffé", *Revista do Livro*, ano 6, nº 21 e 22. Rio de Janeiro: mar-jun 1921.

LIMA, Lourenço Moreira. *A Coluna Prestes — marchas e combates*. São Paulo: Alfa-Ômega, 1979.

LIMA, Rosi Pinheiro. *Vida de Júlia da Costa*. Curitiba: Escola Técnica, 1953.

LIMA, Vivaldo da Costa. "Os obás de Xangô", in: *Olòòrìsà — Escritos sobre a religião dos Orixás*. São Paulo: Ágora, 1981.

LIMA JÚNIOR, Augusto de. *O amor infeliz de Marília e Dirceu*. Belo Horizonte: Itatiaia, 1998.

LIRA, Mariza. *Chiquinha Gonzaga*. Rio de Janeiro: MEC/Funarte, 1978.

LIRA, Padre João Mendes. *A escravatura e a abolição dos escravos em Sobral*. Sobral: 1981.

LISBOA, Baltasar da Silva (org.). *Anais do Rio de Janeiro*, 7 vols. Rio de Janeiro: Prefeitura do Distrito Federal, 1941.

Livro do Ano Barsa, 1992: eventos de 1991. São Paulo: Encyclopaedia Britannica do Brasil, 1992.

Livro do Centenário, 1500-1900. Associação do 4 º Centenário do Descobrimento do Brasil. Rio de Janeiro: Imprensa Nacional, 1900.

LLOYD, Reginald. *Impressões do Brasil no século XX*. Londres: Lloyd's Greater Britain Pub., 1913.

LOBO, Chiquinha Neves. *Vultos célebres*. São Paulo: 1949.

LOBO, Francisco Bruno. "Rita Lobato. A primeira médica formada no Brasil", *Revista de História*, nº 86, São Paulo: USP, 1971.

LOBO, Luiza. "A pioneira maranhense Maria Firmina dos Reis", *Estudos Afro-Asiáticos*. nº 16, 1989.

LODY, Raul & MARTINS, Cléo. (orgs.). *Faraimará, o caçador traz alegria: mãe Stella, 60 anos de iniciação*. Rio de Janeiro: Pallas, 2000.

LOPES, Augusto de Freitas. *Dicionário histórico e literário do Brasil*. Rio de Janeiro: Cátedra, 1979.

LORETO, Barão de. *Notícia biográfica da condessa de Barral e de Pedra Branca*. Rio de Janeiro: Tip. G. Leuzinger e filhos, 1891.

LUNA, Luís. *O negro na luta contra a escravidão*. Rio de Janeiro: Cátedra, 1976.

LUZ, Marco Aurélio de Oliveira. *Agadá: dinâmica da civilização africano-brasileira*. Salvador: Centro Editorial e Didático da UFBa/Sociedade de Estudos Cultura Negra no Brasil, 1995.

LYRA, Augusto Tavares. "O centenário de criação do Supremo Tribunal de Justiça", *Revista do Instituto Histórico e Geográfico Brasileiro*, vol.158, t.104, Rio de Janeiro: IHGB, 1928.

MACEDO, Joaquim Manoel. *Mulheres célebres*. Rio de Janeiro: Garnier, 1878.

——. *Um passeio pela cidade do Rio de Janeiro*. Rio de Janeiro: Garnier, 1862.

MACHADO, Lielza Lemos. *Imagens de Vassouras*. Vassouras: 1994.

MACHADO, Paulo Afonso de Carvalho. *Antigüidades brasileiras*. Rio de Janeiro: José Álvaro Editor, 1965.

MADRE DE DEUS, Frei Gaspar da. *Memórias para a história da capitania de São Vicente, hoje chamada de São Paulo, do estado do Brasil*. Lisboa: Academia das Ciências, Tipografia da Academia, 1797.

MAESTRI, Mário. *Uma história do Brasil: Colônia*. São Paulo: Contexto, 1997.

Magda Tagliaferro 1893-1993. São Paulo: Fundação Magda Tagliaferro/Secretaria de Estado da Cultura, 1993.

MAGALHÃES, Basílio de. *Pela paz e pelo progresso do Brasil. Voto secreto obrigatório. sufrágio e elegibilidade de mulheres [...]*. Discursos pronunciados na Câmara Federal a 28 de novembro, 1º e 12 de dezembro de 1924. Rio de Janeiro: Imprensa Nacional, 1925.

——. *A mulher, os seus direitos políticos e o papel que lhe incumbe na atual evolução do Brasil*. Rio de Janeiro: Livraria Leite Ribeiro, 1928.

MANINI, Daniela. "A crítica feminista à modernidade e o projeto feminista no Brasil dos anos 70 e 80", *Cadernos AEL*, nº 3-4, 1995-96.

MARÇAL, Terezinha (org.). *Depoimentos* III. Rio de Janeiro: Ministério da Educação e Cultura/Serviço Nacional do Teatro, 1977.

MARGARIDA, Angela. *Grandes personagens da nossa história*. São Paulo: Victor Civita, 1969, 4 vols.

MARIANTE, Hélio Moro. *Maria Degolada: mito ou realidade?* Porto Alegre: Edições Est, s/d.

MARINHO, José Antônio. *História do movimento político da província de 1842*. Belo Horizonte: Itatiaia/São Paulo: Edusp, 1977.

MARIO, Jessie W. *Garibaldi i suoi tempi*. Milão, 1884.

MARIZ, Zélia Maria Bezerra. *Nísia Floresta Brasileira Augusta*. Natal: Editora Universitária, 1982.

MARIZ, Vasco. *Figuras da música brasileira contemporânea*. Brasília: UnB, 1970.

MATOS, Maria Izilda Santos de. *Dolores Duran: experiências boêmias em Copacabana nos anos 50*. Rio de Janeiro: Bertrand Brasil, 1997.

MATTOS, C.P. *José Maurício Nunes Garcia: biografia*. Rio de Janeiro: Fundação Biblioteca Nacional, 1996.

MATTOS, Hebe Maria de Castro. *Das cores do silêncio: os significados da liberdade no sudeste escravista, Brasil século XIX*. Rio de Janeiro: Arquivo Nacional, 1995.

MATTOS, José Veríssimo. "A instrução e a imprensa", in *Livro do Centenário, 1500-1900*. Associação do 4 º Centenário do Descobrimento do Brasil. Rio de Janeiro: Imprensa Nacional, 1900.

MATTOS, Waldemar. *Paço do Saldanha*. Salvador: Editora Beneditina, 1971.

——. "D. Francisca de Sande: a primeira enfermeira do Brasil", *Anais do Arquivo do Estado da Bahia*, vol.31, p.369-420. Salvador.

MAXWELL, Kenneth. "A Conspiração Baiana de 1798", *Folha de S.Paulo*, 26.7.1998.

MEC/MNBA. *Catálogo da Exposição de Lucílio e Georgina de Albuquerque*. Rio de Janeiro: MEC/MNBA, 1977.

MEDEIROS, Valério Augusto Soares. *As senadoras do cigano feiticeiro*. Natal: Fundação Vingt-Un Rosado: Coleção Mossoroense, série C: nº 1066, co-edição Secretaria de Educação e Cultura da Paraíba e Fundação Municipal de Cultura da Prefeitura de Mossoró, 1998.

MEDICI, Ademir. *De Pilar a Mauá*. Ademir Medici. *9 de Novembro de 1947: a vitória dos candidatos de Prestes*. Cópia original do livro a ser lançado.

MELLO, Evaldo Cabral de. *O negócio do Brasil. Portugal, os Países Baixos e o Nordeste, 1641-1669*. Rio de Janeiro: Topbooks, 1998.

——. *O nome e o sangue: uma fraude genealógica no Pernambucas colonial*. São Paulo: Companhia das Letras, 1989.

MELLO, José Octávio de Arruda. "Maria Augusta", *Revista do Instituto Histórico e Geográfico Paraibano*, ano LXXXIX, nº 30. João Pessoa: IHGB/PB, agosto de 1998.

MELLO, Laudelina de Campos. "Entrevista", *Revista Trabalhadores*. Classes perigosas, nº 6.

MELLO, Maria Teresa Bandeira. *Arte e fotografia: o movimento pictorialista no Brasil*. Rio de Janeiro: Funarte, 1998.

MELO, Henrique Capitolino Pereira de. *Pernambucanas ilustres*. Recife: Tipografia Mercantil, 1897.

MEMÓRIA, Padre Assis. *A tragédia da Serra Verde — dos anais da escravatura*. Fortaleza: Tip. Minerva, 1918.

MENDONÇA, Ana Amélia Carneiro de. "As poetisas e prosadoras brasileiras", *Revista do Instituto Histórico e Geográfico Brasileiro*, vol.161. Rio de Janeiro: IHGB, 1929.

MENDONÇA, Belkiss S. Carneiro de. "Breve retrospectiva da música em Goiás", *Revista da Academia Nacional de Música*, vol.X. Rio de Janeiro: Academia Nacional de Música, 1999.

MENDONÇA, José Lourenço D. & MOREIRA, Antônio Joaquim. *História dos principais atos e procedimentos da Inquisição em Portugal*. Lisboa: Imprensa Nacional/Casa da Moeda, 1980.

MENDONÇA, Maria Eugênia Celso Carneiro de. "O espírito e o heroísmo da mulher brasileira", *Revista do Instituto Histórico e Geográfico Brasileiro*, vol.158, t.104. Rio de Janeiro: IHGB, 1928.

MENEZES, Nilza. *Chá das cinco na floresta*. Campinas: Komedi, 1998.

MENEZES, Raimundo de. *Dicionário literário brasileiro ilustrado*. São Paulo: LTC, 1978.

MIGLIEVICH RIBEIRO, Adelia M. "Heloísa Alberto Torres e Marina São Paulo de Vasconcelos: círculos intelectuais e construção das ciências sociais na cidade do Rio de Janeiro". Rio de Janeiro: IFCS/UFRJ, 2000 (tese de doutorado).

MINAS GERAIS. Assembléia Legislativa do Estado de Minas Gerais. *Dicionário biográfico*. Belo Horizonte: Assembléia Legislativa, 1983.

MIRANDA, Luiz Felipe. *Dicionário de cineastas brasileiros*. São Paulo: Art Editora, 1990.

MIRANDA, Maria Augusta Tibiriçá. *Alice Tibiriçá: lutas e idéias*. Rio de Janeiro: PLG Comunicação, 1980.

MONIZ, Heitor. *O Brasil de ontem*. Rio de Janeiro: Livraria Leite Ribeiro, 1928.

MONTEIRO, Antônio. *Notas sobre negro malês na Bahia*. Salvador: Ianamá, 1987.

MONTEIRO, John Manuel. *Negros da terra: índios e bandeirantes nas origens de São Paulo*. São Paulo: Companhia das Letras, 1995.

——. "Os guaranis e a história do Brasil meridional: séculos XVI-XVII", in CUNHA, Manuela Carneiro da (org.), *História dos índios no Brasil*. São Paulo: Companhia das Letras/Secretaria Municipal de Cultura/Fapesp, 1992.

MONTENEGRO, Ana. *Ser ou não ser feminista*. Recife: Guararapes, 1981.

——. *Mulheres — participação nas lutas populares*. Salvador: M&S, 1985.

MONTEZ, Ceila. "Introdução, pesquisa bibliográfica e notas", in ORTA, Teresa Margarida da Silva, *Obra reunida*. Rio de Janeiro: Graphia, 1993.

MORAES, A.J. de Mello. *Brasil histórico*, t.I. Rio de Janeiro: Liv. do Povo, 1867.

MORAES, Fernando. *Olga*. São Paulo: Alfa-Ômega, 1986.

MORAES, Jô. *Rasgando o véu da Belo Horizonte mulher*. Belo Horizonte: Câmara Municipal, 1997.

MOREIRA, Sonia Virginnia & SAROLDI, Luís Carlos. *Rádio Nacional — o Brasil em sintonia*. Rio de Janeiro: Funarte, 1984.

MORICONI, Italo. *Ana Cristina César*. Rio de Janeiro: Relume-Dumará, 1996.

MORLEY, Helena de. *Minha vida de menina*. São Paulo: Companhia das Letras, 1988.

MOTT, Maria Lúcia de Barros. *Submissão e resistência: a mulher na luta contra a escravidão*. São Paulo: Contexto, 1988.

——. "Madame Durocher, modista e parteira", *Estudos Feministas*, vol.2, nº 3. CIEC/UFRJ, 1994.

——. Escritoras negras resgatando nossa história", *Papéis Avulsos*, nº 13, 1989.

——. "Partos, parteiras e parturientes". São Paulo: USP, 1998 (tese de doutorado).

——. Pesquisa para o Calendário Anual do Conselho Estadual da Condição Feminina. São Paulo: 1986.

MOTT, Luiz R.B. *Rosa Egipcíaca: uma santa africana no Brasil*. Rio de Janeiro: Bertrand Brasil, 1993.

——. "Escravidão e homossexualidade", in VAINFAS, Ronaldo (org.), *História e sexualidade no Brasil*. Rio de Janeiro: Graal, 1986.

——. "Uma escrava no Piauí escreve uma carta...", in *Piauí colonial, população, economia e sociedade*. Teresina: Programa Petrônio Portella, 1985.

MOURA, Roberto. *Tia Ciata e a Pequena África no Rio de Janeiro*. Rio de Janeiro: Secretaria Municipal de Cultura, 1995, 2ª ed.

MOURÃO, Ludmila. "A representação social da mulher brasileira na atividade físico-desportiva: da segregação à democratização". Rio de Janeiro: Universidade Gama Filho, 1998 (tese de doutorado).

MOVIMENTO FEMININO PELA ANISTIA — Núcleo do Rio de Janeiro. *Participação político-social da mulher no Brasil (A experiência de 1964)*. Rio de Janeiro: 1978.

MOVIMENTO FEMININO DO PMDB/RS. *Agenda da Mulher 84*. Porto Alegre: Edição do Movimento Feminino do PMDB do Rio Grande do Sul, 1984.

MURARO, Rose Marie. *Memórias de uma mulher impossível*. Rio de Janeiro: Record/Rosa dos Tempos, 1999.

MURCE, Renato. *Bastidores do rádio — fragmentos do rádio de ontem e de hoje*. Rio de Janeiro: Imago, 1976

Museu de Arte Contemporânea da Universidade de São Paulo. *Anita Malfati — catálogo da exposição*. São Paulo: 1977.

——. *In Memorian Yolanda Mohalyi*. Catálogo da exposição. São Paulo:1979.

Museu de Arte Moderna do Rio de Janeiro/Fundação Margareth Mee. *Margareth Mee: vida e herança*. Catálogo da exposição. Rio de Janeiro: 1992.

Museu Nacional de Belas Artes. *Djanira*. Catálogo da exposição. Rio de Janeiro: 1976.

——. *Djanira e a azulejaria contemporânea*. Catálogo da exposição. Rio de Janeiro: 1998.

——. *Zuzu Angel: a força de um anjo*. Catálogo da exposição. Rio de Janeiro: 1996.

MUSUMECI, Leonarda. "Mulheres na Revolta Sebastiana do Rodeador (Bonito, Pernambuco, 1820)". Rio de Janeiro: UFRJ, 1998 (mimeo).

MUZART, Zahidé Lupinacci (org). *Escritoras brasileiras do século XIX*. Florianópolis: Editora Mulheres, 1999.

NABUCO, Carolina. *Oito décadas*. Rio de Janeiro: José Olympio, 1973.

NARCISO, Antonio Roças. *Vidas, aventuras e morte de Lampião e Maria Bonita*. Rio de Janeiro: H. Antunes, 1958.

NASCIMENTO, Alfredo do. *O centenário da Academia Nacional de Medicina no Rio de Janeiro, 1829-1929. Primórdios e evolução da medicina no Brasil*. Rio de Janeiro: Imprensa Nacional, 1929.

——. "Mme. Durocher e a obstetrícia do seu tempo", *Anais da Academia Nacional de Medicina*, t.81 (1915-16). Rio de Janeiro: Imprensa Nacional, 1918.

NAVA, Pedro. *Baú de ossos: memórias*. Rio de Janeiro: José Olympio, 1974.

NAZÁRIO, Diva Nolf. *Voto feminino e feminismo: um ano de feminismo entre nós*. São Paulo: 1923.

NESSER, Herman. "O Paço do Saldanha", *Revista do Instituto Genealógico da Bahia*, nº 7. Bahia: Oficina Tipográfica Manú, 1952.

NEVES, Erivaldo Fagundes. *Uma comunidade sertaneja: da sesmaria ao minifúndio (um estudo de história regional e local)*. Salvador: EDUFBA/Feira de Santana: UESF, 1998.

NICOLA, José. *Literatura brasileira: das origens aos nossos dias*. São Paulo: Scipione, 1994.

NICOLAS, Maria. *Pioneiras do Brasil*. Curitiba: Estado do Paraná, 1977.

NÓBREGA, Cida. & SANTOS, José Félix dos (orgs.). *Maria Bibiana do Espírito Santo, Mãe Senhora: saudade e memória*. Salvador: Corrupio, 2000.

NÓBREGA, Manoel da. *Cartas do Brasil. 1549-1560*. Belo Horizonte: Itatiaia/São Paulo: Edusp, 1988.

NOVAES, Maria Estela. *Os holandeses no Espírito Santo (história e folclore)*. Vitória: Escola Técnica, 1953.

Nova enciclopédia ilustrada. São Paulo: Folha de S.Paulo, 1996.

Nova história da música popular brasileira. São Paulo: Abril Cultural, 1978.

OCTÁVIO, Laura de Oliveira Rodrigo. *Elos de uma corrente*. Rio de Janeiro: Civilização Brasileira, 1994.

OLIVEIRA, Abigail de. *Querida Henriqueta — cartas de Mário de Andrade a Henriqueta Lisboa*. Rio de Janeiro: José Olympio, 1990.

OLIVEIRA, Carmem C. *Trilhas e quintais*. Rio de Janeiro: Rocco, 1998.

——. *Flores raras e banalíssimas: a história de Lota de Macedo Soares e Elizabeth Bishop*. Rio de Janeiro: Rocco, 1995.

OLIVEIRA, Carolina Ribeiro de. *Biografias de personalidades célebres*. São Paulo: Lisa, 1990, 21ª ed.

——. "A mulher paulista em 1932", *Revista do Instituto Histórico e Geográfico de São Paulo*, nº 59. São Paulo: IHGB/SP, 1961.

OLIVEIRA, Eduardo de. *Congresso Nacional Afro-brasileiro*. CNAB.

OLIVEIRA, José Feliciano. *Comemorações do 4º* Centenário do Descobrimento. São Paulo: Espínola Siqueira, 1900.

OLIVEIRA, Nelson Silva de. *Vultos negros na história do Brasil*. Salvador: Cadernos CEAP.

OLIVEIRA, Waldir Freitas. "Os Saldanha da Gama no Brasil", 1985 (mimeo).

OLIVEIRA FILHO, Arthur de & SILVA, Marília T. Barboza da. *Carlota: os tempos idos*. Rio de Janeiro: Funarte, 1983.

O rosto feminino da expansão portuguesa. Congresso Internacional. Actas I e II. Cadernos Condição Feminina nº 43: Comissão para a igualdade e para os direitos das mulheres. Lisboa: Fundação Calouste Gulbenkian/Negócios/Artes Gráficas, 1995.

ORTA, Teresa Margarida da Silva. *Obra reunida*. Rio de Janeiro: Graphia, 1993.

OTT, Carlos. *A Santa Casa de Misericórdia da Cidade do Salvador*. Salvador: Publicações do DPHAN, nº 21, 1960.

——ãã. "Quem construiu o Paço do Saldanha?". Salvador: Suplemento de *A Tarde*.

PACHECO, Renato José Costa. "Notas biográficas". Vitória: 1998 (mimeo).

PAIVA, Manuel de Oliveira. *D. Guidinha do Poço*. São Paulo: Saraiva, 1952.

PAIVA, Salvyano Cavalcanti de. *História ilustrada dos filmes brasileiros (1929-1988)*. Rio de Janeiro: Francisco Alves, 1989.

——. *Viva o rebolado: vida e morte do teatro brasileiro*. Rio de Janeiro: Nova Fronteira, 1961.

PAIXÃO, Sílvia. *A fala-a-menos: a repressão do desejo na poesia feminina*. Rio de Janeiro: Numen, 1991.

PANTER, Johanna. *Imperatriz Leopoldina do Brasil: a contribuição da casa Habsburg-Iothiringen e da cultura austríaca ao desenvolvimento do Brasil durante a monarquia no século XIX*. Petrópolis: Vozes, 1997.

PARAHUM. *José Mariano*. Recife: Dialgraf, 1976.

PARANÁ, Sebastião. "A escola", *Revista do Grêmio dos Professores Públicos do Estado do Paraná*, ano I, nº 1. Curitiba, fev 1906.

PASSOS, Elizete Silva. *O feminismo de Henriqueta Catharino*. Salvador: Fundação Instituto Feminino, 1992.

——. *Mulheres moralmente fortes*. Salvador: Fundação Instituto Feminino da Bahia, 1993.

PATARRA, Judith Lieblich. *Iara: reportagem biográfica*. Rio de Janeiro: Rosa dos Tempos, 1992.

PAUL, Clotilde. "A participação da mulher na Coluna Prestes", in PEREIRA, Maria Aparecida Franco (coord.). *História da mulher na história*. Santos: Leopoldiarum, 1997.

PEIXOTO, Alzira Vargas do Amaral. *Getúlio Vargas, meu pai*. Porto Alegre: Globo, 1960.

PENA, Maria Valéria Juno. "As condições do trabalho feminino na indústria têxtil, 1900-1920", *Anais do IX Encontro Nacional de Economia*, 1981.

——. *Mulheres e trabalhadoras. Presença feminina na constituição do sistema fabril*. Rio de Janeiro: Paz e Terra, 1981.

PENA, Martins. "Folhetins", *Jornal do Commercio*, 1847, 1848.

PENA, Martins & LIMA, Elça Mendonça. "Lutas ilusórias: a mulher na política operária da Primeira República", in BARROSO, Carmen & COSTA, Albertina (orgs.). *Mulher, mulheres*. São Paulo: Cortez/Fundação Carlos Chagas, 1983.

PENALVA, Gastão. *Mulheres: história e fantasia*. Rio de Janeiro: Renascença, 1933.

PEREIRA, Ângelo. *Carlota Joaquina: a rainha intrigante*. Rio de Janeiro: José Olympio, 1949.

PEREIRA, Batista. *Vultos e episódios do Brasil*. São Paulo: Cia. Editora Nacional, 1938. [coleção Brasiliana, vol. 6]

PEREIRA, C. da C. *Traços da vida da poetisa Júlia da Costa*. Florianópolis: FCC, 1982.

PEREIRA, Ivonete. *As decaídas — mulheres e o quotidiano de Florianópolis (1940)*. Florianópolis: UFSC. 1996.

PEREIRA, Maria Aparecida Franco (coord). *História da mulher na história*. Santos: Leopoldiarum, 1997.

PEREIRA, Otacílio A. *O Colégio Pedro II nos últimos dez anos*. Rio de Janeiro: Alba, 1937.

PERRONE-MOISÉS, Beatriz. "Índios livres e índios escravos. Os princípios da legislação indigenista do período colonial (séculos XVI a XVIII)", in CUNHA, Manuela Carneiro da (org.) *História dos índios no Brasil*. São Paulo: Companhia das Letras/Secretaria Municipal da Cultura/Fapesp, 1992.

PIAZZA, Walter F. (org.). *Dicionário político catarinense*. Florianópolis: Assembléia Legislativa de Santa Catarina, 1994, 2ª ed.

PILOTO, Wilfredo. *Um século de poesia*. Curitiba: Centro Paranaense Feminino de Cultura, 1959.

——. "Júlia Wanderley", *Boletim do Instituto Histórico, Geográfico e Etnológico Paranaense*, vol.XXIV. Curitiba: IHGEP/Fundepar, 1974.

——."Uma mulher e tanto", *Boletim do Arquivo Público do Paraná*, ano XIII, nº 23. Curitiba: Departamento Estadual de Arquivo Público, 1988.

PINA, Maria Lígia Madureira. *A mulher na história*. São Paulo: Sedi Hirano: T.A. Queiroz, 1979.

PINAUD, João Luís. *Insurreição negra e justiça: Paty do Alferes, 1838*. Rio de Janeiro: Expressão e Cultura/OAB, 1987.

PINHO, Wanderley. *Salões e damas no segundo reinado*. São Paulo: Martins, 1959, 3ª ed.

PINTO, Orlando da Rocha. *Cronologia da construção do Brasil (1500-1889)*. Lisboa: Horizonte, 1987.

PINTO, Olegário. *Damiana da Cunha*. Rio de Janeiro: Imprensa Nacional, 1925 [folheto produzido para ser distribuído gratuitamente nas escolas primárias do Estado de Goiás].

PIRES, Simeão Ribeiro. *Raízes de Minas*. Montes Claros: [S.l.:s.n.]. (Comp. e Imp. Minas Gráfica Editora de Belo Horizonte), 1979.

PLAISANT, A.; JÚNIOR, R. *Antologia da poesia paranaense*. Curitiba: Mundial, 1938.

POMAR, V. & Melleiro, W. *Rememória — Entrevistas sobre o Brasil do século XX*. São Paulo: Fundação Perseu Abramo, 1997.

PONTES, Elói. *A vida contraditória de Machado de Assis*. Rio de Janeiro: José Olympio, 1939.

PONTUAL, Roberto. *Dicionário das artes plásticas no Brasil*. Rio de Janeiro: Civilização Brasileira, 1969.

PORTINHO, Carmem. *Por toda a minha vida: depoimento a Geraldo Edson de Andrade*. Rio de Janeiro: Eduerj, 1999.

PORTO, Walter Costa. *Dicionário do voto*. São Paulo: Giordano, 1995.

PORTUGAL/BRASIL. Catálogo D. Pedro d'Alcântara de Bragança 1798-1834. 1987.

PRADO, Danda (org.). *Cícera, um destino de mulher*. São Paulo: Brasiliense, 1981.

PRESTES, Maria. *Meu companheiro*. Rio de Janeiro: Rocco, 1992.

PRIORI, Mary Del (org.). *História das mulheres no Brasil*. São Paulo: Contexto, 1997.

——. *Ao sul do corpo: condição feminina, maternidade e mentalidades no Brasil Colônia*. Rio de Janeiro: José Olympio/Brasília: EdUnb, 1993.

——. "Ritos da vida privada", in SOUZA, Laura de Mello (org.) *História da vida privada no Brasil*, vol.1: *Cotidiano e vida privada na América portuguesa*. São Paulo: Companhia das Letras, 1997.

PRÓ-MATRE. *Homenagem a Stella Guerra Duval*. Rio de Janeiro: 1971.

——. *Pequena história de uma grande ação*. Rio de Janeiro: 1986.

PUNTONI, Pedro. "A arte da guerra no Brasil — tecnologia e estratégia militar na expansão da fronteira da América Portuguesa, 1550-1700", *Novos Estudos Cebrap*, nº 53. São Paulo, mar 1999.

QUINTANEIRO, Tania. *Retratos de mulher: o cotidiano feminino no Brasil sob o olhar de viageiros do século XIX*. Petrópolis: Vozes, 1996.

RABELO, Maroquinha. "A mulher" (conferência realizada no Salão dos Empregados do Comércio para a Associação das Senhoras Brasileiras). Rio de Janeiro: agosto de 1922 (folheto).

RAGO, Margareth. "Adeus ao feminismo? Feminismo e (pós) modernidade no Brasil", *Cadernos AEL*, nº 3-4, 1995-96.

RAMINELLI, Ronald. "Eva Tupinambá", in PRIORI, Mari Del (org.). *História das mulheres no Brasil*. São Paulo: Contexto, 1997.

RAMOS, José Tinhorão. *Pequena história da música popular — da modinha ao tropicalismo*. São Paulo: Art Editora, 1986.

RANGEL, Pascoal. *Essa mineiríssima Henriqueta. Um ensaio de interpretação da obra poética de Henriqueta Lisboa*. Belo Horizonte: O Lutador/Instituto Missionários Sacramentinos de Nossa Senhora, 1987.

RÊGO, Neide Barros. Posse de Neide Barros Rêgo na Academia Barbacenense de Letras. Niterói: Laplace, 2000.

REGO, Ida Marinho. *Madeiras de Pernambuco*. Recife: Escola Técnica do Recife, 1946.

REIS, Liana Maria. "A mulher na Inconfidência", *Revista do Departamento de História*, nº 9. Belo Horizonte: UFMG, 1989.

REIS, Joaquim Pereira dos. *Oração Fúnebre que nas exéquias de Sua Majestade Imperial, a Senhora D. Maria Leopoldina... celebradas na vila de Santo Antônio de Sá, no dia 15 de março de 1827*. Rio de Janeiro: Tip. Imperial e Nacional, 1827.

REIS, João José. "O rol dos culpados: notas sobre um documento da rebelião de 1835", *Anais do Arquivo Público do Estado da Bahia*, vol.48, 1985.

——. *Rebelião escrava no Brasil: a história do levante dos Malês: 1835*. São Paulo: Brasiliense, 1987.

RIBEIRO, Francisco Aurélio. *Antologia de escritoras capixabas*. Vitória: Centro de Estudos Gerais/ Departamento de Línguas e Letras/NPLES, 1998.

RIBEIRO, Matilde. "Mulheres negras brasileiras: de Bertioga a Beijing", *Estudos Feministas*, vol.3. nº 2. IFCS/UFRJ — PPCIS/UERJ, 1995.

RIBEIRO, Rita. "Ana Jansen, desconstrução da lenda e reconstrução da personagem". São Paulo: ECA/USP, 1994 (dissertação de mestrado).

——. *Ana Jansen*. Rio de Janeiro: Record, 1998.

RIO DE JANEIRO. Assembléia Legislativa do Estado do Rio de Janeiro. *Deputados Estaduais*

Fluminenses. 4ª legislatura. 1987-1991. Rio de Janeiro: Alerj, 1987.

——. *Deputados Estaduais Fluminenses. 5ª legislatura. 1991-1994*. Rio de Janeiro: Alerj, 1991.

——. *Deputados Estaduais Fluminenses. 6ª legislatura. 1995-1999*. Rio de Janeiro: Alerj, 1999.

ROCHA, Eli Maria. *Nós, as mulheres. Notícia sobre as compositoras brasileiras*. Rio de Janeiro: Rabaço, 1986.

ROCHA, Melchiades da. *Bandoleiros das Caatingas*. Rio de Janeiro: A Noite, 1940.

RODRIGUES, Inês Caminha L. *A revolta de Princesa — poder privado x poder instituído*. São Paulo: Brasiliense, 1981.

RODRIGUES, J. *A mùlher paulista no movimento pró-Constituinte*. São Paulo: Revista dos Tribunais, 1933.

RODRIGUES, João Batista Cascudo. *A mulher brasileira: direitos políticos e civis*. Fortaleza: Imprensa Universitária do Ceará, 1962.

——. Rio de Janeiro: Renes, 1982, 2ª ed.

RODRIGUES, Ozelita Cascudo. *Memorial dos Mossorenses*. Mossoró: Fundação Vingt-un, 1997

ROSADO, Vingt-un. *O motim das mulheres — episódio do Quebra-quilos*. Coleção Mossorense, vol.CLVII, 1981.

RUSSELL-WOOD, A.J.R. *Fidalgos e filantropos. A Santa Casa da Misericórdia da Bahia, 1550-1755*. Brasília: UnB, 1981.

RUY, Affonso. *Solar dos Condes da Ponte*. Salvador: Imprensa Oficial da Bahia, 1963.

RYFF, Beatriz Bandeira. *A Resistência (Anotações do exílio em Belgrado)*. Rio de Janeiro: Ed. Europa.

SABINO, Inês. *Mulheres ilustres do Brasil*. Rio de Janeiro: Garnier, 1899.

SAFFIOTI, Heleieth B. *A mulher na sociedade de classes: mito e realidade*. Petrópolis: Vozes, 1979.

SAINT-HILAIRE, Auguste. *Viagem pelas províncias do Rio de Janeiro e Minas Gerais*. Belo Horizonte: Itatiaia/São Paulo: Edusp, 1975.

SALES, Antônio. *Almanaque do Ceará*. Fortaleza: Gadelha, 1922.

SANT'ANNA, Nuto. *Documentário histórico*. São Paulo: Col. Departamento e Cultura, 1950.

SANTOS, João Bento dos. *Lampião e Maria Bonita: seus crimes, seus amores*. Recife: CEPE, 1980.

SANTOS, Maria Januária Vilela. "A Balaiada e a insurreição de escravos no Maranhão", *Ensaios*, nº 101. São Paulo: Ática, 1983.

SANTOS, Manuel dos. *Calamidades de Pernambuco*. Recife: 1986, 2ª ed.

SANTOS FILHO, L. *História da medicina no Brasil — do século XVI ao XIX*. São Paulo: Brasiliense, 1947.

SÃO PAULO. Assembléia Legislativa do Estado de São Paulo. *Os eleitos do IV centenário. 1554-1954*. São Paulo: Alesp, 1954.

——. *Atividade Parlamentar*. São Paulo: Alesp, 1965.

SARAIVA, José Hermano. *História concisa de Portugal*. Lisboa: Europa-América, 1986, 10ª ed.

SARMENTO, Carlos Eduardo et al. *Palácio Tiradentes: 70 anos de história*. Rio de Janeiro: Alerj/Memória Brasil, 1996.

SCHMIDT, Rita Terezinha. "Delfina Benigna da Cunha", in MUZART, Zahidé Lupinacci (org.). *Escritoras brasileiras do século XIX*. Florianópolis: Ed. Mulheres: Santa Cruz do Sul: Edunisc, 1999.

——. "Rita Barém de Melo", in MUZART, Zahidé Lupinacci. *Escritoras brasileiras do século XIX*. Florianópolis: Ed. Mulheres: Santa Cruz do Sul: Edunisc, 1999.

SCHIMMELPFENG, Gisela Paschen. *A mulher e a Abolição*. Fortaleza: Secretaria de Cultura e Desporto, 1984.

SCHUMAHER, Maria Aparecida. & VARGAS, Elisabeth. "Lugar no governo: álibi ou conquista?", *Estudos Feministas*, vol.1, nº 2. CIEC/ECO/UFRJ, 1993.

SCHMIDT, Rita Teresinha. "Rita Barém de Melo", in MUZART, Zahidé Lupinacci (org.). *Escritoras brasileiras do século XIX*. Florianópolis: Ed. Mulheres; Santa Cruz do Sul: Edunisc, 1999.

SCHWARCZ, Lilia Moritz. *As barbas do Imperador: D. Pedro II, um monarca nos trópicos*. São Paulo: Companhia das Letras, 1998.

—— (org.). *História da vida privada no Brasil*, vol.4: *Contraste da intimidade contemporânea*. São Paulo: Companhia das Letras, 1998.

SECRETARIA ESTADUAL DE MULHERES DO PT. *Mulheres*. Rio de Janeiro: jul 1999.

SENA, Consuelo Pondé de. "Joana Angélica e Maria Quitéria: mártir e heroína baianas", *Neon, Arte, Cultura e Entretenimento*, ano 1, nº 7, jul 1999.

SERRÃO, Joel (dir.). *Dicionário de história de Portugal*. Porto: Figueirinhas, 1985.

SERRANO, Pelayo. "Ainda um assunto feminino", *A Mensageira*, 15.2.1898.

SEVCENKO, Nicolau (org.). *História da vida privada no Brasil*, vol.3: *República: da belle époque à era do rádio*. São Paulo: Companhia das Letras, 1998.

SINDICATO RURAL DE TRABALHADORES DE ALAGOA GRANDE. *Violência Rural e Re-*

forma agrária: um relato de Penha, dirigente do SRT de Alagoa Grande. Alagoa Grande: Colina da Primavera Editora, 1986.

SILVA, Alberto. *A primeira médica do Brasil.* Rio de Janeiro: Pongetti, 1954.

SILVA, Alberto. *A cidade D'El-Rei (aspectos seculares).* Salvador: Diretoria do Arquivo/Divulgação e Estatística da Prefeitura Municipal, 1953.

SILVA, Benedita da. *Nós, mulheres negras.* Brasília: Senado Federal, 1997.

——. "A questão racial e a nova sociedade". Brasília: Câmara dos Deputados, 1992.

SILVA, Carmem. "A pequena rainha triste", *Cláudia*, nº 26, nov 1963.

SILVA, Janine Gomes da. "Tensões, trabalho e sociabilidade: histórias de mulheres em Joinville no século XIX". Florianópolis: Universidade Federal de Santa Catarina, 1997 (dissertação de mestrado).

——. "Visibilidade feminina: as mulheres joinvilenses do século XIX", *Boletim do Arquivo Histórico de Joinville* (AHJ), dez 1995.

SILVA, Joaquim Norberto de Souza e. *Brasileiras célebres.* Brasília: Senado Federal, 1997.

SILVA, Laffayete. "Augusta Candiani", in *Figuras do teatro.* Rio de Janeiro: Liv. Ed. Leite Ribeiro, 1928.

——. *História do teatro brasileiro.* Rio de Janeiro: MEC, 1988.

SILVA. Leonardo Dantas. *A Abolição em Pernambuco.* Recife: FUNDAJ/Massangana, 1988.

——. *A imprensa e a Abolição.* Recife: Fundação Joaquim Nabuco/Massangana; Brasília: CNPq/Comissão de Eventos Históricos, 1988.

SILVA, Lina Gorenstein Ferreira. *Heréticos e impuros: a Inquisição e os cristãos-novos no Rio de Janeiro — século XVIII.* Rio de Janeiro: Secretaria Municipal de Cultura/Departamento Geral de Documentação e Informação Cultural — Divisão de Editoração, 1995.

SILVA, Maria Beatriz Nizza. *História da família no Brasil Colonial.* Rio de Janeiro: Nova Fronteira, 1998.

——. *Vida privada e quotidiano no Brasil na época de D. Maria I e de D. João VI.* Lisboa: Estampa, 1993.

——. "Mulheres brancas no fim do período colonial". In: *O rosto feminino da expansão portuguesa: Congresso Internacional. Actas I e II.* Cadernos Condição Feminina nº 43: Comissão para a igualdade e para os direitos das mulheres. Lisboa: Fundação Calouste Gulbenkian/Negócios/ Artes Gráficas, 1995.

——. "A documentação do desembargo do Paço e a história do Brasil", *Acervo*, 3 (2). Rio de Janeiro, 1989.

SILVA, Odacy de Brito. *Na passarela de sua vida: biografia de D. Zica da Mangueira.* São José dos Campos: Carimbex, 1999.

SILVA, Sueli Braga (coord.). "Os presidentes da República", in *Guia dos acervos privados.* Rio de Janeiro: CPDOC/FGV, 1989.

SILVA, Valentim Benício. "A mulher na evolução do Brasil", *Revista do Instituto Histórico e Geográfico Brasileiro.* Rio de Janeiro: IHGB, jul-set 1951.

SILVADO, Brasil. "Os cegos no Brasil", in *Relatório do Congresso sobre o Instituto Benjamim Constant*, 1902.

SIQUEIRA, Elizabeth Angélica Santos; FERREIRA, Luzilá Gonçalves; DANTAS, Marluce Raposo; PESSOA, Maria Nilda; COSTA, Rachel de Hollanda. *Um discurso feminino possível: pioneiras da imprensa em Pernambuco: (1830-1910).* Recife: Ed. Universitária da UFPE, 1995.

SOARES, Cecília Moreira. "Mulher negra na Bahia no século XIX". Salvador: UFBA, 1994 (dissertação de mestrado).

SOARES, Luís Carlos. *Rameiras, ilhoas, polacas... A prostituição no Rio de Janeiro do século XIX.* Rio de Janeiro: Ática, 1992.

SOARES, Marli Pereira. *Marli Mulher: — Tenho pavor de barata, de polícia não.* Entrevista e texto por Maria Teresa Moraes e Maria Alice Rocha. Rio de Janeiro: Avenir, 1981.

SOARES, Pedro Maia, "Feminismo no Rio Grande do Sul — primeiros apontamentos (1835-1945)". In: BRUSCHINI, C.,& ROSEMBERG, F., *Vivência: história, sexualidade e imagens femininas.* São Paulo: Brasiliense, 1980.

SOBRINHO, J.F. *Dicionário biobliográfico brasileiro.* Rio de Janeiro: Pongetti, 1937.

SOEIRO, Susan. "The social and economic role of the Convent: women and nuns in colonial Bahia, 1677-1800", *The Hispanic American Historical Review*, mai 1974.

SOIHET, Rachel. "Bertha Lutz e a ascensão social da mulher, 1919-1937". Niterói: Universidade Federal Fluminense,1974 (dissertação de mestrado).

SOUTO-MAIOR, Valéria A. *Índice de dramaturgas brasileiras do século XIX.* Florianópolis: Mulheres, 1996.

——. "A intuição feminina do Agitprop no teatro brasileiro em fins do século XIX", *Estudos Feministas*, vol.5, nº 2. Rio de Janeiro: IFCS/UFRJ, 1997.

SOUZA, Antônio Cândido de Melo. *Teresina e seus amigos*. São Paulo: Paz e Terra, 1996.

SOUZA, Bernardino José. *Heroínas bahianas*. Rio de Janeiro: José Olympio, 1936.

SOUZA, Cônego Francisco Bernardino. *Lembranças e curiosidades do Vale do Amazonas*. Belém: Tip. do Futuro, 1873.

SOUZA, George Everton Sales. "Entre o religioso e o político: uma história do círculo operário da Bahia". Salvador: UFBA, 1996 (dissertação de mestrado).

SOUZA, Heloísa Maria Galvão Pinheiro. *Luísa Alzira Teixeira de Vasconcelos — primeira mulher eleita prefeita na América do Sul*. Natal: UFRN/Centro de Ciências Humanas Letras e Artes, 1993.

SOUZA, J. Galante de. *O teatro no Brasil*. Rio de Janeiro: MEC/INL, 1960.

SOUZA, J. Mendonça. *O grande Amazonas: mitologia, história e sociologia*. Manaus: Sérgio Cardoso & Cia., 1950.

SOUZA, Laura de Mello (org.) *História da vida privada no Brasil*, vol.1: *Cotidiano e vida privada na América portuguesa*. São Paulo: Companhia. das Letras, 1997.

——. *Os desclassificados do ouro: a pobreza mineira no século XVIII*. Rio de Janeiro: Graal, 1986.

——. *O diabo na Terra de Santa Cruz. Feitiçaria e religiosidade popular no Brasil Colonial*. São Paulo: Companhia das Letras, 1986.

SOUZA, Paulo Nathanael Pereira. "Vanuire — uma heroína do oeste paulista", *Revista do Arquivo Municipal*, vol.33, nº 181. São Paulo, abr-jun 1970.

SOUZA, Octávio Tarquínio de. *A vida de D. Pedro I*. Rio de Janeiro: José Olympio, 1954.

SOUZA, Simone (coord). *História do Ceará*. Fortaleza: Fundação Demócrito Rocha, 1995, 4ª ed.

SOUZA, Sirley de. "Ecos da resistência na desconstrução da ordem: Uma análise da Revolução de 64 em Joinville". Florianópolis: Universidade Federal de Santa Catarina/CFCH, 1998 (dissertação de mestrado).

STADEN, Hans. *Duas viagens ao Brasil*. Belo Horizonte: Itatiaia/São Paulo: Edusp, 1974.

STUDART, G.C. *Dicionário biobliográfico cearense*. Fortaleza: Imprensa Oficial do Ceará, 1980.

TABAK, Fanny. *A mulher brasileira no Congresso Nacional*. Brasília: Câmara dos Deputados/Centro de Documentação e Informação, 1989.

TABAK, Fanny & TOSCANO, Moema. *Mulher e política*. Rio de Janeiro: Paz e Terra, 1982.

TAPAJÓS, Vicente (org.). *Dicionário biobibliográfico de historiadores, geógrafos e antropólogos brasileiros*. Rio de Janeiro: IHGB, 1991.

TAUNAY, Afonso. *Relatos sertanistas: descoberta do ouro; coleção documentos de época*. São Paulo: Publicações Comemorativas do IV Centenário da Cidade de São Paulo, s.d.

——. *Relatos monçoeiros*. São Paulo: Publicações Comemorativas do IV Centenário da Cidade de São Paulo. São Paulo: Revista dos Tribunais, 1953.

——. *História das bandeiras paulistas*. São Paulo: Melhoramentos, 1953.

TAYLOR, Anne-Christine. "L'americanisme tropical: une frontière fossile de l'ethnologie", in RUPP-EISENREICH, B. *Histoires de l'anthropologie: XVI-XIX siècles*. Paris: Klincksieck, 1984.

TÁVOLA, Artur da. *Nara Leão: o canto da resistência*. Brasília: Câmara dos Deputados, 1999.

TELES, Maria Amélia de Almeida. *Breve história do feminismo no Brasil*. São Paulo: Brasiliense, 1993.

TELLES, Pedro Carlos da Silva. *História da engenharia no Brasil — séculos XVI a XIX*. Rio de Janeiro: Clube de Engenharia, 1984.

TERNES, Apolinário. *História econômica de Joinville*. Joinville: Meyer, 1986.

TESSER, Tereza Cristina. "De passagem pelos estúdios. A presença feminina no início do Rádio no Rio de Janeiro e São Paulo". São Paulo: Ciências da Comunicação/USP, 1994 (dissertação de mestrado).

——. "De passagem pelos estúdios. A presença feminina no início do Rádio no Rio de Janeiro e São Paulo", in PEREIRA, Maria Aparecida Franco (coord.) *História da mulher na história*. Santos: Leopoldinum, 1997.

THEODORO, Helena. *Mito e espiritualidade — mulheres negras*. Rio de Janeiro: Pallas, 1996.

THOMAS COHN ARTE CONTEMPORÂNEA. *Tomie Ohtake*. Catálogo da Exposição. São Paulo: Thomas Cohn Arte Contemporânea, 1987.

TORRES, Lígia. *Damas paulistas*. São Paulo: Tip. Ideal, 1954.

TOSCANO, Moema. "Mulher: trabalho e política — caminhos cruzados do feminismo". Rio de Janeiro: PUC, 1975 (tese de livre docência).

TRINDADE, Etelvina Maria de Castro. "Clotildes ou Maria: mulheres de Curitiba na Primeira República". São Paulo: FFLCH/USP, 1992 (tese de doutorado).

TULARD, Jean. *Dicionário de cinema — os diretores*. Porto Alegre: L&PM, 1996.

UCHÔA, Cláudio. "Virgínia Lane: Getúlio Vargas e Juscelino Kubitschek foram meus amantes", *Caras*, nº 258, 16.10.1998.

UNIVERSIDADE ESTADUAL DO RIO DE JANEIRO. *Nise da Siveira. Dr. Honoris Causa: uma homenagem*. Rio de Janeiro: UERJ, s/d.

VAINFAS, Ronaldo (org). *História e sexualidade no Brasil*. Rio de Janeiro: Graal, 1986.

——. *Trópicos dos pecados. Moral, sexualidade e Inquisição no Brasil*. Rio de Janeiro: Nova Fronteira, 1997.

——. *A heresia dos índios — catolicismo e rebeldia no Brasil Colonial*. São Paulo: Companhia das Letras, 1995.

VALLADARES, Clarival. "Paço do Saldanha", *Cultura*, nº 9. Rio de Janeiro: MEC, mar 1968.

VANIN, Iole Macedo. "Do Patuá ao gengibre: um estudo sobre as atividades femininas em Salvador do século XVII". Salvador: UCSAL, 1998 (monografia).

VARNHAGEN, Francisco Adolpho. *História geral do Brasil: antes da sua separação e Independência de Portugal*. São Paulo: Melhoramentos, 1924, 3ª ed.

——. "Excertos de várias listas de condenados pela Inquisição de Lisboa, desde o ano de 1711 ao de 1763, compreendendo só brasileiros ou colonos estabelecidos no Brasil, *Revista do Instituto Histórico e Geográfico Brasileiro*, t.VII. Rio de Janeiro: IHGB, 1845.

VÁRZEA, Mariana. "Mulheres de bronze". Rio de Janeiro: PUC/ Rio, 1995 (dissertação de mestrado).

VASCONCELOS, Agripa. *Sinhá Braba — Dona Joaquina do Pompeu*. Belo Horizonte: Itatiaia, 1974.

——. *A vida em flor de Dona Beja*. Rio de Janeiro: Pongetti, 1957.

VASCONCELOS, Ary. *Raízes da música popular brasileira*. Rio de Janeiro: Rio Fundo, 1991.

VASCONCELOS, Diogo. *História média de Minas Gerais*. Belo Horizonte: Imprensa Oficial, 1918.

——. *História antiga de Minas Gerais*. Belo Horizonte: Itatiaia, 1974.

VASCONCELOS, Eliane (org). *Carmem Dolores — crônicas 1905-1910*. Rio de Janeiro: Arquivo Público do Estado do Rio de Janeiro, 1998.

VASCONCELOS, Eliane. "Ângela do Amaral Rangel", in MUZART, Zahidé Lupinacci (org.), *Escritoras brasileiras do século XIX*. Florianópolis: Ed. Mulheres/Santa Cruz do Sul: Edunisc, 1999.

——. "Bárbara Heliodora", in MUZART, Zahidé Lupinacci (org.), *Escritoras brasileiras do século XIX*. Florianópolis: Ed. Mulheres/Santa Cruz do Sul: Edunisc, 1999.

——. "Joana Paula Manso de Noronha", in MUZART, Zahidé Lupinacci (org.), *Escritoras brasileiras do século XIX*. Florianópolis: Ed. Mulheres/Santa Cruz do Sul: Edunisc, 1999.

——. "Rita Joana de Souza", in MUZART, Zahidé Lupinacci (org.), *Escritoras brasileiras do século XIX*. Florianópolis: Ed. Mulheres/Santa Cruz do Sul: Edunisc, 1999.

——. "Violante de Bivar e Velasco", in MUZART, Zahidé Lupinacci. *Escritoras brasileiras do século XIX*. Florianópolis: Ed. Mulheres/Santa Cruz do Sul: Edunisc, 1999.

VAZ, Maria Luísa Albiero. *Mulheres de elite: conciliação e resistência (1890-1930)*. São Paulo: FFLCH/USP, 1995 (dissertação de mestrado).

VEIGA, Eliane V. da *Florianópolis — memória urbana*. Florianópolis: Ed. UFSC/Fundação Flanklin Cascaes, 1993.

VELLOSO, Dario. "Esmerilhos. A literatura no Paraná", *Revista Club Coritibano*, ano VII. Curitiba: Tip. 19 de dezembro, 15 de junho de 1896.

VERGER, Pierre. *Artigos*, t.I. São Paulo: Corrupio, 1992.

——. *Bori: primeira cerimônia de iniciação ao culto dos òrìsà nàgó na Bahia*. São Paulo: Ágora, 1981.

VIANA, Lúcia Helena. *Clarice e o lugar de autor*. Niterói: Cadernos de Letras — UFF/CEG/Instituto de Letras, nº 8, A mulher na literatura, vol.II.

VIANA FILHO, Luis. *A vida do barão de Rio Branco*, Rio de Janeiro: José Olympio, 1988, 6ª ed.

VIANNA, Hélio. "A educação no Brasil colonial", *Revista Brasileira de Estudos Pedagógicos*, vol.VI, nº 18. Rio de Janeiro, dez 1945.

VIANNA, Marly (org.). *Pão, terra e liberdade*. Memória do Movimento Comunista de 1935. Rio de Janeiro: Arquivo Nacional/São Carlos: Universidade Federal de São Carlos, 1995.

VIEIRA, Míriam Steffen. "Atuação literária de escritoras no Rio Grande do Sul: um estudo do periódico *Corymbo*, 1885-1925". Porto Alegre: UFRGS, 1997 (dissertação de mestrado).

VIDAL, Frederico Gavazzo Perry. *Genealogias Reaes Portuguesas: descendência de Sua Magestade El-Rei o senhor D. João VI*. Lisboa: Guimarães e Cia. Editores, 1923.

VIDAL, Olmio Barros. *Precursoras brasileiras*. Rio de Janeiro: A Noite, 1953.

VIOTTI, Sérgio. *Dulcina: primeiros tempos*. Rio de Janeiro: Fundação Nacional de Artes Cênicas, 1988.

WAHRLICH, Beatriz. *Reforma administrativa na era Vargas*. Rio de Janeiro: Ed. da FGV, 1983.

WALKER, Daniel. *Maria de Araújo, a beata do milagre de Juazeiro*. Juazeiro do Norte: IPESC, 1996.

WANTUIL, Zêus (org.). *Grandes espíritas do Brasil*. Federação Espírita Brasileira. 1969.

WANDERLEY, Júlia. *Homenagem de seus colegas, amigos e admiradores*. Curitiba: João Haupt & Cia., 5.5.1908.

WEHLING, Arno; WEHLING & Maria José. *Formação do Brasil Colonial*. Rio de Janeiro: Nova Fronteira, 1994.

WELLS, James W. *Explorando e viajando, três mil milhas através do Brasil — do Rio de Janeiro ao Maranhão ao Maranhão*. Belo Horizonte, Fundação João Pinheiro/Centro de Estudos históricos e Culturais, 1995.

WERNECK, Américo. *A heroína da Inconfidência*. Cidade de Minas: Imprensa Oficial do Estado de Minas Gerais, 1900.

WERNECK, Maria. *Sala 4: primeira prisão política feminina*. Rio de Janeiro: Centro de Estudos e Solidariedade Amilcar Cabral/Centro de Estudos e Solidariedade Amilcar Cabral, 1990.

WOLFF, Cristina Scheibe. "Cotidiano e trabalho das mulheres de Blumenau, 1850-1900". São Paulo: USP, 1991 (dissertação de mestrado).

XAVIER, Elódia. *Declínio do patriarcado: a família no imaginário feminino*. Rio de Janeiro: Rosa dos Tempos, 1998.

XEXÉO, Arthur. *Janete Clair: a usineira de sonhos*. Rio de Janeiro: Rosa dos Tempos, 1997.

Fontes primárias

Acervo da Casa de Cultura Heloísa Alberto Torres / Itaboraí (RJ); Acervo da Interfashion, Assessoria, Eventos e Marketing (RJ); Acervo do Museu do Índio (RJ); Acervo do PROEDES/FE/UFRJ (RJ); Acervo do Instituto de Filosofia e Ciências Sociais (IFCS/RJ); Arquivo da Academia Brasileira de Letras (RJ); Arquivo da Associação de Canto Coral (RJ); Arquivo da Biblioteca da Faculdade de Direito do Recife (PE); Arquivo da Câmara de Vereadores de Belo Horizonte (MG); Arquivo da Fundação Santos Dumont (RJ); Arquivo da Pró-Matre (RJ); Arquivo da Rede de Informação Um Outro Olhar (SP); Arquivo do Centro de Informação da Mulher (CIM/SP); Arquivo do Conselho Estadual da Mulher de Minas Gerais; Arquivo do Conselho Municipal da Condição Feminina (MG); Arquivo do DCP/GEPEM/UFPA, Belém (PA); Arquivo do Hospital do Câncer (SP); Arquivo do Instituto Benjamim Constant (RJ); Arquivo do Instituto Biológico de São Paulo; Arquivo do Instituto Cultural Boanerges Sena, ICBS, Santarém (PA); Arquivo do Movimento Articulado de Mulheres da Amazônia, Manaus (RJ); Arquivo do Senado Federal, Brasília (DF); Arquivo FBPF — Federação Brasileira pelo Progresso Feminino / Fundo Bertha Lutz, Arquivo Nacional; Arquivo Folclórico da Discoteca Pública Municipal (SP); Arquivo Histórico Ultramarino (MA); Arquivo Mário Peixoto (RJ); Arquivo Nuta Bartlet James / Escola Estadual Nuta Bartlet James, Nilópolis (RJ); Arquivo Privado Ana Montenegro. Salvador (BA); Arquivo Privado da Família de Maria Augusta Generoso Estrella (RJ); Arquivo Privado da Família de Maria José de Castro Rebello Mendes (RJ); Arquivo Privado da família de Carolina Nabuco (RJ); Arquivo Particular de Albertina R. Figueiredo Barbosa. Salvador; Arquivo Privado de Paulo Resende. Rio de Janeiro; Arquivo Público do Pará; Atas da Associação de Proteção e Combate ao Câncer, cx.2, docs. nº 130, 332, 499, 500, 1134 e 1135 / Arquivo Histórico Ultramarino, Lisboa; CEDOC/REDE GLOBO (RJ); Centro Cultural Laura Alvim (RJ), Clube de Engenharia, *Almanaque dos Sócios,* Rio de Janeiro, 1970; Coleção Antonieta Campos da Paz, Arquivo do Movimento Operário do Rio de Janeiro, IFCS/UFRJ; Corpo Chronológico I, maço 96, doc.74, Arquivo Nacional da Torre do Tombo, Lisboa; Corpo Chronológico III, Arquivo Nacional da Torre do Tombo, Lisboa; Curriculum-vitae de Ada Rogato, Ana Montenegro, Bertha Leitchic, Dulce Braga, Esther de Figueiredo Ferraz, Eunice Weaver, Eva Blay, Fanny Tabak, Heleieth Saffioti, Niède Guidon e Victória Rosseti; "Debate sobre o requerimento de Felisbela Agueda de Oliveira", *Revista Americana*; nº 3, 1910; Dossiê Bidu Sayão. Biblioteca do IBAC (RJ); Dossiê Virgínia Lane. Biblioteca do IBAC (RJ); Encarte produzido pelos correios. Homenagem às mulheres aviadoras pioneiras da aviação no Brasil; Fundo Bertha Lutz. Pasta 'Federação Brasileira pelo Progresso Feminino', FBPF, cx.2, 6, 10 a 13, 23, Arquivo Nacional (RJ); Inquisição de Lisboa, Processo de Lourença Coutinho, Arquivo Nacional da Torre do Tombo, processo nº 3 458, Lisboa; Instituto Feminino da Bahia, Pasta Maroquinha Rabello, Salvador (BA); Instituto Memória do Poder Legislativo do Mato Grosso. Anais da Câmara Municipal de Cuiabá; Inventário de Sofia Jobim Magno de Carvalho. Museu Histórico Nacional / Fundação Pró-Memória / Divisão de Documentação, Rio de Janeiro (RJ); Inventário dos Documentos Relativos ao Brasil, existentes no Arquivo da Marinha e Ultramar de Lisboa, Arquivo Histórico Ultramarino, docs. nº 660/661, Lisboa; Inventário pós-mortem de Guilherme Mário Salusse. Friburgo, 1875 (RJ); Livro de Denunciações, 1618; LOPES, Afonso; OLIVENÇA, Vasco; TEOFILO OTONI, J., *A Lenda de Luciana Teixeira*. Extrato retirado de um livro encontrado dentro do Livro de Tombo da Igreja Matriz de Araçuaí, s/d [material bibliográfico enviado pela Secretaria de Cultura do Município de Araçuaí]; LUTZ, Bertha. *Carta a J.B. Cascudo*, 4 de abril de 1963, in RODRIGUES, J.B. Cascudo. *A mulher brasileira: direitos políticos e civis*. Rio de Janeiro: Renes, 1982; Mulheres sem medo do poder: Chegou a nossa vez. Cartilha para mulheres candidatas a vereadoras. Rio de Janeiro: IPEA-DIPES, 1996; Papéis do Brasil, códs.11, — fl.1, 16/29. Arquivo Nacional da Torre do Tombo, Lisboa; Pasta Almerinda Farias Gama, CPDOC/FGV. Rio de Janeiro; Processo de Margarida da Costa. Arquivo Nacional da Torre do Tombo, processo nº 17065, Lisboa; Projeto de Lei n º 413 de 1989 da Assembléia Legislativa do Estado de São Paulo; Prontuário Dulce Braga, Assembléia Legislativa do Estado de São Paulo; Registro de Sociedades Civis, 1º Ofício de Títulos e Documentos, Arquivo Nacional (RJ); Relatórios das Federações Estaduais pelo Progresso Feminino, Fundo Bertha Lutz, Arquivo Nacional (RJ); Seção de Comunicação Social da Justiça Federal (RJ); Setor de Documentação e Pesquisa da Assembléia Legislativa do Estado do Rio Grande do Sul; *Os três testemunhos do Descobrimento do Brasil*, org. Paulo Roberto Pereira. Rio de Janeiro: Lacerda, 1999.

Periódicos

Acervo; A Família; Almanaque de Sócios do Clube de Engenharia; A Mensageira; Anais da Fundação Santos Dumont; Anais do Arquivo do Estado da Bahia; A Noite; A Província do Pará; A Rua; A Tarde; Boletim, órgão da Federação Brasileira pelo Progresso Feminino; Boletim Informativo do Arquivo Histórico de Joinville; Brasil Nuclear; Cadernos AEL; Cadernos Pagu; Caras; Ceará Ilustrado; Cinearte; Ciência Hoje; Cláudia; Correio da Bahia; Correio da Manhã; Correio do Povo; Correio Popular; Diário da Bahia; Diário de Minas; Diário de Notícias; Diário Oficial da União; Diário Oficial do Estado de Pernambuco; Domingo; Ecologia e Desenvolvimento; Escrínio; Estado de Minas; Estado de São Paulo; Estudos Feministas; Estudos Históricos; Família Cristã; FÊMEA; Filme, Cultura; Folha da Manhã; Folha de Goiaz; Folha de S. Paulo; Fon-fon; Gazeta Mercantil; Ilustração Brasileira; Imprensa; Imprensa Popular; Impressões; Isto É; Jornal AN Capital; Jornal da Bahia; Jornal de Minas; Jornal de Brasília; Jornal do Brasil; Jornal do Clube de Engenharia; Jornal do Comércio; Jornal do Commercio; Jornal Mulherio; Jornal Unitário Esportivo; Kalunga; Kolonie-Keitung; La Nación; Legião de Maria; Manchete; Momento Feminino; Mulher; Opinião Feminina Organizada; Naturalismo; Nova Era; O Cruzeiro; O Dia; O Jornal; O Liberal; O Momento; O Globo; Pattápio; Plenária, o Parlamento em Revista; Porantim; Programa; República; Revista das Mães e do Lar; Revista de História; Revista do Arquivo Público do Estado de Pernambuco; Revista do Instituto Histórico do Ceará; Revista do Instituto Histórico e Geográfico Brasileiro; Revista do Instituto Histórico e Geográfico de São Paulo; Revista do Instituto Histórico e Geográfico do Rio Grande do Sul; Revista em Direito; Revista Praga; Revista Presença de Mulher; Tennis View; Teoria & Debate; Trabalhadores; Veja; Veja Rio; Visão; Viva a Música!; Tribuna da Bahia; Tribuna da Imprensa; Última Hora; Zero Hora.

Gostaríamos de agradecer às seguinte instituições pelas contribuições recebidas:

Agência O Globo; Arquivo Edgard Leuenroth/Unicamp; Arquivo Folclórico da Discoteca Pública Municipal de São Paulo; Arquivo Histórico de Joinville/SC; Arquivo Mário Peixoto/RJ; Arquivo Nacional; Axé Opô Afonjá; Banco de Dados/USP; Biblioteca Nacional; Casa da FEB/RJ; Cemina/Centro de Projetos da Mulher; Centro de Ciências e Letras de Campinas; Centro de Estudos Afro-Orientais/Ceao (BA); Centro de Letras de Curitiba; Centro de Letras do Paraná; Conselho Estadual dos Direitos da Mulher (CEDIM/RJ); Criola; CTC/Universidade do Estado do Rio de Janeiro (UERJ); Edições Paulinas; Faculdade de Medicina da UFBA; Federação das Bandeirantes do Brasil/RJ; Funarte; Fundação Anita Garibaldi, Laguna/SC; Fundação Franklin Cascais/SC; CpDoc/Fundação Getulio Vargas; Fundação Heinrich Böll; Fundação Museu do Homem Americano/PI; Fundação Raimundo de Castro Maia; Instituto Benjamin Constant/RJ; Instituto de Estudos Brasileiros/USP; Instituto do Patrimônio Histórico e Artístico Nacional (IPHAN); Instituto Feminino da Bahia; Instituto Histórico e Geográfico Brasileiro; Instituto Vital Brazil/RJ; Instituo Zuzu Angel/RJ; Mama Cash; Museu Afro-Brasileiro; Museu Casa da Hera; Museu da Imagem e do Som do Ceará; Museu de Diamantina; Museu do Índio; Museu Histórico Nacional; Museu Municipal de Mossoró; Museu Nacional de Belas Artes/RJ; Sociedade Brasileira para o Progresso da Ciência (SBPC); Transas do Corpo; Unifem

ÍNDICE CRONOLÓGICO

Para indexar os nomes cronologicamente, o critério adotado foi o do século de nascimento

SÉCULO XX

Acácia Brazil de Mello (1920-)
Ada Rogato (1920-86)
Adalgisa Néri (1905-80)
Adalgisa Rodrigues Cavalcanti (1907-98)
Adalzira Bittencourt (1904-76)
Adélia de Oliveira Rosa (1908-?)
Adélia Prado (1935-)
Ademilde Fonseca (1921-)
Aída de Medeiros Pullin (1922-)
Aída dos Santos (1937-)
Alaíde Borba (?)
Alaíde Lisboa de Oliveira (1905-)
Alceri Maria Gomes da Silva (1943-70)
Alice Piffer Canabrava (1911-)
Alzira Alves Campos (c.1911-)
Alzira Grabois (1917-99)
Alzira Vargas (1914-92)
Amália Schkolnik (?-1932-)
Amélia Molina Bastos (?)
Ana Cristina César (1952-83)
Ana de Moraes Burchard (?)
Ana Maria Couto (1925-71)
Ana Maria Nacinovic Corrêa (1947-72)
Ana Montenegro (1915-)
Ana Rosa Kucinski Silva (1942-74)
Anaíde Beiriz (1905-30)
Anatália de Sousa Alves Melo (1945-73)
Anésia Pinheiro Machado (1904-99)
Ângela Borba (1953-98)
Ângela Maria (1928-?)
Angelina Gonçalves (?-1950)
Anísia Ferreira Campos (?)
Antonieta de Barros (1901-52)
Antonieta Penteado da Silva Prado (?)
Araci Cortes (1906-85)
Araci de Almeida (1914-88)
Arcelina Mochel (1918-74)
Armelinda Bedin (?)
Áurea Elisa Pereira Valadão (1950-74)
Aurora Maria do Nascimento Furtado (1946-72)
Beatriz Bandeira Ryff (1909-)
Beatriz M. de Sousa Wahrlich (1915-)
Benedita da Silva (1942-)
Berta Leitchic (1912-)
Beth Lobo (1943-91)
Bibi Ferreira (1924-)
Bidu Sayão (1906-99)
Branca Canto e Melo (?)

Cacilda Becker (1921-69)
Caetana Martini (?)
Carmélia Alves (1929-)
Carmem Costa (1920)
Carmem da Silva (1919-85)
Carmem Edwiges Savietto (1922-56)
Carmem Miranda (1909-55)
Carmem Portinho (1903-)
Carmem Prudente (1912-)
Carmem Santos (1904-52)
Carolina Maria de Jesus (1914-77)
Carolina Martuscelli Bori (1924-)
Catarina Laudsberg (c.1910-?)
Cecília Meireles (1901-64)
Cida Kopcak (1946-92)
Clara Charf (1925-)
Clara Nunes (1943-83)
Clara Perelberg Steinberg (1924-)
Clarice Lispector (1925-77)
Clementina de Jesus (1902-87)
Cleo de Verberena (1900-72)
Cleofe Person de Matos (1913-)

Dadá (1915-94)
Dalva de Oliveira (1917-92)
Derci Gonçalves (1907-)
Diacuí (?-1953)
Dina Sfat (1938-88)
Dinaelza Soares Santana Coqueiro (1949-74)
Dinah Silveira de Queirós (1917-82)
Dinalva Oliveira Teixeira (1945-74)
Dinorá de Carvalho (1905-80)
Dircinha Batista (1922-99)
Diva Nolf Nazário (?)
Djanira (1914-79)

SÉCULO XIX

SÉCULO XVIII

Margarida Joaquina de Sousa (c.1758-?)
Maria Angola (?)
Maria Bárbara (?)
Maria Caetana da Assunção (?)
Maria da Cruz (?)
Maria de Lima Barbosa (?)
Maria de Lima das Mercês (1800-?)
Maria do Sacramento (?-1760)
Maria dos Prazeres (?)
Maria Ferreira (?)
Maria Graham (1785-1842)
Maria Joana de Azevedo (?)
Maria Leonor Antônia do Salvador (?)
Maria Moreira (?)
Maria Quitéria (1792-1853)
Mariana da Silveira (?)
Marília de Dirceu (1767-1853)
Marquesa de Santos (1797-1867)
Marta (?)
Marta Alonso V. A. de Castro Abranches (c.1800-55)
Matilde (?)
Micaela (?)

Narcisa Ribeiro (?)

Páscoa (?)
Páscoa do Espírito Santo (?)
Paula do Rosário (?)

Quitéria Marques (?)

Romana (?)
Rosa Dias Moreira (?)
Rosa Maria Egipcíaca da Vera Cruz (1719-?)

Sabina (c.1726-?)

Teresa do Quariterê (?)
Teresa Joaquina Caldeira Brant (?)
Teresa Margarida da Silva e Orta (1711-93)

Úrsula das Virgens (1734-?)
Úrsula de Bezerra (?)
Úrsula Luísa de Montserrate (?)

Vitória da Conceição (?)

Século XVII

Adriana de Oliveira Ledo (?)
Ana de Faria e Sousa (?-1711)
Ana de Oliveira (?)
Ana de Pernambuco (?)
Ana de Sande (?)
Ana Machado de Lima (?)
Ana Maria da Silveira (?)
Ana Paes d'Altro (1605-?)
Ana Tobajara (?)
Ana Bastarda (?)
Ângela do Vale de Mesquita (c.1688-?)
Antônia (?)
Aqualtune (?)
Aurora (c.1673-?)

Brites de Lucena (?)

Catarina Albuquerque (?)
Catarina Camacho (?)
Catarina do Monte Sinai (c.1680-1758)
Cecília Barbalho (1618-?)
Chica Homem (?)
Clara Felipa Camarão (?)
Constância Dias (?)
Cosma Tavares Leitão (?)

Domingas Mamaluca (?)

Felipa de Melo e Albuquerque (?)
Felipa de Meneses (?)
Francisca de Sande (?-1702)
Francisca Roiz (?)

Grácia de Abreu (?)

Helena do Vale (?)

Inês Rodrigues de Morais (c.1630-?)
Isabel (?)
Isabel (?)
Isabel (?)
Isabel de Moura (?)
Isabel de Pina (?)
Isabel Maria Guedes de Brito (?-1733)

Joana da Silva Guedes de Brito (c.1690-1762)
Joana de Siqueira (?)
Joana do Prado (?)
Joana Gomes de Gusmão (1688-1780)
Juliana (?)
Juliana de Almeida Calmon (?)

Leonor de Camargo Cabral (?-1652)
Leonor de Siqueira (?)
Lourença Coutinho (1679-c.1757)
Lourença Tavares de Holanda (?)
Luísa da Silva Soares (?)
Luzia Leme (?)

Maria (?)
Maria (?)
Maria de Mariz (?)
Maria de Sousa (?)
Maria Diaz Ferraz do Amaral (?)
Maria Garcia Betimk (1642-91)
Maria Pessoa (?)
Maria Tomásia (?)
Maria Úrsula de Abreu e Lencastre (1682-?)
Mariana Pinto (?)
Mência de Moura (?)
Mônica e Felipa (?)

Potira (?-1698)

Rita Joana de Sousa (1696-1719)
Rosa Maria de Siqueira (1690-?)

Sancha Coutinho (1615-46)
Sebastiana de Albuquerque (?)

Taba Abaetê (?)

Úrsula (?)
Úrsula Dias (?)

Vitória de Sá (?-1667)

SÉCULO XVI

Adriana de Holanda (c.1540-1640)
Ana Barroso (?)
Ana de Paiva (?)
Ana Pimentel (?)
Ana Roiz (?)
Andresa Dias (?)
Ângela Rodrigues (?)
Antônia Fernandes, a Nóbrega (?)
Antônia Rodrigues (?)
Apolônia (?-1601)
Apolônia de Góis (?)

Bartira (?)
Beatriz Dias (?)
Branca (?)
Branca (?)
Branca Dias (?)
Brígida (?)
Brites de Carvalho (?)
Brites Mendes de Albuquerque (?-1684)
Brites Mendes de Vasconcelos (c.1530-c.1620)

Catarina de Almeida (?)
Catarina de Andrade e Aguilar (?)
Catarina de Bittencourt (c.1580-?)
Catarina de Lemos (c.1590-?)
Catarina Fróis (?)
Catarina Paraguaçu (c.1503-83)
Clemência Dória (c.1535-?)

Felipa de Melo (?)
Felipa de Sá (?)
Felipa de Sousa (?1556-?)
Francisca da Costa (?)
Francisca Luís (c.1550-?)

Guimar Pisçara (c.1557-?)

Hilária Luís (?)

Iguaçu (?)
Inês da Silva (?)
Inês de Sousa (?)
Inês Monteiro de Alvarenga (1588-?)
Ingaí (?-1535)
Isabel (?)
Isabel Dias (?)
Isabel Gomes (?)
Isabel Leitão (?)
Isabel Rodrigues (?)
Isabel Soares (?)

Jerônima de Góis (?)
Joana Barbosa Lobo (?)

Leonor Leme (?-1633)
Leonor Soares (?)
Luísa d'Almeida (?)
Luísa Grimaldi (1551-1636)

Madalena Caramuru (?)
Madalena Pimentel (c.1545-?)
Madalena Pimentel (c.1545-?)
Mãe Benta (?-1581)
Margarida da Costa (?)
Maria Barbosa (?)
Maria da Silva Gonçalves (?)
Maria de Lucena (c.1563-?)
Maria de Reboredo (?)
Maria do Espírito Santo Arco-Verde (?)
Maria Gonçalves Cajado (?)
Maria Lourenço (?)
Maria Ortiz (?)
Maria Rangel (?)
Maria Rosa (?)
Maria Sanabria (?)
Marquesa Ferreira (?)
Marta (?)
Marta de Sousa Lobo (?)
Marta Fernandes (?)
Mécia Lobo de Mendonça (?)
Mência Calderón de Sanabria (?)
Mícia de Lemos (?)
Moema (?)

Paula de Sequeira (c.1551-?)
Potira (?-1567)

Terebê (?)

Violante de Eça (?-1602)
Violante de Távora (?)

CRÉDITOS ICONOGRÁFICOS

AGÊNCIAS

O Globo: G4, H5, I2, I5, I7, J1, L2, L16, M4, M8, M12, M14, M35, N13, N14, R5, R7; Prensa Três: D5; USP: C2, J12 (fotos Oswaldo José dos Santos)

ACERVOS E ARQUIVOS PÚBLICOS

CEDOC/Funarte: B4, B10, C4, C15, C19, C23, E4, E10, L1, N10; CPDOC/Fundação Getulio Vargas: A13; Correio da Manhã/Arquivo Nacional: A1, A2, A19, A22, A25, B1, B8, B9, C5, C7, C11, C12, C13, C14, C18, D1, D3, D4, D6, D7, D11, E1, E6, F1, F8, F13, F16, F17, F18, F19, G2, G3, G5, H4, H7, J8, J14, L6, L8, L11, L12, L20, M6, M13, M15, N6, N11, N12, N15, O1, R1, R8, S3, T3, V2, Z1, Z3; Departamento de Comunicação do Estado do Amapá: M25 (tela de R. Peixe); Biblioteca Nacional: E3, J4, J10, J11, N19, T4, V1 (Divisão de Obras Raras), N7, N8, N9; Fundação Magda Tagliaferro: M10; Instituto Histórico e Geográfico Brasileiro (IHGB): A5, A6, C8, C24, D2, E8, F12, J2, L9 (*Mulheres brasileiras*, Galeria da Fundação Osório, s/d), O3 (*Mulheres brasileiras*, Galeria da Fundação Osório, s/d), P6 (foto Pierre Petit, Paris), T1 (foto J. Insley Pacheco), V3 (*Antonio Prado no Império e na República*, de Nazareth Prado, Rio de Janeiro: F. Briguiet, 1929); Instituto do Patrimônio Histórico e Artístico Nacional (IPHAN): C3, E12 (foto Carolus Duran), N20, N21, N22; Museus Castro Maya/IPHAN/MinC: A16 (óleo de João Francisco Muzzi), C22, E5, L15, N1, N2, N3, N4, S1 (Aquarelas de Jean Baptiste Debret); Museu da Imagem e do Som (SP): P4 (foto Irmãos de Los Rios); Museu Henriqueta Catharino/Fundação Instituto Feminino da Bahia: H1, H2; Museu Histórico Nacional: M21; Museu Nacional de Belas Artes (RJ): N5 (óleo de Eliseu D'Angelo Visconti); Museu Paulista: M1 (óleo de Failutti)

ACERVOS E ARQUIVOS PARTICULARES

Adele Lynch: B5, J5, J6; Acervo do Ilê Ohum Lailai "Casa das coisas antigas", do Axé Opô Afonjá: M36; Alzira Soriano: A12; Anna Guerra Duval: S2; Berta Leitchic: B3; Carmem Portinho: C17, F9, F10, M27, O5; Cláudia Ferreira: B6, H3 (fotos Cláudia Ferreira); Cláudio Manuel Nabuco: C1; Convento de Santa Teresa: J7; Dionysa Brandão Rocha: L7; Dona Zica: N16, Z4; Eduardo Lerina: A24, M34; Eunice Gutman: C6; Família Generoso Estrella: M5; Flávio Marinho Rego: I1; Heleieth Saffioti: H6; Heloneida Studart: H8; Isabelle Orléans e Bragança: P7; Irene Lupion de Moura Brito: M16; José Joffily: A23; Léa Campos: L4; Leda Emery de Carvalho Batista: E7; Lígia Lessa Bastos: L3; Madalena Guilhon: F4 (foto Ronaldo Monteiro), F5 (foto Tatiana Constant), F14 (foto Cláudia Ferreira); Maria Augusta Tibiriçá Miranda: A3, M30; Maria do Carmo Nabuco: M26; Maria L.M. Pina: E11, Q10; Maria Lenk: M11; Maria Marina da Silva: M33 (foto J. Dias); Maria Teresa de Barros Camargo: M3, M32; Marta Rocha: M18; Marta Rossetti Batista: A11 (foto Guilherme Malfati); Ruth Escobar: R6 (foto Vânia Toledo); Teresa Novaes: B7; Vanda Lacerda: E9; Wanderley Pinho: B11; Yara Vaz: Y5; Yolanda Pinheiro de Vasconcelos Gladulich: M24; Zélia Gattai: M20; Zuleika Alambert, Z2 (foto Dario de Freitas)

LIVROS E PERIÓDICOS

Revista *O Escrínio*: A7, A18, C10, C21, D8, E2, F15, L13, P1, P8, R4; Revista *Paratodos*: P5; Revista *Presença da Mulher* (São Paulo: Editora Liberdade Mulher, nº 21, out-dez 1991/jan 1992): N17; *A mulher paulista na história,* de Adalzira Bittencourt (Rio de Janeiro: Livros de Portugal, 1954): A14, A15, A17, B2, C20, F2, I3, J9, O4; *Antigüidades brasileiras,* de Paulo Affonso de Carvalho Machado (José Álvaro Editor, 1965): L10; *Índios do Brasil – Norte do rio Amazonas, vol.3,* de Cândido M. da Silva Rondon (Ministério da Agricultura/Conselho Nacional de Proteção aos Índios, 1955): I9, I10, I11 (fotos José Louro), I8 (Comissão Rondon); *Mulheres ilustres do Brasil,* de Inês Sabino (Rio de Janeiro: Garnier, 1899): A4, C9, I4, N18, R2; *Padre Cícero: mito e realidade,* de Otacílio Anselmo (Rio de Janeiro: Civilização Brasileira, 1968): M19; *Maria Quitéria,* de Pereira Reis Jr., (Rio de Janeiro: MEC/Serviço de Documentação, 1953): M2; *Vida breve de Auta de Souza 1876-1901,* de Luís da Câmara Cascudo (s/ed., 1961): A21

Todos os esforços foram feitos no sentido de localizar e contactar os detentores dos direitos das imagens aqui reproduzidas. As organizações Arte Sem Fronteiras Produções e Rede de Desenvolvimento Humano (Redeh) terão prazer em providenciar eventuais correções.

Este livro foi composto por Textos & Formas, em Times New Roman e Helvética, e impresso por Hamburg Donnelley Gráfica Editora.